Vorwort

Der Zweck dieses Buches ist, wie bereits bei der ersten Ausgabe, dem Studienanfänger eine Auswahl von sorgfältig gelösten Aufgaben aus der Differential- und Integralrechnung zu geben. Das Buch wird auch Naturwissenschaftlern und Ingenieuren, die ihre Kenntnisse über die grundlegende Theorie und die entsprechenden Anwendungen auffrischen wollen, von Nutzen sein. Da diese Ausgabe auch Beweise der Sätze, Herleitung der Differentiations- und Integrationsregeln und viele ergänzende Aufgaben bringt, kann sie auch als Vorlage für eine Grundvorlesung benutzt werden.

Der Aufbau des Buches ist im wesentlichen der der vorhergehenden Ausgabe. Jedes Kapitel beginnt mit den entsprechenden Definitionen, den Rechenregeln und den dazugehörenden Sätzen. Die Beispiele und die Aufgaben mit Lösungen, die sich dann anschließen, sind nicht nur ausgewählt worden, um die Theorie auszubauen, sondern um den Leser auch in der Formulierung und dem Lösen von mathematischen Problemen zu üben, um die Grundbegriffe zu wiederholen, was für ein sinnvolles Studium wichtig ist, um Schwierigkeiten vorwegzunehmen, die der Anfänger im allgemeinen hat, und um die weiten Anwendungsmöglichkeiten der Differential- und Integralrechnung zu illustrieren. In den Aufgaben mit Lösungen werden auch viele Beweise und Herleitungen von grundlegenden Ergebnissen gebracht. Will man das Buch sinnvoll benutzen, als Grundlage oder zur Ergänzung, so darf man nicht nur die eine oder die andere Aufgabe durchrechnen. Aus jeder kann man etwas lernen und das nur, wenn man sie nacheinander Schritt für Schritt durcharbeitet. Hat der Leser das getan, so wird er keine Schwierigkeiten mehr haben, die meisten der ergänzenden Aufgaben zu lösen.

Diese Ausgabe ist gegenüber der ersten um fast fünfzig Prozent gewachsen, und das liegt nur zum Teil an den obengenannten Ergänzungen. Neben anderen Änderungen und Ergänzungen haben wir Wert darauf gelegt, den Grenzwertbegriff, den Begriff der Stetigkeit und die unendlichen Reihen ausführlicher zu behandeln und eine ausführliche Darstellung der Vektoren in der Ebene und im Raum zu geben.

Um es zu ermöglichen, daß die grundlegenden Tatsachen der Integration, der Flächen- und Volumenberechnung usw., auch schon eher eingeführt werden können, haben wir diese Kapitel so angeordnet, daß große Teile eines jeden schon nach dem sechsten Kapitel betrachtet werden können. Genauso wird der Leser, der dieses Buch zur Ergänzung studiert, aus diesem Grund wenig Schwierigkeiten haben, die Kapitel nach seinem Bedarf anzuordnen.

Der Autor möchte hier auch die Gelegenheit ergreifen, der Schaum Publishing Company für ihre wertvolle Mitarbeit bei diesem Vorhaben zu danken.

Frank Ayres, Jr.

Vorwort zur deutschen Ausgabe

Erfahrungsgemäß lernt der Student, der sich mit abstrakten mathematischen Sachverhalten beschäftigen muß, diese erst durch ausführliche Beispiele. So hat der Autor dieses Buches Wert darauf gelegt, die Theorie, die am Anfang jedes Kapitels genau dargestellt wird, durch zahlreiche, ausführlich gelöste Aufgaben verständlich zu machen.

Die deutsche Bearbeitung ist insbesondere geeignet für angehende Naturwissenschaftler, Studenten der Fachhochschulen usw. und ist wegen der übersichtlich dargestellten Theorie auch für Mathematikstudenten der Grundsemester von Interesse.

Um den Preis niedrig zu halten, haben wir die Formeln und Bezeichnungen des englischsprachigen Originals übernommen. Daher werden vielleicht einige Symbole dem deutschen Studenten nicht so geläufig sein. Dies dürfte das Verständnis des Sachverhalts jedoch nicht beeinträchtigen.

R. Michel

Schaum's Outline
Überblicke/Aufgaben

Differential- und Integralrechnung

FRANK AYRES, JR, PhD

Professor and Head, Department of Mathematics,
Dickinson College

Übersetzung und deutsche Bearbeitung:
Dr. Reinhard Michel, Universität Köln

McGraw-Hill Book Company GmbH
Hamburg · New York · St. Louis · San Francisco · Auckland · Bogotá
Johannesburg · London · Madrid · Mexico · Montreal · New Delhi
Panama · Paris · São Paulo · Singapore · Sydney · Tokyo · Toronto

Titel der englischsprachigen Originalausgabe: »Theory and Problems of Calculus«

ISBN 0-07-084371-6

Nachdruck 1984

Lektorat: Rita G. Fischer Verlagsbüro, Frankfurt am Main 1
Produktion: HAAG + HERCHEN Verlagsbüro GmbH, Frankfurt am Main
Druck und Bindung: Druckerei Bitsch KG, Birkenau
Printed in Germany

Inhaltsverzeichnis

Funktionen einer Veränderlichen

Differentiation von Funktionen einer Veränderlichen

Anwendung der Differentialrechnung von Funktionen einer Veränderlichen

KAPITEL 1

Variable und Funktionen

DIE MENGE DER REELLEN ZAHLEN besteht aus den rationalen Zahlen (den positiven und negativen ganzen Zahlen, der Null und den Brüchen a/b, wobei a und b ganze Zahlen sind) und den irrationalen Zahlen (unendliche Dezimalzahlen wie $\sqrt{2} = 1,4142\ldots$ und $\pi = 3,14159\ldots$, die keine Quotienten ganzer Zahlen sind).

Die imaginären Zahlen der Algebra werden hier nicht benötigt. Die Begriffe werden hier nur gebracht, um ausdrücklich auf ihre Ausschließung hinzuweisen. Da keine Verwechslung möglich ist, verstehen wir im folgenden unter einer Zahl immer eine *reelle* Zahl.

DER ABSOLUTBETRAG ($|N|$) einer (reellen) Zahl N wird definiert durch

$$|N| = N, \text{ falls } N \text{ Null oder positiv ist}$$
$$|N| = -N, \text{ falls } N \text{ negativ ist}$$

zum Beispiel

$$|3| = |-3| = 3, \quad |3-5| = |5-3| = 2,$$
$$|x-a| = x-a \text{ falls } x \geqq a \text{ und } |x-a| = a-x \text{ falls } x < a.$$

Im allgemeinen gilt für zwei beliebige Zahlen a und b

$$-|a| \leqq a \leqq |a|$$

$$|a \pm b| = |b \pm a|; \quad |ab| = |a| \cdot |b|; \quad \left|\frac{a}{b}\right| = \frac{|a|}{|b|}, \quad b \neq 0;$$

$$|a+b| \geqq |a| - |b|; \quad |a-b| \leqq |a| + |b|;$$
$$|a+b| \leqq |a| + |b|; \quad |a-b| \geqq |a| - |b|.$$

EINE ZAHLENGERADE ist eine graphische Darstellung der reellen Zahlen durch die Punkte einer geraden Linie. Jeder Zahl entspricht genau ein Punkt und umgekehrt. Deshalb werden die Ausdrücke Zahl und Punkt (auf einer Zahlengerade) auswechselbar benutzt.

Um eine Zahlengerade auf einer gegebenen Linie darzustellen, wählt man (i) irgendeinen Punkt der Linie als *Nullpunkt* (dieser entspricht 0), (ii) eine positive Richtung (durch einen Pfeil angedeutet) und zeichnet (iii) in einer beliebigen praktischen Maßeinheit den Punkt $+1$ eine Einheit von 0 entfernt ein. Die Zahlen (Punkte) N und $-N$ haben dann von 0 die Entfernung $|N|$ Einheiten und liegen bezüglich 0 auf verschiedenen Seiten der Zahlengeraden.

Sind a und b zwei verschiedene Zahlen, dann schreiben wir $a < b$, wenn a auf der Zahlengeraden links von b liegt, und $a > b$, wenn a rechts von b liegt.

Die gerichtete Entfernung von a nach b ist durch $b - a$ gegeben und ist negativ, wenn $a > b$ ist, und positiv, wenn $a < b$ ist. Ohne Richtungssinn hat b in beiden Fällen die Entfernung $|b - a| = |a - b|$ zu a.

ENDLICHE INTERVALLE. a und b seien zwei Zahlen mit $a < b$. Die Menge aller Zahlen x zwischen a und b nennen wir das *offene Intervall* von a nach b und schreiben dafür $a < x < b$. Die Punkte a und b heißen die *Endpunkte* des Intervalls. Ein offenes Intervall enthält seine Endpunkte nicht.

Das offene Intervall $a < x < b$ wird zusammen mit seinen Endpunkten a und b das *abgeschlossene Intervall* von a nach b genannt. Wir schreiben dafür $a \leq x \leq b$.

offenes Intervall: $a < x < b$ abgeschlossenes Intervall: $a \leq x \leq b$

UNENDLICHE INTERVALLE. Es sei a eine beliebige Zahl. Die Menge aller Zahlen x mit $x < a$ bilden ein *unendliches Intervall.* Andere unendliche Intervalle sind gegeben durch $x \leq a$, $x > a$ und $x \geq a$.

Siehe Aufgaben 1-2!

KONSTANTE UND VARIABLE. In der Definition des Intervalls $a < x < b$ ist

(**i**)   jedes der Symbole a und b eine feste Zahl und wird *Konstante* genannt,

(**ii**)   das Symbol x irgendeine Zahl aus einer bestimmten Menge von Zahlen und wird *Variable* genannt.

Der *Wertebereich* einer Variablen ist die Menge aller Zahlen, die sie durchläuft. Zum Beispiel:

(*1*) x ist ein Band einer zehnbändigen Buchausgabe; der Wertebereich von x ist die Menge der ganzen Zahlen $1, 2, 3, \ldots, 10$.

(*2*) x ist ein Julitag; der Wertebereich von x ist die Menge der ganzen Zahlen $1, 2, 3, \ldots, 31$.

(*3*) x ist die Wassermenge (in Litern), die aus einem Behälter, der 10 Liter faßt, herausgenommen werden kann; der Wertebereich von x ist das Intervall $0 \leq x \leq 10$.

UNGLEICHUNGEN wie $2x - 3 > 0$ und $x^2 - 5x - 24 \leq 0$ definieren Intervalle auf der Zahlengeraden.

Beispiel 1: Löse die Ungleichung (a) $2x - 3 > 0$, (b) $x^2 - 5x - 24 \leq 0$.

(*a*)   Wir setzen $2x - 3 = 0$, erhalten $x = 3/2$ und betrachten die Intervalle $x < 3/2$ und $x > 3/2$. Für jeden Wert x im Intervall $x < 3/2$, etwa $x = 0$, gilt $2x - 3 < 0$; für jeden Wert x im Intervall $x > 3/2$, etwa $x = 3$, gilt $2x - 3 > 0$. Also gilt $2x - 3 > 0$ für alle x im Intervall $x > 3/2$.

(*b*)   Wir setzen $x^2 - 5x - 24 = (x + 3)(x - 8) = 0$, erhalten $x = -3$ und $x = 8$ und betrachten die Intervalle $x < -3$, $-3 < x < 8$, $x > 8$. In den Intervallen $x < -3$ und $x > 8$ ist $x^2 - 5x - 24 > 0$ und im Intervall $-3 < x < 8$ $x^2 - 5x - 24 < 0$. Also gilt $x^2 - 5x - 24 \leq 0$ im Intervall $-3 \leq x \leq 8$.

Siehe Aufgabe 3!

FUNKTION EINER VARIABLEN. Eine Variable y wird eine *Funktion* einer anderen Variablen x genannt, wenn es eine Regel oder eine Vorschrift gibt, die jedem möglichen Wert von x *einen* Wert von y zuordnet. Die Variable y, deren Wert von dem gewählten Wert von x abhängt, wird die *abhängige Variable* genannt, während x die *unabhängige Variable* genannt wird. Die Zuordnungsregel oder -vorschrift kann eine Tabelle von entsprechenden Werten sein (eine Logarithmentafel), eine graphische Darstellung oder eine Gleichung.

Beispiel 2:

Die Gleichung $x^2 - y = 10$, mit x als unabhängiger Variablen, ordnet jedem Wert von x einen Wert von y zu. Die dadurch definierte Funktion ist $y = x^2 - 10$. Wenn man in derselben Gleichung y als unabhängige Variable nimmt, werden jedem Wert von y im allgemeinen zwei Werte von x zugeordnet. Dadurch sind zwei Funktionen von y erklärt: $x = \sqrt{10 + y}$ und $x = -\sqrt{10 + y}$.

Einige Autoren nennen y eine Funktion von x, wenn jedem möglichen Wert von x ein oder mehrere Werte von y zugeordnet sind. Im Beispiel 2 ist dann y eine *eindeutige* Funktion von x, während x eine *mehrdeutige* (genau genommen eine doppeldeutige) Funktion von y ist. In der Analysis muß man jedoch mehrdeutige Funktionen als solche betrachten, die aus einzelnen eindeutigen Funktionen bestehen. Infolgedessen ist die Eindeutigkeit Hauptbestandteil unserer Definition des Funktionsbegriffes.

Das Symbol $f(x)$, gelesen „f von x", nicht „f mal x", bezeichnet eine gegebene Funktion von x. Wenn in einer Aufgabe mehrere Funktionen von x vorkommen, wird ein anderer Buchstabe benutzt: $g(x)$, $h(x)$, $F(x)$, $\theta(x)$, ...

Bei der Betrachtung einer Funktion $y = f(x)$ muß man immer den Wertebereich der unabhängigen Variablen kennen. Er wird auch *Definitionsbereich* der Funktion genannt.

Beispiel 3:

(a) Die Funktion $f(x) = 18x - 3x^2$ ist für alle Zahlen x definiert, das heißt, für jede reelle Zahl x ist $18x - 3x^2$ eine reelle Zahl. Also entspricht dem Wertebereich von x oder dem Definitionsbereich der Funktion die Menge aller reellen Zahlen.

(b) Der Flächeninhalt (y) eines bestimmten Rechtecks, dessen eine Seite x ist, sei durch $y = 18x - 3x^2$ gegeben. Hier müssen x und $18x - 3x^2$ positiv sein. Aus der nebenstehenden Zeichnung oder aus Aufgabe 3 (a) folgt, daß der Definitionsbereich das Intervall $0 < x < 6$ ist.

(c) Der Definitionsbereich der Funktion $y = x^2 - 10$ aus Beispiel 2 ist die Menge aller reellen Zahlen. Bei den Funktionen $x = \sqrt{10 + y}$ und $x = -\sqrt{10 + y}$ muß $10 + y \geqq 0$ sein. Also ist bei beiden der Definitionsbereich durch $y \geqq -10$ gegeben.

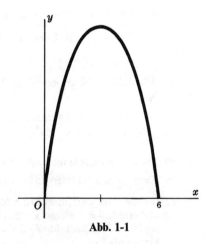

Abb. 1-1

Eine Funktion $f(x)$ ist in einem Intervall definiert, wenn sie für *jeden* Punkt im Intervall definiert ist.

Wenn $f(x)$ eine gegebene Funktion von x ist, und wenn a im Definitionsbereich dieser Funktion liegt, dann verstehen wir unter $f(a)$ die Zahl, die man erhält, wenn man x in $f(x)$ durch a ersetzt. $f(a)$ ist also der Wert von $f(x)$, der an der Stelle $x = a$ angenommen wird.

Beispiel 4: Wenn $f(x) = x^3 - 4x + 2$, dann ist

$$f(1) = (1)^3 - 4(1) + 2 = 1 - 4 + 2 = -1,$$
$$f(-2) = (-2)^3 - 4(-2) + 2 = -8 + 8 + 2 = 2,$$
$$f(a) = a^3 - 4a + 2, \text{ etc.}$$

Siehe Aufgaben 4-13!

EINE UNENDLICHE FOLGE ist eine Funktion einer Variablen (im allgemeinen mit *n* bezeichnet), deren Wertebereich die Menge der positiven ganzen Zahlen (natürlichen Zahlen) ist. Wenn zum Beispiel *n* die Werte 1, 2, 3, 4, ... durchläuft, dann ergibt die Funktion $\frac{1}{n+1}$ die Folge der Werte $\frac{1}{2}, \frac{1}{3}, \frac{1}{4}, \frac{1}{5}, \ldots$. Diese Folge wird eine *unendliche Folge* genannt, um anzudeuten, daß sie nicht abbricht.

Die Funktion $\frac{1}{n+1}$ in obigem Absatz wird das *allgemeine* oder *n-te Glied* der Folge genannt. Eine unendliche Folge stellen wir dar, indem wir das allgemeine Glied in Klammern setzen, zum Beispiel $\left\{ \frac{1}{n+1} \right\}$, oder indem wir einige Folgenglieder notieren, zum Beispiel $\frac{1}{2}, \frac{1}{3}, \frac{1}{4}, \frac{1}{5}, \ldots, \frac{1}{n+1}, \ldots$.

Siehe Aufgaben 14-15!

AUFGABEN MIT LÖSUNGEN

1. Beschreibe und zeichne die Intervalle: (*a*) $-3 < x < 5$, (*b*) $2 \leqq x \leqq 6$, (*c*) $-4 < x \leqq 0$, (*d*) $x > 5$, (*e*) $x \leqq 2$.

    (*a*) Alle Zahlen größer als -3 und kleiner als 5.

    (*b*) Alle Zahlen größer oder gleich 2 und kleiner oder gleich 6.

    (*c*) Alle Zahlen größer als -4 und kleiner oder gleich 0.

        Dieses endliche Intervall enthält nur einen seiner Eckpunkte. Es wird *halboffen* genannt.

    (*d*) Alle Zahlen größer als 5

    (*e*) Alle Zahlen kleiner oder gleich 2

2. Beschreibe und zeichne die Intervalle:

    (*a*) $|x| < 2$; (*b*) $|x| > 3$; (*c*) $|x - 3| < 1$; (*d*) $|x - 2| < \delta$, $\delta > 0$; (*e*) $0 < |x + 3| < \delta$, $\delta > 0$.

    (*a*) Dies ist das offene Intervall $-2 < x < 2$.

    (*b*) Zwei unendliche Intervalle werden definiert: $x < -3$ und $x > 3$.

    (*c*) Dies ist ein offenes Intervall um den Punkt 3. Um seine Endpunkte zu bestimmen, setzen wir $x - 3 = 1$ bzw. $3 - x = 1$ und erhalten $x = 4$ bzw. $x = 2$. (Wir erinnern, daß $|x - 3| = x - 3$ oder $3 - x$ je nach Lage von *x*.) Die Endpunkte sind 2 und 4; das Intervall $2 < x < 4$. Wir bemerken, daß das Intervall alle Punkte enthält, deren Abstand von 3 kleiner als 1 ist.

    (*d*) δ sei eine gegebene positive Zahl. Das Intervall $2 - \delta < x < 2 + \delta$ besteht aus allen Punkten, deren Abstand von 2 kleiner als δ ist. Es wird δ-*Umgebung* von 2 genannt.

    (*e*) Die Ungleichung $|x + 3| < \delta$ definiert das Intervall $-3 - \delta < x < -3 + \delta$, das den Punkt -3 enthält. Die zusätzliche Bedingung $0 < |x + 3|$ ergibt $x \neq -3$. Also besteht der Wertebereich von *x* aus den beiden offenen Intervallen $-3 - \delta < x < -3$ und $-3 < x < -3 + \delta$. Diese beiden Intervalle nennen wir die *punktierte δ-Umgebung* von -3.

3. Löse die Ungleichungen: (a) $18x - 3x^2 > 0$, (b) $(x+3)(x-2)(x-4) < 0$, (c) $(x+1)^2(x-3) > 0$.

(a) Wir setzen $18x - 3x^2 = 3x(6-x) = 0$, erhalten $x = 0$ und $x = 6$ und bestimmen das Vorzeichen von $18x - 3x^2$ in jedem Intervall $x < 0$, $0 < x < 6$ und $x > 6$. Die Ungleichung gilt für alle x aus dem Intervall $0 < x < 6$.

(b) Wir bestimmen das Vorzeichen von $(x+3)(x-2)(x-4)$ in jedem der Intervalle $x < -3$, $-3 < x < 2$, $2 < x < 4$, und $x > 4$ und folgern, daß die Ungleichung für alle x aus den Intervallen $x < -3$ und $2 < x < 4$ gilt.

(c) Die zu untersuchenden Intervalle sind $x < -1$, $-1 < x < 3$ und $x > 3$. Die Ungleichung ist erfüllt für $x > 3$. Wir bemerken, daß der Faktor $(x+1)^2$ vernachlässigt werden kann, da $(x+1)^2 > 0$ für alle x. Könnte der Faktor $(x+1)^3$ vernachlässigt werden?

4. Es sei $f(x) = \dfrac{x-1}{x^2+2}$. Gib $f(0)$, $f(-1)$, $f(2a)$, $f(1/x)$, $f(x+h)$ an!

$$f(0) = \frac{0-1}{0+2} = -\frac{1}{2}, \qquad f(-1) = \frac{-1-1}{1+2} = -\frac{2}{3}, \qquad f(2a) = \frac{2a-1}{4a^2+2},$$

$$f(1/x) = \frac{1/x - 1}{1/x^2 + 2} = \frac{x - x^2}{1 + 2x^2}, \qquad f(x+h) = \frac{x+h-1}{(x+h)^2+2} = \frac{x+h-1}{x^2+2hx+h^2+2}$$

5. Es sei $f(x) = 2^x$. Zeige, daß (a) $f(x+3) - f(x-1) = \dfrac{15}{2} f(x)$ und (b) $\dfrac{f(x+3)}{f(x-1)} = f(4)$.

(a) $f(x+3) - f(x-1) = 2^{x+3} - 2^{x-1} = 2^x(2^3 - \frac{1}{2}) = \dfrac{15}{2} f(x)$ (b) $\dfrac{f(x+3)}{f(x-1)} = \dfrac{2^{x+3}}{2^{x-1}} = 2^4 = f(4)$

6. Es sei $f(x) = \log_a 1/x$. Zeige, daß (a) $f(a^3) = -3$ und (b) $f(a^{-1/z}) = 1/z$.

(a) $f(a^3) = \log_a 1/a^3 = \log_a a^{-3} = -3$ (b) $f(a^{-1/z}) = \log_a 1/a^{-1/z} = \log_a a^{1/z} = 1/z$

7. Es sei $f(x) = \log_a x$ und $F(z) = a^z$. Zeige, daß $F(f(x)) = f(F(x))$.

$$F(f(x)) = F(\log_a x) = a^{\log_a x} = x = \log_a a^x = f(a^x) = f(F(x)).$$

8. Bestimme den Wertebereich der unabhängigen Variablen x für:

(a) $y = \sqrt{4-x^2}$, (b) $y = \sqrt{x^2-16}$, (c) $y = \dfrac{1}{x-2}$, (d) $y = \dfrac{1}{x^2-9}$, (e) $y = \dfrac{x}{x^2+4}$.

(a) Da y reell sein muß, gilt $4 - x^2 \geqq 0$ oder $x^2 \leqq 4$; der Wertebereich von x ist das Intervall $-2 \leqq x \leqq 2$ oder $|x| \leqq 2$. Mit anderen Worten, $f(x) = \sqrt{4-x^2}$ ist definiert im Intervall $-2 \leqq x \leqq 2$ und nur in diesem Intervall.

(b) Hier muß gelten $x^2 - 16 \geqq 0$ oder $x^2 \geqq 16$; der Wertebereich von x besteht aus den Intervallen $x \leqq -4$ und $x \geqq 4$, das heißt, $|x| \geqq 4$.

(c) Die Funktion ist definiert für alle Werte von x, ausgenommen $x = 2$. Der Wertebereich von x ist gegeben durch $x < 2$, $x > 2$ oder durch $x \neq 2$.

(d) Die Funktion ist definiert für $x \neq \pm 3$.

(e) Da $x^2 + 4 \neq 0$ für alle x, entsprechen dem Wertebereich von x alle reellen Zahlen.

9. Zeichne das Diagramm folgender Funktionen:

$$f(x) = 5 \quad \text{für} \quad 0 < x \leqq 1 \qquad f(x) = 10 \quad \text{für} \quad 1 < x \leqq 2$$
$$f(x) = 15 \quad \text{für} \quad 2 < x \leqq 3 \qquad f(x) = 20 \quad \text{für} \quad 3 < x \leqq 4 \qquad \text{usw.}$$

Bestimme den Wertebereich von x und von $y = f(x)$.

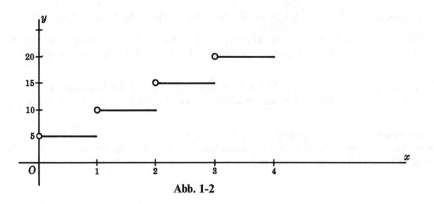

Abb. 1-2

Der Wertebereich von x ist das Intervall $x > 0$ und der Wertebereich von $y = f(x)$ die Menge der natürlichen Zahlen 5, 10, 15, 20, ...

10. Ein rechteckiges Stück Land ist durch $2000\,m$ Zaun umgeben. Eine der Seiten sei x m lang. Drücke die Fläche y (m²) als Funktion von x aus und bestimme den Wertebereich von x.

    Da eine der Seiten x ist, ist die andere durch $\frac{1}{2}(2000 - 2x) = 1000 - x$ gegeben.

    Die Fläche ist $y = x(1000 - x)$ und der Wertebereich von x ist $0 < x < 1000$.

11. Drücke die Länge l einer Sehne in einem Kreis vom Radius 8 cm als Funktion des Abstandes x (cm) der Sehne vom Kreismittelpunkt aus! Bestimme den Wertebereich von x!

    Aus Abb. 1-3 ergibt sich $\frac{1}{2}l = \sqrt{64 - x^2}$ und $l = 2\sqrt{64 - x^2}$.

    Der Wertebereich von x ist das Intervall $0 \leqq x < 8$.

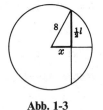

Abb. 1-3

12. Gegeben sei ein quadratisches Stück Blech von der Seitenlänge 12 cm. An jeder Ecke werden kleine Quadrate der Seitenlänge x cm herausgeschnitten und die Seiten des gegebenen Quadrats so aufgebogen, daß ein offener Kasten entsteht. Drücke das Volumen V (cm³) als eine Funktion von x aus und untersuche die Wertebereiche von x und V.

    Der Kasten hat als Grundfläche ein Quadrat der Steitenlänge $(12 - 2x)$ cm und ist x cm hoch. Also ist sein Volumen durch $V = x(12 - 2x)^2 = 4x(6 - x)^2$ gegeben. Der Wertebereich von x ist das Intervall $0 < x < 6$.

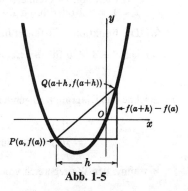

Abb. 1-4

    Wenn x wächst, wächst zunächst auch V und wird dann wieder kleiner. Also gibt es unter allen so konstruierten Kästen einen mit größtem Volumen, sagen wir M. Um M bestimmen zu können, müssen wir den genauen Punkt (Wert von x) kennen, an dem V aufhört zu wachsen. Dieses Problem werden wir in einem späteren Kapitel behandeln.

13. Es sei $f(x) = x^2 + 2x$. Berechne $\dfrac{f(a + h) - f(a)}{h}$ und deute das Ergebnis.

$$\frac{f(a + h) - f(a)}{h} = \frac{[(a + h)^2 + 2(a + h)] - (a^2 + 2a)}{h}$$

$$= 2a + 2 + h$$

Wir zeichnen in dem Diagramm der Funktion (Abb. 1-5) Punkte P und Q mit den Abszissen a bzw. $(a + h)$ ein. Die Ordinate von P ist dann durch $f(a)$, die von Q durch $f(a + h)$ gegeben. Also gilt

$$\frac{f(a + h) - f(a)}{h} = \frac{\text{Differenz der Ordinaten}}{\text{Differenz der Abszissen}}$$

$$= \text{Steigung von } PQ$$

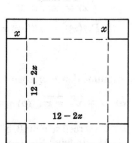

Abb. 1-5

14. Schreibe die ersten fünf Glieder jeder Folge auf!

(a) $\left\{1 - \dfrac{1}{2n}\right\}$. Setze $s_n = 1 - \dfrac{1}{2n}$; dann gilt $s_1 = 1 - \dfrac{1}{2 \cdot 1} = \dfrac{1}{2}$,

$$s_2 = 1 - \frac{1}{2 \cdot 2} = \frac{3}{4}, \quad s_3 = 1 - \frac{1}{2 \cdot 3} = \frac{5}{6}, \quad s_4 = 1 - \frac{1}{2 \cdot 4} = \frac{7}{8},$$

und $s_5 = 9/10$. Die gesuchten Glieder sind $1/2, 3/4, 5/6, 7/8, 9/10$.

(b) $\left\{(-1)^{n+1} \dfrac{1}{3n-1}\right\}$. Hier haben wir $s_1 = (-1)^2 \dfrac{1}{3 \cdot 1 - 1} = 1/2$,

$$s_2 = (-1)^3 \frac{1}{3 \cdot 2 - 1} = -1/5, \quad s_3 = (-1)^4 \frac{1}{3 \cdot 3 - 1} = 1/8,$$

$s_4 = -1/11$, $s_5 = 1/14$. Die gesuchten Glieder sind $1/2, -1/5, 1/8, -1/11, 1/14$.

(c) $\left\{\dfrac{2n}{1+n^2}\right\}$. Die Glieder sind $1, 4/5, 3/5, 8/17, 5/13$.

(d) $\left\{(-1)^{n+1} \dfrac{n}{(n+1)(n+2)}\right\}$. Die Glieder sind $\dfrac{1}{2 \cdot 3}, \dfrac{-2}{3 \cdot 4}, \dfrac{3}{4 \cdot 5}, \dfrac{-4}{5 \cdot 6}, \dfrac{5}{6 \cdot 7}$.

(e) $\left\{\frac{1}{2}[(-1)^n + 1]\right\}$. Die Glieder sind $0, 1, 0, 1, 0$.

15. Schreibe das allgemeine Glied jeder Folge auf.

(a) $1, 1/3, 1/5, 1/7, 1/9, \ldots$.

Es ergeben sich die Kehrwerte der ungeraden natürlichen Zahlen. Das allgemeine Glied lautet $\dfrac{1}{2n-1}$.

(b) $1, -1/2, 1/3, -1/4, 1/5, \ldots$.

Bis auf die Vorzeichen sind das die Kehrwerte der natürlichen Zahlen. Das allgemeine Glied lautet $(-1)^{n+1} \dfrac{1}{n}$ oder $(-1)^{n-1} \dfrac{1}{n}$.

(c) $1, 1/4, 1/9, 1/16, 1/25, \ldots$.

Es ergeben sich die Kehrwerte der Quadrate der natürlichen Zahlen. Das allgemeine Glied ist $1/n^2$

(d) $\dfrac{1}{2}, \dfrac{1 \cdot 3}{2 \cdot 4}, \dfrac{1 \cdot 3 \cdot 5}{2 \cdot 4 \cdot 6}, \dfrac{1 \cdot 3 \cdot 5 \cdot 7}{2 \cdot 4 \cdot 6 \cdot 8}, \ldots$. Das allgemeine Glied ist $\dfrac{1 \cdot 3 \cdot 5 \ldots (2n-1)}{2 \cdot 4 \cdot 6 \ldots (2n)}$.

(e) $1/2, -4/9, 9/28, -16/65, \ldots$.

Bis auf die Vorzeichen sind die Zähler die Quadrate der natürlichen Zahlen und die Nenner die Kuben der natürlichen Zahlen plus 1. Das allgemeine Glied ist $(-1)^{n+1} \dfrac{n^2}{n^3+1}$.

16. Beweise: Für zwei Zahlen a und b gilt $|a+b| \le |a| + |b|$.

Wir betrachten die folgenden Fälle: *(a)* a und b sind beide nicht negativ, *(b)* a und b sind beide negativ, *(c)* eine der Zahlen ist positiv und die andere negativ.

(a) Da $|a| = a$, $|b| = b$ gilt und $a + b =$ Null oder positiv ist, haben wir

$$|a+b| = a+b = |a| + |b|$$

(b) Da $|a| = -a$, $|b| = -b$ gilt und $a + b$ negativ ist, ergibt sich

$$|a+b| = -(a+b) = -a + (-b) = |a| + |b|$$

(c) Es sei $a > 0$ und $b < 0$; dann ist $|a| = a$ und $|b| = -b$.

Für $|a| > |b|$ gilt $|a+b| = a+b < a-b = |a| + |b|$.
Für $|a| < |b|$ gilt $|a+b| = -a-b < a-b = |a| + |b|$.
Für $|a| = |b|$ gilt $|a+b| = 0 < |a| + |b|$.

Also gilt für $a > 0$ und $b < 0$ oder $a < 0$ und $b > 0$: $|a+b| < |a| + |b|$.

ERGÄNZUNGSAUFGABEN

17. Zeichne jedes der folgenden Intervalle!

(a) $-5 < x < 0$ (c) $-2 \leqq x < 3$ (e) $|x| < 3$ (g) $|x - 2| < \frac{1}{2}$ (i) $0 < |x - 2| < 1$ (k) $|x - 2| \geqq 1$

(b) $x \leqq 0$ (d) $x \geqq 1$ (f) $|x| \geqq 5$ (h) $|x + 3| > 1$ (j) $0 < |x + 3| < \frac{1}{4}$

18. Es sei $f(x) = x^2 - 4x + 6$. Bestimme (a) $f(0)$, (b) $f(3)$, (c) $f(-2)$.   *Lsg.* (a) 6, (b) 3, (c) 18

Zeige, daß $f(\frac{1}{2}) = f(7/2)$ und $f(2 - h) = f(2 + h)$.

19. Es sei $f(x) = \dfrac{x - 1}{x + 1}$. Bestimme (a) $f(0)$, (b) $f(1)$, (c) $f(-2)$.   *Lsg.* (a) -1, (b) 0, (c) 3

Zeige, daß $f(1/x) = -f(x)$ und $f(-1/x) = -1/f(x)$.

20. Es sei $f(x) = x^2 - x$. Zeige, daß $f(x + 1) = f(-x)$.

21. Es sei $f(x) = 1/x$. Zeige, daß $f(a) - f(b) = f\left(\dfrac{ab}{b - a}\right)$.

22. Es sei $y = f(x) = (5x + 3)/(4x - 5)$. Zeige, daß $x = f(y)$.

23. Gib den Definitionsbereich jeder der folgenden Funktionen an!

(a) $y = x^2 + 4$ (c) $y = \sqrt{x^2 - 4}$ (e) $y = \dfrac{2x}{(x - 2)(x + 1)}$ (g) $y = \dfrac{x^2 - 1}{x^2 + 1}$

(b) $y = \sqrt{x^2 + 4}$ (d) $y = \dfrac{x}{x + 3}$ (f) $y = \dfrac{1}{\sqrt{9 - x^2}}$ (h) $y = \sqrt{\dfrac{x}{2 - x}}$.

Lsg. (a), (b), (g) alle Werte von x;   (c) $|x| \geqq 2$;   (d) $x \neq -3$;   (e) $x \neq -1, 2$;   (f) $-3 < x < 3$;   (h) $0 \leqq x < 2$

24. Berechne $\dfrac{f(a + h) - f(a)}{h}$ für: (a) $f(x) = \dfrac{1}{x - 2}$, falls $a \neq 2$, $a + h \neq 2$; (b) $f(x) = \sqrt{x - 4}$, falls

$a \geqq 4$, $a + h \geqq 4$; (c) $f(x) = \dfrac{x}{x + 1}$, falls $a \neq -1$, $a + h \neq -1$.

Lsg. (a) $\dfrac{-1}{(a - 2)(a + h - 2)}$,   (b) $\dfrac{1}{\sqrt{a + h - 4} + \sqrt{a - 4}}$,   (c) $\dfrac{1}{(a + 1)(a + h + 1)}$

25. Bestimme die ersten fünf Glieder jeder Folge!

(a) $\left\{1 + \dfrac{1}{n}\right\}$ (c) $\{a + (n - 1)d\}$ (e) $\left\{\dfrac{n}{\sqrt{1 + n^2}}\right\}$ (g) $\left\{(-1)^{n+1}\dfrac{n!}{n^n}\right\}$

(b) $\left\{\dfrac{1}{n(n + 1)}\right\}$ (d) $\{(-1)^{n+1}ar^{n-1}\}$ (f) $\left\{\dfrac{\sqrt{n + 1}}{n}\right\}$ (h) $\left\{\dfrac{(2n)!}{3^n 5^{n-1}}\right\}$

Lsg. (a) 2, 3/2, 4/3, 5/4, 6/5   (e) $1/\sqrt{2}$, $2/\sqrt{5}$, $3/\sqrt{10}$, $4/\sqrt{17}$, $5/\sqrt{26}$

(b) 1/2, 1/6, 1/12, 1/20, 1/30   (f) $\sqrt{2}$, $\frac{1}{2}\sqrt{3}$, $2/3$, $\frac{1}{4}\sqrt{5}$, $\sqrt{6}/5$

(c) a, $a + d$, $a + 2d$, $a + 3d$, $a + 4d$ (g) 1, $-1/2$, $2/9$, $-3/32$, $24/625$

(d) a, $-ar$, ar^2, $-ar^3$, ar^4 (h) $\dfrac{2}{3}$, $\dfrac{2^3}{3 \cdot 5}$, $\dfrac{2^4}{3 \cdot 5}$, $\dfrac{7 \cdot 2^7}{3^2 \cdot 5^2}$, $\dfrac{7 \cdot 2^8}{3 \cdot 5^2}$

26. Bestimme das allgemeine Glied jeder Folge!

(a) 1/2, 2/3, 3/4, 4/5, 5/6, ...   (d) $1/5^3$, $3/5^5$, $5/5^7$, $7/5^9$, $9/5^{11}$, ...

(b) 1/2, $-1/6$, 1/12, $-1/20$, 1/30, ...   (e) $1/2!$, $-1/4!$, $1/6!$, $-1/8!$, $1/10!$, ...

(c) 1/2, 1/12, 1/30, 1/56, 1/90, ...

Lsg. (a) $\dfrac{n}{n + 1}$, (b) $(-1)^{n-1}\dfrac{1}{n^2 + n}$, (c) $\dfrac{1}{(2n - 1)2n}$, (d) $\dfrac{2n - 1}{5^{2n+1}}$, (e) $(-1)^{n-1}\dfrac{1}{(2n)!}$

27. „Für $|x - 4| < 1$ gilt $|f(x)| > 1$" bedeutet „für alle x zwischen 3 und 5 ist $f(x)$ entweder kleiner als -1 oder größer als $+1$"!
Erkläre im folgenden:

(a) Für $|x - 1| < 2$ gilt $|f(x)| < 10$.   (c) Für $0 < |x - 6| < 1$ gilt $|f(x)| > 0$.

(b) Für $|x - 5| < 2$ gilt $|f(x)| > 0$.   (d) Für $|x - 3| < 2$ gilt $|f(x) - 9| < 4$.

28. Es sei $y = f(x) = 6x - x^2$. Zeichne das Diagramm und gib an, welche der Aussagen aus Aufgabe 27 richtig sind und
welche falsch!   *Lsg.* (b) ist falsch.

29. Beweise für zwei Zahlen a und b: $|a \pm b| = |b \pm a|$; $|ab| = |a| \cdot |b|$; $|a/b| = |a| / |b|$, $b \neq 0$; $|a + b| \geqq |a| - |b|$;
$|a - b| \leqq |a| + |b|$; $|a - b| \geqq |a| - |b|$.

KAPITEL 2

Grenzwerte

GRENZWERT EINER FOLGE. Wenn man aufeinanderfolgende Glieder der Folge

$$1, \; 3/2, \; 5/3, \; 7/4, \; 9/5, \; \ldots, \; 2 - 1/n, \; \ldots \tag{1}$$

als Punkte auf der Zahlengeraden einzeichnet, bemerkt man, daß diese sich am Punkt 2 häufen, das heißt, es gibt Punkte der Folge, deren Abstand von 2 kleiner ist als jede vorgegebene, beliebig kleine, positive Zahl.

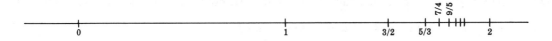

Zum Beispiel haben der Punkt 2001/1001 und alle folgenden Punkte einen Abstand < 1/1000 von 2, der Punkt 20 000 001/10 000 001 und alle folgenden einen Abstand < 1/10 000 000 von 2, usw. Diese Tatsache drücken wir aus, indem wir sagen, daß der *Grenzwert der Folge* 2 ist.

Ist x eine Variable, deren Wertebereich die Folge (1) ist, so sagen wir, *x geht gegen (den Grenzwert)* 2 oder *x konvergiert gegen* (den *Grenzwert*) 2, und schreiben dafür $x \to 2$.

Die Folge (1) enthält ihren Grenzwert 2 nicht als Folgenglied. Andererseits konvergiert die Folge $1, 1/2, 1, 3/4, 1, 5/6, 1, \ldots$ gegen 1 und jedes zweite Folgenglied ist 1. Eine Folge kann also ihren Grenzwert erreichen oder nicht. Im folgenden soll die Aussage $x \to a$ stets $x \neq a$ beinhalten, das heißt, wir wollen vereinbaren, daß eine Folge ihren Grenzwert nicht als Folgenglied enthalten soll.

GRENZWERT EINER FUNKTION. Der Wertebereich von x sei die Folge (1), also $x \to 2$. $f(x) = x^2$ nimmt dann die Werte $1, 9/4, 25/9, 49/16, \ldots, (2 - 1/n)^2, \ldots$ an, und es gilt $f(x) = x^2 \to 4$. Nimmt x die Werte

$$2,1, \; 2,01, \; 2,001, \; 2,0001, \; \ldots, \; 2 + 1/10^n, \; \ldots \tag{2}$$

an, also $x \to 2$, so ergibt sich $x^2 \to 4$ bei der Wertefolge $4.41, 4,0401, 4,004001, \ldots, (2 + 1/10^n)^2, \ldots$. Die Vermutung liegt nahe, daß x^2 gegen 4 konvergiert für alle x, deren Wertebereich eine Folge ist, die gegen 2 konvergiert. Unter dieser Annahme sagen wir „der Grenzwert von x^2 für x gegen 2 ist 4". Wir schreiben dafür $\lim_{x \to 2} x^2 = 4$.

Siehe Aufgabe 1-2!

RECHTSSEITIGE UND LINKSSEITIGE GRENZWERTE. Ist der Wertebereich von x die Folge (1), also $x \to 2$, so ist x immer kleiner als 2. Wir sagen, x konvergiert von links gegen 2, und schreiben $x \to 2^-$. Ist der Wertebereich von x die Folge (2), also $x \to 2$, so ist x immer größer als 2. Wir sagen, x konvergiert von rechts gegen 2, und schreiben $x \to 2^+$. Der Ausdruck $\lim_{x \to a} f(x)$ bedeutet offensichtlich, daß beide Grenzwerte bestehen, der linksseitige $\lim_{x \to a^-} f(x)$ und der rechtsseitige $\lim_{x \to a^+} f(x)$, und daß beide gleich sind. Aus der Existenz des rechtsseitigen (linksseitigen) Grenzwerts folgt jedoch nicht die Existenz des linksseitigen (rechtsseitigen) Grenzwerts.

Beispiel 1:

Die Funktion $f(x) = \sqrt{9 - x^2}$ ist im Intervall $-3 \leqq x \leqq 3$ definiert. Ist a eine beliebige Zahl aus dem offenen Intervall $-3 < x < 3$, dann existiert $\lim\limits_{x \to a} \sqrt{9 - x^2}$ und ist gleich $\sqrt{9 - a^2}$. Wir wollen jetzt $a = 3$ betrachten. Konvergiert x von links gegen 3, so gilt $\lim\limits_{x \to 3^-} \sqrt{9 - x^2} = 0$; konvergiert x von rechts gegen 3, dann existiert $\lim\limits_{x \to 3^+} \sqrt{9 - x^2}$ nicht, da für $x > 3$, $\sqrt{9 - x^2}$ nicht reell ist. Also existiert $\lim\limits_{x \to 3} \sqrt{9 - x^2}$ nicht.

Genauso existiert $\lim\limits_{x \to -3^+} \sqrt{9 - x^2}$ und ist gleich 0, aber $\lim\limits_{x \to -3^-} \sqrt{9 - x^2}$ und $\lim\limits_{x \to -3} \sqrt{9 - x^2}$ existieren nicht.

Sätze über Grenzwerte. Die folgenden Sätze über Grenzwerte notieren wir für den späteren Gebrauch.

I.　　Ist $f(x) = c$ mit einer Konstante c, so gilt $\lim\limits_{x \to a} f(x) = c$.

　　　　Aus $\quad \lim\limits_{x \to a} f(x) = A \quad$ und $\quad \lim\limits_{x \to a} g(x) = B \quad$ folgt:

II.　$\lim\limits_{x \to a} k \cdot f(x) = kA$, wobei k irgendeine Konstante ist.

III.　$\lim\limits_{x \to a} [f(x) \pm g(x)] = \lim\limits_{x \to a} f(x) \pm \lim\limits_{x \to a} g(x) = A \pm B$.

IV.　$\lim\limits_{x \to a} [f(x) \cdot g(x)]^{\cdot} = \lim\limits_{x \to a} f(x) \cdot \lim\limits_{x \to a} g(x) = A \cdot B$.

V.　$\lim\limits_{x \to a} \dfrac{f(x)}{g(x)} = \dfrac{\lim\limits_{x \to a} f(x)}{\lim\limits_{x \to a} g(x)} = \dfrac{A}{B}$, falls $B \neq 0$.

VI.　$\lim\limits_{x \to a} \sqrt[n]{f(x)} = \sqrt[n]{\lim\limits_{x \to a} f(x)} = \sqrt[n]{A}$, wenn $\sqrt[n]{A}$ reell ist.

UNENDLICH. Der Wertebereich der Variablen x sei die Folge $s_1, s_2, s_3, s_4, \ldots, s_n, \ldots$; Wir sagen dann

(i)　x geht gegen plus Unendlich $[x \to +\infty]$, wenn x für alle Werte ab einem bestimmten größer ist als jede vorgegebene, beliebig große, positive Zahl. Zum Beispiel $x \to +\infty$ für die Folge $1, 2, 3, 4, \ldots$.

(ii)　x geht gegen minus Unendlich $[x \to -\infty]$ wenn x für alle Werte ab einem bestimmten kleiner ist als jede vorgegebene, beliebig kleine, negative Zahl. Zum Beispiel $x \to -\infty$ für die Folge $-2, -4, -6, -8, \ldots$.

(iii)　x geht gegen Unendlich $[x \to \infty]$, wenn $|x| \to +\infty$ gilt, das heißt, $x \to +\infty$ oder $x \to -\infty$.

Eine Funktion geht gegen plus Unendlich für $x \to a \left[\lim\limits_{x \to a} f(x) = +\infty \right]$ heißt: Konvergiert x gegen $a (x \neq a)$, dann ist $f(x)$ für alle Werte von x ab einem bestimmten größer als jede vorgegebene, beliebig große, positive Zahl.

Eine Funktion geht gegen minus Unendlich für $x \to a \left[\lim\limits_{x \to a} f(x) = -\infty \right]$ heißt: Konvergiert x gegen $a (x \neq a)$, dann ist $f(x)$ für alle Werte von x ab einem bestimmten kleiner als jede vorgegebene, beliebig kleine, negative Zahl.

Eine Funktion konvergiert gegen Unendlich für $x \to a \left[\lim\limits_{x \to a} f(x) = \infty \right]$, wenn $\lim\limits_{x \to a} |f(x)| = +\infty$ gilt.

Beispiel 2:

(a) Aus $x \to 2$ für die Folge (1) erhalten wir $f(x) = \dfrac{1}{2-x} \to +\infty$, wobei $f(x)$ die Werte $1, 2, 3, 4, \ldots$ annimmt. Allgemein gilt: aus $x \to 2^-$ folgt $\dfrac{1}{2-x} \to +\infty$. Wir schreiben dafür $\lim\limits_{x \to 2^-} \dfrac{1}{2-x} = +\infty$.

(b) Aus $x \to 2$ für die Folge (2) erhalten wir $f(x) = \dfrac{1}{2-x} \to -\infty$, wobei $f(x)$ die Werte $-10, -100, -1000, -10000,$ $\ldots$ annimmt. Allgemein gilt: aus $x \to 2^+$ folgt $\dfrac{1}{2-x} \to -\infty$. Wir schreiben dafür $\lim\limits_{x \to 2^+} \dfrac{1}{2-x} = -\infty$.

(c) Aus $x \to 2$ für die Folgen (1) und (2) erhalten wir $|f(x)| = \left| \dfrac{1}{2-x} \right| \to +\infty$. Wir schreiben dafür $\lim\limits_{x \to 2} \dfrac{1}{2-x} = \infty$.

Bemerkung. Die Symbole $+\infty, -\infty, \infty$ sind keine Zahlen, die zu der Menge der reellen Zahlen hinzugefügt werden. Diese Symbole sind nur da, um ein gewisses Verhalten einer Variablen oder einer Funktion zu beschreiben. Wächst der Betrag einer Variablen oder Funktion und ist durch eine gewisse Konstante beschränkt, dann konvergiert er gegen M oder eine kleinere Zahl. Existiert eine solche Zahl M nicht, dann sagen wir, die Variable oder Funktion geht gegen Unendlich. In diesem Fall existiert kein Grenzwert; die lim-Bezeichnung wird nur zur Vereinfachung benutzt.

DIE AUSSAGE $\lim\limits_{x \to a} f(x) = A$ wurde gemacht, nachdem wir das Verhalten von $f(x)$ für $x \to a$ bei mehreren Folgen geprüft hatten. War $f(x) \to A$ in diesen Fällen richtig, dann folgerten wir, daß sich dasselbe Resultat auch für alle anderen (nicht geprüften) gegen a konvergenten Folgen ergeben würde. Da für alle dieser Folgen $x \to a$ gilt, muß x schließlich nahe bei a liegen. Das Wesentliche ist beim Grenzwertbegriff die Tatsache, daß sich $f(x)$ immer mehr A nähert, wenn x sich a nähert, aber verschieden von a ist. Das kann man folgendermaßen genauer definieren:

A. $\lim\limits_{x \to a} f(x) = A$, wenn es zu jeder beliebig kleinen, positiven Zahl ϵ eine positive Zahl δ gibt, so daß $|f(x) - A| < \epsilon$ für $0 < |x - a| < \delta$. Diese beiden Ungleichungen ergeben Intervalle:

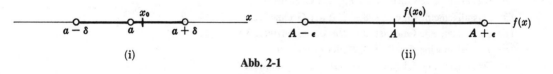

(i)   **Abb. 2-1**   (ii)

Der Kern dieser Definition ist, daß man nach Wahl von ϵ (nach Bestimmung des Intervalls (ii)) ein δ finden kann (ein Intervall (i) bestimmen), so daß für alle x aus dem Intervall (i), $x \neq a$, $f(x)$ im Intervall (ii) liegt.

Beispiel 3:

Beweise mit Hilfe der genauen Definition, daß $\lim\limits_{x \to 2} (x^2 + 3x) = 10$.

ϵ sei gegeben. Wir müssen ein $\delta > 0$ finden, so daß $|(x^2 + 3x) - 10| < \epsilon$ für $0 < |x - 2| < \delta$. Wir bemerken zuerst, daß $|x - 2|^n < \lambda$ für $0 < |x - 2| < \lambda < 1$ und alle natürlichen Zahlen n. Also folgt

$$|(x^2 + 3x) - 10| = |(x-2)^2 + 7(x-2)| \leq |x-2|^2 + 7|x-2| < \lambda + 7\lambda = 8\lambda.$$

Aus $8\lambda < \epsilon$ folgt ferner $\lambda < \epsilon/8$. Also ist irgendeine positive Zahl kleiner als 1 und $\epsilon/8$ ein δ, das wir nehmen können. Damit ist der verlangte Beweis erbracht.

Siehe Aufgaben 13–14!

ANDERE ARTEN VON GRENZWERTEN. Wir definieren

B. $\lim\limits_{x \to a} f(x) = \infty$, wenn es zu jeder *beliebig großen*, positiven Zahl M eine positive Zahl δ gibt mit: aus $0 < |x - a| < \delta$ folgt $|f(x)| > M$.

Gilt $f(x) > M$, so schreiben wir $\lim\limits_{x \to a} f(x) = +\infty$; gilt $f(x) < -M$, so schreiben wir $\lim\limits_{x \to a} f(x) = -\infty$.

C. $\lim\limits_{x \to \infty} f(x) = A$, wenn es zu jeder *beliebig kleinen,* positiven Zahl ϵ eine positive Zahl M gibt mit: aus $|x| > M$ folgt $|f(x) - A| < \epsilon$.

D. $\lim\limits_{x \to \infty} f(x) = \infty$, wenn es zu jeder *beliebig großen* Zahl M eine positive Zahl P gibt mit: aus $|x| > P$ folgt $|f(x)| > M$.

Siehe Aufgabe 15!

Existieren $\lim\limits_{x \to \infty} f(x)$ und $\lim\limits_{x \to \infty} g(x)$, so bleiben die Grenzwertsätze dieses Kapitels gültig. Sie dürfen jedoch nicht benutzt werden, wenn $\lim\limits_{x \to a} f(x) = \infty$ und $\lim\limits_{x \to a} g(x) = \infty$ oder $\lim\limits_{x \to \infty} f(x) = \infty$ und $\lim\limits_{x \to \infty} g(x) = \infty$ gelten. Zum Beispiel $\lim\limits_{x \to 1} \dfrac{x}{1-x} = \infty$ und $\lim\limits_{x \to 1} \dfrac{1}{1-x^2} = \infty$, aber $\lim\limits_{x \to 1} \left(\dfrac{x}{1-x} \Big/ \dfrac{1}{1-x^2} \right) = \lim\limits_{x \to 1} x(1+x) = 2$. Genauso $\lim\limits_{x \to +\infty} (x^2 + 5) = +\infty$ und $\lim\limits_{x \to +\infty} (2 - x^2) = -\infty$, aber $\lim\limits_{x \to +\infty} \{(x^2 + 5) + (2 - x^2)\} = \lim\limits_{x \to +\infty} 7 = 7$.

AUFGABEN MIT LÖSUNGEN

1. Bestimme den Grenzwert der Folgen:

    (a) 1, 1/2, 1/3, 1/4, 1/5, ...   (c) 2, 5/2, 8/3, 11/4, 14/5, ...   (e) 1/2, 1/4, 1/8, 1/16, 1/32, ...

    (b) 1, 1/4, 1/9, 1/16, 1/25, ...   (d) 5, 4, 11/3, 7/2, 17/5, ...   (f) 0,9, 0,99, 0,999, 0,9999, 0,99999, ...

    (a) Das allgemeine Glied ist $1/n$. Da n die Werte 1, 2, 3, 4, .. annimmt, fällt $1/n$, aber bleibt positiv. Der Grenzwert ist 0.

    (b) Das allgemeine Glied ist $(1/n)^2$; der Grenzwert 0.

    (c) Das allgemeine Glied ist $3 - 1/n$; der Grenzwert 3.

    (d) Das allgemeine Glied ist $3 + 2/n$; der Grenzwert 3.

    (e) Das allgemeine Glied ist $1/2^n$; der Grenzwert 0.

    (f) Das allgemeine Glied ist $1 - 1/10^n$; der Grenzwert 1.

2. Beschreibe das Verhalten von $y = x + 2$, wenn x die Werte der Folgen aus Aufgabe 1 annimmt:

    (a) $y \to 2$ über die Wertefolge 3, 5/2, 7/3, 9/4, 11/5, ..., $2 + 1/n$, ...

    (b) $y \to 2$ über die Wertefolge 3, 9/4, 19/9, 33/16, 51/25, ..., $2 + 1/n^2$, ...

    (c) $y \to 5$ über die Wertefolge 4, 9/2, 14/3, 19/4, 24/5, ..., $5 - 1/n$, ...

    (d) $y \to 5$ über die Wertefolge 7, 6, 17/3, 11/2, 27/5, ..., $5 + 2/n$, ...

    (e) $y \to 2$ über die Wertefolge 5/2, 9/4, 17/8, 33/16, 65/32, ..., $2 + 1/2^n$, ...

    (f) $y \to 3$ über die Wertefolge 2,9, 2,99, 2,999, 2,9999, ..., $3 - \dfrac{1}{10^n}$, ...

3. Bestimme:

    (a) $\lim\limits_{x \to 2} 5x = 5 \lim\limits_{x \to 2} x = 5 \cdot 2 = 10$

    (b) $\lim\limits_{x \to 2} (2x + 3) = 2 \lim\limits_{x \to 2} x + \lim\limits_{x \to 2} 3$
                         $= 2 \cdot 2 + 3 = 7$

    (c) $\lim\limits_{x \to 2} (x^2 - 4x + 1) = 4 - 8 + 1 = -3$

    (d) $\lim\limits_{x \to 3} \dfrac{x-2}{x+2} = \dfrac{\lim\limits_{x \to 3} (x-2)}{\lim\limits_{x \to 3} (x+2)} = \dfrac{1}{5}$

    (e) $\lim\limits_{x \to -2} \dfrac{x^2 - 4}{x^2 + 4} = \dfrac{4 - 4}{4 + 4} = 0$

    (f) $\lim\limits_{x \to 4} \sqrt{25 - x^2} = \sqrt{\lim\limits_{x \to 4} (25 - x^2)} = \sqrt{9} = 3$

Bemerkung. Man kann aus diesen Aufgaben nicht schließen, daß $\lim\limits_{x \to a} f(x)$ immer gleich $f(a)$ ist. $f(a)$ ist der Wert von $f(x)$ für $x = a$. Wir waren auf Seite 9 übereingekommen, daß x für $x \to a$ nie gleich a ist.

4. Untersuche das Verhalten von $f(x) = (-1)^x$, wenn x die Folgen (a) $1/3, 1/5, 1/7, 1/9, \ldots$ und

(b) $2/3, 2/5, 2/7, 2/9, \ldots$ durchläuft!

Was kann über $\lim\limits_{x \to 0} (-1)^x$ und $f(0)$ gesagt werden?

$$(a) \qquad (-1)^x \to -1 \text{ über die Wertefolge } -1, -1, -1, -1, \ldots$$
$$(b) \qquad (-1)^x \to +1 \text{ über die Wertefolge } +1, +1, +1, +1, \ldots$$

Da $(-1)^x$ bei den beiden Folgen gegen verschiedene Grenzwerte konvergiert, existiert $\lim\limits_{x \to 0} (-1)^x$ nicht; es gilt $f(0) = (-1)^0 = +1$.

5. Berechne:

(a) $\lim\limits_{x \to 4} \dfrac{x - 4}{x^2 - x - 12} = \lim\limits_{x \to 4} \dfrac{x - 4}{(x + 3)(x - 4)} = \lim\limits_{x \to 4} \dfrac{1}{x + 3} = \dfrac{1}{7}$

Die Division durch $(x - 4)$ vor dem Grenzübergang ist erlaubt, da nach der Übereinkunft von Seite 9 $x \neq 4$ ist für $x \to 4$, also ist $x - 4$ nie gleich Null.

(b) $\lim\limits_{x \to 3} \dfrac{x^3 - 27}{x^2 - 9} = \lim\limits_{x \to 3} \dfrac{(x - 3)(x^2 + 3x + 9)}{(x - 3)(x + 3)} = \lim\limits_{x \to 3} \dfrac{x^2 + 3x + 9}{x + 3} = \dfrac{9}{2}$

(c) $\lim\limits_{h \to 0} \dfrac{(x + h)^2 - x^2}{h} = \lim\limits_{h \to 0} \dfrac{x^2 + 2hx + h^2 - x^2}{h} = \lim\limits_{h \to 0} \dfrac{2hx + h^2}{h} = \lim\limits_{h \to 0} (2x + h) = 2x$

Hier und in Aufgabe 7 und 8 ist h eine Variable und man könnte einwenden, daß es sich also um Funktionen zweier Variablen handelt. Die Tatsache, daß x eine Variable ist, spielt in diesen Aufgaben jedoch keine Rolle; wir können also für einen Augenblick x als konstant betrachten, als einen festen Wert im Definitionsbereich. Der Kern dieser Aufgabe ist, wie wir in Kapitel 4 sehen werden, die Tatsache, daß für jeden Wert von x, etwa $x = x_0$, im Definitionsbereich von $y = x^2$

$$\lim\limits_{h \to 0} \dfrac{(x + h)^2 - x^2}{h} \text{ immer gleich zweimal dem gewählten Wert ist.}$$

(d) $\lim\limits_{x \to 2} \dfrac{4 - x^2}{3 - \sqrt{x^2 + 5}} = \lim\limits_{x \to 2} \dfrac{(4 - x^2)(3 + \sqrt{x^2 + 5})}{(3 - \sqrt{x^2 + 5})(3 + \sqrt{x^2 + 5})} = \lim\limits_{x \to 2} \dfrac{(4 - x^2)(3 + \sqrt{x^2 + 5})}{4 - x^2}$

$$= \lim\limits_{x \to 2} (3 + \sqrt{x^2 + 5}) = 6$$

(e) $\lim\limits_{x \to 1} \dfrac{x^2 + x - 2}{(x - 1)^2} = \lim\limits_{x \to 1} \dfrac{(x - 1)(x + 2)}{(x - 1)^2} = \lim\limits_{x \to 1} \dfrac{x + 2}{x - 1} = \infty$; es existiert kein Grenzwert.

6. Berechne die folgenden Grenzwerte, indem du zuerst Zähler und Nenner durch die höchstmögliche Potenz von x kürzt und $\lim\limits_{x \to \infty} 1/x = 0$ benutzt!

(a) $\lim\limits_{x \to \infty} \dfrac{3x - 2}{9x + 7} = \lim\limits_{x \to \infty} \dfrac{3 - 2/x}{9 + 7/x} = \dfrac{3 - 0}{9 + 0} = \dfrac{1}{3}$

(b) $\lim\limits_{x \to \infty} \dfrac{6x^2 + 2x + 1}{6x^2 - 3x + 4} = \lim\limits_{x \to \infty} \dfrac{6 + 2/x + 1/x^2}{6 - 3/x + 4/x^2} = \dfrac{6 + 0 + 0}{6 - 0 + 0} = 1$

(c) $\lim\limits_{x \to \infty} \dfrac{x^2 + x - 2}{4x^3 - 1} = \lim\limits_{x \to \infty} \dfrac{1/x + 1/x^2 - 2/x^3}{4 - 1/x^3} = \dfrac{0}{4} = 0$

(d) $\lim\limits_{x \to \infty} \dfrac{2x^3}{x^2 + 1} = \lim\limits_{x \to \infty} \dfrac{2}{1/x + 1/x^3} = \infty$; es existiert kein Grenzwert.

7. Es sei $f(x) = x^2 - 3x$, berechne $\lim\limits_{h \to 0} \dfrac{f(x + h) - f(x)}{h}$.

Da $f(x) = x^2 - 3x$, $f(x + h) = (x + h)^2 - 3(x + h)$, folgt

$$\lim\limits_{h \to 0} \dfrac{f(x + h) - f(x)}{h} = \lim\limits_{h \to 0} \dfrac{(x^2 + 2hx + h^2 - 3x - 3h) - (x^2 - 3x)}{h} = \lim\limits_{h \to 0} \dfrac{2hx + h^2 - 3h}{h}$$

$$= \lim\limits_{h \to 0} (2x + h - 3) = 2x - 3$$

8. Es sei $f(x) = \sqrt{5x+1}$. Bestimme $\lim\limits_{h \to 0} \dfrac{f(x+h) - f(x)}{h}$, falls $x > -1/5$.

$$\lim_{h \to 0} \frac{f(x+h) - f(x)}{h} = \lim_{h \to 0} \frac{\sqrt{5x+5h+1} - \sqrt{5x+1}}{h}$$

$$= \lim_{h \to 0} \frac{\sqrt{5x+5h+1} - \sqrt{5x+1}}{h} \cdot \frac{\sqrt{5x+5h+1} + \sqrt{5x+1}}{\sqrt{5x+5h+1} + \sqrt{5x+1}}$$

$$= \lim_{h \to 0} \frac{(5x+5h+1) - (5x+1)}{h(\sqrt{5x+5h+1} + \sqrt{5x+1})}$$

$$= \lim_{h \to 0} \frac{5}{\sqrt{5x+5h+1} + \sqrt{5x+1}} = \frac{5}{2\sqrt{5x+1}}$$

9. Bestimme die Punkte $x = a$, für die der Nenner Null ist! Untersuche dann y für $x \to a^-$ und $x \to a^+$.

(a) $y = f(x) = 2/x$. Der Nenner ist Null für $x = 0$. Für $x \to 0^-$ gilt $y \to -\infty$. Für $x \to 0^+$ gilt $y \to +\infty$.

(b) $y = f(x) = \dfrac{x-1}{(x+3)(x-2)}$. Der Nenner ist Null für $x = -3$, $x = 2$. Für $x \to -3^-$ gilt $y \to -\infty$.
Für $x \to -3^+$ gilt $y \to +\infty$. Für $x \to 2^-$ gilt $y \to -\infty$. Für $x \to 2^+$ gilt $y \to +\infty$.

(c) $y = f(x) = \dfrac{x-3}{(x+2)(x-1)}$. Der Nenner ist Null für $x = -2$ und $x = 1$. Für $x \to -2^-$ gilt $y \to -\infty$.
Für $x \to -2^+$ gilt $y \to +\infty$. Für $x \to 1^-$ gilt $y \to +\infty$. Für $x \to 1^+$ gilt $y \to -\infty$.

(d) $y = f(x) = \dfrac{(x+2)(x-1)}{(x-3)^2}$. Der Nenner ist Null für $x = 3$. Für $x \to 3^-$ gilt $y \to +\infty$. Für $x \to 3^+$ gilt $y \to +\infty$.

(e) $y = f(x) = \dfrac{(x+2)(1-x)}{x-3}$. Der Nenner ist Null für $x = 3$. Für $x \to 3^-$ gilt $y \to +\infty$. Für $x \to 3^+$ gilt $y \to -\infty$.

10. Untersuche (a) $\lim\limits_{x \to 0} \dfrac{1}{3 + 2^{1/x}}$, (b) $\lim\limits_{x \to 0} \dfrac{1 + 2^{1/x}}{3 + 2^{1/x}}$.

(a) Aus $x \to 0^-$ folgt $1/x \to -\infty$, $2^{1/x} \to 0$ und damit $\lim\limits_{x \to 0^-} \dfrac{1}{3 + 2^{1/x}} = 1/3$.

Aus $x \to 0^+$ folgt $1/x \to +\infty$, $2^{1/x} \to +\infty$ und damit $\lim\limits_{x \to 0^+} \dfrac{1}{3 + 2^{1/x}} = 0$.

Also existiert $\lim\limits_{x \to 0} \dfrac{1}{3 + 2^{1/x}}$ nicht.

(b) Aus $x \to 0^-$ folgt $2^{1/x} \to 0$ und damit $\lim\limits_{x \to 0^-} \dfrac{1 + 2^{1/x}}{3 + 2^{1/x}} = \dfrac{1}{3}$.

Aus $x \to 0^+$ folgt $x \neq 0$, $\dfrac{1 + 2^{1/x}}{3 + 2^{1/x}} = \dfrac{2^{-1/x} + 1}{3 \cdot 2^{-1/x} + 1}$ und mit $\lim\limits_{x \to 0^+} 2^{-1/x} = 0$: $\lim\limits_{x \to 0^+} \dfrac{2^{-1/x} + 1}{3 \cdot 2^{-1/x} + 1} = 1$.
Also existiert $\lim\limits_{x \to 0} \dfrac{1 + 2^{1/x}}{3 + 2^{1/x}}$ nicht.

11. Untersuche y für jede der Funktionen aus Aufgabe 9 für $x \to -\infty$ und $x \to +\infty$.

(a) Für große $|x|$ ist $|y|$ klein.

     Für $x = -1000$ gilt $y < 0$. Für $x \to -\infty$ gilt $y \to 0^-$. Für $x = +1000$ gilt $y > 0$; für $x \to +\infty$ gilt $y \to 0^+$.

(b),(c) Dasselbe Ergebnis wie in (a).

(d) Für große $|x|$ ist $|y|$ annähernd 1.

     Für $x = -1000$ gilt $y < 1$; für $x \to -\infty$ gilt $y \to 1^-$. Für $x = +1000$ gilt $y > 1$; für $x \to +\infty$ gilt $y \to 1^+$.

(e) Für große $|x|$ ist $|y|$ groß.

     Für $x = -1000$ gilt $y > 0$; für $x \to -\infty$ gilt $y \to +\infty$. Für $x = +1000$ gilt $y < 0$; für $x \to +\infty$ gilt $y \to -\infty$.

12. Untersuche die Funktion in Aufgabe 9, Kap. 1, für $x \to a^-$ und $x \to a^+$, wobei a eine natürliche Zahl ist.

Wir betrachten $a = 2$. Für $x \to 2^-$ bei der Wertefolge (1) gilt $f(x) \to 10$ bei der Wertefolge $5, 10, 10, 10, \ldots$; für $x \to 2^+$ bei der Wertefolge (2) gilt $f(x) \to 15$. Also existieren $\lim_{x \to 2} f(x)$ und damit $\lim_{x \to a} f(x)$ nicht.

13. Benutze die genaue Definition, um zu zeigen

(a) $\lim_{x \to 1} (4x^3 + 3x^2 - 24x + 22) = 5$, (b) $\lim_{x \to -1} (-2x^3 + 9x + 4) = -3$

(a) ϵ sei gegeben. Für $0 < |x - 1| < \lambda < 1$ gilt

$$
\begin{aligned}
|(4x^3 + 3x^2 - 24x + 22) - 5| &= |4(x-1)^3 + 15x^2 - 36x + 21| = |4(x-1)^3 + 15(x-1)^2 - 6(x-1)| \\
&\leq 4|x-1|^3 + 15|x-1|^2 + 6|x-1| \\
&< 4\lambda + 15\lambda + 6\lambda = 25\lambda
\end{aligned}
$$

Es ist $|(4x^3 + 3x^2 - 24x + 22) - 5| < \epsilon$ für $\lambda < \epsilon/25$; also ist jede positive Zahl kleiner als 1 und $\epsilon/25$ ein gesuchtes δ, und die Behauptung ist bewiesen.

(b) ϵ sei gegeben. Für $0 < |x + 1| < \lambda < 1$ gilt:

$$
\begin{aligned}
|(-2x^3 + 9x + 4) + 3| &= |-2(x+1)^3 + 6(x+1)^2 + 3(x+1)| \\
&\leq 2|x+1|^3 + 6|x+1|^2 + 3|x+1| < 11\lambda
\end{aligned}
$$

Jede positive Zahl kleiner als 1 und $\epsilon/11$ ist ein gesuchtes δ. Damit gilt die Behauptung.

14. Es sei $\lim_{x \to a} f(x) = A$ und $\lim_{x \to a} g(x) = B$. Beweise

(a) $\lim_{x \to a} \{f(x) + g(x)\} = A + B$, (b) $\lim_{x \to a} \{f(x) \cdot g(x)\} = AB$, (c) $\lim_{x \to a} \dfrac{f(x)}{g(x)} = \dfrac{A}{B}$, $B \neq 0$

Da $\lim_{x \to a} f(x) = A$ und $\lim_{x \to a} g(x) = B$, folgt aus der Definition, daß zu $\epsilon_1 > 0$ und $\epsilon_2 > 0$, beide beliebig klein, $\delta_1 > 0$ und $\delta_2 > 0$ existieren, so daß gilt:

(i) aus $0 < |x - a| < \delta_1$ folgt $|f(x) - A| < \epsilon_1$

(ii) aus $0 < |x - a| < \delta_2$ folgt $|g(x) - B| < \epsilon_2$

λ sei die kleinere der Zahlen δ_1 und δ_2, dann gilt:

(iii) aus $0 < |x - a| < \lambda$ folgt $|f(x) - A| < \epsilon_1$ und $|g(x) - B| < \epsilon_2$.

(a) ϵ sei gegeben. Wir sollen ein $\delta > 0$ finden, so daß

$$|\{f(x) + g(x)\} - \{A + B\}| < \epsilon \text{ für } 0 < |x - a| < \delta$$

Wir haben $|\{f(x) + g(x)\} - \{A + B\}| = |\{f(x) - A\} + \{g(x) - B\}| \leq |f(x) - A| + |g(x) - B|$. Nach (iii) gilt $|f(x) - A| < \epsilon_1$, falls $0 < |x - a| < \lambda$ und $|g(x) - A| < \epsilon_2$, falls $0 < |x - a| < \lambda$ für λ gleich dem Minimum von δ_1 und δ_2. Also gilt

$$|\{f(x) + g(x)\} - \{A + B\}| < \epsilon_1 + \epsilon_2, \text{ falls } 0 < |x - a| < \lambda.$$

Wählen wir $\epsilon_1 = \epsilon_2 = \tfrac{1}{2}\epsilon$ und $\delta = \lambda$, so folgt

$$|\{f(x) + g(x)\} - \{A + B\}| < \tfrac{1}{2}\epsilon + \tfrac{1}{2}\epsilon = \epsilon, \text{ falls } 0 < |x - a| < \delta$$

(b) ϵ sei gegeben. Wir müssen ein $\delta > 0$ finden, so daß

$$|f(x) \cdot g(x) - AB| < \epsilon \text{ für } 0 < |x - a| < \delta.$$

Wir haben

$$
\begin{aligned}
|f(x) \cdot g(x) - AB| &= |\{f(x) - A\} \cdot \{g(x) - B\} + B\{f(x) - A\} + A\{g(x) - B\}| \\
&\leq |f(x) - A| \cdot |g(x) - B| + |B| \cdot |f(x) - A| + |A| \cdot |g(x) - B|
\end{aligned}
$$

Nach (iii) folgt $|f(x) \cdot g(x) - AB| < \epsilon_1 \epsilon_2 + |B| \epsilon_1 + |A| \epsilon_2$ für $0 < |x - a| < \lambda$.

ϵ_1 und ϵ_2 seien so gewählt, daß $\epsilon_1 \epsilon_2 < \tfrac{1}{3}\epsilon$, $\epsilon_1 < \dfrac{1}{3}\dfrac{\epsilon}{|B|}$ und $\epsilon_2 < \dfrac{1}{3}\dfrac{\epsilon}{|A|}$ gleichzeitig gelten, und $\delta = \lambda$. Dann gilt

$$|f(x) \cdot g(x) - AB| < \epsilon/3 + \epsilon/3 + \epsilon/3 = \epsilon, \text{ falls } 0 < |x - a| < \delta.$$

(c) Da $\dfrac{f(x)}{g(x)} = f(x) \cdot \dfrac{1}{g(x)}$, folgt die Behauptung aus *(b)*, wenn wir $\lim\limits_{x \to a} \dfrac{1}{g(x)} = \dfrac{1}{B}$ für $B \neq 0$ zeigen.

ϵ sei gegeben. Wir müssen ein $\delta > 0$ finden mit:

$$\left| \frac{1}{g(x)} - \frac{1}{B} \right| < \epsilon \quad \text{für} \quad 0 < |x - a| < \delta.$$

Es ist $\left| \dfrac{1}{g(x)} - \dfrac{1}{B} \right| = \left| \dfrac{B - g(x)}{B \cdot g(x)} \right| = \dfrac{|g(x) - B|}{|B| \cdot |g(x)|} = \dfrac{|g(x) - B|}{|B|} \cdot \dfrac{1}{|g(x)|}$. Aus (ii) folgt

$$|g(x) - B| < \epsilon_2 \quad \text{für} \quad 0 < |x - a| < \delta_2.$$

Da wir $\dfrac{1}{g(x)}$ haben, muß sichergestellt sein, daß δ_2 so klein ist, daß im Intervall $a - \delta_2 < x < a + \delta_2$ $g(x) \neq 0$ gilt. $\delta_3 \leq \delta_2$ sei so gewählt, daß $|g(x) - B| < \epsilon_2$ und $|g(x)| > 0$ für $0 < |x - a| < \delta_3$. Da $|g(x)| > 0$ in diesem Intervall gilt, folgt $|g(x)| > b > 0$ und damit $\dfrac{1}{|g(x)|} < \dfrac{1}{b}$. Also haben wir $\left| \dfrac{1}{g(x)} - \dfrac{1}{B} \right| < \dfrac{\epsilon_2}{|B|} \cdot \dfrac{1}{b}$, falls $0 < |x - a| < \delta_3$.

Wählt man $\epsilon_2 < \epsilon b |B|$ (also $\dfrac{\epsilon_2}{|B| \cdot b} < \epsilon$) und $\delta = \delta_3$, so folgt $\left| \dfrac{1}{g(x)} - \dfrac{1}{B} \right| < \epsilon$, falls $0 < |x - a| < \delta$.

15. Beweise: *(a)* $\lim\limits_{x \to 2} \dfrac{1}{(x - 2)^3} = \infty$, *(b)* $\lim\limits_{x \to \infty} \dfrac{x}{x + 1} = 1$, *(c)* $\lim\limits_{x \to \infty} \dfrac{x^2}{x - 1} = \infty$.

(a) M sei gegeben. Für alle x mit $0 < |x - 2| < \delta$ gilt

$$\left| \frac{1}{(x - 2)^3} \right| > \frac{1}{\delta^3}. \text{ Also folgt } \left| \frac{1}{(x - 2)^3} \right| > M, \text{ falls } \frac{1}{\delta^3} > M, \text{ d.h., } \delta < \frac{1}{\sqrt[3]{M}}.$$

(b) ϵ sei gegeben. Für alle x mit $|x| > M$ gilt $\left| \dfrac{x}{x + 1} - 1 \right| = \dfrac{1}{|x + 1|} \leq \dfrac{1}{|x| - 1} < \dfrac{1}{M - 1}$.

Also folgt $\left| \dfrac{x}{x + 1} - 1 \right| < \epsilon$, falls $\dfrac{1}{M - 1} < \epsilon$, d.h., $M > 1 + \dfrac{1}{\epsilon}$.

(c) M sei hinreichend groß gegeben. Für alle x mit $|x| > P > 1$ gilt

$$\left| \frac{x^2}{x - 1} \right| \geq \frac{x^2}{|x| + 1} > \frac{x^2}{2|x|} = \frac{1}{2}|x| > \frac{1}{2}P. \text{ Also folgt } \left| \frac{x^2}{x - 1} \right| > M, \text{ falls } P > 2M.$$

ERGÄNZUNGSAUFGABEN

16. Beschreibe das Verhalten von $y = 2x + 1$, wenn der Wertebereich von x eine der Folgen aus Aufgabe 1 ist!
Lsg. *(a)* $y \to 1$, *(b)* $y \to 1$, *(c)* $y \to 7$, *(d)* $y \to 7$, *(e)* $y \to 1$, *(f)* $y \to 3$

17. Bestimme:

(a) $\lim\limits_{x \to 2} (x^2 - 4x)$

(e) $\lim\limits_{x \to 2} \dfrac{x - 1}{x^2 - 1}$

(i) $\lim\limits_{x \to 2} \dfrac{x - 2}{\sqrt{x^2 - 4}}$

(b) $\lim\limits_{x \to -1} (x^3 + 2x^2 - 3x - 4)$

(f) $\lim\limits_{x \to 2} \dfrac{x^2 - 4}{x^2 - 5x + 6}$

(j) $\lim\limits_{x \to 2} \dfrac{\sqrt{x - 2}}{x^2 - 4}$

(c) $\lim\limits_{x \to 1} \dfrac{(3x - 1)^2}{(x + 1)^3}$

(g) $\lim\limits_{x \to -1} \dfrac{x^2 + 3x + 2}{x^2 + 4x + 3}$

(k) $\lim\limits_{h \to 0} \dfrac{(x + h)^3 - x^3}{h}$

(d) $\lim\limits_{x \to 0} \dfrac{3^x - 3^{-x}}{3^x + 3^{-x}}$

(h) $\lim\limits_{x \to 2} \dfrac{x - 2}{x^2 - 4}$

(l) $\lim\limits_{x \to 1} \dfrac{x - 1}{\sqrt{x^2 + 3} - 2}$

Lsg. *(a)* -4; *(b)* 0; *(c)* $\frac{1}{2}$; *(d)* 0; *(e)* $\frac{1}{3}$; *(f)* -4; *(g)* $\frac{1}{2}$; *(h)* $\frac{1}{4}$; *(i)* 0; *(j)* ∞, kein Grenzwert; *(k)* $3x^2$; *(l)* 2

18. Bestimme:

(a) $\displaystyle\lim_{x\to\infty}\frac{2x+3}{4x-5}$ (c) $\displaystyle\lim_{x\to\infty}\frac{x}{x^2+5}$ (e) $\displaystyle\lim_{x\to\infty}\frac{x+3}{x^2+5x+6}$ (g) $\displaystyle\lim_{x\to-\infty}\frac{3^x-3^{-x}}{3^x+3^{-x}}$

(b) $\displaystyle\lim_{x\to\infty}\frac{2x^2+1}{6+x-3x^2}$ (d) $\displaystyle\lim_{x\to\infty}\frac{x^2+5x+6}{x+1}$ (f) $\displaystyle\lim_{x\to+\infty}\frac{3^x-3^{-x}}{3^x+3^{-x}}$

Lsg. (a) $\frac{1}{2}$; (b) $-2/3$; (c) 0; (d) ∞, kein Grenzwert; (e) 0; (f) 1; (g) -1

19. Berechne $\displaystyle\lim_{h\to0}\frac{f(a+h)-f(a)}{h}$ für jede der Funktionen in Aufgabe 24, Kap. 1.

Lsg. (a) $\dfrac{-1}{(a-2)^2}$, (b) $\dfrac{1}{2\sqrt{a-4}}$, (c) $\dfrac{1}{(a+1)^2}$

20. Was kann man über $\displaystyle\lim_{x\to\infty}\frac{a_0x^m+a_1x^{m-1}+\cdots+a_m}{b_0x^n+b_1x^{n-1}+\cdots+b_n}$ sagen ($a_0b_0\neq0$ und m,n sind natürliche Zahlen), wenn

(a) $m>n$, (b) $m=n$, (c) $m<n$?   *Lsg.* (a) kein Grenzwert; (b) a_0/b_0; (c) 0

21. Untersuche das Verhalten von $f(x)=|x|$ für $x\to0$. Zeichne ein Diagramm!

Hinweis: Untersuche $\displaystyle\lim_{x\to0^-}f(x)$ und $\displaystyle\lim_{x\to0^+}f(x)$. *Lsg.* $\displaystyle\lim_{x\to0}|x|=0$

22. Untersuche das Verhalten von $\left\{\begin{array}{l}f(x)=x,\ x>0\\f(x)=x+1,\ x\leq0\end{array}\right\}$ für $x\to0$. Zeichne ein Diagramm!

Lsg. $\displaystyle\lim_{x\to0}f(x)$ existiert nicht.

23. (a) Beweise mit Satz IV und vollständiger Induktion

$$\lim_{x\to a}x^n=a^n, \text{ wobei } n \text{ eine natürliche Zahl ist.}$$

(b) Beweise mit Satz III und vollständiger Induktion

$$\lim_{x\to a}\{f_1(x)+f_2(x)+\cdots+f_n(x)\}=\lim_{x\to a}f_1(x)+\lim_{x\to a}f_2(x)+\cdots+\lim_{x\to a}f_n(x)$$

24. Beweise mit Satz II und den Ergebnissen aus Aufgabe 23

$$\lim_{x\to a}P(x)=P(a), \text{ wobei } P(x) \text{ ein Polynom in } x \text{ ist.}$$

25. Es sei $f(x)=5x-6$. Bestimme ein $\delta>0$, so daß $|f(x)-14|<\epsilon$ für $0<|x-4|<\delta$, wenn
(a) $\epsilon=\frac{1}{2}$, (b) $\epsilon=0{,}001$.   *Lsg.* (a) $1/10$, (b) $0{,}0002$

26. Beweise mit der genauen Definition

(a) $\displaystyle\lim_{x\to3}5x=15$,   (b) $\displaystyle\lim_{x\to2}x^2=4$,   (c) $\displaystyle\lim_{x\to2}(x^2-3x+5)=3$.

27. Beweise mit der genauen Definition

(a) $\displaystyle\lim_{x\to0}\frac{1}{x}=\infty$,   (b) $\displaystyle\lim_{x\to1}\frac{x}{x-1}=\infty$,   (c) $\displaystyle\lim_{x\to\infty}\frac{x}{x-1}=1$,   (d) $\displaystyle\lim_{x\to\infty}\frac{x^2}{x+1}=\infty$.

Lsg. (a) $\delta<1/M$, (b) $\delta<\dfrac{1}{M+1}$, (c) $M>1+\dfrac{1}{\epsilon}$, (d) $P>2M$

28. Beweise: Ist $f(x)$ für alle x in einer Umgebung von $x=a$ definiert, und existiert ein Grenzwert für $x\to a$, dann ist der Grenzwert eindeutig bestimmt. Hinweis: Angenommen $\displaystyle\lim_{x\to a}f(x)=A$, $\displaystyle\lim_{x\to a}f(x)=B$, und $B\neq A$. Wir wählen $\varepsilon_1,\varepsilon_2<\frac{1}{2}|A-B|$, bestimmen dazu δ_1 und δ_2 und wählen δ gleich dem Minimum von δ_1 und δ_2. Erkenne, daß dann $|A-B|=|\{A-f(x)\}+\{f(x)-B\}|<|A-B|$ ein Widerspruch ist.

29. Für $f(x), g(x), h(x)$ gelte (i) $f(x)\leq g(x)\leq h(x)$ für alle Werte für x in einer Umgebung von $x=a$ und (ii) $\displaystyle\lim_{x\to a}f(x)=\lim_{x\to a}h(x)=A$. Zeige, daß $\displaystyle\lim_{x\to a}g(x)=A$.

Hinweis: Zu beliebig kleinem $\epsilon>0$ existiert $\delta>0$, so daß $|f(x)-A|<\epsilon$ und $|h(x)-A|<\epsilon$ falls $0<|x-a|<\delta$. Daraus folgt $A-\epsilon<f(x)\leq g(x)\leq h(x)<A+\epsilon$.

30. Beweise: Gilt $f(x)\leq M$ für alle x und $\displaystyle\lim_{x\to a}f(x)=A$, so folgt $A\leq M$.

Hinweis: Wir nehmen $A>M$ an und wählen $\epsilon=\frac{1}{2}(A-M)$. Daraus ergibt sich ein Widerspruch.

KAPITEL 3

Stetigkeit

EINE FUNKTION heißt in $x = x_0$ *stetig*, wenn

    (i) $f(x_0)$ definiert ist,   **(ii)** $\lim\limits_{x \to x_0} f(x)$ existiert und   **(iii)** $\lim\limits_{x \to x_0} f(x) = f(x_0)$

Zum Beispiel ist $f(x) = x^2 + 1$ in $x = 2$ stetig, da $\lim\limits_{x \to 2} f(x) = 5 = f(2)$. Aus Bedingung (i) folgt, daß eine Funktion nur in Punkten ihres Definitionsbereiches stetig sein kann. Also ist $f(x) = \sqrt{4 - x^2}$ in $x = 3$ nicht stetig, da $f(3)$ imaginär, also nicht definiert ist.

    Eine Funktion, die in jedem Punkt eines Intervalls (offen oder geschlossen) stetig ist, heißt in diesem Intervall stetig. Eine Funktion $f(x)$ heißt *stetig*, wenn sie in jedem Punkt ihres Definitionsbereiches stetig ist. Also sind $f(x) = x^2 + 1$ und alle Polynome in x stetige Funktionen; andere Beispiele sind e^x, $\sin x$, $\cos x$.

    Wenn der Definitionsbereich einer Funktion ein abgeschlossenes Intervall $a \leqq x \leqq b$ ist, so ist die Bedingung (ii) nicht erfüllt. Wir nennen so eine Funktion stetig, wenn sie im offenen Intervall $a < x < b$ stetig ist, und wenn $\lim\limits_{x \to a^+} f(x) = f(a)$ und $\lim\limits_{x \to b^-} f(x) = f(b)$. $f(x) = \sqrt{9 - x^2}$ ist somit eine stetige Funktion (siehe Beispiel 1, Kap. 2). Die Funktionen der elementaren Analysis sind höchstens in einigen isolierten Punkten ihres Definitionsbereiches nicht stetig.

EINE FUNKTION $f(x)$ wird in $x = x_0$ *unstetig* genannt, wenn mindestens eine der Stetigkeitsbedingungen dort nicht gilt. Die verschiedenen Arten von Unstetigkeit wollen wir durch Beispiele erläutern:

    (*a*) $f(x) = \dfrac{1}{x - 2}$ ist in $x = 2$ unstetig, da

      (i) $f(2)$ nicht definiert ist (der Nenner ist 0)

      (ii) $\lim\limits_{x \to 2} f(x)$ nicht existiert (ist gleich ∞)

Bis auf $x = 2$ ist die Funktion überall stetig. Wir sagen, sie hat in $x = 2$ eine *Unendlichkeitsstelle* (einen *Pol*). Siehe Abb. 3-1.

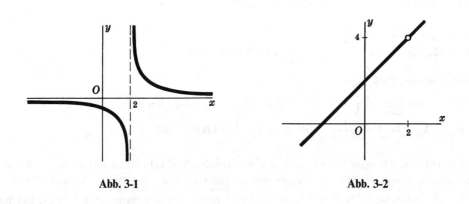

Abb. 3-1   **Abb. 3-2**

    (*b*) $f(x) = \dfrac{x^2 - 4}{x - 2}$ ist in $x = 2$ unstetig, da

      (i) $f(2)$ nicht definiert ist (der Zähler und der Nenner sind beide 0)

      (ii) $\lim\limits_{x \to 2} f(x) = 4$.

Diese Unstetigkeit wird *hebbar* genannt, da sie behoben werden kann, indem man die Funktion umdefiniert in $f(x) = \dfrac{x^2-4}{x-2}$, $x \neq 2$; $f(2) = 4$. (Wir bemerken, daß die Unstetigkeit in *(a)* nicht behoben werden kann, da der Grenzwert nicht existiert.) Die Kurven von $f(x) = \dfrac{x^2-4}{x-2}$ und $g(x) = x+2$ stimmen bis auf $x = 2$ überein; dort hat die erste Funktion eine „Lücke".

(c) $f(x) = \dfrac{x^3-27}{x-3}$, $x \neq 3$; $f(3) = 9$ ist in $x = 3$ unstetig, da

$$\textbf{(i)} \quad f(3) = 9, \qquad \textbf{(ii)} \quad \lim_{x \to 3} f(x) = 27, \qquad \textbf{(iii)} \quad \lim_{x \to 3} f(x) \neq f(3)$$

Die Unstetigkeit kann behoben werden, indem man die Funktion umdefiniert in $f(x) = \dfrac{x^3-27}{x-3}$, $x \neq 3$; $f(3) = 27$.

(d) Die Funktion in Aufgabe 9, Kap. 1, ist für alle $x > 0$ definiert, ist aber unstetig in den Punkten $x = 1, 2, 3, \ldots$ (siehe Aufgabe 12, Kap. 2), da

$$\lim_{x \to s^-} f(x) \neq \lim_{x \to s^+} f(x) \quad \text{(für alle natürlichen Zahlen } s\text{)}$$

Diese Unstetigkeitsstellen nennen wir Sprungstellen.

Siehe Aufgaben 1–2!

EIGENSCHAFTEN VON STETIGEN FUNKTIONEN. Aus den Sätzen über Grenzwerte in Kapitel 2 ergeben sich sofort Sätze über stetige Funktionen. Sind insbesondere $f(x)$ und $g(x)$ in $x = a$ stetig, so auch $f(x) \pm g(x)$, $f(x) \cdot g(x)$ und $f(x)/g(x)$, vorausgesetzt, daß im letzten $g(a) \neq 0$. Also sind Polynome in x überall stetig, während rationale Funktionen von x überall stetig sind mit Ausnahme der Werte von x, für die der Nenner 0 ist.

Der Leser hat bereits einige Eigenschaften von stetigen Funktionen beim Studium von Polynomen kennengelernt:

(a) Zeichnet man die Kurve eines Polynoms $y = f(x)$, so sind zwei Punkte $(a, f(a))$ und $(b, f(b))$ über einen durchgezogenen Kurvenbogen verbunden.

(b) Haben $f(a)$ und $f(b)$ verschiedene Vorzeichen, so schneidet die Kurve von $y = f(x)$ mindestens einmal die x-Achse, und die Gleichung $f(x) = 0$ hat mindestens eine Lösung, die zwischen $x = a$ und $x = b$ liegt.

Hierbei wurde folgende Eigenschaft von stetigen Funktionen benutzt:

I. Ist $f(x)$ stetig im Intervall $a \leqq x \leqq b$ und gilt $f(a) \neq f(b)$, dann gibt es zu jeder Zahl c zwischen $f(a)$ und $f(b)$ mindestens einen Wert von x, etwa $x = x_0$ mit $f(x_0) = c$.

Die Abbildungen **3-3a** und **3-3b** erläutern unsere beiden Anwendungen dieser Eigenschaft, während die Abbildungen **3-4a** und **3-4b** zeigen, daß die Stetigkeit im ganzen Intervall wesentlich ist.

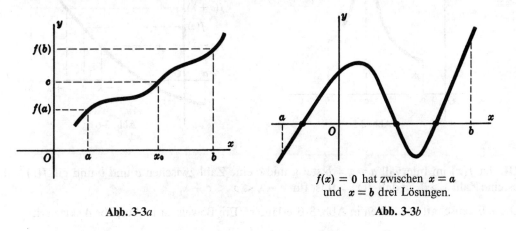

$f(x) = 0$ hat zwischen $x = a$ und $x = b$ drei Lösungen.

Abb. 3-3a **Abb. 3-3b**

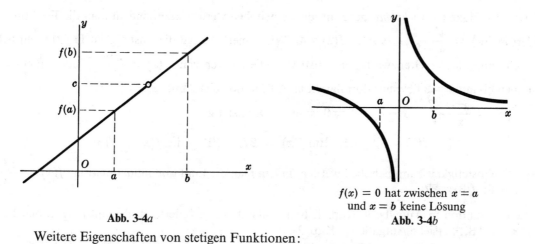

$f(x) = 0$ hat zwischen $x = a$
und $x = b$ keine Lösung

Abb. 3-4a   **Abb. 3-4b**

Weitere Eigenschaften von stetigen Funktionen:

II.   Ist $f(x)$ im Intervall $a \leqq x \leqq b$ stetig, so nimmt $f(x)$ in diesem Intervall einen kleinsten Wert m und einen größten Wert M an.

Obwohl ein Beweis der Eigenschaft II über den Rahmen dieses Buches hinausgeht, wollen wir sie in späteren Kapiteln behandeln. Die untenstehenden Abbildungen sollen die Eigenschaft nur erläutern. In Abbildung 3-5a ist die Funktion stetig in $a \leqq x \leqq b$; der kleinste Wert m wird in $x = c$ angenommen, der größte Wert M in $x = d$. Diese beiden Punkte liegen innerhalb des Intervalls. In Abbildung 3-5b ist die Funktion stetig in $a \leqq x \leqq b$; der kleinste Wert wird im Endpunkt $x = a$ angenommen, während sich der größte Wert in $x = c$ innerhalb des Intervalls befindet. In Abbildung 3-5c ist in $x = c$ eine Unstetigkeit, dabei gilt $a < c < b$; die Funktion hat in $x = a$ einen kleinsten Wert, besitzt aber keinen größten Wert.

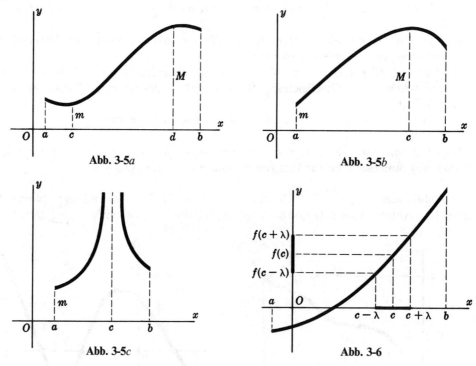

Abb. 3-5a   **Abb. 3-5b**

Abb. 3-5c   **Abb. 3-6**

III.   Ist $f(x)$ im Intervall $a \leqq x \leqq b$ stetig und c eine Zahl zwischen a und b und gilt $f(c) > 0$, dann gibt es eine Zahl $\lambda > 0$, so daß $f(x) > 0$ ist für $c - \lambda < x < c + \lambda$.

Diese Eigenschaft wird oben in Abb. 3-6 erläutert. Ein Beweis ist in Aufgabe 4 skizziert.

AUFGABEN MIT LÖSUNGEN

1. Folgere aus Aufgabe 9, Kapitel 2:

(a) $f(x) = 2/x$ hat einen Pol in $x = 0$.

(b) $f(x) = \dfrac{x-1}{(x+3)(x-2)}$ hat Pole in $x = -3$ und $x = 2$.

(c) $f(x) = \dfrac{(x+2)(x-1)}{(x-3)^2}$ hat einen Pol in $x = 3$.

2. Folgere aus Aufgabe 5, Kapitel 2:

(a) $f(x) = \dfrac{x^3 - 27}{x^2 - 9}$ hat eine hebbare Unstetigkeit (Lücke) in $x = 3$.

In $x = -3$ ist ein Pol.

(b) $f(x) = \dfrac{4 - x^2}{3 - \sqrt{x^2 + 5}}$ hat eine Lücke in $x = 2$.

In $x = -2$ ist ebenfalls eine Lücke.

(c) $f(x) = \dfrac{x^2 + x - 2}{(x-1)^2}$ hat einen Pol in $x = 1$.

3. Zeige: Existiert $\lim\limits_{h \to 0} \dfrac{f(a+h) - f(a)}{h}$, so ist $f(x)$ in $x = a$ stetig.

Aus der Existenz des Grenzwertes folgt $f(a+h) - f(a) \to 0$ für $h \to 0$. Also gilt $\lim\limits_{h \to 0} f(a+h) = f(a)$ und damit ist $f(x)$ stetig in $x = a$.

4. Beweise: Ist $f(x)$ im Intervall $a \leqq x \leqq b$ stetig und c eine beliebige Zahl zwischen a und b und gilt $f(c) > 0$, so gibt es eine Zahl $\lambda > 0$ mit $f(x) > 0$ für $c - \lambda < x < c + \lambda$.

Da $f(x)$ in $x = c$ stetig ist, gilt $\lim\limits_{x \to c} f(x) = f(c)$. Weiter gibt es zu beliebigem $\epsilon > 0$ ein $\delta > 0$ mit

(i) $|f(x) - f(c)| < \epsilon$ für $0 < |x - c| < \delta$.

Für alle Punkte des Intervalls $c - \delta < x < c + \delta$ mit $f(x) \geqq f(c)$ gilt $f(x) > 0$. In allen anderen Punkten ist $f(x) < f(c)$, also $|f(x) - f(c)| = f(c) - f(x) < \epsilon$ und damit $f(x) > f(c) - \epsilon$. Also gilt in diesen Punkten $f(x) > 0$, außer wenn $\epsilon \geqq f(c)$. Um also ein Intervall zu bestimmen, für das der Satz gilt, wählen wir $\epsilon < f(c)$, bestimmen ein δ, das (i) erfüllt, und nehmen $\lambda < \delta$. In Aufgabe 10 steht ein ähnlicher Satz.

ERGÄNZUNGSAUFGABEN

5. Überprüfe die Funktionen in Aufgabe **17(a)-(h)**, Kap. 2, auf Unstetigkeitsstellen!

Lsg. (a), (b), (d) keine; (c) $x = -1$; (e) $x = \pm 1$; (f) $x = 2, 3$; (g) $x = -1, -3$; (h) $x = \pm 2$

6. Zeige, daß $f(x) = |x|$ überall stetig ist!

7. Zeige, daß $f(x) = \dfrac{1 - 2^{1/x}}{1 + 2^{1/x}}$ in $x = 0$ eine Sprungstelle hat!

8. In $x = 0$ hat **(a)** $f(x) = \dfrac{1}{3^{1/x} + 1}$ eine Sprungstelle und **(b)** $f(x) = \dfrac{x}{3^{1/x} + 1}$ eine Lücke.

9. Setze in Abb. **3-4a** (der Kurve von $f(x) = \dfrac{x^2 - 4x - 21}{x - 7}$) für $a = 3$ und $b = 11$. Zeige, daß $c = 10$ ist!

10. Beweise: Ist $f(x)$ im Intervall $a \leqq x \leqq b$ stetig und c eine beliebige Zahl zwischen a und b und gilt $f(c) < 0$, so gibt es eine Zahl $\lambda > 0$ mit $f(x) < 0$ für $c - \lambda < x < c + \lambda$.

Die Ableitung

ZUWACHS. Der Zuwachs Δx einer Veränderlichen x ist die Änderung von x, wenn x von einem Wert $x = x_0$ bis zu einem Wert $x = x_1$ im Wertebereich steigt oder fällt. Also gilt $\Delta x = x_1 - x_0$, und wir können schreiben $x_1 = x_0 + \Delta x$.

Hat die Veränderliche x von $x = x_0$ ab einen Zuwachs Δx (ändert sich also von $x = x_0$ bis zu $x = x_0 + \Delta x$) und hat eine Funktion $y = f(x)$ dabei von $y = f(x_0)$ einen Zuwachs von $\Delta y = f(x_0 + \Delta x) - f(x_0)$, so nennt man den Quotienten

$$\frac{\Delta y}{\Delta x} = \frac{\text{Änderung von } y}{\text{Änderung von } x}$$

die *mittlere Änderungsgeschwindigkeit* der Funktion im Intervall zwischen $x = x_0$ und $x = x_0 + \Delta x$.

Beispiel 1:

Ändert sich x von $x_0 = 1$ ab um $\Delta x = 0{,}5$, so ändert sich die Funktion $y = f(x) = x^2 + 2x$ um $\Delta y = f(1 + 0{,}5) - f(1)$ $= 5{,}25 - 3 = 2{,}25$. Also ist die mittlere Änderungsgeschwindigkeit im Intervall zwischen $x = 1$ und $x = 1{,}5$ durch $\frac{\Delta y}{\Delta x} = \frac{2{,}25}{0{,}5} = 4{,}5$ gegeben.

Siehe Aufgaben 1-2!

DIE ABLEITUNG einer Funktion $y = f(x)$ bezüglich x im Punkt $x = x_0$ ist definiert durch

$$\lim_{\Delta x \to 0} \frac{\Delta y}{\Delta x} = \lim_{\Delta x \to 0} \frac{f(x_0 + \Delta x) - f(x_0)}{\Delta x},$$

wenn der Grenzwert existiert. Dieser Grenzwert wird auch die *augenblickliche Änderungsgeschwindigkeit* (oder einfacher, *Änderungsgeschwindigkeit*) von y bezüglich x in $x = x_0$ genannt.

Beispiel 2:

Bestimme die Ableitung von $y = f(x) = x^2 + 3x$ bezüglich x in $x = x_0$! Berechne damit den Wert der Ableitung in (a) $x_0 = 2$ und (b) $x_0 = -4$.

$$y_0 = f(x_0) = x_0^2 + 3x_0$$
$$y_0 + \Delta y = f(x_0 + \Delta x) = (x_0 + \Delta x)^2 + 3(x_0 + \Delta x)$$
$$= x_0^2 + 2x_0\Delta x + (\Delta x)^2 + 3x_0 + 3\Delta x$$
$$\Delta y = f(x_0 + \Delta x) - f(x_0) = 2x_0\Delta x + 3\Delta x + (\Delta x)^2$$
$$\frac{\Delta y}{\Delta x} = \frac{f(x_0 + \Delta x) - f(x_0)}{\Delta x} = 2x_0 + 3 + \Delta x$$

Die Ableitung in $x = x_0$ ist

$$\lim_{\Delta x \to 0} \frac{\Delta y}{\Delta x} = \lim_{\Delta x \to 0} (2x_0 + 3 + \Delta x) = 2x_0 + 3$$

(a) In $x_0 = 2$ ist der Wert der Ableitung gleich $2 \cdot 2 + 3 = 7$.

(b) In $x_0 = -4$ ist der Wert der Ableitung gleich $2(-4) + 3 = -5$.

WENN MAN DIE ABLEITUNG BESTIMMT, so ist es üblich, den Index 0 wegzulassen. Man erhält dann die Ableitung von $y = f(x)$ bezüglich x als

$$\lim_{\Delta x \to 0} \frac{\Delta y}{\Delta x} = \lim_{\Delta x \to 0} \frac{f(x + \Delta x) - f(x)}{\Delta x}$$

Siehe die Bemerkung nach Aufgabe 5*(c)*, Kap 2!

Die Ableitung von $y = f(x)$ bezüglich x kann man mit einem der Symbole

$$\frac{d}{dx} y, \quad \frac{dy}{dx}, \quad D_x y, \quad y', \quad f'(x) \quad \text{oder} \quad \frac{d}{dx} f(x) \quad \text{bezeichnen.}$$

Siehe Aufgaben 3-8!

AUFGABEN MIT LÖSUNGEN

1. Es sei $y = f(x) = x^2 + 5x - 8$. Bestimme Δy und $\Delta y / \Delta x$, wenn x sich ändert *(a)* von $x_0 = 1$ zu $x_1 = x_0 + \Delta x = 1,2$ und *(b)* von $x_0 = 1$ zu $x_1 = 0,8$!

   (a) $\Delta x = x_1 - x_0 = 1,2 - 1 = 0,2$

   $\Delta y = f(x_0 + \Delta x) - f(x_0) = f(1,2) - f(1) = -0,56 - (-2) = 1,44$ und $\dfrac{\Delta y}{\Delta x} = \dfrac{1,44}{0,2} = 7,2$

   (b) $\Delta x = 0,8 - 1 = -0,2$

   $\Delta y = f(0,8) - f(1) = -3,36 - (-2) = -1,36$ und $\dfrac{\Delta y}{\Delta x} = \dfrac{-1,36}{-0,2} = 6,8$

   Geometrisch ist $\dfrac{\Delta y}{\Delta x}$ in *(a)* die Steigung der Sekante durch die Punkte $(1, -2)$ und $(1,2, -0,56)$ der Parabel

   $y = x^2 + 5x - 8$ und in *(b)* die Steigung der Sekante durch die Punkte $(0,8, -3,36)$ und $(1, -2)$ derselben Parabel.

2. Fällt ein Körper im freien Fall aus der Ruhelage t (sec) lang, so ist der zurückgelegte Weg s (m) annähernd durch $s = 5t^2$ gegeben. Bestimme $\Delta s / \Delta t$, wenn t sich von t_0 zu $t_0 + \Delta t$ ändert! Bestimme damit $\Delta s / \Delta t$, wenn t sich ändert *(a)* von 3 zu 3,5, *(b)* von 3 zu 3,2 und *(c)* von 3 zu 3,1.

   $$\frac{\Delta s}{\Delta t} = \frac{\left[5 (t_0 + \Delta t)^2 - 5 t_0^2\right]}{\Delta t} = \frac{\left[10 t_0 \cdot \Delta t + 5 (\Delta t)^2\right]}{\Delta t} = 10 t_0 + 5 \Delta t$$

   $t_0 = 3$, $\Delta t = 0,5$, also $\Delta s / \Delta t = 10 (3) + 5 (0,5) = 32,5$ m/sec.

   (b) Es ist $t_0 = 3$, $\Delta t = 0,2$, also $\Delta s / \Delta t = 10 (3) + 5 (0,2) = 31$ m/sec.

   (c) Es ist $t_0 = 3$, $\Delta t = 0,1$, also $\Delta s / \Delta t = 10 (3) + 5 (0,1) = 30,5$ m/sec.

   Da Δs der in der Zeitdifferenz Δt zurückgelegte Weg des Körpers ist, gilt

   $$\frac{\Delta s}{\Delta t} = \frac{\text{Wegdifferenz}}{\text{Zeitdifferenz}} = \text{mittlere Geschwindigkeit des Körpers über das Zeitintervall } t_0 \leq t \leq t_0 + \Delta t.$$

3. Bestimme dy/dx für $y = x^3 - x^2 - 4$! Bestimme ebenfalls den Wert von dy/dx, wenn (a) $x = 4$, (b) $x = 0$, (c) $x = -1$!

$$
\begin{aligned}
\textbf{(1)} \quad y + \Delta y &= (x + \Delta x)^3 - (x + \Delta x)^2 - 4 \\
&= x^3 + 3x^2(\Delta x) + 3x(\Delta x)^2 + (\Delta x)^3 - x^2 - 2x(\Delta x) - (\Delta x)^2 - 4
\end{aligned}
$$

$$
\textbf{(2)} \quad \Delta y = (3x^2 - 2x) \cdot \Delta x + (3x - 1)(\Delta x)^2 + (\Delta x)^3
$$

$$
\textbf{(3)} \quad \frac{\Delta y}{\Delta x} = 3x^2 - 2x + (3x - 1) \cdot \Delta x + (\Delta x)^2
$$

$$
\textbf{(4)} \quad \frac{dy}{dx} = \lim_{\Delta x \to 0} \{3x^2 - 2x + (3x - 1) \cdot \Delta x + (\Delta x)^2\} = 3x^2 - 2x
$$

$$
\textbf{(a)} \; \left.\frac{dy}{dx}\right|_{x=4} = 3(4)^2 - 2(4) = 40, \quad \textbf{(b)} \; \left.\frac{dy}{dx}\right|_{x=0} = 3(0)^2 - 2(0) = 0, \quad \textbf{(c)} \; \left.\frac{dy}{dx}\right|_{x=-1} = 3(-1)^2 - 2(-1) = 5
$$

4. Berechne die Ableitung von $y = x^2 + 3x + 5$!

$$
\textbf{(1)} \quad y + \Delta y = (x + \Delta x)^2 + 3(x + \Delta x) + 5 = x^2 + 2x\,\Delta x + \Delta x^2 + 3x + 3\Delta x + 5
$$

$$
\textbf{(2)} \quad \Delta y = (2x + 3)\Delta x + \Delta x^2
$$

$$
\textbf{(3)} \quad \frac{\Delta y}{\Delta x} = \frac{(2x + 3)\Delta x + \Delta x^2}{\Delta x} = 2x + 3 + \Delta x
$$

$$
\textbf{(4)} \quad \frac{dy}{dx} = \lim_{\Delta x \to 0} (2x + 3 + \Delta x) = 2x + 3
$$

5. Berechne die Ableitung von $y = \dfrac{1}{x - 2}$ in $x = 1$ und $x = 3$! Zeige, daß die Ableitung in $x = 2$ nicht existiert; dort ist die Funktion unstetig!

$$
\textbf{(1)} \quad y + \Delta y = \frac{1}{x + \Delta x - 2}
$$

$$
\textbf{(2)} \quad \Delta y = \frac{1}{x + \Delta x - 2} - \frac{1}{x - 2} = \frac{(x - 2) - (x + \Delta x - 2)}{(x - 2)(x + \Delta x - 2)} = \frac{-\Delta x}{(x - 2)(x + \Delta x - 2)}
$$

$$
\textbf{(3)} \quad \frac{\Delta y}{\Delta x} = \frac{-1}{(x - 2)(x + \Delta x - 2)}
$$

$$
\textbf{(4)} \quad \frac{dy}{dx} = \lim_{\Delta x \to 0} \frac{-1}{(x - 2)(x + \Delta x - 2)} = \frac{-1}{(x - 2)^2} \cdot
$$

Für $x = 1$ gilt $\dfrac{dy}{dx} = \dfrac{-1}{(1 - 2)^2} = -1$ und für $x = 3$ gilt $\dfrac{dy}{dx} = \dfrac{-1}{(3 - 2)^2} = -1$.

Für $x = 2$ existiert $\dfrac{dy}{dx}$ nicht, da der Nenner Null ist.

6. Bestimme die Ableitung von $f(x) = \dfrac{2x - 3}{3x + 4}$! Untersuche die Ableitung für $x = -\frac{4}{3}$, wo die Funktion unstetig ist.

$$
\textbf{(1)} \quad f(x + \Delta x) = \frac{2(x + \Delta x) - 3}{3(x + \Delta x) + 4}
$$

$$
\begin{aligned}
\textbf{(2)} \quad f(x + \Delta x) - f(x) &= \frac{2x + 2\Delta x - 3}{3x + 3\Delta x + 4} - \frac{2x - 3}{3x + 4} \\[2mm]
&= \frac{(3x + 4)[(2x - 3) + 2\Delta x] - (2x - 3)[(3x + 4) + 3\Delta x]}{(3x + 4)(3x + 3\Delta x + 4)} \\[2mm]
&= \frac{(6x + 8 - 6x + 9)\Delta x}{(3x + 4)(3x + 3\Delta x + 4)} = \frac{17\Delta x}{(3x + 4)(3x + 3\Delta x + 4)}
\end{aligned}
$$

(3) $\quad \dfrac{f(x + \Delta x) - f(x)}{\Delta x} \;=\; \dfrac{17}{(3x + 4)(3x + 3\Delta x + 4)}$

(4) $\qquad\qquad f'(x) \;=\; \lim\limits_{\Delta x \to 0} \dfrac{17}{(3x + 4)(3x + 3\Delta x + 4)} \;=\; \dfrac{17}{(3x + 4)^2}$

Für $x = -4/3$ existiert die Ableitung nicht, da der Nenner Null ist. Allgemein gilt: *Ist eine Funktion in einem Punkt unstetig, so existiert dort die Ableitung nicht.*

7. Bestimme die Ableitung von $y = \sqrt{2x + 1}$!

   (1) $\quad y + \Delta y \;=\; (2x + 2\Delta x + 1)^{1/2}$

   (2) $\qquad \Delta y \;=\; (2x + 2\Delta x + 1)^{1/2} - (2x + 1)^{1/2}$

   $\qquad\qquad =\; \cdot [(2x + 2\Delta x + 1)^{1/2} - (2x + 1)^{1/2}]\; \dfrac{(2x + 2\Delta x + 1)^{1/2} + (2x + 1)^{1/2}}{(2x + 2\Delta x + 1)^{1/2} + (2x + 1)^{1/2}}$

   $\qquad\qquad =\; \dfrac{(2x + 2\Delta x + 1) - (2x + 1)}{(2x + 2\Delta x + 1)^{1/2} + (2x + 1)^{1/2}} \;=\; \dfrac{2\Delta x}{(2x + 2\Delta x + 1)^{1/2} + (2x + 1)^{1/2}}$

   (3) $\qquad \dfrac{\Delta y}{\Delta x} \;=\; \dfrac{2}{(2x + 2\Delta x + 1)^{1/2} + (2x + 1)^{1/2}}$

   (4) $\qquad \dfrac{dy}{dx} \;=\; \lim\limits_{\Delta x \to 0} \dfrac{2}{(2x + 2\Delta x + 1)^{1/2} + (2x + 1)^{1/2}} \;=\; \dfrac{1}{(2x + 1)^{1/2}}$

Für die Funktion $f(x) = \sqrt{2x + 1}$ gilt $\lim\limits_{x \to -\frac{1}{2}^{+}} f(x) = 0 = f(-\tfrac{1}{2})$, während $\lim\limits_{x \to -\frac{1}{2}^{-}} f(x)$ nicht existiert; die

Funktion ist für $x = -\tfrac{1}{2}$ *von rechts stetig.* Für $x = -\tfrac{1}{2}$ ist die Ableitung unendlich.

8. Bestimme die Ableitung von $f(x) = x^{1/3}$! Untersuche $f'(0)$.

   (1) $\qquad f(x + \Delta x) \;=\; (x + \Delta x)^{1/3}$

   (2) $\quad f(x + \Delta x) - f(x) \;=\; (x + \Delta x)^{1/3} - x^{1/3}$

   $\qquad\qquad =\; \dfrac{[(x + \Delta x)^{1/3} - x^{1/3}][(x + \Delta x)^{2/3} + x^{1/3}(x + \Delta x)^{1/3} + x^{2/3}]}{(x + \Delta x)^{2/3} + x^{1/3}(x + \Delta x)^{1/3} + x^{2/3}}$

   $\qquad\qquad =\; \dfrac{x + \Delta x - x}{(x + \Delta x)^{2/3} + x^{1/3}(x + \Delta x)^{1/3} + x^{2/3}}$

   (3) $\quad \dfrac{f(x + \Delta x) - f(x)}{\Delta x} \;=\; \dfrac{1}{(x + \Delta x)^{2/3} + x^{1/3}(x + \Delta x)^{1/3} + x^{2/3}}$

   (4) $\qquad f'(x) \;=\; \lim\limits_{\Delta x \to 0} \dfrac{1}{(x + \Delta x)^{2/3} + x^{1/3}(x + \Delta x)^{1/3} + x^{2/3}} \;=\; \dfrac{1}{3x^{2/3}}$

Die Ableitung existiert für $x = 0$ nicht, da der Nenner Null ist. Beachte, daß die Funktion in $x = 0$ stetig ist. Das erläutert zusammen mit der Bemerkung am Schluß von Aufgabe 6 folgendes: *Existiert die Ableitung einer Funktion für* $x = a$, *dann ist die Funktion dort stetig, aber nicht umgekehrt.*

9. Erkläre dy/dx geometrisch!

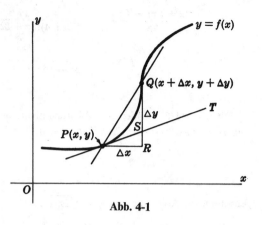

Abb. 4-1

Aus Abb. 4-1 sieht man, daß $\Delta y/\Delta x$ die Steigung der Sekante durch den beliebigen, aber festen Punkt $P(x,y)$ und den benachbarten Punkt $Q(x+\Delta x, y+\Delta y)$ der Kurve ist. Für $x \to 0$ bleibt P fest, und Q nähert sich auf der Kurve dem Punkt P. Die Sekante dreht sich dabei um P und geht in eine Grenzlage über, der Tangente PT an der Kurve in P. Also gibt dy/dx die Steigung der Tangente in P an der Kurve $y = f(x)$ an.

Zum Beispiel ergibt sich aus Aufgabe 3 für die Steigung bei der Funktion $y = x^3 - x^2 - 4$: $m = 40$ im Punkt $x = 4$, $m = 0$ im Punkt $x = 0$ und $m = 5$ im Punkt $x = -1$.

10. Bestimme ds/dt für die Funktion in Aufgabe 2 und erkläre das Ergebnis!

Es ist $\frac{\Delta s}{\Delta t} = 10t_0 + 5\Delta t$ und $\frac{ds}{dt} = \lim_{\Delta t \to 0} (10t_0 + 5\Delta t) = 10t_0$.

Da $\Delta t \to 0$, gibt $\Delta s/\Delta t$ die durchschnittliche Geschwindigkeit des Körpers in immer kleineren Zeitabschnitten Δt an. Wir definieren ds/dt als die Momentangeschwindigkeit v des Körpers zum Zeitpunkt $t = t_0$. Für $t = 3$ gilt zum Beispiel $v = 10(3) = 30$ m/sec.

11. Bestimme $f'(x)$ für $f(x) = |x|$!

Die Funktion ist überall stetig. Für $x < 0$ gilt $f(x) = -x$ und $f'(x) = 1$.

Für $x = 0$ gilt $f(x) = 0$ und $\lim_{\Delta x \to 0} \frac{f(x + \Delta x) - f(x)}{\Delta x} = \lim_{\Delta x \to 0} \frac{f(0 + \Delta x) - f(0)}{\Delta x} = \lim_{\Delta x \to 0} \frac{|\Delta x|}{\Delta x}$.

Aus $\Delta x \to 0^-$ folgt $\frac{|\Delta x|}{\Delta x} \to -1$, während aus $\Delta x \to 0^+$ folgt: $\frac{|\Delta x|}{\Delta x} \to 1$

Also existiert in $x = 0$ keine Ableitung.

12. Berechne $\epsilon = \frac{\Delta y}{\Delta x} - \frac{dy}{dx}$ für die Funktion in *(a)* Aufg. 3 und *(b)* Aufg. 5!   Zeige: Aus $\Delta x \to 0$ folgt $\epsilon \to 0$.

(a) $\epsilon = \{3x^2 - 2x + (3x - 1)\Delta x + (\Delta x)^2\} - \{3x^2 - 2x\} = (3x - 1 + \Delta x)\Delta x$.

(b) $\epsilon = \frac{-1}{(x-2)(x+\Delta x - 2)} - \frac{-1}{(x-2)^2} = \frac{-(x-2) + (x + \Delta x - 2)}{(x-2)^2(x + \Delta x - 2)} = \frac{1}{(x-2)^2(x + \Delta x - 2)} \Delta x$

13. Erkläre $\Delta y = \frac{dy}{dx} \cdot \Delta x + \epsilon \cdot \Delta x$ (siehe Aufg. 12) geometrisch.

Aus der Abbildung zu Aufgabe 9 ergibt sich: $\Delta y = RQ$ und $\frac{dy}{dx} \cdot \Delta x = PR \cdot \tan \angle TPR = RS$; also $\epsilon \cdot \Delta x = SQ$.

Ändert sich x von $P(x, y)$ um Δx, so ändert sich y entsprechend *auf der Kurve* um Δy, während $\frac{dy}{dx}\Delta x$ die entsprechende Änderung von y *auf der Tangente PT* ist. Da die Differenz $\epsilon \cdot \Delta x = (\ldots)(\Delta x)^2 \to 0$ schneller als Δx, benutzen wir in Kapitel 23 $\frac{dy}{dx} \cdot \Delta x$ als Näherung für Δy, wenn $|\Delta x|$ klein ist.

ERGÄNZUNGSAUFGABEN

14. Bestimme y und $\Delta y/\Delta x$ für:

(a) $y = 2x - 3$, wenn sich x von 3,3 auf 3,5 ändert!

(b) $y = x^2 + 4x$, wenn sich x von 0,7 auf 0,85 ändert!

(c) $y = 2/x$, wenn sich x von 0,75 auf 0,5 ändert!

Lsg. (a) 0,4; 2, (b) 0,8325; 5,55, (c) 4/3; −16/3

15. Bestimme y für $y = x^2 - 3x + 5$, $x = 5$ und $x = -0{,}01$! Wie groß ist also der Wert von y für $x = 4{,}99$?

Lsg. $x = -0{,}0699$; $y = 14{,}9301$

16. Bestimme die durchschnittliche Geschwindigkeit für:

(a) $s = (3t^2 + 5)$ m, wenn sich t von 2 auf 3 sec ändert!

(b) $s = (2t^2 + 5t - 3)$ m, wenn sich t von 2 auf 5 sec ändert!

Lsg. (a) 15 m/sec; (b) 19 m/sec.

17. Bestimme die Volumenänderung eines runden Ballons, wenn sich der Radius *(a)* von r auf $r + \Delta r$ cm, *(b)* von 2 auf 3 cm ändert!

Lsg. (a) $\dfrac{4\pi}{3}(3r^2 + 3r \cdot \Delta r + \Delta r^2) \cdot \Delta r$ cm^3 (b) $\dfrac{76}{3}\pi$ cm^3.

18. Bestimme von jeder der folgenden Funktionen die Ableitung

(a) $y = 4x - 3$ (d) $y = 1/x^2$ (g) $y = \sqrt{x}$ (i) $y = \sqrt{1 + 2x}$

(b) $y = 4 - 3x$ (e) $y = (2x - 1)/(2x + 1)$ (h) $y = 1/\sqrt{x}$ (j) $y = 1/\sqrt{2 + x}$

(c) $y = x^2 + 2x - 3$ (f) $y = (1 + 2x)/(1 - 2x)$

Lsg. (a) 4

(b) −3 (e) $\dfrac{4}{(2x + 1)^2}$ (g) $\dfrac{1}{2\sqrt{x}}$ (i) $\dfrac{1}{\sqrt{1 + 2x}}$

(c) $2(x + 1)$ (f) $\dfrac{4}{(1 - 2x)^2}$ (h) $-\dfrac{1}{2x\sqrt{x}}$ (j) $-\dfrac{1}{2(2 + x)^{3/2}}$

(d) $-2/x^3$

19. Berechne die Steigung der folgenden Funktionen im Punkt $x = 1$:

(a) $y = 8 - 5x^2$, (b) $y = \dfrac{4}{x + 1}$, (c) $y = \dfrac{2}{x + 3}$.

Lsg. (a) −10, (b) −1, (c) −1/8.

20. Bestimme die Koordinaten des Scheitels V der Parabel $y = x^2 - 4x + 1$ durch Benutzung der Tatsache, daß die Steigung der Tangente im Scheitelpunkt 0 ist! *Lsg.* $V(2, -3)$.

21. Berechne die Steigung der Tangenten an die Parabel $y = -x^2 + 5x - 6$ in ihren Schnittpunkten mit der x-Achse! *Lsg.* Für $x = 2$ gilt $m = 1$; für $x = 3$ gilt $m = -1$.

22. Bestimme für folgende Bewegungen die Geschwindigkeit zur Zeit $t = 2$ (s in m und t in sec gemessen)!

(a) $s = t^2 + 3t$, (b) $s = t^3 - 3t^2$, (c) $s = \sqrt{t + 2}$.

Lsg. (a) 7 m/sec, (b) 0 m/sec, (c) $\frac{1}{4}$ m/sec.

23. Zeige, daß die augenblickliche Volumenänderung eines Würfels in bezug auf seine Seite x (cm) in $x = 2$ (cm) gleich 12 cm^3/cm ist!

KAPITEL 5

Differentiation von algebraischen Funktionen

EINE FUNKTION heißt differenzierbar für $x = x_0$, wenn sie dort eine Ableitung hat. Eine Funktion heißt in einem Intervall differenzierbar, wenn sie in jedem Punkt des Intervalls differenzierbar ist.

Die Funktionen der elementaren Analysis sind differenzierbar bis auf mögliche Ausnahmepunkte, die im Definitionsintervall isoliert liegen.

DIFFERENTIATIONSREGELN. In diesen Regeln sind u, v und w differenzierbare Funktionen von x.

1. $\dfrac{d}{dx}(c) = 0$, wobei c eine Konstante ist

2. $\dfrac{d}{dx}(x) = 1$

3. $\dfrac{d}{dx}(u + v + \cdots) = \dfrac{d}{dx}(u) + \dfrac{d}{dx}(v) + \cdots$

4. $\dfrac{d}{dx}(cu) = c\dfrac{d}{dx}(u)$

5. $\dfrac{d}{dx}(uv) = u\dfrac{d}{dx}(v) + v\dfrac{d}{dx}(u)$

6. $\dfrac{d}{dx}(uvw) = uv\dfrac{d}{dx}(w) + uw\dfrac{d}{dx}(v) + vw\dfrac{d}{dx}(u)$

7. $\dfrac{d}{dx}\left(\dfrac{u}{c}\right) = \dfrac{1}{c} \cdot \dfrac{d}{dx}(u),\ c \neq 0$

8. $\dfrac{d}{dx}\left(\dfrac{c}{u}\right) = c\dfrac{d}{dx}\left(\dfrac{1}{u}\right) = -\dfrac{c}{u^2} \cdot \dfrac{d}{dx}(u),$ $u \neq 0$

9. $\dfrac{d}{dx}\left(\dfrac{u}{v}\right) = \dfrac{v\dfrac{d}{dx}(u) - u\dfrac{d}{dx}(v)}{v^2},\ v \neq 0$

10. $\dfrac{d}{dx}(x^m) = mx^{m-1}$

11. $\dfrac{d}{dx}(u^m) = mu^{m-1}\dfrac{d}{dx}(u)$

Siehe Aufgaben 1-13!

UMKEHRFUNKTIONEN. Es sei $y = f(x)$ im Intervall $a \leqq x \leqq b$ differenzierbar. Wir nehmen an, daß dy/dx dort das Vorzeichen nicht wechselt. Dann nimmt die Funktion jeden Wert zwischen $f(a) = c$ und $f(b) = d$ genau einmal an. (Siehe Abb. 5-1a und 5-1b.) Also gibt es zu jedem Wert von y genau einen Wert von x, und x ist eine Funktion von y, etwa $x = g(y)$. Die Funktion $x = g(y)$ heißt die *Umkehrfunktion* von $y = f(x)$. (Die Funktionen sind zueinander invers.)

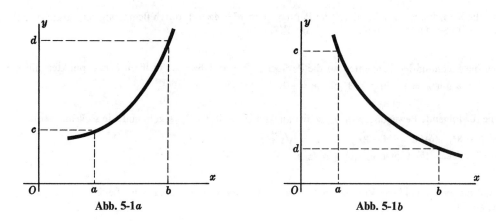

Abb. 5-1a   Abb. 5-1b

Beispiel 1:

(a) $y = f(x) = 3x + 2$ und $x = g(y) = \frac{1}{3}(y - 2)$ sind zueinander invers.

(b) Für $x \leqq 2$ und $y \geqq -1$ sind $y = x^2 - 4x + 3$ und $x = 2 - \sqrt{y + 1}$ zueinander invers. Für $x \geqq 2$ und $y \geqq -1$ sind $y = x^2 - 4x + 3$ und $x = 2 + \sqrt{y + 1}$ zueinander invers.

(a) Um nach x zu differenzieren, löst man, wenn möglich, nach y auf oder

(b) man differenziert $x = g(y)$ nach y und benutzt

$$12. \qquad \frac{dy}{dx} = \frac{1}{\dfrac{dx}{dy}}$$

Beispiel 2:

Berechne dy/dx, wenn $x = \sqrt{y} + 5$!

Mit *(a)*: $y = (x - 5)^2$, also $dy/dx = 2(x - 5)$.

Mit *(b)*: $\dfrac{dx}{dy} = \frac{1}{2}y^{-1/2} = \dfrac{1}{2\sqrt{y}}$, also $\dfrac{dy}{dx} = 2\sqrt{y} = 2(x - 5)$.

Siehe Aufgaben 14-15!

DIFFERENTIATION EINER FUNKTION EINER FUNKTION. Gilt $y = f(u)$ und $u = g(x)$, so ist $y = f\{g(x)\}$ eine Funktion von x. Ist y eine differenzierbare Funktion von u und u eine differenzierbare Funktion von x, dann ist $y = f\{g(x)\}$ eine differenzierbare Funktion von x, und die Ableitung dy/dx kann auf eine der folgenden Arten berechnet werden:

(a) Man drückt y durch x aus und differenziert dann.

Beispiel 3:

Ist $y = u^2 + 3$ und $u = 2x + 1$, dann gilt $y = (2x + 1)^2 + 3$ und $dy/dx = 8x + 4$.

(b) Man differenziert $y = f(u)$ und $u = g(x)$ nach u bzw. x und benutzt die Regel (*Kettenregel*)

$$13. \qquad \frac{dy}{dx} = \frac{dy}{du} \cdot \frac{du}{dx}$$

Beispiel 4:

Ist $y = u^2 + 3$ und $u = 2x + 1$, dann gilt $\dfrac{dy}{du} = 2u$, $\dfrac{du}{dx} = 2$ und $\dfrac{dy}{dx} = \dfrac{dy}{du} \cdot \dfrac{du}{dx} = 4u = 8x + 4$.

Siehe Aufgaben 16-20!

ABLEITUNGEN HÖHERER ORDNUNG. Es sei $y = f(x)$ eine differenzierbare Funktion von x. Wir nennen die Ableitung auch die *erste Ableitung* der Funktion. Ist die erste Ableitung differenzierbar, so wird ihre Ableitung die *zweite Ableitung* der (gegebenen) Funktion genannt. Sie wird durch eines der Symbole $\dfrac{d^2y}{dx^2}$, y'', oder $f''(x)$ bezeichnet. Entsprechend wird die Ableitung der zweiten Ableitung die *dritte Ableitung* der Funktion genannt und mit $\dfrac{d^3y}{dx^3}$, y''' oder $f'''(x)$ bezeichnet, usw.

Bemerkung. Die Ableitung einer bestimmten Ordnung in einem Punkt kann nur existieren, wenn die Funktion und alle Ableitungen kleinerer Ordnung in diesem Punkt differenzierbar sind.

Siehe Aufgaben 21-23!

AUFGABEN MIT LÖSUNGEN

1. Beweise: (a) $\frac{d}{dx}(c) = 0$, wenn c eine Konstante ist; (b) $\frac{d}{dx}(x) = 1$; (c) $\frac{d}{dx}(cx) = c$, wenn c eine Konstante ist;

(d) $\frac{d}{dx}(x^n) = nx^{n-1}$, wenn n eine natürliche Zahl ist!

$$\text{Aus } \frac{d}{dx}f(x) = \lim_{\Delta x \to 0} \frac{f(x+\Delta x) - f(x)}{\Delta x} \text{ folgt}$$

(a) $\frac{d}{dx}(c) = \lim_{\Delta x \to 0} \frac{c-c}{\Delta x} = \lim_{\Delta x \to 0} 0 = 0$

(b) $\frac{d}{dx}(x) = \lim_{\Delta x \to 0} \frac{(x+\Delta x) - x}{\Delta x} = \lim_{\Delta x \to 0} \frac{\Delta x}{\Delta x} = \lim_{\Delta x \to 0} 1 = 1$

(c) $\frac{d}{dx}(cx) = \lim_{\Delta x \to 0} \frac{c(x+\Delta x) - cx}{\Delta x} = \lim_{\Delta x \to 0} c = c$

(d) $\frac{d}{dx}(x^n) = \lim_{\Delta x \to 0} \frac{(x+\Delta x)^n - x^n}{\Delta x} = \lim_{\Delta x \to 0} \frac{\left\{ x^n + nx^{n-1}\Delta x + \frac{n(n-1)}{1 \cdot 2} x^{n-2}(\Delta x)^2 + \cdots + (\Delta x)^n \right\} - x^n}{\Delta x}$

$$= \lim_{\Delta x \to 0} \left\{ nx^{n-1} + \frac{n(n-1)}{1 \cdot 2} x^{n-2}\Delta x + \cdots + (\Delta x)^{n-1} \right\} = nx^{n-1}.$$

2. u und v seien differenzierbare Funktionen von x. Beweise (a) $\frac{d}{dx}(u+v) = \frac{d}{dx}(u) + \frac{d}{dx}(v)$

(b) $\frac{d}{dx}(u \cdot v) = u \cdot \frac{d}{dx}(v) + v \cdot \frac{d}{dx}(u)$ (c) $\frac{d}{dx}\left(\frac{u}{v}\right) = \frac{v \cdot \frac{d}{dx}(u) - u \cdot \frac{d}{dx}(v)}{v^2}$, $v \neq 0$

(a) Wir setzen $f(x) = u + v = u(x) + v(x)$; damit folgt

$$\frac{f(x+\Delta x) - f(x)}{\Delta x} = \frac{u(x+\Delta x) + v(x+\Delta x) - u(x) - v(x)}{\Delta x} = \frac{u(x+\Delta x) - u(x)}{\Delta x} + \frac{v(x+\Delta x) - v(x)}{\Delta x}.$$

Für $\Delta x \to 0$ ergibt sich $\frac{d}{dx}f(x) = \frac{d}{dx}(u+v) = \frac{d}{dx}u(x) + \frac{d}{dx}v(x) = \frac{d}{dx}(u) + \frac{d}{dx}(v)$.

(b) Wir setzen $f(x) = u \cdot v = u(x) \cdot v(x)$; dann gilt

$$\frac{f(x+\Delta x) - f(x)}{\Delta x} = \frac{u(x+\Delta x) \cdot v(x+\Delta x) - u(x) \cdot v(x)}{\Delta x}$$

$$= \frac{[u(x+\Delta x) \cdot v(x+\Delta x) - v(x) \cdot u(x+\Delta x)] + [v(x) \cdot u(x+\Delta x) - u(x) \cdot v(x)]}{\Delta x}$$

$$= u(x+\Delta x)\frac{v(x+\Delta x) - v(x)}{\Delta x} + v(x)\frac{u(x+\Delta x) - u(x)}{\Delta x}$$

also $\frac{d}{dx}f(x) = \frac{d}{dx}(u \cdot v) = u(x)\frac{d}{dx}v(x) + v(x)\frac{d}{dx}u(x) = u\frac{d}{dx}(v) + v\frac{d}{dx}(u)$.

(c) Es sei $f(x) = \frac{u}{v} = \frac{u(x)}{v(x)}$; dann folgt

$$\frac{f(x+\Delta x) - f(x)}{\Delta x} = \frac{\frac{u(x+\Delta x)}{v(x+\Delta x)} - \frac{u(x)}{v(x)}}{\Delta x} = \frac{u(x+\Delta x) \cdot v(x) - u(x) \cdot v(x+\Delta x)}{\Delta x \{v(x) \cdot v(x+\Delta x)\}}$$

$$= \frac{[u(x+\Delta x) \cdot v(x) - u(x) \cdot v(x)] - [u(x) \cdot v(x+\Delta x) - u(x) \cdot v(x)]}{\Delta x \{v(x) \cdot v(x+\Delta x)\}}$$

$$= \frac{v(x)\frac{u(x+\Delta x) - u(x)}{\Delta x} - u(x)\frac{v(x+\Delta x) - v(x)}{\Delta x}}{v(x) \cdot v(x+\Delta x)}$$

und damit $\frac{d}{dx}f(x) = \frac{d}{dx}\left(\frac{u}{v}\right) = \frac{v(x)\frac{d}{dx}u(x) - u(x)\frac{d}{dx}v(x)}{\{v(x)\}^2} = \frac{v\frac{d}{dx}(u) - u\frac{d}{dx}(v)}{v^2}$.

Differenziere jede der folgenden Funktionen!

3. $y = 4 + 2x - 3x^2 - 5x^3 - 8x^4 + 9x^5$

$$\frac{dy}{dx} = 0 + 2(1) - 3(2x) - 5(3x^2) - 8(4x^3) + 9(5x^4) = 2 - 6x - 15x^2 - 32x^3 + 45x^4$$

4. $y = \dfrac{1}{x} + \dfrac{3}{x^2} + \dfrac{2}{x^3} = x^{-1} + 3x^{-2} + 2x^{-3}$

$$\frac{dy}{dx} = -x^{-2} + 3(-2x^{-3}) + 2(-3x^{-4}) = -x^{-2} - 6x^{-3} - 6x^{-4} = -\frac{1}{x^2} - \frac{6}{x^3} - \frac{6}{x^4}$$

5. $y = 2x^{1/2} + 6x^{1/3} - 2x^{3/2}$

$$\frac{dy}{dx} = 2\left(\frac{1}{2}x^{-1/2}\right) + 6\left(\frac{1}{3}x^{-2/3}\right) - 2\left(\frac{3}{2}x^{1/2}\right) = x^{-1/2} + 2x^{-2/3} - 3x^{1/2} = \frac{1}{x^{1/2}} + \frac{2}{x^{2/3}} - 3x^{1/2}$$

6. $y = \dfrac{2}{x^{1/2}} + \dfrac{6}{x^{1/3}} - \dfrac{2}{x^{3/2}} - \dfrac{4}{x^{3/4}} = 2x^{-1/2} + 6x^{-1/3} - 2x^{-3/2} - 4x^{-3/4}$

$$\frac{dy}{dx} = 2\left(-\frac{1}{2}x^{-3/2}\right) + 6\left(-\frac{1}{3}x^{-4/3}\right) - 2\left(-\frac{3}{2}x^{-5/2}\right) - 4\left(-\frac{3}{4}x^{-7/4}\right)$$

$$= -x^{-3/2} - 2x^{-4/3} + 3x^{-5/2} + 3x^{-7/4} = -\frac{1}{x^{3/2}} - \frac{2}{x^{4/3}} + \frac{3}{x^{5/2}} + \frac{3}{x^{7/4}}$$

7. $y = \sqrt[3]{3x^2} - \dfrac{1}{\sqrt{5x}} = (3x^2)^{1/3} - (5x)^{-1/2}$

$$\frac{dy}{dx} = \frac{1}{3}(3x^2)^{-2/3} \cdot 6x - \left(-\frac{1}{2}\right)(5x)^{-3/2} \cdot 5 = \frac{2x}{(9x^4)^{1/3}} + \frac{5}{2(5x)(5x)^{1/2}} = \frac{2}{\sqrt[3]{9x}} + \frac{1}{2x\sqrt{5x}}$$

8. $s = (t^2 - 3)^4$

$$\frac{ds}{dt} = 4(t^2 - 3)^3 (2t) = 8t(t^2 - 3)^3$$

9. $z = \dfrac{3}{(a^2 - y^2)^2} = 3(a^2 - y^2)^{-2}$

$$\frac{dz}{dy} = 3(-2)(a^2 - y^2)^{-3} \cdot \frac{d}{dy}(a^2 - y^2) = 3(-2)(a^2 - y^2)^{-3}(-2y) = \frac{12y}{(a^2 - y^2)^3}$$

10. $f(x) = \sqrt{x^2 + 6x + 3} = (x^2 + 6x + 3)^{1/2}$

$$f'(x) = \frac{1}{2}(x^2 + 6x + 3)^{-1/2} \cdot \frac{d}{dx}(x^2 + 6x + 3) = \frac{1}{2}(x^2 + 6x + 3)^{-1/2}(2x + 6) = \frac{x + 3}{\sqrt{x^2 + 6x + 3}}$$

11. $y = (x^2 + 4)^2 (2x^3 - 1)^3$

$$y' = (x^2 + 4)^2 \cdot \frac{d}{dx}(2x^3 - 1)^3 + (2x^3 - 1)^3 \cdot \frac{d}{dx}(x^2 + 4)^2$$

$$= (x^2 + 4)^2 \cdot 3(2x^3 - 1)^2 \cdot \frac{d}{dx}(2x^3 - 1) + (2x^3 - 1)^3 \cdot 2(x^2 + 4) \cdot \frac{d}{dx}(x^2 + 4)$$

$$= (x^2 + 4)^2 \cdot 3(2x^3 - 1)^2 \cdot 6x^2 + (2x^3 - 1)^3 \cdot 2(x^2 + 4) \cdot 2x = 2x(x^2 + 4)(2x^3 - 1)^2(13x^3 + 36x - 2)$$

12. $y = \dfrac{3 - 2x}{3 + 2x}$

$$y' = \frac{(3 + 2x) \cdot \frac{d}{dx}(3 - 2x) - (3 - 2x) \cdot \frac{d}{dx}(3 + 2x)}{(3 + 2x)^2} = \frac{(3 + 2x)(-2) - (3 - 2x)(2)}{(3 + 2x)^2} = \frac{-12}{(3 + 2x)^2}$$

13. $y = \dfrac{x^2}{\sqrt{4-x^2}} = \dfrac{x^2}{(4-x^2)^{1/2}}$

$$\frac{dy}{dx} = \frac{(4-x^2)^{1/2} \cdot \dfrac{d}{dx}(x^2) - x^2 \cdot \dfrac{d}{dx}(4-x^2)^{1/2}}{4-x^2} = \frac{(4-x^2)^{1/2}(2x) - x^2 \cdot \frac{1}{2}(4-x^2)^{-1/2}(-2x)}{4-x^2}$$

$$= \frac{(4-x^2)^{1/2}(2x) + x^3(4-x^2)^{-1/2}}{4-x^2} \cdot \frac{(4-x^2)^{1/2}}{(4-x^2)^{1/2}} = \frac{2x(4-x^2) + x^3}{(4-x^2)^{3/2}} = \frac{8x - x^3}{(4-x^2)^{3/2}}$$

14. Bestimme dy/dx, wenn $x = y\sqrt{1-y^2}$.

$$\frac{dx}{dy} = (1-y^2)^{1/2} + \frac{1}{2}y(1-y^2)^{-1/2}(-2y) = \frac{1-2y^2}{\sqrt{1-y^2}} \quad \text{und} \quad \frac{dy}{dx} = \frac{1}{dx/dy} = \frac{\sqrt{1-y^2}}{1-2y^2}$$

15. Bestimme die Steigung der Kurve $x = y^2 - 4y$ in den Punkten, wo sie die y-Achse schneidet! Die Schnittpunkte sind $(0,0)$ und $(0,4)$.

$$\frac{dx}{dy} = 2y - 4 \quad \text{und} \quad \frac{dy}{dx} = \frac{1}{dx/dy} = \frac{1}{2y-4}. \text{ In } (0,0) \text{ ist die Steigung } -\tfrac{1}{4} \text{ und in } (0,4) \text{ ist sie } \tfrac{1}{4}.$$

DIE KETTENREGEL

16. Beweise die Kettenregel $\dfrac{dy}{dx} = \dfrac{dy}{du} \cdot \dfrac{du}{dx}$.

Es sei Δu und Δy der Zuwachs von u und y bei einem Zuwachs Δx von x. Dann ergibt sich für $\Delta u \neq 0$

$$\frac{\Delta y}{\Delta x} = \frac{\Delta y}{\Delta u} \cdot \frac{\Delta u}{\Delta x}$$

und für $\Delta u \neq 0$ und $\Delta x \to 0$ folgt $\dfrac{dy}{dx} = \dfrac{dy}{du} \cdot \dfrac{du}{dx}$, wie gefordert.

Die Einschränkung über Δu ist im allgemeinen für genügend kleine $|\Delta x|$ erfüllt. Ist das nicht der Fall, so kann die Kettenregel folgendermaßen bewiesen werden:

Wir setzen $\Delta y = \dfrac{dy}{du} \cdot \Delta u + \epsilon \cdot \Delta u$. Dabei gilt $\epsilon \to 0$ für $\Delta x \to 0$ (siehe Aufgabe 13, Kap. 4!). Also $\dfrac{\Delta y}{\Delta x} = \dfrac{dy}{du} \cdot \dfrac{\Delta u}{\Delta x} + \epsilon \dfrac{\Delta u}{\Delta x}$
Für $\Delta x \to 0$ ergibt sich dann wieder $\dfrac{dy}{dx} = \dfrac{dy}{du} \cdot \dfrac{du}{dx} + 0 \dfrac{du}{dx} = \dfrac{dy}{du} \cdot \dfrac{du}{dx}$.

17. Bestimme dy/dx, wenn $y = \dfrac{u^2-1}{u^2+1}$ und $u = \sqrt[3]{x^2+2}$!

$$\frac{dy}{du} = \frac{4u}{(u^2+1)^2} \quad \text{und} \quad \frac{du}{dx} = \frac{2x}{3(x^2+2)^{2/3}} = \frac{2x}{3u^2}.$$

Also $\qquad \dfrac{dy}{dx} = \dfrac{dy}{du} \cdot \dfrac{du}{dx} = \dfrac{4u}{(u^2+1)^2} \cdot \dfrac{2x}{3u^2} = \dfrac{8x}{3u(u^2+1)^2}.$

18. Ein Punkt bewegt sich auf der Kurve $y = x^3 - 3x + 5$. Dabei gilt $x = \frac{1}{2}\sqrt{t} + 3$, wobei t die Zeit ist. In welchem Maß ändert sich y, wenn $t = 4$ ist?

Wir müssen den Wert von dy/dt für $t = 4$ finden.

$$\frac{dy}{dx} = 3(x^2-1), \qquad \frac{dx}{dt} = \frac{1}{4\sqrt{t}}, \qquad \frac{dy}{dt} = \frac{dy}{dx} \cdot \frac{dx}{dt} = \frac{3(x^2-1)}{4\sqrt{t}}$$

Für $t = 4$ ergibt sich $x = \frac{1}{2}\sqrt{4} + 3 = 4$ und $\dfrac{dy}{dt} = \dfrac{3(16-1)}{4 \cdot 2} = \dfrac{45}{8}$ (Einheiten pro Zeiteinheit).

19. Ein Punkt bewegt sich in der Ebene nach dem Gesetz $x = t^2 + 2t$, $y = 2t^3 - 6t$. Bestimme dy/dx für $t = 0, 2, 5$!

Da die erste Gleichung nach t aufgelöst und das Ergebnis in die zweite eingesetzt werden kann, ist y offensichtlich eine Funktion von x.

$$\frac{dy}{dt} = 6t^2 - 6, \qquad \frac{dx}{dt} = 2t + 2, \qquad \frac{dt}{dx} = \frac{1}{2t+2}, \quad \text{und} \quad \frac{dy}{dx} = \frac{dy}{dt} \cdot \frac{dt}{dx} = 6(t^2-1) \cdot \frac{1}{2(t+1)} = 3(t-1).$$

Die gesuchten Werte von dy/dx sind -3 für $t = 0$, 3 für $t = 2$ und 12 für $t = 5$.

20. Es sei $y = x^2 - 4x$ und $x = \sqrt{2t^2 + 1}$. Berechne dy/dt für $t = \sqrt{2}$!

$$\frac{dy}{dx} = 2(x-2), \qquad \frac{dx}{dt} = \frac{2t}{(2t^2+1)^{1/2}}, \qquad \frac{dy}{dt} = \frac{dy}{dx} \cdot \frac{dx}{dt} = \frac{4t(x-2)}{(2t^2+1)^{1/2}}$$

Für $t = \sqrt{2}$ ergibt sich $x = \sqrt{5}$ und $\dfrac{dy}{dt} = \dfrac{4\sqrt{2}\,(\sqrt{5}-2)}{\sqrt{5}} = \dfrac{4\sqrt{2}}{5}\,(5 - 2\sqrt{5}\,)$.

21. Zeige, daß die Funktion $f(x) = x^3 + 3x^2 - 8x + 2$ in $x = a$ Ableitungen beliebiger Ordnung hat.

$$\begin{aligned} f'(x) &= 3x^2 + 6x - 8 & \text{und} \quad f'(a) &= 3a^2 + 6a - 8 \\ f''(x) &= 6x + 6 & \text{und} \quad f''(a) &= 6a + 6 \\ f'''(x) &= 6 & \text{und} \quad f'''(a) &= 6 \end{aligned}$$

Alle Ableitungen höherer Ordnung sind identisch Null.

22. Untersuche die aufeinanderfolgenden Ableitungen von $f(x) = x^{4/3}$ in $x = 0$!

$$f'(x) = \frac{4}{3}x^{1/3} \qquad \text{und} \qquad f'(0) = 0$$

$$f''(x) = \frac{4}{9x^{2/3}} \qquad \text{und} \qquad f''(0) \text{ existiert nicht.}$$

Also existiert in $x = 0$ die erste Ableitung, aber keine von höherer Ordnung.

23. Es sei $f(x) = \dfrac{2}{1-x} = 2(1-x)^{-1}$. Bestimme $f^{(n)}(x)$!

Es ergibt sich

$$\begin{aligned} f'(x) &= 2(-1)(1-x)^{-2}(-1) = 2(1-x)^{-2} = 2 \cdot 1! \, (1-x)^{-2} \\ f''(x) &= 2(1!)(-2)(1-x)^{-3}(-1) = 2 \cdot 2! \, (1-x)^{-3} \\ f'''(x) &= 2(2!)(-3)(1-x)^{-4}(-1) = 2 \cdot 3! \, (1-x)^{-4} \end{aligned}$$

Also liegt $f^{(n)}(x) = 2 \cdot n! \, (1-x)^{-(n+1)}$ nahe.

Das kann man mit vollständiger Induktion zeigen, denn ist $f^{(k)}(x) = 2 \cdot k! \, (1-x)^{-(k+1)}$, so folgt

$$f^{(k+1)}(x) = -2 \cdot k! \, (k+1)(1-x)^{-(k+2)}(-1) = 2 \cdot (k+1)! \, (1-x)^{-(k+2)}.$$

ERGÄNZUNGSAUFGABEN

24. Beweise Regel 10 für $m = -1/n$, n eine natürliche Zahl! Benutze zur Bestimmung von $\dfrac{d}{dx}\left(\dfrac{1}{x^n}\right)$ Regel 9! (Der Fall $m = p/q$, p und q ganze Zahlen wird in Aufgabe 4, Kap. 6, behandelt.)

Berechne in den Aufgaben 25-43 die Ableitung!

25. $y = x^5 + 5x^4 - 10x^2 + 6$ *Lsg.* $dy/dx = 5x(x^3 + 4x^2 - 4)$

26. $y = 3x^{1/2} - x^{3/2} + 2x^{-1/2}$ *Lsg.* $\dfrac{dy}{dx} = \dfrac{3}{2\sqrt{x}} - \dfrac{3}{2}\sqrt{x} - \dfrac{1}{x^{3/2}}$

27. $y = \dfrac{1}{2x^2} + \dfrac{4}{\sqrt{x}} = \dfrac{1}{2}x^{-2} + 4x^{-1/2}$ *Lsg.* $\dfrac{dy}{dx} = -\dfrac{1}{x^3} - \dfrac{2}{x^{3/2}}$

28. $y = \sqrt{2x} + 2\sqrt{x}$ *Lsg.* $y' = \dfrac{1 + \sqrt{2}}{\sqrt{2x}}$

29. $f(t) = \dfrac{2}{\sqrt{t}} + \dfrac{6}{\sqrt[3]{t}}$ *Lsg.* $f'(t) = -\dfrac{t^{1/2} + 2t^{2/3}}{t^2}$

30. $y = (1 - 5x)^6$ *Lsg.* $y' = -30(1 - 5x)^5$

31. $f(x) = (3x - x^3 + 1)^4$ *Lsg.* $f'(x) = 12(1 - x^2)(3x - x^3 + 1)^3$

32. $y = (3 + 4x - x^2)^{1/2}$ *Lsg.* $y' = \dfrac{2-x}{y}$

33. $\theta = \dfrac{3r + 2}{2r + 3}$ — *Lsg.* $\dfrac{d\theta}{dr} = \dfrac{5}{(2r + 3)^2}$

34. $y = \left(\dfrac{x}{1 + x}\right)^5$ — *Lsg.* $y' = \dfrac{5x^4}{(1 + x)^6}$

35. $y = 2x^2\sqrt{2 - x}$ — *Lsg.* $y' = \dfrac{x(8 - 5x)}{\sqrt{2 - x}}$

36. $f(x) = x\sqrt{3 - 2x^2}$ — *Lsg.* $f'(x) = \dfrac{3 - 4x^2}{\sqrt{3 - 2x^2}}$

37. $y = (x - 1)\sqrt{x^2 - 2x + 2}$ — *Lsg.* $\dfrac{dy}{dx} = \dfrac{2x^2 - 4x + 3}{\sqrt{x^2 - 2x + 2}}$

38. $z = \dfrac{w}{\sqrt{1 - 4w^2}}$ — *Lsg.* $\dfrac{dz}{dw} = \dfrac{1}{(1 - 4w^2)^{3/2}}$

39. $y = \sqrt{1 + \sqrt{x}}$ — *Lsg.* $y' = \dfrac{1}{4\sqrt{x + x\sqrt{x}}}$

40. $f(x) = \sqrt{\dfrac{x - 1}{x + 1}}$ — *Lsg.* $f'(x) = \dfrac{1}{(x + 1)\sqrt{x^2 - 1}}$

41. $y = (x^2 + 3)^4 (2x^3 - 5)^3$ — *Lsg.* $y' = 2x(x^2 + 3)^3 (2x^3 - 5)^2 (17x^3 + 27x - 20)$

42. $s = \dfrac{t^2 + 2}{3 - t^2}$ — *Lsg.* $\dfrac{ds}{dt} = \dfrac{10t}{(3 - t^2)^2}$

43. $y = \left(\dfrac{x^3 - 1}{2x^3 + 1}\right)^4$ — *Lsg.* $y' = \dfrac{36x^2(x^3 - 1)^3}{(2x^3 + 1)^5}$

44. Berechne dy/dx auf zwei verschiedene Arten und prüfe, ob die Ergebnisse übereinstimmen: **(a)** $x = (1 + 2y)^3$, **(b)** $x = 1/(2 + y)$!

Benutze die Kettenregel, um in den Aufgaben 45-48 dy/dx zu bestimmen!

45. $y = \dfrac{u - 1}{u + 1}$, $u = \sqrt{x}$ — *Lsg.* $\dfrac{dy}{dx} = \dfrac{1}{\sqrt{x}\,(1 + \sqrt{x}\,)^2}$

46. $y = u^3 + 4$, $u = x^2 + 2x$ — *Lsg.* $\dfrac{dy}{dx} = 6x^2(x + 2)^2\,(x + 1)$

47. $y = \sqrt{1 + u}$, $u = \sqrt{x}$ — *Lsg.* Siehe Aufg. 39.

48. $y = \sqrt{u}$, $u = v(3 - 2v)$, $v = x^2$ Hinweis: $\dfrac{dy}{dx} = \dfrac{dy}{du} \cdot \dfrac{du}{dv} \cdot \dfrac{dv}{dx}$. — *Lsg.* Siehe Aufg. 36.

Berechne in den Aufgaben 49-52 die angegebenen Ableitungen!

49. $y = 3x^4 - 2x^2 + x - 5$; y''' — *Lsg.* $y''' = 72x$

50. $y = 1/\sqrt{x}$; $y^{(iv)}$ — *Lsg.* $y^{(iv)} = \dfrac{105}{16x^{9/2}}$

51. $f(x) = \sqrt{2 - 3x^2}$; $f''(x)$ — *Lsg.* $f''(x) = \dfrac{-6}{(2 - 3x^2)^{3/2}}$

52. $y = x/\sqrt{x - 1}$, y'' — *Lsg.* $y'' = \dfrac{4 - x}{4(x - 1)^{5/2}}$

Berechne in den Aufgaben 53-54 die n-te Ableitung!

53. $y = 1/x^2$ — *Lsg.* $y^{(n)} = \dfrac{(-1)^n (n + 1)!}{x^{n + 2}}$

54. $f(x) = 1/(3x + 2)$ — *Lsg.* $f^n(x) = (-1)^n \dfrac{3^n \cdot n!}{(3x + 2)^{n + 1}}$

55. Es sei $y = f(u)$ und $u = g(x)$. Zeige
   (a) $\dfrac{d^2y}{dx^2} = \dfrac{dy}{du} \cdot \dfrac{d^2u}{dx^2} + \dfrac{d^2y}{du^2}\left(\dfrac{du}{dx}\right)^2$ **(b)** $\dfrac{d^3y}{dx^3} = \dfrac{dy}{du} \cdot \dfrac{d^3u}{dx^3} + 3\dfrac{d^2y}{du^2} \cdot \dfrac{d^2u}{dx^2} \cdot \dfrac{du}{dx} + \dfrac{d^3y}{du^3}\left(\dfrac{du}{dx}\right)^3$!

56. Es ist $\dfrac{dx}{dy} = \dfrac{1}{y'}$. Leite daraus her: $\dfrac{d^2x}{dy^2} = -\dfrac{y''}{(y')^3}$ und $\dfrac{d^3x}{dy^3} = \dfrac{3(y'')^2 - y'y'''}{(y')^5}$!

KAPITEL 6

Implizite Differentiation

IMPLIZITE FUNKTIONEN. Wir sagen, eine Gleichung $f(x, y) = 0$ definiert, unter Umständen in eingeschränkten Wertebereichen der Variablen, y *implizit* als eine Funktion von x.

Beispiel 1:

(a) Die Gleichung $xy + x - 2y - 1 = 0$, mit $x \neq 2$, definiert die Funktion $y = \dfrac{1-x}{x-2}$.

(b) Die Gleichung $4x^2 + 9y^2 - 36 = 0$ definiert die Funktion $y = \frac{2}{3}\sqrt{9 - x^2}$, falls $|x| \leq 3$ und $y \geq 0$ und die Funktion $y = -\frac{2}{3}\sqrt{9 - x^2}$, falls $|x| \leq 3$ und $y \leq 0$. Beachte, daß man sich die Ellipse als zwei Kurvenbögen vorstellen muß, die in den Punkten $(-3, 0)$ und $(3, 0)$ zusammentreffen.

Die Ableitung y' kann auf eine der folgenden Arten berechnet werden.

(a) Löse, wenn möglich, nach y auf und differenziere nach x! Auf diese Art sollte man nur bei sehr einfachen Gleichungen rechnen.

(b) Man betrachtet y als Funktion von x, differenziert die gegebene Gleichung nach x und löst die Gleichung, die sich ergibt, nach y' auf. Dieser Differentiationsvorgang heißt *implizite Differentiation*.

Beispiel 2:

(a) Berechne y', wenn $xy + x - 2y - 1 = 0$.

Es ist $x \cdot \dfrac{d}{dx}(y) + y \cdot \dfrac{d}{dx}(x) + \dfrac{d}{dx}(x) - 2 \cdot \dfrac{d}{dx}(y) - \dfrac{d}{dx}(1) = \dfrac{d}{dx}(0)$

oder $xy' + y + 1 - 2y' = 0$; also $y' = \dfrac{1+y}{2-x}$.

(b) Berechne y' für $x = \sqrt{5}$, wenn $4x^2 + 9y^2 - 36 = 0$.

Es gilt $4 \cdot \dfrac{d}{dx}(x^2) + 9 \cdot \dfrac{d}{dx}(y^2) = 8x + 9 \cdot \dfrac{d}{dy}(y^2)\dfrac{dy}{dx} = 8x + 18yy' = 0$ und damit $y' = -\dfrac{4x}{9y}$.

Für $x = \sqrt{5}$ ergibt sich $y = \pm 4/3$. Im Punkt $(\sqrt{5}, 4/3)$ auf dem oberen Kurvenbogen der Ellipse ist $y' = -\sqrt{5}/3$ und im Punkt $(\sqrt{5}, -4/3)$ auf dem unteren ist $y' = \sqrt{5}/3$.

ABLEITUNGEN HÖHERER ORDNUNG kann man auf eine der folgenden Arten berechnen:

(a) Man differenziert implizit die Ableitung der Ordnung, die um eins kleiner ist, und ersetzt y' durch die schon gefundene Gleichung.

Beispiel 3:

Aus Beispiel 2 *(a)* folgt $y' = \dfrac{1+y}{2-x}$. Also gilt

$$\dfrac{d}{dx}(y') = y'' = \dfrac{d}{dx}\left(\dfrac{1+y}{2-x}\right) = \dfrac{(2-x)y' + 1 + y}{(2-x)^2} = \dfrac{(2-x)\left(\dfrac{1+y}{2-x}\right) + 1 + y}{(2-x)^2} = \dfrac{2+2y}{(2-x)^2}.$$

(b) Man differenziert die gegebene Gleichung so oft, bis die gesuchte Ableitung vorkommt und eliminiert alle Ableitungen kleinerer Ordnung. Dieses Verfahren wird nur empfohlen, wenn die Ableitung einer höheren Ordnung in einem gegebenen Punkt gesucht ist.

Beispiel 4:

Berechne den Wert von y'' im Punkt $(-1, 1)$ der Kurve $x^2y + 3y - 4 = 0$.

Wir differenzieren zweimal implizit nach x:

$$x^2y' + 2xy + 3y' = 0 \quad \text{und} \quad x^2y'' + 2xy' + 2xy' + 2y + 3y'' = 0.$$

Durch Einsetzen von $x = -1$ und $y = 1$ in die erste Gleichung ergibt sich $y' = \frac{1}{2}$; aus der zweiten Gleichung folgt damit $y'' = 0$.

AUFGABEN MIT LÖSUNGEN

1. Berechne y', wenn $x^2y - xy^2 + x^2 + y^2 = 0$!

$$\frac{d}{dx}(x^2y) - \frac{d}{dx}(xy^2) + \frac{d}{dx}(x^2) + \frac{d}{dx}(y^2) = 0$$

$$x^2\frac{d}{dx}(y) + y\frac{d}{dx}(x^2) - x\frac{d}{dx}(y^2) - y^2\frac{d}{dx}(x) + \frac{d}{dx}(x^2) + \frac{d}{dx}(y^2) = 0$$

$$x^2y' + 2xy - 2xyy' - y^2 + 2x + 2yy' = 0 \quad \text{und} \quad y' = \frac{y^2 - 2x - 2xy}{x^2 + 2y - 2xy}$$

2. Berechne y' und y'' für $x^2 - xy + y^2 = 3$

$$\frac{d}{dx}(x^2) - \frac{d}{dx}(xy) + \frac{d}{dx}(y^2) = 2x - xy' - y + 2yy' = 0 \quad \text{und} \quad y' = \frac{2x - y}{x - 2y}\ !$$

$$y'' = \frac{(x-2y)\frac{d}{dx}(2x-y) - (2x-y)\frac{d}{dx}(x-2y)}{(x-2y)^2} = \frac{(x-2y)(2-y') - (2x-y)(1-2y')}{(x-2y)^2}$$

$$= \frac{3xy' - 3y}{(x-2y)^2} = \frac{3x\left(\frac{2x-y}{x-2y}\right) - 3y}{(x-2y)^2} = \frac{6(x^2 - xy + y^2)}{(x-2y)^3} = \frac{18}{(x-2y)^3}$$

3. Berechne y' und y'' für $x^3y + xy^3 = 2$ und $x = 1$!

$$x^3y' + 3x^2y + 3xy^2y' + y^3 = 0$$

und

$$x^3y'' + 3x^2y' + 3x^2y' + 6xy + 3xy^2y'' + 6xy(y')^2 + 3y^2y' + 3y^2y' = 0$$

Für $x = 1$ ist $y = 1$; das in die erste Gleichung eingesetzt ergibt $y' = -1$.

Aus der zweiten folgt damit $y'' = 0$.

ERGÄNZUNGSAUFGABEN

4. Beweise Regel 10, Kap. 5, für $m = p/q$, p und q ganze Zahlen, indem du $y = x^{p/q}$ als $y^q = x^p$ schreibst und nach x differenzierst!

5. Berechne y'', wenn (a) $x + xy + y = 2$, (b) $x^3 - 3xy + y^3 = 1$! *Lsg.* $y'' = \dfrac{2(1+y)}{(1+x)^2}$, (b) $y'' = -\dfrac{4xy}{(y^2 - x)^3}$

6. Berechne y', y'' und y''' (a) im Punkt $(2,1)$ der Kurve $x^2 - y^2 - x = 1$, (b) im Punkt $(1,1)$ der Kurve $x^3 + 3x^2y - 6xy^2 + 2y^3 = 0$. *Lsg.* (a) $3/2$, $-5/4$, $45/8$; (b) $1, 0, 0$

7. Bestimme die Steigung im Punkt (x_0, y_0) der Kurve (a) $b^2x^2 + a^2y^2 = a^2b^2$, (b) $b^2x^2 - a^2y^2 = a^2b^2$, (c) $x^3 + y^3 - 6x^2y = 0$! *Lsg.* (a) $-\dfrac{b^2x_0}{a^2y_0}$, (b) $\dfrac{b^2x_0}{a^2y_0}$, (c) $\dfrac{4x_0y_0 - x_0^2}{y_0^2 - 2x_0^2}$

8. Beweise, daß sich die Kurven $5y - 2x + y^3 - x^2y = 0$ und $2y + 5x + x^4 - x^3y^2 = 0$ im Nullpunkt unter einem rechten Winkel schneiden!

9. (a) Die Gesamtoberfläche eines Quaders mit quadratischer Grundfläche (Seitenlänge y) und der Höhe x ist durch $S = 2y^2 + 4xy$ gegeben. Bestimme dy/dx bei konstantem S, ohne nach y aufzulösen!

(b) Die Gesamtoberfläche eines Zylinders vom Radius r und der Höhe h ist durch $S = 2\pi r^2 + 2\pi rh$ gegeben. Bestimme dr/dh bei konstantem S! *Lsg.* (a) $-\dfrac{y}{x+y}$; (b) $-\dfrac{r}{2r+h}$

10. Zeige, daß für den Kreis $x^2 + y^2 = r^2$ gilt: $\left|\dfrac{y''}{\{1 + (y')^2\}^{3/2}}\right| = \dfrac{1}{r}$!

11. Es sei $S = \pi x(x + 2y)$ und $V = \pi x^2y$. Zeige: $dS/dx = 2\pi(x - y)$ bei konstantem V und $dV/dx = -\pi x(x - y)$ bei konstantem S!

KAPITEL 7

Tangenten und Normale

BESITZT DIE FUNKTION $f(x)$ in $x = x_0$ eine endliche Ableitung $f'(x_0)$, so hat die Kurve $y = f(x)$ in $P_0(x_0, y_0)$ eine Tangente, deren Steigung

$$m = \tan \theta = f'(x_0) \text{ ist.}$$

Ist $m = 0$, so hat die Kurve in P_0 eine waagerechte Tangente mit der Gleichung $y = y_0$, wie in A, C, und E von Abb. 7-1. Allgemein ist

$$y - y_0 = m(x - x_0)$$

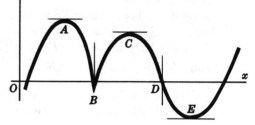

die Gleichung der Tangente.

Abb. 7-1

Ist $f(x)$ in $x = x_0$ stetig, gilt aber $\lim\limits_{x \to x_0} f'(x) = \infty$, dann hat die Kurve eine senkrechte Tangente mit der Gleichung $x = x_0$, wie in B und D von Abb. 7-1.

Die *Normale* in einem Kurvenpunkt ist die Gerade, die durch den Punkt geht und senkrecht auf der Tangente steht. Die Gleichung der Normale in $P_0(x_0, y_0)$ ist

$$x = x_0 \text{ bei waagerechter Tangente}$$
$$y = y_0 \text{ bei senkrechter Tangente}$$

und sonst

$$y - y_0 = -\frac{1}{m}(x - x_0).$$

Siehe Aufgaben 1-9!

DER SCHNITTWINKEL zweier Kurven ist definiert als der Winkel zwischen den Kurventangenten im Schnittpunkt.

Um die Schnittwinkel zweier Kurven zu bestimmen,

(1) berechnet man durch Gleichsetzen der Gleichungen die Schnittpunkte und
(2) bestimmt in jedem Schnittpunkt die Steigungen m_1 und m_2 der Tangenten an die beiden Kurven.
(3) Gilt $m_1 = m_2$, so ist der Schnittwinkel $\phi = 0°$.

Gilt $m_1 = -1/m_2$, so ist der Schnittwinkel $\phi = 90°$.

In den anderen Fällen gilt $\tan \phi = \dfrac{m_1 - m_2}{1 + m_1 m_2}$.

ϕ ist der *spitze* Schnittwinkel, wenn $\tan \phi > 0$.

Gilt $\tan \phi < 0$, so ist $180° - \phi$ der spitze Schnittwinkel.

Siehe Aufgaben 10–12!

LÄNGE DER TANGENTE, NORMALE, SUBTANGENTE UND SUBNORMALE. Die *Länge einer Tangente* an eine Kurve in einem ihrer Punkte ist definiert als die Länge des Tangentenabschnitts zwischen dem Berührungspunkt und der x-Achse.

Die Länge der Projektion dieses Abschnitts auf die x-Achse wird als die *Länge der Subtangente* bezeichnet.

Die Länge der Normale ist definiert als die Länge des Normalenabschnitts zwischen dem Berührungspunkt der Tangente und der x-Achse. Die Länge der Projektion dieses Abschnitts auf die x-Achse wird die *Länge der Subnormale* genannt.

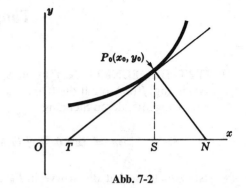

Abb. 7-2

Länge der Subtangente $= TS = y_0/m$

Länge der Subnormale $= SN = my_0$

Länge der Tangente $= TP_0 = \sqrt{(TS)^2 + (SP_0)^2}$

Länge der Normale $= P_0N = \sqrt{(SN)^2 + (SP_0)^2}$

Bemerkung. Die Längen der Subtangente und der Subnormale sind gerichtete Längen. Einige Autoren ziehen die Längen $|y_0/m|$ bzw. $|my_0|$ ohne Richtungssinn vor. Dann sind die Vorzeichen in den Lösungen wegzulassen.

Siehe Aufgabe 13!

AUFGABEN MIT LÖSUNGEN

1. Bestimme die Punkte mit waagerechter und senkrechter Tangente bei der Kurve $x^2 - xy + y^2 = 27$!

Wir differenzieren und erhalten: $y' = \dfrac{y - 2x}{2y - x}$.

Für waagerechte Tangenten: Setzen wir den Zähler von y' gleich Null, so folgt daraus $y = 2x$. Die Punkte mit waagerechter Tangente sind die Schnittpunkte der Geraden $y = 2x$ mit der gegebenen Kurve. Beide Gleichungen sind in den Punkten $(3, 6)$ und $(-3, -6)$ erfüllt.

Für senkrechte Tangenten: Setzen wir den Nenner von y' gleich Null, so folgt daraus $x = 2y$. Die Punkte mit senkrechter Tangente sind die Schnittpunkte der Geraden $x = 2y$ mit der gegebenen Kurve. Beide Gleichungen sind in den Punkten $(6, 3)$ und $(-6, -3)$ erfüllt.

2. Berechne die Gleichungen der Tangente und Normale an $y = x^3 - 2x^2 + 4$ in $(2, 4)$!

Da $f'(x) = 3x^2 - 4x$, ist die Steigung der Tangente durch $m = f'(2) = 4$ gegeben.
Gleichung der Tangente: $y - 4 = 4(x - 2)$ oder $y = 4x - 4$.
Gleichung der Normale: $y - 4 = -\frac{1}{4}(x - 2)$ oder $x + 4y = 18$.

3. Berechne die Geichungen der Tangente und Normale an $x^2 + 3xy + y^2 = 5$ in $(1, 1)$!

Da $\dfrac{dy}{dx} = -\dfrac{2x + 3y}{3x + 2y}$, ist die Steigung der Tangente in $(1, 1)$ gleich $m = -1$.
Gleichung der Tangente: $y - 1 = -1(x - 1)$ oder $x + y = 2$.
Gleichung der Normale: $y - 1 = 1(x - 1)$ oder $x - y = 0$.

4. Berechne die Gleichungen der Tangenten an die Ellipse $4x^2 + 9y^2 = 40$ mit der Steigung $m = -2/9$!

Es sei $P_0(x_0, y_0)$ der Berührungspunkt einer gesuchten Tangente. Dann gilt
$(a)\, 4x_0^2 + 9y_0^2 = 40$, da P_0 ein Ellipsenpunkt ist

$(b)\, \dfrac{dy}{dx} = -\dfrac{4x}{9y}$. In (x_0, y_0) ist $m = -\dfrac{4x_0}{9y_0} = -\dfrac{2}{9}$, also $y_0 = 2x_0$.

(c) Die Gleichungen in (a) und (b) sind beide in den Punkten $(1, 2)$ und $(-1, -2)$ erfüllt.
Gleichung der Tangente in $(1, 2)$: $y - 2 = -\frac{2}{9}(x - 1)$ oder $2x + 9y = 20$.
Gleichung der Tangente in $(-1, -2)$: $y + 2 = -\frac{2}{9}(x + 1)$ oder $2x + 9y = -20$.

5. Berechne die Gleichung der Tangente durch den Punkt $(2, -2)$ an die Hyperbel $x^2 - y^2 = 16$!

Es sei $P_0(x_0, y_0)$ der Berührungspunkt der gesuchten Tangente. Dann gilt:

(a) $x_0^2 - y_0^2 = 16$, da P_0 ein Punkt der Hyperbel ist.

(b) $\dfrac{dy}{dx} = \dfrac{x}{y}$. In (x_0, y_0) ist $m = \dfrac{x_0}{y_0} = \dfrac{y_0 + 2}{x_0 - 2} =$ Steigung der Geraden durch P_0 und $(2, -2)$; also

$$2x_0 + 2y_0 = x_0^2 - y_0^2 = 16 \quad \text{oder} \quad x_0 + y_0 = 8.$$

(c) Die Gleichungen in *(a)* und *(b)* sind beide in $(5, 3)$ erfüllt. Also lautet die Tangentengleichung $y - 3 = \frac{5}{3}(x - 5)$ oder $5x - 3y = 16$.

6. Bestimme die Gleichungen der senkrechten Geraden, die die Kurven *(1)* $y = x^3 + 2x^2 - 4x + 5$ und *(2)* $3y = 2x^3 + 9x^2 - 3x - 3$ in Punkten schneiden, in denen die Tangenten an die jeweiligen Kurven parallel sind!

Es sei $x = x_0$ eine der gesuchten Geraden.

$$\text{Aus} \quad (1): \quad y' = 3x^2 + 4x - 4; \text{ also in } x = x_0: \quad m = 3x_0^2 + 4x_0 - 4.$$

$$\text{Aus} \quad (2): \quad 3y' = 6x^2 + 18x - 3; \text{ also in } x = x_0: \quad m = 2x_0^2 + 6x_0 - 1.$$

Mit $3x_0^2 + 4x_0 - 4 = 2x_0^2 + 6x_0 - 1$ ergibt sich $x_0 = -1$ und 3. Die Geraden sind durch $x = -1$ und $x = 3$ gegeben.

7. *(a)* Zeige, daß die Gleichung der Tangente mit Steigung $m \neq 0$ an die Parabel $y^2 = 4px$ durch $y = mx + p/m$ gegeben ist!

(b) Zeige, daß die Gleichung der Tangente an die Ellipse $b^2x^2 + a^2y^2 = a^2b^2$ im Punkt $P_0(x_0, y_0)$ durch $b^2x_0x + a^2y_0y = a^2b^2$ gegeben ist!

(a) $y' = 2p/y$. Es sei $P_0(x_0, y_0)$ der Berührungspunkt. Dann gilt $y_0^2 = 4px_0$ und $m = 2p/y_0$. Daraus folgt $y_0 = 2p/m$, $x_0 = \frac{1}{4}y_0^2/p = p/m^2$, und die Tangentengleichung ist $y - 2p/m = m(x - p/m^2)$ oder $y = mx + p/m$.

(b) $y' = -\dfrac{b^2x}{a^2y}$. In P_0: $m = -\dfrac{b^2x_0}{a^2y_0}$. Die Tangentengleichung ist $y - y_0 = -\dfrac{b^2x_0}{a^2y_0}(x - x_0)$ oder $b^2x_0x + a^2y_0y = b^2x_0^2 + a^2y_0^2 = a^2b^2$.

8. Zeige, daß die Tangente an die Hyperbel $b^2x^2 - a^2y^2 = a^2b^2$ im Punkt $P_0(x_0, y_0)$ den Winkel halbiert, der in P_0 durch die Brennpunktradien gebildet wird.

In P_0 ist die Steigung der Tangente an die Hyperbel gleich b^2x_0/a^2y_0, und die Steigungen der Brennpunktradien P_0F' und P_0F sind $y_0/(x_0 + c)$ bzw. $y_0/(x_0 - c)$. Nun gilt

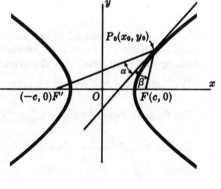

Abb. 7-3

$$\tan \alpha = \frac{\dfrac{b^2x_0}{a^2y_0} - \dfrac{y_0}{x_0 + c}}{1 + \dfrac{b^2x_0}{a^2y_0} \cdot \dfrac{y_0}{x_0 + c}}$$

$$= \frac{(b^2x_0^2 - a^2y_0^2) + b^2cx_0}{(a^2 + b^2)x_0y_0 + a^2cy_0}$$

$$= \frac{a^2b^2 + b^2cx_0}{c^2x_0y_0 + a^2cy_0} = \frac{b^2(a^2 + cx_0)}{cy_0(a^2 + cx_0)} = \frac{b^2}{cy_0},$$

da $b^2x_0^2 - a^2y_0^2 = a^2b^2$ und $a^2 + b^2 = c^2$ gilt.

Genauso folgt

$$\tan \beta = \frac{\dfrac{y_0}{x_0 - c} - \dfrac{b^2x_0}{a^2y_0}}{1 + \dfrac{b^2x_0}{a^2y_0} \cdot \dfrac{y_0}{x_0 - c}} = \frac{b^2cx_0 - (b^2x_0^2 - a^2y_0^2)}{(a^2 + b^2)x_0y_0 - a^2cy_0} = \frac{b^2cx_0 - a^2b^2}{c^2x_0y_0 - a^2cy_0} = \frac{b^2}{cy_0}.$$

Da $\tan \alpha = \tan \beta$, haben wir $\alpha = \beta$.

9. Beweise: Zeichnet man von einem beliebigen Punkt einer Leitlinie der Ellipse $b^2x^2 + a^2y^2 = a^2b^2$ die beiden Tangenten an die Ellipse, so geht die Sekante, die durch die Berührungspunkte der Tangenten bestimmt ist, durch den zur Leitlinie gehörenden Brennpunkt.

Es sei $P_0(x_0, y_0)$ irgendein Punkt, von dem zwei Tangenten an die Ellipse gezeichnet werden können. Ferner seien $P_1(x_1, y_1)$ und $P_2(x_2, y_2)$ die entsprechenden Berührungspunkte. Die Tangentengleichungen in P_1 und P_2 sind $b^2x_1x + a^2y_1y = a^2b^2$ und $b^2x_2x + a^2y_2y = a^2b^2$. Da die Tangenten durch P_0 gehen, gilt $b^2x_1x_0 + a^2y_1y_0 = a^2b^2$ und $b^2x_2x_0 + a^2y_2y_0 = a^2b^2$. Die Gerade $b^2x_0x + a^2y_0y = a^2b^2$, die durch P_1 und P_2 geht, ist die Sekante durch die Berührungspunkte. Es sei nun $P(a^2/c, \bar{y})$ ein Punkt der rechten Leitlinie. Die Gleichung der entsprechenden Sekante ist dann $(b^2a^2/c)x + a^2\bar{y}y = a^2b^2$. Damit geht diese, wie man leicht nachprüfen kann, durch den Brennpunkt $F(c, 0)$.

10. Bestimme die spitzen Schnittwinkel der Kurven *(1)* $y^2 = 4x$ und *(2)* $2x^2 = 12 - 5y$!

(a) Die Schnittpunkte sind $P_1(1, 2)$ und $P_2(4, -4)$.

(b) Für *(1)* gilt $y' = 2/y$, für *(2)* $y' = -4x/5$.

In $P_1(1, 2)$ gilt: $m_1 = 1$ und $m_2 = -4/5$. In $P_2(4, -4)$ gilt: $m_1 = -1/2$ und $m_2 = -16/5$.

(c) In P_1: $\tan \phi = \dfrac{m_1 - m_2}{1 + m_1 m_2} = \dfrac{1 + 4/5}{1 - 4/5} = 9$, also ist $\phi = 83°40'$ der spitze Schnittwinkel.

In P_2: $\tan \phi = \dfrac{-1/2 + 16/5}{1 + 8/5} = 1{,}0385$, also ist $\phi = 46°5'$ der spitze Schnittwinkel.

11. Berechne die Schnittwinkel der Kurven *(1)* $2x^2 + y^2 = 20$ und *(2)* $4y^2 - x^2 = 8$!

Die Schnittpunkte sind $(\pm 2\sqrt{2}, 2)$ und $(\pm 2\sqrt{2}, -2)$.

Für *(1)* gilt $y' = -2x/y$, für *(2)* gilt $y' = x/4y$.

Im Punkt $(2\sqrt{2}, 2)$ ist $m_1 = -2\sqrt{2}$ und $m_2 = \frac{1}{4}\sqrt{2}$. Da $m_1 m_2 = -1$, ist der Schnittwinkel $\phi = 90°$ (d.h., die Kurven sind orthogonal). Aus Symmetriegründen sind die Kurven in jedem Schnittpunkt orthogonal.

12. Die Trageseile einer Hängebrücke sind an Pfeilern befestigt, die 250 m auseinander stehen und hängen in Form einer Parabel, deren tiefster Punkt 50 m unter dem Aufhängungspunkt liegt. Bestimme den Winkel zwischen Seil und Pfeiler!

Wir legen, siehe Abb. 7-4, den Scheitel der Parabel in den Nullpunkt.

Die Parabelgleichung ist $y = \dfrac{2}{625}x^2$, die Ableitung $y' = \dfrac{4x}{625}$.

In $(125, 50)$ gilt $m = 4(125)/625 = 0{,}8000$ und damit $\theta = 38°40'$.

Damit ist $\phi = 90° - \theta = 51°20'$ der gesuchte Winkel.

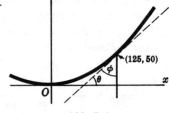

Abb. 7-4

13. Berechne die Länge der Subtangente, Subnormale, Tangente und Normale an $xy + 2x - y = 5$ im Punkt $(2, 1)$!

$\dfrac{dy}{dx} = \dfrac{2 + y}{1 - x}$; im Punkt $(2, 1)$ gilt $m = -3$.

Länge der Subtangente $= y_0/m = -1/3$. Länge der Subnormale $= my_0 = -3$.

Länge der Tangente $= \sqrt{1/9 + 1} = \sqrt{10}/3$. Länge der Normale $= \sqrt{9 + 1} = \sqrt{10}$.

ERGÄNZUNGSAUFGABEN

14. Untersuche $x^2 + 4xy + 16y^2 = 27$ auf waagerechte und senkrechte Tangenten!
Lsg. W.T. in $(3, -3/2)$ und $(-3, 3/2)$
S.T. in $(6, -3/4)$ und $(-6, 3/4)$

15. Berechne die Gleichungen der Tangente und Normale an $x^2 - y^2 = 7$ im Punkt $(4, -3)$!
Lsg. $4x + 3y = 7$; $3x - 4y = 24$

16. In welchem Punkt ist die Tangente an die Kurve $y = x^3 + 5$ *(a)* parallel zu der Geraden $12x - y = 17$, *(b)* senkrecht zu der Geraden $x + 3y = 2$? *Lsg.* (a) $(2, 13)$, $(-2, -3)$; (b) $(1, 6)$, $(-1, 4)$

17. Gib die Gleichungen der Tangenten zu $9x^2 + 16y^2 = 52$ an, die zu der Geraden $9x - 8y = 1$ parallel sind!
Lsg. $9x - 8y = \pm 26$

18. Gib die Gleichungen der Tangenten an die Hyperbel $xy = 1$ an, die durch den Punkt $(-1, 1)$ gehen!
Lsg. $y = (2\sqrt{2} - 3)x + 2\sqrt{2} - 2$; $y = -(2\sqrt{2} + 3)x - 2\sqrt{2} - 2$

19. Zeige: Die Gleichung der Tangente an die Parabel $y^2 = 4px$ in einem ihrer Punkte $P(x_0, y_0)$ ist $yy_0 = 2p(x + x_0)$!

20. Zeige, daß die Gleichungen der Tangenten mit Steigung m an die Ellipse $b^2x^2 + a^2y^2 = a^2b^2$ durch $y = mx = \sqrt{a^2m^2 + b^2}$ gegeben sind!

21. Zeige für die Hyperbel $b^2x^2 - a^2y^2 = a^2b^2$: *(a)* Die Gleichung der Tangente an einen Kurvenpunkt $P(x_0, y_0)$ ist $b^2x_0x - a^2y_0y = a^2b^2$! *(b)* Die Gleichungen der Tangenten mit Steigung m sind $y = mx \pm \sqrt{a^2m^2 - b^2}$.

22. Zeige, daß die Normale an eine Parabel in irgendeinem Parabelpunkt den Winkel teilt, der in P_0 durch den Brennpunktradius und die Parallele zur Parabelachse durch P_0 gebildet wird!

23. Beweise, daß jede Tangente an eine Parabel, außer der im Scheitelpunkt, die Leitlinie und die Senkrechte durch den Brennpunkt in Punkten schneidet, die vom Brennpunkt die gleiche Entfernung haben!

24. Beweise: Zeichnet man von irgendeinem Punkt der Leitlinie einer Parabel die Tangenten an diese, so geht die Gerade, die durch die Berührungspunkte bestimmt ist, durch den Brennpunkt.

25. Beweise, daß die Normale an eine Ellipse in irgendeinem ihrer Punkte den Winkel halbiert, der in P_0 durch die Brennpunktradien gebildet wird.

26. Beweise: Zeichnet man von einem Punkt einer Leitlinie die Tangenten an die Hyperbel, so geht die Gerade, die durch die Berührungspunkte bestimmt ist, durch den dazugehörigen Brennpunkt.

27. Beweise, daß der Berührungspunkt einer Tangente an eine Hyperbel der Mittelpunkt des Tangentenabschnitts zwischen den Asymptoten ist.

28. Beweise: Wenn P_0 ein Punkt der Hyperbel ist, der auf einer der Senkrechten durch einen Brennpunkt liegt, dann ist die Steigung der Tangente in P_0 bis auf das Vorzeichen gleich der Exzentrizität.

29. Beweise: *(a)* Die Summe der Abschnitte auf den Koordinatenachsen einer Tangente an $\sqrt{x} + \sqrt{y} = \sqrt{a}$ ist konstant. *(b)* Die Summe der Quadrate der Abschnitte auf den Koordinatenachsen einer Tangente an $x^{2/3} + y^{2/3} = a^{2/3}$ ist konstant.

30. Berechne die spitzen Schnittwinkel der Kurven $x^2 - 4x + y^2 = 0$ und $x^2 + y^2 = 8$! *Lsg.* $45°$

31. Zeige, daß die Kurven $y = x^3 + 2$ und $y = 2x^2 + 2$ im Punkt $(0, 2)$ eine gemeinsame Tangente haben und sich im Punkt $(2, 10)$ unter einem Winkel von $\phi = \arctan 4/97$ schneiden!

32. Zeige, daß sich die Ellipse $4x^2 + 9y^2 = 45$ und die Hyperbel $x^2 - 4y^2 = 5$ orthogonal schneiden!

33. Bestimme die Gleichungen der Tangente und Normale und die Längen der Subtangente, Subnormale, Tangente und Normale bei der Parabel $y = 4x^2$ im Punkt $(-1, 4)$!
Lsg. $y + 8x + 4 = 0$, $8y - x - 33 = 0$; $-\frac{1}{2}$, -32, $\frac{1}{2}\sqrt{65}$, $4\sqrt{65}$

34. Berechne die Länge der Subtangente, Tangente und Normale bei der Hyperbel $3x^2 - 2y^2 = 10$ im Punkt $(-2, 1)$!
Lsg. $-1/3$, -3, $\sqrt{10}/3$, $\sqrt{10}$

35. In welchen Punkten der Kurve $y = 2x^3 + 13x^2 + 5x + 9$ geht die Tangente durch den Ursprung?
Lsg. $x = -3$, -1, $3/4$.

KAPITEL 8

Maxima und Minima

STEIGENDE UND FALLENDE FUNKTIONEN. Eine Funktion $f(x)$ heißt in $x = x_0$ steigend, wenn für genügend kleines positives h gilt: $f(x_0 - h) < f(x_0) < f(x_0 + h)$. Eine Funktion $f(x)$ heißt in $x = x_0$ fallend, wenn für genügend kleines positives h gilt: $f(x_0 - h) > f(x_0) > f(x_0 + h)$.

Gilt $f'(x_0) > 0$, dann ist $f(x)$ in $x = x_0$ steigend, gilt $f'(x_0) < 0$, so ist $f(x)$ in $x = x_0$ fallend (ein Beweis ist in Aufg. 17 skizziert). Gilt $f'(x_0) = 0$, so nennen wir $f(x)$ stationär in $x = x_0$.

Eine nicht konstante Funktion heißt in einem Intervall steigend (fallend), wenn sie in jedem Punkt des Intervalls steigt (fällt) oder stationär ist.

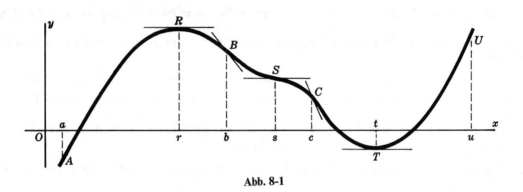

Abb. 8-1

Die Kurve $y = f(x)$ in Abb. 8-1 steigt in den Intervallen $a < x < r$ und $t < x < u$ und fällt im Intervall $r < x < t$. Die Funktion ist in $x = r$, $x = s$ und $x = t$ stationär, und die Kurve hat in den Punkten R, S und T eine waagerechte Tangente. Die Werte von x (r, s und t), für die die Funktion $f(x)$ stationär ist $(f'(x) = 0)$, werden häufig kritische Werte der Funktion genannt, und die entsprechenden Punkte des Diagramms (R, S und T) kritische Punkte der Kurve.

RELATIVE MAXIMA UND MINIMA EINER FUNKTION. Wir sagen, eine Funktion $y = f(x)$ hat in $x = x_0$ ein relatives Maximum (relatives Minimum), wenn $f(x_0)$ größer (kleiner) ist als alle Funktionswerte in einer gewissen Umgebung von $x = x_0$.

In Abb. 8-1 ist $R(r, f(r))$ Punkt eines *relativen Maximums* der Kurve, da $f(r) > f(x)$ in jeder genügend kleinen Umgebung $0 < |x - r| < \delta$. In derselben Abb. ist $T(t, f(t))$ Punkt eines *relativen Minimums* der Kurve, da $f(t) < f(x)$ in jeder genügend kleinen Umgebung $0 < |x - t| < \delta$. Wir bemerken, daß R einen Kurvenbogen AR, der steigt $(f'(x) > 0)$ und einen Bogen RB, der fällt $(f'(x) < 0)$, verbindet, während der Bogen CT fällt $[f'(x) < 0]$ und der Bogen TU steigt $[f'(x) > 0]$. S verbindet die Bögen BS und SC, die beide fallen; in S ist weder ein relatives Minimum noch ein relatives Maximum.

42

Ist $y = f(x)$ in $a \le x \le b$ differenzierbar und hat $f(x)$ in $x = x_0, a < x_0 < b$ ein relatives Maximum (Minimum), dann gilt $f'(x_0) = 0$. Ein Beweis dazu steht in Aufgabe 18.

Will man ein relatives Maximum (Minimum) (in Zukunft werden wir nur Maximum (Minimum) sagen) einer Funktion, die mit ihrer ersten Ableitung stetig ist, bestimmen, so macht man folgendes:

UNTERSUCHUNG DER ERSTEN ABLEITUNG
1. Man bestimmt mit $f'(x) = 0$ die kritischen Werte.
2. Man zeichnet die kritischen Werte auf einer Zahlengerade ein und erhält dadurch gewisse Intervalle.
3. Man bestimmt das Vorzeichen von $f'(x)$ in jedem dieser Intervalle.
4. In jedem kritischen Punkt $x = x_0$ geht man mit x von links über diesen Punkt hinweg. Dann hat dort

$f(x)$ ein Maximum $(= f(x_0))$, wenn $f'(x)$ von $+$ nach $-$ wechselt,

$f(x)$ ein Minimum $(= f(x_0))$, wenn $f'(x)$ von $-$ nach $+$ wechselt,

$f(x)$ weder ein Maximum noch ein Minimum, wenn $f'(x)$ das Vorzeichen nicht wechselt.

Siehe Aufgaben 2–5!

EINE FUNKTION $y = f(x)$, natürlich nicht so elementar wie die in den Aufgaben 2-5, kann in $x = x_0$ ein Maximum oder Minimum $(P = f(x_0))$ besitzen, obwohl $f'(x_0)$ nicht existiert. Die Werte $x = x_0$, für die das gilt, werden ebenfalls kritische Werte der Funktion genannt. Sie werden zusammen mit den Werten, für die $f'(x) = 0$ gilt, benutzt, um die Intervalle in Schritt 2 oben zu bestimmen.

Siehe Aufgaben 6–8!

Der Fall, bei dem $f(x_0)$ der Wert eines Maximums (Minimums) ist, obwohl es kein Intervall $x_0 - \delta < x < x_0$ gibt, bei dem $f'(x)$ positiv (negativ) ist, und kein Intervall $x_0 < x < x_0 + \delta$ gibt, bei dem $f'(x)$ negativ (positiv) ist, soll hier nicht behandelt werden.

RICHTUNG DER KRÜMMUNG. Ein Kurvenbogen der Kurve $y = f(x)$ heißt nach *oben konkav*, wenn für jeden Punkt des Bogens gilt, daß der Bogen über der Tangente in dem Punkt liegt. Bei wachsendem x hat entweder $f'(x)$ immer dasselbe Vorzeichen und wächst (wie im Intervall $b < x < s$ in Abb. 8-1) oder wechselt das Vorzeichen von minus zu plus (wie in Intervall $c < x < u$). In beiden Fällen wächst die Steigung $f'(x)$, das heißt, es gilt $f''(x) < 0$.

Ein Kurvenbogen der Kurve $y = f(x)$ heißt nach *unten konkav*, wenn für jeden Punkt des Bogens gilt, daß der Bogen unterhalb der Tangente in dem Punkt liegt. Bei wachsendem x hat entweder $f'(x)$ immer dasselbe Vorzeichen und fällt (wie im Intervall $s < x < c$) oder wechselt das Vorzeichen von plus zu minus (wie im Intervall $a < x < b$). In beiden Fällen fällt die Steigung $f'(x)$ und damit gilt $f''(x) < 0$.

EIN WENDEPUNKT ist ein Punkt, in dem die Kurve von „nach oben (unten) konkav" zu „nach unten (oben) konkav" wechselt. In Abb. 8-1 sind die Punkte B, S und C die Wendepunkte. Eine Kurve $y = f(x)$ hat in $x = x_0$ einen Wendepunkt, wenn $f''(x_0) = 0$ oder nicht definiert ist und wenn $f''(x)$ in $x = x_0$ das Vorzeichen wechselt.

Die letzte Bedingung kann durch $f'''(x_0) \ne 0$ ersetzt werden, wenn $f'''(x_0)$ existiert.

Siehe Aufgaben 9–13!

EIN ZWEITER TEST FÜR MAXIMA UND MINIMA. UNTERSUCHUNG DER ZWEITEN ABLEITUNG

1. Man bestimmt mit $f'(x) = 0$ die kritischen Werte
2. In einem kritischen Punkt $x = x_0$ hat:

$f(x)$ ein Maximum $(= f(x_0))$, wenn $f''(x_0) < 0$.

$f(x)$ ein Minimum $(= f(x_0))$, wenn $f''(x_0) > 0$.

Ist $f''(x_0) = 0$ oder unendlich, so kann man nichts aussagen.

Siehe Aufgaben 14–16!

AUFGABEN MIT LÖSUNGEN

1. (a) $y = -x^2$ hat ein relatives Maximum in $x = 0$, da $y = 0$ für $x = 0$ und $y < 0$ für $x \neq 0$.

    (b) $y = (x-3)^2$ hat ein relatives Minimum in $x = 3$, da $y = 0$ für $x = 3$ und $y > 0$ für $x \neq 3$.

    (c) $y = \sqrt{25 - 4x^2}$ hat ein relatives Maximum in $x = 0$, da $y = 5$ für $x = 0$ und $y < 5$ für $-1 < x < 1$.

    (d) $y = \sqrt{x - 4}$ hat weder ein relatives Maximum noch ein relatives Minimum. (Einige Autoren definieren ein relatives Maximum (Minimum) so, daß diese Funktion in $x = 4$ ein relatives Minimum hat. Siehe Aufgabe 30.)

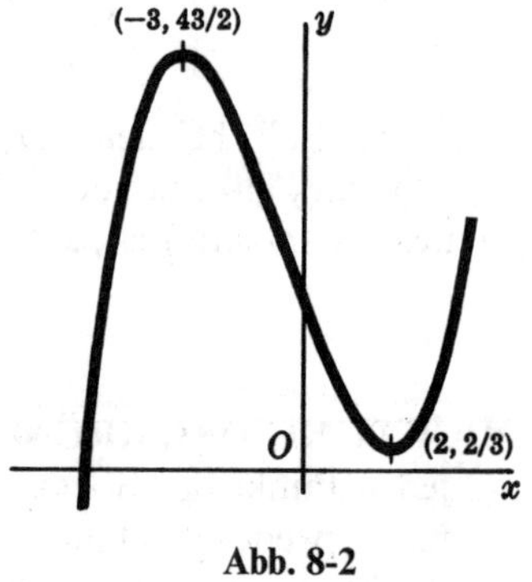

2. Es sei $y = \frac{1}{3}x^3 + \frac{1}{2}x^2 - 6x + 8$. Bestimme

    (a) die kritischen Punkte
    (b) die Intervalle, in denen y wächst oder fällt und
    (c) die Maxima und Minima von y!

    (a) $y' = x^2 + x - 6 = (x+3)(x-2)$

    Wir setzen $y' = 0$ und erhalten die kritischen Punkte $(-3, 43/2)$, $(2, 2/3)$.

    (b) Ist y' positiv, so wächst y; ist y' negativ, so fällt y.

Abb. 8-2

Für $x < -3$, etwa $x = -4$, gilt $y' = (-)(-) = +$, also wächst y.

Für $-3 < x < 2$, etwa $x = 0$, gilt $y' = (+)(-) = -$, also fällt y.

Für $x > 2$, etwa $x = 3$, gilt $y' = (+)(+) = +$, also wächst y.

Dies ist in folgender Übersicht erläutert

$x < -3$	Max. $x = -3$	$-3 < x < 2$	Min. $x = 2$	$x > 2$
$y' = +$		$y' = -$		$y' = +$
y wächst		y fällt		y wächst

(c) Untersuche die kritischen Werte $x = -3, 2$.

In $x = -3$ wechselt y' das Vorzeichen von $+$ zu $-$. Also hat y in $x = -3$ ein Maximum $(= 43/2)$.

In $x = 2$ wechselt y' das Vorzeichen von $-$ zu $+$. Also hat y in $x = 2$ ein Minimum $(= 2/3)$.

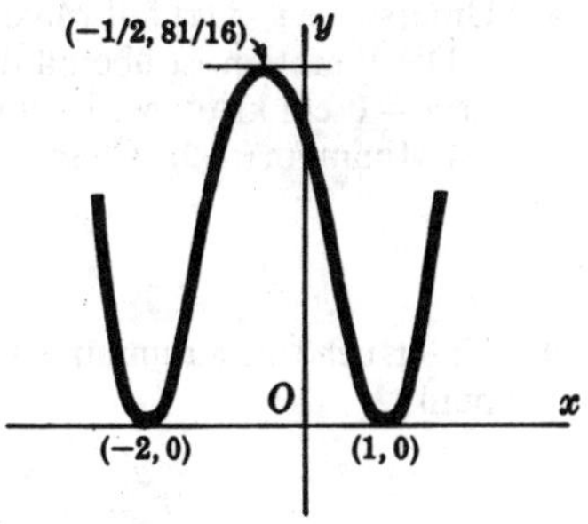

3. Es sei $y = x^4 + 2x^3 - 3x^2 - 4x + 4$. Bestimme

(a) die Intervalle, in denen y wächst bzw. fällt und

(b) die Maxima und Minima von y.

$$y' = 4x^3 + 6x^2 - 6x - 4 = 2(x + 2)(2x + 1)(x - 1)$$

Wir setzen $y' = 0$ und erhalten die kritischen Werte $x = -2, -\frac{1}{2}, 1$.

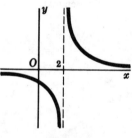

(−1/2, 81/16)

(−2, 0) (1, 0)

Abb. 8-3

(a) Für $x < -2$ gilt $\qquad y' = 2(-)(-)(-) = - :\ y$ fällt.

Für $-2 < x < -\frac{1}{2}$ gilt $y' = 2(+)(-)(-) = + :\ y$ wächst.

Für $-\frac{1}{2} < x < 1$ gilt $y' = 2(+)(+)(-) = - :\ y$ fällt.

Für $x > 1$ gilt $\qquad y' = 2(+)(+)(+) = + :\ y$ wächst.

Das wird in folgender Übersicht erläutert:

	Min.		Max.		Min.	
$x < -2$	$x = -2$	$-2 < x < -\frac{1}{2}$	$x = -\frac{1}{2}$	$-\frac{1}{2} < x < 1$	$x = 1$	$x > 1$
$y' = -$		$y' = +$		$y' = -$		$y' = +$
y fällt		y wächst		y fällt		y wächst

(b) Untersuche die kritischen Punkte $x = -2, -\frac{1}{2}, 1$ auf Maxima und Minima!

In $x = -2$ wechselt y' das Vorzeichen von $-$ zu $+$; y hat in $x = -2$ ein Minimum($= 0$).

In $x = -\frac{1}{2}$ wechselt y' das Vorzeichen von $+$ zu $-$; y hat in $x = -\frac{1}{2}$ ein Maximum ($= 81/16$).

In $x = 1$ wechselt y' das Vorzeichen von $-$ zu $+$; y hat in $x = 1$ ein Minimum ($= 0$).

4. Zeige, daß die Kurve $y = x^3 - 8$ kein Maximum und kein Minimum hat.

$y' = 3x^2$. $y' = 0$ ergibt den kritischen Punkt $x = 0$.

Für $x > 0$ und für $x < 0$ ist $y' > 0$. Also hat y kein Maximum und kein Minimum.

In $x = 0$ hat die Kurve einen Wendepunkt.

5. Untersuche $y = f(x) = \dfrac{1}{x - 2}$ auf Maxima und Minima und gib die Intervalle an,

in denen die Funktion wächst oder fällt!

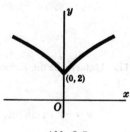

Abb. 8-4

$f'(x) = -\dfrac{1}{(x - 2)^2}$. Da $f(2)$ nicht definiert ist ($f(x)$ geht gegen Unendlich, wenn x sich 2 nähert), gibt es keinen kritischen Punkt. Wir benutzen jedoch $x = 2$, um die Intervalle, in denen $f(x)$ wächst bzw. fällt, zu bestimmen. Es ist $f'(x) < 0$ für alle $x \neq 2$. Also fällt $f(x)$ in den Intervallen $x < 2$ und $x > 2$.

6. Bestimme die Maxima und Minima von $f(x) = 2 + x^{2/3}$ und die Intervalle, in denen die Funktion wächst bzw. fällt!

$f'(x) = \dfrac{2}{3x^{1/3}}$. Der kritische Punkt ist $x = 0$, da $f'(x)$ gegen Unendlich geht für x gegen 0.

Für $x < 0$ gilt $f'(x) = - :\ f(x)$ fällt.

Für $x > 0$ gilt $f'(x) = + :\ f(x)$ wächst.

Also hat die Funktion in $x = 0$ ein Minimum ($= 2$).

(0, 2)

Abb. 8-5

7. Untersuche $y = x^{4/3}(1 - x)^{1/3}$ auf Maxima und Minima! Da $y' = \dfrac{x^{1/3}(4 - 5x)}{3(1 - x)^{2/3}}$, sind die kritischen Punkte durch $x = 0$, 4/5 und 1 gegeben. Für $x < 0$ gilt $y' < 0$, für $0 < x < 4/5$, $y' > 0$, für $4/5 < x < 1$, $y' < 0$ und für $x > 1$, $y' < 0$. Die Funktion hat ein Minimum ($= 0$) in $x = 0$ und ein Maximum ($= \frac{4}{25}\sqrt[3]{20}$) in $x = 4/5$.

8. Untersuche $y = |x|$ auf Maxima und Minima!

Die Funktion ist überall definiert, und die Ableitung existiert für alle x außer $x = 0$. (Siehe Aufg. 11, Kap. 4). Also ist $x = 0$ ein kritischer Punkt. Für $x < 0$ gilt $f'(x) = -1$, für $x > 0$ $f'(x) = +1$. Die Funktion hat in $x = 0$ ein Minimum ($= 0$). Dieses Ergebnis ist sofort aus einer Zeichnung zu erkennen.

9. Untersuche die Krümmung von $y = 3x^4 - 10x^3 - 12x^2 + 12x - 7$ und die Wendepunkte!

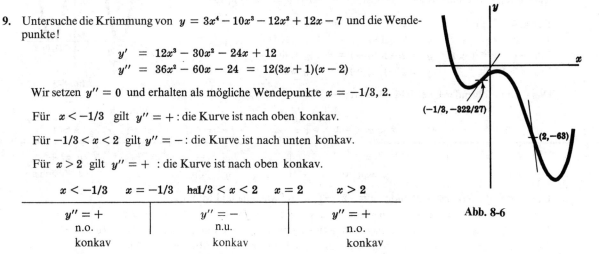

$$y' = 12x^3 - 30x^2 - 24x + 12$$
$$y'' = 36x^2 - 60x - 24 = 12(3x + 1)(x - 2)$$

Wir setzen $y'' = 0$ und erhalten als mögliche Wendepunkte $x = -1/3,\ 2$.

Für $x < -1/3$ gilt $y'' = +$: die Kurve ist nach oben konkav.

Für $-1/3 < x < 2$ gilt $y'' = -$: die Kurve ist nach unten konkav.

Für $x > 2$ gilt $y'' = +$: die Kurve ist nach oben konkav.

$x < -1/3$	$x = -1/3$	$-1/3 < x < 2$	$x = 2$	$x > 2$
$y'' = +$ n.o. konkav		$y'' = -$ n.u. konkav		$y'' = +$ n.o. konkav

Die Wendepunkte sind $(-1/3, -322/27)$ und $(2, -63)$, da y'' in $x = -1/3$ und $x = 2$ das Vorzeichen wechselt.

Abb. 8-6

10. Untersuche die Krümmung von $y = x^4 - 6x + 2$ und die Wendepunkte! Siehe Abb. 8-7.
$y'' = 12x^2$. $x = 0$ ist ein möglicher Wendepunkt.

In den Intervallen $x < 0$ und $x > 0$ ist $y'' = +$, und die Kurve ist dort nach oben konkav. Der Punkt $(0, 2)$ ist kein Wendepunkt.

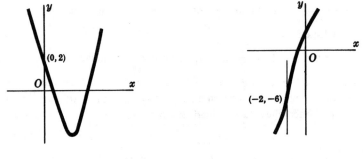

Abb. 8-7   Abb. 8-8

11. Untersuche die Krümmung von $y = 3x + (x + 2)^{3/5}$ und die Wendepunkte! Siehe Abb. 8-8

$$y' = 3 + \frac{3}{5(x + 2)^{2/5}} \qquad y'' = \frac{-6}{25(x + 2)^{7/5}}$$

$x = -2$ ist ein möglicher Wendepunkt.

Für $x > -2$ gilt $y'' = -$: die Kurve ist nach unten konkav.

Für $x < -2$ gilt $y'' = +$: die Kurve ist nach oben konkav.

Der Punkt $(-2, -6)$ ist ein Wendepunkt.

12. Bestimme die Gleichung der Tangenten in den Wendepunkten von $y = f(x) = x^4 - 6x^3 + 12x^2 - 8x$!

In $x = x_0$ existiert ein Wendepunkt, wenn $f''(x_0) = 0$ und $f'''(x_0) \neq 0$.

$$
\begin{aligned}
f'(x) &= 4x^3 - 18x^2 + 24x - 8 \\
f''(x) &= 12x^2 - 36x + 24 = 12(x-1)(x-2) \\
f'''(x) &= 24x - 36 = 12(2x-3)
\end{aligned}
$$

Mögliche Wendepunkte sind also $x = 1, 2$. Da $f'''(1) \neq 0$ und $f'''(2) \neq 0$, sind die Punkte $(1, -1)$ und $(2, 0)$ beide Wendepunkte.

In $(1, -1)$ ist die Steigung $m = f'(1) = 2$ und die Gleichung der Tangente

$$ y - y_1 = m(x - x_1) \quad \text{bzw.} \quad y + 1 = 2(x - 1) \quad \text{oder} \quad y = 2x - 3 $$

In $(2, 0)$ ist die Steigung $= f'(2) = 0$, und die Gleichung der Tangente $y = 0$.

13. Zeige, daß die Wendepunkte von $y = \dfrac{a - x}{x^2 + a^2}$ auf einer Geraden liegen und bestimme ihre Gleichung!

$$ y' = \frac{x^2 - 2ax - a^2}{(x^2 + a^2)^2} \quad \text{und} \quad y'' = -2\,\frac{x^3 - 3ax^2 - 3a^2x + a^3}{(x^2 + a^2)^3} $$

$x^3 - 3ax^2 - 3a^2x + a^3 = 0$ gilt für $x = -a, a(2 \pm \sqrt{3})$; die Wendepunkte sind $(-a, 1/a)$ $(a(2 + \sqrt{3})$, $(1 - \sqrt{3})/4a)$, $(a(2 - \sqrt{3}), (1 + \sqrt{3})/4a)$. Die Steigung der Strecke, die je zwei dieser Punkte verbindet, ist durch $-1/4a^2$ gegeben. Damit ist die gesuchte Geradengleichung $x + 4a^2 y = 3a$.

14. Untersuche $f(x) = x(12 - 2x)^2$ mit Hilfe der zweiten Ableitung auf Maxima und Minima!

(a) $f'(x) = 12(x^2 - 8x + 12) = 12(x - 2)(x - 6)$. Die kritischen Punkte sind $x = 2, 6$.

(b) $f''(x) = 12(2x - 8) = 24(x - 4)$.

(c) $f''(2) < 0$. Also hat $f(x)$ in $x = 2$ ein Maximum $(= \mathbf{128})$.
$f''(6) > 0$. Also hat $f(x)$ in $x = 6$ ein Minimum $(= 0)$.

15. Untersuche $y = x^2 + \dfrac{250}{x}$ mit Hilfe der zweiten Ableitung auf Maxima und Minima!

(a) $y' = 2x - \dfrac{250}{x^2} = \dfrac{2(x^3 - 125)}{x^2}$. Der kritische Punkt ist $x = 5$.

(b) $y'' = 2 + \dfrac{500}{x^3}$

(c) $y'' > 0$ in $x = 5$. Also hat $f(x)$ in $x = 5$ ein Minimum $(= \mathbf{75})$.

16. Untersuche $y = (x - 2)^{2/3}$ auf Maxima und Minima!

(a) $y' = \dfrac{2}{3}(x - 2)^{-1/3} = \dfrac{2}{3(x - 2)^{1/3}}$. Der kritische Punkt ist $x = 2$.

(b) $y'' = -\dfrac{2}{9}(x - 2)^{-4/3} = -\dfrac{2}{9(x - 2)^{4/3}}$

(c) Nähert sich x dem Wert 2, so geht y'' gegen Unendlich.
Also versagt der Test mit der zweiten Ableitung.
Wir untersuchen die erste Ableitung. Für $x < 2$ gilt $y' = -$, für $x > 2$ $y' = +$. Also hat y in $x = 2$ ein relatives Minimum $(= 0)$.

17. Wir sagen, eine Funktion $f(x)$ wächst in $x = x_0$, wenn für alle genügend kleinen positiven h gilt: $f(x_0 - h) < f(x_0) < f(x_0 + h)$. Beweise: Ist $f'(x_0) > 0$, so wächst $f(x)$ in $x = x_0$.

Aus $\displaystyle\lim_{\Delta x \to 0} \frac{f(x_0 + \Delta x) - f(x_0)}{\Delta x} = f'(x_0) > 0$ folgt $\dfrac{f(x_0 + \Delta x) - f(x_0)}{\Delta x} > 0$ für genügend kleines $|\Delta x|$. (Siehe Aufg. 4, Kap. 3)

Für $\Delta x < 0$ gilt dann $f(x_0 + \Delta x) - f(x_0) < 0$ und mit $\Delta x = -h$ folgt $f(x_0 - h) < f(x_0)$. Für $\Delta x > 0$, etwa $\Delta x = h$, gilt $f(x_0 + h) > f(x_0)$. Also folgt $f(x_0 - h) < f(x_0) < f(x_0 + h)$, wie gefordert. In Aufg. 33 steht ein ähnlicher Satz.

18. Beweise: Ist $y = f(x)$ in $a \leqq x \leqq b$ differenzierbar und hat $f(x)$ in $x = x_0$, $a < x_0 < b$, ein relatives Maximum, so gilt $f'(x_0) = 0$.

Da $f(x)$ in $x = x_0$ ein relatives Maximum hat, folgt für alle Δx, für die $|\Delta x|$ genügend klein ist,

$$f(x_0 + \Delta x) < f(x_0) \qquad \text{und} \qquad f(x_0 + \Delta x) - f(x_0) < 0$$

Also für $\Delta x < 0$: $\quad \dfrac{f(x_0 + \Delta x) - f(x_0)}{\Delta x} > 0$ und damit $\quad f'(x_0) = \lim\limits_{\Delta x \to 0^-} \dfrac{f(x_0 + \Delta x) - f(x_0)}{\Delta x} \geqq 0$

und für $\Delta x > 0$: $\quad \dfrac{f(x_0 + \Delta x) - f(x_0)}{\Delta x} < 0$ und damit $f'(x_0) = \lim\limits_{\Delta x \to 0^+} \dfrac{f(x_0 + \Delta x) - f(x_0)}{\Delta x} \leqq 0$.

Somit ergibt sich $0 \leqq f'(x_0) \leqq 0$, das heißt, $f'(x_0) = 0$, was zu zeigen war. In Aufg. 34 steht ein ähnlicher Satz.

19. Beweise: Sind $f(x)$ und $f'(x)$ in $a \leqq x \leqq b$ differenzierbar, ist $x = x_0$, $a < x_0 < b$, ein kritischer Punkt von $f(x)$ und gilt $f''(x_0) > 0$, dann hat $f(x)$ in $x = x_0$ ein relatives Minimum.

Da $f''(x_0) > 0$ gilt, wächst $f'(x)$ in $x = x_0$. Also existiert ein $h > 0$ mit $f'(x_0 - h) < f'(x_0) < f'(x_0 + h)$. Deshalb gilt für alle $x < x_0$ in einer Umgebung von $x = x_0$: $f'(x) < f'(x_0)$, für alle $x > x_0$ in einer Umgebung von $x = x_0$: $f'(x) > f'(x_0)$. Nun ist $f'(x_0) = 0$, also folgt: $f'(x) < 0$ für $x < x_0$ und $f'(x) > 0$ für $x > x_0$. Daraus folgt (siehe Aufgabe 18), daß $f(x)$ in $x = x_0$ ein relatives Minimum hat. Wir überlassen dem Leser, sich den entsprechenden Satz für ein relatives Maximum zu überlegen.

20. Bestimme den Punkt (X, Y) der Hyperbel $x^2 - y^2 = 1$, der dem Punkt $P(a, 0)$, $a > 0$, am nächsten liegt. Für das Quadrat des Abstandes zwischen den beiden Punkten ergibt sich $D^2 = (X - a)^2 + Y^2$. Außerdem gilt $X^2 - Y^2 = 1$, da (X, Y) ein Hyperbelpunkt ist.

Wir drücken D^2 als Funktion von X aus und erhalten

$$f(X) = (X - a)^2 + X^2 - 1 = 2X^2 - 2aX + a^2 - 1$$

Der kritische Wert der Funktion ist $X = \frac{a}{2}$.

Wir nehmen $a = \frac{1}{2}$. Dann gibt es für den kritischen Wert $X = \frac{1}{4}$ keinen Wert von Y, da Y imaginär ist. Diese Schwierigkeit tritt auf, weil wir nicht beachtet haben, daß $f(X) = (X - \frac{1}{2})^2 + X^2 - 1$ unter der Bedingung $X \geqq 1$ minimiert werden sollte. (Diese Einschränkung in X ergibt sich nicht selbst aus der Funktion $f(X)$. $f(X)$ hat tatsächlich in $X = \frac{1}{4}$ ein relatives Minimum, wenn man X nicht einschränkt.) Im Intervall $X \geqq 1$ hat $f(X)$ im Endpunkt $X = 1$ ein absolutes, aber kein relatives Minimum. Wir überlassen es dem Leser, die Fälle (i) $a = \sqrt{2}$ und (ii) $a = 3$ zu untersuchen.

ERGÄNZUNGSAUFGABEN

21. Untersuche jede der Funktionen in Aufgabe 1 und bestimme die Intervalle, in denen sie steigen bzw. fallen!
Lsg. *(a)* Steig. $x < 0$; fall. $x > 0$. *(b)* Steig. $x > 3$; fall. $x < 3$. *(c)* Steig. $-5/2 < x < 0$; fall. $0 < x < 5/2$. *(d)* Steig. $x > 4$.

22. *(a)* Zeige, daß $y = x^5 + 20x - 6$ überall wächst!
    (b) Zeige, daß $y = 1 - x^3 - x^7$ überall fällt!

23. Untersuche die folgenden Funktionen mit Hilfe der ersten Ableitung auf relative Maxima und Minima!

(a)	$f(x) = x^2 + 2x - 3$	*Lsg.* In $x = -1$ ist ein rel. Min. $= -4$
(b)	$f(x) = 3 + 2x - x^2$	*Lsg.* In $x = 1$ ist ein rel. Max. $= 4$
(c)	$f(x) = x^3 + 2x^2 - 4x - 8$	*Lsg.* In $x = \frac{2}{3}$ ist ein rel. Min. $= -256/27$
		In $x = -2$ ist ein rel. Max. $= 0$
(d)	$f(x) = x^3 - 6x^2 + 9x - 8$	*Lsg.* In $x = 1$ ist ein rel. Max. $= -4$
		In $x = 3$ ist ein rel. Max. $= -8$
(e)	$f(x) = (2 - x)^3$	*Lsg.* Kein rel. Max und kein rel. Min.
(f)	$f(x) = (x^2 - 4)^2$	*Lsg.* In $x = 0$ ist ein rel. Max. $= 16$
		In $x = \pm 2$ ist ein rel. Min. $= 0$

(g) $f(x) = (x-4)^4 (x+3)^3$ *Lsg.* In $x = 0$ ist ein relatives Max.= 6912
                                                In $x = 4$ ist ein relatives Min.= 0
                                                In $x = -3$ ist keins von beiden

(h) $f(x) = x^3 + 48/x$ *Lsg.* In $x = -2$ ist ein relatives Max.= -32
                                                In $x = 2$ ist ein relatives Min.= 32

(i) $f(x) = (x-1)^{1/3} (x+2)^{2/3}$ *Lsg.* In $x = -2$ ist ein relatives Max.= 0
                                                In $x = 0$ ist ein relatives Min.= $-\sqrt[3]{4}$
                                                In $x = 1$ ist keins von beiden.

24. Untersuche die Funktionen in Aufgabe 23(a)-(f) auf relative Maxima und Minima durch Betrachtung der zweiten Ableitung! Bestimme auch die Wendepunkte und die Intervalle, in denen die Kurve nach oben bzw. nach unten konkav ist!

   Lsg. (a) Kein W. P.; überall nach oben konkav
         (b) Kein W.P.; überall nach unten konkav
         (c) $x = -2/3$ W.P.; in $x > -2/3$ n.o. konkav; in $x < -2/3$ n.u. konkav
         (d) $x = 2$ W.P.; in $x > 2$ n.o. konkav; in $x < 2$ n.u. konkav
         (e) $x = 2$ W.P.; in $x > 2$ n.u. konkav; in $x < 2$ n.o. konkav
         (f) $x = \pm 2\sqrt{3}/3$ W.P.; in $x > 2\sqrt{3}/3$ und $x < -2\sqrt{3}/3$ n.o. konkav; in $-2\sqrt{3}/3 < x < 2\sqrt{3}/3$ n.u. konkav.

25. Zeige, daß $y = \dfrac{ax + b}{cx + d}$ kein relatives Maximum und kein relatives Minimum hat!

26. Untersuche $y = x^3 - 3px + q$ auf Maxima und Minima!
   Lsg. Min $= q - 2p^{3/2}$, Max $= q + 2p^{3/2}$, wenn $p > 0$. Sonst: keins von beiden.

27. Zeige, daß $y = (a_1 - x)^2 + (a_2 - x)^2 + \cdots + (a_n - x)^2$ in $x = (a_1 + a_2 + \cdots + a_n)/n$ ein relatives Minimum hat!

28. Beweise: Gilt $f''(x_0) = 0$ und $f'''(x_0) \neq 0$, so ist in $x = x_0$ ein Wendepunkt.

29. Beweise: Hat $y = ax^3 + bx^2 + cx + d$ zwei kritische Punkte, so liegt zwischen ihnen, genau in der Mitte, ein Wendepunkt. Hat die Kurve nur einen kritischen Punkt, so ist das ein Wendepunkt.

30. Wir sagen, eine Funktion hat in $x = x_0$ ein absolutes Maximum (Minimum), wenn $f(x_0)$ größer (kleiner) ist als jeder andere Funktionswert im Definitionsbereich. Benutze eine Zeichnung, um nachzuweisen: (a) $y = -x^2$ hat in $x = 0$ ein absolutes Maximum (b) $y = (x-3)^2$ hat in $x = 3$ ein absolutes Minimum (= 0). (c) $y = \sqrt{25 - 4x^2}$ hat in $x = 0$ ein absolutes Maximum (= 5) und in $x = \pm 5/2$ ein absolutes Minimum (= 0). (d) $y = \sqrt{x - 4}$ hat in $x = 4$ ein absolutes Minimum (= 0).

31. Untersuche auf absolute Maxima und absolute Minima (nur im angegebenen Intervall)!

   (a) $y = -x^2$ in $-2 < x < 2$ *Lsg.* In $x = 0$ Max. (= 0)

   (b) $y = (x-3)^2$ in $0 \leqq x \leqq 4$ *Lsg.* In $x = 0$ Max. (= 9)
                                                In $x = 3$ Min. (= 0)

   (c) $y = \sqrt{25 - 4x^2}$ in $-2 \leqq x \leqq 2$ *Lsg.* In $x = 0$ Max. (= 5)
                                                In $x = \pm 2$ Min.(= 3)

   (d) $y = \sqrt{x - 4}$ in $4 \leqq x \leqq 29$ *Lsg.* In $x = 29$ Max.(= 5)
                                                In $x = 4$ Min. (= 0)

   Bem. Dies sind die größten und kleinsten Werte von stetigen Funktionen (Siehe Eigenschaft II, Kap. 3).

32. Zeige: Eine Funktion $f(x)$ wächst (fällt) in $x = x_0$, wenn der Steigungswinkel der Tangente an die Kurve $y = f(x)$ in $x = x_0$ spitz (stumpf) ist!

33. Gib zu dem Satz in Aufgabe 17 den entsprechenden für fallende Funktionen an und beweise ihn!

34. Gib zu dem Satz in Aufgabe 18 den entsprechenden für ein relatives Minimum an. Beweis!

35. Untersuche $2x^2 - 4xy + 3y^2 - 8x + 8y - 1 = 0$ auf Maxima und Minima!

36. Ein elektrischer Strom, der in einer runden Spule vom Radius r fließt, übt auf einen Magneten, der vom Zentrum der Spule einen Abstand x hat, eine Kraft von $F = \dfrac{kx}{(x^2 + r^2)^{5/2}}$ aus. Zeige, daß die Kraft für $x = r/2$ maximal ist!

37. Die Arbeit, die ein Voltaelement von konstanter elektromotorischer Kraft E und konstantem inneren Widerstand r leistet, wenn es Gleichstrom durch einen äußeren Widerstand R schickt, ist proportional zu $E^2R/(r + R)^2$. Zeige, daß die verrichtete Arbeit für $R = r$ maximal ist!

KAPITEL 9

Maxima und Minima: Anwendungen

MINIMUM - MAXIMUMAUFGABEN. In den einfachen Anwendungen muß man nur selten beweisen, daß ein relatives Maximum oder Minimum vorliegt. Die passende Wahl des kritischen Wertes ergibt sich, wenn man sich die Aufgabe näher ansieht.

Manchmal ist ein relatives Maximum oder Minimum ein absolutes Maximum oder Mimimum (d.h., ein größter oder ein kleinster Wert) der Funktion. In diesem Fall sind in der Aufgabenstellung die Ausdrücke kürzester, größter, usw. gerechtfertigt.

AUFGABEN MIT LÖSUNGEN

1. Zerlege die Zahl 120 so in zwei Summanden, daß das Produkt P des einen Summanden mit dem Quadrat des anderen maximal ist.

Es sei x = erster Summand; $120 - x$ = zweiter Summand. Dann gilt $P = (120 - x)x^2$.

$dP/dx = 3x(80 - x)$. Die kritischen Werte sind $x = 0$ und $x = 80$.

Der kritische Wert $x = 0$ kann sofort ausgeschlossen werden. Die gesuchten Summanden sind also $x = 80$ und $120 - x = 40$.

2. Ein Blatt Papier für ein Plakat hat eine Fläche von 18 dm². Der Rand oben und unten ist jeweils 7,5 cm, an den Seiten 5 cm groß. Bei welchen Ausmaßen ist die bedruckte Fläche am größten?

Es sei x = Länge des Plakats und $18/x$ = Breite des Plakats. Siehe Abb. 9-1!

Die bedruckte Fläche ist dann durch $A = (x - 1)\left(\dfrac{18}{x} - \dfrac{3}{2}\right)$ gegeben.

$\dfrac{dA}{dx} = \dfrac{18}{x^2} - \dfrac{3}{2}$. Aus $\dfrac{dA}{dx} = 0$ ergibt sich der kritische Wert $x = 2\sqrt{3}$.

Die optimale Länge des Plakats ist $x = 2\sqrt{3}$ dm und die Breite $18/x = 3\sqrt{3}$ dm.

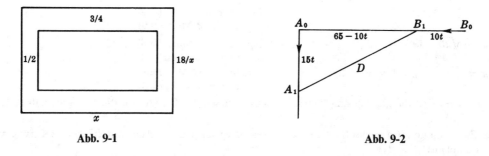

Abb. 9-1   **Abb. 9-2**

3. Um 9^h vormittags war ein Schiff B genau 65 km östlich von einem anderen Schiff A. Schiff B fuhr nun westlich mit einer Geschwindigkeit von 10 km/h, A südlich mit 15 km/h. Wann ist die Entfernung zwischen ihnen am kürzesten (wie groß), wenn sie ihren jeweiligen Kurs beibehalten? Siehe Abb.9-2!

Es seien A_0 und B_0 die Schiffspositionen um 9^h, A_1 und B_1 die Positionen t Stunden später. A hat dann 15 t (km) zurückgelegt, B 10 t(km).

Die Entfernung D der Schiffe ist dann durch $D^2 = (15t)^2 + (65 - 10t)^2$ gegeben.

50

$\dfrac{dD}{dt} = \dfrac{325t - 650}{D}$. Aus $\dfrac{dD}{dt} = 0$ ergibt sich der kritische Wert $t = 2,$ in dem D ein Minimum hat.

$t = 2$ in $D^2 = (15t)^2 + (65 - 10t)^2$ eingesetzt ergibt $D = 15\sqrt{13}$ (km).

Die Schiffe sind sich um 11^h am nächsten, die Entfernung zu dieser Zeit beträgt $15\sqrt{13}$ km.

4. Ein zylindrischer Behälter aus Blech mit kreisförmiger Grundfläche faßt 1000 cm³. Bestimme die Abmessungen, für die der Metallverbrauch (Oberfäche) am kleinsten ist, wenn
   (a) der Behälter oben offen und
   (b) oben geschlossen ist.
   Es sei r der Radius der Grundfläche, h die Höhe des Behälters (in cm), A der Metallverbrauch und V das Volumen des Behälters.
   (a) $V = \pi r^2 h = 1000$ und $A = 2\pi rh + \pi r^2$.

   Um A als Funktion einer Variablen auszudrücken, lösen wir die erste Gleichung nach h auf und setzen das Ergebnis in die zweite ein. Das ergibt $A = 2\pi r(1000/\pi r^2) + \pi r^2 = 2000/r + \pi r^2$.

   $\dfrac{dA}{dr} = -\dfrac{2000}{r^2} + 2\pi r = \dfrac{2(\pi r^3 - 1000)}{r^2}$. Der kritische Wert ist $r = \dfrac{10}{\sqrt[3]{\pi}}$.

   Damit ergibt sich $h = 1000/\pi r^2 = 10/\sqrt[3]{\pi}$. Also gilt $r = h = 10/\sqrt[3]{\pi}$ cm.

   (b) $V = \pi r^2 h = 1000$ und $A = 2\pi rh + 2\pi r^2 = 2\pi r(1000/\pi r^2) + 2\pi r^2 = 2000/r + 2\pi r^2$.

   $\dfrac{dA}{dr} = \dfrac{-2000}{r^2} + 4\pi r = \dfrac{4(\pi r^3 - 500)}{r^2}$. Der kritische Wert ist $r = 5\sqrt[3]{4/\pi}$.

   Damit folgt $h = 1000/\pi r^2 = 10\sqrt[3]{4/\pi}$. Also $h = 2r = 10\sqrt[3]{4/\pi}$ cm.

5. Die Kosten, um x Radioapparate am Tag zu produzieren, betragen $DM\ (x^2 + 140x + 100)$, der Verkaufspreis pro Apparat $DM\ (200 - 2x)$.
   (a) Wieviel Apparate müssen täglich produziert werden, damit der Gesamtgewinn am größten ist?
   (b) Zeige, daß bei der optimalen Produktionsanzahl die Produktionskosten pro Apparat ein relatives Minimum annehmen!
   (a) Verkauft man x Apparate am Tag, so ist der Gesamtgewinn P durch $P = x(200 - 2x) - (x^2 + 140x + 100)$

   gegeben. $\dfrac{dP}{dx} = 60 - 6x$. Aus $dP/dx = 0$ ergibt sich der kritische Wert $x = 10$.

   Produziert man täglich 10 Apparate, so ist der Gesamtgewinn am größten.

   (b) Die Produktionskosten C pro Apparat betragen DM $\dfrac{(x^2 + 140x + 100)}{x} = \left(x + 140 + \dfrac{100}{x}\right)$.

   $\dfrac{dC}{dx} = 1 - \dfrac{100}{x^2}$. Aus $dC/dx = 0$ ergibt sich $x = 10$, ein Minimum.

6. Die Feuerungskosten für den Betrieb einer Lokomotive sind proportional dem Quadrat der Geschwindigkeit und betragen bei einer Geschwindigkeit von 25 km/h DM 25 pro Stunde. Unabhängig von der Geschwindigkeit entstehen pro Stunde noch Kosten von 100 DM. Bestimme die Geschwindigkeit, für die die Kosten pro Stunde am kleinsten sind!

   Es sei v = Geschwindigkeit und C = Gesamtkosten pro km.

   Feuerungskosten pro Stunde $= kv^2$, wobei k eine Konstante ist, die noch bestimmt werden muß. Für $v = 25$ km/h ergibt sich $kv^2 = 625k = 25$, also $k = 1/25$.

   $C(\text{in DM/km}) = \dfrac{\text{Kosten in DM/h}}{\text{Geschw. in km/h}} = \dfrac{v^2/25 + 100}{v} = \dfrac{v}{25} + \dfrac{100}{v}$

   $\dfrac{dC}{dv} = \dfrac{1}{25} - \dfrac{100}{v^2} = \dfrac{(v - 50)(v + 50)}{25v^2}$. Da $v > 0$, ist $v = 50$ der einzig relevante kritische Wert. Also ist 50 km/h die Geschwindigkeit, bei der die Kosten am kleinsten sind.

7. Ein Mann in einem Ruderboot in P 5 km vom nächsten Punkt am geraden Strand entfernt, will zu einem Punkt B am Strand, der von A 6 km weit entfernt ist. Er rudert 2 km/h und geht 4 km/h. Wo muß er landen, um möglichst schnell sein Ziel zu erreichen?

   Es sei C, zwischen A und B der Punkt, an dem der Mann landet und $AC = x$ (Siehe Abb. 9-3).

   Die geruderte Strecke ist $PC = \sqrt{25 + x^2}$ und die benötigte Zeit ist

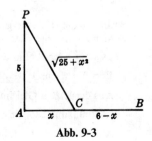

Abb. 9-3

$t_1 = \dfrac{\text{Entfernung}}{\text{Zeit}} = \dfrac{\sqrt{25 + x^2}}{2}$. Zu Fuß geht er $CB = 6 - x$ (km) und braucht dafür $t_2 = (6 - x)/4$.

Insgesamt braucht er $t = t_1 + t_2 = \frac{1}{2}\sqrt{25 + x^2} + \frac{1}{4}(6 - x)$.

$\dfrac{dt}{dx} = \dfrac{x}{2\sqrt{25 + x^2}} - \dfrac{1}{4} = \dfrac{2x - \sqrt{25 + x^2}}{4\sqrt{25 + x^2}}$ und der kritische Wert, Lösung von $2x - \sqrt{25 + x^2} = 0$,   ist

$x = \frac{5}{3}\sqrt{3} = 2{,}89$. Also muß er 2,89 km von A entfernt landen.

8. An einem geraden Fluß soll ein rechteckiges Feld von gegebener Fläche umzäunt werden. Am Fluß wird kein Zaun benötigt. Zeige, daß man am wenigsten Zaun braucht, wenn das Feld doppelt so lang wie breit ist!

Es sei $x =$ Länge und $y =$ Breite des Feldes. Die Fläche ist $A = xy$. Die benötigte Zaunlänge ist $F = x + 2y$.

$dF/dx = 1 + 2\, dy/dx$. Aus $dF/dx = 0$ folgt $dy/dx = -\frac{1}{2}$.

$dA/dx = 0 = y + x\, dy/dx$. Also gilt $y - \frac{1}{2}x = 0$, und damit $x = 2y$, wie gefordert.

9. Bestimme die Abmessungen des geraden Kreiskegels mit kleinstem Volumen, der um eine Kugel vom Radius 8 cm gelegt werden kann!

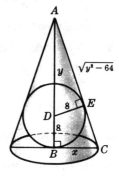

Es sei $x =$ Radius der Grundfläche des Kegels und $y + 8$ die Höhe des Kegels. Da die rechtwinkligen Dreiecke ABC und AED ähnlich sind, folgt

$\dfrac{x}{8} = \dfrac{y + 8}{\sqrt{y^2 - 64}}$,   also $x^2 = \dfrac{64(y + 8)^2}{y^2 - 64} = \dfrac{64(y + 8)}{y - 8}$.

Das Volumen des Kegels ist $V = \dfrac{(\pi x^2)(y + 8)}{3} = \dfrac{64\pi(y + 8)^2}{3(y - 8)}$.

$\dfrac{dV}{dy} = \dfrac{64\pi(y + 8)(y - 24)}{3(y - 8)^2}$. Daraus ergibt sich der kritische Wert $y = 24$.

Höhe des Kegels $= y + 8 = 32$ cm. Radius der Grundfläche $= x = 8\sqrt{2}$ cm.

Abb. 9-4

10. Bestimme das Rechteck mit größter Fläche, das in den Teil der Parabel $y^2 = 4px$ einbeschrieben werden kann, der durch die Gerade $x = a$ abgeschnitten wird!

Es seien $PBB'P'$ das Rechteck und (x, y) die Koordinaten von P. Siehe Abb. 9-5!

Die Fläche des Rechtecks ist dann $A = 2y(a - x) = 2y(a - y^2/4p) = 2ay - y^3/2p$.

$dA/dy = 2a - 3y^2/2p$. Wir lösen $dA/dy = 0$ und erhalten den kritischen Wert $y = \sqrt{4ap/3}$.

Die Abmessungen des Rechtecks sind $2y = \frac{4}{3}\sqrt{3ap}$ und $a - x = a - y^2/4p = 2a/3$.

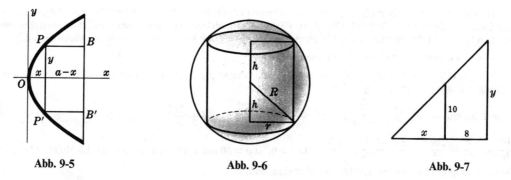

Abb. 9-5   **Abb. 9-6**   **Abb. 9-7**

11. Bestimme die Höhe des geraden Kreiszylinders vom größten Volumen, der in eine Kugel vom Radius R einbeschrieben werden kann! Siehe Abb. 9-6!

Es seien r der Radius der Grundfläche und h die Höhe des Zylinders.

$V = 2\pi r^2 h$ und $r^2 + h^2 = R^2$. Also gilt $dV/dr = 2\pi(r^2\, dh/dr + 2rh)$ und $2r + 2h\, dh/dr = 0$.

Aus der letzten Gleichung folgt $dh/dr = -r/h$. Also: $dV/dr = 2\pi(-r^3/h + 2rh)$.

Ist V maximal, so gilt $dV/dr = 2\pi(-r^3/h + 2rh) = 0$, also $r^2 = 2h^2$.

Aus $r^2 + h^2 = R^2$ folgt $2h^2 + h^2 = R^2$ und $h = R/\sqrt{3}$. Höhe des Zylinders $= 2h = 2R/\sqrt{3}$.

12. Die Seitenwand eines Gebäudes soll durch einen Balken abgestützt werden, der über eine 10 m hohe, zur Wand parallelen, Mauer gelegt werden muß. Diese ist 8 m vom Gebäude entfernt.

Wie lang ist der kürzeste Balken, den man benutzen kann?

Es sei x die Entfernung vom Fuß des Balkens zum Fuß der Mauer und y die Höhe des Abstützungspunktes an der Gebäudewand. Siehe Abb. 9-7!

$L = \sqrt{(x+8)^2 + y^2}$. Es ergibt sich $\dfrac{y}{10} = \dfrac{x+8}{x}$ (ähnliche Dreiecke) und damit $y = \dfrac{10(x+8)}{x}$.

Also: $L = \sqrt{(x+8)^2 + \dfrac{100(x+8)^2}{x^2}} = \dfrac{x+8}{x}\sqrt{x^2+100}$ und

$\dfrac{dL}{dx} = \dfrac{x[(x^2+100)^{1/2} + x(x+8)(x^2+100)^{-1/2}] - (x+8)(x^2+100)^{1/2}}{x^2} = \dfrac{x^3 - 800}{x^2\sqrt{x^2+100}}.$

Der einzig mögliche kritische Wert ist $x = 2\sqrt[3]{100}$. Die Länge des kürzesten Balken ist

$$\frac{2\sqrt[3]{100} + 8}{2\sqrt[3]{100}} \sqrt{4\sqrt[3]{10\,000} + 100} = (\sqrt[3]{100} + 4)^{3/2} \text{ m}.$$

ERGÄNZUNGSAUFGABEN

13. Die Summe zweier positiver Zahlen sei 20. Bestimme die Zahlen so, daß *(a)* ihr Produkt maximal ist, *(b)* die Summe der Quadrate beider Zahlen minimal ist, *(c)* das Produkt der einen mit dem Kubus der anderen maximal ist! *Lsg. (a)* 10, 10; *(b)* 10, 10; *(c)* 8, 12

14. Das Produkt zweier positiver Zahlen sei 16. Bestimme die Zahlen so, daß *(a)* ihre Summe minimal ist, *(b)* die Summe der einen mit dem Quadrat der zweiten minimal ist! *Lsg. (a)* 4, 4; *(b)* 8, 2.

15. Ein offener rechteckiger Behälter mit quadratischen Enden faßt 6,4 l. Die Herstellungskosten pro cm^2 betragen 75 Pfg für die Grundfläche und 25 Pfg für die Seiten. Berechne die Abmessungen, bei denen die Kosten minimal sind! *Lsg.* $20 \times 20 \times 16$ cm.

16. 3,20 m vor einem Haus steht eine 1,35 m hohe Mauer. Wie lang ist die kürzeste Leiter, die, über die Mauer gelegt, an das Haus gelehnt werden kann? *Lsg.* 6,25 m.

17. Ein Unternehmen hat folgende Bedingungen: Für Bestellungen bis zu 50 000 Einheiten beträgt der Preis pro 1000 Einheiten DM 120. Für Bestellungen von mehr als 50 000 Einheiten reduziert sich der Preis pro 1000 Einheiten für die gesamte Bestellung um DM 1,50 für jede bestellte Tausend Einheiten über 50 000. Bei welchem Auftrag ist die Einnahme des Unternehmens am größten? *Lsg.* 65.000.

18. Bestimme die Gleichung der Geraden durch den Punkt (3,4), die im ersten Quadranten mit den Koordinatenachsen ein Dreieck kleinster Fläche bildet! *Lsg.* $4x + 3y - 24 = 0$.

19. In welchem Punkt muß man im ersten Quadranten an die Parabel $y = 4 - x^2$ die Tangente zeichnen, damit der Tangentenabschnitt zwischen den Koordinatenachsen minimal wird? *Lsg.* $(2\sqrt{3}/3,\ 8/3)$.

20. Berechne die kürzeste Entfernung des Punktes (4,2) zur Parabel $y^2 = 8x$! *Lsg.* $2\sqrt{2}$.

21. An die Ellipse $x^2/25 + y^2/16 = 1$ wird eine Tangente gezeichnet, deren Abschnitt zwischen den Koordinatenachsen minimal ist. Zeige, daß der Abschnitt eine Länge von 9 Einheiten hat!

22. Der Ellipse $x^2/400 + y^2/225 = 1$ ist ein achsenparalleles Rechteck einbeschrieben. Bestimme die Abmessungen des Rechtecks, wenn es unter allen Rechtecken, die so einbeschrieben werden können *(a)* die größte Fläche, *(b)* den größten Durchmesser hat! *Lsg. (a)* $20\sqrt{2} \times 15\sqrt{2}$, *(b)* 32×18.

23. Bestimme den Radius R des geraden Kreiszylinders von größtem Volumen, der in eine Kugel vom Radius r gelegt werden kann! *Lsg.* $R = \frac{2}{3}r\sqrt{2}$.

24. Ein gerader Kreiszylinder ist einem geraden Kreiskegel einbeschrieben! Bestimme den Radius R des Zylinders, wenn *(a)* sein Volumen maximal ist, *(b)* seine Seitenfläche maximal ist! *Lsg. (a)* $R = \frac{2}{3}r$, *(b)* $R = \frac{1}{2}r$.

25. Zeige, daß man für ein kegelförmiges Zelt von gegebenem Volumen am wenigsten Material benötigt, wenn die Höhe gleich dem 2-fachen des Radius der Grundfläche ist.

26. Beweise: Das gleichseitige Dreieck mit der Höhe $3r$ ist das gleichschenklige Dreieck mit der kleinsten Fläche, das einem Kreis von dem Radius r umbeschrieben werden kann.

27. Bestimme die Abmessungen des geraden Kreiszylinders mit größter Seitenfläche, der einer Kugel vom Radius 8 cm einbeschrieben werden kann! *Lsg.* $h = 2r = 8\sqrt{2}$ cm.

28. Untersuche die Möglichkeit, einem geraden Kreiskegel vom Radius r und der Höhe h einen geraden Kreiszylinder von größter Oberfläche einzubeschreiben! *Lsg.* Gilt $h > 2r$, so ist der Radius des Zylinders $= \frac{1}{2}hr/(h-r)$.

KAPITEL 10

Geradlinige Bewegungen und Kreisbewegungen

GERADLINIGE BEWEGUNGEN

Die Bewegung eines Massenteilchens P *entlang einer Geraden wird durch die Gleichung* $s = f(t)$ *vollständig beschrieben.* Dabei ist $t \geq 0$ die Zeit und s die Entfernung des Punktes P von einem festen Punkt O auf der Geraden .

Die Geschwindigkeit von P zur Zeit t ist $v = \dfrac{ds}{dt}$.

Gilt $v > 0$, so bewegt sich P in positiver s–Richtung.
Gilt $v < 0$, so bewegt sich P in negativer s–Richtung.
Gilt $v = 0$, so bewegt sich P zu diesem Zeitpunkt nicht.

Die Beschleunigung von P zur Zeit t ist $a = \dfrac{dv}{dt} = \dfrac{d^2s}{dt^2}$.

Gilt $a > 0$, so wächst v; gilt $a < 0$, so fällt v.
Haben v und a dasselbe Vorzeichen, dann wächst die Geschwindigkeit von P.
Haben v und a entgegengesetzte Vorzeichen, so nimmt die Geschwindigkeit von P ab.

Siehe Aufgaben 1-5!

KREISBEWEGUNGEN

Die Bewegung eines Massenpunkts P *entlang eines Kreises wird durch die Gleichung* $\theta = f(t)$ *vollständig beschrieben.* Dabei ist θ der Mittelpunktswinkel (in Radianten), der von einer Geraden, die P mit dem Kreismittelpunkt verbindet, in der Zeit t überstrichen wird.

Die Winkelgeschwindigkeit von P zur Zeit t ist $\omega = \dfrac{d\theta}{dt}$.

Die Winkelbeschleunigung von P zur Zeit t ist $\alpha = \dfrac{d\omega}{dt} = \dfrac{d^2\theta}{dt^2}$.

Ist $\alpha = $ konstant für alle t, so bewegt sich P mit konstanter Winkelbeschleunigung.
Gilt $\alpha = 0$ für alle t, so bewegt sich P mit konstanter Winkelgeschwindigkeit.

Siehe Aufgabe 6!

AUFGABEN MIT LÖSUNGEN

In den folgenden Aufgaben über geradlinige Bewegungen wird die Entfernung s in Meter angegeben und die Zeit t in Sekunden.

1. Ein Massenpunkt bewegt sich auf einer Geraden nach dem Gesetz $s = \frac{1}{2}t^3 - 2t$. Bestimme seine Geschwindigkeit und seine Beschleunigung zur Zeit $t = 2$.

$$v = \frac{ds}{dt} = \frac{3}{2}t^2 - 2. \text{ Für } t = 2 \text{ ergibt sich } v = \frac{3}{2}(2)^2 - 2 = 4 \text{ m/sec.}$$

$$a = \frac{dv}{dt} = 3t. \qquad \text{Für } t = 2 \text{ ergibt sich } a = 3(2) = 6 \text{ m/sec}^2.$$

2. Der Weg s eines Punktes, der sich auf einer Geraden bewegt, ist durch $s = t^3 - 6t^2 + 9t + 4$ gegeben.
   (a) Bestimme s und a für $v = 0$!   *(d)* Wann wächst v?
   (b) Bestimme s und v für $a = 0$!   *(e)* Wann wechselt die Bewegungsrichtung?
   (c) Wann wächst s?

$$v = ds/dt = 3t^2 - 12t + 9 = 3(t-1)(t-3) \qquad a = dv/dt = 6(t-2)$$

(a) Aus $v = 0$ folgt $t = 1$ und 3. $t = 1$ ergibt $s = 8$ und $a = -6$. $t = 3$ ergibt $s = 4$ und $a = 6$.

(b) $a = 0$ ergibt $t = 2$. In $t = 2$ gilt $s = 6$ und $v = -3$.

(c) s wächst, falls $v > 0$, d.h., für $t < 1$ und $t > 3$.

(d) v wächst, falls $a > 0$, d.h., für $t > 2$.

(e) Die Bewegungsrichtung wechselt, falls $v = 0$ und $a \neq 0$. Die Richtung wechselt also nach (a), falls $t = 1$ und $t = 3$.

3. Ein Körper bewegt sich auf einer Geraden nach dem Gesetz $s = f(t) = t^3 - 9t^2 + 24t$.

(a) Wann wächst s und wann fällt s ?

(b) Wann wächst v und wann fällt v ?

(c) Wann wächst die Geschwindigkeit des Körpers absolut und wann nimmt sie ab?

(d) Bestimme die Gesamtstrecke, die der Körper in den ersten 5 Sekunden der Bewegung zurücklegt!

$$v = ds/dt = 3t^2 - 18t + 24 = 3(t-2)(t-4) \qquad a = dv/dt = 6(t-3)$$

(a) s wächst, falls $v > 0$, d.h., für $t < 2$ und $t > 4$.

  s fällt, falls $v < 0$, d.h., für $2 < t < 4$.

(b) v wächst, falls $a > 0$, d.h,. für $t > 3$.

  v fällt, falls $a < 0$, d.h., für $t < 3$.

(c) Die Geschwindigkeit wächst absolut, falls v und a dasselbe Vorzeichen haben, und nimmt ab, wenn v und a entgegengesetztes Vorzeichen haben. Da v in $t = 2$ und $t = 4$ und a in $t = 3$ das Vorzeichen wechseln können, müssen wir die Vorzeichen in den Intervallen $t < 2$, $2 < t < 3$, $3 < t < 4$ und $t > 4$ vergleichen.

  Für $t < 2$ gilt $v > 0$ und $a < 0$; die Geschwindigkeit nimmt ab.

  Für $2 < t < 3$ gilt $v < 0$ und $a < 0$; die Geschwindigkeit fällt.

  Für $3 < t < 4$ gilt $v < 0$ und $a > 0$; die Geschwindigkeit nimmt ab.

  Für $t > 4$ gilt $v > 0$ und $a > 0$; die Geschwindigkeit wächst.

(d) Aus $t = 0$ folgt $s = 0$, also ist der Körper dann in O. In den ersten zwei Sekunden bewegt er sich nach rechts ($v > 0$) und ist dann $s = f(2) = 20$ m von O entfernt.

  Während der nächsten zwei Sekunden bewegt er sich nach links und ist dann $s = f(4) = 16$ m von O entfernt.

  Dann bewegt er sich wieder nach rechts und ist nach 5 Sekunden $s = f(5) = 20$ m von O entfernt.

  Die Gesamtstrecke, die er zurücklegt, ist also $20 + 4 + 4 = 28$ m lang.

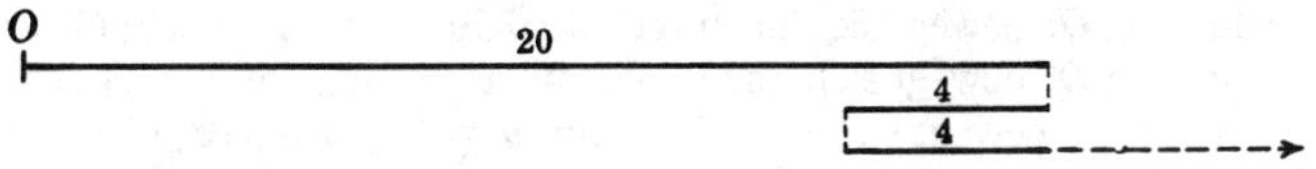

Abb. 10-1

4. Ein Massenteilchen bewegt sich auf einer Geraden nach dem Gesetz $s = f(t) = t^4 - 6t^3 + 12t^2 - 10t + 3$.

(a) Wann wächst die Geschwindigkeit absolut und wann fällt sie?

(b) Wann wechselt die Bewegungsrichtung ?

(c) Gib die Gesamtstrecke an, die es nach 3 Sekunden Bewegung zurückgelegt hat!

$$v = ds/dt = 4t^3 - 18t^2 + 24t - 10 = 2(t-1)^2(2t-5) \qquad a = dv/dt = 12(t-1)(t-2)$$

(a) v kann in $t = 1$ und $t = 2{,}5$, und a in $t = 1$ und $t = 2$ das Vorzeichen wechseln.

  Für $t < 1$ gilt $v < 0$ und $a > 0$; die Geschw. nimmt ab.

  Für $1 < t < 2$ gilt $v < 0$ und $a < 0$; die Geschw. wächst.

  Für $2 < t < 2{,}5$ gilt $v < 0$ und $a > 0$; die Geschw. nimmt ab.

  Für $t > 2{,}5$ gilt $v > 0$ und $a > 0$; die Geschw. wächst.

(b) Die Bewegungsrichtung wechselt in $t = 2{,}5$, da $v = 0$ und $a \neq 0$; sie wechselt jedoch nicht in $t = 1$, da v in $t = 1$ das Vorzeichen nicht wechselt. Wir bemerken, daß $v = 0$ und $a = 0$ für $t = 1$, so daß keine Aussage gemacht werden kann.

(c) Für $t = 0$ gilt $s = 3$, also ist das Teilchen 3 m rechts von O.

Es bewegt sich in den ersten **2,5** sec nach links und ist danach 27/16 m links von O.

Für $t = 3$ gilt $s = 0$; das Teilchen hat sich 27/16 m nach rechts bewegt.

Die insgesamt zurückgelegte Strecke beträgt also $3 + 27/16 + 27/16 = 51/8$ m.

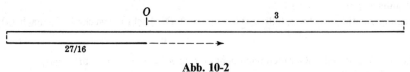

Abb. 10-2

5. Eine Kugel wird mit einer Anfangsgeschwindigkeit von $34,3$ m/sec senkrecht nach oben abgeschossen und bewegt sich nach dem Gesetz $s = 34,3t - 4,9t^2$, wobei s die Entfernung vom Ausgangspunkt ist. Bestimme *(a)* die Geschwindigkeit und die Beschleunigung für $t = 3$ und $t = 4$, *(b)* die größte erreichte Höhe! *(c)* Wann beträgt die Höhe $29, 4$ m?

$$v = ds/dt = 34,3 - 9,8t \qquad a = dv/dt = -9,8$$

(a) Für $t = 3$ gilt $v = 4,9$ und $a = -9,8$. Die Kugel steigt mit 4,9 m/sec.

Für $t = 4$ gilt $v = -4,9$ und $a = -9,8$. Die Kugel fällt mit $4,9$ m/sec.

(b) Im höchsten Punkt ist $v = 0$.

Aus $v = 0 = 34,3 - 9,8t$ folgt $t = 3,5$. Zu dieser Zeit ist $s = 60,025$ m.

(c) $29,4 = 34,3t - 4,9t^2$, $\quad t^2 - 7t + 6 = 0$, $\quad (t-1)(t-6) = 0$, $\quad t = 1; 6$.

Nach 1 Sekunde hat die Kugel eine Höhe von $29, 4$ m erreicht und steigt, da $v > 0$. Nach 6 Sekunden ist sie in der gleichen Höhe, fällt aber, da $v < 0$.

6. Ein Massenteilchen dreht sich gegen den Uhrzeigersinn aus der Ruhelage nach dem Gesetz $\theta = t^3/50 - t$, wobei θ in rad und t in sec gemessen wird. Berechne θ, die Winkelgeschwindigkeit ω und die Winkelbeschleunigung α nach Ablauf von 10 Sekunden!

$$\theta = t^3/50 - t = 10 \text{ rad}, \quad \omega = d\theta/dt = 3t^2/50 - 1 = 5 \text{ rad/sec}, \alpha = d\omega/dt = 6t/50 = 6/5 \text{ rad/sec}^2$$

ERGÄNZUNGSAUFGABEN

7. Ein Teilchen bewegt sich geradlinig nach dem Gesetz $s = t^3 - 6t^2 + 9t$ (die Einheiten seien Meter und Sekunde). Wo (in bezug auf seine Ausgangsposition O zur Zeit $t = 0$) befindet sich das Teilchen, wenn *(a)* $t = 1/2$, *(b)* $t = 3/2$, *(c)* $t = 5/2$, *(d)* $t = 4$?

Bestimme für dieselben Werte seine Bewegungsrichtung und die Geschwindigkeit und untersuche, ob die Geschwindigkeit dort absolut wächst oder abnimmt!

Lsg. (a) **25/8** m rechts von O; bewegt sich nach rechts mit $v = $ **15/4** m/sec; Geschw. nimmt ab.

(b) **27/8** m rechts von O; bewegt sich nach links mit $v = $ **−9/4** m/sec; Geschw. wächst.

(c) **5/8** m rechts von O; bewegt sich nach links mit $v = $ **−9/4** m/sec; Geschw. nimmt ab.

(d) **4** m rechts von O; bewegt sich nach rechts mit $v = $ **9** m/sec; Geschw. wächst.

8. Die Entfernung einer Lokomotive von einem festen Punkt einer geraden Eisenbahnlinie zur Zeit t ist durch $s = 3t^4 - 44t^3 + 144t^2$ gegeben. Wann fährt die Lokomotive rückwärts? *Lsg.* $3 < t < 8$.

9. Untersuche wie in Aufg. 2 jede der folgenden geradlinigen Bewegungen:

(a) $s = t^3 - 9t^2 + 24t$, (b) $s = t^3 - 3t^2 + 3t + 3$, (c) $s = 2t^3 - 12t^2 + 18t - 5$, (d) $s = 3t^4 - 28t^3 + 90t^2 - 108t$.

Lsg. (a) Hält in $t = 2$ und $t = 4$ und ändert dort die Richtung

(b) Hält in $t = 1$ ohne Richtungsänderung

(c) Hält in $t = 1$ und $t = 3$ ohne Richtungsänderung

(d) Hält in $t = 1$ mit Änderung und $t = 3$ ohne Änderung der Richtung

10. Ein Körper bewegt sich senkrecht von der Erde weg nach dem Gesetz $s = 19,6t - 4,9t^2$. Zeige, daß er nach $14, 7$ m Steigen nur noch die halbe Geschwindigkeit hat!

11. Ein Ball wird vom Ende eines $33, 6$ m hohen Daches senkrecht nach oben geworfen und fällt schließlich auf die Straße. Seine Entfernung s (m) vom Dach zur Zeit t ist durch $s = 28,8t - 4,8t^2$ gegeben. Bestimme *(a)* den Ort des Balles, seine Geschwindigkeit und die Bewegungsrichtung zur Zeit $t = 2$ und *(b)* seine Geschwindigkeit, wenn er auf die Straße fällt!

Lsg. (a) 72 m über der Straße: $9, 6$ m/sec; nach oben *(b)* $-38, 4$ m/sec.

12. Ein Rad dreht sich über einen Winkel von θ Radianten in der Zeit t, wobei $\theta = 128t - 12t^2$. Bestimme die Winkelgeschwindigkeit und Beschleunigung nach 3 sec! *Lsg.* $\omega = $ **56** rad/sec, $\alpha = $ **−24** rad/sec^2

13. Untersuche die Aufgaben 2 und 9, um zu folgern, daß ein Halt der Bewegung mit Richtungsänderung in Werten von t auftritt, für die $s = f(t)$ ein Maximum oder Minimum hat, während ein Halt ohne Richtungsänderung in Wendepunkten auftritt!

KAPITEL 11

Voneinander abhängige Variable

VONEINANDER ABHÄNGIGE VARIABLE. Ist eine Variable x eine Funktion der Zeit t, so ist die *Änderungsgeschwindigkeit* von x in *Bezug auf die Zeit* durch dx/dt gegeben.

Sind zwei oder mehr Variable, die alle von t abhängen, durch eine Gleichung miteinander verknüpft, so erhält man die Beziehung zwischen ihren Änderungsgeschwindigkeiten (Ableitungen), indem man die Gleichung nach t differenziert.

AUFGABEN MIT LÖSUNGEN

1. Aus einem runden Ballon entweicht Gas mit einer Geschwindigkeit von 54 1/min. Wie schnell nimmt die Oberfläche des Ballons ab, wenn der Radius 3,6 m ist?

   Zur Zeit t habe der Ballon den Radius r, das Volumen $V = \frac{4}{3}\pi r^3$ und die Oberfläche $S = 4\pi r^2$.

   Dann gilt $\dfrac{dV}{dt} = 4\pi r^2 \dfrac{dr}{dt}$, $\dfrac{dS}{dt} = 8\pi r \dfrac{dr}{dt}$, $\dfrac{dS/dt}{dV/dt} = \dfrac{2}{r}$, also $\dfrac{dS}{dt} = \dfrac{2}{r}\left(\dfrac{dV}{dt}\right) = \frac{2}{36}(-54) = -3\,\text{dm}^2$ pro Minute.

2. Aus einem konischen Trichter läuft Wasser mit der Geschwindigkeit von $8\,\text{cm}^3/\text{sec}$ aus. Der Radius der oberen Öffnung des Trichters sei 8 cm und die Höhe des Trichters 16 cm. Bestimme die Geschwindigkeit, mit der der Wasserspiegel sinkt, wenn er 4 cm über der Trichterspitze steht! Es sei r der Radius, h die Höhe des Wasserspiegels und V die Wassermenge im Trichter zur Zeit t. Es ergibt sich

   $r/8 = h/16$ also $r = h/2$ (ähnliche Dreiecke!)
   $V = \frac{1}{3}\pi r^2 h = \frac{1}{12}\pi h^3$, also $dV/dt = \frac{1}{4}\pi h^2\, dh/dt$.
   Aus $dV/dt = -8$ und $h = 16 - 4 = 12$ folgt $dh/dt = -2/9\pi\ \text{cm/sec}$.

   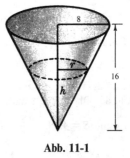

   Abb. 11-1

3. Wird Sand von einem Förderband geschüttet, so entsteht ein konischer Sandhaufen, dessen Höhe immer gleich 4/3 des Radius der Grundfläche ist. *(a)* Wie schnell wächst das Volumen, wenn der Radius der Basis 1 m ist und mit einer Geschwindigkeit von 1/8 cm/sec wächst? *(b)* Wie schnell wächst der Radius, wenn er 2 m ist und das Volumen mit einer Geschwindigkeit von 10^4 cm/sec wächst?

   Es sei r = Radius der Grundfläche und h = Höhe des Sandhaufens zur Zeit t.

   Aus $h = \frac{4}{3}r$ folgt $V = \frac{1}{3}\pi r^2 h = \frac{4}{9}\pi r^3$ und damit $\dfrac{dV}{dt} = \dfrac{4}{3}\pi r^2 \dfrac{dr}{dt}$.

   (a) Für $r = 100$ und $\dfrac{dr}{dt} = \dfrac{1}{8}$ gilt $\dfrac{dV}{dt} = \dfrac{5000}{3}\pi$ cm/sec. *(b)* Für $r = 200$ und $\dfrac{dV}{dt} = 10^4$ gilt $\dfrac{dr}{dt} = \dfrac{3}{16\pi}$ cm/sec.

4. Ein Schiff A segelt südlich mit 16 km/h und ein zweites Schiff B, das 32 km südlich von A steht, östlich mit 12 km/h. *(a)* Mit welcher Geschwindigkeit nähern oder entfernen sie sich nach genau einer Stunde? *(b)* nach zwei Stunden? *(c)* Wann nähern sie sich nicht mehr einander, und wie weit sind sie zu dieser Zeit voneinander entfernt?

A_o und B_o seien die Schiffspositionen am Anfang, A_t und B_t die Positionen nach t Stunden. Es sei D die Entfernung der Schiffe nach t Stunden.

$$D^2 = (32 - 16t)^2 + (12t)^2, \quad \text{also} \quad \frac{dD}{dt} = \frac{400t - 512}{D}$$

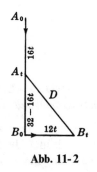

(a) Für $t = 1$ gilt $D = 20$ und damit $dD/dt = -5,6$. Sie nähern sich mit 5,6 km/h.

(b) Für $t = 2$ gilt $D = 24$ und damit $dD/dt = 12$. Sie entfernen sich voneinander mit 12 km/h.

(c) Sie entfernen sich voneinander ab dem Punkt, für den $dD/dt = 0$, also $t = 512/400 = 1,28$ Stunden. Zu diesem Zeitpunkt sind sie $D = 19,2$ km voneinander entfernt.

Abb. 11-2

5. Zwei parallele Seiten eines Rechtecks werden mit einer Geschwindigkeit von 2 cm/sec vergrößert, während die beiden anderen so verkürzt werden, daß die Fläche A konstant gleich 50 cm² ist. Mit welcher Geschwindigkeit ändert sich der Umfang P, wenn die Länge einer der wachsenden Seiten *(a)* 5 cm *(b)* 10 cm ist? *(c)* Welche Abmessungen hat das Rechteck in dem Punkt, in dem der Umfang aufhört abzunehmen?

Es sei x = Länge der Seiten, die wachsen, und y = Länge der anderen Seiten zur Zeit t.

$$P = 2(x + y), \quad \text{also} \quad \frac{dP}{dt} = 2\left(\frac{dx}{dt} + \frac{dy}{dt}\right). \quad A = xy = 50, \quad \text{also} \quad x\frac{dy}{dt} + y\frac{dx}{dt} = 0.$$

(a) Für $x = 5$ gilt $y = 10$ und $dx/dt = 2$.

Damit folgt $5\dfrac{dy}{dt} + 10(2) = 0$ oder $\dfrac{dy}{dt} = -4$, also $\dfrac{dP}{dt} = 2(2 - 4) = -4$ cm/sec (der Umfang nimmt ab).

(b) Für $x = 10$ gilt $y = 5$ und $dx/dt = 2$.

Damit folgt $10\dfrac{dy}{dt} + 5(2) = 0$ oder $\dfrac{dy}{dt} = -1$, also $\dfrac{dP}{dt} = 2(2 - 1) = 2$ cm/sec (der Umfang wächst).

(c) Der Umfang hört auf abzunehmen, wenn $dP/dt = 0$ ist, d.h., wenn $dy/dt = -dx/dt = -2$ gilt.

Daraus folgt $x(-2) + y(2) = 0$. Das Rechteck ist dann ein Quadrat der Seitenlänge $x = y = 5\sqrt{2}$ cm.

6. Der Radius einer Kugel zur Zeit t (sec) sei r (cm.) Gib den Radius für den Zeitpunkt an, in dem die Wachstumsgeschwindigkeit der Oberfläche S und die des Radius gleich sind!

Es gilt $S = 4\pi r^2$. $\dfrac{dS}{dt} = 8\pi r\dfrac{dr}{dt}$.

Aus $\dfrac{dS}{dt} = \dfrac{dr}{dt}$ folgt $\dfrac{dr}{dt} = 8\pi r\dfrac{dr}{dt}$, also ist der Radius $r = \dfrac{1}{8\pi}$ cm.

7. An einem 15 m langen Seil, das in P über eine Rolle läuft, die 6 m über dem Boden ist, hängt ein Gewicht W. Das andere Ende des Seils ist im Punkt A, 0,6 m über dem Boden, an einem Lastauto befestigt. (Siehe Abb. 11-3) Wie schnell bewegt sich das Gewicht zu dem Zeitpunkt nach oben, wo es 1,8 m über dem Boden ist, wenn das Auto mit einer Geschwindigkeit von 2,7 m/sec wegfährt?

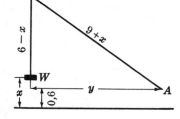

Es seien x die Höhe des Gewichts und y die waagerechte Entfernung vom Punkt A, wo das Seil am Auto befestigt ist, bis zur Senkrechten, die zur Zeit t durch P geht.

Wir müssen $\dfrac{dx}{dt}$ für $\dfrac{dy}{dt} = 9$ und $x = 6$ bestimmen.

Abb. 11-3

Es gilt $y^2 = (9 + x)^2 - (5,4)^2$, also $\dfrac{dy}{dt} = \dfrac{9 + x}{y} \cdot \dfrac{dx}{dt}$.

Für $x = 1,8$ gilt $y = 5,4\sqrt{3}$ und $\dfrac{dy}{dt} = 2,7$. Damit gilt $2,7 = \dfrac{10,8}{5,4\sqrt{3}} \cdot \dfrac{dx}{dt}$, also $\dfrac{dx}{dt} = 1,35\sqrt{3}$ m/sec.

8. Eine Lampe L hängt H (m) über einer Straße. Ein h (m) großer Gegenstand in O, direkt unter der Lampe, wird auf einer geraden Linie mit v (m/sec) die Straße entlang bewegt. Bestimme die Geschwindigkeit V seiner Schattenspitze auf der Straße zur Zeit t (sec)! Siehe Abb. 11-4!

Nach t sec hat der Gegenstand vt m zurückgelegt. Es sei y die Entfernung der Schattenspitze von O.

$$\frac{y - vt}{y} = \frac{h}{H} \text{ oder } y = \frac{Hvt}{H - h}, \text{ also } V = \frac{dy}{dt} = \frac{Hv}{H - h} = \frac{1}{1 - h/H} v$$

Somit ist die Geschwindigkeit der Schattenspitze proportional zur Geschwindigkeit des Gegenstandes, wobei der Proportionalitätsfaktor von dem Verhältnis h/H abhängt. Für $h \to 0$ gilt $V \to v$, während V für $h \to H$ immer größer wird.

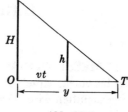

Abb. 11-4

ERGÄNZUNGSAUFGABEN

9. Ein rechtwinkliger, V-förmiger Trog ist 2 m lang, 0,5 m breit und 1 m tief. Es fließt Wasser mit einer Geschwindigkeit von 900 cm³/sec ein. Wie schnell steigt die Oberfläche, wenn das Wasser 25 cm hoch steht? *Lsg.* 0,09 cm/sec

10. In einen zylindrischen Tank vom Radius 2 m fließt eine Flüssigkeit mit einer Geschwindigkeit von 3 600 cm³/sec. Wie schnell steigt die Oberfläche? *Lsg.* 9/100 π cm/sec.

11. Ein 1,50 m großer Junge geht mit 1,2 m/sec direkt von einer Straßenlaterne, die 6 m hoch hängt, weg. *(a)* Mit welcher Geschwindigkeit bewegt sich die Spitze seines Schattens? *(b)* Mit welcher Geschwindigkeit ändert sich die Schattenlänge? *Lsg. (a)* 1,6 m/sec *(b)* 0,4 m/sec.

12. Ein Ballon steigt mit 5 m/sec von einem Punkt A auf. Ein zweiter Punkt B ist von A 20 m weit entfernt (ebener Boden). Mit welcher Geschwindigkeit ändert sich die Entfernung des Ballons von B zu dem Zeitpunkt, in dem er 15 m über A ist? *Lsg.* 3 m/sec.

13. Eine 5 m lange Leiter lehnt an einem Haus. Bestimme die Geschwindigkeit, mit der *(a)* die Leiterspitze nach unten geht, wenn der Fuß der Leiter 3 m vom Haus entfernt ist und mit einer Geschwindigkeit von 0,5 m/sec weggezogen wird, *(b)* die Steigung der Leiter abnimmt! *Lsg. (a)* 3/8 m/sec *(b)* 25/72 pro sec.

14. Einem konischen Behälter (Spitze nach unten), der 3 m hoch ist und dessen Grundfläche den Radius 1 m hat, wird Wasser mit 1800 cm³/sec entnommen. Wie schnell sinkt die Wasseroberfläche zu dem Zeitpunkt, wo das Wasser noch 2 m hoch steht? Wie schnell nimmt der Radius der Wasseroberfläche ab? *Lsg.* 81/200 π cm/sec, 9/200 π cm/sec.

15. Eine Barke, deren Deck 5 m unter dem Dock ist, wird durch ein Tau, das am Deck befestigt ist und am Dock durch einen Ring läuft, herangezogen. Wie schnell wird das Tau gezogen, wenn die Barke 12 m weit weg ist und sich mit 0,25 m/sec nähert? *Lsg.* 3/13 m/sec.

16. Ein Junge läßt einen Drachen in 50 m Höhe fliegen. Wie schnell bewegt sich die Schnur, wenn der Drachen vom Jungen 80 m weit entfernt ist und in der Waagerechten mit 6 m/sec von ihm wegfliegt? *Lsg.* 7,5 m/sec.

17. Ein Zug fährt um 11 h nach Osten mit 75 km/h. Ein zweiter fährt mittags vom selben Ort nach Süden mit 100 km/h. Wie schnell entfernen sie sich um 15 h? *Lsg.* 87,5 $\sqrt{2}$ km/h.

18. Eine Straßenlampe ist 28 m hoch. Von derselben Höhe wird 7 m entfernt von einem Punkt ein Ball fallengelassen. Wie schnell bewegt sich der Schatten des Balls zur Zeit $t = 1$ (sec) auf der Erde, wenn der Ball nach dem Gesetz $s = 4,9$ m/sec fällt? *Lsg.* 80 m/sec.

19. Schiff A, 15 km östlich von O, segelt mit 20 km/h nach Westen, Schiff B, 60 km südlich von O, segelt mit 15 km/h nach Norden.
    (a) Nähern sie sich einander nach einer Stunde oder entfernen sie sich voneinander? Mit welcher Geschwindigkeit?
    (b) Dasselbe nach 3 Stunden.
    (c) Wann sind sie sich am nächsten?
    Lsg. (a) Sie nähern sich; 115/$\sqrt{82}$ km/h
    (b) Sie entfernen sich; 9$\sqrt{10}/2$ km/h *(c)* 1 h 55 min.

20. In eine kegelförmige Zisterne mit Höhe 4 m und oberem Durchmesser 2 m, die undicht ist, fließt Wasser mit einer Geschwindigkeit von 4500 cm³/sec. Zu dem Zeitpunkt, in dem das Wasser 3 m hoch steht, steigt der Wasserspiegel um 0,1 cm/sec. Wie schnell fließt das Wasser aus der undichten Stelle? *Lsg.* (4500 - 562,5 π) cm³/sec.

21. Durch einen konischen Filter mit Höhe 60 cm und oberem Durchmesser 40 cm fließt eine Flüssigkeit in ein zylindrisches Gefäß mit Durchmesser 30 cm. Zu dem Zeitpunkt, in dem die Flüssigkeit im Filter 30 cm hoch steht, fällt der Spiegel mit einer Geschwindigkeit von 2,5 cm/min. Wie schnell steigt die Flüssigkeitsoberfläche im Zylinder? *Lsg.* 10/9 cm/min.

KAPITEL 12

Differentiation von trigonometrischen Funktionen

WINKELMESSUNG IN RADIANTEN. Es sei s die Länge des Bogens AB, der bei einem Mittelpunktswinkel AOB von einem Kreis vom Radius r abgeschnitten wird. Ferner sei S die Fläche des Sektors AOB. Ist s 1/360 des Umfangs, so gilt $\angle AOB = 1°$; ist $s = r$, dann ist $\angle AOB = 1$ Radianten. Ist $\angle AOB$ gleich α Grad, so gilt

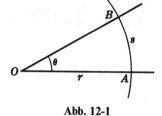

(i) $\qquad s = \dfrac{\pi}{180}\alpha r \qquad$ und $\qquad S = \dfrac{\pi}{360}\alpha r^2.$

Ist $\angle AOB$ gleich θ Radianten, so gilt

Abb. 12-1

(ii) $\qquad s = \theta r \qquad$ und $\qquad S = \tfrac{1}{2}\theta r^2.$

Ein Vergleich der Ausdrücke in (i) und (ii) zeigt den Vorteil der Winkelmessung in Radianten.

TRIGONOMETRISCHE FUNKTIONEN. Es sei θ eine reelle Zahl. Von der positiven x-Achse ausgehend zeichnen wir im Nullpunkt eines rechtwinkligen Koordinatensystems den Winkel, dessen Maß gleich θ Radianten ist. $P(x,y)$ sei der Punkt des neu gezeichneten Schenkels des Winkels, der von O den Abstand 1 hat; dann ist $\sin\theta = y$ und $\cos\theta = x$. Der Definitionsbereich von $\sin\theta$ und $\cos\theta$ ist die Menge der reellen Zahlen; der Wertebereich von $\sin\theta$ ist $-1 \leqslant y \leqslant 1$ und der von $\cos\theta$ ist $-1 \leqslant x \leqslant 1$. Aus

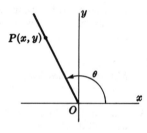

$$\tan\theta = \frac{\sin\theta}{\cos\theta} \qquad \text{und} \qquad \sec\theta = \frac{1}{\cos\theta}$$

Abb. 12-2

folgt, daß der Wertebereich von $\tan\theta$ und $\sec\theta$ die Menge der reellen Zahlen ist, während der Definitionsbereich $(\cos\theta \neq 0)$ durch $\theta \neq \pm\dfrac{2n-1}{2}\pi, (n = 1,2,3,\ldots)$ gegeben ist. Wir überlassen es dem Leser, die Funktionen $\cot\theta$ und $\operatorname{cosec}\theta$ zu betrachten.

In Aufgabe 1 beweisen wir

$$\lim_{\theta \to 0}\frac{\sin\theta}{\theta} = 1$$

(Wird der Winkel in Grad gemessen, so ergibt sich als Grenzwert $\pi/180$. Deshalb wird in der Analysis der Winkel in Radianten gemessen.)

DIFFERENTIATIONSREGELN. Es sei u eine differenzierbare Funktion von x. Dann gilt

14. $\dfrac{d}{dx}(\sin u) = \cos u\,\dfrac{du}{dx}$ $\qquad\qquad$ 17. $\dfrac{d}{dx}(\cot u) = -\operatorname{cosec}^2 u\,\dfrac{du}{dx}$

15. $\dfrac{d}{dx}(\cos u) = -\sin u\,\dfrac{du}{dx}$ $\qquad\qquad$ 18. $\dfrac{d}{dx}(\sec u) = \sec u\,\tan u\,\dfrac{du}{dx}$

16. $\dfrac{d}{dx}(\tan u) = \sec^2 u\,\dfrac{du}{dx}$ $\qquad\qquad$ 19. $\dfrac{d}{dx}(\operatorname{cosec} u) = -\operatorname{cosec} u\,\cot u\,\dfrac{du}{dx}$

Siehe Aufgaben 2–23!

1. Beweise: $\lim\limits_{\theta \to 0} \dfrac{\sin \theta}{\theta} = 1$!

Da $\dfrac{\sin(-\theta)}{-\theta} = \dfrac{\sin \theta}{\theta}$ gilt, müssen wir nur $\lim\limits_{\theta \to 0^+} \dfrac{\sin \theta}{\theta}$ betrachten.

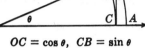

In Abb. 12-3 sei $\theta = \angle AOB$ ein kleiner Mittelpunktswinkel eines Kreises vom Radius $OA = 1$. C sei der Fußpunkt des Lotes, das von B auf OA gefällt wird, und D der Schnittpunkt von OB mit dem Kreisbogen vom Radius OC. Dann gilt

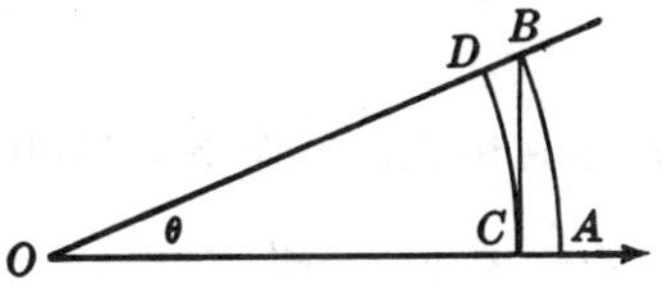

$OC = \cos \theta$, $CB = \sin \theta$

Abb. 12-3

$$\text{Sektor } COD \;\leqq\; \triangle COB \;\leqq\; \text{Sektor } AOB,$$

also $\qquad \frac{1}{2}\theta \cos^2 \theta \;\leqq\; \frac{1}{2} \sin \theta \cos \theta \;\leqq\; \frac{1}{2}\theta.$

Wir teilen durch $\frac{1}{2}\theta \cos \theta > 0$ und erhalten

$$\cos \theta \;\leqq\; \frac{\sin \theta}{\theta} \;\leqq\; \frac{1}{\cos \theta}.$$

Aus $\theta \to 0^+$ folgt $\cos \theta \to 1$, $\dfrac{1}{\cos \theta} \to 1$ und $1 \leqq \lim\limits_{\theta \to 0^+} \dfrac{\sin \theta}{\theta} \leqq 1$. Insgesamt gilt $\lim\limits_{\theta \to 0^+} \dfrac{\sin \theta}{\theta} = 1$.

2. Zeige $\dfrac{d}{dx}(\sin u) = \cos u \dfrac{du}{dx}$, wenn u eine differenzierbare Funktion von x ist!

Es sei $\qquad\qquad y = \sin u,$

dann gilt $\qquad\qquad y + \Delta y = \sin(u + \Delta u)$

$$\Delta y = \sin(u + \Delta u) - \sin u = 2 \cos(u + \tfrac{1}{2}\Delta u) \sin \tfrac{1}{2}\Delta u$$

$$\frac{\Delta y}{\Delta u} = \cos(u + \tfrac{1}{2}\Delta u) \frac{\sin \tfrac{1}{2}\Delta u}{\tfrac{1}{2}\Delta u}$$

$$\frac{dy}{du} = \lim\limits_{\Delta u \to 0} \frac{\Delta y}{\Delta u} = \lim\limits_{\Delta u \to 0} \cos(u + \tfrac{1}{2}\Delta u) \cdot \lim\limits_{\Delta u \to 0} \frac{\sin \tfrac{1}{2}\Delta u}{\tfrac{1}{2}\Delta u} = \cos u$$

Mit der Kettenregel folgt:

$$\frac{d}{dx}(\sin u) = \frac{d}{du}(\sin u) \cdot \frac{du}{dx} = \cos u \frac{du}{dx}$$

3. $\dfrac{d}{dx}(\cos u) = \dfrac{d}{dx}[\sin(\tfrac{1}{2}\pi - u)] = \dfrac{d}{du}[\sin(\tfrac{1}{2}\pi - u)]\dfrac{du}{dx} = -\cos(\tfrac{1}{2}\pi - u)\dfrac{du}{dx} = -\sin u \dfrac{du}{dx}.$

4. $\dfrac{d}{dx}(\tan u) = \dfrac{d}{dx}\left(\dfrac{\sin u}{\cos u}\right) = \dfrac{\cos u \cdot \cos u \dfrac{du}{dx} - \sin u \left(-\sin u \dfrac{du}{dx}\right)}{\cos^2 u} = \dfrac{1}{\cos^2 u}\dfrac{du}{dx} = \sec^2 u \dfrac{du}{dx}.$

Bestimme in den Aufgaben 5–12 die erste Ableitung!

5. $y = \sin 3x + \cos 2x.$ $\quad y' = \cos 3x \dfrac{d}{dx}(3x) - \sin 2x \dfrac{d}{dx}(2x) = 3 \cos 3x - 2 \sin 2x$

6. $y = \tan x^2.$ $\quad y' = \sec^2 x^2 \dfrac{d}{dx}(x^2) = 2x \sec^2 x^2$

7. $y = \tan^2 x = (\tan x)^2.$ $\quad y' = 2 \tan x \dfrac{d}{dx}(\tan x) = 2 \tan x \sec^2 x$

8. $y = \cot(1 - 2x^2).$ $\quad y' = -\operatorname{cosec}^2(1 - 2x^2)\dfrac{d}{dx}(1 - 2x^2) = 4x \operatorname{cosec}^2(1 - 2x^2)$

9. $y = \sec^3 \sqrt{x} = \sec^3 x^{1/2}.$

$\quad y' = 3 \sec^2 x^{1/2} \dfrac{d}{dx}(\sec x^{1/2}) = 3 \sec^2 x^{1/2} \cdot \sec x^{1/2} \tan x^{1/2} \cdot \dfrac{d}{dx}(x^{1/2}) = \dfrac{3}{2\sqrt{x}} \sec^3 \sqrt{x} \tan \sqrt{x}$

10. $\rho = \sqrt{\operatorname{cosec} 2\theta} = (\operatorname{cosec} 2\theta)^{1/2}.$

$\quad \rho' = \tfrac{1}{2}(\operatorname{cosec} 2\theta)^{-1/2} \dfrac{d}{dx}(\operatorname{cosec} 2\theta) = -\tfrac{1}{2}(\operatorname{cosec} 2\theta)^{-1/2} \cdot \operatorname{cosec} 2\theta \cot 2\theta \cdot 2 = -\sqrt{\operatorname{cosec} 2\theta} \cdot \cot 2\theta$

11. $f(x) = x^2 \sin x.$ $f'(x) = x^2 \dfrac{d}{dx}(\sin x) + \sin x \dfrac{d}{dx}(x^2) = x^2 \cos x + 2x \sin x$

12. $f(x) = \dfrac{\cos x}{x}.$ $f'(x) = \dfrac{x \dfrac{d}{dx}(\cos x) - \cos x \dfrac{d}{dx}(x)}{x^2} = \dfrac{-x \sin x - \cos x}{x^2}$

Bestimme in den Aufgaben 13–16 die angegebene Ableitung!

13. $y = x \sin x;$ $y'''.$
$$\begin{aligned}
y' &= x \cos x + \sin x\\
y'' &= x(-\sin x) + \cos x + \cos x = -x \sin x + 2 \cos x\\
y''' &= -x \cos x - \sin x - 2 \sin x = -x \cos x - 3 \sin x
\end{aligned}$$

14. $y = \tan^2(3x-2);$ $y''.$
$$\begin{aligned}
y' &= 2 \tan(3x-2) \sec^2(3x-2) \cdot 3 = 6 \tan(3x-2) \sec^2(3x-2)\\
y'' &= 6[\tan(3x-2) \cdot 2 \sec(3x-2) \cdot \sec(3x-2) \tan(3x-2) \cdot 3 + \sec^2(3x-2) \sec^2(3x-2) \cdot 3]\\
&= 36 \tan^2(3x-2) \sec^2(3x-2) + 18 \sec^4(3x-2)
\end{aligned}$$

15. $y = \sin(x+y);$ $y'.$ $y' = \cos(x+y) \cdot (1+y')$ und $y' = \dfrac{\cos(x+y)}{1 - \cos(x+y)}$

16. $\sin y + \cos x = 1;$ $y''.$
$$\cos y \cdot y' - \sin x = 0 \quad \text{und} \quad y' = (\sin x)/(\cos y)$$
$$\begin{aligned}
y'' &= \frac{\cos y \cos x - \sin x (-\sin y) \cdot y'}{\cos^2 y} = \frac{\cos x \cos y + \sin x \sin y \cdot y'}{\cos^2 y}\\
&= \frac{\cos x \cos y + \sin x \sin y (\sin x)/(\cos y)}{\cos^2 y} = \frac{\cos x \cos^2 y + \sin^2 x \sin y}{\cos^3 y}
\end{aligned}$$

17. Berechne $f'(\pi/3),\ f''(\pi/3),\ f'''(\pi/3)$ für $f(x) = \sin x \cos 3x$!
$$\begin{aligned}
f'(x) &= -3 \sin x \sin 3x + \cos 3x \cos x\\
&= (\cos 3x \cos x - \sin 3x \sin x) - 2 \sin x \sin 3x\\
&= \cos 4x - 2 \sin x \sin 3x. \qquad f'(\pi/3) = -\tfrac{1}{2} - 2(\sqrt{3}/2)(0) = -\tfrac{1}{2}\\
f''(x) &= -4 \sin 4x - 2(3 \sin x \cos 3x + \sin 3x \cos x)\\
&= -4 \sin 4x - 2(\sin x \cos 3x + \sin 3x \cos x) - 4 \sin x \cos 3x\\
&= -6 \sin 4x - 4f(x). \qquad f''(\pi/3) = -6(-\sqrt{3}/2) - 4(\sqrt{3}/2)(-1) = 5\sqrt{3}\\
f'''(x) &= -24 \cos 4x - 4f'(x). \qquad f'''(\pi/3) = -24(-\tfrac{1}{2}) - 4(-\tfrac{1}{2}) = 14
\end{aligned}$$

18. Berechne die spitzen Schnittwinkel der Kurven (*1*) $y = 2 \sin^2 x$ und (*2*) $y = \cos 2x$ im Intervall $0 < x < 2\pi$!

 (*a*) Aus $2 \sin^2 x = \cos 2x = 1 - 2 \sin^2 x$ erhalten wir $\pi/6, 5\pi/6, 7\pi/6$ und $11\pi/6$ als Abszissen der Schnittpunkte.

 (*b*) $y' = 4 \sin x \cos x$ für (*1*) und $y' = -2 \sin 2x$ für (*2*).

  Im Punkt $\pi/6$ gilt $m_1 = \sqrt{3}$ und $m_2 = -\sqrt{3}$

 (*c*) $\tan \phi = \dfrac{\sqrt{3} + \sqrt{3}}{1 - 3} = -\sqrt{3};$ der spitze Schnittwinkel ist $60°$ groß.

  In den übrigen Schnittpunkten ergibt sich derselbe spitze Schnittwinkel.

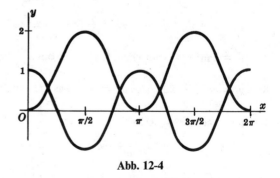

Abb. 12-4

19. Ein rechteckiges Stück Land mit einem See ist an zwei aneinanderliegenden Seiten durch Straßen begrenzt. Ein Ende des Sees ist von den Straßen 256 bzw. 108 m entfernt. Bestimme die Länge des kürzesten Wegs, der über das Stück Land geht, am Ende des Sees vorbeigeht und die beiden Straßen verbindet!

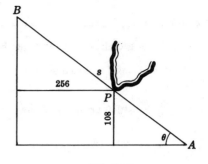

Es sei s die Länge des Weges und θ der Winkel, den er mit der Straße bildet, die vom See 108 m entfernt ist.

$$s = AP + PB = 108 \operatorname{cosec} \theta + 256 \sec \theta$$

$$ds/d\theta = -108 \operatorname{cosec} \theta \cot \theta + 256 \sec \theta \tan \theta$$

$$= \frac{-108 \cos^3 \theta + 256 \sin^3 \theta}{\sin^2 \theta \cos^2 \theta}$$

Aus $-108 \cos^3 \theta + 256 \sin^3 \theta = 0$ folgt $\tan^3 \theta = 27/64$. Der kritische Wert ist also $\theta = \arctan 3/4$.

Daraus ergibt sich $s = 108 \operatorname{cosec} \theta + 256 \sec \theta = 108(5/3) + 256(5/4) = 500$ (m).

Abb. 12-5

20. Untersuche die Kurve $y = f(x) = 4 \sin x - 3 \cos x$ im Intervall $[0, 2\pi]$!

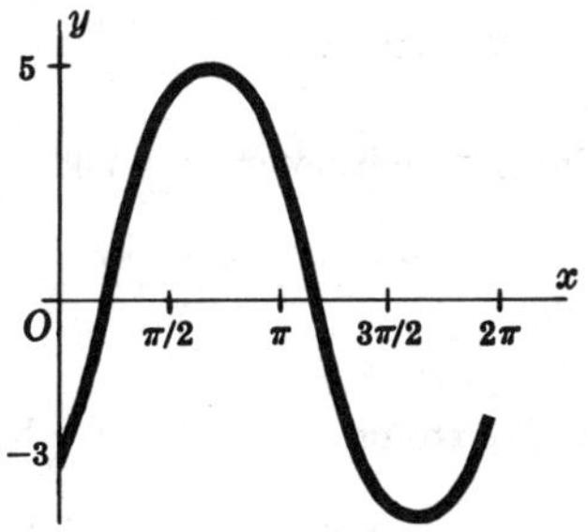

Für $x = 0$ ergibt sich $y = f(0) = 4(0) - 3(1) = -3$

$f(x) = 4 \sin x - 3 \cos x$. Aus $f(x) = 0$ folgt $\tan x = 3/4$. Die Schnittpunkte mit der x-Achse sind also $x = 0,64$ und $x = \pi + 0,64 = 3,78$ (rad.)

$f'(x) = 4 \cos x + 3 \sin x$. Aus $f'(x) = 0$ folgt $\tan x = -4/3$. Die kritischen Werte sind also $x = \pi - 0,93 = 2,21$ und $x = 2\pi - 0,93 = 5,35$.

$f''(x) = -4 \sin x + 3 \cos x$. Aus $f''(x) = 0$ folgt $\tan x = 3/4$. Die möglichen Wendepunkte sind also $x = 0,64$ und $x = \pi + 0,64 = 3,78$.

$f'''(x) = -4 \cos x - 3 \sin x$.

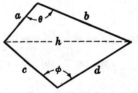

Abb. 12-6

(a) Für $x = 2,21$ gilt $\sin x = 4/5$ und $\cos x = -3/5$. In $x = 2,21$ ist ein relatives Maximum ($= 5$), da dort $f''(x) < 0$. In $x = 5,35$ ist ein relatives Minimum ($= -5$).

(b) $f'''(0,64) \neq 0$ und $f'''(3,78) \neq 0$. Die Wendepunkte sind also $(0,64; 0)$ und $(3,78; 0)$.

(c) In $0 \leq x \leq 0,64$ ist die Kurve nach oben konkav, in $0,64 \leq x \leq 3,78$ nach unten und in $3,78 \leq x \leq 2\pi$ nach oben.

21. Die Seiten eines Vierecks haben die Längen a, b, c, d. Zeige, daß die Fläche A am größten ist, wenn gegenüberliegende Winkel Ergänzungswinkel sind!

Es sei θ der Winkel, der von den Seiten der Länge a und b gebildet wird, und ϕ der gegenüberliegende. Ferner sei h die Länge der Diagonalen, die nicht durch diese Winkel geht. Es soll

Abb. 12-7

(1) $A = \frac{1}{2}ab \sin \theta + \frac{1}{2}cd \sin \phi$ unter der Bedingung

(2) $h^2 = a^2 + b^2 - 2ab \cos \theta = c^2 + d^2 - 2cd \cos \phi$ maximiert werden. Wir differenzieren nach θ:

(1′) $\dfrac{dA}{d\theta} = \frac{1}{2}ab \cos \theta + \frac{1}{2}cd \cos \phi \dfrac{d\phi}{d\theta} = 0$ und *(2′)* $ab \sin \theta = cd \sin \phi \dfrac{d\phi}{d\theta}$.

Wenn wir *(2′)* nach $d\phi/d\theta$ auflösen und das Ergebnis in *(1′)* einsetzen, erhalten wir:

$$ab \cos \theta + cd \cos \phi \frac{ab \sin \theta}{cd \sin \phi} = 0 \quad \text{und damit} \quad \sin \phi \cos \theta + \cos \phi \sin \theta = \sin (\phi + \theta) = 0.$$

Also gilt $\phi + \theta = 0$ oder π. Die erste Gleichung ist sinnlos.

22. Ein Bomberpilot visiert ein Ziel auf dem Boden direkt vor ihm an. Wie schnell muß

das Visier gedreht werden, wenn der Bomber 2 km über dem Boden mit 240 km/h fliegt

und der Winkel zwischen der Waagerechten und der Visierlinie 30° beträgt?

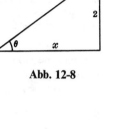

$$\frac{dx}{dt} = -240 \text{ km/h}, \quad \theta = 30° \quad \text{und} \quad x = 2 \cot\theta.$$

$$\frac{dx}{dt} = -2 \operatorname{cosec}^2\theta \frac{d\theta}{dt}, \quad \text{also} \quad -240 = -2(4)\frac{d\theta}{dt} \quad \text{und} \quad \frac{d\theta}{dt} = 30 \text{ rad/h} =$$

$$\frac{3}{2\pi} \text{ grad/sec.}$$

Abb. 12-8

23. Von einem Punkt P, der a Einheiten über einer geraden Wasserfläche liegt, geht ein Lichtstrahl mit der Geschwindigkeit v_1 durch die Luft bis zu einem Punkt O auf der Wasseroberfläche und dann mit der Geschwindigkeit v_2 zu einem Punkt Q, der b Einheiten unter der Oberfläche liegt. Die Winkel, die OP und OQ mit der Senkrechten auf der Oberfläche bilden, seien θ_1 und θ_2. Zeige, daß der Lichtstrahl von P nach Q die wenig-

ste Zeit braucht, wenn $\dfrac{\sin\theta_1}{\sin\theta_2} = \dfrac{v_1}{v_2}$ gilt!

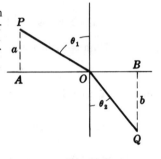

Es sei t die benötigte Zeit und c die Entfernung von A nach B. Dann gilt

$$t = \frac{a\sec\theta_1}{v_1} + \frac{b\sec\theta_2}{v_2} \quad \text{und} \quad c = a\tan\theta_1 + b\tan\theta_2.$$

Abb. 12-9

Wir differenzieren nach θ_1 und erhalten

$$\frac{dt}{d\theta_1} = \frac{a\sec\theta_1\tan\theta_1}{v_1} + \frac{b\tan\theta_2\sec\theta_2}{v_2}\cdot\frac{d\theta_2}{d\theta_1} \quad \text{und} \quad 0 = a\sec^2\theta_1 + b\sec^2\theta_2\cdot\frac{d\theta_2}{d\theta_1}$$

Aus der letzten Gleichung ergibt sich $\dfrac{d\theta_2}{d\theta_1} = -\dfrac{a\sec^2\theta_1}{b\sec^2\theta_2}$. Ist t minimal, so folgt notwendigerweise

$$\frac{dt}{d\theta_1} = \frac{a\sec\theta_1\tan\theta_1}{v_1} + \frac{b\sec\theta_2\tan\theta_2}{v_2}\left(-\frac{a\sec^2\theta_1}{b\sec^2\theta_2}\right) = 0.$$

Daraus ergibt sich die gesuchte Relation.

ERGÄNZUNGSAUFGABEN

24. Berechne (a) $\displaystyle\lim_{x\to 0}\frac{\sin 2x}{x} = 2\lim_{x\to 0}\frac{\sin 2x}{2x}$, (b) $\displaystyle\lim_{x\to 0}\frac{\sin ax}{\sin bx}$, (c) $\displaystyle\lim_{x\to 0}\frac{\sin^3 2x}{x\sin^2 3x}$ (d) $\displaystyle\lim_{x\to 0}\frac{1-\cos x}{x}$!
Lsg. (a) 2, (b) a/b, (c) 8/9, (d) 0

25. Leite die Differentiationsregel 17 unter Benutzung von (a) $\cot u = \dfrac{\cos u}{\sin u}$ und (b) $\cot u = \dfrac{1}{\tan u}$ her! Leite ebenfalls die Regeln 18 und 19 her!

Berechne in den Aufgaben 26-45 die Ableitung dy/dx oder $d\rho/d\theta$!

26.	$y = 3\sin 2x$	*Lsg.*	$6\cos 2x$
27.	$y = 4\cos\frac{1}{2}x$	*Lsg.*	$-2\sin\frac{1}{2}x$
28.	$y = 4\tan 5x$	*Lsg.*	$20\sec^2 5x$
29.	$y = \frac{1}{4}\cot 8x$	*Lsg.*	$-2\operatorname{cosec}^2 8x$
30.	$y = 9\sec\frac{1}{3}x$	*Lsg.*	$3\sec\frac{1}{3}x\tan\frac{1}{3}x$
31.	$y = \frac{1}{4}\operatorname{cosec} 4x$	*Lsg.*	$y = -\operatorname{cosec} 4x\cot 4x$

32. $y = \sin x - x \cos x + x^2 + 4x + 3$ *Lsg.* $x \sin x + 2x + 4$

33. $\rho = \sqrt{\sin \theta}$ *Lsg.* $(\cos \theta)/(2\sqrt{\sin \theta})$

34. $y = \sin 2/x$ *Lsg.* $(-2 \cos 2/x)/x^2$

35. $y = \cos (1 - x^2)$ *Lsg.* $2x \sin (1 - x^2)$

36. $y = \cos (1 - x)^2$ *Lsg.* $y = 2(1 - x) \sin (1 - x)^2$

37. $y = \sin^2 (3x - 2)$ *Lsg.* $3 \sin (6x - 4)$

38. $y = \sin^3 (2x - 3)$ *Lsg.* $-\frac{3}{2} \{\cos (6x - 9) - \cos (2x - 3)\}$

39. $y = \frac{1}{2} \tan x \sin 2x$ *Lsg.* $\sin 2x$

40. $\rho = \dfrac{1}{(\sec 2\theta - 1)^{3/2}}$ *Lsg.* $\dfrac{-3 \sec 2\theta \tan 2\theta}{(\sec 2\theta - 1)^{5/2}}$

41. $\rho = \dfrac{\tan 2\theta}{1 - \cot 2\theta}$ *Lsg.* $2 \, \dfrac{\sec^2 2\theta - 4 \operatorname{cosec} 4\theta}{(1 - \cot 2\theta)^2}$

42. $y = x^2 \sin x + 2x \cos x - 2 \sin x$ *Lsg.* $x^2 \cos x$

43. $\sin y = \cos 2x$ *Lsg.* $-\dfrac{2 \sin 2x}{\cos y}$

44. $\cos 3y = \tan 2x$ *Lsg.* $-\dfrac{2 \sec^2 2x}{3 \sin 3y}$

45. $x \cos y = \sin (x + y)$ *Lsg.* $\dfrac{\cos y - \cos (x + y)}{x \sin y + \cos (x + y)}$

46. Es sei $x = A \sin kt + B \cos kt$, wobei A, B, k Konstanten sind. Zeige, daß $\dfrac{d^2x}{dt^2} = -k^2x$ und $\dfrac{d^{2n}x}{dt^{2n}} = (-1)^n k^{2n} x$!

47. Zeige, daß *(a)* $y'' + 4y = 0$ für $y = 3 \sin (2x + 3)$, *(b)* $y''' + y'' + y' + y = 0$ für $y = \sin x + 2 \cos x$!

48. Untersuche und zeichne im Intervall $0 \leqq x < 2\pi$:

     (a) $y = \frac{1}{2} \sin 2x$ *(c)* $y = x - 2 \sin x$ *(e)* $y = 4 \cos^3 x - 3 \cos x$
     (b) $y = \cos^2 x - \cos x$ *(d)* $y = \sin x (1 + \cos x)$

     Lsg. *(a)* Max. in $x = \pi/4, 5\pi/4$; Min in $x = 3\pi/4, 7\pi/4$; W.P. in $x = 0, \pi/2, \pi, 3\pi/2$

        (b) Max. in $x = 0, \pi$; Min.in $x = \pi/3, 5\pi/3$; W.P. in $x = 32°32', 126°23', 233°37', 327°28'$

        (c) Max. in $x = 5\pi/3$; Min.in $x = \pi/3$; W.P. in $x = 0, \pi$

        (d) Max. in $x = \pi/3$; Min.in $x = 5\pi/3$; W.P. in $x = 0, \pi, 104°29', 255°31'$

        (e) Max. in $x = 0, 2\pi/3, 4\pi/3$; Min.in $x = \pi/3, \pi, 5\pi/3$; W.P. in $x = \pi/2, 3\pi/2, \pi/6, 5\pi/6, 7\pi/6, 11\pi/6$

49. Wie schnell wächst der Schatten, der von einer Stange von 16 m Länge auf einen ebenen Boden geworfen wird, wenn der Neigungswinkel der Sonne $45°$ ist und 1/4 rad/h fällt?
    Lsg. 8 m/h.

50. Ein Drachen ist 60 m hoch und bewegt sich waagerecht mit einer Geschwindigkeit von 5 m/sec. Wie schnell nimmt der Neigungswinkel der Schnur ab, wenn diese 120 m lang ist?   *Lsg.* 1/48 rad/sec.

51. Ein drehendes Leuchtfeuer ist 3600 m von einem geraden Strand entfernt. Das Leuchtfeuer dreht sich mit 4π rad/min. Wie schnell geht der Lichtstrahl *(a)* am nächsten Punkt *(b)* an einem Punkt, der 4800 m von diesem entfernt ist, über den Strand?   *Lsg.* *(a)* 240π m/sec, *(b)* $2000\pi/3$ m/sec.

52. Zwei Seiten eines Dreiecks sind 15 bzw. 20 cm lang.
    (a) Wie schnell wächst die dritte Seite, wenn der Winkel zwischen den gegebenen Seiten $60°$ ist und $2°$ pro Sekunde wächst? *(b)* Wie schnell wächst die Fläche?

                  Lsg. *(a)* $\pi/\sqrt{39}$ cm/sec   *(b)* $\frac{5}{6}\pi$ cm²/sec

KAPITEL 13

Differentiation der inversen trigonometrischen Funktionen

DIE INVERSEN TRIGONOMETRISCHEN FUNKTIONEN. Ist $x = \sin y$, so heißt die inverse Funktion $y = \arcsin x$. Der Definitionsbereich von $\arcsin x$ ist $-1 \leq x \leq 1$, der Wertebereich von $\sin y$; der Wertebereich von $\arcsin x$ ist die Menge der reellen Zahlen, der Definitionsbereich von $\sin y$. Der Definitionsbereich und der Wertebereich der übrigen inversen trigonometrischen Funktionen kann auf ähnliche Weise bestimmt werden. Die inversen trigonometrischen Funktionen sind mehrwertig. Um eine eindeutige Funktion zu erhalten, zeichnen wir unten für jede Funktion einen festen Kurvenbogen aus (er wird Hauptwert genannt). In den Abb. 13 – 1 ist der Hauptwert jeweils dick eingezeichnet.

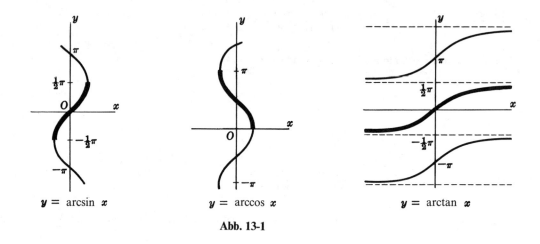

$$y = \arcsin x \qquad y = \arccos x \qquad y = \arctan x$$

Abb. 13-1

Funktion	Hauptwert
$y = \arcsin x$	$-\frac{1}{2}\pi \leq y \leq \frac{1}{2}\pi$
$y = \arccos x$	$0 \leq y \leq \pi$
$y = \arctan x$	$-\frac{1}{2}\pi < y < \frac{1}{2}\pi$
$y = \text{arccot } x$	$0 < y < \pi$
$y = \text{arcsec } x$	$-\pi \leq y < -\frac{1}{2}\pi, \quad 0 \leq y < \frac{1}{2}\pi$
$y = \text{arccosec } x$	$-\pi < y \leq -\frac{1}{2}\pi, \quad 0 < y \leq \frac{1}{2}\pi$

DIFFERENTIATIONSREGELN. Es sei u eine differenzierbare Funktion von x. Dann gilt

20. $\dfrac{d}{dx}(\arcsin u) = \dfrac{1}{\sqrt{1-u^2}}\dfrac{du}{dx}$ **23.** $\dfrac{d}{dx}(\text{arccot } u) = -\dfrac{1}{1+u^2}\dfrac{du}{dx}$

21. $\dfrac{d}{dx}(\arccos u) = -\dfrac{1}{\sqrt{1-u^2}}\dfrac{du}{dx}$ **24.** $\dfrac{d}{dx}(\text{arcsec } u) = \dfrac{1}{u\sqrt{u^2-1}}\dfrac{du}{dx}$

22. $\dfrac{d}{dx}(\arctan u) = \dfrac{1}{1+u^2}\dfrac{du}{dx}$ **25.** $\dfrac{d}{dx}(\text{arccosec } u) = -\dfrac{1}{u\sqrt{u^2-1}}\dfrac{du}{dx}$

AUFGABEN MIT LÖSUNGEN

1. Zeige: (a) $\dfrac{d}{dx}(\arcsin u) = \dfrac{1}{\sqrt{1-u^2}}\dfrac{du}{dx}$, (b) $\dfrac{d}{dx}(\operatorname{arcsec} u) = \dfrac{1}{u\sqrt{u^2-1}}\dfrac{du}{dx}$.

(a) Es sei $y = \arcsin u$, wobei u eine differenzierbare Funktion von x ist. Dann gilt $u = \sin y$ und

$$\frac{du}{dx} = \frac{d}{dx}(\sin y) = \frac{d}{dy}(\sin y)\frac{dy}{dx} = \cos y\frac{dy}{dx} = \sqrt{1-u^2}\frac{dy}{dx}$$

Das Vorzeichen ist positiv, da $\cos y \geqq 0$ im Intervall $-\tfrac{1}{2}\pi \leqq y \leqq \tfrac{1}{2}\pi$. Also gilt $\dfrac{dy}{dx} = \dfrac{1}{\sqrt{1-u^2}}\dfrac{du}{dx}$.

(b) Es sei $y = \operatorname{arcsec} u$, wobei u eine differenzierbare Funktion von x ist. Dann gilt $u = \sec y$ und

$$\frac{du}{dx} = \frac{d}{dy}(\sec y)\frac{dy}{dx} = \sec y\tan y\frac{dy}{dx} = u\sqrt{u^2-1}\frac{dy}{dx}$$

Das Vorzeichen ist positiv, da $\tan y \geqq 0$ in den Intervallen $0 \leqq y < \tfrac{1}{2}\pi$ und $-\pi \leqq y < -\tfrac{1}{2}\pi$. Also gilt

$$\frac{d}{dx}(\operatorname{arcsec} u) = \frac{1}{u\sqrt{u^2-1}}\frac{du}{dx}.$$

Bestimme in den Aufgaben 2-9 die erste Ableitung!

2. $y = \arcsin (2x - 3)$
$$\frac{dy}{dx} = \frac{1}{\sqrt{1-(2x-3)^2}}\frac{d}{dx}(2x-3) = \frac{1}{\sqrt{3x-x^2-2}}$$

3. $y = \arccos x^2$
$$\frac{dy}{dx} = -\frac{1}{\sqrt{1-x^4}}\frac{d}{dx}(x^2) = -\frac{2x}{\sqrt{1-x^4}}$$

4. $y = \arctan 3x^2$
$$\frac{dy}{dx} = \frac{1}{1+(3x^2)^2}\frac{d}{dx}(3x^2) = \frac{6x}{1+9x^4}$$

5. $f(x) = \operatorname{arccot}\dfrac{1+x}{1-x}$

$$f'(x) = -\frac{1}{1+\left(\dfrac{1+x}{1-x}\right)^2}\frac{d}{dx}\left(\frac{1+x}{1-x}\right) = -\frac{1}{1+\left(\dfrac{1+x}{1-x}\right)^2}\cdot\frac{(1-x)-(1+x)(-1)}{(1-x)^2} = -\frac{1}{1+x^2}$$

6. $f(x) = x\sqrt{a^2-x^2} + a^2\arcsin\dfrac{x}{a}$

$$f'(x) = x\cdot\tfrac{1}{2}(a^2-x^2)^{-1/2}(-2x) + (a^2-x^2)^{1/2} + a^2\frac{1}{\sqrt{1-(x/a)^2}}\cdot\frac{1}{a} = 2\sqrt{a^2-x^2}$$

7. $y = x\operatorname{arccosec}\dfrac{1}{x} + \sqrt{1-x^2}$

$$y' = x\left[\frac{-1}{\dfrac{1}{x}\sqrt{\dfrac{1}{x^2}-1}}\cdot\frac{d}{dx}\left(\frac{1}{x}\right)\right] + \operatorname{arccosec}\frac{1}{x}\cdot\frac{d}{dx}(x) + \tfrac{1}{2}(1-x^2)^{-1/2}(-2x) = \operatorname{arccosec}\frac{1}{x}$$

8. $y = \dfrac{1}{ab}\arctan\left(\dfrac{b}{a}\tan x\right)$

$$y' = \frac{1}{ab}\frac{1}{1+\left(\dfrac{b}{a}\tan x\right)^2}\cdot\frac{d}{dx}\left(\frac{b}{a}\tan x\right)\Bigg] = \frac{1}{ab}\cdot\frac{a^2}{a^2+b^2\tan^2 x}\cdot\frac{b}{a}\sec^2 x$$

$$= \frac{\sec^2 x}{a^2+b^2\tan^2 x} = \frac{1}{a^2\cos^2 x + b^2\sin^2 x}$$

9. $y^2\sin x + y = \arctan x$
$$2yy'\sin x + y^2\cos x + y' = \frac{1}{1+x^2}$$

$$y'(2y\sin x + 1) = \frac{1}{1+x^2} - y^2\cos x \qquad \text{und} \qquad y' = \frac{1-(1+x^2)y^2\cos x}{(1+x^2)(2y\sin x + 1)}$$

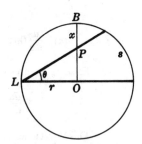

10. In einer runden Arena ist in L ein Scheinwerfer angebracht. Ein Junge läuft von B mit einer Geschwindigkeit von 3 m/sec auf den Mittelpunkt O zu. Mit welcher Geschwindigkeit bewegt sich sein Schatten an der Seitenwand, wenn der Junge in der Mitte der Strecke BO ist?

P, x m von B entfernt, sei die Position des Jungen zur Zeit t. Es sei r der Radius der Arena, θ der Winkel OLP und s der Bogen, der am Arenarand durch θ bestimmt ist. Dann gilt:

$$s = r(2\theta) \quad \text{und} \quad \theta = \arctan OP/LO = \arctan (r-x)/r.$$

$$\frac{ds}{dt} = 2r\frac{d\theta}{dt} = 2r \cdot \frac{1}{1+[(r-x)/r]^2} \cdot \left(-\frac{1}{r}\right) \cdot \frac{dx}{dt} = \frac{-2r^2}{x^2 - 2rx + 2r^2} \cdot \frac{dx}{dt}.$$

Abb. 13-2

Aus $x = \frac{r}{2}$ und $dx/dt = 3$ folgt $ds/dt = -4,8$ m/sec.

Der Schatten bewegt sich an der Seitenwand mit 4,8 m/sec.

11. Das untere Ende eines Wandgemäldes, das 12 m hoch ist, hängt 6 m über dem Kopf eines Betrachters. Wie weit muß der Betrachter vom Gemälde entfernt stehen, wenn man annimmt, daß er am meisten sieht, wenn sein Blickwinkel am größten ist (der Winkel unterer Rand – Kopf – oberer Rand)?

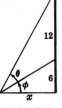

Es sei θ der Blickwinkel und x die Entfernung von der Wand. Aus Abb. 13-3 ergibt sich

$$\tan (\theta + \phi) = 18/x, \tan \phi = 6/x \quad \text{und} \quad \text{damit}$$

$$\tan \theta = \tan\{(\theta + \phi) - \phi\} = \frac{\tan(\theta+\phi) - \tan\phi}{1 + \tan(\theta+\phi)\tan\phi} = \frac{18/x - 6/x}{1 + (18/x)(6/x)} = \frac{12x}{x^2 + 108}$$

Es gilt also $\theta = \arctan \dfrac{12x}{x^2 + 108}$, daraus folgt $\dfrac{d\theta}{dx} = \dfrac{12(-x^2 + 108)}{x^4 + 360x^2 + 11\,664}$. Der kritische

Abb. 13-3

Wert ist $x = 6\sqrt{3} = 10,4$. Der Betrachter muß also 10,4 m von der Wand entfernt stehen.

ERGÄNZUNGSAUFGABEN

12. Beweise die Differentiationsregeln **21, 22, 23** und **25**!

Bestimme in den Aufgaben **13-20** dy/dx!

13. $y = \arcsin 3x$ *Lsg.* $\dfrac{3}{\sqrt{1 - 9x^2}}$ **17.** $y = x^2 \arccos 2/x$ *Lsg.* $2x\left(\arccos \dfrac{2}{x} + \dfrac{1}{\sqrt{x^2 - 4}}\right)$

14. $y = \arccos \frac{1}{2}x$ *Lsg.* $-\dfrac{1}{\sqrt{4 - x^2}}$ **18.** $y = \dfrac{x}{\sqrt{a^2 - x^2}} - \arcsin \dfrac{x}{a}$ *Lsg.* $\dfrac{x^2}{(a^2 - x^2)^{3/2}}$

15. $y = \arctan 3/x$ *Lsg.* $-\dfrac{3}{x^2 + 9}$ **19.** $y = (x - a)\sqrt{2ax - x^2} + a^2 \arcsin \dfrac{x - a}{a}$ *Lsg.* $2\sqrt{2ax - x^2}$

16. $y = \arcsin (x - 1)$ *Lsg.* $\dfrac{1}{\sqrt{2x - x^2}}$ **20.** $y = \dfrac{\sqrt{x^2 - 4}}{x^2} + \dfrac{1}{2} \operatorname{arcsec} \dfrac{x}{2}$ *Lsg.* $\dfrac{8}{x^3\sqrt{x^2 - 4}}$

21. Über dem Mittelpunkt eines runden Platzes vom Radius 30 m hängt eine Lampe so hoch, daß der Rand des Platzes maximal beleuchtet ist. Bestimme die Höhe der Lampe, wenn die Intensität in jedem Punkt des Randes direkt proportional dem Kosinus des Einfallswinkels (Winkel zwischen Lichtstrahl und der Waagerechten) ist und umgekehrt proportional dem Quadrat der Entfernung von der Lichtquelle!

Hinweis: Es sei x die gesuchte Höhe, y die Entfernung der Lampe von einem Punkt des Randes und θ der Einfalls-

winkel. Dann gilt $I = k \dfrac{\cos \theta}{y^2} = \dfrac{kx}{(x^2 + 900)^{3/2}}.$ *Lsg.* $15\sqrt{2}$ m

22. Zwei Schiffe fahren zur gleichen Zeit in A los. Das eine segelt südlich mit **15** km/h, das andere eine Stunde östlich mit **25** km/h, dann nördlich mit derselben Geschwindigkeit. Berechne die Rotationsgeschwindigkeit der Geraden, die beide verbindet, nach **3** Std!
Lsg. 20/193 rad/h.

KAPITEL 14

Differentiation der Potenzfunktionen und der Logarithmusfunktionen

DIE ZAHL
$$e = \lim_{h \to +\infty} \left(1 + \frac{1}{h}\right)^h = \lim_{k \to 0} (1+k)^{1/k}$$
$$= 1 + 1 + \frac{1}{2!} + \frac{1}{3!} + \cdots + \frac{1}{n!} + \cdots = 2{,}71828\ldots$$

Siehe Aufgabe 1!

DEFINITION: Es sei $a > 0$ und $a \neq 1$ sowie $a^y = x$, dann ist $y = \log_a x$.

$$y = \log_e x = \ln x \qquad y = \log_{10} x = \log x$$

Der Definitionsbereich ist durch $x > 0$ gegeben, der Wertebereich entspricht der Menge der reellen Zahlen.

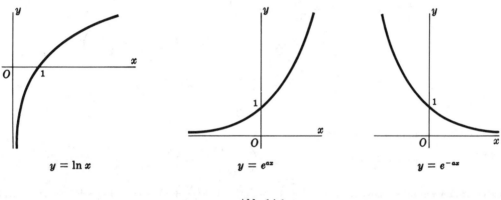

$$y = \ln x \qquad\qquad y = e^{ax} \qquad\qquad y = e^{-ax}$$

Abb. 14-1

DIFFERENTIATIONSREGELN. Ist u eine differenzierbare Funktion von x, so gilt

26. $\dfrac{d}{dx}(\log_a u) = \dfrac{1}{u}\log_a e\,\dfrac{du}{dx},\ (a > 0,\ a \neq 1)$ **28.** $\dfrac{d}{dx}(a^u) = a^u \ln a\,\dfrac{du}{dx},\ (a > 0)$

27. $\dfrac{d}{dx}(\ln u) = \dfrac{1}{u}\dfrac{du}{dx}$ **29.** $\dfrac{d}{dx}(e^u) = e^u\,\dfrac{du}{dx}$

Siehe Aufgabe 2-17!

LOGARITHMISCHE DIFFERENTIATION. Ist eine differenzierbare Funktion $y = f(x)$ das Produkt mehrerer Faktoren, so kann man einfacher differenzieren, wenn man den natürlichen Logarithmus der Funktion betrachtet und

30.
$$\frac{d}{dx}(y) = y\,\frac{d}{dx}(\ln y) \quad \text{benutzt.}$$

Siehe Aufgaben 18–19!

DIFFERENTIATION DER POTENZFUNKTIONEN UND DER LOGARITHMUSFUNKTIONEN
AUFGABEN MIT LÖSUNGEN

1. Zeige: $\quad 2 < \lim\limits_{n \to +\infty} \left(1 + \dfrac{1}{n}\right)^n < 3$!

Aus dem Binomischen Lehrsatz ergibt sich für jede natürliche Zahl n:

(i) $\left(1 + \dfrac{1}{n}\right)^n = 1 + n\left(\dfrac{1}{n}\right) + \dfrac{n(n-1)}{1 \cdot 2}\left(\dfrac{1}{n}\right)^2 + \dfrac{n(n-1)(n-2)}{1 \cdot 2 \cdot 3}\left(\dfrac{1}{n}\right)^3$

$\qquad\qquad + \cdots + \dfrac{n(n-1)(n-2)\ldots 1}{1 \cdot 2 \cdot 3 \ldots n}\left(\dfrac{1}{n}\right)^n$

$\qquad\quad = 1 + 1 + \left(1 - \dfrac{1}{n}\right) \cdot \dfrac{1}{2!} + \left(1 - \dfrac{1}{n}\right)\left(1 - \dfrac{2}{n}\right) \cdot \dfrac{1}{3!}$

$\qquad\qquad + \cdots + \left(1 - \dfrac{1}{n}\right)\left(1 - \dfrac{2}{n}\right)\ldots\left(1 - \dfrac{n-1}{n}\right) \cdot \dfrac{1}{n!}$

Offensichtlich gilt für alle $n \neq 1$ $\left(1 + \dfrac{1}{n}\right)^n > 2$. Wenn wir in (i) jeden der Faktoren $\left(1 - \dfrac{1}{n}\right), \left(1 - \dfrac{2}{n}\right)$,

$\ldots$ durch die größere Zahl 1 ersetzen, so ergibt sich

$$\left(1 + \dfrac{1}{n}\right)^n < 2 + \dfrac{1}{2!} + \dfrac{1}{3!} + \cdots + \dfrac{1}{n!}$$

$$< 2 + \dfrac{1}{2} + \dfrac{1}{2^2} + \dfrac{1}{2^3} + \cdots + \dfrac{1}{2^{n-1}} \quad \left(\text{da } \dfrac{1}{n!} < \dfrac{1}{2^{n-1}}\right)$$

$$< 3 \quad \left(\text{da } \dfrac{1}{2} + \dfrac{1}{2^2} + \dfrac{1}{2^3} + \cdots + \dfrac{1}{2^{n-1}} < 1\right).$$

Also folgt $\quad 2 < \left(1 + \dfrac{1}{n}\right)^n < 3$.

Für $n \to \infty$ (über die natürlichen Zahlen) gilt

$$1 - \dfrac{1}{n} \to 1, \ 1 - \dfrac{2}{n} \to 1, \ \ldots, \quad \text{und} \quad \left(1 - \dfrac{1}{n}\right)\left(1 - \dfrac{2}{n}\right)\ldots\left(1 - \dfrac{k}{n}\right) \cdot \dfrac{1}{k!} \to \dfrac{1}{k!}$$

Diese Tatsache läßt vermuten, daß $\lim\limits_{n \to +\infty} \left(1 + \dfrac{1}{n}\right)^n = 1 + 1 + \dfrac{1}{2!} + \dfrac{1}{3!} + \cdots + \dfrac{1}{k!} + \cdots = 2{,}71828\ldots$

2. Beweise, daß $\dfrac{d}{dx}(\log_a u) = \dfrac{1}{u} \log_a e \dfrac{du}{dx}$ und $\dfrac{d}{dx} \ln u = \dfrac{1}{u} \dfrac{du}{dx}$!

Es sei $y = \log_a u$, wobei u eine differenzierbare Funktion von x ist. Dann folgt

$$y + \Delta y = \log_a(u + \Delta u)$$
$$\Delta y = \log_a(u + \Delta u) - \log_a u = \log_a \dfrac{u + \Delta u}{u} = \log_a\left(1 + \dfrac{\Delta u}{u}\right)$$

$$\dfrac{\Delta y}{\Delta u} = \dfrac{1}{\Delta u} \log_a\left(1 + \dfrac{\Delta u}{u}\right) = \dfrac{1}{u} \cdot \dfrac{u}{\Delta u} \log_a\left(1 + \dfrac{\Delta u}{u}\right) = \dfrac{1}{u} \log_a\left(1 + \dfrac{\Delta u}{u}\right)^{u/\Delta u}$$

und

$$\dfrac{dy}{du} = \dfrac{1}{u} \lim\limits_{\Delta u \to 0} \log_a\left(1 + \dfrac{\Delta u}{u}\right)^{u/\Delta u} = \dfrac{1}{u} \log_a\left\{\lim\limits_{\Delta u \to 0}\left(1 + \dfrac{\Delta u}{u}\right)^{u/\Delta u}\right\} = \dfrac{1}{u} \log_a e$$

Mit der Kettenregel ergibt sich $\dfrac{d}{dx}(\log_a u) = \dfrac{d}{du}(\log_a u)\dfrac{du}{dx} = \dfrac{1}{u} \log_a e \dfrac{du}{dx}$.

Für $a = e$ gilt $\log_a e = \log_e e = 1$, also $\dfrac{d}{dx}(\ln u) = \dfrac{1}{u} \dfrac{du}{dx}$.

3. $y = \log_a(3x^2 - 5)$ $\qquad\qquad \dfrac{dy}{dx} = \dfrac{1}{3x^2 - 5} \log_a e \cdot \dfrac{d}{dx}(3x^2 - 5) = \dfrac{6x}{3x^2 - 5} \log_a e$

4. $y = \ln(x + 3)^2 = 2 \ln(x + 3)$ $\qquad \dfrac{dy}{dx} = 2 \dfrac{1}{x + 3} \cdot \dfrac{d}{dx}(x + 3) = \dfrac{2}{x + 3}$

5. $y = \ln^2(x + 3)$

$$y' = 2 \ln(x + 3) \cdot \dfrac{d}{dx}[\ln(x + 3)] = 2 \ln(x + 3) \cdot \dfrac{1}{x + 3} \cdot \dfrac{d}{dx}(x + 3) = \dfrac{2 \ln(x + 3)}{x + 3}$$

6. $y = \ln(x^3 + 2)(x^2 + 3) = \ln(x^3 + 2) + \ln(x^2 + 3)$

$$y' = \frac{1}{x^3 + 2} \cdot \frac{d}{dx}(x^3 + 2) + \frac{1}{x^2 + 3} \cdot \frac{d}{dx}(x^2 + 3) = \frac{3x^2}{x^3 + 2} + \frac{2x}{x^2 + 3}$$

7. $f(x) = \ln\dfrac{x^4}{(3x - 4)^2} = \ln x^4 - \ln(3x - 4)^2 = 4\ln x - 2\ln(3x - 4)$

$$f'(x) = 4\frac{1}{x}\frac{d}{dx}(x) - 2\frac{1}{3x - 4}\frac{d}{dx}(3x - 4) = \frac{4}{x} - \frac{6}{3x - 4}$$

8. $y = \ln\sin 3x \qquad y' = \dfrac{1}{\sin 3x} \cdot \dfrac{d}{dx}(\sin 3x) = 3\dfrac{\cos 3x}{\sin 3x} = 3\cot 3x$

9. $y = \ln(x + \sqrt{1 + x^2})$

$$y' = \frac{1 + \frac{1}{2}(1 + x^2)^{-1/2}(2x)}{x + (1 + x^2)^{1/2}} = \frac{1 + x(1 + x^2)^{-1/2}}{x + (1 + x^2)^{1/2}} \cdot \frac{(1 + x^2)^{1/2}}{(1 + x^2)^{1/2}} = \frac{1}{\sqrt{1 + x^2}}$$

10. Zeige, daß $\dfrac{d}{dx}(a^u) = a^u \ln a \dfrac{du}{dx}$ und $\dfrac{d}{dx}(e^u) = e^u \dfrac{du}{dx}$!

Es sei $y = a^u$, wobei u eine differenzierbare Funktion von x ist. Dann folgt $\ln y = u \ln a$

$$\frac{d}{dx}(\ln y) = \frac{1}{y}\frac{dy}{dx} = \ln a \frac{du}{dx}, \qquad \frac{dy}{dx} = y \ln a \frac{du}{dx}, \text{ also } \frac{d}{dx}(a^u) = a^u \ln a \frac{du}{dx}$$

Aus $a = e$ folgt $\ln a = \ln e = 1$ und damit $\dfrac{d}{dx}(e^u) = e^u \dfrac{du}{dx}$.

11. $y = e^{-\frac{1}{2}x} \qquad y' = e^{-\frac{1}{2}x}\dfrac{d}{dx}(-\frac{1}{2}x) = -\frac{1}{2}e^{-\frac{1}{2}x}$

12. $y = e^{x^2} \qquad y' = e^{x^2} \cdot \dfrac{d}{dx}(x^2) = 2xe^{x^2}$

13. $y = a^{3x^2} \qquad y' = a^{3x^2}\ln a \cdot \dfrac{d}{dx}(3x^2) = 6xa^{3x^2}\ln a$

14. $y = x^2 3^x \qquad y' = x^2 \cdot \dfrac{d}{dx}(3^x) + 3^x \cdot \dfrac{d}{dx}(x^2) = x^2 3^x \ln 3 + 3^x 2x = x3^x(x\ln 3 + 2)$

15. $y = \dfrac{e^{ax} - e^{-ax}}{e^{ax} + e^{-ax}}$

$$y' = \frac{(e^{ax} + e^{-ax})\dfrac{d}{dx}(e^{ax} - e^{-ax}) - (e^{ax} - e^{-ax})\dfrac{d}{dx}(e^{ax} + e^{-ax})}{(e^{ax} + e^{-ax})^2}$$

$$= \frac{(e^{ax} + e^{-ax})[a(e^{ax} + e^{-ax})] - (e^{ax} - e^{-ax})[a(e^{ax} - e^{-ax})]}{(e^{ax} + e^{-ax})^2}$$

$$= a\frac{(e^{2ax} + 2 + e^{-2ax}) - (e^{2ax} - 2 + e^{-2ax})}{(e^{ax} + e^{-ax})^2} = \frac{4a}{(e^{ax} + e^{-ax})^2}$$

16. Berechne y'' für $y = e^{-x}\ln x$!

$$y' = e^{-x}\frac{d}{dx}(\ln x) + \ln x \frac{d}{dx}(e^{-x}) = \frac{e^{-x}}{x} - e^{-x}\ln x = \frac{e^{-x}}{x} - y$$

$$y'' = \frac{x\dfrac{d}{dx}(e^{-x}) - e^{-x}\dfrac{d}{dx}(x)}{x^2} - y' = \frac{-xe^{-x} - e^{-x}}{x^2} - \frac{e^{-x}}{x} + e^{-x}\ln x = -e^{-x}\left(\frac{2}{x} + \frac{1}{x^2} - \ln x\right)$$

17. Berechne y'' für $y = e^{-2x}\sin 3x$!

$$y' = e^{-2x}\frac{d}{dx}(\sin 3x) + \sin 3x \frac{d}{dx}(e^{-2x}) = 3e^{-2x}\cos 3x - 2e^{-2x}\sin 3x = 3e^{-2x}\cos 3x - 2y$$

$$y'' = 3e^{-2x}\frac{d}{dx}(\cos 3x) + 3\cos 3x \frac{d}{dx}(e^{-2x}) - 2y'$$

$$= -9e^{-2x}\sin 3x - 6e^{-2x}\cos 3x - 2(3e^{-2x}\cos 3x - 2e^{-2x}\sin 3x)$$

$$= -e^{-2x}(12\cos 3x + 5\sin 3x)$$

Berechne mit logarithmischer Differentiation die erste Ableitung!

18. $y = (x^2 + 2)^3 (1 - x^3)^4$ $\ln y = \ln (x^2 + 2)^3 (1 - x^3)^4 = 3 \ln (x^2 + 2) + 4 \ln (1 - x^3)$

$$y' = y \frac{d}{dx} [3 \ln (x^2 + 2) + 4 \ln (1 - x^3)] = (x^2 + 2)^3 (1 - x^3)^4 \left[\frac{6x}{x^2 + 2} - \frac{12x^2}{1 - x^3} \right]$$

$$= 6x(x^2 + 2)^2 (1 - x^3)^3 (1 - 4x - 3x^3)$$

19. $y = \dfrac{x(1 - x^2)^2}{(1 + x^2)^{1/2}}$ $\ln y = \ln x + 2 \ln (1 - x^2) - \frac{1}{2} \ln (1 + x^2)$

$$y' = \frac{x(1 - x^2)^2}{(1 + x^2)^{1/2}} \left[\frac{1}{x} - \frac{4x}{1 - x^2} - \frac{x}{1 + x^2} \right] = \frac{(1 - x^2)^2}{(1 + x^2)^{1/2}} - \frac{4x^2(1 - x^2)}{(1 + x^2)^{1/2}} - \frac{x^2(1 - x^2)^2}{(1 + x^2)^{3/2}}$$

$$= \frac{(1 - 5x^2 - 4x^4)(1 - x^2)}{(1 + x^2)^{3/2}}$$

20. Bestimme *(a)* die relativen Maxima und Minima und *(b)* die Wendepunkte der Kurve $y = f(x) = x^2 e^x$!

$$f'(x) = 2xe^x + x^2 e^x = xe^x(2 + x)$$
$$f''(x) = 2e^x + 4xe^x + x^2 e^x = e^x(2 + 4x + x^2)$$
$$f'''(x) = 6e^x + 6xe^x + x^2 e^x = e^x(6 + 6x + x^2)$$

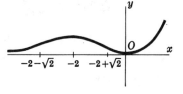

(a) Aus $f'(x) = 0$ ergeben sich die kritischen Werte $x = 0$ und $x = -2$.

Abb. 14-2

$f''(0) > 0$. Also ist in $(0, 0)$ ein relatives Minimum.

$f''(-2) < 0$ und in $(-2, 4/e^2)$ ist ein relatives Maximum.

(b) Aus $f''(x) = 0$ ergeben sich die möglichen Wendepunkte $x = -2 \pm \sqrt{2}$.

$f'''(-2 - \sqrt{2}) \neq 0$ und $f'''(-2 + \sqrt{2}) \neq 0$; also sind in $x = -2 \pm \sqrt{2}$ Wendepunkte.

21. Untersuche die Wahrscheinlichkeitskurve $y = ae^{-b^2 x^2}$, $a > 0$!

(a) Da $e^{-b^2 x^2} > 0$ für alle x, liegt die Kurve ganz über der x-Achse. Für $x \to \pm \infty$ gilt $y \to 0$. Also ist die x-Achse eine waagerechte Asymptote.

(b) $y' = -2ab^2 x e^{-b^2 x^2}$ und $y'' = 2ab^2(2b^2 x^2 - 1)e^{-b^2 x^2}$.

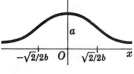

Aus $y' = 0$ folgt $x = 0$; da $y'' < 0$ in $x = 0$, ist in $(0, a)$ ein Maximum der Kurve.

Abb. 14-3

(c) Aus $y'' = 0$ folgt $2b^2 x^2 - 1 = 0$, also $x = \pm \sqrt{2}/2b$. Dies sind mögliche Wendepunkte.

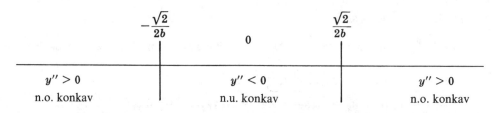

	$-\dfrac{\sqrt{2}}{2b}$	0	$\dfrac{\sqrt{2}}{2b}$	
$y'' > 0$		$y'' < 0$		$y'' > 0$
n.o. konkav		n.u. konkav		n.o. konkav

Also sind die Punkte $(\pm \sqrt{2}/2b,\ ae^{-1/2})$ Wendepunkte.

22. Die Gleichgewichtskonstante K einer ausgeglichenen chemischen Reaktion hängt von der absoluten Temperatur T nach dem Gesetz $K = K_0\, e^{-\frac{1}{2}q(T-T_0)/T_0 T}$ ab. Dabei sind K_0, q, und T_0 Konstanten. Bestimme die prozentuale Änderungsgeschwindigkeit von K pro Grad!

Die prozentuale Änderungsgeschwindigkeit von K pro Grad ist durch $\dfrac{1}{K}\dfrac{dK}{dT} = \dfrac{d(\ln K)}{dT}$ gegeben.

Also gilt $\quad \ln K = \ln K_0 - \frac{1}{2}q\dfrac{T-T_0}{T_0 T}\quad$ und damit $\quad \dfrac{d(\ln K)}{dT} = -\dfrac{q}{2T^2} = -\dfrac{50q}{T^2}\%.$

23. Untersuche die Kurve $y = f(t) = e^{-\frac{1}{2}t}\sin 2\pi t$ einer gedämpften Schwingung!

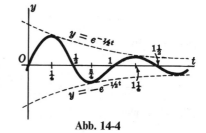

Abb. 14-4

(a) Für $t = 0$ ist $y = 0$. Der y-Abschnitt ist 0.

Aus $y = 0$ folgt $\sin 2\pi t = 0$, also $t = \ldots, -\frac{3}{2}, -1, -\frac{1}{2}, 0, \frac{1}{2}, 1, \frac{3}{2}, \ldots$. Das sind die t-Abschnitte.

(b) Aus $t = \ldots, -\frac{7}{4}, -\frac{3}{4}, \frac{1}{4}, \frac{5}{4}, \ldots$, folgt $\sin 2\pi t = 1$ und $y = e^{-\frac{1}{2}t}$.

Aus $t = \ldots, -\frac{5}{4}, -\frac{1}{4}, \frac{3}{4}, \frac{7}{4}, \ldots$, folgt $\sin 2\pi t = -1$ und $y = -e^{-\frac{1}{2}t}$.

Die gegebene Kurve oszilliert zwischen den beiden Kurven $y = -e^{-\frac{1}{2}t}$ und $y = -e^{-\frac{1}{2}t}$, und berührt sie in obigen Punkten.

(c)
$$y' = f'(t) = e^{-\frac{1}{2}t}(2\pi \cos 2\pi t - \tfrac{1}{2}\sin 2\pi t)$$
$$y'' = f''(t) = e^{-\frac{1}{2}t}\{(\tfrac{1}{4} - 4\pi^2)\sin 2\pi t - 2\pi \cos 2\pi t\}$$

Aus $y' = 0$ folgt $2\pi \cos 2\pi t - \frac{1}{2}\sin 2\pi t = 0$, d.h., $\tan 2\pi t = 4\pi$.

Ist $t = \xi = 0{,}237$ der kleinste positive Winkel, der diese Gleichung erfüllt, so sind $t = \cdots, \xi - \frac{3}{2}, \xi - 1,$ $\xi - \frac{1}{2}, \xi, \xi + \frac{1}{2}, \xi + 1, \ldots$ die kritischen Werte.

Da für $n = 0,1,2,\ldots$, $f''(\xi \pm \frac{1}{2}n)$ und $f''\!\left(\xi \pm \dfrac{n+1}{2}\right)$ entgegengesetztes und $f''(\xi \pm \frac{1}{2}n)$ und $f''\!\left(\xi \pm \dfrac{n+2}{2}\right)$ dasselbe Vorzeichen haben, ergeben die kritischen Werte abwechselnd Maxima und Minima der Kurve. Diese Punkte liegen links neben den Berührungspunkten mit den Kurven $y = e^{-\frac{1}{2}t}$ und $y = -e^{-\frac{1}{2}t}$.

(d) Aus $y'' = 0$ folgt $\tan 2\pi t = \dfrac{2\pi}{\frac{1}{4} - 4\pi^2} = \dfrac{8\pi}{1 - 16\pi^2}.$

Ist $t = \eta = 0{,}475$ der kleinste positive Winkel, der diese Gleichung erfüllt, so sind $t = \cdots, \eta - 1, \eta - \frac{1}{2}, \eta, \eta + \frac{1}{2},$ $\eta + 1, \ldots$ die möglichen Wendepunkte. Sie liegen links neben den Schnittpunkten der Kurve mit der t-Achse.

24. Die Gleichung $s = ce^{-bt}\sin(kt + \theta)$, wobei c, b, k und θ Konstanten sind, stellt eine gedämpfte Schwingung dar. Zeige, daß $a = -2bv - (k^2 + b^2)s$.

$$v = ds/dt = ce^{-bt}[-b\sin(kt+\theta) + k\cos(kt+\theta)]$$
$$a = dv/dt = ce^{-bt}[(b^2 - k^2)\sin(kt+\theta) - 2bk\cos(kt+\theta)]$$
$$= ce^{-bt}[-2b\{-b\sin(kt+\theta) + k\cos(kt+\theta)\} - (k^2+b^2)\sin(kt+\theta)]$$
$$= -2bv - (k^2+b^2)s$$

ERGÄNZUNGSAUFGABEN

Bestimme in den Aufgaben **25-35** dy/dx!

25. $y = \ln(4x - 5)$ *Lsg.* $4/(4x - 5)$

26. $y = \ln\sqrt{3 - x^2}$ *Lsg.* $x/(x^2 - 3)$

27. $y = \ln 3x^5$ *Lsg.* $5/x$

28. $y = \ln(x^2 + x - 1)^3$ *Lsg.* $(6x + 3)/(x^2 + x - 1)$

29. $y = x \cdot \ln x - x$ *Lsg.* $\ln x$

30. $y = \ln(\sec x + \tan x)$ *Lsg.* $\sec x$

31. $y = \ln(\ln \tan x)$ *Lsg.* $2/(\sin 2x \ln \tan x)$

32. $y = (\ln x^2)/x^2$ *Lsg.* $(2 - 4\ln x)/x^3$

33. $y = \frac{1}{5}x^5(\ln x - \frac{1}{5})$ *Lsg.* $x^4 \ln x$

34. $y = x(\sin \ln x - \cos \ln x)$ *Lsg.* $2 \sin \ln x$

35. $y = x\ln(4 + x^2) + 4 \arctan \frac{1}{2}x - 2x$
         Lsg. $\ln(4 + x^2)$

36. Bestimme die Gleichung der Tangente in irgendeinem Punkt (x_0, y_0) der Kurve $y = \ln x$! Benutze den y-Abschnitt der Tangente, um diese zu konstruieren!

37. Untersuche und zeichne: $y = x^2 \ln x$!   *Lsg.* Min. in $x = 1/\sqrt{e}$, ; W.P. in $x = 1/e^{3/2}$.

38. Zeige, daß der Schnittwinkel der Kurven $y = \ln(x - 2)$ und $y = x^2 - 4x + 3$ in $(3, 0)$ $\phi = \arctan. 1/3$ ist!

Bestimme in den Aufgaben **39-46** dy/dx!

39. $y = e^{5x}$ *Lsg.* $5e^{5x}$

40. $y = e^{x^3}$ *Lsg.* $3x^2 e^{x^3}$

41. $y = e^{\sin 3x}$ *Lsg.* $3e^{\sin 3x} \cos 3x$

42. $y = 3^{-x^2}$ *Lsg.* $-2x \cdot 3^{-x^2} \ln 3$

43. $y = e^{-x} \cos x$ *Lsg.* $-e^{-x}(\cos x + \sin x)$

44. $y = \arcsin e^x$ *Lsg.* $e^x/\sqrt{1 - e^{2x}}$

45. $y = \tan^2 e^{3x}$ *Lsg.* $6e^{3x} \tan e^{3x} \sec^2 e^{3x}$

46. $y = e^{e^x}$ *Lsg.* $e^{(x + e^x)}$

47. Für $y = x^2 e^x$ gilt $y''' = (x^2 + 6x + 6)e^x$.

48. Für $y = e^{-2x}(\sin 2x + \cos 2x)$ gilt $y'' + 4y' + 8y = 0$.

49. Untersuche und zeichne: (a) $y = x^2 e^{-x}$, (b) $y = x^2 e^{-x^2}$!

     Lsg. (a) Max. in $x = 2$; Min. in $x = 0$; W.P. in $x = 2 \pm \sqrt{2}$.
         (b) Max. in $x = \pm 1$; Min. in $x = 0$; W.P. in $x = \pm 1,51$, $x = \pm 0,47$.

50. Bestimme das Rechteck mit der größten Fläche, das eine Seite auf der x-Achse hat und unter der Kurve $y = e^{-x^2}$ liegt!
     Hinweis: Es gilt $A = 2xy = 2xe^{-x^2}$, wobei $P(x, y)$ die Ecke des Rechtecks ist, die auf der Kurve liegt. *Lsg.* $A = \sqrt{2/e}$.

51. Zeige, daß die Kurven $y = e^{ax}$ und $y = e^{ax} \cos ax$ in den Punkten $x = 2n\pi/a$, $(n = 1,2,3,\dots)$ gemeinsame Tangenten haben, und daß die Kurven $y = e^{-ax}/a^2$ und $y = e^{ax} \cos ax$ in denselben Punkten senkrecht aufeinander stehen!

52. Es sei $y = xe^x$. Zeige, daß (a) $(-1, -1/e)$ Punkt eines relativen Minimums ist, (b) $(-2, -2/e^2)$ ein Wendepunkt und daß (c) die Kurve links vom Wendepunkt nach unten konkav und rechts vom Wendepunkt nach oben konkav ist!

Differenziere in den Aufgaben **53-56** logarithmisch, um dy/dx zu bestimmen!

53. $y = x^x$ *Lsg.* $x^x(1 + \ln x)$

54. $y = x^{\ln x}$ *Lsg.* $2 x^{(\ln x - 1)} \ln x$

55. $y = x^2 e^{2x} \cos 3x$ *Lsg.* $x^2 e^{2x} \cos 3x \{2/x + 2 - 3 \tan 3x\}$

56. $y = x^{e^{-x^2}}$ *Lsg.* $e^{-x^2} x^{e^{-x^2}} (1/x - 2x \ln x)$

51. Zeige, daß (a) $\dfrac{d^n}{dx^n}(xe^x) = (x + n)e^x$, (b) $\dfrac{d^n}{dx^n}(x^{n-1} \ln x) = \dfrac{(n - 1)!}{x}$.

KAPITEL 15

Differentiation von hyperbolischen Funktionen

DEFINITION DER HYPERBOLISCHEN FUNKTIONEN. Wir definieren:

$$\sinh u = \frac{e^u - e^{-u}}{2} \qquad\qquad \coth u = \frac{1}{\tanh u} = \frac{e^u + e^{-u}}{e^u - e^{-u}}, \quad (u \neq 0)$$

$$\cosh u = \frac{e^u + e^{-u}}{2} \qquad\qquad \operatorname{sech} u = \frac{1}{\cosh u} = \frac{2}{e^u + e^{-u}}$$

$$\tanh u = \frac{\sinh u}{\cosh u} = \frac{e^u - e^{-u}}{e^u + e^{-u}} \qquad\qquad \operatorname{cosech} u = \frac{1}{\sinh u} = \frac{2}{e^u - e^{-u}}, \quad (u \neq 0)$$

DIFFERENTIATIONSREGELN. Ist u eine differenzierbare Funktion von x, so gilt:

31. $\dfrac{d}{dx}(\sinh u) = \cosh u \dfrac{du}{dx}$
34. $\dfrac{d}{dx}(\coth u) = -\operatorname{cosech}^2 u \dfrac{du}{dx}$

32. $\dfrac{d}{dx}(\cosh u) = \sinh u \dfrac{du}{dx}$
35. $\dfrac{d}{dx}(\operatorname{sech} u) = -\operatorname{sech} u \tanh u \dfrac{du}{dx}$

33. $\dfrac{d}{dx}(\tanh u) = \operatorname{sech}^2 u \dfrac{du}{dx}$
36. $\dfrac{d}{dx}(\operatorname{cosech} u) = -\operatorname{cosech} u \coth u \dfrac{du}{dx}$

Siehe Aufgaben 1-12!

DEFINITION DER INVERSEN HYPERBOLISCHEN FUNKTIONEN

$$\sinh^{-1} u = \ln(u + \sqrt{1 + u^2}), \quad \text{alle } u \qquad \coth^{-1} u = \tfrac{1}{2}\ln\frac{u+1}{u-1}, \qquad (u^2 > 1)$$

$$\cosh^{-1} u = \ln(u + \sqrt{u^2 - 1}), \quad (u \geqq 1) \qquad \operatorname{sech}^{-1} u = \ln\frac{1 + \sqrt{1 - u^2}}{u}, \quad (0 < u \leqq 1)$$

$$\tanh^{-1} u = \tfrac{1}{2}\ln\frac{1+u}{1-u}, \qquad (u^2 < 1) \qquad \operatorname{cosech}^{-1} u = \ln\left(\frac{1}{u} + \frac{\sqrt{1 + u^2}}{|u|}\right), \quad (u \neq 0)$$

(Hier sind nur die Hauptwerte von $\cosh^{-1} x$ und $\operatorname{sech}^{-1} x$ definiert.)

DIFFERENTIATIONSREGELN. Ist u eine differenzierbare Funktion von x, so gilt

37. $\dfrac{d}{dx}(\sinh^{-1} u) = \dfrac{1}{\sqrt{1 + u^2}}\dfrac{du}{dx}$
40. $\dfrac{d}{dx}(\coth^{-1} u) = \dfrac{1}{1 - u^2}\dfrac{du}{dx}, \qquad (u^2 > 1)$

38. $\dfrac{d}{dx}(\cosh^{-1} u) = \dfrac{1}{\sqrt{u^2 - 1}}\dfrac{du}{dx}, \quad (u > 1)$
41. $\dfrac{d}{dx}(\operatorname{sech}^{-1} u) = \dfrac{-1}{u\sqrt{1 - u^2}}\dfrac{du}{dx}, \quad (0 < u < 1)$

39. $\dfrac{d}{dx}(\tanh^{-1} u) = \dfrac{1}{1 - u^2}\dfrac{du}{dx}, \quad (u^2 < 1)$
42. $\dfrac{d}{dx}(\operatorname{cosech}^{-1} u) = \dfrac{-1}{|u|\sqrt{1 + u^2}}\dfrac{du}{dx}, \qquad (u \neq 0)$

Siehe Aufgaben 13–19!

AUFGABEN MIT LÖSUNGEN

1. Beweise: $\cosh^2 u - \sinh^2 u = 1$!

$$\cosh^2 u - \sinh^2 u = \left(\frac{e^u + e^{-u}}{2}\right)^2 - \left(\frac{e^u - e^{-u}}{2}\right)^2 = \tfrac{1}{4}(e^{2u} + 2 + e^{-2u}) - \tfrac{1}{4}(e^{2u} - 2 + e^{-2u}) = 1$$

2. Zeige, daß $\frac{d}{dx}(\sinh u) = \cosh u \frac{du}{dx}$, falls u eine differenzierbare Funktion von x ist!

$$\frac{d}{dx}(\sinh u) = \frac{d}{dx}\left(\frac{e^u - e^{-u}}{2}\right) = \frac{e^u + e^{-u}}{2}\frac{du}{dx} = \cosh u \frac{du}{dx}$$

Bestimme in den Aufgaben 3-12 $\frac{dy}{dx}$!

3. $y = \sinh 3x$

$$\frac{dy}{dx} = \cosh 3x \cdot \frac{d}{dx}(3x) = 3\cosh 3x$$

4. $y = \cosh \tfrac{1}{2}x$

$$\frac{dy}{dx} = \sinh \tfrac{1}{2}x \cdot \frac{d}{dx}(\tfrac{1}{2}x) = \tfrac{1}{2}\sinh \tfrac{1}{2}x$$

5. $y = \tanh(1 + x^2)$

$$\frac{dy}{dx} = \operatorname{sech}^2(1 + x^2) \cdot \frac{d}{dx}(1 + x^2) = 2x\operatorname{sech}^2(1 + x^2)$$

6. $y = \coth \dfrac{1}{x}$

$$\frac{dy}{dx} = -\operatorname{cosech}^2\frac{1}{x} \cdot \frac{d}{dx}\left(\frac{1}{x}\right) = \frac{1}{x^2}\operatorname{cosech}^2\frac{1}{x}$$

7. $y = x\operatorname{sech} x^2$

$$\frac{dy}{dx} = x \cdot \frac{d}{dx}(\operatorname{sech} x^2) + \operatorname{sech} x^2 \cdot \frac{d}{dx}(x)$$
$$= x(-\operatorname{sech} x^2 \tanh x^2)2x + \operatorname{sech} x^2$$
$$= -2x^2 \operatorname{sech} x^2 \tanh x^2 + \operatorname{sech} x^2$$

8. $y = \operatorname{cosech}^2(x^2 + 1)$

$$\frac{dy}{dx} = 2\operatorname{cosech}(x^2 + 1) \cdot \frac{d}{dx}[\operatorname{cosech}(x^2 + 1)]$$
$$= 2\operatorname{cosech}(x^2 + 1)[-\operatorname{cosech}(x^2 + 1)\coth(x^2 + 1) \cdot 2x]$$
$$= -4x\operatorname{cosech}^2(x^2 + 1)\coth(x^2 + 1)$$

9. $y = \tfrac{1}{4}\sinh 2x - \tfrac{1}{2}x$

$$\frac{dy}{dx} = \tfrac{1}{4}(\cosh 2x)2 - \tfrac{1}{2} = \tfrac{1}{2}(\cosh 2x - 1) = \sinh^2 x$$

10. $y = \ln \tanh 2x$

$$\frac{dy}{dx} = \frac{1}{\tanh 2x}(2\operatorname{sech}^2 2x) = \frac{2}{\sinh 2x \cosh 2x} = 4\operatorname{cosech} 4x$$

11. Bestimme die Koordinaten des Minimums der Kettenlinie $y = a\cosh\dfrac{x}{a}$!

$$f'(x) = \frac{1}{a}\left(a\sinh\frac{x}{a}\right) = \sinh\frac{x}{a}, \qquad f''(x) = \frac{1}{a}\cosh\frac{x}{a} = \frac{1}{a}\left(\frac{e^{x/a} + e^{-x/a}}{2}\right)$$

Aus $f'(x) = \dfrac{e^{x/a} - e^{-x/a}}{2} = 0$ folgt $x = 0$; $f''(0) > 0$. Der Punkt $(0, a)$ ist also der Punkt des Minimums.

12. Untersuche (a) $y = \sinh x$, (b) $y = \cosh x$, (c) $y = \tanh x$ auf Wendepunkte!

(a) $f'(x) = \cosh x$, $f''(x) = \sinh x$ und $f'''(x) = \cosh x$.

$f''(x) = \sinh x = 0$ für $x = 0$; $f'''(0) \neq 0$. Der Punkt $(0, 0)$ ist also ein Wendepunkt.

(b) $f'(x) = \sinh x$, $f''(x) = \cosh x \neq 0$ für alle x. Also gibt es keinen Wendepunkt.

(c) $f'(x) = \operatorname{sech}^2 x$, $f''(x) = -2 \operatorname{sech}^2 x \tanh x = -2 \dfrac{\sinh x}{\cosh^3 x}$ und $f'''(x) = \dfrac{4 \sinh^2 x - 2}{\cosh^4 x}$.

$f''(x) = 0$ für $x = 0$; $f'''(0) \neq 0$. Der Punkt $(0, 0)$ ist also ein Wendepunkt.

13. Beweise: (a) $\sinh^{-1} x = \ln(x + \sqrt{x^2 + 1})$, alle x

(b) $\operatorname{sech}^{-1} x = \cosh^{-1} \dfrac{1}{x} = \ln \dfrac{1 + \sqrt{1 - x^2}}{x}$, $0 < x \leq 1$.

(a) Es sei $\sinh^{-1} x = y$; dann gilt $x = \sinh y = \frac{1}{2}(e^y - e^{-y})$, also $e^{2y} - 2xe^y - 1 = 0$.

Wir lösen nach e^y auf: $e^y = x + \sqrt{x^2 + 1}$, da $e^y > 0$. Also gilt $y = \ln(x + \sqrt{x^2 + 1})$.

(b) Es sei $\operatorname{sech}^{-1} x = y$. Dann gilt $x = \operatorname{sech} y = \dfrac{1}{\cosh y}$, $\cosh y = \dfrac{1}{x}$ und damit $y = \cosh^{-1}\left(\dfrac{1}{x}\right) = \operatorname{sech}^{-1} x$.

Ebenfalls gilt $x = \operatorname{sech} y = \dfrac{2}{e^y + e^{-y}}$ und damit $e^{2y} x - 2e^y + x = 0$.

Wir lösen nach e^y auf: $e^y = \dfrac{1 + \sqrt{1 - x^2}}{x}$, falls $y \geqq 0$. Also $y = \ln \dfrac{1 + \sqrt{1 - x^2}}{x}$, $0 < x \leqq 1$.

14. Beweise: $\dfrac{d}{dx}(\sinh^{-1} u) = \dfrac{1}{\sqrt{1 + u^2}} \dfrac{du}{dx}$.

Es sei $y = \sinh^{-1} u$, wobei u eine differenzierbare Funktion von x ist. Dann gilt $\sinh y = u$, also

$$\cosh y \, \frac{dy}{dx} = \frac{du}{dx} \quad \text{und damit} \quad \frac{dy}{dx} = \frac{1}{\cosh y} \frac{du}{dx} = \frac{1}{\sqrt{1 + \sinh^2 y}} \frac{du}{dx} = \frac{1}{\sqrt{1 + u^2}} \frac{du}{dx}.$$

Bestimme in den Aufgaben 15-19 dy/dx!

15. $y = \sinh^{-1} 3x$
$$\frac{dy}{dx} = \frac{1}{\sqrt{(3x)^2 + 1}} \cdot \frac{d}{dx}(3x) = \frac{3}{\sqrt{9x^2 + 1}}$$

16. $y = \cosh^{-1} e^x$
$$\frac{dy}{dx} = \frac{1}{\sqrt{e^{2x} - 1}} \cdot \frac{d}{dx}(e^x) = \frac{e^x}{\sqrt{e^{2x} - 1}}$$

17. $y = 2 \tanh^{-1}(\tan \frac{1}{2}x)$
$$\frac{dy}{dx} = 2 \frac{1}{1 - \tan^2 \frac{1}{2}x} \cdot \frac{d}{dx}(\tan \frac{1}{2}x)$$
$$= 2 \frac{1}{1 - \tan^2 \frac{1}{2}x} \sec^2 \frac{1}{2}x \cdot \frac{1}{2} = \frac{\sec^2 \frac{1}{2}x}{1 - \tan^2 \frac{1}{2}x} = \sec x$$

18. $y = \coth^{-1} \dfrac{1}{x}$
$$\frac{dy}{dx} = \frac{1}{1 - \left(\dfrac{1}{x}\right)^2} \cdot \frac{d}{dx}\left(\frac{1}{x}\right) = \frac{-\dfrac{1}{x^2}}{1 - \dfrac{1}{x^2}} = \frac{-1}{x^2 - 1}$$

19. $y = \operatorname{sech}^{-1}(\cos x)$
$$\frac{dy}{dx} = \frac{-1}{\cos x \sqrt{1 - \cos^2 x}} \cdot \frac{d}{dx}(\cos x) = \frac{\sin x}{\cos x \sqrt{1 - \cos^2 x}} = \sec x$$

ERGÄNZUNGSAUFGABEN

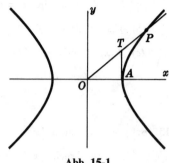

20. *(a)* Zeichne $y = e^x$ und $y = -e^{-x}$ und mittle die Ordinaten beider Kurven für verschiedene x, um Punkte von $y = \sinh x$ zu erhalten! Ergänze dann die Kurve!

    (b) Gehe mit $y = e^x$ und $y = e^{-x}$ wie in *(a)* vor, um $y = \cosh x$ zu zeichnen!

21. Zeige, daß für die Hyperbel $x^2 - y^2 = 1$ *(a)* $P(\cosh u, \sinh u)$ ein Hyperbelpunkt ist, *(b)* die Tangente in A die Strecke OP in $T(1, \tanh u)$ schneidet! Siehe Abb. 15-1!

22. Zeige: *(a)* $\sinh(x + y) = \sinh x \cosh y + \cosh x \sinh y$

           (b) $\cosh(x + y) = \cosh x \cosh y + \sinh x \sinh y$

           (c) $\sinh 2x = 2 \sinh x \cosh x$

           (d) $\cosh 2x = \cosh^2 x + \sinh^2 x = 2 \cosh^2 x - 1$
                           $= 2 \sinh^2 x + 1$

           (e) $\tanh 2x = \dfrac{2 \tanh x}{1 + \tanh^2 x}$!

Abb. 15-1

Bestimme in den Aufgaben **23-28** dy/dx !

23. $y = \sinh \tfrac{1}{4}x$ *Lsg.* $\tfrac{1}{4} \cosh \tfrac{1}{4}x$

24. $y = \cosh^2 3x$ *Lsg.* $3 \sinh 6x$

25. $y = \tanh 2x$ *Lsg.* $2 \operatorname{sech}^2 2x$

26. $y = \ln \cosh x$ *Lsg.* $\tanh x$

27. $y = \arctan \sinh x$ *Lsg.* $\operatorname{sech} x$

28. $y = \ln\sqrt{\tanh 2x}$ *Lsg.* $2 \operatorname{cosech} 4x$

29. Zeige: *(a)* Für $y = a \cosh \dfrac{x}{a}$ gilt $y'' = \dfrac{1}{a}\sqrt{1 + (y')^2}$.

         (b) Für $y = A \cosh bx + B \sinh bx$ (b, A, B Konstante) gilt $y'' = b^2 y$!

30. Zeige, daß *(a)* $\cosh^{-1} u = \ln(u + \sqrt{u^2 - 1})$, $u \geqq 1$

          (b) $\tanh^{-1} u = \tfrac{1}{2} \ln \dfrac{1 + u}{1 - u}$, $u^2 < 1$.

31. *(a)* Zeichne die Kurve $y = \sinh^{-1} x$ durch Spiegelung der Kurve $y = \sinh x$ an der Winkelhalbierenden des ersten Quadranten!

      (b) Zeichne den Hauptwert von $y = \cosh^{-1} x$ durch Spiegelung der rechten Hälfte von $y = \cosh x$ an der Winkelhalbierenden des ersten Quadranten!

32. Leite die Differentiationsregeln **32-36** und **38-40, 42** her!

Bestimme in den Aufgaben **33-36** dy/dx !

33. $y = \sinh^{-1} \tfrac{1}{2}x$ *Lsg.* $1/\sqrt{x^2 + 4}$

34. $y = \cosh^{-1}(1/x)$ *Lsg.* $-1/x\sqrt{1 - x^2}$

35. $y = \tanh^{-1}(\sin x)$ *Lsg.* $\sec x$

36. $x = a \operatorname{sech}^{-1}(y/a) - \sqrt{a^2 - y^2}$ *Lsg.* $-y/\sqrt{a^2 - y^2}$

KAPITEL 16

Parameterdarstellung von Kurven

PARAMETERGLEICHUNGEN. Sind die Koordinaten (x, y) eines Punktes P einer Kurve als Funktionen $x = f(u)$, $y = g(u)$ einer dritten Veränderlichen *(Parameter)* u gegeben, so werden die Gleichungen $x = f(u)$, $y = g(u)$ *Parametergleichungen* der Kurve genannt.

Beispiel:

(a) $x = \cos\theta$, $y = 4\sin^2\theta$ sind Parametergleichungen (mit Parameter θ) der Parabel $4x^2 + y = 4$, da $4x^2 + y = 4\cos^2\theta + 4\sin^2\theta = 4$ gilt.

(b) $x = \frac{1}{2}t$, $y = 4 - t^2$ ist eine andere Parameterdarstellung (mit Parameter t) derselben Kurve.

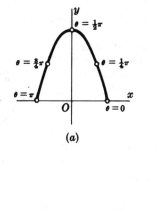

(a)

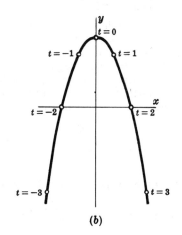

(b)

Abb. 16-1

Dabei ist zu bemerken, daß im ersten Fall nur ein Teil der Parabel dargestellt wird, während bei den zweiten Gleichungen die ganze Kurve dargestellt ist.

DIE ERSTE ABLEITUNG $\dfrac{dy}{dx}$ ist durch $\dfrac{dy}{dx} = \dfrac{dy/du}{dx/du}$ gegeben.

DIE ZWEITE ABLEITUNG $\dfrac{d^2y}{dx^2}$ ist durch $\dfrac{d^2y}{dx^2} = \dfrac{d}{du}\left(\dfrac{dy}{dx}\right) \cdot \dfrac{du}{dx}$ gegeben.

AUFGABEN MIT LÖSUNGEN

1. Bestimme $\dfrac{dy}{dx}$ und $\dfrac{d^2y}{dx^2}$ für $x = \theta - \sin\theta$, $y = 1 - \cos\theta$!

$$\frac{dx}{d\theta} = 1 - \cos\theta, \quad \frac{dy}{d\theta} = \sin\theta, \quad \frac{dy}{dx} = \frac{dy/d\theta}{dx/d\theta} = \frac{\sin\theta}{1 - \cos\theta}$$

$$\frac{d^2y}{dx^2} = \frac{d}{d\theta}\left(\frac{\sin\theta}{1 - \cos\theta}\right) \cdot \frac{d\theta}{dx} = \frac{\cos\theta - 1}{(1 - \cos\theta)^2} \cdot \frac{1}{1 - \cos\theta} = -\frac{1}{(1 - \cos\theta)^2}$$

2. Bestimme $\dfrac{dy}{dx}$ und $\dfrac{d^2y}{dx^2}$ für $x = e^t \cos t$, $y = e^t \sin t$.

$$\frac{dx}{dt} = e^t(\cos t - \sin t), \quad \frac{dy}{dt} = e^t(\sin t + \cos t), \quad \frac{dy}{dx} = \frac{dy/dt}{dx/dt} = \frac{\sin t + \cos t}{\cos t - \sin t}$$

$$\frac{d^2y}{dx^2} = \frac{d}{dt}\left(\frac{\sin t + \cos t}{\cos t - \sin t}\right) \cdot \frac{dt}{dx} = \frac{2}{(\cos t - \sin t)^2} \cdot \frac{1}{e^t(\cos t - \sin t)} = \frac{2}{e^t(\cos t - \sin t)^3}$$

3. Bestimme die Gleichung der Tangente an $x = \sqrt{t}$, $y = t - 1/\sqrt{t}$ in dem Punkt, für den $t = 4$ ist!

$$\frac{dx}{dt} = \frac{1}{2\sqrt{t}}, \quad \frac{dy}{dt} = 1 + \frac{1}{2t\sqrt{t}} \quad \text{und} \quad \frac{dy}{dx} = \frac{dy/dt}{dx/dt} = 2\sqrt{t} + \frac{1}{t}$$

Für $t = 4$ gilt $x = 2$, $y = 7/2$, und $m = dy/dx = 17/4$.

Also ist die Gleichung der Tangente $(y - 7/2) = (17/4)(x - 2)$ oder $17x - 4y = 20$.

4. Der Ort eines Massenteilchens, das sich auf einem Kreis bewegt, ist zur Zeit t durch die Parametergleichungen $x = 2 - 3\cos t$, $y = 3 + 2\sin t$ gegeben (x in cm und t in sec gemessen). Bestimme die Änderungsgeschwindigkeit und die Richtung der Änderung *(a)* der Abszisse für $t = \pi/3$, *(b)* der Ordinate für $t = 5\pi/3$, *(c)* des Neigungswinkels θ für $t = 2\pi/3$!

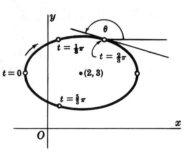

$$dx/dt = 3\sin t, \quad dy/dt = 2\cos t, \quad \tan\theta = dy/dx = \tfrac{2}{3}\cot t$$

(a) Für $t = \pi/3$ gilt $dx/dt = 3\sqrt{3}/2$. Die Abszisse wächst mit $3\sqrt{3}/2$ cm/sec.

(b) Für $t = 5\pi/3$ gilt $dy/dt = 2(\tfrac{1}{2}) = 1$. Die Ordinate wächst mit 1 cm/sec.

Abb. 16-2

(c) $\theta = \arctan\left(\tfrac{2}{3}\cot t\right)$, also $\dfrac{d\theta}{dt} = \dfrac{-6\,\text{cosech}^2\,t}{9 + 4\cot^2 t}$. Für $t = 2\pi/3$ gilt $\dfrac{d\theta}{dt} = \dfrac{-6(2/\sqrt{3})^2}{9 + 4(-1/\sqrt{3})^2} = -\dfrac{24}{31}$. Der

Neigungswinkel nimmt mit einer Geschwindigkeit von 24/31 rad/sec ab.

ERGÄNZUNGSAUFGABEN

Bestimme in den Aufgaben 5-9 dy/dx und d^2y/dx^2

5. $x = 2 + t$, $y = 1 + t^2$ *Lsg.* $dy/dx = 2t$, $d^2y/dx^2 = 2$

6. $x = t + 1/t$, $y = t + 1$ *Lsg.* $dy/dx = t^2/(t^2 - 1)$, $d^2y/dx^2 = -2t^3/(t^2 - 1)^3$

7. $x = 2\sin t$, $y = \cos 2t$ *Lsg.* $dy/dx = -2\sin t$, $d^2y/dx^2 = -1$

8. $x = \cos^3\theta$, $y = \sin^3\theta$ *Lsg.* $dy/dx = -\tan\theta$, $d^2y/dx^2 = 1/(3\cos^4\theta\,\sin\theta)$

9. $x = a(\cos\phi + \phi\sin\phi)$, $y = a(\sin\phi - \phi\cos\phi)$ *Lsg.* $dy/dx = \tan\phi$, $d^2y/dx^2 = 1/(a\phi\cos^3\phi)$

10. Bestimme die Steigung der Kurve $x = e^{-t}\cos 2t$, $y = e^{-2t}\sin 2t$ im Punkt $t = 0$.   *Lsg.* -2.

11. Bestimme die rechtwinkligen Koordinaten des höchsten Punktes der Kurve $x = 96t$, $y = 96t - 16t^2$!
Hinweis: $y(t)$ muß ein Maximum haben. *Lsg.* $(288, 144)$

12. Bestimme die Gleichung der Tangente und der Normale an die Kurve   *(a)* $x = 3e^t$, $y = 5e^{-t}$ in $t = 0$.
(b) $x = a\cos^4\theta$, $y = a\sin^4\theta$ in $\theta = \tfrac{1}{4}\pi$!
Lsg. *(a)* $5x + 3y - 30 = 0$, $3x - 5y + 16 = 0$; *(b)* $2x + 2y - a = 0$, $x - y = 0$

13. Bestimme die Gleichung der Tangente an die Kurve $x = a\cos^3 t$, $y = a\sin^3 t$ in einem beliebigen Punkt $P(x, y)$!
Zeige, daß die Länge des Tangentenabschnitts zwischen den Koordinatenachsen gleich a ist!
Lsg. $x\sin t + y\cos t = \tfrac{1}{2}a\sin 2t$

14. Gib für die Kurve $x = t^2 - 1$, $y = t^3 - t$ die Punkte mit *(a)* waagerechter und *(b)* senkrechter Tangente an!
Zeige, daß in dem Punkt, wo sich die Kurve selber schneidet, die Tangenten senkrecht aufeinander stehen!
Lsg. *(a)* $t = \pm\sqrt{3}/3$, *(b)* $t = 0$

KAPITEL 17

Krümmung

ABLEITUNG DER BOGENLÄNGE. Es sei $y = f(x)$ eine Funktion mit stetiger erster Ableitung. A sei ein fester Punkt der Kurve, s die Länge des Kurvenbogens von A bis zu einem beliebigen Punkt $P(x, y)$ der Kurve und $Q(x + \Delta x, y + \Delta y)$ ein Nachbarpunkt von P (siehe Abb. 17-1)! Mit Δs bezeichnen wir die Länge des Kurvenbogens von P nach Q. Die Änderungsgeschwindigkeit des Bogens $s (= AP)$ bezüglich x und die Änderungsgeschwindigkeit bezüglich y ist gegeben durch

$$\frac{ds}{dx} = \lim_{\Delta x \to 0} \frac{\Delta s}{\Delta x} = \pm \sqrt{1 + \left(\frac{dy}{dx}\right)^2}, \qquad \frac{ds}{dy} = \lim_{\Delta y \to 0} \frac{\Delta s}{\Delta y} = \pm \sqrt{1 + \left(\frac{dx}{dy}\right)^2}$$

In der ersten Gleichung steht das positive (negative) Vorzeichen, wenn s bei wachsendem x wächst (fällt). Dasselbe gilt für die zweite Gleichung.

Ist eine Kurve durch die Parametergleichungen $x = f(u)$, $y = g(u)$ gegeben, so ist die Änderungsgeschwindigkeit von s bezüglich u durch $\dfrac{ds}{du} = \pm \sqrt{\left(\dfrac{dx}{du}\right)^2 + \left(\dfrac{dy}{du}\right)^2}$ gegeben. Hier steht das positive (negative) Vorzeichen, wenn s bei wachsendem u wächst (fällt). Um die Wiederholung des doppeldeutigen Vorzeichens zu vermeiden, wollen wir in Zukunft annehmen, daß die Richtung jedes Kurvenbogens, den wir betrachten, so gegeben ist, daß die Ableitung der Bogenlänge positiv ist.

Siehe Aufgaben 1–5!

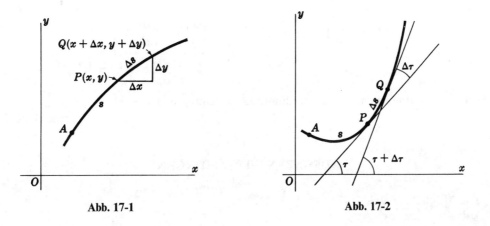

Abb. 17-1   Abb. 17-2

KRÜMMUNG. Die Krümmung einer Kurve $y = f(x)$ in einem ihrer Punkte P ist die Änderungsgeschwindigkeit der Richtung (d.h., des Neigungswinkels τ der Tangente in P) bezüglich der Bogenlänge s (siehe Aufg. 17-2.) Also gilt

$$K = \frac{d\tau}{ds} = \lim_{\Delta s \to 0} \frac{\Delta \tau}{\Delta s} = \frac{\dfrac{d^2 y}{dx^2}}{\left\{1 + \left(\dfrac{dy}{dx}\right)^2\right\}^{3/2}} \; ; \quad K = \frac{-\dfrac{d^2 x}{dy^2}}{\left\{1 + \left(\dfrac{dx}{dy}\right)^2\right\}^{3/2}}$$

81

Aus der ersten dieser Gleichungen folgt, daß K positiv ist, wenn P auf einem Bogen liegt, der nach oben konkav ist, und negativ, wenn P auf einem Bogen liegt, der nach unten konkav ist.

In manchen Büchern ist K als Absolutbetrag der Ausdrücke in obigen Formeln erklärt, also positiv. Nimmt man diese Definition, so muß das Vorzeichen in den Lösungen unten weggelassen werden.

DER KRÜMMUNGSRADIUS R in einem Punkt P auf einer Kurve ist durch $R = |1/K|$ gegeben, wenn $K \neq 0$ ist.

DER KRÜMMUNGSKREIS oder Schmiegungskreis einer Kurve in einem ihrer Punkte P ist der Kreis vom Radius R, der auf der konkaven Seite der Kurve liegt und sie in P berührt.

Zur Konstruktion des Krümmungskreises: Auf der konkaven Seite der Kurve zeichnet man die Normale in P und auf ihrem freien Teil $PC = R$. Der Punkt C ist der Mittelpunkt des gesuchten Kreises.

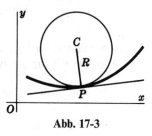

Abb. 17-3

DER KRÜMMUNGSMITTELPUNKT für den Punkt $P(x, y)$ der Kurve ist der Mittelpunkt C des Krümmungskreises in P. Die Koordinaten (α, β) des Krümmungsmittelpunktes sind gegeben durch

$$\alpha = x - \frac{\dfrac{dy}{dx}\left[1 + \left(\dfrac{dy}{dx}\right)^2\right]}{\dfrac{d^2y}{dx^2}}, \qquad \beta = y + \frac{1 + \left(\dfrac{dy}{dx}\right)^2}{\dfrac{d^2y}{dx^2}}$$

$$\text{oder} \qquad \alpha = x + \frac{1 + \left(\dfrac{dx}{dy}\right)^2}{\dfrac{d^2x}{dy^2}}, \qquad \beta = y - \frac{\dfrac{dx}{dy}\left[1 + \left(\dfrac{dx}{dy}\right)^2\right]}{\dfrac{d^2x}{dy^2}}$$

DIE EVOLUTE einer Kurve ist der Ort der Krümmungsmittelpunkte der gegebenen Kurve.

Siehe Aufgaben 6–13!

AUFGABEN MIT LÖSUNGEN

1. Beweise: $\left(\dfrac{ds}{dx}\right)^2 = 1 + \left(\dfrac{dy}{dx}\right)^2$.

Wir beziehen uns auf Abb. 17-1. Auf der Kurve $y = f(x)$, wobei $f(x)$ eine stetige Ableitung hat, sei s die Länge des Bogens von einem festen Punkt A bis zu einem veränderlichen Punkt $P(x, y)$. Δs sei die Länge des Bogens von P bis zu einem Nachbarpunkt $Q(x + \Delta x, y + \Delta y)$ der Kurve und PQ die Länge der Sehne, die P und Q verbindet.

Es gilt dann $\dfrac{\Delta s}{\Delta x} = \dfrac{\Delta s}{PQ} \cdot \dfrac{PQ}{\Delta x}$ und mit $(PQ)^2 = (\Delta x)^2 + (\Delta y)^2$ folgt

$$\left(\frac{\Delta s}{\Delta x}\right)^2 = \left(\frac{\Delta s}{PQ}\right)^2\left(\frac{PQ}{\Delta x}\right)^2 = \left(\frac{\Delta s}{PQ}\right)^2 \frac{(\Delta x)^2 + (\Delta y)^2}{(\Delta x)^2} = \left(\frac{\Delta s}{PQ}\right)^2\left\{1 + \left(\frac{\Delta y}{\Delta x}\right)^2\right\}$$

Geht Q auf der Kurve gegen P, so folgt $\Delta x \to 0$, $\Delta y \to 0$ und $\dfrac{\Delta s}{PQ} = \dfrac{\text{Bogen } PQ}{\text{Sehne } PQ} \to 1$. (Ein Beweis dieser Tatsache ist in Aufgabe 22, Kap. 41, zu finden.)   Also ergibt sich

$$\left(\frac{ds}{dx}\right)^2 = \lim_{\Delta x \to 0}\left(\frac{\Delta s}{\Delta x}\right)^2 = \lim_{\Delta x \to 0}\left\{1 + \left(\frac{\Delta y}{\Delta x}\right)^2\right\} = 1 + \left(\frac{dy}{dx}\right)^2$$

2. Bestimme $\dfrac{ds}{dx}$ im Punkt $P(x, y)$ der Parabel $y = 3x^2$! $\dfrac{ds}{dx} = \sqrt{1 + \left(\dfrac{dy}{dx}\right)^2} = \sqrt{1 + (6x)^2} = \sqrt{1 + 36x^2}$

3. Bestimme $\dfrac{ds}{dx}$ und $\dfrac{ds}{dy}$ im Punkt $P(x, y)$ der Ellipse $x^2 + 4y^2 = 8$!

(a) $\dfrac{dy}{dx} = -\dfrac{x}{4y}$; $1 + \left(\dfrac{dy}{dx}\right)^2 = 1 + \dfrac{x^2}{16y^2} = \dfrac{x^2 + 16y^2}{16y^2} = \dfrac{32 - 3x^2}{32 - 4x^2}$, also $\dfrac{ds}{dx} = \sqrt{\dfrac{32 - 3x^2}{32 - 4x^2}}$

(b) $\dfrac{dx}{dy} = -\dfrac{4y}{x}$; $1 + \left(\dfrac{dx}{dy}\right)^2 = 1 + \dfrac{16y^2}{x^2} = \dfrac{x^2 + 16y^2}{x^2} = \dfrac{2 + 3y^2}{2 - y^2}$, also $\dfrac{ds}{dy} = \sqrt{\dfrac{2 + 3y^2}{2 - y^2}}$

4. Bestimme $\dfrac{ds}{d\theta}$ im Punkt $P(\theta)$ der Kurve $x = \sec\theta$, $y = \tan\theta$!

$$\frac{ds}{d\theta} = \sqrt{\left(\frac{dx}{d\theta}\right)^2 + \left(\frac{dy}{d\theta}\right)^2} = \sqrt{\sec^2\theta\,\tan^2\theta + \sec^4\theta} = |\sec\theta|\sqrt{\tan^2\theta + \sec^2\theta}$$

5. Die Koordinaten (x, y) (in cm) eines sich bewegenden Teilchens P sind durch $x = \cos t - 1$, $y = 2\sin t + 1$, gegeben, wobei t die Zeit (in sec) ist. Mit welcher Geschwindigkeit bewegt sich P auf der Kurve, wenn *(a)* $t = 5\pi/6$, *(b)* $t = 5\pi/3$, *(c)* bei größter oder kleinster Geschwindigkeit?

$$\frac{ds}{dt} = \sqrt{\left(\frac{dx}{dt}\right)^2 + \left(\frac{dy}{dt}\right)^2} = \sqrt{\sin^2 t + 4\cos^2 t} = \sqrt{1 + 3\cos^2 t}$$

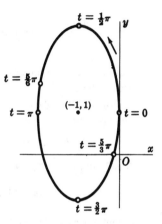

(a) Für $t = 5\pi/6$ gilt $ds/dt = \sqrt{1 + 3(\frac{3}{4})} = \sqrt{13}/2$ cm/sec.

(b) Für $t = 5\pi/3$ gilt $ds/dt = \sqrt{1 + 3(\frac{1}{4})} = \sqrt{7}/2$ cm/sec.

(c) Es sei $S = \dfrac{ds}{dt} = \sqrt{1 + 3\cos^2 t}$, dann gilt $\dfrac{dS}{dt} = \dfrac{-3\cos t\sin t}{S}$.

Aus dS/dt ergeben sich die kritischen Werte $t = 0$, $\pi/2$, π, $3\pi/2$.

Für $t = 0$ und π ist die Geschwindigkeit $ds/dt = \sqrt{1 + 3(1)} = 2$ cm/sec am größten.
Für $t = \pi/2$ und $3\pi/2$ ist die Geschwindigkeit $ds/dt = \sqrt{1 + 3(0)} = 1$ cm/sec, am kleinsten.

Abb. 17-4

6. Bestimme die Krümmung der Parabel $y^2 = 12x$ in den Punkten *(a)* $(3, 6)$, *(b)* $(\frac{3}{4}, -3)$, *(c)* $(0, 0)$.

$$\frac{dy}{dx} = \frac{6}{y}, \qquad 1 + \left(\frac{dy}{dx}\right)^2 = 1 + \frac{36}{y^2} \quad\text{und}\quad \frac{d^2y}{dx^2} = -\frac{6}{y^2}\cdot\frac{dy}{dx} = -\frac{36}{y^3}.$$

(a) In $(3, 6)$: $\dfrac{dy}{dx} = 1$, $1 + \left(\dfrac{dy}{dx}\right)^2 = 2$, $\dfrac{d^2y}{dx^2} = -\dfrac{1}{6}$ und $K = \dfrac{-1/6}{2^{3/2}} = -\dfrac{\sqrt{2}}{24}$.

(b) In $(\frac{3}{4}, -3)$: $\dfrac{dy}{dx} = -2$, $1 + \left(\dfrac{dy}{dx}\right)^2 = 5$, $\dfrac{d^2y}{dx^2} = \dfrac{4}{3}$ und $K = \dfrac{4/3}{5^{3/2}} = \dfrac{4\sqrt{5}}{75}$.

(c) In $(0, 0)$ ist $\dfrac{dy}{dx}$ nicht definiert. Es gilt aber $\dfrac{dx}{dy} = \dfrac{y}{6} = 0$, $1 + \left(\dfrac{dx}{dy}\right)^2 = 1$, $\dfrac{d^2x}{dy^2} = \dfrac{1}{6}$ und $K = -\dfrac{1}{6}$.

7. Bestimme die Krümmung der Zykloide $x = \theta - \sin\theta$, $y = 1 - \cos\theta$ im höchsten Punkt eines Bogens!
Bestimmung des höchsten Punktes im Intervall: $0 < x < 2\pi$: $dy/d\theta = \sin\theta$, also ist der kritische Wert in diesem Intervall $x = \pi$. Für $\theta = \pi$ gilt $d^2y/d\theta^2 = \cos\theta < 0$, also ist im Punkt $\theta = \pi$ ein relatives Maximum, das zugleich der höchste Punkt der Kurve in diesem Intervall ist. Bestimmung der Krümmung:

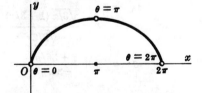

Abb. 17-5

$$\frac{dx}{d\theta} = 1 - \cos\theta, \qquad \frac{dy}{d\theta} = \sin\theta, \qquad \frac{dy}{dx} = \frac{\sin\theta}{1 - \cos\theta}, \qquad \frac{d^2y}{dx^2} = \frac{d}{d\theta}\left(\frac{\sin\theta}{1 - \cos\theta}\right)\cdot\frac{d\theta}{dx} = \frac{-1}{(1 - \cos\theta)^2}$$

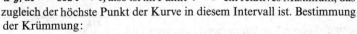

Für $\theta = \pi$ gilt $dy/dx = 0$, $d^2y/dx^2 = -1/4$ und $K = -1/4$.

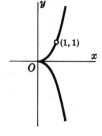

8. Bestimme die Krümmung der Zissoide $y^2(2-x) = x^3$ im Punkt $(1,1)$!

Wir differenzieren die gegebene Gleichung implizit nach x und erhalten

$$(a) \quad -y^2 + (2-x)2yy' = 3x^2 \quad \text{und}$$

$$(b) \quad -2yy' + (2-x)2yy'' + (2-x)2(y')^2 - 2yy' = 6x$$

Aus *(a)* folgt für $x = y = 1$: $-1 + 2y' = 3$ und $y' = 2$.

Aus *(b)* folgt für $x = y = 1$ und $y' = 2$: $-4 + 2y'' + 8 - 4 = 6$ und $y'' = 3$.

Damit gilt $K = 3/(1+4)^{3/2} = 3\sqrt{5}/25$.

Abb. 17-6

9. Bestimme den Punkt, in dem die Kurve $y = \ln x$ die größte Krümmung hat!

$$\frac{dy}{dx} = \frac{1}{x}, \quad \frac{d^2y}{dx^2} = -\frac{1}{x^2} \quad \text{und} \quad K = \frac{-x}{(1+x^2)^{3/2}}$$

$\dfrac{dK}{dx} = \dfrac{2x^2-1}{(1+x^2)^{5/2}}$: Der kritische Wert ist $x = 1/\sqrt{2}$. Der gesuchte Punkt ist $(1/\sqrt{2}, -\tfrac{1}{2}\ln 2)$.

10. Bestimme den Krümmungsmittelpunkt C der Kurve $y = f(x)$ für einen ihrer Punkte $P(x,y)$, in dem $y' \neq 0$. (Siehe Abb. 17-3.)

Der Krümmungsmittelpunkt $C(\alpha, \beta)$ liegt (1) auf der Normalen in P und (2) in der Entfernung R von P auf der konkaven Seite der Kurve. Also gilt

$$(1) \quad \beta - y = -\frac{1}{y'}(\alpha - x) \quad \text{und} \quad (2) \quad (\alpha - x)^2 + (\beta - y)^2 = R^2 = \frac{[1+(y')^2]^3}{(y'')^2}$$

Aus *(1)* folgt $\alpha - x = -y'(\beta - y)$; in *(2)* eingesetzt:

$$(\beta - y)^2 [1 + (y')^2] = \frac{[1+(y')^2]^3}{(y'')^2} \quad \text{und} \quad \beta - y = \pm\frac{1+(y')^2}{y''}$$

Es muß noch das richtige Vorzeichen bestimmt werden. Gilt $y'' > 0$, so ist die Kurve nach oben konkav. Da C dann über P liegt, folgt $\beta - y > 0$. In diesem Fall ist $+$ das richtige Vorzeichen (Der Leser überlege sich, daß auch für $y'' < 0$ das Vorzeichen $+$ ist). Also gilt

$$\beta = y + \frac{1+(y')^2}{y''} \quad \text{und damit wegen (1)} \quad \alpha = x - \frac{y'[1+(y')^2]}{y''}$$

11. Bestimme die Gleichung des Krümmungskreises $2xy + x + y = 4$ im Punkt $(1,1)$!

$2y + 2xy' + 1 + y' = 0$; in $(1,1)$ gilt $y' = -1$. Also $1 + (y')^2 = 2$.

$4y' + 2xy'' + y'' = 0$; in $(1,1)$ gilt $y'' = 4/3$.

$$K = \frac{4/3}{2\sqrt{2}} \quad \text{und} \quad R = \frac{3\sqrt{2}}{2}. \quad \alpha = 1 - \frac{-1(2)}{4/3} = \frac{5}{2}, \quad \beta = 1 + \frac{2}{4/3} = \frac{5}{2}.$$

Die gesuchte Gleichung ist demnach $(x-\alpha)^2 + (y-\beta)^2 = R^2$ und $(x-5/2)^2 + (y-5/2)^2 = 9/2$.

12. Bestimme die Gleichung der Evolute der Parabel $y^2 = 12x$!

In $P(x,y)$: $\dfrac{dy}{dx} = \dfrac{6}{y} = \dfrac{\sqrt{3}}{\sqrt{x}}$, $1 + \left(\dfrac{dy}{dx}\right)^2 = 1 + \dfrac{36}{y^2} = 1 + \dfrac{3}{x}$ und $\dfrac{d^2y}{dx^2} = -\dfrac{36}{y^3} = -\dfrac{\sqrt{3}}{2x^{3/2}}$.

$$\alpha = x - \frac{\sqrt{3/x}\,(1+3/x)}{-\sqrt{3}/2x^{3/2}} = x + \frac{2\sqrt{3}\,(x+3)}{\sqrt{3}} = 3x + 6$$

$$\beta = y + \frac{1 + 36/y^2}{-36/y^3} = y - \frac{y^3 + 36y}{36} = -\frac{y^3}{36}$$

Die Gleichungen $\alpha = 3x + 6$, $\beta = -y^3/36$ können als Parametergleichungen (mit Parametern x und y, die durch die Parabelgleichung voneinander abhängen) betrachtet werden. In diesem Fall kann man jedoch leicht die Parameter auflösen. Denn $x = (\alpha - 6)/3$, $y = -\sqrt[3]{36\beta}$ in die Parabelgleichung eingesetzt ergibt

$$(36\beta)^{2/3} = 4(\alpha - 6) \quad \text{oder} \quad 81\beta^2 = 4(\alpha - 6)^3$$

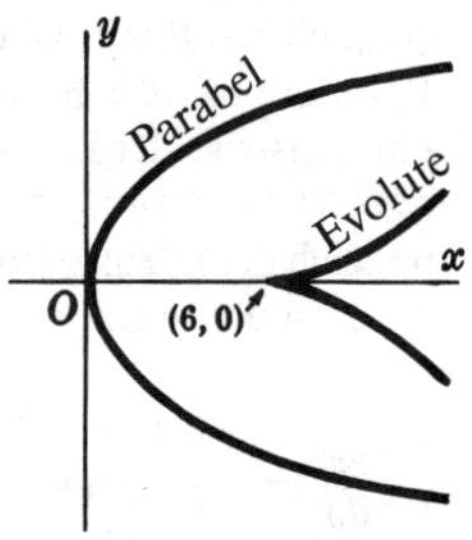

Abb. 17-7

13. Bestimme die Gleichung der Evolute der Kurve $x = \cos\theta + \theta\sin\theta$, $y = \sin\theta - \theta\cos\theta$!

In $P(x,y)$: $\dfrac{dx}{d\theta} = \theta\cos\theta$, $\quad\dfrac{dy}{d\theta} = \theta\sin\theta$, $\quad\dfrac{dy}{dx} = \tan\theta$,

$$\text{und}\quad \frac{d^2y}{dx^2} = \frac{\sec^2\theta}{\theta\cos\theta} = \frac{\sec^3\theta}{\theta}$$

$$\alpha = x - \frac{\tan\theta\,\sec^2\theta}{(\sec^3\theta)/\theta} = x - \theta\sin\theta = \cos\theta$$

$$\beta = y + \frac{\sec^2\theta}{(\sec^3\theta)/\theta} = y + \theta\cos\theta = \sin\theta$$

$\alpha = \cos\theta$, $\quad\beta = \sin\theta$ sind die Parametergleichungen der Evolute.

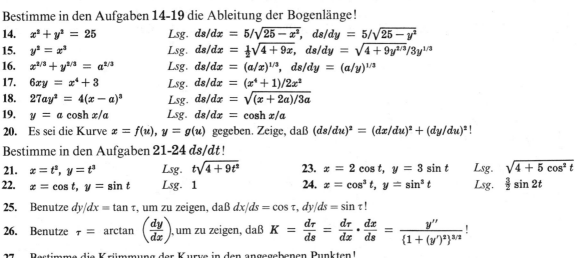

Abb. 17-8

ERGÄNZUNGSAUFGABEN

Bestimme in den Aufgaben **14-19** die Ableitung der Bogenlänge!

14. $x^2 + y^2 = 25$ $\qquad$ *Lsg.* $ds/dx = 5/\sqrt{25-x^2}$, $\quad ds/dy = 5/\sqrt{25-y^2}$

15. $y^2 = x^3$ $\qquad$ *Lsg.* $ds/dx = \frac{1}{2}\sqrt{4+9x}$, $\quad ds/dy = \sqrt{4+9y^{2/3}}/3y^{1/3}$

16. $x^{2/3} + y^{2/3} = a^{2/3}$ $\qquad$ *Lsg.* $ds/dx = (a/x)^{1/3}$, $\quad ds/dy = (a/y)^{1/3}$

17. $6xy = x^4 + 3$ $\qquad$ *Lsg.* $ds/dx = (x^4+1)/2x^2$

18. $27ay^2 = 4(x-a)^3$ $\qquad$ *Lsg.* $ds/dx = \sqrt{(x+2a)/3a}$

19. $y = a\cosh x/a$ $\qquad$ *Lsg.* $ds/dx = \cosh x/a$

20. Es sei die Kurve $x = f(u)$, $y = g(u)$ gegeben. Zeige, daß $(ds/du)^2 = (dx/du)^2 + (dy/du)^2$!

Bestimme in den Aufgaben **21-24** ds/dt!

21. $x = t^2$, $y = t^3$ $\qquad$ *Lsg.* $t\sqrt{4+9t^2}$ $\qquad$ 23. $x = 2\cos t$, $y = 3\sin t$ $\qquad$ *Lsg.* $\sqrt{4+5\cos^2 t}$

22. $x = \cos t$, $y = \sin t$ $\qquad$ *Lsg.* 1 $\qquad$ 24. $x = \cos^3 t$, $y = \sin^3 t$ $\qquad$ *Lsg.* $\frac{3}{2}\sin 2t$

25. Benutze $dy/dx = \tan\tau$, um zu zeigen, daß $dx/ds = \cos\tau$, $dy/ds = \sin\tau$!

26. Benutze $\tau = \arctan\left(\dfrac{dy}{dx}\right)$, um zu zeigen, daß $K = \dfrac{d\tau}{ds} = \dfrac{d\tau}{dx}\cdot\dfrac{dx}{ds} = \dfrac{y''}{\{1+(y')^2\}^{3/2}}$!

27. Bestimme die Krümmung der Kurve in den angegebenen Punkten!

  (a) $y = x^3/3$ in $x=0$, $x=1$, $x=-2$ $\qquad$ *Lsg.* $0, \sqrt{2}/2, -4\sqrt{17}/289$

  (b) $x^2 = 4ay$ in $x=0$, $x=2a$ $\qquad$ *Lsg.* $\dfrac{1}{2a}, \dfrac{\sqrt{2}}{8a}$

  (c) $y = \sin x$ in $x=0$, $x=\frac{1}{2}\pi$ $\qquad$ *Lsg.* $0, -1$

  (d) $y = e^{-x^2}$ in $x=0$ $\qquad$ *Lsg.* -2

28. Zeige: *(a)* Die Krümmung einer Geraden ist 0 und *(b)* die Krümmung eines Kreises ist betragsmäßig gleich dem Kehrwert des Radius.

29. Bestimme die Punkte, in denen die Krümmung am größten ist: (a) $y = e^x$, (b) $y = x^3/3$! $\qquad$ *Lsg.* (a) $x = \frac{1}{2}\ln\frac{1}{2}$, (b) $x = 1/\sqrt[4]{5}$

30. In einem gewissen Koordinatensystem läuft eine Einsenbahnlinie ein Stück auf der negativen x-Achse bis zum Nullpunkt O, geht dann auf der Kurve $y = x^4/4$ zum Punkt $A(1,\frac{1}{4})$ und läuft dann auf einem Bogen des Kreises $144x^2 + 144y^2 - 96x - 264y + 9 = 0$ weiter. Zeige, daß *(a)* die Kurve $y = x^4/4$ den geraden und kreisförmigen Teil der Gleise in den Verbindungspunkten tangential berührt, *(b)* die Krümmung derselben Kurve im Punkt O gleich 0 und in A gleich dem Kehrwert des Radius des kreisförmigen Gleisteils ist!

31. Bestimme den Krümmungsradius von (a) $x^3 + xy^2 - 6y^2 = 0$ in $(3,3)$, (b) $x = a\,\mathrm{sech}^{-1}y/a - \sqrt{a^2-y^2}$ in (x,y), (c) $x = 2a\tan\theta$, $y = a\tan^2\theta$, (d) $x = a\cos^4\theta$, $y = a\sin^4\theta$!
  Lsg. (a) $5\sqrt{5}$, (b) $a\sqrt{a^2-y^2}/|y|$, (c) $2a\,|\sec^3\theta|$, (d) $2a\,(\sin^4\theta + \cos^4\theta)^{3/2}$

32. Bestimme den Krümmungsmittelpunkt von (a) Aufg. 31 (a), (b) $y = \sin x$ im Punkt eines Maximums!
  Lsg. (a) $C(-7,8)$, (b) $C(\frac{1}{2}\pi, 0)$!

33. Bestimme die Gleichung des Krümmungskreises der Parabel $y^2 = 12x$ in den Punkten $(0,0)$ und $(3,6)$!
  Lsg. $(x-6)^2 + y^2 = 36$, $\quad (x-15)^2 + (y+6)^2 = 288$

34. Bestimme die Gleichung der Evolute für
  (a) $b^2x^2 + a^2y^2 = a^2b^2$, (b) $x^{2/3} + y^{2/3} = a^{2/3}$, (c) $x = 2\cos t + \cos 2t$, $y = 2\sin t + \sin 2t$!
  Lsg. (a) $(a\alpha)^{2/3} + (b\beta)^{2/3} = (a^2-b^2)^{2/3}$ $\qquad$ (b) $(\alpha+\beta)^{2/3} + (\alpha-\beta)^{2/3} = 2a^{2/3}$
  (c) $\alpha = \frac{1}{3}(2\cos t - \cos 2t)$, $\beta = \frac{1}{3}(2\sin t - \sin 2t)$

KAPITEL 18

Vektoren in der Ebene

SKALARE UND VEKTOREN. Größen wie Zeit und Masse, die nur durch Angabe ihres Wertes gekennzeichnet sind, werden *Skalare* genannt. Da Skalare reine Zahlen sind, kann man mit ihnen nach allen Gesetzen der gewöhnlichen Algebra rechnen, z.B. **5 sec + 3 sec = 8 sec.**

Größen, wie Kraft, Geschwindigkeit, Beschleunigung und Impuls, die durch ihren Wert und ihre Richtung gekennzeichnet sind, werden Vektorgrößen oder *Vektoren* genannt. Vektoren werden geometrisch durch gerichtete Strecken (Pfeile) dargestellt. Die Richtung eines Pfeiles (der Winkel, den er mit einer festen Geraden der Ebene bildet) ist die Richtung des Vektors; die Länge des Pfeiles (in einer gewöhnlichen Maßeinheit) stellt die Größe (den Wert) des Vektors dar. Skalare wollen wir hier mit den üblich gesetzten Buchstaben $a, b, c, \ldots$ bezeichnen; Vektoren werden mit fetten Buchstaben **a, b, c,** $\ldots$ oder **OP** [siehe Abb. 18-1(a)] bezeichnet. Die Größe eines Vektors **a** oder **OP** wird mit $|\mathbf{a}|$ oder $|\mathbf{OP}|$ bezeichnet.

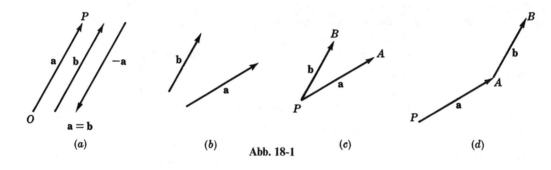

Abb. 18-1

Zwei Vektoren **a** und **b** werden *gleich* genannt, **a = b,** wenn sie dieselbe Größe und dieselbe Richtung haben. Einen Vektor, der dieselbe Größe wie **a** hat, dessen Richtung aber entgegengesetzt der von **a** ist, nennen wir den negativen Vektor zu **a** und schreiben dafür **-a**. Ist allgemeiner **a** ein Vektor und k ein Skalar, dann ist $k\mathbf{a}$ ein Vektor, dessen Richtung gleich (entgegengesetzt) der Richtung von **a** ist und dessen Größe $|k|$-mal die Größe von **a** ist.

Wenn es nicht anders angegeben ist, so hat ein gegebener Vektor in der Ebene keinen festen Anfangspunkt und kann also auf beliebige Weise parallel verschoben werden. Sind insbesondere **a** und **b** zwei Vektoren (siehe Abb. 18-1(b)), so können sie so gelegt werden, daß sie einen gemeinsamen Anfangspunkt P haben (siehe Abb. 18-1(c)) oder daß der Anfangspunkt von **b** mit dem Endpunkt von **a** zusammenfällt (siehe Abb. 18-1(d)).

SUMME UND DIFFERENZ ZWEIER VEKTOREN. Sind **a** und **b** die Vektoren der Abb. 18-1(b), so findet man ihre *Summe* **a + b**, indem man

(i) die Vektoren wie in Abb. 18-1(c) legt und das Parallelogramm $PAQB$ in Abb. 18-2(e) zeichnet. Der Vektor **PQ** ist der gesuchte Summenvektor.

(ii) die Vektoren wie in Abb. 18-1(d) legt und das Dreieck PAB in Abb. 18-2(f) zeichnet. Hier ist **PB** der gesuchte Summenvektor.

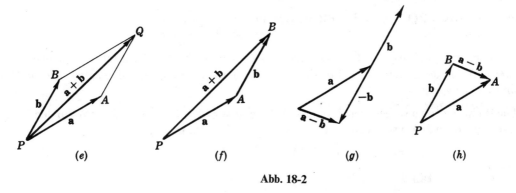

Abb. 18-2

Aus Abb. 18-2(*f*) folgt, daß drei Vektoren so gelegt werden können, daß sie ein Dreieck bilden, wenn einer von ihnen entweder die Summe oder das negative der Summe der beiden anderen ist.

Sind **a** und **b** die Vektoren der Abb. 18-1(*b*), so findet man ihre Differenz **a** − **b**
(iii) aus der Relation **a** − **b** = **a** + (−**b**) wie in Abb. 18-2(*g*).

(iv) indem man die Vektoren wie in Abb. 18-1(*c*) zeichnet und das Dreieck vervollständigt.
In Abb. 18-2(*h*) gilt **BA** = **a** − **b**.

Sind **a**, **b**, **c** Vektoren und ist *k* ein Skalar, so gilt

1. **a** + **b** = **b** + **a**   (Kommutativgesetz)
2. **a** + (**b** + **c**) = (**a** + **b**) + **c**   (Assoziativgesetz)
3. *k*(**a** + **b**) = *k***a** + *k***b**   (Distributivgesetz)

Siehe Aufgaben 1–4!

KOMPONENTEN EINES VEKTORS. In Abb. 18-3(*i*) sei **a** = **PQ** ein gegebener Vektor, ferner seien *PM* und *PN* zwei andere Geraden (Richtungen) durch *P*. Zeichnet man das Parallelogramm *PAQB*, so gilt

$$\mathbf{a} = \mathbf{PA} + \mathbf{PB}$$

a heißt dann in die Richtungen *PM* und *PN aufgelöst.* Wir nennen **PA** und **PB** die *Vektorkomponenten* von **a** *in den beiden Richtungen PM* und *PN.*

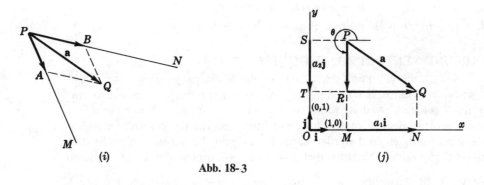

Abb. 18-3

Wir betrachten nun den Vektor **a** in einem rechtwinkligen Koordinatensystem (Abb. 18-3(*j*)), das auf den beiden Achsen gleiche Maßeinheiten hat. **i** sei der Vektor von (0, 0) bis (1, 0) und **j** der Vektor von (0, 0) bis (0, 1). Die Richtung von **i** ist dann die der positiven *x*-Achse, die Richtung von **j** die der positiven *y*-Achse, und beide Vektoren sind *Einheitsvektoren*, das heißt, sie haben die Länge 1. Vom Anfangspunkt *P* und Endpunkt *Q* von **a** fällen wir das Lot auf die *x*-Achse (Fußpunkte *M* bzw. *N*) und die *y*-Achse (Fußpunkte *S* bzw. *T*). Dann gilt **MN** = a_1**i** mit positivem a_1 und **ST** = a_2**j** mit negativem a_2.

Dann folgt $\mathbf{MN} = \mathbf{RQ} = a_1\mathbf{i}$, $\mathbf{ST} = \mathbf{PR} = a_2\mathbf{j}$, und

$$\mathbf{a} = a_1\mathbf{i} + a_2\mathbf{j} \qquad (1)$$

Wir nennen $a_1\mathbf{i}$ und $a_2\mathbf{j}$ die *Vektorkomponenten* von **a** (die beiden Richtungen brauchen nicht erwähnt zu werden) und die Skalare a_1 und a_2 die *Skalarkomponenten* oder *x-* und *y-Komponenten* oder einfach *Komponenten* von **a**.

Die Richtung von **a** sei gegeben durch den Winkel θ, $0 \leqq \theta < 2\pi$, wobei dieser gegen den Uhrzeigersinn von der positiven x-Achse bis zum Vektor gemessen wird. Dann folgt

$$|\mathbf{a}| = \sqrt{a_1^2 + a_2^2} \qquad (2)$$

und

$$\tan \theta = a_2/a_1 \qquad (3)$$

Dabei ist der Quadrant von θ bestimmt durch $a_1 = |\mathbf{a}| \cos \theta$, $a_2 = |\mathbf{a}| \sin \theta$.

Sind $\mathbf{a} = a_1\mathbf{i} + a_2\mathbf{j}$ und $\mathbf{b} = b_1\mathbf{i} + b_2\mathbf{j}$ gegeben, so folgt

4. $\mathbf{a} = \mathbf{b}$ genau dann, wenn $a_1 = b_1$ und $a_2 = b_2$
6. $\mathbf{a} + \mathbf{b} = (a_1 + b_1)\mathbf{i} + (a_2 + b_2)\mathbf{j}$

5. $k\mathbf{a} = ka_1\mathbf{i} + ka_2\mathbf{j}$
7. $\mathbf{a} - \mathbf{b} = (a_1 - b_1)\mathbf{i} + (a_2 - b_2)\mathbf{j}$

Siehe Aufgabe 5!

SKALARPRODUKT ODER INNERES PRODUKT.

Das Skalarprodukt (innere Produkt) zweier Vektoren **a** und **b** ist erklärt durch

$$\mathbf{a} \cdot \mathbf{b} = |\mathbf{a}|\, |\mathbf{b}| \cos \theta \qquad (4)$$

Dabei ist θ der kleinere Winkel zwischen den Vektoren, wenn beide so gekennzeichnet sind, daß sie einen gemeinsamen Anfangspunkt haben (siehe Abb. 18-4).

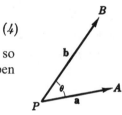

Aus (4) ergibt sich

8. $\mathbf{a} \cdot \mathbf{b} = \mathbf{b} \cdot \mathbf{a}$ (Kommutativgesetz)
9. $\mathbf{a} \cdot \mathbf{a} = |\mathbf{a}|\,|\mathbf{a}| = |\mathbf{a}|^2$ oder $|\mathbf{a}| = \sqrt{\mathbf{a} \cdot \mathbf{a}}$

Abb. 18-4

10. $\mathbf{a} \cdot \mathbf{b} = 0$, wenn (i) $\mathbf{a} = 0$ oder (ii) $\mathbf{b} = 0$ oder wenn (iii) **a** senkrecht auf **b** steht.
11. $\mathbf{i} \cdot \mathbf{i} = \mathbf{j} \cdot \mathbf{j} = 1$; $\mathbf{i} \cdot \mathbf{j} = 0$
12. $\mathbf{a} \cdot \mathbf{b} = (a_1\mathbf{i} + a_2\mathbf{j}) \cdot (b_1\mathbf{i} + b_2\mathbf{j}) = a_1 b_1 + a_2 b_2$
13. $\mathbf{a} \cdot (\mathbf{b} + \mathbf{c}) = \mathbf{a} \cdot \mathbf{b} + \mathbf{a} \cdot \mathbf{c}$ (Distributivgesetz)
14. $(\mathbf{a} + \mathbf{b}) \cdot (\mathbf{c} + \mathbf{d}) = \mathbf{a} \cdot \mathbf{c} + \mathbf{a} \cdot \mathbf{d} + \mathbf{b} \cdot \mathbf{c} + \mathbf{b} \cdot \mathbf{d}$

SKALAR- UND VEKTORPROJEKTIONEN.

In Gleichung (1) kann der Skalar a_1 die Skalarprojektionen von **a** auf irgendeinen Vektor, dessen Richtung mit der der positiven x-Achse überein-stimmt, genannt werden, während der Vektor $a_1\mathbf{i}$ die Vektorprojektion von **a** auf irgendeinen Vektor, dessen Richtung mit der der positiven x-Achse übereinstimmt, genannt werden kann. In Aufgabe 7 ergeben sich als Skalar-projektion und als Vektorprojektion eines Vektors **a** auf einen anderen Vektor **b** die Ausdrücke $\mathbf{a} \cdot \dfrac{\mathbf{b}}{|\mathbf{b}|}$ und $\left(\mathbf{a} \cdot \dfrac{\mathbf{b}}{|\mathbf{b}|} \right) \dfrac{\mathbf{b}}{|\mathbf{b}|}$. (Ist die Richtung von **b**

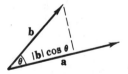

Abb. 18-5

die der positiven x-Achse, dann gilt $\dfrac{\mathbf{b}}{|\mathbf{b}|} = \mathbf{i}$.)

Es ergibt sich

15. $\mathbf{a} \cdot \mathbf{b} = $ Produkt der Länge von **a** mit der Skalarprojektion von **b** auf **a**
    $= $ Produkt der Länge von **b** mit der Skalarprojektion von **a** auf **b** (siehe Abb. 18-5)

Siehe Aufgaben 8-9!

DIFFERENTIATION EINES VEKTORS. Die Kurve in Abb. 18-6 sei durch die Parametergleichungen

$$x = f(u), \quad y = g(u)$$

gegeben. Der Vektor

$$\mathbf{r} = x\mathbf{i} + y\mathbf{j} = \mathbf{i}\,f(u) + \mathbf{j}\,g(u)$$

der vom Nullpunkt zum Punkt $P(x, y)$ der Kurve geht, wird der *Ortsvektor* oder Radiusvektor von P genannt. (In Zukunft wird der Buchstabe $\mathbf{r}$ nur noch benutzt, um Ortsvektoren zu kennzeichnen; also ist $\mathbf{a} = 3\mathbf{i} + 4\mathbf{j}$ ein „freier" Vektor, während $\mathbf{r} = 3\mathbf{i} + 4\mathbf{j}$ *der Vektor* ist, der vom Nullpunkt zum Punkt P $(3, 4)$ geht.)

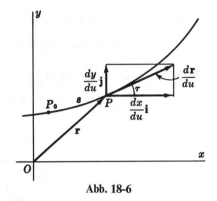
Abb. 18-6

Die Ableitung von $\mathbf{r}$ bezüglich u ist durch

$$\frac{d\mathbf{r}}{du} = \frac{dx}{du}\mathbf{i} + \frac{dy}{du}\mathbf{j} \qquad (5)$$

gegeben.

Es sei s die Bogenlänge, von einem festen Punkt P_0 der Kurve aus gemessen, so daß s mit u wächst. Ist τ der Winkel, den $d\mathbf{r}/du$ mit der positiven x-Achse bildet, so gilt

$$\tan \tau = \frac{dy/du}{dx/du} = \frac{dy}{dx} = \text{Steigung der Kurve in } P.$$

Weiter ist $d\mathbf{r}/du$ ein Vektor der Größe (Länge)

$$\left| \frac{d\mathbf{r}}{du} \right| = \sqrt{\left(\frac{dx}{du}\right)^2 + \left(\frac{dy}{du}\right)^2} = \frac{ds}{du}.$$

Seine Richtung ist die der Tangente an die Kurve in P. Im allgemeinen wird dieser Vektor mit P als Anfangspunkt gekennzeichnet.

Ist nun die (Skalar-) Veränderliche u gleich der Bogenlänge s, so wird aus (5):

$$\mathbf{t} = \frac{d\mathbf{r}}{ds} = \frac{dx}{ds}\mathbf{i} + \frac{dy}{ds}\mathbf{j} \qquad (6)$$

Hier ist die Richtung von $\mathbf{t}$ wie vorher durch τ bestimmt, während die Länge gleich $\sqrt{(dx/ds)^2 + (dy/ds)^2} = 1$ ist. Also ist $\mathbf{t} = d\mathbf{r}/ds$ gleich der *Einheitstangente* an die Kurve in P.

Da $\mathbf{t}$ ein Einheitsvektor ist, stehen $\mathbf{t}$ und $d\mathbf{t}/ds$ senkrecht aufeinander (siehe Aufg. 11). Wir bezeichnen mit $\mathbf{n}$ einen Einheitsvektor in P, der die Richtung von $d\mathbf{t}/ds$ hat. Wenn P sich entlang der Kurve in Abb. 18-7 bewegt, dann bleibt die Länge (Größe) von $\mathbf{t}$ konstant; also mißt $d\mathbf{t}/ds$ die Änderungsgeschwindigkeit der Richtung von $\mathbf{t}$. Demnach ist die Länge von $d\mathbf{t}/ds$ in P der Absolutbetrag der Krümmung in P, d.h., $|d\mathbf{t}/ds| = |K|$, also

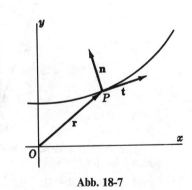
Abb. 18-7

$$\frac{d\mathbf{t}}{ds} = |K|\,\mathbf{n} \qquad (7)$$

Siehe Aufgaben 10-13!

AUFGABEN MIT LÖSUNGEN

1. Beweise, daß $\mathbf{a} + \mathbf{b} = \mathbf{b} + \mathbf{a}$!

Aus Abb. 18-8 folgt $\mathbf{a} + \mathbf{b} = \mathbf{PQ} = \mathbf{b} + \mathbf{a}$

2. Beweise, daß $(\mathbf{a} + \mathbf{b}) + \mathbf{c} = \mathbf{a} + (\mathbf{b} + \mathbf{c})$!

Aus Abb. 18-9 folgt $\mathbf{PC} = \mathbf{PB} + \mathbf{BC} = (\mathbf{a} + \mathbf{b}) + \mathbf{c}$. Genauso gilt $\mathbf{PC} = \mathbf{PA} + \mathbf{AC} = \mathbf{a} + (\mathbf{b} + \mathbf{c})$.

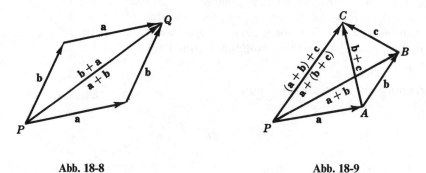

Abb. 18-8   Abb. 18-9

3. Es seien $\mathbf{a}, \mathbf{b}, \mathbf{c}$ drei Vektoren, die von P ausgehen und deren Endpunkte A, B, C auf einer Geraden liegen (siehe Abb. 18-10. Teilt C die Strecke BA im Verhältnis $x : y$, wobei $x + y = 1$, dann gilt

$$\mathbf{c} = \mathbf{PB} + \mathbf{BC} = \mathbf{b} + x(\mathbf{a} - \mathbf{b}) = x\mathbf{a} + (1 - x)\mathbf{b} = x\mathbf{a} + y\mathbf{b}$$

Wenn beispielsweise C die Strecke BA halbiert, dann ist $\mathbf{c} = \frac{1}{2}(\mathbf{a} + \mathbf{b})$ und $\mathbf{BC} = \frac{1}{2}(\mathbf{a} - \mathbf{b})$.

4. Beweise: Die Diagonalen eines Parallelogramms halbieren sich gegenseitig!
Die Diagonalen mögen sich in Q schneiden (siehe Abb. 18-11). Da

$$\mathbf{PB} = \mathbf{PQ} + \mathbf{QB} = \mathbf{PQ} - \mathbf{BQ} \quad \text{oder} \quad \mathbf{b} = x(\mathbf{a} + \mathbf{b}) - y(\mathbf{a} - \mathbf{b}) = (x - y)\mathbf{a} + (x + y)\mathbf{b} \quad \text{gilt,}$$

ergibt sich $x + y = 1$ und $x - y = 0$. Also folgt $x = y = \frac{1}{2}$ und Q ist der Mittelpunkt jeder der Diagonalen.

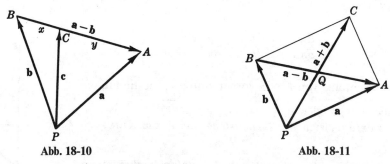

Abb. 18-10   Abb. 18-11

5. Es seien die Vektoren $\mathbf{a} = 3\mathbf{i} + 4\mathbf{j}$ und $\mathbf{b} = 2\mathbf{i} - \mathbf{j}$ gegeben. Bestimme die Länge und Richtung von (a) $\mathbf{a}$ und $\mathbf{b}$, (b) $\mathbf{a} + \mathbf{b}$, (c) $\mathbf{b} - \mathbf{a}$!

(a) Für $\mathbf{a} = 3\mathbf{i} + 4\mathbf{j}$: $|\mathbf{a}| = \sqrt{a_1^2 + a_2^2} = \sqrt{3^2 + 4^2} = 5$; $\tan\theta = a_2/a_1 = 4/3$, $a_1 = |\mathbf{a}|\cos\theta$, und $\cos\theta = 3/5$. Da der Winkel θ im ersten Quadranten liegt, ist er gleich $53°8'$.

Für $\mathbf{b} = 2\mathbf{i} - \mathbf{j}$: $|\mathbf{b}| = \sqrt{4 + 1} = \sqrt{5}$; $\tan\theta = -1/2$, $\cos\theta = 2/\sqrt{5}$; $\theta = 360° - 26°34' = 333°26'$.

(b) $\mathbf{a} + \mathbf{b} = (3\mathbf{i} + 4\mathbf{j}) + (2\mathbf{i} - \mathbf{j}) = 5\mathbf{i} + 3\mathbf{j}$.

$|\mathbf{a} + \mathbf{b}| = \sqrt{5^2 + 3^2} = \sqrt{34}$; $\tan\theta = 3/5$, $\cos\theta = 5/\sqrt{34}$; $\theta = 30°58'$.

(c) $\mathbf{b} - \mathbf{a} = (2\mathbf{i} - \mathbf{j}) - (3\mathbf{i} + 4\mathbf{j}) = -\mathbf{i} - 5\mathbf{j}$.

$|\mathbf{b} - \mathbf{a}| = \sqrt{26}$; $\tan\theta = 5$, $\cos\theta = -1/\sqrt{26}$; $\theta = 258°41'$.

6. Beweise: Die Seitenhalbierende der Basis eines gleichschenkligen Dreiecks steht senkrecht auf ihr! (In Abb. 18-12 gilt $|\mathbf{a}| = |\mathbf{b}|$.)

Aus Aufgabe 3 folgt, da $\mathbf{m}$ die Basis halbiert,

$$\mathbf{m} = \tfrac{1}{2}(\mathbf{a} + \mathbf{b})$$

Also gilt

$$\mathbf{m} \cdot (\mathbf{b} - \mathbf{a}) = \tfrac{1}{2}(\mathbf{a} + \mathbf{b}) \cdot (\mathbf{b} - \mathbf{a})$$
$$= \tfrac{1}{2}(\mathbf{a} \cdot \mathbf{b} - \mathbf{a} \cdot \mathbf{a} + \mathbf{b} \cdot \mathbf{b} - \mathbf{b} \cdot \mathbf{a}) = \tfrac{1}{2}(\mathbf{b} \cdot \mathbf{b} - \mathbf{a} \cdot \mathbf{a}) = 0,$$

was zu beweisen war.

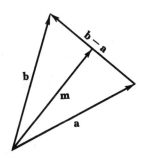
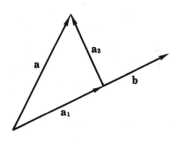

Abb. 18-12   **Abb. 18-13**

7. Löse $\mathbf{a}$ in eine zu $\mathbf{b}$ parallele Komponente $\mathbf{a}_1$ und eine zu $\mathbf{b}$ senkrechte $\mathbf{a}_2$ auf!

In Abb. 18-13 gilt: $\mathbf{a} = \mathbf{a}_1 + \mathbf{a}_2$, $\mathbf{a}_1 = c\mathbf{b}$ und $\mathbf{a}_2 \cdot \mathbf{b} = 0$. Nun folgt

$$\mathbf{a}_2 = \mathbf{a} - \mathbf{a}_1 = \mathbf{a} - c\mathbf{b}, \qquad \mathbf{a}_2 \cdot \mathbf{b} = (\mathbf{a} - c\mathbf{b}) \cdot \mathbf{b} = \mathbf{a} \cdot \mathbf{b} - c|\mathbf{b}|^2 = 0$$

und $c = \dfrac{\mathbf{a} \cdot \mathbf{b}}{|\mathbf{b}|^2}$. Also: $\mathbf{a}_1 = \dfrac{\mathbf{a} \cdot \mathbf{b}}{|\mathbf{b}|^2}\mathbf{b}$ und $\mathbf{a}_2 = \mathbf{a} - c\mathbf{b} = \mathbf{a} - \dfrac{\mathbf{a} \cdot \mathbf{b}}{|\mathbf{b}|^2}\mathbf{b}$.

Der Skalar $\mathbf{a} \cdot \dfrac{\mathbf{b}}{|\mathbf{b}|}$ ist die Skalarprojektion von $\mathbf{a}$ auf $\mathbf{b}$; der Vektor $\left(\mathbf{a} \cdot \dfrac{\mathbf{b}}{|\mathbf{b}|}\right)\dfrac{\mathbf{b}}{|\mathbf{b}|}$ ist die Vektorprojektion von $\mathbf{a}$ auf $\mathbf{b}$.

8. Löse $\mathbf{a} = 4\mathbf{i} + 3\mathbf{j}$ in Komponenten $\mathbf{a}_1$ und $\mathbf{a}_2$ auf, die parallel bzw. senkrecht zu $\mathbf{b} = 3\mathbf{i} + \mathbf{j}$ sind!

Aus Aufg. 7 folgt $c = \dfrac{\mathbf{a} \cdot \mathbf{b}}{|\mathbf{b}|^2} = \dfrac{12 + 3}{10} = \dfrac{3}{2}$. Also: $\mathbf{a}_1 = c\mathbf{b} = \tfrac{9}{2}\mathbf{i} + \tfrac{3}{2}\mathbf{j}$ und $\mathbf{a}_2 = \mathbf{a} - \mathbf{a}_1 = -\tfrac{1}{2}\mathbf{i} + \tfrac{3}{2}\mathbf{j}$.

9. Bestimme die Arbeit, die verrichtet wird, wenn ein Gegenstand längs des Vektors $\mathbf{a} = 3\mathbf{i} + 4\mathbf{j}$ mit einer Kraft von $\mathbf{b} = 2\mathbf{i} + \mathbf{j}$ bewegt wird!

Verrichtete Arbeit = (Größe von $\mathbf{b}$ in Richtung von $\mathbf{a}$) · (zurückgelegter Weg)
$$= (|\mathbf{b}| \cos \theta)|\mathbf{a}| = \mathbf{b} \cdot \mathbf{a} = (2\mathbf{i} + \mathbf{j}) \cdot (3\mathbf{i} + 4\mathbf{j}) = 10$$

10. Es sei $\mathbf{a} = \mathbf{i}\, f_1(u) + \mathbf{j}\, f_2(u)$ und $\mathbf{b} = \mathbf{i}\, g_1(u) + \mathbf{j}\, g_2(u)$. Zeige: $\dfrac{d}{du}(\mathbf{a} \cdot \mathbf{b}) = \dfrac{d\mathbf{a}}{du} \cdot \mathbf{b} + \mathbf{a} \cdot \dfrac{d\mathbf{b}}{du}$

$$\mathbf{a} \cdot \mathbf{b} = (\mathbf{i}f_1 + \mathbf{j}f_2) \cdot (\mathbf{i}g_1 + \mathbf{j}g_2) = f_1 g_1 + f_2 g_2,$$

$$\frac{d}{du}(\mathbf{a} \cdot \mathbf{b}) = f_1' g_1 + f_1 g_1' + f_2' g_2 + f_2 g_2' \qquad \left(f_1' = \frac{df_1(u)}{du}\right)$$

$$= (f_1' g_1 + f_2' g_2) + (f_1 g_1' + f_2 g_2')$$

$$= (\mathbf{i}f_1' + \mathbf{j}f_2') \cdot (\mathbf{i}g_1 + \mathbf{j}g_2) + (\mathbf{i}f_1 + \mathbf{j}f_2) \cdot (\mathbf{i}g_1' + \mathbf{j}g_2') = \frac{d\mathbf{a}}{du} \cdot \mathbf{b} + \mathbf{a} \cdot \frac{d\mathbf{b}}{du}$$

11. Hat $\mathbf{a} = \mathbf{i}f_1(u) + \mathbf{j}f_2(u)$ konstante Länge, so stehen $\mathbf{a}$ und $d\mathbf{a}/du$ senkrecht aufeinander!

Aus $\mathbf{a} \cdot \mathbf{a} = $ Konstante $\neq 0$, folgt nach Aufg. 10 $\dfrac{d}{du}(\mathbf{a} \cdot \mathbf{a}) = \dfrac{d\mathbf{a}}{du} \cdot \mathbf{a} + \mathbf{a} \cdot \dfrac{d\mathbf{a}}{du} = 2\mathbf{a} \cdot \dfrac{d\mathbf{a}}{du} = 0.$

Also: $\mathbf{a} \cdot \dfrac{d\mathbf{a}}{du} = 0$. Damit stehen $\mathbf{a}$ und $\dfrac{d\mathbf{a}}{du}$ senkrecht aufeinander.

Somit steht die Tangente an einen Kreis in einem seiner Punkte P senkrecht auf dem Radius, der in Richtung P gezeichnet ist.

12. Es sei $\mathbf{r} = \mathbf{i}\cos^2\theta + \mathbf{j}\sin^2\theta$ gegeben. Bestimme **t**!

$$d\mathbf{r}/d\theta = -\mathbf{i}\sin 2\theta + \mathbf{j}\sin 2\theta$$

$$\frac{ds}{d\theta} = \left|\frac{d\mathbf{r}}{d\theta}\right| = \sqrt{\frac{d\mathbf{r}}{d\theta}\cdot\frac{d\mathbf{r}}{d\theta}} = \sqrt{2}\sin 2\theta \qquad\text{und}\qquad \mathbf{t} = \frac{d\mathbf{r}}{ds} = \frac{d\mathbf{r}}{d\theta}\cdot\frac{d\theta}{ds} = -\frac{1}{\sqrt{2}}\mathbf{i} + \frac{1}{\sqrt{2}}\mathbf{j}$$

13. Es sei $x = a\cos^3\theta$, $y = a\sin^3\theta$ gegeben. Bestimme **t** und **n** für $\theta = \frac{1}{4}\pi$!

$$\mathbf{r} = a\mathbf{i}\cos^3\theta + a\mathbf{j}\sin^3\theta$$

$$d\mathbf{r}/d\theta = -3a\mathbf{i}\cos^2\theta\sin\theta + 3a\mathbf{j}\sin^2\theta\cos\theta$$

$$ds/d\theta = |d\mathbf{r}/d\theta| = 3a\sin\theta\cos\theta$$

$$\mathbf{t} = \frac{d\mathbf{r}}{ds} = \frac{d\mathbf{r}}{d\theta}\frac{d\theta}{ds} = -\mathbf{i}\cos\theta + \mathbf{j}\sin\theta$$

$$\frac{d\mathbf{t}}{ds} = (\mathbf{i}\sin\theta + \mathbf{j}\cos\theta)\frac{d\theta}{ds} = \frac{1}{3a\cos\theta}\mathbf{i} + \frac{1}{3a\sin\theta}\mathbf{j}$$

In $\theta = \frac{1}{4}\pi$: $\mathbf{t} = -\frac{1}{\sqrt{2}}\mathbf{i} + \frac{1}{\sqrt{2}}\mathbf{j}$, $\dfrac{d\mathbf{t}}{ds} = \dfrac{\sqrt{2}}{3a}\mathbf{i} + \dfrac{\sqrt{2}}{3a}\mathbf{j}$, $|K| = \left|\dfrac{d\mathbf{t}}{ds}\right| = \dfrac{2}{3a}$, $\mathbf{n} = \dfrac{1}{|K|}\dfrac{d\mathbf{t}}{ds} = \dfrac{1}{\sqrt{2}}\mathbf{i} + \dfrac{1}{\sqrt{2}}\mathbf{j}$.

14. Zeige, daß der Vektor $\mathbf{a} = a\mathbf{i} + b\mathbf{j}$ auf der Geraden $ax + by + c = 0$ senkrecht steht!

Es seien $P_1(x_1, y_1)$ und $P_2(x_2, y_2)$ zwei verschiedene Punkte der Geraden. Dann gilt $ax_1 + by_1 + c = 0$ und $ax_2 + by_2 + c = 0$ sowie, wenn wir die erste Gleichung von der zweiten abziehen,

$$a(x_2 - x_1) + b(y_2 - y_1) = 0$$

Nun folgt

$$a(x_2 - x_1) + b(y_2 - y_1) = (a\mathbf{i} + b\mathbf{j})\cdot[(x_2 - x_1)\mathbf{i} + (y_2 - y_1)\mathbf{j}]$$
$$= \mathbf{a}\cdot\mathbf{P_1P_2} = 0$$

Also steht **a** senkrecht auf (ist normal zu) der Geraden.

15. Benutze Vektoren, um zu bestimmen:

(a) Die Gleichung der Geraden, die durch $P_1(2, 3)$ geht und senkrecht auf der Geraden $x + 2y + 5 = 0$ steht.

(b) die Gleichung der Geraden durch $P_1(2, 3)$ und $P_2(5, -1)$

Es sei $P(x, y)$ irgendein anderer Punkt auf der gesuchten Geraden.

(a) Nach Aufgabe 14 steht der Vektor $\mathbf{a} = \mathbf{i} + 2\mathbf{j}$ senkrecht auf der Geraden $x + 2y + 5 = 0$. Dann ist $\mathbf{P_1P} = (x-2)\mathbf{i} + (y-3)\mathbf{j}$ parallel zu **a**, das heißt

$$(x-2)\mathbf{i} + (y-3)\mathbf{j} = k(\mathbf{i} + 2\mathbf{j}) \quad\text{(wobei } k \text{ eine skalare Veränderliche ist)}.$$

Vergleichen wir die Koeffizienten, so folgt $x - 2 = k$, $y - 3 = 2k$. Durch eliminieren von k ergibt sich die gesuchte Gleichung $y - 3 = 2(x - 2)$ oder $2x - y - 1 = 0$.

(b) Wir haben $\mathbf{P_1P} = (x-2)\mathbf{i} + (y-3)\mathbf{j}$ und $\mathbf{P_1P_2} = 3\mathbf{i} - 4\mathbf{j}$

Nun steht $\mathbf{a} = 4\mathbf{i} + 3\mathbf{j}$ senkrecht auf $\mathbf{P_1P_2}$, also auch auf $\mathbf{P_1P}$. Die gesuchte Gleichung ist

$$\mathbf{a}\cdot\mathbf{P_1P} = (4\mathbf{i} + 3\mathbf{j})\cdot[(x-2)\mathbf{i} + (y-3)\mathbf{j}] = 0 \quad\text{oder}\quad 4x + 3y - 17 = 0$$

16. Bestimme mit Vektormethoden die Entfernung des Punktes $P_1(2, 3)$ von der Geraden $3x + 4y - 12 = 0$!

In einem beliebigen Punkt der Geraden, etwa $A(4, 0)$, zeichnen wir den Vektor $\mathbf{a} = 3\mathbf{i} + 4\mathbf{j}$, der senkrecht auf der Geraden steht. Die gesuchte Entfernung ist dann

$$d = |\mathbf{AP_1}|\cos\theta$$

Nun gilt $\mathbf{a}\cdot\mathbf{AP_1} = |\mathbf{a}|\,|\mathbf{AP_1}|\cos\theta = |\mathbf{a}|\,d$, also

$$d = \frac{\mathbf{a}\cdot\mathbf{AP_1}}{|\mathbf{a}|} = \frac{(3\mathbf{i} + 4\mathbf{j})\cdot(-2\mathbf{i} + 3\mathbf{j})}{5} = \frac{-6 + 12}{5} = \frac{6}{5}$$

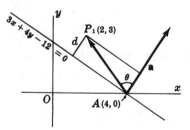

Abb. 18-14

ERGÄNZUNGSAUFGABEN

17. Es seien die Vektoren **a,b,c** (siehe Abb. 18-15) gegeben.

Konstruiere: (a) 2**a**   (d) **a** + **b** − **c**

(b) −3**b**   (e) **a** − 2**b** + 3**c** !

(c) **a** + 2**b**

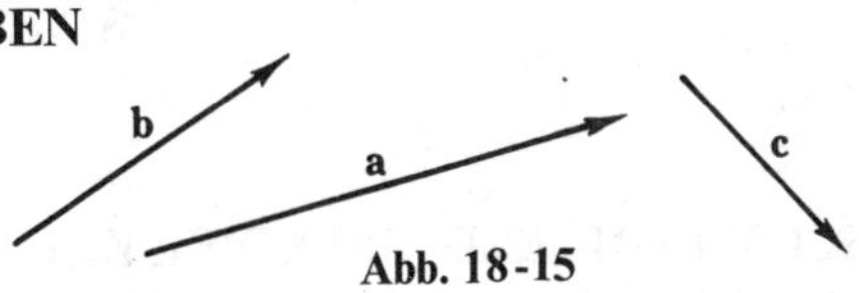

Abb. 18-15

18. Beweise: Die Strecke, die die Mittelpunkte zweier Seiten eines Dreiecks verbindet, ist zur dritten parallel und halb so lang! Siehe Abb. 18-16!

19. Es seien **a,b,c,d** die aufeinanderfolgenden Seiten eines Vierecks. Zeige, daß **a** + **b** + **c** + **d** = 0 ! Siehe Abb.18-17!

Hinweis: Es seien P und Q zwei gegenüberliegende Ecken. Drücke **PQ** auf zwei Arten aus!

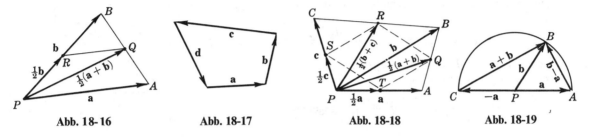

Abb. 18-16   **Abb. 18-17**   **Abb. 18-18**   **Abb. 18-19**

20. Beweise: Verbindet man die Mittelpunkte aufeinanderfolgender Seiten eines Vierecks, so bilden die Verbindungslinien ein Parallelogramm! Siehe Abb. 18-18!

21. Benutze die Figur, in der $|\mathbf{a}| = |\mathbf{b}|$ der Radius eines Kreises ist, um zu zeigen, daß der Winkel, der einem Halbkreis einbeschrieben ist, ein rechter ist! Siehe Abb. 18-19!

22. Bestimme die Länge jedes Vektors und den Winkel, den er mit der positiven x -Achse bildet!

(a) **i** + **j**, (b) −**i** + **j**, (c) **i** + $\sqrt{3}$ **j**, (d) **i** − $\sqrt{3}$ **j**.

Lsg. (a) $\sqrt{2}$; $\theta = \frac{1}{4}\pi$, (b) $\sqrt{2}$; $\theta = 3\pi/4$, (c) 2; $\theta = \pi/3$, (d) 2; $\theta = 5\pi/3$

23. Beweise: Erhält man **u**, indem man den Einheitsvektor **i** gegen den Uhrzeigersinn am Ursprung um den Winkel θ dreht, so gilt $\mathbf{u} = \mathbf{i}\cos\theta + \mathbf{j}\sin\theta$!

24. Zeige mit dem Kosinussatz für Dreiecke, daß $\mathbf{a} \cdot \mathbf{b} = |\mathbf{a}|\,|\mathbf{b}|\cos\theta = \frac{1}{2}\{|\mathbf{a}|^2 + |\mathbf{b}|^2 - |\mathbf{c}|^2\}$!

25. Schreibe jeden der folgenden Vektoren in der Form $a\mathbf{i} + b\mathbf{j}$!

(a) von $O(0, 0)$ nach $P(2, -3)$ (b); von $P_1(2, 3)$ nach $P_2(4, 2)$; (c) von $P_2(4, 2)$ nach $P_1(2, 3)$; (d) Einheitsvektor in der Richtung von 3**i** + 4**j**; (e) Länge 6 und Richtung 120°. *Lsg.* (a) 2**i** − 3**j**, (b) 2**i** − **j**, (c) −2**i** + **j**, (d) $\frac{3}{5}\mathbf{i} + \frac{4}{5}\mathbf{j}$, (e) −3**i** + 3$\sqrt{3}$**j**

26. Leite mit Vektorrechnung die Gleichung für die Entfernung zwischen $P_1(x_1, y_1)$ und $P_2(x_2, y_2)$ her!

27. Es seien $O(0, 0)$, $A(3, 1)$ und $B(1, 5)$ drei Ecken des Parallelogramms $OAPB$. Bestimme die Koordinaten von P!

28. (a) Bestimme k so, daß $\mathbf{a} = 3\mathbf{i} - 2\mathbf{j}$ und $\mathbf{b} = \mathbf{i} + k\mathbf{j}$ senkrecht aufeinanderstehen!

(b) Bestimme einen Vektor, der senkrecht auf $\mathbf{a} = 2\mathbf{i} + 5\mathbf{j}$ steht!

29. Beweise die Eigenschaften 8-15 des inneren Produkts!

30. Bestimme die Vektorprojektion und die Skalarprojektion von **b** auf **a** für (a) $\mathbf{a} = \mathbf{i} - 2\mathbf{j}$, $\mathbf{b} = -3\mathbf{i} + \mathbf{j}$;

(b) $\mathbf{a} = 2\mathbf{i} + 3\mathbf{j}$, $\mathbf{b} = 10\mathbf{i} + 2\mathbf{j}$! *Lsg.* (a) −**i** + 2**j**, $-\sqrt{5}$ (b) 4**i** + 6**j**, $2\sqrt{13}$

31. Beweise: Drei Vektoren bilden nach Parallelverschiebung ein Dreieck, wenn (a) einer von ihnen die Summe der beiden anderen ist oder (b) $\mathbf{a} + \mathbf{b} + \mathbf{c} = 0$!

32. Zeige, daß $\mathbf{a} = 3\mathbf{i} - 6\mathbf{j}$, $\mathbf{b} = 4\mathbf{i} + 2\mathbf{j}$, $\mathbf{c} = -7\mathbf{i} + 4\mathbf{j}$ die Seiten eines rechtwinkligen Dreiecks sind, und daß der Mittelpunkt der Hypothenuse von den Eckpunkten gleich weit entfernt ist!

33. Bestimme den Einheitstangentenvektor $\mathbf{t} = d\mathbf{r}/ds$ für

(a) $\mathbf{r} = 4\mathbf{i}\cos\theta + 4\mathbf{j}\sin\theta$; (b) $\mathbf{r} = e^\theta\mathbf{i} + e^{-\theta}\mathbf{j}$; (c) $\mathbf{r} = \theta\mathbf{i} + \theta^2\mathbf{j}$.

Lsg. (a) $-\mathbf{i}\sin\theta + \mathbf{j}\cos\theta$, (b) $\dfrac{e^\theta\mathbf{i} - e^{-\theta}\mathbf{j}}{\sqrt{e^{2\theta} + e^{-2\theta}}}$, (c) $\dfrac{\mathbf{i} + 2\theta\mathbf{j}}{\sqrt{1 + 4\theta^2}}$

34. (a) Bestimme **n** für die Kurve in Aufgabe 33(a) ! (b) Bestimme **n** für die Kurve in Aufgabe 33(c)!

(c) Bestimme **t** und **n** für $x = \cos\theta + \theta\sin\theta$, $y = \sin\theta - \theta\cos\theta$!

Lsg. (a) $-\mathbf{i}\cos\theta - \mathbf{j}\sin\theta$, (b) $\dfrac{-2\theta}{\sqrt{1 + 4\theta^2}}\mathbf{i} + \dfrac{1}{\sqrt{1 + 4\theta^2}}\mathbf{j}$, (c) $\mathbf{t} = \mathbf{i}\cos\theta + \mathbf{j}\sin\theta$, $\mathbf{n} = -\mathbf{i}\sin\theta + \mathbf{j}\cos\theta$

KAPITEL 19

Krummlinige Bewegungen

GESCHWINDIGKEIT BEI EINER KRUMMLINIGEN BEWEGUNG. Wir betrachten einen Punkt $P(x, y)$, der sich entlang einer Kurve mit der Gleichung

$$x = f(t), \quad y = g(t) \quad \text{bewegt.}$$

Dabei ist t die Zeit. Wenn wir den Ortsvektor

$$\mathbf{r} = \mathbf{i}x + \mathbf{j}y \qquad (1)$$

nach t differenzieren, so erhalten wir den *Geschwindigkeits-vektor*

$$\mathbf{v} = \frac{d\mathbf{r}}{dt} = \mathbf{i}\frac{dx}{dt} + \mathbf{j}\frac{dy}{dt} = \mathbf{i}v_x + \mathbf{j}v_y \qquad (2)$$

wobei $v_x = dx/dt$ und $v_y = dy/dt$.

Die Größe von $\mathbf{v}$ ist durch

$$|\mathbf{v}| = \sqrt{\mathbf{v} \cdot \mathbf{v}} = \sqrt{v_x^2 + v_y^2} = \frac{ds}{dt} \quad \text{gegeben.}$$

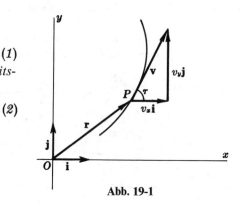

Abb. 19-1

Die Richtung von $\mathbf{v}$ in P ist die der Tangente an die Kurve in P, wie in Abb. 19-1 zu sehen ist. Nennen wir die Richtung von $\mathbf{v}$ τ (Winkel zwischen $\mathbf{v}$ und der positiven x-Achse), so gilt $\tan \tau = v_y/v_x$, wobei der Quadrant durch $v_x = |\mathbf{v}| \cos \tau$ und $v_y = |\mathbf{v}| \sin \tau$ bestimmt ist.

BESCHLEUNIGUNG BEI EINER KRUMMLINIGEN BEWEGUNG

Differenzieren wir (2) nach t, so erhalten wir den *Beschleunigungsvektor*

$$\mathbf{a} = \frac{d\mathbf{v}}{dt} = \frac{d^2\mathbf{r}}{dt^2} = \mathbf{i}\frac{d^2x}{dt^2} + \mathbf{j}\frac{d^2y}{dt^2} = \mathbf{i}a_x + \mathbf{j}a_y \qquad (3)$$

mit $a_x = d^2x/dt^2$ und $a_y = d^2y/dt^2$.

Die Länge (Größe) von $\mathbf{a}$ ist durch

$$|\mathbf{a}| = \sqrt{\mathbf{a} \cdot \mathbf{a}} = \sqrt{a_x^2 + a_y^2} \quad \text{gegeben.}$$

Die Richtung ϕ von $\mathbf{a}$ ist durch $\tan \phi = a_y/a_x$ gegeben, wobei der Quadrant durch $a_x = |\mathbf{a}| \cos \phi$ und $a_y = |\mathbf{a}| \sin \phi$ bestimmt ist. Siehe Abb. 19-2!

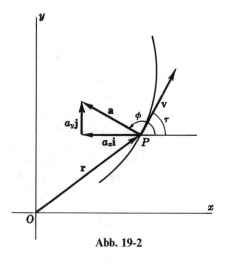

Abb. 19-2

In den Aufgaben 1-3 werden zwei Lösungen gegeben. In der einen benutzen wir den Ortsvektor (*1*), den Geschwindigkeitsvektor (*2*) und den Beschleunigungsvektor (*3*). Diese Lösung erfordert eine Parameterdarstellung des Weges. In der anderen, mehr gebräuchlichen, Lösung benutzen wir nur die x- und y-Komponenten dieser Vektoren. Eine Parameterdarstellung des Weges ist nicht notwendig. Die beiden Lösungen sind natürlich im Grunde dieselben.

Siehe Aufgabe 1–3!

TANGENTIAL - UND NORMALKOMPONENTEN DER BESCHLEUNIGUNG. Aus (6), Kapitel 18, folgt

$$\mathbf{v} \;=\; \frac{d\mathbf{r}}{dt} \;=\; \frac{d\mathbf{r}}{ds}\frac{ds}{dt} \;=\; \mathbf{t}\,\frac{ds}{dt} \tag{4}$$

Also gilt nach (7), Kapitel 18

$$\mathbf{a} \;=\; \frac{d\mathbf{v}}{dt} \;=\; \mathbf{t}\,\frac{d^2s}{dt^2} + \frac{d\mathbf{t}}{dt}\frac{ds}{dt} \tag{5}$$

$$=\; \mathbf{t}\,\frac{d^2s}{dt^2} + \frac{d\mathbf{t}}{ds}\left(\frac{ds}{dt}\right)^2 \;=\; \mathbf{t}\,\frac{d^2s}{dt^2} + |K|\mathbf{n}\left(\frac{ds}{dt}\right)^2$$

Nun gibt (5) die Auflösung des Geschwindigkeitsvektors in P längs der Tangente und Normale dort an. Nennen wir die Komponenten a_t und a_n, so ergibt sich für ihre Länge (Größe)

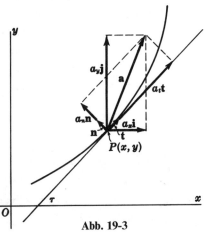

$$|a_t| \;=\; \left|\frac{d^2s}{dt^2}\right| \quad\text{und}\quad |a_n| \;=\; \frac{(ds/dt)^2}{R} \;=\; \frac{|\mathbf{v}|^2}{R}$$

Dabei ist R der Krümmungsradius des Weges in P. Siehe Abb. **19-3**!

Aus $\qquad |\mathbf{a}|^2 \;=\; a_x^2 + a_y^2 \;=\; a_t^2 + a_n^2 \qquad$ folgt

$$a_n^2 \;=\; |\mathbf{a}|^2 - a_t^2$$

Damit kann man $|a_n|$ auf eine zweite Art bestimmen.

Siehe Aufgabe 4–8!

Abb. 19-3

AUFGABEN MIT LÖSUNGEN

1. Untersuche die Bewegung, die durch die Gleichungen $x = \cos 2\pi t$, $y = 3\sin 2\pi t$ gegeben ist! Bestimme die Größe und die Richtungen der Geschwindigkeits- und Beschleunigungsvektoren für (a) $t = 1/6$ und (b) $t = 2/3$!

Der Ort der Bewegung ist die Ellipse $9x^2 + y^2 = 9$. Sie beginnt $(t = 0)$ in $(1, 0)$ und geht gegen den Uhrzeigersinn über die Kurve.

Erste Lösung

$$\mathbf{r} \;=\; \mathbf{i}x + \mathbf{j}y \;=\; \mathbf{i}\cos 2\pi t + 3\mathbf{j}\sin 2\pi t$$
$$\mathbf{v} \;=\; d\mathbf{r}/dt \;=\; \mathbf{i}v_x + \mathbf{j}v_y \;=\; -2\pi\mathbf{i}\sin 2\pi t + 6\pi\mathbf{j}\cos 2\pi t$$
$$\mathbf{a} \;=\; d\mathbf{v}/dt \;=\; \mathbf{i}a_x + \mathbf{j}a_y \;=\; -4\pi^2\mathbf{i}\cos 2\pi t - 12\pi^2\mathbf{j}\sin 2\pi t$$

(a) Für $t = 1/6$:

$$\mathbf{v} = -\sqrt{3}\pi\mathbf{i} + 3\pi\mathbf{j} \quad\text{und damit}\quad \mathbf{a} = -2\pi^2\mathbf{i} - 6\sqrt{3}\,\pi^2\mathbf{j}$$

$$|\mathbf{v}| = \sqrt{\mathbf{v}\cdot\mathbf{v}} = \sqrt{(-\sqrt{3}\pi)^2 + (3\pi)^2} = 2\sqrt{3}\pi$$

$$\tan\tau = v_y/v_x = -\sqrt{3}, \quad \cos\tau = v_x/|\mathbf{v}| = -1/2 \quad\text{und}\quad \tau = 120°$$

$$|\mathbf{a}| = \sqrt{\mathbf{a}\cdot\mathbf{a}} = \sqrt{(-2\pi^2)^2 + (-6\sqrt{3}\,\pi^2)^2} = 4\sqrt{7}\,\pi^2$$

$$\tan\phi = a_y/a_x = 3\sqrt{3}, \quad \cos\phi = a_x/|\mathbf{a}| = -1/2\sqrt{7}, \quad\text{und damit}\quad \phi = 259°6'$$

(b) Für $t = 2/3$:

$$\mathbf{v} = \sqrt{3}\,\pi\mathbf{i} - 3\pi\mathbf{j} \quad\text{und damit}\quad \mathbf{a} = 2\pi^2\mathbf{i} + 6\sqrt{3}\,\pi^2\mathbf{j}$$

$$|\mathbf{v}| = 2\sqrt{3}\,\pi; \quad \tan\tau = -\sqrt{3}, \quad \cos\tau = 1/2, \quad\text{und}\quad \tau = 5\pi/3$$

$$|\mathbf{a}| = 4\sqrt{7}\,\pi^2; \quad \tan\phi = 3\sqrt{3}, \quad \cos\phi = 1/2\sqrt{7}, \quad\text{und}\quad \phi = 79°6'$$

Zweite Lösung:

$$x = \cos 2\pi t, \quad v_x = dx/dt = -2\pi \sin 2\pi t, \quad a_x = d^2x/dt^2 = -4\pi^2 \cos 2\pi t$$

$$y = 3 \sin 2\pi t, \quad v_y = dy/dt = 6\pi \cos 2\pi t, \quad a_y = d^2y/dt^2 = -12\pi^2 \sin 2\pi t$$

(a) Für $t = 1/6$

$$v_x = -\sqrt{3}\,\pi, \quad v_y = 3\pi, \quad |\mathbf{v}| = \sqrt{v_x^2 + v_y^2} = 2\sqrt{3}\,\pi$$

$$\tan \tau = v_y/v_x = -\sqrt{3}, \quad \cos \tau = v_x/|\mathbf{v}| = -1/2 \quad \text{und} \quad \tau = 120°$$

$$a_x = -2\pi^2, \quad a_y = -6\sqrt{3}\,\pi^2, \quad |\mathbf{a}| = \sqrt{a_x^2 + a_y^2} = 4\sqrt{7}\,\pi^2$$

$$\tan \phi = a_y/a_x = 3\sqrt{3}, \quad \cos \phi = a_x/|\mathbf{a}| = -1/2\sqrt{7} \quad \text{und} \quad \phi = 259°6'$$

(b) Für $t = 2/3$

$$v_x = \sqrt{3}\,\pi, \quad v_y = -3\pi, \quad |\mathbf{v}| = 2\sqrt{3}\,\pi$$

$$\tan \tau = -\sqrt{3}, \quad \cos \tau = \tfrac{1}{2} \quad \text{und} \quad \tau = 5\pi/3$$

$$a_x = 2\pi^2, \quad a_y = 6\sqrt{3}\,\pi^2, \quad |\mathbf{a}| = 4\sqrt{7}\,\pi^2$$

$$\tan \phi = 3\sqrt{3}, \quad \cos \phi = 1/2\sqrt{7} \quad \text{und} \quad \phi = 79°6'$$

2. Ein Punkt bewegt sich gegen den Uhrzeigersinn auf dem Kreis $x^2 + y^2 = 625$ mit der Geschwindigkeit $|\mathbf{v}| = 15$. Bestimme τ, $|\mathbf{a}|$ und ϕ *(a)* im Punkt $(20, 15)$ und *(b)* im Punkt $(5, -10\sqrt{6})$. Siehe Abb. 19-4!

Erste Lösung: Es gilt

(i)
$$|\mathbf{v}|^2 = v_x^2 + v_y^2 = 225$$

Differenziert nach t:

(ii)
$$v_x a_x + v_y a_y = 0.$$

Aus $x^2 + y^2 = 625$ folgt durch mehrmaliges Differenzieren

(iii)
$$x v_x + y v_y = 0$$

und

$$x a_x + v_x^2 + y a_y + v_y^2 = 0$$

oder

(iv)
$$x a_x + y a_y = -225$$

Wir lösen **(i)** und **(iii)** gleichzeitig auf und erhalten

(v)
$$v_x = \pm \tfrac{3}{5} y$$

Durch Auflösen von **(ii)** und **(iv)** ergibt sich

(vi)
$$a_x = \frac{225 v_y}{y v_x - x v_y}$$

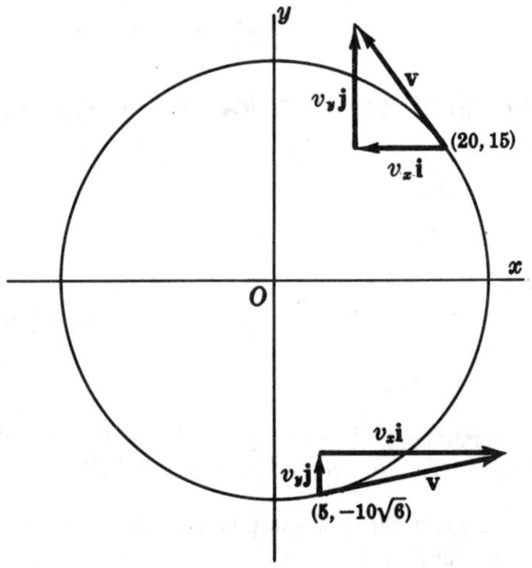

Abb. 19-4

(a) Aus Abb. 19-4 folgt $v_x < 0$ in $(20, 15)$. Aus **(v)**: $v_x = -9$; aus **(iii)**: $v_y = 12$. Also gilt $\tan \tau = -4/3$, $\cos \tau = -3/5$ und damit $\tau = 126°52'$. Aus **(vi)**: $a_x = -36/5$; aus **(iv)**: $a_y = -27/5$; und $|\mathbf{a}| = 9$. Also gilt $\tan \phi = 3/4$, $\cos \phi = -4/5$ und $\phi = 216°52'$.

(b) Aus der Abbildung ergibt sich $v_x > 0$ in $(5, -10\sqrt{6})$. Aus **(v)**: $v_x = 6\sqrt{6}$; aus **(iii)**: $v_y = 3$. Also folgt $\tan \tau = \sqrt{6}/12$, $\sin \tau = 1/5$ und $\tau = 11°32'$. Aus **(vi)**: $a_x = -9/5$; aus **(iv)**: $a_y = 18\sqrt{6}/5$; und $|\mathbf{a}| = 9$. Damit gilt $\tan \phi = -2\sqrt{6}$, $\cos \phi = -1/5$, und $\phi = 101°32'$.

Zweite Lösung

Unter der Benutzung der Parametergleichung $x = 25 \cos \theta$, $y = 25 \sin \theta$ ergibt sich in $P(x, y)$

$$\mathbf{r} = 25\mathbf{i} \cos \theta + 25\mathbf{j} \sin \theta$$

$$\mathbf{v} = \frac{d\mathbf{r}}{dt} = (-25\mathbf{i} \sin \theta + 25\mathbf{j} \cos \theta)\frac{d\theta}{dt} = -15\mathbf{i} \sin \theta + 15\mathbf{j} \cos \theta$$

$$\mathbf{a} = \frac{d\mathbf{v}}{dt} = (-15\mathbf{i} \cos \theta - 15\mathbf{j} \sin \theta)\frac{d\theta}{dt} = -9\mathbf{i} \cos \theta - 9\mathbf{j} \sin \theta$$

da $|\mathbf{v}| = 15$ einer konstanten Winkelgeschwindigkeit von $d\theta/dt = 3/5$ entspricht.

(a) Im Punkt $(20, 15)$ gilt $\sin\theta = 3/5$ und $\cos\theta = 4/5$.

$$\mathbf{v} = -9\mathbf{i} + 12\mathbf{j}; \quad \tan\tau = -4/3, \quad \cos\tau = -3/5 \quad \text{und} \quad \tau = 126°52'$$
$$\mathbf{a} = -\tfrac{36}{5}\mathbf{i} - \tfrac{27}{5}\mathbf{j}; \quad |\mathbf{a}| = 9; \quad \tan\phi = \tfrac{3}{4}, \quad \cos\phi = -\tfrac{4}{5} \quad \text{und} \quad \phi = 216°52'.$$

(b) Im Punkt $(5, -10\sqrt{6})$ gilt $\sin\theta = -\tfrac{2}{5}\sqrt{6}$ und $\cos\theta = 1/5$.

$$\mathbf{v} = 6\sqrt{6}\mathbf{i} + 3\mathbf{j}; \quad \tan\tau = \sqrt{6}/12, \quad \cos\tau = \tfrac{2}{5}\sqrt{6}, \quad \text{also} \quad \tau = 11°32'$$
$$\mathbf{a} = -\tfrac{9}{5}\mathbf{i} + \tfrac{18}{5}\sqrt{6}\mathbf{j}; \quad |\mathbf{a}| = 9; \quad \tan\phi = -2\sqrt{6}, \quad \cos\phi = -1/5, \quad \text{also} \quad \phi = 101°32'$$

3. Ein Teilchen bewegt sich mit $v_y = 2$ auf dem Kurvenbogen von $x^2 = 8y$, der im ersten Quadranten liegt. Bestimme $|\mathbf{v}|$, τ, $|\mathbf{a}|$ und ϕ im Punkt $(4, 2)$!

Erste Lösung

Wir differenzieren $x^2 = 8y$ zweimal nach t. Dann folgt unter Benutzung von $v_y = 2$

$$2xv_x = 8v_y = 16 \text{ oder } xv_x = 8 \quad \text{und} \quad xa_x + v_x^2 = 0$$

In $(4, 2)$: $v_x = 8/x = 2$; $|\mathbf{v}| = 2\sqrt{2}$; $\tan\tau = 1$, $\cos\tau = \tfrac{1}{2}\sqrt{2}$ und $\tau = \tfrac{1}{4}\pi$.

$$a_x = -1; \quad a_y = 0; \quad |\mathbf{a}| = 1; \quad \tan\phi = 0, \quad \cos\phi = -1 \quad \text{und} \quad \phi = \pi.$$

Zweite Lösung

Wir benutzen die Parametergleichung $x = 4\theta$, $y = 2\theta^2$:

$$\mathbf{r} = 4\mathbf{i}\theta + 2\mathbf{j}\theta^2$$

$$\mathbf{v} = 4\mathbf{i}\frac{d\theta}{dt} + 4\mathbf{j}\theta\frac{d\theta}{dt} = \frac{2}{\theta}\mathbf{i} + 2\mathbf{j}, \quad \text{da} \quad v_y = 4\theta\frac{d\theta}{dt} = 2 \quad \text{und} \quad \frac{d\theta}{dt} = \frac{1}{2\theta}. \quad \mathbf{a} = -\frac{1}{\theta^3}\mathbf{i}.$$

Im Punkt $(4, 2)$ gilt $\theta = 1$. Also gilt:

$$\mathbf{v} = 2\mathbf{i} + 2\mathbf{j}; \quad |\mathbf{v}| = 2\sqrt{2}; \quad \tan\tau = 1, \quad \cos\tau = \tfrac{1}{2}\sqrt{2} \quad \text{und} \quad \tau = \tfrac{1}{4}\pi.$$
$$\mathbf{a} = -\mathbf{i}; \quad |\mathbf{a}| = 1; \quad \tan\phi = 0, \quad \cos\phi = -1 \quad \text{und} \quad \phi = \pi.$$

4. Bestimme die Größe der Tangential- und Normalkomponenten der Beschleunigung bei der Bewegung $x = e^t\cos t$, $y = e^t\sin t$ zu irgendeiner Zeit t!

$$\mathbf{r} = \mathbf{i}x + \mathbf{j}y = \mathbf{i}e^t\cos t + \mathbf{j}e^t\sin t$$
$$\mathbf{v} = \mathbf{i}e^t(\cos t - \sin t) + \mathbf{j}e^t(\sin t + \cos t)$$
$$\mathbf{a} = -2\mathbf{i}e^t\sin t + 2\mathbf{j}e^t\cos t$$

Also folgt $|\mathbf{a}| = 2e^t$; $ds/dt = |\mathbf{v}| = \sqrt{2}\,e^t$ und $|a_t| = |d^2s/dt^2| = \sqrt{2}\,e^t$; $|a_n| = \sqrt{|\mathbf{a}|^2 - a_t^2} = \sqrt{2}\,e^t$.

5. Ein Teilchen bewegt sich von links nach rechts auf der Parabel $y = x^2$ mit konstanter Geschwindigkeit 5. Bestimme die Größe der Tangential- und Normalkomponenten der Beschleunigung im Punkt $(1, 1)$!

Da die Geschwindigkeit konstant ist, gilt $|a_t| = |d^2s/dt^2| = 0$. In $(1, 1)$ haben wir $y' = 2x = 2$ und $y'' = 2$.

Der Krümmungsradius in $(1, 1)$ ist $R = \dfrac{[1 + (y')^2]^{3/2}}{|y''|} = \dfrac{5\sqrt{5}}{2}$. Damit folgt $|a_n| = \dfrac{|\mathbf{v}|^2}{R} = 2\sqrt{5}$.

6. Die Zentrifugalkraft F (N), die ein Körper von der Masse W (kg) in einem Punkt seines Weges ausübt, ist durch $F = W\,|a_n|$ gegeben. Bestimme die Zentrifugalkraft, die ein Körper von einer Masse von 5 kg am Ende der beiden Achsen seines elliptischen Weges $x = 20\cos t$, $y = 15\sin t$ ausübt!

$$\mathbf{r} = 20\mathbf{i}\cos t + 15\mathbf{j}\sin t$$
$$\mathbf{v} = -20\mathbf{i}\sin t + 15\mathbf{j}\cos t$$
$$\mathbf{a} = -20\mathbf{i}\cos t - 15\mathbf{j}\sin t$$

$$\frac{ds}{dt} = |\mathbf{v}| = \sqrt{400\sin^2 t + 225\cos^2 t}, \quad \frac{d^2s}{dt^2} = \frac{175\sin t\cos t}{\sqrt{400\sin^2 t + 225\cos^2 t}}$$

Am Ende der größeren Achse $(t = 0$ oder $t = \pi)$ gilt:

$$|\mathbf{a}| = 20, \quad |a_t| = |d^2s/dt^2| = 0, \quad |a_n| = 20 \quad \text{und} \quad F = (2,5)(20) = 50\,\text{N}$$

Am Ende der kleineren Achse $(t = \pi/2$ oder $t = 3\pi/2)$ gilt:

$$|\mathbf{a}| = 15, \quad |a_t| = 0, \quad |a_n| = 15 \quad \text{und} \quad F = (2,5)(15) = 37,5\,\text{N}$$

7. Die Bewegungsgleichungen eines Geschosses seien $x = v_0 t \cos\psi$, $y = v_0 t \sin\psi - \frac{1}{2}gt^2$, wobei v_0 die Anfangsgeschwindigkeit ist und ψ der Abschußwinkel ($g = 9,8$ m/sec^2). Bestimme

   (a) die Bewegungsgleichung in rechtwinkligen Koordinaten,
   (b) die Schußweite,
   (c) den Abschußwinkel, bei dem das Geschoß am weitesten fliegt,
   (d) die Geschwindigkeit und Richtung des Geschosses nach 5 sec Flug, wenn $v_0 = 150$ m/sec und $\psi = 45°$ ist!

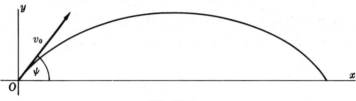

Abb. 19-5

(a) Wir lösen die erste Gleichung nach t auf und erhalten $t = \dfrac{x}{v_0 \cos\psi}$. In die zweite Gleichung eingesetzt:

$$y = v_0\left(\frac{x}{v_0 \cos\psi}\right)\sin\psi - \frac{1}{2}g\left(\frac{x}{v_0 \cos\psi}\right)^2 = x\tan\psi - \frac{gx^2}{2v_0^2 \cos^2\psi}$$

(b) Aus $\quad y = v_0 t \sin\psi - \frac{1}{2}gt^2 = 0 \quad$ folgt $t = 0$ und $t = (2v_0 \sin\psi)/g$.

Für $\quad t = \dfrac{2v_0 \sin\psi}{g} \quad$ ergibt sich als Schußweite $\quad x = v_0 \cos\psi\left(\dfrac{2v_0 \sin\psi}{g}\right) = \dfrac{v_0^2 \sin 2\psi}{g}$

(c) Es soll x maximal sein: $\dfrac{dx}{d\psi} = \dfrac{2v_0^2 \cos 2\psi}{g} = 0$, also $\cos 2\psi = 0$ und damit $\psi = \frac{1}{4}\pi$.

(d) Für $v_0 = 150$ m/sec und $\psi = \frac{1}{4}\pi$ ergibt sich $x = 75\sqrt{2}\,t$ und $y = 75\sqrt{2}\,t - 4,9t^2$. Also

$v_x = 75\sqrt{2}$ und $v_y = 75\sqrt{2} - 9.8t$

Für $t = 5$: $\quad v_x = 75\sqrt{2}$ und $v_y = 75\sqrt{2} - 49$. Damit folgt

$\tan\tau = v_y/v_x = 0,538 \quad \tau = 28°18' \qquad |\mathbf{v}| = \sqrt{v_x^2 + v_y^2} = 120$ m/sec.

8. Ein Punkt bewegt sich auf einem Kreis $x = r\cos\beta$, $y = r\sin\beta$ mit konstanter Geschwindigkeit v. Zeige, daß *(a)* $v = r\omega$ und *(b)* $a = r\sqrt{\omega^4 + \alpha^2}$ gilt, wenn sich der Radius OP mit der Winkelgeschwindigkeit ω und der Winkelbeschleunigung α bewegt!

(a) $v_x = -r\sin\beta \cdot \dfrac{d\beta}{dt} = -r\sin\beta \cdot \omega \quad$ und $\quad v_y = r\cos\beta \cdot \dfrac{d\beta}{dt} = r\cos\beta \cdot \omega$.

$$v = \sqrt{v_x^2 + v_y^2} = \sqrt{(r^2 \sin^2\beta + r^2 \cos^2\beta)\omega^2} = r\omega$$

(b) $a_x = \dfrac{dv_x}{dt} = -r\omega\cos\beta \cdot \dfrac{d\beta}{dt} - r\sin\beta \cdot \dfrac{d\omega}{dt} = -r\omega^2 \cos\beta - r\alpha\sin\beta$.

$a_y = \dfrac{dv_y}{dt} = -r\omega\sin\beta \cdot \dfrac{d\beta}{dt} + r\cos\beta \cdot \dfrac{d\omega}{dt} = -r\omega^2 \sin\beta + r\alpha\cos\beta$.

$$a^2 = a_x^2 + a_y^2 = r^2(\omega^4 + \alpha^2) \quad \text{und} \quad a = r\sqrt{\omega^4 + \alpha^2}$$

ERGÄNZUNGSAUFGABEN

9. Bestimme die Größe und Richtung der Geschwindigkeit und der Beschleunigung für

(a) $x = e^t$, $y = e^{2t} - 4e^t + 3$ in $t = 0$

(b) $x = 2 - t$, $y = 2t^3 - t$ in $t = 1$

(c) $x = \cos 3t$, $y = \sin t$ in $t = \frac{1}{4}\pi$

(d) $x = e^t \cos t$, $y = e^t \sin t$ in $t = 0$!

Lsg. (a) $|\mathbf{v}| = \sqrt{5}$, $\tau = 296°34'$; $|\mathbf{a}| = 1$, $\phi = 0$

(b) $|\mathbf{v}| = \sqrt{26}$, $\tau = 101°19'$; $|\mathbf{a}| = 12$, $\phi = \frac{1}{2}\pi$

(c) $|\mathbf{v}| = \sqrt{5}$, $\tau = 161°34'$; $|\mathbf{a}| = \sqrt{41}$, $\phi = 353°40'$

(d) $|\mathbf{v}| = \sqrt{2}$, $\tau = \frac{1}{4}\pi$; $|\mathbf{a}| = 2$, $\phi = \frac{1}{2}\pi$

10. Ein Teilchen bewegt sich auf dem Kurvenstück der Parabel $y^2 = 12x$ im ersten Quadranten mit $v_x = 15$. Bestimme v_y, $|\mathbf{v}|$, τ; a_x, a_y, $|\mathbf{a}|$ und ϕ in $(3, 6)$!
Lsg. $v_y = 15$, $|\mathbf{v}| = 15\sqrt{2}$, $\tau = \frac{1}{4}\pi$; $a_x = 0$, $a_y = -75/2$, $|\mathbf{a}| = 75/2$, $\phi = 3\pi/2$.

11. Ein Teilchen bewegt sich auf der Kurve $y = x^3/3$, wobei $v_x = 2$ für alle t. Bestimme Größe und Richtung der Geschwindigkeit und Beschleunigung für $x = 3$!   *Lsg.* $|\mathbf{v}| = 2\sqrt{82}$, $\tau = 83°40'$; $|\mathbf{a}| = 24$, $\phi = \frac{1}{2}\pi$

12. Ein Teilchen bewegt sich auf einem Kreis vom Radius 6 m mit der konstanten Geschwindigkeit 4 m/sec. Bestimme die Größe der Beschleunigung in einem beliebigen Punkt!   *Lsg.* $|a_t| = 0$, $|\mathbf{a}| = |a_n| = 8/3$ m/sec^2.

13. Bestimme für folgende Bewegungen die Größe und Richtung der Geschwindigkeit und der Beschleunigung und die Größe der Tangential- und Normalkomponenten der Beschleunigung!

(a) $x = 3t$, $y = 9t - 3t^2$ für $t = 2$

(b) $x = \cos t + t \sin t$, $y = \sin t - t \cos t$ für $t = 1$.

Lsg. (a) $|\mathbf{v}| = 3\sqrt{2}$, $\tau = 7\pi/4$; $|\mathbf{a}| = 6$, $\phi = 3\pi/2$; $|a_t| = |a_n| = 3\sqrt{2}$

(b) $|\mathbf{v}| = 1$, $\tau = 1$; $|\mathbf{a}| = \sqrt{2}$, $\phi = 102°18'$; $|a_t| = |a_n| = 1$

14. Ein Teilchen bewegt sich auf der Kurve $y = \frac{1}{2}x^2 - \frac{1}{4}\ln x$, wobei $x = \frac{1}{2}t^2$, $t > 0$ gilt. Bestimme v_x, v_y, $|\mathbf{v}|$, τ; a_x, a_y, $|\mathbf{a}|$, ϕ; $|a_t|$ und $|a_n|$ für $t = 1$!
Lsg. $v_x = 1$, $v_y = 0$, $|\mathbf{v}| = 1$, $\tau = 0$; $a_x = 1$, $a_y = 2$, $|\mathbf{a}| = \sqrt{5}$, $\phi = 63°26'$; $|a_t| = 1$, $|a_n| = 2$.

15. Ein Teilchen bewegt sich auf der Kurve $y = 2x - x^2$, wobei $v_x = 4$ für alle t. Bestimme die Größe der Tangential- und Normalkomponenten der Beschleunigung in den Punkten (a) $(1, 1)$ und (b) $(2, 0)$!
Lsg. (a) $|a_t| = 0$, $|a_n| = 32$; (b) $|a_t| = 64/\sqrt{5}$, $|a_n| = 32/\sqrt{5}$

KAPITEL 20

Polarkoordinaten

DER ORT EINES PUNKTES P in einer gegebenen Ebene in Bezug auf einen festen Punkt O der Ebene kann beschrieben werden, indem man die Projektionen des Vektors **OP** auf zwei aufeinander senkrecht stehenden Geraden der Ebene durch O angibt. Das ist im wesentlichen das rechtwinklige Koordinatensystem. Eine andere Beschreibung ist möglich, indem man die gerichtete Entfernung $\rho = OP$ und den Winkel θ, den OP mit einer festen Halbgeraden OX durch O bildet, angibt. Dies ist das *Polarkoordinatensystem.*

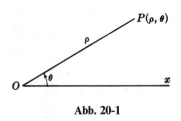

Abb. 20-1

Jedem Paar (ρ, θ) entspricht genau ein Punkt, die Umkehrung ist falsch; zum Beispiel kann der Punkt P in der Abbildung durch $(\rho, \theta \pm 2n\pi)$ und $[-\rho, \theta \pm (2n+1)\pi]$, beschrieben werden, wobei n irgendeine natürliche Zahl einschließlich 0 ist. Insbesondere können die Polarkoordinaten des Nullpunkts durch $(0, \theta)$, wobei θ vollkommen beliebig ist, angegeben werden.

Die Kurve, deren Gleichung in Polarkoordinaten $\varrho = f(\theta)$ oder $F(\varrho, \theta) = 0$ ist, besteht aus allen verschiedenen Punkten (ϱ, θ), die die Gleichung erfüllen.

DER WINKEL ψ zwischen dem Radiusvektor OP und der Tangente PT an die Kurve in einem ihrer Punkte $P(\rho, \theta)$ ist durch

$$\tan \psi = \rho \frac{d\theta}{d\rho} = \frac{\rho}{\rho'} \quad \text{mit} \quad \rho' = \frac{d\rho}{d\theta} \quad \text{gegeben.}$$

Tan ψ spielt bei Polarkoordinaten eine Rolle, ähnlich der der Steigung einer Tangente bei rechtwinkligen Koordinaten.

Siehe Aufgaben 1–3!

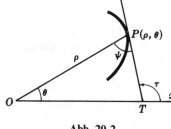

Abb. 20-2

DER NEIGUNGSWINKEL τ der Tangente an eine Kurve in einem ihrer Punkte $P(\rho, \theta)$ ist durch

$$\tan \tau = \frac{\rho \cos \theta + \rho' \sin \theta}{-\rho \sin \theta + \rho' \cos \theta} \quad \text{gegeben.}$$

Siehe Aufgaben 4-10!

DIE SCHNITTPUNKTE zweier Kurven, deren Gleichungen

$$\rho = f_1(\theta) \quad \text{und} \quad \rho = f_2(\theta) \quad \text{sind,}$$

können oft gefunden werden, indem man $f_1(\theta) = f_2(\theta)$ löst.

Beispiel 1:

Bestimme die Schnittpunkte von $\rho = 1 + \sin \theta$ und $\rho = 5 - 3 \sin \theta$!

Wir setzen $1 + \sin \theta = 5 - 3 \sin \theta$ und erhalten $\sin \theta = 1$.

Also gilt $\theta = \frac{1}{2}\pi$, und $(2, \frac{1}{2}\pi)$ ist der einzige Schnittpunkt.

Ist der Pol ein Schnittpunkt, so ist es möglich, daß er nicht unter den Lösungen von *(1)* auftaucht. Der Pol ist ein Schnittpunkt, wenn es zwei Werte von θ gibt, etwa θ_1 und θ_2, für die $f_1(\theta_1) = 0$ und $f_2(\theta_2) = 0$ ist.

Beispiel 2:

Bestimme die Schnittpunkte von $\rho = \sin\theta$ und $\rho = \cos\theta$!

Aus $$\sin\theta = \cos\theta \tag{1}$$

ergibt sich der Schnittpunkt $(\tfrac{1}{2}\sqrt{2}, \tfrac{1}{4}\pi)$. Nun gehen beide Kurven durch den Pol. Er ergibt sich aus *(1)* nicht als Schnittpunkt, weil er auf $\rho = \sin\theta$ die Koordinaten $(0, 0)$ und auf $\rho = \cos\theta$ die Koordinate $(0, \pi/2)$ hat.

Beispiel 3:

Bestimme die Schnittpunkte von $\rho = \cos 2\theta$ und $\rho = \cos\theta$!

Wir setzen $\cos 2\theta = 2\cos^2\theta - 1 = \cos\theta$ und erhalten $(\cos\theta - 1)(2\cos\theta + 1) = 0$.

Daraus folgt $\theta = 0,\ 2\pi/3,\ 4\pi/3$; es ergeben sich die Schnittpunkte $(1, 0),\ (-\tfrac{1}{2}, 2\pi/3),\ (-\tfrac{1}{2}, 4\pi/3)$. Der Pol ist auch ein Schnittpunkt.

DER SCHNITTWINKEL ϕ zweier Kurven in einem gemeinsamen

Punkt $P(\rho, \theta)$, der nicht der Pol ist, ist durch

$$\tan\phi = \frac{\tan\psi_1 - \tan\psi_2}{1 + \tan\psi_1 \tan\psi_2} \quad \text{gegeben.}$$

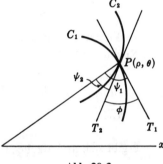

Dabei sind ψ_1 und ψ_2 die Winkel zwischen dem Radiusvektor OP und den entsprechenden Tangenten an die Kurven in P.

Das Verfahren ist ähnlich dem, bei dem die Kurven in rechtwinkligen Koordinaten gegeben sind. Wir benutzen den Tangens der Winkel zwischen dem Radiusvektor und den Tangenten statt der Steigung der Tangenten nur, weil es sich so bequemer rechnen läßt.

Abb. 20-3

Beispiel 4:

Bestimme die (spitzen) Schnittwinkel von $\rho = \cos\theta$ und $\rho = \cos 2\theta$!

Die Schnittpunkte sind in Beispiel 3 berechnet worden.

Im Pol: Auf $\rho = \cos\theta$ ist der Pol durch $\theta = \tfrac{1}{2}\pi$ gegeben, auf $\rho = \cos 2\theta$ durch $\theta = \pi/4$ und $3\pi/4$. Also schneiden sich die Kurven dort zweimal, wobei beide Male der spitze Schnittwinkel gleich $\pi/4$ ist.

Für	$\rho = \cos\theta$	Für	$\rho = \cos 2\theta$
	$\tan\psi_1 = -\cot\theta$		$\tan\psi_2 = -\tfrac{1}{2}\cot 2\theta$

Im Punkt $(1, 0)$: $\tan\psi_1 = -\cot 0 = \infty$ und $\tan\psi_2 = \infty$. Also gilt $\psi_1 = \psi_2 = \tfrac{1}{2}\pi$ und $\phi = 0$.

Im Punkt $(-\tfrac{1}{2}, 2\pi/3)$: $\tan\psi_1 = \sqrt{3}/3$ und $\tan\psi_2 = -\sqrt{3}/6$. $\tan\phi = \dfrac{\sqrt{3}/3 + \sqrt{3}/6}{1 - 1/6} = 3\sqrt{3}/5$. Damit

ist der spitze Schnittwinkel $\phi = 46°6'$.

Aus Symmetriegründen ist das auch der spitze Schnittwinkel im Punkt $(-\tfrac{1}{2}, 4\pi/3)$.

Siehe Aufgaben 11-13!

DIE ABLEITUNG DER BOGENLÄNGE ist durch $\dfrac{ds}{d\theta} = \sqrt{\rho^2 + (\rho')^2}$ mit $\rho' = \dfrac{d\rho}{d\theta}$ gegeben. Dabei ist angenommen, daß s mit θ wächst.

Siehe Aufgaben 14-16!

DIE KRÜMMUNG einer Kurve ist durch $K = \dfrac{\rho^2 + 2(\rho')^2 - \rho\rho''}{\{\rho^2 + (\rho')^2\}^{3/2}}$ gegeben.

Siehe Aufgaben 17-19!

KRUMMLINIGE BEWEGUNGEN. Angenommen, das Teilchen P bewege sich auf einer Kurve, deren Gleichung in Polarkoordinaten $\varrho = f(\theta)$ ist. Benutzen wir die Parameterdarstellung

$$x = \rho\cos\theta = g(\theta), \qquad y = \rho\sin\theta = h(\theta)$$

der Kurve, so ist der Ortsvektor P gleich

$$\mathbf{r} = \mathbf{OP} = x\mathbf{i} + y\mathbf{j} = \rho\mathbf{i}\cos\theta + \rho\mathbf{j}\sin\theta = \rho(\mathbf{i}\cos\theta + \mathbf{j}\sin\theta)$$

und die Bewegung kann wie in Kapitel 19 untersucht werden.

Eine andere Möglichkeit ist, $\mathbf{r}$ und damit $\mathbf{v}$ und $\mathbf{a}$ durch Einheitsvektoren längs und senkrecht zum Radiusvektor von P auszudrücken. Deshalb definieren wir den Einheitsvektor

$$\mathbf{u}_\rho = \mathbf{i}\cos\theta + \mathbf{j}\sin\theta$$

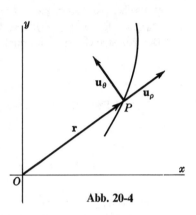

Abb. 20-4

längs $\mathbf{r}$ in Richtung des wachsenden ρ und den Einheitsvektor

$$\mathbf{u}_\theta = -\mathbf{i}\sin\theta + \mathbf{j}\cos\theta$$

senkrecht zu $\mathbf{r}$ und in Richtung des wachsenden θ. Eine einfache Rechnung zeigt

$$\frac{d\mathbf{u}_\rho}{dt} = \frac{d\mathbf{u}_\rho}{d\theta}\frac{d\theta}{dt} = \mathbf{u}_\theta\frac{d\theta}{dt} \qquad \text{und} \qquad \frac{d\mathbf{u}_\theta}{dt} = -\mathbf{u}_\rho\frac{d\theta}{dt}$$

Aus

$$\mathbf{r} = \rho\,\mathbf{u}_\rho$$

ergibt sich in Aufgabe 20:

$$\mathbf{v} = \frac{d\mathbf{r}}{dt} = \mathbf{u}_\rho\frac{d\rho}{dt} + \rho\mathbf{u}_\theta\frac{d\theta}{dt} = v_\rho\mathbf{u}_\rho + v_\theta\mathbf{u}_\theta$$

und

$$\mathbf{a} = \frac{d\mathbf{v}}{dt} = \mathbf{u}_\rho\left[\frac{d^2\rho}{dt^2} - \rho\left(\frac{d\theta}{dt}\right)^2\right] + \mathbf{u}_\theta\left[\rho\frac{d^2\theta}{dt^2} + 2\frac{d\rho}{dt}\frac{d\theta}{dt}\right]$$

$$= a_\rho\mathbf{u}_\rho + a_\theta\mathbf{u}_\theta$$

Hier sind $v_\rho = \dfrac{d\rho}{dt}$ und $v_\theta = \rho\dfrac{d\theta}{dt}$ jeweils die Komponenten von $\mathbf{v}$ längs und senkrecht zum Radiusvektor und $a_\rho = \dfrac{d^2\rho}{dt^2} - \rho\left(\dfrac{d\theta}{dt}\right)^2$ und $a_\theta = \rho\dfrac{d^2\theta}{dt^2} + 2\dfrac{d\rho}{dt}\dfrac{d\theta}{dt}$ sind die entsprechenden Komponenten von $\mathbf{a}$.

Siehe Aufgaben 21!

AUFGABEN MIT LÖSUNGEN

1. Zeige, daß $\tan\psi = \rho\dfrac{d\theta}{d\rho}$, wobei ψ der Winkel zwischen dem Radiusvektor OP eines Punktes $P(\rho, \theta)$ der Kurve mit der Gleichung $\rho = f(\theta)$ und der Tangente PT ist.

In Abb. 20-5 sei $Q(\rho + \Delta\rho, \theta + \Delta\theta)$ ein Punkt nahe bei P. Aus dem Dreieck PSQ ergibt sich:

$$\tan \lambda = \frac{SP}{SQ} = \frac{SP}{OQ - OS} = \frac{\rho \sin \Delta\theta}{\rho + \Delta\rho - \rho \cos \Delta\theta}$$

$$= \frac{\rho \sin \Delta\theta}{\rho(1 - \cos \Delta\theta) + \Delta\rho} = \frac{\rho \dfrac{\sin \Delta\theta}{\Delta\theta}}{\rho \dfrac{1 - \cos \Delta\theta}{\Delta\theta} + \dfrac{\Delta\rho}{\Delta\theta}}$$

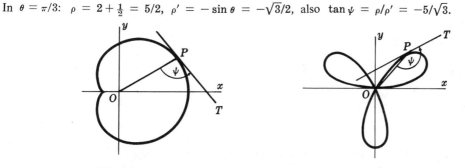

Für $Q \to P$ auf der Kurve folgt $\Delta\theta \to 0$, $OQ \to OP$, $PQ \to PT$ und $\angle\lambda \to \angle\psi$.

Da $\Delta\theta \to 0$, ergibt sich $\dfrac{\sin \Delta\theta}{\Delta\theta} \to 1$ und $\dfrac{1 - \cos \Delta\theta}{\Delta\theta} \to 0$ (siehe Kap. 12).

Also folgt $\tan \psi = \lim\limits_{\Delta\theta \to 0} \tan \lambda = \dfrac{\rho}{d\rho/d\theta} = \rho\dfrac{d\theta}{d\rho}$.

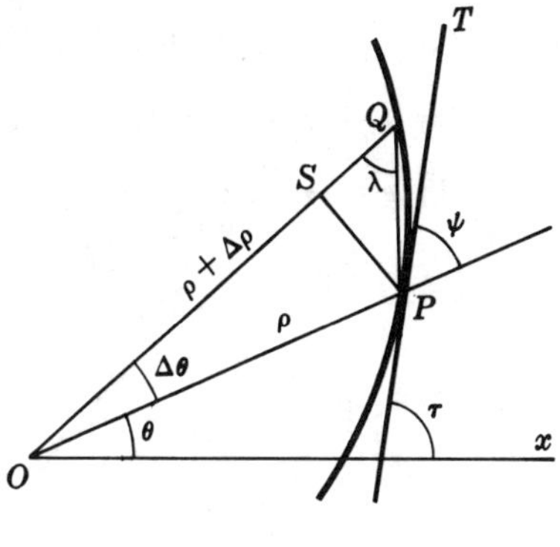

Abb. 20-5

Bestimme in den Aufgaben 2-3 $\tan \psi$ für die gegebene Kurve im angegebenen Punkt!

2. $\rho = 2 + \cos \theta$; $\theta = \pi/3$. Siehe Abb. 20–6!

In $\theta = \pi/3$: $\rho = 2 + \frac{1}{2} = 5/2$, $\rho' = -\sin \theta = -\sqrt{3}/2$, also $\tan \psi = \rho/\rho' = -5/\sqrt{3}$.

Abb. 20-6   **Abb. 20-7**

3. $\rho = 2 \sin 3\theta$; $\theta = \pi/4$. Siehe Abb. 20-7!

In $\theta = \pi/4$: $\rho = 2(1/\sqrt{2}) = \sqrt{2}$, $\rho' = 6 \cos 3\theta = 6(-1/\sqrt{2}) = -3\sqrt{2}$, also $\tan \psi = \rho/\rho' = -1/3$.

4. Leite $\tan \tau = \dfrac{\rho \cos \theta + \rho' \sin \theta}{-\rho \sin \theta + \rho' \cos \theta}$ her!

Aus der Abbildung von Aufg. 1 folgt $\tau = \psi + \theta$, also

$$\tan \tau = \tan(\psi + \theta) = \frac{\tan \psi + \tan \theta}{1 - \tan \psi \tan \theta} = \frac{\rho \dfrac{d\theta}{d\rho} + \dfrac{\sin \theta}{\cos \theta}}{1 - \rho \dfrac{d\theta}{d\rho} \dfrac{\sin \theta}{\cos \theta}}$$

$$= \frac{\rho \cos \theta + \dfrac{d\rho}{d\theta} \sin \theta}{\dfrac{d\rho}{d\theta} \cos \theta - \rho \sin \theta} = \frac{\rho \cos \theta + \rho' \sin \theta}{-\rho \sin \theta + \rho' \cos \theta}$$

5. $\rho = f(\theta)$ möge durch den Pol gehen. Es sei θ_1 mit $f(\theta_1) = 0$ gegeben. Zeige, daß die Richtung der Tangente an die Kurve im Ursprung $(0, \theta_1)$ θ_1 ist!

In $(0, \theta_1)$: $\rho = 0$ und $\rho' = f'(\theta_1)$.

Für $\rho' \neq 0$: $\tan \tau = \dfrac{\rho \cos \theta + \rho' \sin \theta}{-\rho \sin \theta + \rho' \cos \theta}$

$$= \frac{0 + \sin \theta_1 \cdot f'(\theta_1)}{0 + \cos \theta_1 \cdot f'(\theta_1)} = \tan \theta_1$$

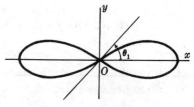

Für $\rho' = 0$: $\tan \tau = \lim\limits_{\theta \to \theta_1} \dfrac{\sin \theta \cdot f'(\theta)}{\cos \theta \cdot f'(\theta)} = \tan \theta_1$

Abb. 20-8

Bestimme in den Aufgaben 6-8 die Steigung der gegebenen Kurve im angegebenen Punkt!

6. $\rho = 1 - \cos\theta$; $\theta = \frac{1}{2}\pi$. Siehe Abb. 20-9!

In $\theta = \frac{1}{2}\pi$: $\sin\theta = 1$, $\cos\theta = 0$, $\rho = 1$, $\rho' = \sin\theta = 1$ und

$$\tan\tau = \frac{\rho\cos\theta + \rho'\sin\theta}{-\rho\sin\theta + \rho'\cos\theta} = \frac{1\cdot 0 + 1\cdot 1}{-1\cdot 1 + 1\cdot 0} = -1$$

Abb. 20-9	**Abb. 20-10**

7. $\rho = \cos 3\theta$; Pol. Siehe Abb. 20-10!

Aus $\rho = 0$ folgt $\cos 3\theta = 0$. Das ergibt $3\theta = \pi/2$, $3\pi/2$, $5\pi/2$ und $\theta = \pi/6$, $\pi/2$, $5\pi/6$.

Nach Aufg. 5 gilt: $\tan\tau = 1/\sqrt{3}$, ∞ und $-1/\sqrt{3}$.

8. $\rho\theta = a$; $\theta = \pi/3$.

In $\theta = \pi/3$: $\sin\theta = \sqrt{3}/2$, $\cos\theta = \frac{1}{2}$, $\rho = 3a/\pi$ und $\rho' = -a/\theta^2 = -9a/\pi^2$.

$$\tan\tau = \frac{\rho\cos\theta + \rho'\sin\theta}{-\rho\sin\theta + \rho'\cos\theta} = -\frac{\pi - 3\sqrt{3}}{\sqrt{3}\,\pi + 3}$$

9. Untersuche $\rho = 1 + \sin\theta$ auf waagerechte und senkrechte Tangenten!

In $P(\rho, \theta)$: $\tan\tau = \dfrac{(1 + \sin\theta)\cos\theta + \cos\theta\sin\theta}{-(1 + \sin\theta)\sin\theta + \cos^2\theta}$

$$= -\frac{\cos\theta\,(1 + 2\sin\theta)}{(\sin\theta + 1)(2\sin\theta - 1)}$$

(a) Aus $\cos\theta\,(1 + 2\sin\theta) = 0$ erhalten wir
$\theta = \pi/2$, $3\pi/2$, $7\pi/6$ und $11\pi/6$.

Aus $(\sin\theta + 1)(2\sin\theta - 1) = 0$ folgt
$\theta = 3\pi/2$, $\pi/6$ und $5\pi/6$.

(b) Für $\theta = \pi/2$: waagerechte Tangente in $(2, \pi/2)$.
Für $\theta = 7\pi/6$ und $11\pi/6$: waagerechte Tangenten in
$(\frac{1}{2}, 7\pi/6)$ und $(\frac{1}{2}, 11\pi/6)$.
Für $\theta = \pi/6$ und $5\pi/6$: senkrechte Tangenten in $(3/2, \pi/6)$ und $(3/2, 5\pi/6)$.
Für $\theta = 3\pi/2$: Nach Aufg. 5 ist im Pol eine senkrechte Tangente.

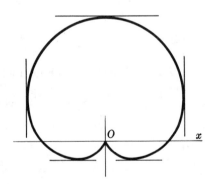

Abb. 20-11

10. Zeige, daß der Winkel, den der Radiusvektor irgendeines Punktes der Kardioide $\rho = a(1 - \cos\theta)$ mit der Kurve bildet, halb so groß ist wie der, den er mit der Polarachse bildet!

In einem Punkt $P(\rho, \theta)$ der Kardioide gilt:
$$\rho' = a\sin\theta \text{ und } \tan\psi = \rho/\rho' = (1 - \cos\theta)/\sin\theta = \tan\tfrac{1}{2}\theta \text{ oder } \psi = \tfrac{1}{2}\theta$$

Bestimme in den Aufgaben 11-13 die Schnittwinkel der beiden Kurven!

11. $\rho = 3\cos\theta$, $\rho = 1 + \cos\theta$.

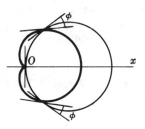

(a) Aus $\rho = 3\cos\theta = 1 + \cos\theta$ ergeben sich die Schnittpunkte $(3/2, \pi/3)$ und $(3/2, 5\pi/3)$. Die Kurven schneiden sich auch im Pol.

(b) Für $\rho = 3\cos\theta$: $\rho' = -3\sin\theta$ und $\tan\psi_1 = -\cot\theta$.

Für $\rho = 1 + \cos\theta$: $\rho' = -\sin\theta$ und $\tan\psi_2 = -\dfrac{1 + \cos\theta}{\sin\theta}$.

(c) Für $\theta = \pi/3$: $\tan\psi_1 = -1/\sqrt{3}$, $\tan\psi_2 = -\sqrt{3}$, und $\tan\phi = 1/\sqrt{3}$.

Abb. 20-12

Der spitze Schnittwinkel in $(3/2, \pi/3)$ und wegen der Symmetrie auch in $(3/2, 5\pi/3)$ ist $\pi/6$.

Im Pol: Aus einer Zeichnung oder durch Anwendung von Aufg. 5 folgt, daß die Kurven senkrecht aufeinander stehen.

12. $\rho = \sec^2 \tfrac{1}{2}\theta$, $\rho = 3\operatorname{cosec}^2 \tfrac{1}{2}\theta$.

(a) Aus $\rho = \sec^2 \tfrac{1}{2}\theta = 3\operatorname{cosec}^2 \tfrac{1}{2}\theta$ ergeben sich die Schnittpunkte $(4, 2\pi/3)$ und $(4, 4\pi/3)$.

(b) Für $\rho = \sec^2 \tfrac{1}{2}\theta$: $\rho' = \sec^2 \tfrac{1}{2}\theta \tan \tfrac{1}{2}\theta$ und $\tan\psi_1 = \cot \tfrac{1}{2}\theta$.
Für $\rho = 3\operatorname{cosec}^2 \tfrac{1}{2}\theta$: $\rho' = -3\operatorname{cosec}^2 \tfrac{1}{2}\theta \cot \tfrac{1}{2}\theta$ und $\tan\psi_2 = -\tan \tfrac{1}{2}\theta$.

(c) In $\theta = 2\pi/3$: $\tan\psi_1 = 1/\sqrt{3}$, $\tan\psi_2 = -\sqrt{3}$ und $\phi = \tfrac{1}{2}\pi$. Die Kurven stehen senkrecht aufeinander.

13. $\rho = \sin 2\theta$, $\rho = \cos\theta$.

(a) Die Kurven schneiden sich in $(\sqrt{3}/2, \pi/6)$, $(-\sqrt{3}/2, 5\pi/6)$ und dem Pol.

(b) Für $\rho = \sin 2\theta$: $\rho' = 2\cos 2\theta$ und $\tan\psi_1 = \tfrac{1}{2}\tan 2\theta$.
Für $\rho = \cos\theta$: $\rho' = -\sin\theta$ und $\tan\psi_2 = -\cot\theta$.

(c) In $\theta = \pi/6$: $\tan\psi_1 = \sqrt{3}/2$, $\tan\psi_2 = -\sqrt{3}$, und $\tan\phi = -3\sqrt{3}$. Der spitze Schnittwinkel in den Punkten

$(\sqrt{3}/2, \pi/6)$ und $(-\sqrt{3}/2, 5\pi/6)$ ist $\phi = \arctan 3\sqrt{3} = 79°6'$.

Im Pol sind die Schnittwinkel $0°$ und $\pi/2$.

Bestimme in den Aufgaben 14-16 $ds/d\theta$ im Punkt $P(\rho, \theta)$!

14. $\rho = \cos 2\theta$.

$\rho' = -2\sin 2\theta$ und $ds/d\theta = \sqrt{\rho^2 + (\rho')^2} = \sqrt{\cos^2 2\theta + 4\sin^2 2\theta} = \sqrt{1 + 3\sin^2 2\theta}$.

15. $\rho(1 + \cos\theta) = 4$.

$-\rho\sin\theta + \rho'(1 + \cos\theta) = 0$. Es folgt $\rho' = \dfrac{\rho\sin\theta}{1 + \cos\theta} = \dfrac{4\sin\theta}{(1 + \cos\theta)^2}$ und

$$\frac{ds}{d\theta} = \sqrt{\rho^2 + (\rho')^2} = \frac{4\sqrt{2}}{(1 + \cos\theta)^{3/2}}$$

16. $\rho = \sin^3 \tfrac{1}{3}\theta$. Berechne $ds/d\theta$ in $\theta = \tfrac{1}{2}\pi$.

$\rho' = \sin^2 \tfrac{1}{3}\theta \cos \tfrac{1}{3}\theta$ und $ds/d\theta = \sqrt{\sin^6 \tfrac{1}{3}\theta + \sin^4 \tfrac{1}{3}\theta \cos^2 \tfrac{1}{3}\theta} = \sin^2 \tfrac{1}{3}\theta$.

In $\theta = \tfrac{1}{2}\pi$ gilt $ds/d\theta = \sin^2 \tfrac{1}{6}\pi = 1/4$

17. Leite $K = \dfrac{\rho^2 + 2(\rho')^2 - \rho\rho''}{\{\rho^2 + (\rho')^2\}^{3/2}}$ her!

Nach Definition ist $K = d\tau/ds$. Nun gilt $\tau = \theta + \psi$, also folgt

$$\frac{d\tau}{ds} = \frac{d\theta}{ds} + \frac{d\psi}{ds} = \frac{d\theta}{ds} + \frac{d\psi}{d\theta}\frac{d\theta}{ds} = \frac{d\theta}{ds}\left(1 + \frac{d\psi}{d\theta}\right) \quad \text{mit } \psi = \arctan\frac{\rho}{\rho'}$$

$$\frac{d\psi}{d\theta} = \frac{[(\rho')^2 - \rho\rho'']/(\rho')^2}{1 + (\rho/\rho')^2} = \frac{(\rho')^2 - \rho\rho''}{\rho^2 + (\rho')^2} \quad \text{und} \quad 1 + \frac{d\psi}{d\theta} = 1 + \frac{(\rho')^2 - \rho\rho''}{\rho^2 + (\rho')^2} = \frac{\rho^2 + 2(\rho')^2 - \rho\rho''}{\rho^2 + (\rho')^2}$$

Also gilt $\quad K = \dfrac{d\theta}{ds}\left(1 + \dfrac{d\psi}{d\theta}\right) = \dfrac{1 + d\psi/d\theta}{ds/d\theta} = \dfrac{1 + d\psi/d\theta}{\sqrt{\rho^2 + (\rho')^2}} = \dfrac{\rho^2 + 2(\rho')^2 - \rho\rho''}{\{\rho^2 + (\rho')^2\}^{3/2}}.$

18. $\rho = 2 + \sin\theta$. Bestimme die Krümmung im Punkt $P(\rho, \theta)$!

$$K = \frac{\rho^2 + 2(\rho')^2 - \rho\rho''}{\{\rho^2 + (\rho')^2\}^{3/2}} = \frac{(2 + \sin\theta)^2 + 2\cos^2\theta + (\sin\theta)(2 + \sin\theta)}{\{(2 + \sin\theta)^2 + \cos^2\theta\}^{3/2}} = \frac{6(1 + \sin\theta)}{(5 + 4\sin\theta)^{3/2}}\,!$$

19. $\rho(1 - \cos\theta) = 1$. Bestimme die Krümmung in $\theta = \pi/2$ und in $\theta = 4\pi/3$!

$$\rho' = \frac{-\sin\theta}{(1 - \cos\theta)^2}, \quad \rho'' = \frac{-\cos\theta}{(1 - \cos\theta)^2} + \frac{2\sin^2\theta}{(1 - \cos\theta)^3}, \quad \text{also} \quad K = \sin^3\tfrac{1}{2}\theta.$$

In $\theta = \pi/2$ gilt $K = (1/\sqrt{2})^3 = \sqrt{2}/4$; in $\theta = 4\pi/3$ gilt $K = (\sqrt{3}/2)^3 = 3\sqrt{3}/8$.

20. Leite mit $\mathbf{r} = \rho\mathbf{u}_\rho$ Ausdrücke in $\mathbf{u}_\theta$ und $\mathbf{u}_\rho$ für $\mathbf{v}$ und $\mathbf{a}$ ab!

$$\mathbf{r} = \rho\mathbf{u}_\rho$$

$$\mathbf{v} = \frac{d\mathbf{r}}{dt} = \mathbf{u}_\rho\frac{d\rho}{dt} + \rho\frac{d\mathbf{u}_\rho}{dt} = \mathbf{u}_\rho\frac{d\rho}{dt} + \rho\mathbf{u}_\theta\frac{d\theta}{dt}$$

$$\mathbf{a} = \frac{d\mathbf{v}}{dt} = \mathbf{u}_\rho\frac{d^2\rho}{dt^2} + \mathbf{u}_\theta\frac{d\rho}{dt}\frac{d\theta}{dt} + \rho\mathbf{u}_\theta\frac{d^2\theta}{dt^2} + \mathbf{u}_\theta\frac{d\rho}{dt}\frac{d\theta}{dt} - \rho\mathbf{u}_\rho\left(\frac{d\theta}{dt}\right)^2$$

$$= \mathbf{u}_\rho\left[\frac{d^2\rho}{dt^2} - \rho\left(\frac{d\theta}{dt}\right)^2\right] + \mathbf{u}_\theta\left[\rho\frac{d^2\theta}{dt^2} + 2\frac{d\rho}{dt}\frac{d\theta}{dt}\right]$$

21. Ein Teilchen bewegt sich gegen den Uhrzeigersinn auf $\rho = 4\sin 2\theta$ mit $d\theta/dt = \frac{1}{2}$ rad/sec. *(a)* Drücke $\mathbf{v}$ und $\mathbf{a}$ durch $\mathbf{u}_\rho$ und $\mathbf{u}_\theta$ aus! *(b)* Bestimme $|\mathbf{v}|$ und $|\mathbf{a}|$ für $\theta = \pi/6$!

$$\mathbf{r} = 4\sin 2\theta\,\mathbf{u}_\rho, \quad d\rho/dt = 8\cos 2\theta\,d\theta/dt = 4\cos 2\theta, \quad d^2\rho/dt^2 = -4\sin 2\theta$$

(a) $\mathbf{v} = \mathbf{u}_\rho\dfrac{d\rho}{dt} + \rho\mathbf{u}_\theta\dfrac{d\theta}{dt} = 4\mathbf{u}_\rho\cos 2\theta + 2\mathbf{u}_\theta\sin 2\theta$

$\qquad \mathbf{a} = \mathbf{u}_\rho\left[\dfrac{d^2\rho}{dt^2} - \rho\left(\dfrac{d\theta}{dt}\right)^2\right] + \mathbf{u}_\theta\left[\rho\dfrac{d^2\theta}{dt^2} + 2\dfrac{d\rho}{dt}\dfrac{d\theta}{dt}\right]$

$\qquad = -5\mathbf{u}_\rho\sin 2\theta + 4\mathbf{u}_\theta\cos 2\theta$

(b) In $\theta = \pi/6$: $\mathbf{u}_\rho = \dfrac{\sqrt{3}}{2}\mathbf{i} + \dfrac{1}{2}\mathbf{j}$, $\mathbf{u}_\theta = -\dfrac{1}{2}\mathbf{i} + \dfrac{\sqrt{3}}{2}\mathbf{j}$. $\mathbf{v} = \dfrac{\sqrt{3}}{2}\mathbf{i} + \dfrac{5}{2}\mathbf{j}$; $\mathbf{a} = -\dfrac{19}{4}\mathbf{i} - \dfrac{\sqrt{3}}{4}\mathbf{j}$. $|\mathbf{v}| = \sqrt{7}$, $|\mathbf{a}| = \frac{1}{2}\sqrt{91}$.

ERGÄNZUNGSAUFGABEN

Bestimme in den Aufgaben **22-25** $\tan\psi$ in dem gegebenen Punkt!

22. $\rho = 3 - \sin\theta$ in $\theta = 0$, $\theta = 3\pi/4$ *Lsg.* $-3,\ 3\sqrt{2} - 1$

23. $\rho = a(1 - \cos\theta)$ in $\theta = \pi/4$, $\theta = 3\pi/2$ *Lsg.* $\sqrt{2} - 1,\ -1$

24. $\rho(1 - \cos\theta) = a$ in $\theta = \pi/3$, $\theta = 5\pi/4$ *Lsg.* $-\sqrt{3}/3,\ 1 + \sqrt{2}$

25. $\rho^2 = 4\sin 2\theta$ in $\theta = 5\pi/12$, $\theta = 2\pi/3$ *Lsg.* $-1/\sqrt{3},\ \sqrt{3}$

Bestimme in den Aufgaben 26 - 29 $\tan \tau$!

26. $\rho = 2 + \sin \theta$ in $\theta = \pi/6$ *Lsg.* $-3\sqrt{3}$ **28.** $\rho = \sin^3 \theta/3$ in $\theta = \pi/2$ *Lsg.* $-\sqrt{3}$

27. $\rho^2 = 9 \cos 2\theta$ in $\theta = \pi/6$ *Lsg.* 0 **29.** $2\rho(1 - \sin \theta) = 3$ in $\theta = \pi/4$ *Lsg.* $1 + \sqrt{2}$

30. Untersuche $\rho = \sin 2\theta$ auf waagrechte und senkrechte Tangente
     Lsg. W.T. in $\theta = 0, \pi, 54°44', 125°16', 234°44', 305°16'$
           S.T. in $\theta = \pi/2, 3\pi/2, 35°16', 144°44', 215°16', 324°44'$

Bestimme in den Aufgaben 31- 33 die spitzen Schnittwinkel eines jeden Kurvenpaares!

31. $\rho = \sin \theta$, $\rho = \sin 2\theta$ *Lsg.* $\phi = 79°6'$ in $\theta = \pi/3$ und $5\pi/3$; $\phi = 0$ im Pol.

32. $\rho = \sqrt{2} \sin \theta$, $\rho^2 = \cos 2\theta$ *Lsg.* $\phi = \pi/3$ in $\theta = \pi/6$, $5\pi/6$; $\phi = \pi/4$ im Pol.

33. $\rho^2 = 16 \sin 2\theta$, $\rho^2 = 4 \operatorname{cosec} 2\theta$ *Lsg.* $\phi = \pi/3$ in jedem Schnittpunkt.

34. Zeige, daß sich jedes der folgenden Kurvenpaare in allen Schnittpunkten rechtwinklig schneidet!
     (a) $\rho = 4 \cos \theta$, $\rho = 4 \sin \theta$ (c) $\rho^2 \cos 2\theta = 4$, $\rho^2 \sin 2\theta = 9$
     (b) $\rho = e^\theta$, $\rho = e^{-\theta}$ (d) $\rho = 1 + \cos \theta$, $\rho = 1 - \cos \theta$

35. Bestimme den Schnittwinkel der Tangenten an $\rho = 2 - 4 \sin \theta$ im Pol!   *Lsg.* $2\pi/3$

36. Bestimme die Krümmung jeder Kurve in $P(\rho, \theta)$:
     (a) $\rho = e^\theta$, (b) $\rho = \sin \theta$, (c) $\rho^2 = 4 \cos 2\theta$, (d) $\rho = 3 \sin \theta + 4 \cos \theta$.
     Lsg. (a) $1/(\sqrt{2}\, e^\theta)$, (b) 2, (c) $\frac{3}{2}\sqrt{\cos 2\theta}$, (d) $2/5$

37. Es sei $\rho = f(\theta)$ die Polargleichung einer Kurve und s die Bogenlänge der Kurve. Leite unter Benutzung von $x = \rho \cos \theta$,
     $y = \rho \sin \theta$ und $\left(\dfrac{ds}{d\theta}\right)^2 = \left(\dfrac{dx}{d\theta}\right)^2 + \left(\dfrac{dy}{d\theta}\right)^2$ her: $\left(\dfrac{ds}{d\theta}\right)^2 = \rho^2 + (\rho')^2$!

38. Bestimme im folgenden $ds/d\theta$! (Wir nehmen an, daß s mit θ wächst.)
     (a) $\rho = a \cos \theta$, (b) $\rho = a(1 + \cos \theta)$, (c) $\rho = \cos 2\theta$.
     Lsg. (a) a, (b) $a\sqrt{2 + 2 \cos \theta}$, (c) $\sqrt{1 + 3 \sin^2 2\theta}$

39. Ein Teilchen bewegt sich auf der Kurve $\varrho = f(\theta)$, wobei sein Ort zur Zeit t durch $\varrho = g(t)$, $\theta = h(t)$ gegeben sei. Zeige:

     (a) Durch Multiplikation der Gleichung in Aufgabe 37 mit $\left(\dfrac{d\theta}{dt}\right)^2$ ergibt sich $v^2 = \left(\dfrac{ds}{dt}\right)^2 = \rho^2 \left(\dfrac{d\theta}{dt}\right)^2 + \left(\dfrac{d\rho}{dt}\right)^2$.

     (b) Aus $\tan \psi = \rho \dfrac{d\theta}{d\rho} = \rho \dfrac{d\theta/dt}{d\rho/dt}$ folgt: $\sin \psi = \dfrac{\rho}{v} \dfrac{d\theta}{dt}$ und $\cos \psi = \dfrac{1}{v} \dfrac{d\rho}{dt}$.

40. Zeige, daß $\dfrac{d\mathbf{u}_\rho}{dt} = \mathbf{u}_\theta \dfrac{d\theta}{dt}$ und $\dfrac{d\mathbf{u}_\theta}{dt} = -\mathbf{u}_\rho \dfrac{d\theta}{dt}$.

41. Ein Teilchen bewegt sich mit $d\theta/dt = \pi/6$ rad/sec gegen den Uhrzeigersinn auf der Kardioide $\rho = 4(1 + \cos \theta)$.
     Drücke $\mathbf{v}$ und $\mathbf{a}$ durch $\mathbf{u}_\rho$ und $\mathbf{u}_\theta$ aus!
     Lsg. $\mathbf{v} = -\dfrac{2\pi}{3} \mathbf{u}_\rho \sin \theta + \dfrac{2\pi}{3} \mathbf{u}_\theta (1 + \cos \theta)$, $\mathbf{a} = -\dfrac{\pi^2}{9} \mathbf{u}_\rho (1 + 2 \cos \theta) - \dfrac{2\pi^2}{9} \mathbf{u}_\theta \sin \theta$

42. Ein Teilchen bewegt sich mit konstanter Geschwindigkeit von 4 Einh./sec gegen den Uhrzeigersinn auf $\rho = 8 \cos \theta$.
     Drücke $\mathbf{v}$ und $\mathbf{a}$ durch $\mathbf{u}_\rho$ und $\mathbf{u}_\theta$ aus!
     Lsg. $\mathbf{v} = -4\mathbf{u}_\rho \sin \theta + 4\mathbf{u}_\theta \cos \theta$, $\mathbf{a} = -4\mathbf{u}_\rho \cos \theta - 4\mathbf{u}_\theta \sin \theta$

43. Wirkt auf ein Teilchen der Masse m, das sich auf einer Kurve bewegt, eine Kraft $\mathbf{F}$ immer in Richtung Pol, so gilt $\mathbf{F} = m\mathbf{a}$
     oder $\mathbf{a} = \dfrac{1}{m} \mathbf{F}$, so daß $a_\theta = 0$. Zeige: Aus $a_\theta = 0$ folgt $\rho^2 \dfrac{d\theta}{dt} = k$, wobei k ein Konstante ist, und der Radiusvektor
     überstreicht die Ebene mit konstanter Geschwindigkeit.

44. Ein Teilchen bewegt sich längs $\rho = \dfrac{2}{1 - \cos \theta}$ mit $a_\theta = 0$. Zeige, daß $a_\rho = -\dfrac{k^2}{2} \dfrac{1}{\rho^2}$, wobei k in Aufgabe 43 erklärt
     wird.

KAPITEL 21

Der Mittelwertsatz

DER SATZ VON ROLLE. Ist $f(x)$ im Intervall $a \leqq x \leqq b$ stetig, gilt $f(a) = f(b) = 0$ und existiert $f'(x)$ überall im Intervall außer (möglicherweise) in den Endpunkten, dann gibt es mindestens einen Wert von x, etwa $x = x_0$, zwischen a und b mit $f'(x_0) = 0$.

Geometrische Deutung: Schneidet eine stetige Kurve die x-Achse in $x = a$ und $x = b$ und hat sie in jedem Punkt zwischen a und b eine Tangente, dann gibt es mindestens einen Punkt $x = x_0$ zwischen a und b, in dem die Tangente parallel zur x-Achse ist. Siehe Abb. 21-1!

Ein Beweis steht in Aufgabe 11.

Korollar. Erfüllt $f(x)$ die Bedingungen des Satzes von Rolle, gilt aber $f(a) = f(b) \neq 0$, dann gibt es mindestens einen Wert von x, etwa $x = x_0$, zwischen a und b mit $f'(x_0) = 0$. Siehe Abb. 21-2!

Siehe Aufgaben 1-2!

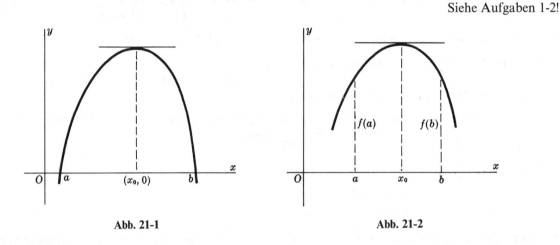

Abb. 21-1   Abb. 21-2

DER MITTELWERTSATZ. Ist $f(x)$ stetig im Intervall $a \leqq x \leqq b$ und existiert $f'(x)$ überall im Intervall außer (möglicherweise) in den Endpunkten, dann gibt es mindestens einen Wert von x, etwa $x = x_0$, zwischen a und b, für den gilt

$$\frac{f(b) - f(a)}{b - a} = f'(x_0)$$

Geometrische Deutung: Sind P_1 und P_2 zwei Punkte einer stetigen Kurve, die in jedem Punkt dazwischen eine Tangente hat, dann gibt es mindestens einen Kurvenpunkt zwischen P_1 und P_2, in dem die Steigung der Kurve gleich der Steigung von $P_1 P_2$ ist. Siehe Abb. 21-3!

Ein Beweis steht in Aufg. 12.

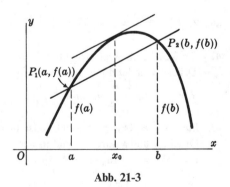

Abb. 21-3

Der Mittelwertsatz kann auf verschiedene nützliche Arten notiert werden.

(I) $$f(b) = f(a) + (b - a) \cdot f'(x_0), \qquad x_0 \text{ zwischen } a \text{ und } b.$$

Mit einer anderen Bezeichnungsweise ergibt sich:

(II) $$f(x) = f(a) + (x - a) \cdot f'(x_0), \qquad x_0 \text{ zwischen } a \text{ und } x.$$

Aus Abb. 21-4 folgt sofort, daß $x_0 = a + \theta(b - a)$, wobei $0 < \theta < 1$ ist. Damit nimmt (I) folgende Form an

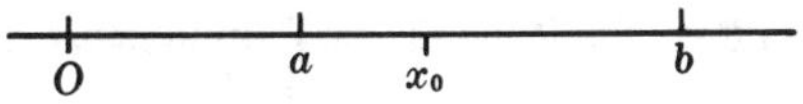

Abb. 21-4

(III) $$f(b) = f(a) + (b - a) \cdot f'[a + \theta(b - a)], \qquad 0 < \theta < 1$$

Setzen wir $(b - a) = h$, so folgt aus (III)

(IV) $$f(a + h) = f(a) + h \cdot f'(a + \theta h), \qquad 0 < \theta < 1$$

Setzen wir schließlich $a = x$ und $h = \Delta x$, so folgt aus (IV)

(V) $$f(x + \Delta x) = f(x) + \Delta x \cdot f'(x + \theta \cdot \Delta x), \qquad 0 < \theta < 1$$

Siehe Aufgaben 3-9!

VERALLGEMEINERTER MITTELWERTSATZ. Sind $f(x)$ und $g(x)$ im Intervall $a \leqq x \leqq b$ stetig, existieren $f'(x)$ und $g'(x)$ überall im Intervall außer (möglicherweise) in den Endpunkten und gilt überall $g'(x) \neq 0$, dann gibt es mindestens einen Wert von x, etwa $x = x_0$, zwischen a und b mit

$$\frac{f(b) - f(a)}{g(b) - g(a)} = \frac{f'(x_0)}{g'(x_0)}$$

Im Falle $g(x) = x$ folgt daraus der Mittelwertsatz.

Ein Beweis steht in Aufgabe 13.

ERWEITERTER MITTELWERTSATZ. Sind $f(x)$ und die ersten $(n - 1)$ Ableitungen von $f(x)$ im Intervall $a \leqq x \leqq b$ stetig und existiert $f^{(n)}(x)$ überall im Intervall außer (möglicherweise) in den Endpunkten, dann gibt es mindestens einen Wert von x, etwa $x = x_0$, zwischen a und b mit

(VI) $$f(b) = f(a) + \frac{f'(a)}{1!}(b - a) + \frac{f''(a)}{2!}(b - a)^2 + \cdots$$
$$+ \frac{f^{(n-1)}(a)}{(n-1)!}(b - a)^{n-1} + \frac{f^{(n)}(x_0)}{n!}(b - a)^n$$

Ein Beweis steht in Aufgabe 15.

Wird b durch die Veränderliche x ersetzt, so ergibt sich aus (VI)

(VII) $$f(x) = f(a) + \frac{f'(a)}{1!}(x - a) + \frac{f''(a)}{2!}(x - a)^2 + \cdots$$
$$+ \frac{f^{(n-1)}(a)}{(n-1)!}(x - a)^{n-1} + \frac{f^{(n)}(x_0)}{n!}(x - a)^n, \quad x_0 \text{ zwischen und } a \text{ und } x.$$

Wird a durch 0 ersetzt, so folgt aus (VII)

(VIII) $$f(x) = f(0) + \frac{f'(0)}{1!}x + \frac{f''(0)}{2!}x^2 + \cdots + \frac{f^{(n-1)}(0)}{(n-1)!}x^{n-1} + \frac{f^{(n)}(x_0)}{n!}x^n$$

x_0 zwischen 0 und x.

AUFGABEN MIT LÖSUNGEN

1. Bestimme den Wert von x_0, der im Satz von Rolle auftritt, für $f(x) = x^3 - 12x$ im Intervall $0 \leq x \leq 2\sqrt{3}$!

   $f'(x) = 3x^2 - 12 = 0$ für $x = \pm 2$; also ist $x_0 = 2$ der gesuchte Wert.

2. Gilt der Satz von Rolle für die Funktionen (a) $f(x) = \dfrac{x^2 - 4x}{x-2}$ und (b) $f(x) = \dfrac{x^2 - 4x}{x+2}$?

   (a) $f(x) = 0$ für $x = 0, 4$. Da $f(x)$ in $x = 2$, einem Punkt des Intervalls $0 \leq x \leq 4$, unstetig ist, läßt sich der Satz von Rolle nicht anwenden.

   (b) $f(x) = 0$ für $x = 0, 4$. Hier ist $f(x)$ in $x = -2$ unstetig.

   $f'(x) = (x^2 + 4x - 8)/(x+2)^2$ existiert überall außer für $x = -2$. Der Satz gilt mit $x_0 = 2(\sqrt{3} - 1)$, der positiven Lösung von $x^2 + 4x - 8 = 0$.

3. Bestimme den Wert x_0, der im Mittelwertsatz auftritt, für $f(x) = 3x^2 + 4x - 3$, $a = 1$, $b = 3$!

   Mit (I) folgt $f(a) = f(1) = 4$, $f(b) = f(3) = 36$, $f'(x_0) = 6x_0 + 4$. Da $b - a = 2$, folgt $36 = 4 + 2(6x_0 + 4) = 12x_0 + 12$, also $x_0 = 2$.

4. Benutze den Mittelwertsatz, um $\sqrt[6]{65}$ zu approximieren!

   Es sei $f(x) = \sqrt[6]{x}$, $a = 64$, $b = 65$.

   Mit (I) folgt $f(65) = f(64) + (65 - 64)/6x_0^{5/6}$, $64 < x_0 < 65$. Da x_0 unbekannt ist, nehmen wir $x_0 = 64$; dann gilt annähernd $\sqrt[6]{65} = \sqrt[6]{64} + 1/(6\sqrt[6]{64^5}) = 2 + 1/192 = 2,00521$.

5. Ein rundes Loch mit Durchmesser 4 cm und Tiefe 12 cm in einem Metallblock wird nachgebohrt, um den Durchmesser auf $4,2$ cm zu vergrößern. Schätze die Menge des entfernten Metalls!

   Das Volumen (cm^3) eines runden Lochs mit Radius x (cm) und Tiefe 12 (cm) ist durch $V = f(x) = 12\pi x^2$ gegeben. Wir müssen $f(2,1) - f(2)$ schätzen. Aus dem Mittelwertsatz folgt

   $$f(2,1) - f(2) = 0,1\, f'(x_0) = 0,1(24\pi x_0), \qquad 2 < x_0 < 2,1$$

   Wir nehmen $x_0 = 2$; dann gilt annähernd: $f(2,1) - f(2) = 4,8\pi$ c m^3.

6. Wende den Mittelwertsatz auf $y = f(x)$, $a = x$, $b = x + \Delta x$ an, wobei alle Bedingungen erfüllt seien, und zeige, daß die Näherungsformel $\Delta y = f'(x) \cdot \Delta x$ gilt!

   Wir haben $\Delta y = f(x + \Delta x) - f(x) = [x + \Delta x - x] \cdot f'(x_0)$, $x < x_0 < x + \Delta x$.

   Wir setzen $x_0 = x$; dann gilt annähernd $\Delta y = f'(x) \cdot \Delta x$.

7. Benutze den Mittelwertsatz, um zu zeigen, daß $\sin x < x$ für $x > 0$!

   Aus $\sin x \leq 1$ folgt $\sin x < x$ für $x > 1$. Wir betrachten $f(x) = \sin x$ in $0 \leq x \leq 1$. Aus (II) folgt

   $$\sin x = \sin 0 + x \cos x_0 = x \cos x_0, \qquad 0 < x_0 < x.$$

   In diesem Intervall gilt $\cos x_0 < 1$, also $x \cos x_0 < x$ und damit $\sin x < x$.

8. Zeige mit Hilfe des Mittelwertsatzes: $\dfrac{x}{1+x} < \ln(1+x) < x$ für $-1 < x < 0$ und für $x > 0$!

   (IV) angewandt auf $f(x) = \ln x$, $a = 1$ und $h = x$ ergibt

   $$\ln(1+x) = \ln 1 + x\,\frac{1}{1 + \theta x} = \frac{x}{1 + \theta x}, \qquad 0 < \theta < 1$$

   Für $x > 0$ gilt $1 < 1 + \theta x < 1 + x$, also $1 > \dfrac{1}{1 + \theta x} > \dfrac{1}{1+x}$ und damit $x > \dfrac{x}{1 + \theta x} > \dfrac{x}{1+x}$.

   Für $-1 < x < 0$ gilt $1 > 1 + \theta x > 1 + x$, also $1 < \dfrac{1}{1 + \theta x} < \dfrac{1}{1+x}$ und damit $x > \dfrac{x}{1 + \theta x} > \dfrac{x}{1+x}$.

   In beiden Fällen ergibt sich $\dfrac{x}{1 + \theta x} < x$, also $\ln(1+x) = \dfrac{x}{1 + \theta x} < x$. Ebenfalls gilt $\dfrac{x}{1 + \theta x} > \dfrac{x}{1+x}$ und

   $\ln(1+x) = \dfrac{x}{1 + \theta x} > \dfrac{x}{1+x}$. Damit folgt $\dfrac{x}{1+x} < \ln(1+x) < x$ für $-1 < x < 0$ und für $x > 0$.

9. Zeige mit Hilfe des Mittelwertsatzes $\sqrt{1+x} < 1 + \frac{1}{2}x$ für $-1 < x < 0$ und $x > 0$!

Es sei $f(x) = \sqrt{x}$. Mit (IV) und $a = 1$, $h = x$ folgt

$$\sqrt{1+x} \;=\; 1 + \frac{x}{2\sqrt{1+\theta x}}, \qquad 0 < \theta < 1$$

Für $x > 0$ gilt nun $\sqrt{1+\theta x} < \sqrt{1+x}$, also $\dfrac{x}{2\sqrt{1+\theta x}} > \dfrac{x}{2\sqrt{1+x}}$; für $-1 < x < 0$ gilt $\sqrt{1+\theta x} > \sqrt{1+x}$,

also $\dfrac{x}{2\sqrt{1+\theta x}} > \dfrac{x}{2\sqrt{1+x}}$.

In beiden Fällen folgt $\sqrt{1+x} = 1 + \dfrac{x}{2\sqrt{1+\theta x}} > 1 + \dfrac{x}{2\sqrt{1+x}}$. Durch Multiplikation mit $\sqrt{1+x} > 0$ ergibt

sich $1 + x > \sqrt{1+x} + \frac{1}{2}x$ und damit $\sqrt{1+x} < 1 + \frac{1}{2}x$.

10. Bestimme den Wert x_0, der im verallgemeinerten Mittelwertsatz auftritt, für $f(x) = 3x + 2$, $g(x) = x^2 + 1$, $1 \leqq x \leqq 4$!

Wir müssen x_0 so bestimmen, daß

$$\frac{f(b) - f(a)}{g(b) - g(a)} = \frac{f(4) - f(1)}{g(4) - g(1)} = \frac{14 - 5}{17 - 2} = \frac{3}{5} = \frac{f'(x_0)}{g'(x_0)} = \frac{3}{2x_0}$$

Das ergibt $2x_0 = 5$, also $x_0 = 5/2$.

11. Beweise den Satz von Rolle: Ist $f(x)$ im Intervall $a \leqq x \leqq b$ stetig, gilt $f(a) = f(b) = 0$ und existiert $f'(x)$ überall im Intervall außer (möglicherweise) in den Endpunkten, dann gibt es mindestens einen Wert von x, etwa $x = x_0$, zwischen a und b mit $f'(x_0) = 0$.

Gilt $f(x) = 0$ im ganzen Intervall, so auch $f'(x) = 0$, und der Satz ist bewiesen. Im anderen Fall, wenn $f(x)$ irgendwo im Intervall positiv (negativ) ist, so hat $f(x)$ ein relatives Maximum (Minimum) in einem Punkt $x = x_0$, $a < x_0 < b$ (siehe Eigenschaft II, Kap. 3), und es gilt $f'(x_0) = 0$.

12. Beweise den Mittelwertsatz: Ist $f(x)$ im Intervall $a \leqq x \leqq b$ stetig und existiert $f'(x)$ überall im Intervall außer (möglicherweise) in den Endpunkten, so gibt es einen Wert von x, etwa $x = x_0$, zwischen a und b mit

$$\frac{f(b) - f(a)}{b - a} = f'(x_0)$$

Wir betrachten Abb. 21–3. Die Gleichung der Strecke $P_1 P_2$ ist $y = f(b) + K(x - b)$, wobei $K = \dfrac{f(b) - f(a)}{b - a}$.

In irgendeinem Punkt x im Intervall $a < x < b$ ist die senkrechte Entfernung der Strecke $P_1 P_2$ von der Kurve durch $F(x) = f(x) - f(b) - K(x - b)$ gegeben. Nun erfüllt $F(x)$ die Bedingungen des Satzes von Rolle (prüfen!); also gilt $F'(x) = f'(x) - K = 0$ für einen Wert $x = x_0$ zwischen a und b. Daraus folgt

$$K = f'(x_0) = \frac{f(b) - f(a)}{b - a}$$

was zu beweisen war.

13. Beweise den verallgemeinerten Mittelwertsatz: Sind $f(x)$ und $g(x)$ im Intervall $a \leqq x \leqq b$ stetig, existieren $f'(x)$ und $g'(x)$ überall im Intervall außer (möglicherweise) in den Endpunkten und gilt überall $g'(x) \neq 0$, so gibt es mindestens einen Wert von x, etwa $x = x_0$, zwischen a und b mit

$$\frac{f(b) - f(a)}{g(b) - g(a)} = \frac{f'(x_0)}{g'(x_0)}$$

Wir nehmen $g(a) = g(b)$ an; dann folgt aus dem Korollar zum Satz von Rolle, daß $g'(x) = 0$ für ein x zwischen a und b.

Das widerspricht unserer Annahme. Also gilt $g(b) \neq g(a)$. Wir setzen $\dfrac{f(b) - f(a)}{g(b) - g(a)} = K$ und bilden die Funktion

$$F(x) = f(x) - f(b) - K[g(x) - g(b)]$$

Diese Funktion erfüllt die Bedingungen des Satzes von Rolle (prüfen!). Also gilt $F'(x) = f'(x) - K g'(x) = 0$ für mindestens einen Wert von x, etwa $x = x_0$, zwischen a und b. Daraus folgt

$$K = \frac{f'(x_0)}{g'(x_0)} = \frac{f(b) - f(a)}{g(b) - g(a)}$$, was zu zeigen war.

14. Ein Bogen der Kurve $y = f(x)$ ist nach oben (unten) konkav, wenn er unter (über) der Sehne PQ liegt. Beweise: Sind $f(x)$ und $f'(x)$ stetig in $a \leq x \leq b$ und hat $f'(x)$ in $a < x < b$ immer dasselbe Vorzeichen, dann gilt:

(**i**) $f(x)$ ist in $a < x < b$ nach oben konkav, wenn $f''(x) > 0$.

(**ii**) $f(x)$ ist in $a < x < b$ nach unten konkav, wenn $f''(x) < 0$.

Die Gleichung der Geraden durch $P[a, f(a)]$ und $Q[b, f(b)]$

ist $y = f(a) + (x-a)\dfrac{f(b) - f(a)}{b - a}$. Es seien A und B die

Punkte der Kurve und der Geraden mit der Abszisse $x = c$,
$a < c < b$. Die dazugehörigen Ordinaten sind $f(c)$ und

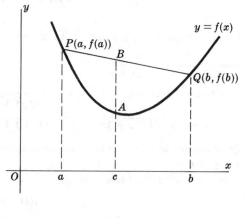

$$f(a) + (c-a)\frac{f(b) - f(a)}{b - a} = \frac{(b-c)\cdot f(a) + (c-a)\cdot f(b)}{b - a}$$

(i) Wir müssen beweisen, daß

$$f(c) < \frac{(b-c)\cdot f(a) + (c-a)\cdot f(b)}{b - a}$$

wenn $f''(x) > 0$. Aus dem Mittelwertsatz folgt $\dfrac{f(c) - f(a)}{c - a} =$

Abb. 21-5

$f'(\xi)$, wobei ξ zwischen a und c liegt, und $\dfrac{f(b) - f(c)}{b - c} = f'(\eta)$,

wobei η zwischen c und b liegt. Da $f''(x) > 0$ in $a < x < b$, wächst $f'(x)$ in diesem Intervall, also gilt $f'(\xi) < f'(\eta)$.

Daraus folgt $\dfrac{f(c) - f(a)}{c - a} < \dfrac{f(b) - f(c)}{b - c}$, und

$$f(c) < \frac{(b-c)\cdot f(a) + (c-a)\cdot f(b)}{b - a}$$

wie gefordert.

Teil (ii) überlassen wir dem Leser als Übung.

15. Beweise: Sind $f(x)$ und die ersten $(n-1)$ Ableitungen von $f(x)$ im Intervall $a \leq x \leq b$ stetig und existiert $f^{(n)}(x)$ überall im Intervall außer (möglicherweise) in den Endpunkten, dann gibt es mindestens einen Wert von x, etwa $x = x_0$, zwischen a und b mit

$$f(b) = f(a) + \frac{f'(a)}{1!}(b-a) + \frac{f''(a)}{2!}(b-a)^2 + \cdots + \frac{f^{(n-1)}(a)}{(n-1)!}(b-a)^{n-1} + \frac{f^{(n)}(x_0)}{n!}(b-a)^n$$

Für $n = 1$ ist dies der Mittelwertsatz. Der Beweis hier ist dem von Aufg. 12 ähnlich. Es sei K erklärt durch:

(**i**) $\qquad f(b) = f(a) + \dfrac{f'(a)}{1!}(b-a) + \dfrac{f''(a)}{2!}(b-a)^2 + \cdots + \dfrac{f^{(n-1)}(a)}{(n-1)!}(b-a)^{n-1} + K(b-a)^n$

Wir betrachten

$$F(x) = f(x) - f(b) + \frac{f'(x)}{1!}(b-x) + \frac{f''(x)}{2!}(b-x)^2 + \cdots + \frac{f^{(n-1)}(x)}{(n-1)!}(b-x)^{n-1} + K(b-x)^n$$

Aus (i) folgt $F(a) = 0$, außerdem gilt $F(b) = 0$. Nach dem Satz von Rolle gibt es ein $x = x_0$, $a < x_0 < b$, mit

$$F'(x_0) = f'(x_0) + \{f''(x_0)\cdot(b-x_0) - f'(x_0)\} + \left\{\frac{f'''(x_0)}{2!}(b-x_0)^2 - f''(x_0)\cdot(b-x_0)\right\}$$

$$+ \cdots + \left\{\frac{f^{(n)}(x_0)}{(n-1)!}(b-x_0)^{n-1} - \frac{f^{(n-1)}(x_0)}{(n-2)!}(b-x_0)^{n-2}\right\} - Kn(b-x_0)^{n-1}$$

$$= \frac{f^{(n)}(x_0)}{(n-1)!}(b-x_0)^{n-1} - Kn(b-x_0)^{n-1} = 0$$

Also gilt $K = \dfrac{f^{(n)}(x_0)}{n!}$ und (i) lautet dann

$$f(b) = f(a) + \frac{f'(a)}{1!}(b-a) + \frac{f''(a)}{2!}(b-a)^2 + \cdots + \frac{f^{(n-1)}(a)}{(n-1)!}(b-a)^{n-1} + \frac{f^{(n)}(x_0)}{n!}(b-a)^n$$

ERGÄNZUNGSAUFGABEN

16. Bestimme den Wert x_0, der im Satz von Rolle auftritt, für:

    (a) $f(x) = x^2 - 4x + 3$, $1 \leq x \leq 3$ *Lsg.* $x_0 = 2$

    (b) $f(x) = \sin x$, $0 \leq x \leq \pi$ *Lsg.* $x_0 = \frac{1}{2}\pi$

    (c) $f(x) = \cos x$, $\pi/2 < x < 3\pi/2$ *Lsg.* $x_0 = \pi$

17. Bestimme den Wert x_0, der im Mittelwertsatz auftritt, für:

    (a) $y = x^3$, $0 \leq x \leq 6$ *Lsg.* $x_0 = 2\sqrt{3}$

    (b) $y = ax^2 + bx + c$, $x_1 \leq x \leq x_2$ *Lsg.* $x_0 = \frac{1}{2}(x_1 + x_2)$

    (c) $y = \ln x$, $1 \leq x \leq 2e$ *Lsg.* $x_0 = \dfrac{2e - 1}{1 + \ln 2}$

18. Gib mit dem Mittelwertsatz eine Näherung für   (a) $\sqrt{15}$,   (b) $(3,001)^3$,   (c) $1/999$ an!
    Lsg. (a) $3,875$,   (b) $27,027$,   (c) $0,001001$.

19. Beweise mit dem Mittelwertsatz:

    (a) $\tan x > x$, $0 < x < \frac{1}{2}\pi$;   (b) $\dfrac{x}{1 + x^2} <$ Arctan $x < x$, $x > 0$;   (c) $x <$ Arcsin $x < \dfrac{x}{\sqrt{1 - x^2}}$, $0 < x < 1$!

20. Zeige, daß $|f(x) - f(x_1)| \leq |x - x_1|$, $(x_1$ eine beliebige Zahl) für (a) $f(x) = \sin x$, (b) $f(x) = \cos x$!

21. Beweise mit dem Mittelwertsatz:
    (a) Gilt $f'(x) = 0$ überall im Intervall $a \leq x \leq b$, dann folgt $f(x) = f(a) = c$ (c eine Konstante) für alle x in diesem Intervall.
    (b) $f(x)$ wächst mit x in einem gegebenen Intervall $a \leq x \leq b$, wenn $f'(x) > 0$ überall im Intervall.
    Hinweis: Für zwei Punkte $x_1 < x_2$ des Intervalls gilt $f(x_2) = f(x_1) + (x_2 - x_1)f'(x_0)$, $x_1 < x_0 < x_2$.

22. Beweise mit dem Satz von Aufgabe 21(a) : Sind $f(x)$ und $g(x)$ verschieden und gilt in einem Intervall $f'(x) = g'(x)$, so ist in diesem Intervall $f(x) - g(x) = c \neq 0$, (c Konstante).

23. Ein *Umkehrpunkt* ist ein kritischer Punkt $x = x_0$, in dem $f'(x)$ das Vorzeichen wechselt.
    Es seien $x_1 < x_2 < \cdots < x_{m-1} < x_m$ voneinander verschiedene Umkehrpunkte von $f(x)$.
    Zeige, daß $f(x) = 0$ in jedem der Intervalle $x < x_1$, $x_1 < x < x_2$, ..., $x_{m-1} < x < x_m$, $x > x_m$ höchstens eine reelle Lösung hat !

24. Es sei $f(x)$ ein Polynom vom Grade n. Hat $f(x) = 0$ n verschiedene einfache reelle Wurzeln, so hat $f'(x) = 0$ genau $n - 1$ einfache reelle Wurzeln.

25. Zeige, daß $x^3 + px + q = 0$ (a) genau eine reelle Wurzel hat, wenn $p > 0$,   (b) drei reelle Wurzeln, wenn $4p^3 + 27q^2 < 0$!

26. Bestimme den Wert von x_0, der im verallgemeinerten Mittelwertsatz auftritt, für
    (a) $f(x) = x^2 + 2x - 3$, $g(x) = x^2 - 4x + 6$; $a = 0$, $b = 1$.   *Lsg.* $\frac{1}{2}$
    (b) $f(x) = \sin x$, $g(x) = \cos x$; $a = \pi/6$, $b = \pi/3$.   *Lsg.* $\pi/4$

27. Zeige mit dem verallgemeinerten Mittelwertsatz (VIII):
    (a) Für $x < 0,31$ ist $\sin x$ annähernd gleich x, wobei der Fehler höchstens gleich $0,005$ ist.
    Hinweis: Für $n = 3$ gilt $\sin x = x - \frac{1}{6}x^3 \cos x_0$. Wir setzen $\frac{1}{6}|x^3 \cos x_0| \leq \frac{1}{6}|x^3| < 0,005$.
    (b) $\sin x$ kann für $x < 0,359$ durch $x - x^3/6$ mit einem Fehler von höchstens $0,00005$ angenähert werden.

KAPITEL 22

Unbestimmte Ausdrücke

BEI DER BESTIMMUNG DER ABLEITUNG einer differenzierbaren Funktion $f(x)$ in Kapitel 4 mußten wir folgenden Ausdruck betrachten:

$$(a) \qquad \lim_{\Delta x \to 0} \frac{f(x + \Delta x) - f(x)}{(x + \Delta x) - x} \;=\; \lim_{\Delta x \to 0} \frac{F(\Delta x)}{G(\Delta x)}$$

Da der Grenzwert im Zähler und im Nenner dieses Quotienten Null ist, sagt man üblicherweise, daß *(a) unbestimmt* vom Typ 0/0 ist. Andere Beispiele sind in Aufgabe 5, Kap. 2, zu finden.

Genauso nennt man $\displaystyle\lim_{x \to \infty} \frac{3x - 2}{9x + 7}$ (siehe Aufg. 6, Kap 2) unbestimmt vom Typ ∞/∞. Die Symbole

$0/0$, ∞/∞ und andere ($0 \cdot \infty$, $\infty - \infty$, 0^0, ∞^0 und 1^∞), die später eingeführt werden, dürfen nicht als

Quotienten aufgefaßt werden; es sind nur Ausdrücke zur Unterscheidung der verschiedenen Typen.

TYP 0/0.

Die Regel von L'Hospital. Es sei a eine Zahl. Ferner seien $f(x)$ und $g(x)$ differenzierbar, und es gelte $g(x) \neq 0$ für alle x in einem Intervall $0 < |x - a| < \delta$. Gilt $\displaystyle\lim_{x \to a} f(x) = 0$ und $\displaystyle\lim_{x \to a} g(x) = 0$ und existiert $\displaystyle\lim_{x \to a} \frac{f'(x)}{g'(x)}$, so folgt

$$\lim_{x \to a} \frac{f(x)}{g(x)} \;=\; \lim_{x \to a} \frac{f'(x)}{g'(x)}$$

Beispiel 1: $\displaystyle\lim_{x \to 3} \frac{x^4 - 81}{x - 3}$ ist unbestimmt vom Typ 0/0. Aus

$$\lim_{x \to 3} \frac{\dfrac{d}{dx}(x^4 - 81)}{\dfrac{d}{dx}(x - 3)} \;=\; \lim_{x \to 3} 4x^3 \;=\; 108 \quad \text{folgt} \quad \lim_{x \to 3} \frac{x^4 - 81}{x - 3} \;=\; 108$$

Siehe Aufgaben 1-7!

Bemerkung. Aus der Regel von L'Hospital folgt $\displaystyle\lim_{x \to a^+} f(x)/g(x) \;=\; \lim_{x \to a^-} f(x)/g(x)$. In einigen Aufgaben (z.B. Aufg. 8) wird nur einer dieser Grenzwerte gesucht.

TYP ∞/∞.

Die Behauptung der Regel von L'Hospital bleibt dieselbe, wenn man die Voraussetzungen auf eine oder beide der folgenden Arten abändert:

(i) „$\displaystyle\lim_{x \to a} f(x) = 0$ und $\displaystyle\lim_{x \to a} g(x) = 0$" wird ersetzt durch „$\displaystyle\lim_{x \to a} f(x) = \infty$ und $\displaystyle\lim_{x \to a} g(x) = \infty$".

(ii) „a sei eine Zahl" wird ersetzt durch „$a = +\infty$, $-\infty$ oder ∞" und „$0 < |x - a| < \delta$" wird ersetzt durch „$|x| > M$."

Beispiel 2: $\displaystyle\lim_{x \to +\infty} \frac{x^2}{e^x}$ ist unbestimmt vom Typ ∞/∞. Es ergibt sich:

$$\lim_{x \to +\infty} \frac{x^2}{e^x} \;=\; \lim_{x \to +\infty} \frac{2x}{e^x} \;=\; \lim_{x \to +\infty} \frac{2}{e^x} \;=\; 0$$

Siehe Aufgaben 9-11!

DIE TYPEN $0 \cdot \infty$ und $\infty - \infty$.

Diese können behandelt werden, indem man zuerst auf einen der Typen $0/0$ oder ∞/∞ umrechnet.

Zum Beispiel:

$$\lim_{x \to +\infty} x^2 e^{-x} \text{ ist vom Typ } 0 \cdot \infty \text{ und } \lim_{x \to +\infty} \frac{x^2}{e^x} \text{ ist vom Typ } \infty/\infty;$$

$$\lim_{x \to 0} \left(\operatorname{cosec} x - \frac{1}{x} \right) \text{ ist vom Typ } \infty - \infty \text{ und } \lim_{x \to 0} \left(\frac{x - \sin x}{x \sin x} \right) \text{ ist vom Typ } 0/0.$$

Siehe Aufgaben 13-16!

DIE TYPEN 0^0, ∞^0, und 1^∞.

Ist $\lim y$ von einem dieser Typen, so ist $\lim (\ln y)$ vom Typ $0 \cdot \infty$.

Beispiel 3: Bestimme $\lim_{x \to 0} (\sec^3 2x)^{\cot^2 3x}$

Dies ist ein Ausdruck vom Typ 1^∞. Es sei $y = (\sec^3 2x)^{\cot^2 3x}$; dann gilt $\ln y = \cot^2 3x \ln \sec^3 2x = \dfrac{3 \ln \sec 2x}{\tan^2 3x}$

und $\lim_{x \to 0} \ln y$ ist vom Typ $0/0$.

Nun ist $\quad \lim_{x \to 0} \dfrac{3 \ln \sec 2x}{\tan^2 3x} = \lim_{x \to 0} \dfrac{6 \tan 2x}{6 \tan 3x \sec^2 3x} = \lim_{x \to 0} \dfrac{\tan 2x}{\tan 3x}$ vom Typ $0/0$, da $\lim_{x \to 0} \sec^2 3x = 1$.

Also folgt $\quad \lim_{x \to 0} \dfrac{\tan 2x}{\tan 3x} = \lim_{x \to 0} \dfrac{2 \sec^2 2x}{3 \sec^2 3x} = \dfrac{2}{3}$.

Aus $\quad \lim_{x \to 0} \ln y = 2/3$ ergibt sich $\lim_{x \to 0} y = \lim_{x \to 0} (\sec^3 2x)^{\cot^2 3x} = e^{2/3}$.

Siehe Aufgaben 17-19!

AUFGABEN MIT LÖSUNGEN

1. Beweise die Regel von L'Hospital: Es sei a eine Zahl, ferner seien $f(x)$ und $g(x)$ differenzierbar, und es gelte $g(x) \neq 0$ für alle x in einem Intervall $0 < |x - a| < \delta$. Gilt $\lim_{x \to a} f(x) = 0$ und $\lim_{x \to a} g(x) = 0$ und existiert

$$\lim_{x \to a} \frac{f'(x)}{g'(x)}, \text{ so folgt } \lim_{x \to a} \frac{f(x)}{g(x)} = \lim_{x \to a} \frac{f'(x)}{g'(x)}$$

Wird b im verallgemeinerten Mittelwertsatz (Kapitel 21) durch x ersetzt, so ergibt sich aus $f(a) = g(a) = 0$,

$$\frac{f(x) - f(a)}{g(x) - g(a)} = \frac{f(x)}{g(x)} = \frac{f'(x_0)}{g'(x_0)}$$

wobei x_0 zwischen a und x liegt. Für $x \to a$ gilt $x_0 \to a$, also folgt

$$\lim_{x \to a} \frac{f(x)}{g(x)} = \lim_{x_0 \to a} \frac{f'(x_0)}{g'(x_0)} = \lim_{x \to a} \frac{f'(x)}{g'(x)}$$

2. Bestimme $\lim_{x \to 2} \dfrac{x^2 + x - 6}{x^2 - 4}$! Für $x \to 2$ gehen Zähler und Nenner gegen 0.

Also folgt mit der Regel von L'Hospital $\quad \lim_{x \to 2} \dfrac{x^2 + x - 6}{x^2 - 4} = \lim_{x \to 2} \dfrac{2x + 1}{2x} = \dfrac{5}{4}$.

3. Bestimme $\lim_{x \to 0} \dfrac{x + \sin 2x}{x - \sin 2x}$! Für $x \to 0$ gehen Zähler und Nenner gegen 0.

Also folgt mit der Regel von L'Hospital $\quad \lim_{x \to 0} \dfrac{x + \sin 2x}{x - \sin 2x} = \lim_{x \to 0} \dfrac{1 + 2 \cos 2x}{1 - 2 \cos 2x} = \dfrac{1 + 2}{1 - 2} = -3$.

4. Bestimme $\lim_{x \to 0} \dfrac{e^x - 1}{x^2}$. $\qquad \lim_{x \to 0} \dfrac{e^x - 1}{x^2} = \lim_{x \to 0} \dfrac{e^x}{2x} = \infty$!

5. Bestimme $\lim\limits_{x \to 0} \dfrac{e^x + e^{-x} - x^2 - 2}{\sin^2 x - x^2}$!

Für $x \to 0$ gehen Zähler und Nenner gegen 0. Also folgt mit der Regel

$$\lim_{x \to 0} \frac{e^x + e^{-x} - x^2 - 2}{\sin^2 x - x^2} = \lim_{x \to 0} \frac{e^x - e^{-x} - 2x}{\sin 2x - 2x}$$

Da die sich ergebende Funktion unbestimmt vom Typ 0/0 ist, wenden wir auf sie die Regel an und erhalten

$$\lim_{x \to 0} \frac{e^x + e^{-x} - x^2 - 2}{\sin^2 x - x^2} = \lim_{x \to 0} \frac{e^x - e^{-x} - 2x}{\sin 2x - 2x} = \lim_{x \to 0} \frac{e^x + e^{-x} - 2}{2 \cos 2x - 2}$$

Das Ergebnis ist wieder unbestimmt vom Typ 0/0. Wir erhalten nach Prüfung jeder Gleichung

$$\lim_{x \to 0} \frac{e^x + e^{-x} - x^2 - 2}{\sin^2 x - x^2} = \lim_{x \to 0} \frac{e^x - e^{-x} - 2x}{\sin 2x - 2x} = \lim_{x \to 0} \frac{e^x + e^{-x} - 2}{2 \cos 2x - 2}$$

$$= \lim_{x \to 0} \frac{e^x - e^{-x}}{-4 \sin 2x} = \lim_{x \to 0} \frac{e^x + e^{-x}}{-8 \cos 2x} = -\frac{1}{4}$$

6. Betrachte kritisch: $\lim\limits_{x \to 2} \dfrac{x^3 - x^2 - x - 2}{x^3 - 3x^2 + 3x - 2} = \lim\limits_{x \to 2} \dfrac{3x^2 - 2x - 1}{3x^2 - 6x + 3} = \lim\limits_{x \to 2} \dfrac{6x - 2}{6x - 6} = \lim\limits_{x \to 2} \dfrac{6}{6} = 1$!

Die gegebene Funktion ist unbestimmt vom Typ 0/0, und wir können die Regel anwenden. Die sich ergebende Funktion ist jedoch nicht unbestimmt (der Grenzwert ist 7/3), und die darauffolgenden Anwendungen der Regel sind nicht möglich. Das ist ein häufiger Fehler.

7. Betrachte kritisch: $\lim\limits_{x \to 1} \dfrac{x^3 - x^2 - x + 1}{x^3 - 2x^2 + x} = \dfrac{3x^2 - 2x - 1}{3x^2 - 4x + 1} = \dfrac{6x - 2}{6x - 4} = 2$!

Die richtige Aussage lautet: $\lim\limits_{x \to 1} \dfrac{x^3 - x^2 - x + 1}{x^3 - 2x^2 + x} = \lim\limits_{x \to 1} \dfrac{3x^2 - 2x - 1}{3x^2 - 4x + 1} = \lim\limits_{x \to 1} \dfrac{6x - 2}{6x - 4} = 2$.

Die Tatsache, daß sich eine richtige Lösung ergibt, rechtfertigt nicht die falschen Schritte.

8. Bestimme: $\lim\limits_{x \to \pi^+} \dfrac{\sin x}{\sqrt{x - \pi}}$.

$$\lim_{x \to \pi^+} \frac{\sin x}{\sqrt{x - \pi}} = \lim_{x \to \pi^+} \frac{\cos x}{\frac{1}{2}(x - \pi)^{-1/2}} = \lim_{x \to \pi^+} 2(x - \pi)^{1/2} \cos x = 0$$

Hier müssen wir uns von rechts nähern, da sonst $(x - \pi)^{1/2}$ imaginär ist.

9. Bestimme: $\lim\limits_{x \to +\infty} \dfrac{\ln x}{x}$!

Für $x \to +\infty$ gehen Zähler und Nenner gegen $+\infty$. Es folgt $\lim\limits_{x \to +\infty} \dfrac{\ln x}{x} = \lim\limits_{x \to +\infty} \dfrac{1/x}{1} = 0$.

10. Bestimme: $\lim\limits_{x \to 0^+} \dfrac{\ln \sin x}{\ln \tan x}$. $\lim\limits_{x \to 0^+} \dfrac{\ln \sin x}{\ln \tan x} = \lim\limits_{x \to 0^+} \dfrac{\cos x / \sin x}{\sec^2 x / \tan x} = \lim\limits_{x \to 0^+} \cos^2 x = 1$.

11. Bestimme: $\lim\limits_{x \to 0} \dfrac{\cot x}{\cot 2x}$. $\lim\limits_{x \to 0} \dfrac{\cot x}{\cot 2x} = \lim\limits_{x \to 0} \dfrac{\operatorname{cosec}^2 x}{2 \operatorname{cosec}^2 2x} = \lim\limits_{x \to 0} \dfrac{\operatorname{cosec}^2 x \cot x}{4 \operatorname{cosec}^2 2x \cot 2x}$

Hier ist bei jedem Schritt das Ergebnis vom Typ ∞/∞. Wir versuchen eine trigonometrische Substitution:

$$\lim_{x \to 0} \frac{\cot x}{\cot 2x} = \lim_{x \to 0} \frac{\tan 2x}{\tan x} = \lim_{x \to 0} \frac{2 \sec^2 2x}{\sec^2 x} = 2$$

12. Es gelte $\lim\limits_{x\to+\infty} f(x) = 0$ und $\lim\limits_{x\to+\infty} g(x) = 0$. Beweise: Aus $\lim\limits_{x\to+\infty} \dfrac{f'(x)}{g'(x)} = L$ folgt $\lim\limits_{x\to+\infty} \dfrac{f(x)}{g(x)} = L$!

Es sei $x = 1/y$. Aus $x\to+\infty$ folgt $y\to 0^+$ und damit $\lim\limits_{x\to+\infty} \dfrac{f(x)}{g(x)} = \lim\limits_{y\to 0^+} \dfrac{f(1/y)}{g(1/y)}$. Also gilt:

$$L = \lim_{x\to+\infty} \frac{f'(x)}{g'(x)} = \lim_{x\to 0^+} \frac{f'(1/y)}{g'(1/y)} = \lim_{y\to 0^+} \frac{-f'(1/y)\cdot y^{-2}}{-g'(1/y)\cdot y^{-2}}$$

$$= \lim_{y\to 0^+} \frac{\dfrac{d}{dy}f(1/y)}{\dfrac{d}{dy}g(1/y)} = \lim_{y\to 0^+} \frac{f(1/y)}{g(1/y)} = \lim_{x\to+\infty} \frac{f(x)}{g(x)}$$

13. Bestimme $\lim\limits_{x\to 0^+} (x^2 \ln x)$!

Für $x\to 0^+$ gilt $x^2 \to 0$ und $\ln x \to -\infty$. Also ist $\dfrac{\ln x}{1/x^2}$ unbestimmt von Typ ∞/∞.

$$\lim_{x\to 0^+} (x^2 \ln x) = \lim_{x\to 0^+} \frac{\ln x}{1/x^2} = \lim_{x\to 0^+} \frac{1/x}{-2/x^3} = \lim_{x\to 0^+} \left(-\tfrac{1}{2}x^2\right) = 0$$

14. $\lim\limits_{x\to\pi/4} (1 - \tan x)\sec 2x = \lim\limits_{x\to\pi/4} \dfrac{1-\tan x}{\cos 2x} = \lim\limits_{x\to\pi/4} \dfrac{-\sec^2 x}{-2\sin 2x} = 1.$

15. $\lim\limits_{x\to 0}\left(\dfrac{1}{x} - \dfrac{1}{e^x - 1}\right) = \lim\limits_{x\to 0} \dfrac{e^x - 1 - x}{x(e^x - 1)} = \lim\limits_{x\to 0} \dfrac{e^x - 1}{xe^x + e^x - 1} = \lim\limits_{x\to 0} \dfrac{e^x}{xe^x + 2e^x} = \dfrac{1}{2}.$

16. $\lim\limits_{x\to 0}(\operatorname{cosec} x - \cot x) = \lim\limits_{x\to 0} \dfrac{1-\cos x}{\sin x} = \lim\limits_{x\to 0} \dfrac{\sin x}{\cos x} = 0.$

17. Bestimme: $\lim\limits_{x\to 1} x^{1/(x-1)}$. (Typ 1^∞.)

Es sei $y = x^{1/(x-1)}$. Dann ist $\ln y = \dfrac{\ln x}{x-1}$ unbestimmt vom Typ $0/0$.

$$\lim_{x\to 1}\ln y = \lim_{x\to 1} \frac{\ln x}{x-1} = \lim_{x\to 1} \frac{1/x}{1} = 1$$

Aus $\ln y \to 1$ für $x\to 1$ folgt $y\to e$. Der gesuchte Grenzwert ist e.

18. Bestimme: $\lim\limits_{x\to\frac{1}{2}\pi^-} (\tan x)^{\cos x}$. (Typ ∞^0).

Es sei $y = (\tan x)^{\cos x}$. Dann ist $\ln y = \cos x \ln\tan x = \dfrac{\ln\tan x}{\sec x}$ vom Typ $\dfrac{\infty}{\infty}$.

$$\lim_{x\to\frac{1}{2}\pi^-}\ln y = \lim_{x\to\frac{1}{2}\pi^-} \frac{\ln\tan x}{\sec x} = \lim_{x\to\frac{1}{2}\pi^-} \frac{\sec^2 x/\tan x}{\sec x\tan x} = \lim_{x\to\frac{1}{2}\pi^-} \frac{\cos x}{\sin^2 x} = 0$$

Aus $\ln y \to 0$ für $x\to\frac{1}{2}\pi^-$ folgt $y\to 1$. Also ist 1 der gesuchte Grenzwert.

19. Bestimme: $\lim\limits_{x\to 0^+} x^{\sin x}$. (Typ 0^0.)

Es sei $y = x^{\sin x}$. Dann ist $\ln y = \sin x \ln x = \dfrac{\ln x}{\operatorname{cosec} x}$ unbestimmt vom Typ $\dfrac{\infty}{\infty}$.

$$\lim_{x\to 0^+}\ln y = \lim_{x\to 0^+} \frac{\ln x}{\operatorname{cosec} x} = \lim_{x\to 0^+} \frac{1/x}{-\operatorname{cosec} x\cot x} = \lim_{x\to 0^+} \frac{\sin^2 x}{-x\cos x} = \lim_{x\to 0^+} \frac{2\sin x\cos x}{x\sin x - \cos x} = 0$$

Aus $\ln y \to 0$ für $x\to 0^+$ folgt $y\to 1$. Also ist 1 der gesuchte Grenzwert.

20. Bestimme: $\lim\limits_{x\to+\infty} \dfrac{\sqrt{2+x^2}}{x}$. $\lim\limits_{x\to+\infty} \dfrac{\sqrt{2+x^2}}{x} = \lim\limits_{x\to+\infty} \dfrac{x}{\sqrt{2+x^2}} = \lim\limits_{x\to+\infty} \dfrac{\sqrt{2+x^2}}{x}$, usw.

Es gilt jedoch $\lim\limits_{x\to+\infty} \dfrac{\sqrt{2+x^2}}{x} = \lim\limits_{x\to+\infty} \sqrt{\dfrac{2+x^2}{x^2}} = \lim\limits_{x\to+\infty} \sqrt{\dfrac{2}{x^2}+1} = 1.$

21. Die Stromstärke in einem Kabel, das einen Widerstand R, eine Induktivität L und eine konstante elektromotorische Kraft E enthält, ist zur Zeit t durch $i = \dfrac{E}{R}(1 - e^{-Rt/L})$ gegeben. Gib eine einfache Formel an, die man für sehr kleines R benutzen kann.

$$\lim_{R \to 0} i = \lim_{R \to 0} \frac{E(1 - e^{-Rt/L})}{R} = \lim_{R \to 0} E\frac{t}{L} e^{-Rt/L} = \frac{Et}{L}$$

ERGÄNZUNGSAUFGABEN

Zeige:

22. $\lim\limits_{x \to 4} \dfrac{x^4 - 256}{x - 4} = 256$

23. $\lim\limits_{x \to 4} \dfrac{x^4 - 256}{x^2 - 16} = 32$

24. $\lim\limits_{x \to 3} \dfrac{x^2 - 3x}{x^2 - 9} = 1/2$

25. $\lim\limits_{x \to 2} \dfrac{e^x - e^2}{x - 2} = e^2$

26. $\lim\limits_{x \to 0} \dfrac{xe^x}{1 - e^x} = -1$

27. $\lim\limits_{x \to 0} \dfrac{e^x - 1}{\tan 2x} = 1/2$

28. $\lim\limits_{x \to -1} \dfrac{\ln(2 + x)}{x + 1} = 1$

29. $\lim\limits_{x \to 0} \dfrac{\cos x - 1}{\cos 2x - 1} = 1/4$

30. $\lim\limits_{x \to 0} \dfrac{e^{2x} - e^{-2x}}{\sin x} = 4$

31. $\lim\limits_{x \to 0} \dfrac{8^x - 2^x}{4x} = \dfrac{1}{2}\ln 2$

32. $\lim\limits_{x \to 0} \dfrac{2\arctan x - x}{2x - \arcsin x} = 1$

33. $\lim\limits_{x \to 0} \dfrac{\ln \sec 2x}{\ln \sec x} = 4$

34. $\lim\limits_{x \to 0} \dfrac{\ln \cos x}{x^2} = -1/2$

35. $\lim\limits_{x \to 0} \dfrac{\cos 2x - \cos x}{\sin^2 x} = -3/2$

36. $\lim\limits_{x \to +\infty} \dfrac{\ln x}{\sqrt{x}} = 0$

37. $\lim\limits_{x \to 1/2\pi} \dfrac{\operatorname{cosec} 6x}{\operatorname{cosec} 2x} = 1/3$

38. $\lim\limits_{x \to +\infty} \dfrac{5x + 2\ln x}{x + 3\ln x} = 5$

39. $\lim\limits_{x \to +\infty} \dfrac{x^4 + x^2}{e^x + 1} = 0$

40. $\lim\limits_{x \to 0^+} \dfrac{\ln \cot x}{e^{\operatorname{cosec}^2 x}} = 0$

41. $\lim\limits_{x \to +\infty} \dfrac{e^x + 3x^3}{4e^x + 2x^2} = 1/4$

42. $\lim\limits_{x \to 0} (e^x - 1)\cot x = 1$

43. $\lim\limits_{x \to -\infty} x^2 e^x = 0$

44. $\lim\limits_{x \to 0} x \operatorname{cosec} x = 1$

45. $\lim\limits_{x \to 1} \operatorname{cosec} \pi x \ln x = -1/\pi$

46. $\lim\limits_{x \to 1/2\pi^-} e^{-\tan x} \sec^2 x = 0$

47. $\lim\limits_{x \to 0} (x - \arcsin x)\operatorname{cosec}^3 x = -1/6$

48. $\lim\limits_{x \to 2} \left(\dfrac{4}{x^2 - 4} - \dfrac{1}{x - 2}\right) = -1/4$

49. $\lim\limits_{x \to 0} \left(\dfrac{1}{x} - \dfrac{1}{\sin x}\right) = 0$

50. $\lim\limits_{x \to 1/2\pi} (\sec^3 x - \tan^3 x) = \infty$

51. $\lim\limits_{x \to 1} \left(\dfrac{1}{\ln x} - \dfrac{x}{x - 1}\right) = -1/2$

52. $\lim\limits_{x \to 0} \left(\dfrac{4}{x^2} - \dfrac{2}{1 - \cos x}\right) = -1/3$

53. $\lim\limits_{x \to +\infty} \left(\dfrac{\ln x}{x} - \dfrac{1}{\sqrt{x}}\right) = 0$

54. $\lim\limits_{x \to 0^+} x^x = 1$

55. $\lim\limits_{x \to 0} (\cos x)^{1/x} = 1$

56. $\lim\limits_{x \to 0} (e^x + 3x)^{1/x} = e^4$

57. $\lim\limits_{x \to +\infty} (1 - e^{-x})^{e^x} = 1/e$

58. $\lim\limits_{x \to 1/2\pi} (\sin x - \cos x)^{\tan x} = 1/e$

59. $\lim\limits_{x \to 1/2\pi^-} (\tan x)^{\cos x} = 1$

60. $\lim\limits_{x \to 1} x^{\tan 1/2 \pi x} = e^{-2/\pi}$

61. $\lim\limits_{x \to +\infty} (1 + 1/x)^x = e$

62. Zeige: (a) $\lim\limits_{x \to 0} \dfrac{e^x(1 - e^x)}{(1 + x)\ln(1 - x)} = \lim\limits_{x \to 0} \dfrac{e^x}{1 + x} \cdot \lim\limits_{x \to 0} \dfrac{1 - e^x}{\ln(1 - x)} = 1,$

$\qquad\qquad (b)$ $\lim\limits_{x \to +\infty} \dfrac{2^x}{3^{x^2}} = 0,$ $\quad (c)$ $\lim\limits_{x \to 0^+} \dfrac{e^{-3/x}}{x^2} = 0$

63. Zeige: $\lim\limits_{x \to +\infty} \dfrac{\ln^5 x}{x^2} = 0$. Bestimme $\lim\limits_{x \to +\infty} \dfrac{\ln^{1000} x}{x^5}$.

KAPITEL 23

Differentiale

DIFFERENTIALE. Für die Funktion $y = f(x)$ erklären wir

(a) dx, das *Differential* von x, durch $dx = \Delta x$.

(b) dy, das *Differential* von y, durch $dy = f'(x)\,dx$.

Das Differential der unabhängigen Veränderlichen ist also gleich dem Wachstum der Veränderlichen, das der abhängigen aber nicht. Siehe Abb. 23-1!

Beispiel 1:

Für $y = x^2$ gilt $dy = 2x \cdot dx$ und $\Delta y = (x + \Delta x)^2 - x^2 = 2x \cdot \Delta x + (\Delta x)^2 = 2x\,dx + (dx)^2$. Eine geometrische Deutung wird in Abb. 23-2 gegeben. Dort sieht man, daß y und dy sich um ein kleines Quadrat der Fläche $(dx)^2$ voneinander unterscheiden.

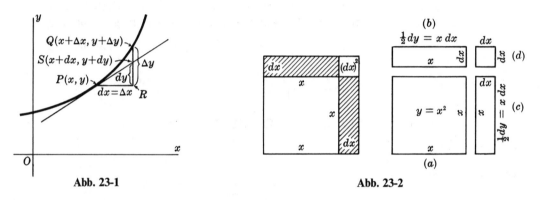

Abb. 23-1   Abb. 23-2

DAS DIFFERENTIAL dy kann man bestimmen, indem man die Definition $dy = f'(x)\,dx$ benutzt oder eine sich aus den Differentiationsregeln ergebende Regel anwendet. Einige dieser Regeln sind:

$$d(c) = 0, \quad d(cu) = c\,du, \quad d(uv) = u\,dv + v\,du,$$

$$d\left(\frac{u}{v}\right) = \frac{v\,du - u\,dv}{v^2}, \quad d(\sin u) = \cos u\,du, \quad d(\ln u) = \frac{du}{u} \quad \text{usw.}$$

Beispiel 2: Bestimme im folgenden dy

(a) $y = x^3 + 4x^2 - 5x + 6$

$\quad dy = d(x^3) + d(4x^2) - d(5x) + d(6) = (3x^2 + 8x - 5)\,dx$

(b) $y = (2x^3 + 5)^{3/2}$

$\quad dy = \frac{3}{2}(2x^3 + 5)^{1/2}\,d(2x^3 + 5) = \frac{3}{2}(2x^3 + 5)^{1/2} \cdot 6x^2\,dx = 9x^2(2x^3 + 5)^{1/2}\,dx$

Siehe Aufgaben 1–5!

APPROXIMATION DURCH DIFFERENTIALE. Ist $dx = \Delta x$ in Bezug auf x klein, so ist dy eine einigermaßen gute Näherung für Δy.

Beispiel 3:

Es sei $y = x^2 + x + 1$ und x ändere sich von $x = 2$ auf $x = 2{,}01$. Die Änderung von y beträgt dann $y = (2{,}01^2 + 2{,}01 + 1) - (2^2 + 2 + 1) = 0{,}0501$. Mit $x = 2$ und $dx = 0{,}01$ ergibt sich als Näherung $dy = f'(x)\,dx = (2x + 1)\,dx = (2 \cdot 2 + 1)\,0{,}01 = 0{,}05$.

Siehe Aufgaben 6–10!

NÄHERUNGSLÖSUNGEN FÜR WURZELN VON GLEICHUNGEN.

Es sei $x = x_1$ eine einigermaßen gute Näherung einer Wurzel r der Gleichung $y = f(x) = 0$. Es gelte $f(x_1) = y_1 \neq 0$. Dann ist y_1 nur wenig von 0 verschieden. Geht man von x_1 zu r, so ändert sich $f(x_1)$ um $\Delta y_1 = -y_1$. Eine Näherung bei dieser Änderung von x_1 ist durch

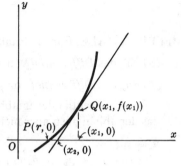

$f'(x_1)\,dx_1 = -y_1$ oder $dx_1 = -\dfrac{y_1}{f'(x_1)}$ gegeben. Also ist

$$x_2 = x_1 + dx_1 = x_1 - \frac{y_1}{f'(x_1)} = x_1 - \frac{f(x_1)}{f'(x_1)}$$

eine zweite bessere Näherung der Wurzel r.

Eine dritte Näherung ist $x_3 = x_2 + dx_2 = x_2 - \dfrac{f(x_2)}{f'(x_2)}$ usw.

Abb. 23-3

Ist x_1 keine genügend gute Näherung der Wurzel, so kann x_2 sich von x_1 erheblich unterscheiden. Es ist dann manchmal einfacher, bei diesen Verfahren von einer neuen ersten Näherung auszugehen.

Siehe Aufgaben 11-12!

AUFGABEN MIT LÖSUNGEN

1. Bestimme im folgenden dy

   (a) $y = \dfrac{x^3 + 2x + 1}{x^2 + 3}$.

$$dy = \frac{(x^2 + 3) \cdot d(x^3 + 2x + 1) - (x^3 + 2x + 1) \cdot d(x^2 + 3)}{(x^2 + 3)^2}$$

$$= \frac{(x^2 + 3)(3x^2 + 2)\,dx - (x^3 + 2x + 1)(2x)\,dx}{(x^2 + 3)^2} = \frac{x^4 + 7x^2 - 2x + 6}{(x^2 + 3)^2}\,dx$$

   (b) $y = \cos^2 2x + \sin 3x$.

$$dy = 2\cos 2x\,d(\cos 2x) + d(\sin 3x) = 2\cos 2x(-2\sin 2x\,dx) + 3\cos 3x\,dx$$

$$= -4\sin 2x \cos 2x\,dx + 3\cos 3x\,dx = (-2\sin 4x + 3\cos 3x)\,dx$$

   (c) $y = e^{3x} + \arcsin 2x$. $dy = (3e^{3x} + 2/\sqrt{1 - 4x^2})\,dx$

Differenziere in den Aufgaben 2-5 durch Benutzung der Differentiale und gib dy/dx an!

2. $xy + x - 2y = 5$.

    $d(xy) + d(x) - d(2y) = d(5)$.

    $x\,dy + y\,dx + dx - 2\,dy = 0$ oder $(x - 2)\,dy + (y + 1)\,dx = 0$, also gilt $\dfrac{dy}{dx} = -\dfrac{y + 1}{x - 2}$.

3. $x^3y^2 - 2x^2y + 3xy^2 - 8xy = 6$.

    $2x^3y\,dy + 3x^2y^2\,dx - 2x^2\,dy - 4xy\,dx + 6xy\,dy + 3y^2\,dx - 8x\,dy - 8y\,dx = 0$

$$\frac{dy}{dx} = \frac{8y - 3y^2 + 4xy - 3x^2y^2}{2x^3y - 2x^2 + 6xy - 8x}$$

4. $\dfrac{2x}{y} - \dfrac{3y}{x} = 8$. $2\left(\dfrac{y\,dx - x\,dy}{y^2}\right) - 3\left(\dfrac{x\,dy - y\,dx}{x^2}\right) = 0$, also gilt $\dfrac{dy}{dx} = \dfrac{2x^2y + 3y^3}{3xy^2 + 2x^3}$.

5. $x = 3\cos\theta - \cos 3\theta, \quad y = 3\sin\theta - \sin 3\theta.$

$$dx = (-3\sin\theta + 3\sin 3\theta)\,d\theta, \quad dy = (3\cos\theta - 3\cos 3\theta)\,d\theta \quad \text{und} \quad \frac{dy}{dx} = \frac{\cos\theta - \cos 3\theta}{-\sin\theta + \sin 3\theta}$$

6. Gib mit Differentialen eine Näherung an: (a) $\sqrt[3]{124}$, (b) $\sin 60°1'$!

(a) Für $y = x^{1/3}$ gilt $dy = \frac{1}{3x^{2/3}}dx$. Mit $x = 125 = 5^3$ und $dx = -1$ folgt $dy = \frac{1}{3(125)^{2/3}}(-1) = \frac{-1}{75} = -0{,}0133$

und damit annähernd $\sqrt[3]{124} = y + dy = 5 - 0{,}0133 = 4{,}9867$.

(b) Für $x = 60°$ und $dx = 1' = 0{,}0003\,\text{rad}$ folgt $y = \sin x = \sqrt{3}/2 = 0{,}86603$ und $dy = \cos x\,dx = \frac{1}{2}(0{,}0003) = 0{,}00015$. Also gilt annähernd $\sin 60°1' = y + dy = 0{,}86603 + 0{,}00015 = 0{,}86618$.

7. Berechne Δy, dy und $\Delta y - dy$ für $y = \frac{1}{2}x^2 + 3x$, $x = 2$ und $dx = 0{,}5$!

$\Delta y = \{\frac{1}{2}(2{,}5)^2 + 3(2{,}5)\} - \{\frac{1}{2}(2)^2 + 3(2)\} = 2{,}625.$

$dy = (x+3)dx = (2+3)(0{,}5) = 2{,}5 \quad \Delta y - dy = 2{,}625 - 2{,}5 = 0{,}125.$

8. Bestimme annähernd die Volumenänderung eines Würfels mit der Kantenlänge x cm, wenn diese um 1% zunimmt.

$V = x^3$ und $dV = 3x^2\,dx$. Mit $dx = 0{,}01x$ folgt $dV = 3x^2(0{,}01x) = 0{,}03x^3$ cm³.

9. Bestimme annähernd die Masse eines 2 m langen Kupferrohrs, wenn der innere Durchmesser gleich 2,5 cm und die Rohrdicke gleich 0,25 cm ist! Die Dichte von Kupfer ist 8800 kg/m³.

Zuerst bestimmen wir die Volumenänderung, wenn der Radius $r = 1/80\,\text{m}$ um $dr = 1/400\,\text{m}$ wächst.

$V = 2\pi r^2$ und damit $dV = 4\pi r\,dr = 4\pi(1/80)(1/400) = \pi/8000\,\text{m}^3$

Die gesuchte Masse ist annähernd gleich $8800\,(\pi/8000) = 3{,}46$ kg.

10. Für welche Werte von x kann $\sqrt[5]{x}$ an Stelle von $\sqrt[5]{x+1}$ benutzt werden, wenn der Fehler höchstens 0,001 betragen soll?

Falls $y = x^{1/5}$ und $dx = 1$, so folgt $dy = \frac{1}{5}x^{-4/5}\,dx = \frac{1}{5}x^{-4/5}$.

Aus $\frac{1}{5}x^{-4/5} < 10^{-3}$ folgt $x^{-4/5} < 5\cdot 10^{-3}$ und $x^{-4} < 5^5\cdot 10^{-15}$.

Aus $x^{-4} < 10\cdot 5^5\cdot 10^{-16}$ folgt $x^4 > \frac{10^{16}}{31250}$ und $x > \frac{10^4}{\sqrt[4]{31250}} = 752{,}1$.

11. Approximiere die (reellen) Wurzeln von $x^3 + 2x - 5 = 0$ (oder $x^3 = 5 - 2x$)!

(a) Wir zeichnen in ein Koordinatensystem die Kurven von $y = x^3$ und $y = 5 - 2x$.
Die Abszissen der Schnittpunkte der Kurven sind dann die Wurzeln der gegebenen Gleichung.
Aus der Zeichnung folgt, daß es eine Wurzel gibt, die annähernd $x_1 = 1{,}3$ ist.

(b) Ein zweite Näherung dieser Wurzel ist

$$x_2 = x_1 - \frac{f(x_1)}{f'(x_1)} = 1{,}3 - \frac{(1{,}3)^3 + 2(1{,}3) - 5}{3(1{,}3)^2 + 2} = 1{,}3 - \frac{-0{,}203}{7{,}07} = 1{,}3 + 0{,}03 = 1{,}33$$

(c) Eine dritte und vierte Näherung sind:

$$x_3 = x_2 - \frac{f(x_2)}{f'(x_2)} = 1{,}33 - \frac{(1{,}33)^3 + 2(1{,}33) - 5}{3(1{,}33)^2 + 2} = 1{,}33 - 0{,}0017 = 1{,}3283$$

$$x_4 = x_3 - \frac{f(x_3)}{f'(x_3)} = 1{,}3283 - 0{,}00003114 = 1{,}32826886$$

12. Approximiere die Wurzeln von $2 \cos x - x^2 = 0$!

(a) Die Kurven $y = 2 \cos x$ und $y = x^2$ schneiden sich in zwei Punkten, deren Abszissen annähernd 1 und -1 sind. Ist r eine Wurzel, so ist $-r$ die andere.

(b) Mit $x_1 = 1$: $\quad x_2 = 1 - \dfrac{2 \cos 1 - 1}{-2 \sin 1 - 2} = 1 + \dfrac{2(0{,}5403) - 1}{2(0{,}8415) + 2} = 1 + 0{,}02 = 1{,}02$.

(c) $x_3 = 1{,}02 - \dfrac{2 \cos (1{,}02) - (1{,}02)^2}{-2 \sin (1{,}02) - 2(1{,}02)} = 1{,}02 + \dfrac{0{,}0064}{3{,}7442} = 1{,}02 + 0{,}0017 = 1{,}0217$.

Also sind die Wurzeln, bis auf vier Stellen hinter dem Komma ausgerechnet, gleich $1{,}0217$ und $-1{,}0217$.

ERGÄNZUNGSAUFGABEN

13. Berechne im folgenden dy !

(a) $y = (5 - x)^3$ $\quad$ *Lsg.* $-3(5 - x)^2 \, dx$

(d) $y = \cos bx^2$ $\quad$ *Lsg.* $-2bx \sin bx^2 \, dx$.

(b) $y = e^{4x^2}$ $\quad$ *Lsg.* $8xe^{4x^2} dx$

(e) $y = \arccos 2x$ $\quad$ *Lsg.* $\dfrac{-2}{\sqrt{1 - 4x^2}} dx$.

(c) $y = (\sin x)/x$ $\quad$ *Lsg.* $\dfrac{x \cos x - \sin x}{x^2} dx$

(f) $y = \ln \tan x$ $\quad$ *Lsg.* $\dfrac{2 \, dx}{\sin 2x}$.

14. Bestimme wie in den Aufgaben 2-5 dy/dx !

(a) $2xy^3 + 3x^2y = 1$ $\quad$ *Lsg.* $-\dfrac{2y(y^2 + 3x)}{3x(2y^2 + x)}$

(c) $\arctan \dfrac{y}{x} = \ln (x^2 + y^2)$ $\quad$ *Lsg.* $\dfrac{2x + y}{x - 2y}$.

(b) $xy = \sin (x - y)$ $\quad$ *Lsg.* $\dfrac{\cos (x - y) - y}{\cos (x - y) + x}$

(d) $x^2 \ln y + y^2 \ln x = 2$ $\quad$ *Lsg.* $-\dfrac{(2x^2 \ln y + y^2)y}{(2y^2 \ln x + x^2)x}$.

15. Approximiere durch Differentiale: *(a)* $\sqrt[4]{17}$, *(b)* $\sqrt[5]{1020}$, *(c)* $\cos 59°$, *(d)* $\tan 44°$.
Lsg. *(a)* $2{,}03125$, *(b)* $3{,}99688$, *(c)* $0{,}5151$, *(d)* $0{,}9651$

16. Approximiere durch Differentiale die Änderung von
(a) x^3, wenn x sich von 5 auf 5,01 ändert:
(b) $1/x$, wenn x sich von 1 auf 0,98 ändert.
Lsg. *(a)* $0{,}75$ $\quad$ *(b)* $0{,}02$.

17. Eine runde Platte dehnt sich unter Einfluß von Hitze so aus, daß der Radius von 5 cm auf 5,06 cm wächst. Gib eine Näherung für den Flächenzuwachs an! $\quad$ *Lsg.* $0{,}6\pi = 1{,}88$ cm^2

18. Eine Eiskugel vom Radius 10 cm schmilzt, so daß sie nur noch den Radius 9,8 cm hat. Gib eine Näherung an für *(a)* die Volumenänderung, *(b)* die Oberflächenänderung!
Lsg. *(a)* 80π cm^3, *(b)* 16π cm .

19. Die Geschwindigkeit (v m/sec), die ein Körper nach h m freiem Fall hat, ist durch $v = \sqrt{19{,}6h}$ gegeben. Bestimme den Fehler in v, der entsteht, wenn $h = 30$ m mit einem Fehler von 0,15 m gemessen wird!
Lsg. $0{,}061$ m/sec.

20. Ein Flugzeug fliegt 4 km über dem Äquator um die Welt. Wieviel km mehr legt es zurück als ein Mensch, der längs des Äquators reist? $\quad$ *Lsg.* $8\pi = 25{,}1$ km

21. Es soll der Radius eines Kreises gemessen und damit seine Fläche berechnet werden. Der Radius kann bis auf 0,001 cm genau gemessen werden, und die Fläche soll bis auf 0,1 cm^2 genau sein. Bestimme den größten Radius, bei dem dies noch möglich ist!
Lsg. ca. 16 cm.

22. Es gelte $pV = 20$ wobei $p = 5 \pm 0{,}02$ gemessen ist. Bestimme V .! *Lsg.* $V = 4 \mp 0{,}016$

23. Es gelte $F = 1/r^2$, wobei $F = 4 \pm 0{,}05$ gemessen ist. Bestimme r. *Lsg.* $0{,}5 \mp 0{,}003$

24. Bestimme die Änderung der Gesamtoberfläche eines geraden Kreiszylinders, wenn *(a)* der Radius konstant bleibt und die Höhe sich ein wenig *(dh)* ändert; *(b)* die Höhe konstant bleibt und der Radius sich ein wenig *(dr)* ändert!

Lsg. *(a)* $\dfrac{\pi rh \, dh}{\sqrt{r^2 + h^2}}$, *(b)* $\pi \left\{ \dfrac{h^2 + 2r^2}{\sqrt{r^2 + h^2}} + 2r \right\} dr$.

25. Bestimme auf 4 Stellen nach dem Komma *(a)* die relle Wurzel von $x^3 + 3x + 1 = 0$ *(b)* die kleinste Wurzel von $e^{-x} = \sin x$ *(c)* die Wurzel von $x^2 + \ln x = 2$ *(d)* die Wurzel von $x - \cos x = 0$!
Lsg. *(a)* $-0{,}3222$, *(b)* $0{,}5885$, *(c)* $1{,}3141$, *(d)* $0{,}7391$

KAPITEL 24

Kurvendiskussion

EINE EBENE ALGEBRAISCHE KURVE ist eine Kurve, deren Gleichung sich in der Form

$$ay^n + (bx + c)y^{n-1} + (dx^2 + ex + f)y^{n-2} + \cdots u_n(x) = 0$$

schreiben läßt, wobei $u_n(x)$ ein Polynom in x vom Grade n ist. Die Eigenschaften solcher Kurven wollen wir unten betrachten.

SYMMETRIE. Eine Kurve ist symmetrisch

(1) zur x-Achse, wenn sich ihre Gleichung nicht ändert, falls man y durch $-y$ ersetzt.

(2) zur y-Achse, wenn sich ihre Gleichung nicht ändert, falls man x durch $-x$ ersetzt.

(3) zum Nullpunkt, wenn sich ihre Gleichung nicht ändert, falls man x durch $-x$ und y durch $-y$ ersetzt.

(4) zur Geraden $y = x$, wenn sich ihre Gleichung nicht ändert, falls man x und y vertauscht.

ABSCHNITTE. Die x-Abschnitte erhält man, wenn man in die Gleichung $y = 0$ einsetzt und nach x auflöst. Die y-Abschnitte erhält man, indem man $x = 0$ setzt und nach y auflöst.

AUSDEHNUNG. Die *waagrechte Ausdehnung* ist gleich dem Wertebereich von x (die Intervalle von x, für die die Kurve existiert.)

Die *senkrechte Ausdehnung* einer Kurve ist gleich dem Wertebereich von y.

Ein Punkt (x_0, y_0) heißt ein *isolierter Punkt* der Kurve, wenn seine Koordinaten die Gleichung der Kurve erfüllen, es aber eine Umgebung gibt, deren Punkte sie bis auf (x_0, y_0) nicht erfüllen.

MAXIMA UND MINIMA. Wendepunkt und Konkavität. Diese Eigenschaften sind in Kapitel 8 diskutiert worden.

ASYMPTOTEN. Eine *Asymptote* einer Kurve, die nicht ganz im Endlichen verläuft, ist eine Gerade der Art, daß der Abstand eines Kurvenpunktes P von ihr gegen Null konvergiert, wenn P gegen Unendlich geht.

Eine Kurve hat *senkrechte Asymptoten*, wenn der Koeffizient der höchsten y-Potenz in obiger Gleichung eine nichtkonstante Funktion von x ist, die in einen oder mehrere (reelle) Linearfaktoren zerlegbar ist. Jedem dieser Faktoren entspricht eine senkrechte Asymptote.

Ein Kurve mit der Gleichung $ax^n + (by + c)x^{n-1} + (dy^2 + ey + f)x^{n-2} + \cdots = 0$ hat *waagrechte Asymptoten*, wenn der Koeffizient der höchsten x-Potenz eine nichtkonstante Funktion von y ist, die in einen oder mehrere (reelle) Linearfaktoren zerlegbar ist. Jedem dieser Faktoren entspricht eine waagrechte Asymptote.

Bestimmung der Gleichungen der *schrägen Asymptoten*:

(1) Man ersetzt in der Kurvengleichung y durch $mx + b$ und schreibt das Ergebnis in der Form

$$a_0 x^n + a_1 x^{n-1} + a_2 x^{n-2} + \cdots + a_{n-1} x + a_n = 0$$

(2) Man löst gleichzeitig die Gleichungen $a_0 = 0$ und $a_1 = 0$ auf und erhält m und b als Lösungen.

(3) Für jedes Lösungspaar m und b ergibt sich eine Asymptote $y = mx + b$.

Gilt $a_1 = 0$, unabhängig vom Wert von b, so müssen in (3) die Gleichungen $a_0 = 0$ und $a_2 = 0$ benutzt werden.

SINGULÄRE PUNKTE. Ein *singulärer Punkt* einer algebraischen Kurve ist ein Punkt, für den dy/dx unbestimmt von der Form $0/0$ ist. Um die singulären Punkte einer Kurve festzulegen, schreibt man $\dfrac{dy}{dx} = \dfrac{g(x)}{h(x)}$, ohne durch gemeinsame Faktoren zu kürzen, und bestimmt die gemeinsamen Nullstellen von $g(x)$ und $h(x)$.

Ist (x_0, y_0) ein singulärer Punkt einer Kurve, kann man die weiteren Untersuchungen vereinfachen, indem man $x = x' + x_0$, $y = y' + y_0$ substituiert. Der singuläre Punkt ist dann der Punkt $(0, 0)$ im neuen Koordinatensystem.

SINGULÄRE PUNKTE IM NULLPUNKT. Ist der Nullpunkt ein Punkt der Kurve, so kann man ihre Gleichung in Form

$$(a_1 x + b_1 y) + (a_2 x^2 + b_2 xy + c_2 y^2) + (a_3 x^3 + b_3 x^2 y + c_3 xy^2 + d_3 y^3) + \cdots = 0 \text{ schreiben.}$$

Gilt $a_1 = b_1 = 0$, so ist der Nullpunkt ein singulärer Punkt der Kurve.

Gilt $a_1 = b_1 = 0$, sind aber nicht alle a_2, b_2, c_2 Null, so wird der singuläre Punkt *Doppelpunkt* genannt.

Gilt $a_1 = b_1 = a_2 = b_2 = c_2 = 0$, sind aber nicht alle a_3, b_3, c_3, d_3 Null, so wird der singuläre Punkt *Tripelpunkt* genannt, und so weiter.

KLASSIFIKATION EINES DOPPELPUNKTES IM NULLPUNKT

A. Fall: $c_2 \neq 0$:

(1) Wir ersetzen y in $a_2 x^2 + b_2 xy + c_2 y^2$ durch mx und erhalten $(c_2 m^2 + b_2 m + a_2)x^2$.

(2) Wir lösen $c_2 m^2 + b_2 m + a_2 = 0$ nach m auf.

Sind die Wurzeln m_1, m_2 reell und verschieden, dann hat die Kurve im Nullpunkt zwei verschiedene Tangenten $y = m_1 x$ und $y = m_2 x$ und der Doppelpunkt wird *Knoten* genannt.

Sind die Wurzeln reell und gleich, so hat die Kurve im Nullpunkt im allgemeinen eine Tangente und der Doppelpunkt wird

(a) Spitze genannt, wenn die Kurve nicht über den Ursprung hinweggeht.

(b) Berührknoten, wenn die Kurve über den Nullpunkt hinweggeht.

In Ausnahmefällen kann der Nullpunkt ein *isolierter Doppelpunkt* sein.

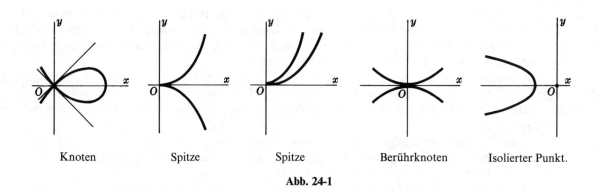

Knoten   Spitze   Spitze   Berührknoten   Isolierter Punkt.

Abb. 24-1

B. Fall: $c_2 = 0$, $a_2 \neq 0$.

Wir ersetzen x im Fall $a_2 x^2 + b_2 xy$ durch ny und verfahren wie in **A.**

C. Fall: $a_2 = c_2 = 0$, $b_2 \neq 0$.

Der Nullpunkt ist dann ein Knoten, wobei die Koordinatenachsen die Tangenten sind.

AUFGABEN MIT LÖSUNGEN

ASYMPTOTEN

1. Gib die Gleichungen der Asymptoten von $y^2(1 + x) = x^2(1 - x)$ an!

Der Koeffizient der höchsten y-Potenz ist $(1 + x)$; die Gerade $x + 1 = 0$ ist eine senkrechte Asymptote. Es gibt keine waagrechten Asymptoten, da der Koeffizient der höchsten x-Potenz eine Konstante ist.

Schräge Asymptoten: Wir ersetzen y durch $mx + b$ und erhalten

$$(m^2 + 1)x^3 + (m^2 + 2mb - 1)x^2 + b(b + 2m)x + b^2 = 0. \qquad (1)$$

Die Lösungen der beiden Gleichungen

$$m^2 + 1 = 0 \quad \text{und} \quad m^2 + 2mb - 1 = 0$$

(die Koeffizienten der beiden höchsten x-Potenzen gleich Null gesetzt) sind imaginär. Es gibt keine schrägen Asymptoten (siehe Abb. 24-2 unten).

2. Bestimme die Gleichungen der Asymptoten von $x^3 + y^3 - 6x^2 = 0$!

Es gibt keine waagrechten und senkrechten Asymptoten, da die Koeffizienten der höchsten x- und y-Potenzen Konstante sind.

Schräge Asymptoten: Wir ersetzen y durch $mx + b$ und erhalten

$$(m^3 + 1)x^3 + 3(m^2b - 2)x^2 + 3mb^2x + b^3 = 0. \qquad (1)$$

Aus $m^3 + 1 = 0$ und $m^2b - 2 = 0$ folgt $m = -1$, $b = 2$. Die Gleichung der Asymptote ist $y = -x + 2$.

Setzt man $m = -1$ und $b = 2$ in (1) ein, so erhält man $-12x + 8 = 0$. Also ist $x = 2/3$ die Abszisse des Schnittpunktes der Kurve mit der Asymptote (siehe Abb. 24-3 unten).

3. Gib die Gleichungen der Asymptoten von $y^2(x - 1) - x^3 = 0$ an!

Der Koeffizient der höchsten y-Potenz ist $(x - 1)$; also ist die Gerade $x - 1 = 0$ eine senkrechte Asymptote. Es gibt keine waagrechten Asymptoten.

Schräge Asymptoten: Wir ersetzen y durch $mx + b$ und erhalten

$$(m^2 - 1)x^3 + m(2b - m)x^2 + b(b - 2m)x - b^2 = 0. \qquad (1)$$

Aus $m^2 - 1 = 0$ und $m(2b - m) = 0$ folgt $m = 1$, $b = \frac{1}{2}$ und $m = -1$, $b = -\frac{1}{2}$. Die Gleichungen der Asymptoten sind $y = x + \frac{1}{2}$ und $y = -x - \frac{1}{2}$.

Die Asymptote $y = x + \frac{1}{2}$ schneidet die Kurve in dem Punkt, dessen Abszisse durch $\frac{1}{2}(\frac{1}{2} - 2)x - \frac{1}{4} = 0$, also $x = -\frac{1}{3}$, gegeben ist. Die Asymptote $y = -x - \frac{1}{2}$ schneidet die Kurve auch in $x = -\frac{1}{3}$. (Siehe Abb. 24-4 unten!)

SINGULÄRE PUNKTE

4. Untersuche $y^2(1 + x) = x^2(1 - x)$ auf singuläre Punkte!

Die kleinsten Potenzen sind quadratisch; der Nullpunkt ist also ein Doppelpunkt.

Da $c_2 \neq 0$ ist, d.h., y^2 vorkommt, ersetzen wir y in $y^2 - x^2$ durch mx und setzen den Koeffizienten von x^2 gleich Null. Dann folgt $m^2 - 1 = 0$, also $m = \pm 1$.

Die Geraden $y = x$ und $y = -x$ sind Kurventangenten im Nullpunkt. Im Ursprung ist ein Knoten (siehe Abb. 24-2 unten).

5. Untersuche $x^3 + y^3 - 6x^2 = 0$ auf singuläre Punkte!

Die kleinste Potenz ist quadratisch; der Nullpunkt ist ein Doppelpunkt.

Da $c_2 = 0$ ist, ersetzen wir in den Ausdrücken kleinsten Grades x durch ny und setzen den Koeffizienten von y^2 gleich Null. Es folgt $n^2 = 0$. $x = 0$ ist eine singuläre Tangente an die Kurve im Nullpunkt.

Der Doppelpunkt ist eine Spitze, da für $y = -\xi$ die Gleichung $x^3 - 6x^2 - \xi^3 = 0$ nach der Vorzeichenregel von Descartes eine positive und zwei imaginäre Wurzeln hat, und damit die Kurve nicht über den Nullpunkt hinaus geht.

6. Untersuche $y^2(x-1) - x^3 = 0$ auf singuläre Punkte!

Die kleinsten Potenzen sind quadratisch; der Nullpunkt ist ein Doppelpunkt.

Da $c_2 \neq 0$ ist, ersetzen wir in den Ausdrücken kleinsten Grades y durch mx und setzen den Koeffizienten von x^2 gleich Null, um $m^2 = 0$ zu erhalten. Der Nullpunkt ist eine Spitze, da y für $x < 0$ definiert ist, aber für $0 < x < 1$ imaginär ist. (Siehe Abb. 24-4 unten!)

7. Untersuche $y^2(x^2 - 4) = x^4$ auf (a) singuläre Punkte und (b) Asymptoten!

(a) Der Nullpunkt ist ein Doppelpunkt. Da $a_2 = b_2 = 0$ und $c_2 \neq 0$ ist, erhalten wir durch Substitution $y = mx$ und Nullsetzen $m^2 = 0$. Der Nullpunkt ist ein isolierter Doppelpunkt, da y imaginär ist, wenn x nahe bei 0 liegt.

(b) Die Geraden $x = 2$ und $x = -2$ sind senkrechte Asymptoten.

Schräge Asymptoten: Wir ersetzen y durch $mx + b$ und erhalten

$$(m^2 - 1)x^4 + 2mbx^3 + (b^2 - 4m^2)x^2 - 8mbx - 4b^2 = 0.$$

Aus $m^2 - 1 = 0$ und $mb = 0$ folgt $m = 1$, $b = 0$ und $m = -1$, $b = 0$. Die Gleichungen der Asymptoten sind $y = x$ und $y = -x$. Sie schneiden die Kurve im Nullpunkt.

KURVENDISKUSSION

8. Untersuche und zeichne die Kurve $y^2(1 + x) = x^2(1 - x)$!

Symmetrie: Die Kurve ist symmetrisch zur x-Achse.

Abschnitte: Die x-Abschnitte sind $x = 0$ und $x = 1$. Der y-Abschnitt ist $y = 0$.

Ausdehnung: Die Kurve existiert im Intervall $-1 < x \leq 1$ und für alle Werte von y.

Maxima und Minima, usw: Die Kurve besteht aus den beiden Zweigen

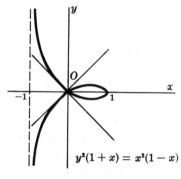

$$y = \frac{x\sqrt{1-x}}{\sqrt{1+x}} \quad \text{und} \quad y = -\frac{x\sqrt{1-x}}{\sqrt{1+x}}. \quad \text{Für den ersten gilt}$$

$$\frac{dy}{dx} = \frac{1 - x - x^2}{(1+x)^{3/2}(1-x)^{1/2}} \quad \text{und} \quad \frac{d^2y}{dx^2} = \frac{x - 2}{(1+x)^{5/2}(1-x)^{3/2}}.$$

Abb. 24-2

Die kritischen Werte sind $x = 1$ und $(-1 + \sqrt{5})/2$. Der Punkt $\left(\dfrac{-1+\sqrt{5}}{2}, \dfrac{(-1+\sqrt{5})\sqrt{\sqrt{5}-2}}{2}\right)$ ist ein Maximumspunkt. Es gibt keinen Wendepunkt.

Der Zweig ist nach unten konkav. Wegen der Symmetrie ist im Punkt $\left(\dfrac{-1+\sqrt{5}}{2}, -\dfrac{(-1+\sqrt{5})\sqrt{\sqrt{5}-2}}{2}\right)$ ein Minimum, und der zweite Zweig ist nach oben konkav.

Asymptoten: Aus Aufgabe 1 folgt, daß die Gerade $x = -1$ eine senkrechte Asymptote ist.

Singuläre Punkte: Aus Aufg. 4 folgt, daß im Nullpunkt ein Knoten ist. Die (Doppelpunkt- oder Knoten-) Tangenten sind die Geraden $y = x$ und $y = -x$.

9. Untersuche und zeichne die Kurve $y^3 - x^2(6 - x) = 0$! Siehe Abb. 24-3!

Symmetrie: Keine

Abschnitte: Die Achsenabschnitte sind $x = 0$, $x = 6$ und $y = 0$.

Ausdehnung: Die Kurve existiert für alle Werte von x und y.

Maxima und Minima, usw: $\dfrac{dy}{dx} = \dfrac{4 - x}{x^{1/3}(6 - x)^{2/3}}$ und $\dfrac{d^2y}{dx^2} = \dfrac{-8}{x^{4/3}(6 - x)^{5/3}}$.

Die kritischen Werte sind $x = 0, 4, 6$; in $(0, 0)$ ist ein Minimum und in $(4, 2\sqrt[3]{4})$ ein Maximum. Der Punkt $(6, 0)$ ist ein Wendepunkt. Die Kurve ist links davon nach unten konkav, rechts davon nach oben konkav.

Asymptoten: Aus Aufg. 2 folgt, daß die Gerade $y = -x + 2$ eine Asymptote ist.

Singuläre Punkte: Nach Aufgabe 5 ist im Nullpunkt eine Spitze, die (Spitzen-) Tangente ist die y-Achse.

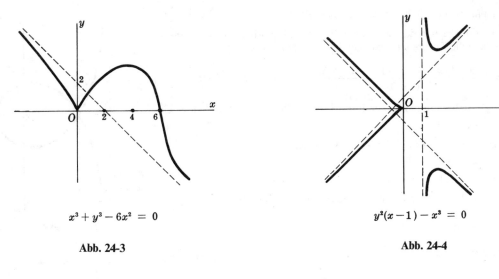

$$x^3 + y^3 - 6x^2 = 0$$

Abb. 24-3

$$y^2(x-1) - x^3 = 0$$

Abb. 24-4

10. Diskutiere und zeichne die Kurve $y^2(x-1) - x^3 = 0$! Siehe Abb. 24-4!

Symmetrie: Die Kurve ist symmetrisch zur x-Achse.

Abschnitte: Die Achsenabschnitte sind $x = 0$ und $y = 0$.

Ausdehnung: Die Kurve existiert in den Intervallen $-\infty < x \leq 0$ und $x > 1$ und für alle Werte von y.

Maxima und Minima, usw: Für den Zweig $y = x\sqrt{\dfrac{x}{x-1}}$ gilt

$$\frac{dy}{dx} = \frac{(2x-3)x^{1/2}}{2(x-1)^{3/2}} \quad \text{und} \quad \frac{d^2y}{dx^2} = \frac{3}{4x^{1/2}(x-1)^{5/2}}$$

Die kritischen Werte sind $x = 0$ und $3/2$. Der Punkt $(3/2,\ 3\sqrt{3}/2)$ ist ein Minimumpunkt. Es gibt keinen Wendepunkt. Der Zweig ist nach oben konkav. Wegen der Symmetrie ist der Punkt $(3/2,\ -3\sqrt{3}/2)$ auf dem Zweig $y = -x\sqrt{\dfrac{x}{x-1}}$ ein Maximumpunkt, und der Zweig ist nach unten konkav.

Asymptoten: Nach Aufgabe 3 sind die Geraden $x = 1$, $y = x + \frac{1}{2}$ und $y = -x - \frac{1}{2}$ Asymptoten.

Singuläre Punkte: Nach Aufgabe 6 ist im Nullpunkt eine Spitze, die Gerade $y = 0$ ist die (Spitzen-) Tangente.

11. Untersuche und zeichne die Kurve $y^2(x^2 - 4) = x^4$!

Symmetrie: Die Kurve ist zu den Koordinatenachsen und zum Nullpunkt symmetrisch.

Abschnitte: Die Achsenabschnitte sind $x = 0$ und $y = 0$.

Ausdehnung: Die Kurve existiert in den Intervallen $-\infty < x < -2$ und $2 < x < +\infty$ und in den Intervallen $-\infty < y \leq -4$ und $4 \leq y < +\infty$. Der Punkt $(0,0)$ ist ein isolierter Punkt.

Maxima und Minima, usw.:

Für den Kurventeil $y = \dfrac{x^2}{\sqrt{x^2-4}}$, $x > 2$ gilt

$$\frac{dy}{dx} = \frac{x^3 - 8x}{(x^2-4)^{3/2}} \quad \text{und} \quad \frac{d^2y}{dx^2} = \frac{4x^2 + 32}{(x^2-4)^{5/2}}$$

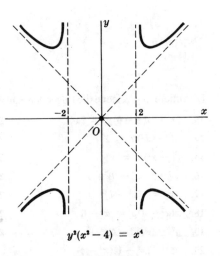

$$y^2(x^2 - 4) = x^4$$

Abb. 24-5

Der kritische Wert ist $x = 2\sqrt{2}$. Der Kurventeil ist nach oben konkav und hat in $(2\sqrt{2}, 4)$ ein Minimum.

Wegen der Symmetrie ist in $(-2\sqrt{2}, 4)$ ein Minimum, und in $(2\sqrt{2}, -4)$ und $(-2\sqrt{2}, -4)$ sind Maxima.

Asymptoten, singuläre Punkte: Siehe Aufgabe 7!

12. Diskutiere und zeichne die Kurve $(x + 3)(x^2 + y^2) = 4$!

Zuerst bestimmen wir den singulären Punkt, falls vorhanden, und transformieren dann die Koordinaten so, daß dieser im Nullpunkt liegt.

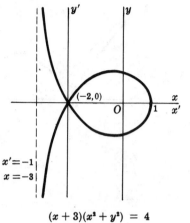

$$\frac{dy}{dx} = -\frac{(x + 2)(x + 2 + \sqrt{3})(x + 2 - \sqrt{3})}{(x + 3)^2 y} \ . \quad \text{Aus } \ x = -2 \ \text{ folgt } \ y = 0,$$

damit ist $\dfrac{dy}{dx}$ unbestimmt von der Form $\dfrac{0}{0}$. Der Punkt $(-2, 0)$ ist damit ein singulärer Punkt.

Mit $x = x' - 2$, $y = y'$ lautet die Kurvengleichung
$y'^2(x' + 1) + x'^3 - 3x'^2 = 0$.

Symmetrie: Die Kurve ist symmetrisch zur x'-Achse.

Abschnitte: Die Achsenabschnitte sind $x' = 0$, $x' = 3$ und $y' = 0$.

Maxima und Minima, usw:

Für den Zweig $\ y' = \dfrac{x'\sqrt{3 - x'}}{\sqrt{x' + 1}} \ $ gilt $\ \dfrac{dy'}{dx'} = \dfrac{3 - x'^2}{(3 - x')^{1/2}\,(x' + 1)^{3/2}}$

$(x + 3)(x^2 + y^2) = 4$

Abb. 24-6

und $\quad \dfrac{d^2 y'}{dx'^2} = \dfrac{-12}{(3 - x')^{3/2}\,(x' + 1)^{5/2}} \ .$

$x' = \sqrt{3}$ und 3 sind die kritischen Werte. Im Punkt $\left(\sqrt{3}, \sqrt{6\sqrt{3} - 9}\right)$ ist ein Maximum der Kurve. Der Zweig ist nach unten konkav.

Wegen der Symmetrie ist in $\left(\sqrt{3}, \sqrt{6\sqrt{3} - 9}\right)$ ein Minimum, und der zweite Zweig ist nach oben konkav.

Asymptoten: Die Gerade $x' = -1$ ist eine senkrechte Asymptote. Zur Bestimmung der schrägen Asymptoten ersetzen wir y' durch $mx' + b$ und erhalten $(m^2 + 1)x'^3 + \cdots = 0$. Es gibt keine schrägen Asymptoten. (Warum?)

Singuläre Punkte: Der Ursprung ist ein Doppelpunkt. Wird y' in $y'^2 - 3x'^2$ durch mx' ersetzt, so ergibt sich $(m^2 - 3)x'^2$. Aus $m^2 - 3 = 0$ folgt $m = \pm\sqrt{3}$. Damit sind die (Doppelpunkt-) Tangenten durch $y' = \pm\sqrt{3}\,x'$ gegeben.

In den ursprünglichen Koordinaten ist $\left(\sqrt{3} - 2, \sqrt{6\sqrt{3} - 9}\right)$ ein Maximumpunkt und $\left(\sqrt{3} - 2, -\sqrt{6\sqrt{3} - 9}\right)$ ein Minimumpunkt. Die Gerade $x = -3$ ist eine senkrechte Asymptote. Der Punkt $(-2, 0)$ ist ein Knotenpunkt, die Gleichung der (Knotenpunkt-) Tangenten ist $y = \pm\sqrt{3}\,(x + 2)$.

ERGÄNZUNGSAUFGABEN

Diskutiere und zeichne die folgenden Kurven!

13. $(x - 2)(x - 6)y = 2x^2$

14. $x(3 - x^2)y = 1$

15. $(1 - x^2)y = x^4$

16. $xy = (x^2 - 9)^2$

17. $2xy = (x^2 - 1)^3$

18. $x(x^2 - 4)y = x^2 - 6$

19. $y^2 = x(x^2 - 4)$

20. $y^2 = (x^2 - 1)(x^2 - 4)$

21. $xy^2 = x^2 + 3x + 2$

22. $(x^2 - 2x - 3)y^2 = 2x + 3$

23. $x(x - 1)y = x^2 - 4$

24. $(x + 1)(x + 4)^2 y^2 = x(x^2 - 4)$

25. $y^2 = 4x^2(4 - x^2)$

26. $y^2 = 5x^4 + 4x^5$

27. $y^3 = x^2(8 - x^2)$

28. $y^3 = x^2(3 - x)$

29. $(x^2 - 1)y^3 = x^2$

30. $(x - 3)y^3 = x^4$

31. $(x - 6)y^2 = x^2(x - 4)$

32. $(x^2 - 16)y^2 = x^3(x - 2)$

33. $(x^2 + y^2)^2 = 8xy$

34. $(x^2 + y^2)^3 = 4x^2 y^2$

35. $y^4 - 4xy^2 = x^4$

36. $(x^2 + y^2)^3 = 4xy(x^2 - y^2)$

37. $y^2 = x(x - 3)^2$

38. $y^2 = x(x - 2)^3$

39. $3y^4 = x(x^2 - 9)^3$

40. $x^3 y^3 = (x - 3)^2$

KAPITEL 25

Grundlegende Integrationsregeln

IST $F(x)$ EINE FUNKTION, deren Ableitung $F'(x) = f(x)$ in einem gewissen Intervall der x-Achse existiert, dann wird $F(x)$ ein *unbestimmtes Integral* von $f(x)$ genannt. Das unbestimmte Integral einer Funktion ist nicht eindeutig bestimmt; zum Beispiel sind x^2, $x^2 + 5$, $x^2 - 4$ unbestimmte Integrale von $f(x) = 2x$, da $\frac{d}{dx}(x^2) = \frac{d}{dx}(x^2 + 5) = \frac{d}{dx}(x^2 - 4) = 2x$. Alle unbestimmten Integrale von $f(x) = 2x$ ergeben sich als $x^2 + C$, wobei C, genannt die *Integrationskonstante*, eine beliebige Konstante ist.

Das Symbol $\int f(x)\,dx$ wird benutzt, um anzuzeigen, daß das unbestimmte Integral von $f(x)$ gesucht werden soll. Wir schreiben also: $\int 2x\,dx = x^2 + C$.

GRUNDLEGENDE INTEGRATIONSREGELN. Einige der folgenden Regeln ergeben sich sofort aus bekannten Differentationsregeln aus früheren Kapiteln. Regel 25 kann zum Beispiel bewiesen werden, indem man zeigt, daß:

$$\frac{d}{du}\left\{ \tfrac{1}{2}u\sqrt{a^2 - u^2} + \tfrac{1}{2}a^2 \arcsin \frac{u}{a} + C \right\} = \sqrt{a^2 - u^2}.$$

In einigen der Regeln treten Betragstriche auf. Wir schreiben zum Beispiel

5. $$\int \frac{du}{u} = \ln|u| + C$$

statt

5(a). $\int \dfrac{du}{u} = \ln u + C, \quad u > 0$ **5(b).** $\int \dfrac{du}{u} = \ln(-u) + C, \quad u < 0$

und

10. $$\int \tan u\,du = \ln|\sec u| + C$$

statt

10(a). $\int \tan u\,du = \ln \sec u + C,$ alle u mit $\sec u \geqq 1$

10(b). $\int \tan u\,du = \ln(-\sec u) + C,$ alle u mit $\sec u \leqq -1$

1. $\int \frac{d}{dx}[f(x)]\,dx = f(x) + C$

2. $\int (u + v)\,dx = \int u\,dx + \int v\,dx$

3. $\int au\,dx = a \int u\,dx,$ a eine Konstante

4. $\int u^m\,du = \frac{u^{m+1}}{m+1} + C, \quad m \neq -1$

5. $\int \frac{du}{u} = \ln|u| + C$

6. $\int a^u\,du = \frac{a^u}{\ln a} + C, \quad a > 0, a \neq 1$

7. $\int e^u\,du = e^u + C$

8. $\int \sin u\,du = -\cos u + C$

9. $\int \cos u\,du = \sin u + C$

10. $\int \tan u\,du = \ln|\sec u| + C$

11. $\int \cot u\,du = \ln|\sin u| + C$

12. $\int \sec u\,du = \ln|\sec u + \tan u| + C$

13. $\int \operatorname{cosec} u\,du = \ln|\operatorname{cosec} u - \cot u| + C$

14. $\int \sec^2 u\,du = \tan u + C$

15. $\int \operatorname{cosec}^2 u\,du = -\cot u + C$

16. $\int \sec u \tan u\,du = \sec u + C$

17. $\int \operatorname{cosec} u \cot u \, du = -\operatorname{cosec} u + C$ 23. $\int \dfrac{du}{\sqrt{u^2 + a^2}} = \ln(u + \sqrt{u^2 + a^2}) + C$

18. $\int \dfrac{du}{\sqrt{a^2 - u^2}} = \arcsin \dfrac{u}{a} + C$ 24. $\int \dfrac{du}{\sqrt{u^2 - a^2}} = \ln|u + \sqrt{u^2 - a^2}| + C$

19. $\int \dfrac{du}{a^2 + u^2} = \dfrac{1}{a} \arctan \dfrac{u}{a} + C$ 25. $\int \sqrt{a^2 - u^2} \, du = \tfrac{1}{2} u \sqrt{a^2 - u^2} + \tfrac{1}{2} a^2 \arcsin \dfrac{u}{a} + C$

20. $\int \dfrac{du}{u\sqrt{u^2 - a^2}} = \dfrac{1}{a} \operatorname{arcsec} \dfrac{u}{a} + C$ 26. $\int \sqrt{u^2 + a^2} \, du = \tfrac{1}{2} u \sqrt{u^2 + a^2}$
$$+ \tfrac{1}{2} a^2 \ln(u + \sqrt{u^2 + a^2}) + C$$

21. $\int \dfrac{du}{u^2 - a^2} = \dfrac{1}{2a} \ln \left| \dfrac{u - a}{u + a} \right| + C$

27. $\int \sqrt{u^2 - a^2} \, du = \tfrac{1}{2} u \sqrt{u^2 - a^2}$

22. $\int \dfrac{du}{a^2 - u^2} = \dfrac{1}{2a} \ln \left| \dfrac{a + u}{a - u} \right| + C$
$$- \tfrac{1}{2} a^2 \ln|u + \sqrt{u^2 - a^2}| + C$$

AUFGABEN MIT LÖSUNGEN

1. $\int x^5 \, dx = \dfrac{x^6}{6} + C$ 3. $\int \sqrt[3]{z} \, dz = \int z^{1/3} \, dz = \dfrac{z^{4/3}}{4/3} + C = \dfrac{3}{4} z^{4/3} + C$

2. $\int \dfrac{dx}{x^2} = \int x^{-2} \, dx = \dfrac{x^{-1}}{-1} + C = -\dfrac{1}{x} + C$ 4. $\int \dfrac{dx}{\sqrt[3]{x^2}} = \int x^{-2/3} \, dx = \dfrac{x^{1/3}}{1/3} + C = 3x^{1/3} + C$

5. $\int (2x^2 - 5x + 3) \, dx = 2 \int x^2 \, dx - 5 \int x \, dx + 3 \int dx = \dfrac{2x^3}{3} - \dfrac{5x^2}{2} + 3x + C$

6. $\int (1 - x) \sqrt{x} \, dx = \int (x^{1/2} - x^{3/2}) \, dx = \int x^{1/2} \, dx - \int x^{3/2} \, dx = \tfrac{2}{3} x^{3/2} - \tfrac{2}{5} x^{5/2} + C$

7. $\int (3s + 4)^2 \, ds = \int (9s^2 + 24s + 16) \, ds = 9(\tfrac{1}{3} s^3) + 24(\tfrac{1}{2} s^2) + 16s + C = 3s^3 + 12s^2 + 16s + C$

8. $\int \dfrac{x^3 + 5x^2 - 4}{x^2} \, dx = \int (x + 5 - 4x^{-2}) \, dx = \dfrac{1}{2} x^2 + 5x - \dfrac{4x^{-1}}{-1} + C = \dfrac{1}{2} x^2 + 5x + \dfrac{4}{x} + C$

9. Bestimme: (a) $\int (x^3 + 2)^2 \cdot 3x^2 \, dx$,   (b) $\int (x^3 + 2)^{1/2} x^2 \, dx$,   (c) $\int \dfrac{8x^2 \, dx}{(x^3 + 2)^3}$,   (d) $\int \dfrac{x^2 \, dx}{\sqrt[4]{(x^3 + 2)}}$.

  Es sei $x^3 + 2 = u$. Dann gilt $du = 3x^2 \, dx$.

(a) $\int (x^3 + 2)^2 \cdot 3x^2 \, dx = \int u^2 \, du = \tfrac{1}{3} u^3 + C = \tfrac{1}{3} (x^3 + 2)^3 + C$

(b) $\int (x^3 + 2)^{1/2} x^2 \, dx = \dfrac{1}{3} \int (x^3 + 2)^{1/2} \cdot 3x^2 \, dx = \dfrac{1}{3} \int u^{1/2} \, du = \dfrac{1}{3} \cdot \dfrac{u^{3/2}}{3/2} + C = \dfrac{2}{9} (x^3 + 2)^{3/2} + C$

(c) $\int \dfrac{8x^2 \, dx}{(x^3 + 2)^3} = 8 \cdot \dfrac{1}{3} \int (x^3 + 2)^{-3} 3x^2 \, dx = \dfrac{8}{3} \int u^{-3} \, du = -\dfrac{8}{3} \left(\dfrac{1}{2} u^{-2} \right) + C = -\dfrac{4}{3(x^3 + 2)^2} + C$

(d) $\int \dfrac{x^2}{\sqrt[4]{x^3 + 2}} \, dx = \dfrac{1}{3} \int (x^3 + 2)^{-1/4} 3x^2 \, dx = \dfrac{1}{3} \int u^{-1/4} \, du = \dfrac{1}{3} \cdot \dfrac{4}{3} u^{3/4} + C = \dfrac{4}{9} (x^3 + 2)^{3/4} + C$

10. Bestimme: $\int 3x\sqrt{1 - 2x^2} \, dx$. Wir setzen $1 - 2x^2 = u$. Dann gilt $du = -4x \, dx$.

$$\int 3x\sqrt{1 - 2x^2} \, dx = 3 \left(-\dfrac{1}{4} \right) \int (1 - 2x^2)^{1/2} (-4x \, dx) = -\dfrac{3}{4} \int u^{1/2} \, du$$
$$= -\dfrac{3}{4} \cdot \dfrac{2}{3} u^{3/2} + C = -\dfrac{1}{2} (1 - 2x^2)^{3/2} + C$$

11. Bestimme: $\int \dfrac{(x + 3) \, dx}{(x^2 + 6x)^{1/3}}$. Wir setzen $x^2 + 6x = u$. Dann gilt $du = (2x + 6) \, dx$.

$$\int \dfrac{(x + 3) \, dx}{(x^2 + 6x)^{1/3}} = \dfrac{1}{2} \int (x^2 + 6x)^{-1/3} (2x + 6) \, dx = \dfrac{1}{2} \int u^{-1/3} \, du$$
$$= \dfrac{1}{2} \cdot \dfrac{3}{2} u^{2/3} + C = \dfrac{3}{4} (x^2 + 6x)^{2/3} + C$$

12. $\displaystyle\int \sqrt[3]{1-x^2}\, x\, dx \;=\; -\frac{1}{2}\int (1-x^2)^{1/3}(-2x\, dx) \;=\; -\frac{1}{2}\cdot\frac{3}{4}(1-x^2)^{4/3} + C \;=\; -\frac{3}{8}(1-x^2)^{4/3} + C$

13. $\displaystyle\int \sqrt{x^2-2x^4}\, dx \;=\; \int (1-2x^2)^{1/2}x\, dx \;=\; -\frac{1}{4}\int (1-2x^2)^{1/2}(-4x\, dx)$

$\displaystyle\qquad\qquad =\; -\frac{1}{4}\cdot\frac{2}{3}(1-2x^2)^{3/2} + C \;=\; -\frac{1}{6}(1-2x^2)^{3/2} + C$

14. $\displaystyle\int \frac{(1+x)^2}{\sqrt{x}}\, dx \;=\; \int \frac{1+2x+x^2}{x^{1/2}}\, dx \;=\; \int (x^{-1/2}+2x^{1/2}+x^{3/2})\, dx \;=\; 2x^{1/2} + \frac{4}{3}x^{3/2} + \frac{2}{5}x^{5/2} + C$

15. $\displaystyle\int \frac{x^2+2x}{(x+1)^2}\, dx \;=\; \int \left\{1 - \frac{1}{(x+1)^2}\right\} dx \;=\; x + \frac{1}{x+1} + C' \;=\; \frac{x^2}{x+1} + 1 + C' \;=\; \frac{x^2}{x+1} + C$

REGELN 5-7

16. $\displaystyle\int \frac{dx}{x} \;=\; \ln|x| + C$
　　17. $\displaystyle\int \frac{dx}{x+2} \;=\; \int \frac{d(x+2)}{x+2} \;=\; \ln|x+2| + C$

18. $\displaystyle\int \frac{dx}{2x-3} \;=\; \frac{1}{2}\int \frac{du}{u} \;=\; \frac{1}{2}\ln|u| + C \;=\; \frac{1}{2}\ln|2x-3| + C,\ \text{wobei}\ u = 2x-3\ \text{und}\ du = 2\, dx\ \text{oder}$

$\displaystyle\qquad\qquad \int \frac{dx}{2x-3} \;=\; \frac{1}{2}\int \frac{d(2x-3)}{2x-3} \;=\; \frac{1}{2}\ln|2x-3| + C$

19. $\displaystyle\int \frac{x\, dx}{x^2-1} \;=\; \frac{1}{2}\int \frac{2x\, dx}{x^2-1} \;=\; \frac{1}{2}\ln|x^2-1| + C \;=\; \frac{1}{2}\ln|x^2-1| + \ln c \;=\; \ln c\sqrt{|x^2-1|}$

20. $\displaystyle\int \frac{x^2\, dx}{1-2x^3} \;=\; -\frac{1}{6}\int \frac{-6x^2\, dx}{1-2x^3} \;=\; -\frac{1}{6}\ln|1-2x^3| + C \;=\; \ln\frac{c}{\sqrt[6]{|1-2x^3|}}$

21. $\displaystyle\int \frac{x+2}{x+1}\, dx \;=\; \int \left(1 + \frac{1}{x+1}\right) dx \;=\; x + \ln|x+1| + C$

22. $\displaystyle\int e^{-x}\, dx \;=\; -\int e^{-x}(-dx) \;=\; -e^{-x} + C$
　　24. $\displaystyle\int e^{3x}\, dx \;=\; \frac{1}{3}\int e^{3x}(3\, dx) \;=\; \frac{e^{3x}}{3} + C$

23. $\displaystyle\int a^{2x}\, dx \;=\; \frac{1}{2}\int a^{2x}(2\, dx) \;=\; \frac{1}{2}\left(\frac{a^{2x}}{\ln a}\right) + C$
　　25. $\displaystyle\int \frac{e^{1/x}\, dx}{x^2} \;=\; -\int e^{1/x}\left(-\frac{dx}{x^2}\right) \;=\; -e^{1/x} + C$

26. $\displaystyle\int (e^x+1)^3 e^x\, dx \;=\; \int u^3\, du \;=\; \frac{u^4}{4} + C \;=\; \frac{(e^x+1)^4}{4} + C$
　　$u = e^x+1\ \text{und}\ du = e^x\, dx\ \text{oder}$

$\displaystyle\qquad\qquad \int (e^x+1)^3 e^x\, dx \;=\; \int (e^x+1)^3\, d(e^x+1) \;=\; \frac{(e^x+1)^4}{4} + C$

27. $\displaystyle\int \frac{dx}{e^x+1} \;=\; \int \frac{e^{-x}\, dx}{1+e^{-x}} \;=\; -\int \frac{-e^{-x}\, dx}{1+e^{-x}} \;=\; -\ln(1+e^{-x}) + C \;=\; \ln\frac{e^x}{1+e^x} + C$

$\displaystyle\qquad\qquad\qquad =\; x - \ln(1+e^x) + C$

Die Betragstriche sind hier nicht nötig, da $1 + e^{-x} > 0$ für alle Werte von x.

REGELN 8-17

28. $\displaystyle\int \sin\tfrac{1}{2}x\, dx \;=\; 2\int \sin\tfrac{1}{2}x \cdot \tfrac{1}{2}dx \;=\; -2\cos\tfrac{1}{2}x + C$

29. $\displaystyle\int \cos 3x\, dx \;=\; \frac{1}{3}\int \cos 3x \cdot 3\, dx \;=\; \frac{1}{3}\sin 3x + C$

30. $\displaystyle\int \sin^2 x \cos x\, dx \;=\; \int \sin^2 x\, (\cos x\, dx) \;=\; \int \sin^2 x\, d(\sin x) \;=\; \frac{\sin^3 x}{3} + C$

31. $\displaystyle\int \tan x\, dx \;=\; \int \frac{\sin x}{\cos x}\, dx \;=\; -\int \frac{-\sin x\, dx}{\cos x} \;=\; -\ln|\cos x| + C \;=\; \ln|\sec x| + C$

32. $\displaystyle\int \tan 2x\, dx \;=\; \frac{1}{2}\int \tan 2x \cdot 2\, dx \;=\; \frac{1}{2}\ln|\sec 2x| + C$

33. $\displaystyle\int x \cot x^2\, dx \;=\; \frac{1}{2}\int \cot x^2 \cdot 2x\, dx \;=\; \frac{1}{2}\ln|\sin x^2| + C$

34. $\displaystyle\int \sec x\,dx \;=\; \int \frac{\sec x\,(\sec x + \tan x)}{\sec x + \tan x}\,dx \;=\; \int \frac{\sec x \tan x + \sec^2 x}{\sec x + \tan x}\,dx \;=\; \ln|\sec x + \tan x| + C$

35. $\displaystyle\int \sec\sqrt{x}\,\frac{dx}{\sqrt{x}} \;=\; 2\int \sec x^{1/2}\cdot\frac{1}{2}x^{-1/2}\,dx \;=\; 2\ln|\sec\sqrt{x} + \tan\sqrt{x}| + C$

36. $\displaystyle\int \sec^2 2ax\,dx \;=\; \frac{1}{2a}\int \sec^2 2ax\cdot 2a\,dx \;=\; \frac{\tan 2ax}{2a} + C$

37. $\displaystyle\int \frac{\sin x + \cos x}{\cos x}\,dx \;=\; \int (\tan x + 1)\,dx \;=\; \ln|\sec x| + x + C$

38. $\displaystyle\int \frac{\sin y\,dy}{\cos^2 y} \;=\; \int \tan y \sec y\,dy \;=\; \sec y + C$

39. $\displaystyle\int (1 + \tan x)^2\,dx \;=\; \int (1 + 2\tan x + \tan^2 x)\,dx \;=\; \int (\sec^2 x + 2\tan x)\,dx$

$\qquad\qquad\qquad\quad =\; \tan x + 2\ln|\sec x| + C$

40. $\displaystyle\int e^x \cos e^x\,dx \;=\; \int \cos e^x \cdot e^x\,dx \;=\; \sin e^x + C$

41. $\displaystyle\int e^{3\cos 2x}\sin 2x\,dx \;=\; -\frac{1}{6}\int e^{3\cos 2x}(-6\sin 2x\,dx) \;=\; -\frac{e^{3\cos 2x}}{6} + C$

42. $\displaystyle\int \frac{dx}{1 + \cos x} \;=\; \int \frac{1 - \cos x}{1 - \cos^2 x}\,dx \;=\; \int \frac{1 - \cos x}{\sin^2 x}\,dx \;=\; \int (\operatorname{cosec}^2 x - \cot x \operatorname{cosec} x)\,dx$

$\qquad\qquad\qquad\qquad\qquad\qquad =\; -\cot x + \operatorname{cosec} x + C$

43. $\displaystyle\int (\tan 2x + \sec 2x)^2\,dx \;=\; \int (\tan^2 2x + 2\tan 2x \sec 2x + \sec^2 2x)\,dx$

$\qquad\qquad\qquad =\; \int (2\sec^2 2x + 2\tan 2x \sec 2x - 1)\,dx \;=\; \tan 2x + \sec 2x - x + C$

44. $\displaystyle\int \operatorname{cosec} u\,du = \int \frac{du}{\sin u} \;=\; \int \frac{du}{2\sin\frac{1}{2}u\cos\frac{1}{2}u} \;=\; \int \frac{\sec^2\frac{1}{2}u\cdot\frac{1}{2}du}{\tan\frac{1}{2}u} \;=\; \ln|\tan\tfrac{1}{2}u| + C$

45. $\displaystyle\int (\sec 4x - 1)^2\,dx \;=\; \int (\sec^2 4x - 2\sec 4x + 1)\,dx \;=\; \tfrac{1}{4}\tan 4x - \tfrac{1}{2}\ln|\sec 4x + \tan 4x| + x + C$

46. $\displaystyle\int \frac{\sec x \tan x\,dx}{a + b\sec x} \;=\; \frac{1}{b}\int \frac{\sec x \tan x \cdot b\,dx}{a + b\sec x} \;=\; \frac{1}{b}\ln|a + b\sec x| + C$

47. $\displaystyle\int \frac{dx}{\operatorname{cosec} 2x - \cot 2x} \;=\; \int \frac{\sin 2x\,dx}{1 - \cos 2x} \;=\; \frac{1}{2}\int \frac{\sin 2x \cdot 2\,dx}{1 - \cos 2x} \;=\; \frac{1}{2}\ln(1 - \cos 2x) + C'$

$\qquad\qquad =\; \tfrac{1}{2}\ln(2\sin^2 x) + C' \;=\; \tfrac{1}{2}(\ln 2 + 2\ln|\sin x|) + C' \;=\; \ln|\sin x| + C$

REGELN 18-20

48. $\displaystyle\int \frac{dx}{\sqrt{1 - x^2}} \;=\; \arcsin x + C$ **51.** $\displaystyle\int \frac{dx}{\sqrt{4 - x^2}} \;=\; \arcsin\frac{x}{2} + C$

49. $\displaystyle\int \frac{dx}{1 + x^2} \;=\; \arctan x + C$ **52.** $\displaystyle\int \frac{dx}{9 + x^2} \;=\; \frac{1}{3}\arctan\frac{x}{3} + C$

50. $\displaystyle\int \frac{dx}{x\sqrt{x^2 - 1}} \;=\; \operatorname{arcsec} x + C$ **53.** $\displaystyle\int \frac{dx}{\sqrt{25 - 16x^2}} \;=\; \frac{1}{4}\int \frac{4\,dx}{\sqrt{5^2 - (4x)^2}} \;=\; \frac{1}{4}\arcsin\frac{4x}{5} + C$

54. $\displaystyle\int \frac{dx}{4x^2 + 9} \;=\; \frac{1}{2}\int \frac{2\,dx}{(2x)^2 + 3^2} \;=\; \frac{1}{6}\arctan\frac{2x}{3} + C$

55. $\displaystyle\int \frac{dx}{x\sqrt{4x^2 - 9}} \;=\; \int \frac{2\,dx}{2x\sqrt{(2x)^2 - 3^2}} \;=\; \frac{1}{3}\operatorname{arcsec}\frac{2x}{3} + C$

56. $\displaystyle\int \frac{x^2\,dx}{\sqrt{1 - x^6}} \;=\; \frac{1}{3}\int \frac{3x^2\,dx}{\sqrt{1 - (x^3)^2}} \;=\; \frac{1}{3}\arcsin x^3 + C$

57. $\displaystyle\int \frac{x\,dx}{x^4 + 3} \;=\; \frac{1}{2}\int \frac{2x\,dx}{(x^2)^2 + 3} \;=\; \frac{1}{2}\cdot\frac{1}{\sqrt{3}}\arctan\frac{x^2}{\sqrt{3}} + C \;=\; \frac{\sqrt{3}}{6}\arctan\frac{x^2\sqrt{3}}{3} + C$

58. $\displaystyle\int \frac{dx}{x\sqrt{x^4-1}} \;=\; \frac{1}{2}\int \frac{2x\,dx}{x^2\sqrt{(x^2)^2-1}} \;=\; \frac{1}{2}\,\text{arcsec}\;x^2 \,+\, C \;=\; \frac{1}{2}\,\text{arccos}\;\frac{1}{x^2} \,+\, C$

59. $\displaystyle\int \frac{dx}{\sqrt{4-(x+2)^2}} \;=\; \text{arcsin}\;\frac{x+2}{2} \,+\, C$ **60.** $\displaystyle\int \frac{dx}{e^x+e^{-x}} \;=\; \int \frac{e^x\,dx}{e^{2x}+1} \;=\; \text{arctan}\;e^x \,+\, C$

61. $\displaystyle\int \frac{3x^3-4x^2+3x}{x^2+1}\,dx \;=\; \int \left(3x-4+\frac{4}{x^2+1}\right)dx \;=\; \frac{3x^2}{2}-4x+4\,\text{arctan}\;x \,+\, C$

62. $\displaystyle\int \frac{\sec x \tan x\,dx}{9+4\sec^2 x} \;=\; \frac{1}{2}\int \frac{2\sec x \tan x\,dx}{3^2+(2\sec x)^2} \;=\; \frac{1}{6}\,\text{arctan}\;\frac{2\sec x}{3} \,+\, C$

63. $\displaystyle\int \frac{(x+3)\,dx}{\sqrt{1-x^2}} \;=\; \int \frac{x\,dx}{\sqrt{1-x^2}} + 3\int \frac{dx}{\sqrt{1-x^2}} \;=\; -\sqrt{1-x^2} + 3\,\text{arcsin}\;x \,+\, C$

64. $\displaystyle\int \frac{(2x-7)\,dx}{x^2+9} \;=\; \int \frac{2x\,dx}{x^2+9} - 7\int \frac{dx}{x^2+9} \;=\; \ln(x^2+9) - \frac{7}{3}\,\text{arctan}\;\frac{x}{3} \,+\, C$

65. $\displaystyle\int \frac{dy}{y^2+10y+30} \;=\; \int \frac{dy}{(y^2+10y+25)+5} \;=\; \int \frac{dy}{(y+5)^2+5} \;=\; \frac{\sqrt{5}}{5}\,\text{arctan}\;\frac{(y+5)\sqrt{5}}{5} \,+\, C$

66. $\displaystyle\int \frac{dx}{\sqrt{20+8x-x^2}} \;=\; \int \frac{dx}{\sqrt{36-(x^2-8x+16)}} \;=\; \int \frac{dx}{\sqrt{36-(x-4)^2}} \;=\; \text{arcsin}\;\frac{x-4}{6} \,+\, C$

67. $\displaystyle\int \frac{dx}{2x^2+2x+5} \;=\; \int \frac{2\,dx}{4x^2+4x+10} \;=\; \int \frac{2\,dx}{(2x+1)^2+9} \;=\; \frac{1}{3}\,\text{arctan}\;\frac{2x+1}{3} \,+\, C$

68. $\displaystyle\int \frac{x+1}{x^2-4x+8}\,dx \;=\; \frac{1}{2}\int \frac{2x+2}{x^2-4x+8}\,dx \;=\; \frac{1}{2}\int \frac{(2x-4)+6}{x^2-4x+8}\,dx \;=\; \frac{1}{2}\int \frac{(2x-4)\,dx}{x^2-4x+8} + 3\int \frac{dx}{x^2-4x+8}$

$\displaystyle\qquad\qquad =\; \frac{1}{2}\int \frac{(2x-4)\,dx}{x^2-4x+8} + 3\int \frac{dx}{(x-2)^2+4} \;=\; \frac{1}{2}\ln(x^2-4x+8) + \frac{3}{2}\,\text{arctan}\;\frac{x-2}{2} \,+\, C$

Die Betragstriche sind hier nicht nötig, da $x^2-4x+8 > 0$ für alle Werte von x.

69. $\displaystyle\int \frac{dx}{\sqrt{28-12x-x^2}} \;=\; \int \frac{dx}{\sqrt{64-(x^2+12x+36)}} \;=\; \int \frac{dx}{\sqrt{64-(x+6)^2}} \;=\; \text{arcsin}\;\frac{x+6}{8} \,+\, C$

70. $\displaystyle\int \frac{x+3}{\sqrt{5-4x-x^2}}\,dx \;=\; -\frac{1}{2}\int \frac{-2x-6}{\sqrt{5-4x-x^2}}\,dx \;=\; -\frac{1}{2}\int \frac{(-2x-4)-2}{\sqrt{5-4x-x^2}}\,dx$

$\displaystyle\qquad\qquad =\; -\frac{1}{2}\int \frac{-2x-4}{\sqrt{5-4x-x^2}}\,dx + \int \frac{dx}{\sqrt{5-4x-x^2}}$

$\displaystyle\qquad\qquad =\; -\frac{1}{2}\int \frac{-2x-4}{\sqrt{5-4x-x^2}}\,dx + \int \frac{dx}{\sqrt{9-(x+2)^2}}$

$\displaystyle\qquad\qquad =\; -\sqrt{5-4x-x^2} + \text{arcsin}\;\frac{x+2}{3} \,+\, C$

71. $\displaystyle\int \frac{2x+3}{9x^2-12x+8}\,dx \;=\; \frac{1}{9}\int \frac{18x+27}{9x^2-12x+8}\,dx \;=\; \frac{1}{9}\int \frac{(18x-12)+39}{9x^2-12x+8}\,dx$

$\displaystyle\qquad\qquad =\; \frac{1}{9}\int \frac{18x-12}{9x^2-12x+8}\,dx + \frac{13}{3}\int \frac{dx}{(3x-2)^2+4}$

$\displaystyle\qquad\qquad =\; \frac{1}{9}\ln(9x^2-12x+8) + \frac{13}{18}\,\text{arctan}\;\frac{3x-2}{2} \,+\, C$

72. $\displaystyle\int \frac{x+2}{\sqrt{4x-x^2}}\,dx \;=\; -\frac{1}{2}\int \frac{-2x-4}{\sqrt{4x-x^2}}\,dx \;=\; -\frac{1}{2}\int \frac{(-2x+4)-8}{\sqrt{4x-x^2}}\,dx$

$\displaystyle\qquad\qquad =\; -\frac{1}{2}\int \frac{4-2x}{\sqrt{4x-x^2}}\,dx + 4\int \frac{dx}{\sqrt{4-(x-2)^2}} \;=\; -\sqrt{4x-x^2} + 4\,\text{arcsin}\;\frac{x-2}{2} \,+\, C$

REGELN 21-24

73. $\displaystyle\int \frac{dx}{x^2-1} = \frac{1}{2}\ln\left|\frac{x-1}{x+1}\right| + C$ 76. $\displaystyle\int \frac{dx}{9-x^2} = \frac{1}{6}\ln\left|\frac{3+x}{3-x}\right| + C$

74. $\displaystyle\int \frac{dx}{1-x^2} = \frac{1}{2}\ln\left|\frac{1+x}{1-x}\right| + C$ 77. $\displaystyle\int \frac{dx}{\sqrt{x^2+1}} = \ln(x+\sqrt{x^2+1}) + C$

75. $\displaystyle\int \frac{dx}{x^2-4} = \frac{1}{4}\ln\left|\frac{x-2}{x+2}\right| + C$ 78. $\displaystyle\int \frac{dx}{\sqrt{x^2-1}} = \ln|x+\sqrt{x^2-1}| + C$

79. $\displaystyle\int \frac{dx}{\sqrt{4x^2+9}} = \frac{1}{2}\int \frac{2\,dx}{\sqrt{(2x)^2+3^2}} = \frac{1}{2}\ln(2x+\sqrt{4x^2+9}) + C$

80. $\displaystyle\int \frac{dz}{\sqrt{9z^2-25}} = \frac{1}{3}\int \frac{3\,dz}{\sqrt{9z^2-25}} = \frac{1}{3}\ln|3z+\sqrt{9z^2-25}| + C$

81. $\displaystyle\int \frac{dx}{9x^2-16} = \frac{1}{3}\int \frac{3\,dx}{(3x)^2-16} = \frac{1}{24}\ln\left|\frac{3x-4}{3x+4}\right| + C$

82. $\displaystyle\int \frac{dy}{25-16y^2} = \frac{1}{4}\int \frac{4\,dy}{25-(4y)^2} = \frac{1}{40}\ln\left|\frac{5+4y}{5-4y}\right| + C$

83. $\displaystyle\int \frac{dx}{x^2+6x+8} = \int \frac{dx}{(x+3)^2-1} = \frac{1}{2}\ln\left|\frac{(x+3)-1}{(x+3)+1}\right| + C = \frac{1}{2}\ln\left|\frac{x+2}{x+4}\right| + C$

84. $\displaystyle\int \frac{dx}{4x-x^2} = \int \frac{dx}{4-(x-2)^2} = \frac{1}{4}\ln\left|\frac{2+(x-2)}{2-(x-2)}\right| + C = \frac{1}{4}\ln\left|\frac{x}{4-x}\right| + C$

85. $\displaystyle\int \frac{ds}{\sqrt{4s+s^2}} = \int \frac{ds}{\sqrt{(s+2)^2-4}} = \ln|s+2+\sqrt{4s+s^2}| + C$

86. $\displaystyle\int \frac{x+2}{\sqrt{x^2+9}}\,dx = \frac{1}{2}\int \frac{2x+4}{\sqrt{x^2+9}}\,dx = \frac{1}{2}\int \frac{2x\,dx}{\sqrt{x^2+9}} + 2\int \frac{dx}{\sqrt{x^2+9}}$

$\qquad\qquad = \sqrt{x^2+9} + 2\ln(x+\sqrt{x^2+9}) + C$

87. $\displaystyle\int \frac{2x-3}{4x^2-11}\,dx = \frac{1}{4}\int \frac{8x-12}{4x^2-11}\,dx = \frac{1}{4}\int \frac{8x\,dx}{4x^2-11} - \frac{3}{2}\int \frac{2\,dx}{4x^2-11}$

$\qquad\qquad = \frac{1}{4}\ln|4x^2-11| - \frac{3\sqrt{11}}{44}\ln\left|\frac{2x-\sqrt{11}}{2x+\sqrt{11}}\right| + C$

88. $\displaystyle\int \frac{x+2}{\sqrt{x^2+2x-3}}\,dx = \frac{1}{2}\int \frac{2x+4}{\sqrt{x^2+2x-3}}\,dx = \frac{1}{2}\int \frac{2x+2}{\sqrt{x^2+2x-3}}\,dx + \int \frac{dx}{\sqrt{(x+1)^2-4}}$

$\qquad\qquad = \sqrt{x^2+2x-3} + \ln|x+1+\sqrt{x^2+2x-3}| + C$

89. $\displaystyle\int \frac{2-x}{4x^2+4x-3}\,dx = -\frac{1}{8}\int \frac{8x-16}{4x^2+4x-3}\,dx = -\frac{1}{8}\int \frac{8x+4}{4x^2+4x-3}\,dx + \frac{5}{2}\int \frac{dx}{(2x+1)^2-4}$

$\qquad\qquad = -\frac{1}{8}\ln|4x^2+4x-3| + \frac{5}{16}\ln\left|\frac{2x-1}{2x+3}\right| + C$

REGELN 25-27

90. $\displaystyle\int \sqrt{25-x^2}\,dx = \frac{1}{2}x\sqrt{25-x^2} + \frac{25}{2}\arcsin\frac{x}{5} + C$

91. $\displaystyle\int \sqrt{3-4x^2}\,dx = \frac{1}{2}\int \sqrt{3-4x^2}\cdot 2\,dx = \frac{1}{2}\left(\frac{2x}{2}\sqrt{3-4x^2} + \frac{3}{2}\arcsin\frac{2x}{\sqrt{3}}\right) + C$

$\qquad\qquad = \frac{1}{2}x\sqrt{3-4x^2} + \frac{3}{4}\arcsin\frac{2x\sqrt{3}}{3} + C$

92. $\displaystyle\int \sqrt{x^2-36}\,dx = \frac{1}{2}x\sqrt{x^2-36} - 18\ln|x+\sqrt{x^2-36}| + C$

93. $\int \sqrt{3x^2+5}\,dx = \dfrac{1}{\sqrt{3}} \int \sqrt{3x^2+5} \cdot \sqrt{3}\,dx = \dfrac{1}{\sqrt{3}}\left[\dfrac{\sqrt{3}}{2}x\sqrt{3x^2+5} + \dfrac{5}{2}\ln(\sqrt{3}\,x + \sqrt{3x^2+5})\right] + C$

$$= \dfrac{1}{2}x\sqrt{3x^2+5} + \dfrac{5\sqrt{3}}{6}\ln(\sqrt{3}\,x + \sqrt{3x^2+5}) + C$$

94. $\int \sqrt{3-2x-x^2}\,dx = \int \sqrt{4-(x+1)^2}\,dx = \dfrac{x+1}{2}\sqrt{3-2x-x^2} + 2\arcsin\dfrac{x+1}{2} + C$

95. $\int \sqrt{4x^2-4x+5}\,dx = \dfrac{1}{2}\int \sqrt{(2x-1)^2+4} \cdot 2\,dx$

$$= \dfrac{1}{2}\left[\dfrac{2x-1}{2}\sqrt{4x^2-4x+5} + 2\ln(2x-1+\sqrt{4x^2-4x+5})\right] + C$$

$$= \dfrac{2x-1}{4}\sqrt{4x^2-4x+5} + \ln(2x-1+\sqrt{4x^2-4x+5}) + C$$

ERGÄNZUNGSAUFGABEN

Führe die folgenden Integrationen aus!

96. $\int (4x^3+3x^2+2x+5)\,dx = x^4+x^3+x^2+5x+C$

97. $\int (3-2x-x^4)\,dx = 3x-x^2-x^5/5+C$

98. $\int (2-3x+x^3)\,dx = 2x-3x^2/2+x^4/4+C$ **99.** $\int (x^2-1)^2\,dx = x^5/5-2x^3/3+x+C$

100. $\int (\sqrt{x}-\tfrac{1}{2}x+2/\sqrt{x})\,dx = \tfrac{2}{3}x^{3/2}-\tfrac{1}{4}x^2+4x^{1/2}+C$

101. $\int (a+x)^3\,dx = \tfrac{1}{4}(a+x)^4+C$ **112.** $\int (x^3+3)x^2\,dx = \tfrac{1}{6}(x^3+3)^2+C$

102. $\int (x-2)^{3/2}\,dx = \tfrac{2}{5}(x-2)^{5/2}+C$ **113.** $\int (4-x^2)^2x^2\,dx = \tfrac{16}{3}x^3-\tfrac{8}{5}x^5+\tfrac{1}{7}x^7+C$

103. $\int \dfrac{dx}{x^3} = -\dfrac{1}{2x^2}+C$ **114.** $\int \dfrac{dy}{(2-y)^3} = \dfrac{1}{2(2-y)^2}+C$

104. $\int \dfrac{dx}{(x-1)^3} = -\dfrac{1}{2(x-1)^2}+C$ **115.** $\int \dfrac{x\,dx}{(x^2+4)^3} = -\dfrac{1}{4(x^2+4)^2}+C$

105. $\int \dfrac{dx}{\sqrt{x+3}} = 2\sqrt{x+3}+C$ **116.** $\int (1-x^3)^2\,dx = x-\tfrac{1}{2}x^4+\tfrac{1}{7}x^7+C$

106. $\int \sqrt{3x-1}\,dx = \tfrac{2}{9}(3x-1)^{3/2}+C$ **117.** $\int (1-x^3)^2x\,dx = \tfrac{1}{2}x^2-\tfrac{2}{5}x^5+\tfrac{1}{8}x^8+C$

107. $\int \sqrt{2-3x}\,dx = -\tfrac{2}{9}(2-3x)^{3/2}+C$ **118.** $\int (1-x^3)^2x^2\,dx = -\tfrac{1}{9}(1-x^3)^3+C$

108. $\int (2x^2+3)^{1/3}x\,dx = \tfrac{3}{16}(2x^2+3)^{4/3}+C$ **119.** $\int (x^2-x)^4(2x-1)\,dx = \tfrac{1}{5}(x^2-x)^5+C$

109. $\int (x-1)^2x\,dx = \tfrac{1}{4}x^4-\tfrac{2}{3}x^3+\tfrac{1}{2}x^2+C$ **120.** $\int \dfrac{3t\,dt}{\sqrt[3]{t^2+3}} = \dfrac{9}{4}(t^2+3)^{2/3}+C$

110. $\int (x^2-1)x\,dx = \tfrac{1}{4}(x^2-1)^2+C$ **121.** $\int \dfrac{(x+1)\,dx}{\sqrt{x^2+2x-4}} = \sqrt{x^2+2x-4}+C$

111. $\int \sqrt{1+y^4}\,y^3\,dy = \tfrac{1}{6}(1+y^4)^{3/2}+C$ **122.** $\int \dfrac{dx}{(a+bx)^{1/3}} = \dfrac{3}{2b}(a+bx)^{2/3}+C$

123. $\int \frac{(1+\sqrt{x})^2}{\sqrt{x}}\,dx = \frac{2}{3}(1+\sqrt{x})^3 + C$

124. $\int \sqrt{x}\,(3-5x)\,dx = 2x^{3/2}(1-x) + C$

125. $\int \frac{(x+1)(x-2)}{\sqrt{x}}\,dx = \frac{2}{5}x^{5/2} - \frac{2}{3}x^{3/2} - 4x^{1/2} + C$

126. $\int \frac{dx}{x-1} = \ln|x-1| + C$

127. $\int \frac{dx}{3x+1} = \frac{1}{3}\ln|3x+1| + C$

128. $\int \frac{3x\,dx}{x^2+2} = \frac{3}{2}\ln(x^2+2) + C$

129. $\int \frac{x^2\,dx}{1-x^3} = -\frac{1}{3}\ln|1-x^3| + C$

130. $\int \frac{x-1}{x+1}\,dx = x - 2\ln|x+1| + C$

131. $\int \frac{x^2+2x+2}{x+2}\,dx = \frac{1}{2}x^2 + 2\ln|x+2| + C$

132. $\int \frac{x+1}{x^2+2x+2}\,dx = \frac{1}{2}\ln(x^2+2x+2) + C$

133. $\int \left(\frac{dx}{2x-1} - \frac{dx}{2x+1}\right) = \ln\sqrt{\left|\frac{2x-1}{2x+1}\right|} + C$

134. $\int a^{4x}\,dx = \frac{1}{4}\frac{a^{4x}}{\ln a} + C$

135. $\int e^{4x}\,dx = \frac{1}{4}e^{4x} + C$

136. $\int \frac{e^{1/x^2}}{x^3}\,dx = -\frac{1}{2}e^{1/x^2} + C$

137. $\int e^{-x^2+2}x\,dx = -\frac{1}{2}e^{-x^2+2} + C$

138. $\int x^2 e^{x^3}\,dx = \frac{1}{3}e^{x^3} + C$

139. $\int (e^x+1)^2\,dx = \frac{1}{2}e^{2x} + 2e^x + x + C$

140. $\int (e^x - x^e)\,dx = e^x - \frac{x^{e+1}}{e+1} + C$

141. $\int (e^x+1)^2 e^x\,dx = \frac{1}{3}(e^x+1)^3 + C$

142. $\int \frac{e^{2x}}{e^{2x}+3}\,dx = \frac{1}{2}\ln(e^{2x}+3) + C$

143. $\int \left(e^x + \frac{1}{e^x}\right)^2\,dx = \frac{1}{2}e^{2x} + 2x - \frac{1}{2e^{2x}} + C$

144. $\int \frac{e^x-1}{e^x+1}\,dx = \ln(e^x+1)^2 - x + C$

145. $\int \frac{e^{2x}-1}{e^{2x}+3}\,dx = \ln(e^{2x}+3)^{2/3} - \frac{1}{3}x + C$

146. $\int \frac{dx}{\sqrt{x}(1-\sqrt{x})} = \ln\frac{C}{(1-\sqrt{x})^2}, \quad C>0$

147. $\int \frac{dx}{x+x^{1/3}} = \frac{3}{2}\ln C(x^{2/3}+1), \quad C>0$

148. $\int \sin 2x\,dx = -\frac{1}{2}\cos 2x + C$

149. $\int \cos\frac{1}{2}x\,dx = 2\sin\frac{1}{2}x + C$

150. $\int \sec 3x\tan 3x\,dx = \frac{1}{3}\sec 3x + C$

151. $\int \operatorname{cosec}^2 2x\,dx = -\frac{1}{2}\cot 2x + C$

152. $\int x\sec^2 x^2\,dx = \frac{1}{2}\tan x^2 + C$

153. $\int \tan^2 x\,dx = \tan x - x + C$

154. $\int \tan\frac{1}{2}x\,dx = 2\ln|\sec\frac{1}{2}x| + C$

155. $\int \operatorname{cosec} 3x\,dx = \frac{1}{3}\ln|\operatorname{cosec} 3x - \cot 3x| + C$

156. $\int b\sec ax\tan ax\,dx = \frac{b}{a}\sec ax + C$

157. $\int (\cos x - \sin x)^2\,dx = x + \frac{1}{2}\cos 2x + C$

158. $\int \sin ax\cos ax\,dx = \frac{1}{2a}\sin^2 ax + C$

$= -\frac{1}{2a}\cos^2 ax + C' = -\frac{1}{4a}\cos 2ax + K$

159. $\int \sin^3 x\cos x\,dx = \frac{1}{4}\sin^4 x + C$

160. $\int \cos^4 x\sin x\,dx = -\frac{1}{5}\cos^5 x + C$

161. $\int \tan^5 x\sec^2 x\,dx = \frac{1}{6}\tan^6 x + C$

162. $\int \cot^4 3x\operatorname{cosec}^2 3x\,dx = -\frac{1}{15}\cot^5 3x + C$

163. $\int \frac{dx}{1-\sin\frac{1}{2}x} = 2(\tan\frac{1}{2}x + \sec\frac{1}{2}x) + C$

164. $\int \frac{dx}{1+\cos 3x} = \frac{1-\cos 3x}{3\sin 3x} + C$

165. $\int \frac{dx}{1+\sec ax} = x + \frac{1}{a}(\cot ax - \operatorname{cosec} ax) + C$

166. $\int \sec^2\frac{x}{a}\tan\frac{x}{a}\,dx = \frac{1}{2}a\tan^2\frac{x}{a} + C$

167. $\int \frac{\sec^2 3x}{\tan 3x}\,dx = \frac{1}{3}\ln|\tan 3x| + C$

168. $\int \frac{\sec^5 x}{\operatorname{cosec} x}\,dx = \frac{1}{4}\sec^4 x + C$

169. $\int e^{\tan 2x} \sec^2 2x \, dx = \frac{1}{2} e^{\tan 2x} + C$

170. $\int e^{2\sin 3x} \cos 3x \, dx = \frac{1}{6} e^{2\sin 3x} + C$

171. $\int \frac{dx}{\sqrt{5 - x^2}} = \arcsin \frac{x\sqrt{5}}{5} + C$

172. $\int \frac{dx}{5 + x^2} = \frac{\sqrt{5}}{5} \arctan \frac{x\sqrt{5}}{5} + C$

173. $\int \frac{dx}{x\sqrt{x^2 - 5}} = \frac{\sqrt{5}}{5} \text{arcsec} \frac{x\sqrt{5}}{5} + C$

174. $\int \frac{e^x \, dx}{\sqrt{1 - e^{2x}}} = \arcsin e^x + C$

175. $\int \frac{e^{2x} \, dx}{1 + e^{4x}} = \frac{1}{2} \arctan e^{2x} + C$

176. $\int \frac{dx}{\sqrt{4 - 9x^2}} = \frac{1}{3} \arcsin \frac{3x}{2} + C$

177. $\int \frac{dx}{9x^2 + 4} = \frac{1}{6} \arctan \frac{3x}{2} + C$

178. $\int \frac{\sin 8x}{9 + \sin^4 4x} \, dx = \frac{1}{12} \text{arcsec} \frac{\sin^2 4x}{3} + C$

179. $\int \frac{\sec^2 x \, dx}{\sqrt{1 - 4\tan^2 x}} = \frac{1}{2} \arcsin (2 \tan x) + C$

180. $\int \frac{dx}{x\sqrt{4 - 9 \ln^2 x}} = \frac{1}{3} \arcsin \ln x^{3/2} + C$

181. $\int \frac{2x^4 - x^2}{2x^2 + 1} \, dx = \frac{1}{3} x^3 - x + \frac{\sqrt{2}}{2} \arctan x\sqrt{2} + C$

182. $\int \frac{\cos 2x \, dx}{\sin^2 2x + 8} = \frac{\sqrt{2}}{8} \arctan \frac{\sin 2x}{2\sqrt{2}} + C$

183. $\int \frac{(2x - 3) \, dx}{x^2 + 6x + 13} = \int \frac{(2x + 6) \, dx}{x^2 + 6x + 13} - 9 \int \frac{dx}{x^2 + 6x + 13} = \ln (x^2 + 6x + 13) - \frac{9}{2} \arctan \frac{x + 3}{2} + C$

184. $\int \frac{(x - 1) \, dx}{3x^2 - 4x + 3} = \frac{1}{6} \int \frac{(6x - 4) \, dx}{3x^2 - 4x + 3} - \int \frac{dx}{9x^2 - 12x + 9} = \frac{1}{6} \ln (3x^2 - 4x + 3) - \frac{\sqrt{5}}{15} \arctan \frac{3x - 2}{\sqrt{5}} + C$

185. $\int \frac{x \, dx}{\sqrt{27 + 6x - x^2}} = -\sqrt{27 + 6x - x^2} + 3 \arcsin \frac{x - 3}{6} + C$

186. $\int \frac{(5 - 4x) \, dx}{\sqrt{12x - 4x^2 - 8}} = \sqrt{12x - 4x^2 - 8} - \frac{1}{2} \arcsin (2x - 3) + C$

187. $\int \frac{dx}{x^2 - 4} = \frac{1}{4} \ln \left| \frac{x - 2}{x + 2} \right| + C$

188. $\int \frac{dx}{4x^2 - 9} = \frac{1}{12} \ln \left| \frac{2x - 3}{2x + 3} \right| + C$

189. $\int \frac{dx}{9 - x^2} = \frac{1}{6} \ln \left| \frac{x + 3}{x - 3} \right| + C$

190. $\int \frac{dx}{25 - 9x^2} = \frac{1}{30} \ln \left| \frac{3x + 5}{3x - 5} \right| + C$

191. $\int \frac{dx}{\sqrt{x^2 + 4}} = \ln (x + \sqrt{x^2 + 4}) + C$

192. $\int \frac{dx}{\sqrt{4x^2 - 25}} = \frac{1}{2} \ln |2x + \sqrt{4x^2 - 25}| + C$

193. $\int \sqrt{16 - 9x^2} \, dx = \frac{1}{2} x\sqrt{16 - 9x^2} + \frac{8}{3} \arcsin \frac{3x}{4} + C$

194. $\int \sqrt{x^2 - 16} \, dx = \frac{1}{2} x\sqrt{x^2 - 16} - 8 \ln | x + \sqrt{x^2 - 16} | + C$

195. $\int \sqrt{4x^2 + 9} \, dx = \frac{1}{2} x\sqrt{4x^2 + 9} + \frac{9}{4} \ln (2x + \sqrt{4x^2 + 9}) + C$

196. $\int \sqrt{x^2 - 2x - 3} \, dx = \frac{1}{2}(x - 1) \sqrt{x^2 - 2x - 3} - 2 \ln | x - 1 + \sqrt{x^2 - 2x - 3} | + C$

197. $\int \sqrt{12 + 4x - x^2} \, dx = \frac{1}{2}(x - 2) \sqrt{12 + 4x - x^2} + 8 \arcsin \frac{1}{4}(x - 2) + C$

198. $\int \sqrt{x^2 + 4x} \, dx = \frac{1}{2}(x + 2) \sqrt{x^2 + 4x} - 2 \ln | x + 2 + \sqrt{x^2 + 4x} | + C$

199. $\int \sqrt{x^2 - 8x} \, dx = \frac{1}{2}(x - 4) \sqrt{x^2 - 8x} - 8 \ln | x - 4 + \sqrt{x^2 - 8x} | + C$

200. $\int \sqrt{6x - x^2} \, dx = \frac{1}{2}(x - 3) \sqrt{6x - x^2} + \frac{9}{2} \arcsin \frac{x - 3}{3} + C$

KAPITEL 26

Partielle Integration

PARTIELLE INTEGRATION. Sind u und v differenzierbare Funktionen von x, so gilt:

$$d(uv) = u\,dv + v\,du$$
$$u\,dv = d(uv) - v\,du$$

(i)
$$\int u\,dv = uv - \int v\,du$$

Will man (i) bei der Berechnung eines Integrals benutzen, muß man den gegebenen Integranden in zwei Teile zerlegen können, nämlich in u und dv. (Deshalb heißt diese Methode *partielle Integration*). Zwei allgemeine Regeln können wir angeben:

(*a*) v muß einfach bestimmbar sein (aus $dv = v(dx)$.

(*b*) $\displaystyle\int v\,du$ darf nicht schwieriger zu lösen sein als $\displaystyle\int u\,dv$.

Beispiel 1: Bestimme $\displaystyle\int x^3 e^{x^2}\,dx$.

Wir setzen $u = x^2$ und $dv = e^{x^2}x\,dx$; dann gilt $du = 2x\,dx$ und $v = \frac{1}{2}e^{x^2}$. Also ergibt sich nach obiger Regel:

$$\int x^3 e^{x^2}\,dx = \frac{1}{2}x^2 e^{x^2} - \int x e^{x^2}\,dx = \frac{1}{2}x^2 e^{x^2} - \frac{1}{2}e^{x^2} + C$$

Beispiel 2: Bestimme $\displaystyle\int \ln(x^2+2)\,dx$.

Wir setzen $u = \ln(x^2+2)$ und $dv = dx$; dann gilt $du = \dfrac{2x\,dx}{x^2+2}$ und $v = x$. Mit der Regel folgt:

$$\int \ln(x^2+2)\,dx = x\ln(x^2+2) - \int \frac{2x^2\,dx}{x^2+2} = x\ln(x^2+2) - \int\left(2 - \frac{4}{x^2+2}\right)dx$$
$$= x\ln(x^2+2) - 2x + 2\sqrt{2}\arctan x/\sqrt{2} + C$$

Siehe Aufgaben 1–10!

REKURSIONSFORMELN. Die Mühe, die sich ergibt, wenn man bei der Berechnung eines Integrals wiederholt partiell integrieren muß (siehe Aufgabe 9), kann erheblich verringert werden, wenn man *Rekursionsformeln* benutzt. Im allgemeinen ergeben sich in Rekursionsformeln neue Integrale derselben Gestalt, jedoch mit einem größeren oder kleineren Exponenten. Eine Rekursionsformel ist dann nützlich, wenn sie schließlich zu einem Integral führt, das man berechnen kann. Wir geben hier einige Rekursionsformeln an:

(A) $\displaystyle\int \frac{du}{(a^2 \pm u^2)^m} = \frac{1}{a^2}\left\{\frac{u}{(2m-2)(a^2 \pm u^2)^{m-1}} + \frac{2m-3}{2m-2}\int \frac{du}{(a^2 \pm u^2)^{m-1}}\right\}, \quad m \neq 1$

(B) $\displaystyle\int (a^2 \pm u^2)^m\,du = \frac{u(a^2 \pm u^2)^m}{2m+1} + \frac{2ma^2}{2m+1}\int (a^2 \pm u^2)^{m-1}\,du, \quad m \neq -1/2$

(C) $\displaystyle\int \frac{du}{(u^2 - a^2)^m} = -\frac{1}{a^2}\left\{\frac{u}{(2m-2)(u^2 - a^2)^{m-1}} + \frac{2m-3}{2m-2}\int \frac{du}{(u^2 - a^2)^{m-1}}\right\}, \quad m \neq 1$

(D) $\displaystyle\int (u^2 - a^2)^m\,du = \frac{u(u^2 - a^2)^m}{2m+1} - \frac{2ma^2}{2m+1}\int (u^2 - a^2)^{m-1}\,du, \quad m \neq -1/2$

(E) $\displaystyle\int u^m e^{au}\,du = \frac{1}{a}u^m e^{au} - \frac{m}{a}\int u^{m-1}e^{au}\,du$

(F) $\displaystyle\int \sin^m u \, du \;=\; -\frac{\sin^{m-1} u \cos u}{m} + \frac{m-1}{m} \int \sin^{m-2} u \, du$

(G) $\displaystyle\int \cos^m u \, du \;=\; \frac{\cos^{m-1} u \sin u}{m} + \frac{m-1}{m} \int \cos^{m-2} u \, du$

(H) $\displaystyle\int \sin^m u \cos^n u \, du \;=\; \frac{\sin^{m+1} u \cos^{n-1} u}{m+n} + \frac{n-1}{m+n} \int \sin^m u \cos^{n-2} u \, du$

$\displaystyle\qquad\qquad\qquad\quad =\; -\frac{\sin^{m-1} u \cos^{n+1} u}{m+n} + \frac{m-1}{m+n} \int \sin^{m-2} u \cos^n u \, du \,, \quad m \neq -n$

(I) $\displaystyle\int u^m \sin bu \, du \;=\; -\frac{u^m}{b} \cos bu + \frac{m}{b} \int u^{m-1} \cos bu \, du$

(J) $\displaystyle\int u^m \cos bu \, du \;=\; \frac{u^m}{b} \sin bu - \frac{m}{b} \int u^{m-1} \sin bu \, du$

Siehe Aufgabe 11!

AUFGABEN MIT LÖSUNGEN

1. Bestimme $\displaystyle\int x \sin x \, dx$!

Wir haben folgende Möglichkeiten:

$\qquad$ (a) $u = x \sin x, \; dv = dx$; (b) $u = \sin x, \; dv = x \, dx$; (c) $u = x, \; dv = \sin x \, dx$.

(a) $u = x \sin x, \; dv = dx$. Dann gilt $du = (\sin x + x \cos x) \, dx, \; v = x$ und

$$\int x \sin x \, dx \;=\; x \cdot x \sin x - \int x(\sin x + x \cos x) \, dx.$$

Das Integral, das sich ergibt, ist nicht so einfach wie das ursprüngliche.

(b) $u = \sin x, \; dv = x \, dx$. Dann gilt $du = \cos x \, dx, \; v = \frac{1}{2}x^2$ und

$$\int x \sin x \, dx \;=\; \tfrac{1}{2}x^2 \sin x - \int \tfrac{1}{2}x^2 \cos x \, dx.$$

Das Integral, das sich ergibt, ist ebenfalls nicht so einfach wie das ursprüngliche.

(c) $u = x, \; dv = \sin x \, dx$. Dann gilt $du = dx, \; v = -\cos x$ und

$$\int x \sin x \, dx \;=\; -x \cos x - \int -\cos x \, dx \;=\; -x \cos x + \sin x + C$$

2. Bestimme $\displaystyle\int x e^x \, dx$!

Es sei $u = x, \; dv = e^x \, dx$. Dann gilt $du = dx, \; v = e^x$ und

$$\int x e^x \, dx \;=\; x e^x - \int e^x \, dx \;=\; x e^x - e^x + C$$

3. Bestimme $\displaystyle\int x^2 \ln x \, dx$!

Es sei $u = \ln x, \; dv = x^2 \, dx$. Dann gilt $du = \dfrac{dx}{x}, \; v = \dfrac{x^3}{3}$ und

$$\int x^2 \ln x \, dx \;=\; \frac{x^3}{3} \ln x - \int \frac{x^3}{3} \cdot \frac{dx}{x} \;=\; \frac{x^3}{3} \ln x - \frac{1}{3} \int x^2 \, dx \;=\; \frac{x^3}{3} \ln x - \frac{1}{9} x^3 + C.$$

4. Bestimme $\displaystyle\int x\sqrt{1+x} \, dx$!

Es sei $u = x, \; dv = \sqrt{1+x} \, dx$. Dann gilt $du = dx, \; v = \frac{2}{3}(1+x)^{3/2}$ und

$$\int x\sqrt{1+x} \, dx \;=\; \frac{2}{3}x(1+x)^{3/2} - \frac{2}{3} \int (1+x)^{3/2} \, dx \;=\; \frac{2}{3}x(1+x)^{3/2} - \frac{4}{15}(1+x)^{5/2} + C.$$

5. Bestimme $\int \arcsin x \, dx$!

Es sei $u = \arcsin x$, $dv = dx$. Dann gilt $du = dx/\sqrt{1-x^2}$, $v = x$ und

$$\int \arcsin x \, dx \;=\; x \arcsin x - \int \frac{x \, dx}{\sqrt{1-x^2}} \;=\; x \arcsin x + \sqrt{1-x^2} + C.$$

6. Bestimme $\int \sin^2 x \, dx$!

Es sei $u = \sin x$, $dv = \sin x \, dx$. Dann gilt $du = \cos x \, dx$, $v = -\cos x$ und

$$\int \sin^2 x \, dx \;=\; -\sin x \cos x + \int \cos^2 x \, dx$$

$$=\; -\sin x \cos x + \int (1 - \sin^2 x) \, dx \;=\; -\tfrac{1}{2} \sin 2x + \int dx - \int \sin^2 x \, dx.$$

Daraus ergibt sich

$$2 \int \sin^2 x \, dx \;=\; -\tfrac{1}{2} \sin 2x + x + C', \quad \text{also} \quad \int \sin^2 x \, dx \;=\; \tfrac{1}{2}x - \tfrac{1}{4} \sin 2x + C.$$

7. Bestimme $\int \sec^3 x \, dx$!

Es sei $u = \sec x$, $dv = \sec^2 x \, dx$. Dann gilt $du = \sec x \tan x \, dx$, $v = \tan x$ und

$$\int \sec^3 x \, dx \;=\; \sec x \tan x - \int \sec x \tan^2 x \, dx \;=\; \sec x \tan x - \int \sec x \, (\sec^2 x - 1) \, dx$$

$$=\; \sec x \tan x - \int \sec^3 x \, dx + \int \sec x \, dx.$$

Daraus folgt $2 \int \sec^3 x \, dx \;=\; \sec x \tan x + \int \sec x \, dx \;=\; \sec x \tan x + \ln |\sec x + \tan x| + C'$

und $\qquad \int \sec^3 x \, dx \;=\; \tfrac{1}{2}\{\sec x \tan x + \ln |\sec x + \tan x|\} + C.$

8. Bestimme $\int x^2 \sin x \, dx$!

Es sei $u = x^2$, $dv = \sin x \, dx$. Dann gilt $du = 2x \, dx$, $v = -\cos x$ und

$$\int x^2 \sin x \, dx \;=\; -x^2 \cos x + 2 \int x \cos x \, dx.$$

Um das sich ergebende Integral zu bestimmen, setzen wir $u = x$ und $dv = \cos x \, dx$. Dann gilt $du = dx$, $v = \sin x$

und $\qquad \int x^2 \sin x \, dx \;=\; -x^2 \cos x + 2 \{x \sin x - \int \sin x \, dx\}$

$$=\; -x^2 \cos x + 2x \sin x + 2 \cos x + C.$$

9. Bestimme $\int x^3 e^{2x} \, dx$!

Es sei $u = x^3$, $dv = e^{2x} \, dx$. Dann gilt $du = 3x^2 \, dx$, $v = \tfrac{1}{2}e^{2x}$ und

$$\int x^3 e^{2x} \, dx \;=\; \tfrac{1}{2}x^3 e^{2x} - \tfrac{3}{2} \int x^2 e^{2x} \, dx.$$

Bei dem neuen Integral setzen wir $u = x^2$ und $dv = e^{2x} \, dx$: Dann gilt $du = 2x \, dx$, $v = \tfrac{1}{2}e^{2x}$ und

$$\int x^3 e^{2x} \, dx \;=\; \tfrac{1}{2}x^3 e^{2x} - \tfrac{3}{2}\left\{\tfrac{1}{2}x^2 e^{2x} - \int x e^{2x} \, dx\right\} \;=\; \tfrac{1}{2}x^3 e^{2x} - \tfrac{3}{4}x^2 e^{2x} + \tfrac{3}{2} \int x e^{2x} \, dx.$$

Hier sei $u = x$ und $dv = e^{2x} \, dx$. Dann gilt $du = dx$, $v = \tfrac{1}{2}e^{2x}$ und

$$\int x^3 e^{2x} \, dx \;=\; \tfrac{1}{2}x^3 e^{2x} - \tfrac{3}{4}x^2 e^{2x} + \tfrac{3}{2}\left\{\tfrac{1}{2}x e^{2x} - \tfrac{1}{2} \int e^{2x} \, dx\right\}$$

$$=\; \tfrac{1}{2}x^3 e^{2x} - \tfrac{3}{4}x^2 e^{2x} + \tfrac{3}{4}x e^{2x} - \tfrac{3}{8}e^{2x} + C.$$

10. *(a)* Es sei $u = x$, $dv = \dfrac{x \, dx}{(a^2 \pm x^2)^m}$. Dann gilt $du = dx$, $v = \dfrac{\mp 1}{(2m-2)(a^2 \pm x^2)^{m-1}}$ und damit

$$\int \frac{x^2 \, dx}{(a^2 \pm x^2)^m} \;=\; \frac{\mp x}{(2m-2)(a^2 \pm x^2)^{m-1}} \pm \frac{1}{2m-2} \int \frac{dx}{(a^2 \pm x^2)^{m-1}}.$$

(b) Es sei $u = x$, $dv = x(a^2 \pm x^2)^{m-1} \, dx$. Dann gilt $du = dx$, $v = \dfrac{\pm 1}{2m}(a^2 \pm x^2)^m$ und damit

$$\int x^2 (a^2 \pm x^2)^{m-1} \, dx \;=\; \frac{\pm x}{2m}(a^2 \pm x^2)^m \mp \frac{1}{2m} \int (a^2 \pm x^2)^m \, dx.$$

11. Bestimme: *(a)* $\displaystyle\int \frac{dx}{(1+x^2)^{5/2}}$, *(b)* $\displaystyle\int (9+x^2)^{3/2}\, dx$!

(a) Da die Rekursionsformel (A) den Exponenten im Nenner um 1 vermindert, wenden wir sie zweimal an und erhalten

$$\int \frac{dx}{(1+x^2)^{5/2}} \;=\; \frac{x}{3(1+x^2)^{3/2}} + \frac{2}{3}\int \frac{dx}{(1+x^2)^{3/2}} \;=\; \frac{x}{3(1+x^2)^{3/2}} + \frac{2}{3}\,\frac{x}{(1+x^2)^{1/2}} + C.$$

(b) Mit der Rekursionsformel (B) ergibt sich

$$\int (9+x^2)^{3/2}\, dx \;=\; \frac{1}{4}x(9+x^2)^{3/2} + \frac{27}{4}\int (9+x^2)^{1/2}\, dx$$

$$= \frac{1}{4}x(9+x^2)^{3/2} + \frac{27}{8}\{x(9+x^2)^{1/2} + 9\ln(x+\sqrt{9+x^2})\} + C$$

ERGÄNZUNGSAUFGABEN

12. $\displaystyle\int x\cos x\, dx \;=\; x\sin x + \cos x + C$ 　　　　**13.** $\displaystyle\int x\sec^2 3x\, dx \;=\; \frac{x}{3}\tan 3x - \frac{1}{9}\ln|\sec 3x| + C$

14. $\displaystyle\int \arccos 2x\, dx \;=\; x\,\arccos 2x - \frac{1}{2}\sqrt{1-4x^2} + C$

15. $\displaystyle\int \arctan x\, dx \;=\; x\arctan x - \ln\sqrt{1+x^2} + C$

16. $\displaystyle\int x^2\sqrt{1-x}\, dx \;=\; -\frac{2}{105}(1-x)^{3/2}(15x^2+12x+8) + C$ 　　**17.** $\displaystyle\int \frac{xe^x\, dx}{(1+x)^2} \;=\; \frac{e^x}{1+x} + C$

18. $\displaystyle\int x\arctan x\, dx \;=\; \frac{1}{2}(x^2+1)\arctan x - \frac{1}{2}x + C$

19. $\displaystyle\int x^2 e^{-3x}\, dx \;=\; -\frac{1}{3}e^{-3x}\left(x^2+\frac{2}{3}x+\frac{2}{9}\right) + C$

20. $\displaystyle\int \sin^3 x\, dx \;=\; -\frac{2}{3}\cos^3 x - \sin^2 x\cos x + C$

21. $\displaystyle\int x^3\sin x\, dx \;=\; -x^3\cos x + 3x^2\sin x + 6x\cos x - 6\sin x + C$

22. $\displaystyle\int \frac{x\, dx}{\sqrt{a+bx}} \;=\; \frac{2(bx-2a)\sqrt{a+bx}}{3b^2} + C$ 　　**23.** $\displaystyle\int \frac{x^2\, dx}{\sqrt{1+x}} \;=\; \frac{2}{15}(3x^2-4x+8)\sqrt{1+x} + C$

24. $\displaystyle\int x\arcsin x^2\, dx \;=\; \frac{1}{2}x^2\arcsin x^2 + \frac{1}{2}\sqrt{1-x^4} + C$

25. $\displaystyle\int \sin x\sin 3x\, dx \;=\; \frac{1}{8}\sin 3x\cos x - \frac{3}{8}\sin x\cos 3x + C$

26. $\displaystyle\int \sin(\ln x)\, dx \;=\; \frac{1}{2}x(\sin\ln x - \cos\ln x) + C$

27. $\displaystyle\int e^{ax}\cos bx\, dx \;=\; \frac{e^{ax}(b\sin bx + a\cos bx)}{a^2+b^2} + C$

28. $\displaystyle\int e^{ax}\sin bx\, dx \;=\; \frac{e^{ax}(a\sin bx - b\cos bx)}{a^2+b^2} + C$

29. *(a)* Schreibe $\displaystyle\int \frac{a^2\, dx}{(a^2\pm x^2)^m} \;=\; \int \frac{(a^2\pm x^2)\mp x^2}{(a^2\pm x^2)^m}\, dx \;=\; \int \frac{dx}{(a^2\pm x^2)^{m-1}} \mp \int \frac{x^2\, dx}{(a^2\pm x^2)^m}$ und benutze das
Ergebnis von Aufgabe 10*(a)*, um die Rekursionsformel (A) zu beweisen!

(b) Schreibe $\displaystyle\int (a^2\pm x^2)^m\, dx \;=\; a^2\int (a^2\pm x^2)^{m-1}\, dx \pm \int x^2(a^2\pm x^2)^{m-1}\, dx$ und benutze das Ergebnis von
Aufgabe 10*(b)*, um die Rekursionsformel (B) zu beweisen!

30. Leite die Rekursionsformel (C)-(J) ab!

31. $\int \dfrac{dx}{(1-x^2)^3} = \dfrac{x(5-3x^2)}{8(1-x^2)^2} + \dfrac{3}{16} \ln \left| \dfrac{1+x}{1-x} \right| + C$ **32.** $\int \dfrac{dx}{(4+x^2)^{3/2}} = \dfrac{x}{4(4+x^2)^{1/2}} + C$

33. $\int (4-x^2)^{3/2}\, dx = \tfrac{1}{4}x(10-x^2)\sqrt{4-x^2} + 6 \arcsin \tfrac{1}{2}x + C$

34. $\int \dfrac{dx}{(x^2-16)^3} = \dfrac{1}{2048} \left\{ \dfrac{x(3x^2-80)}{(x^2-16)^2} + \dfrac{3}{8} \ln \left| \dfrac{x-4}{x+4} \right| \right\} + C$

35. $\int (x^2-1)^{5/2}\, dx = \tfrac{1}{48}x(8x^4-26x^2+33)\sqrt{x^2-1} - \tfrac{5}{16} \ln | x + \sqrt{x^2-1} | + C$

36. $\int \sin^4 x\, dx = \tfrac{3}{8}x - \tfrac{3}{8} \sin x \cos x - \tfrac{1}{4} \sin^3 x \cos x + C$

37. $\int \cos^5 x\, dx = \tfrac{1}{15}(3 \cos^4 x + 4 \cos^2 x + 8) \sin x + C$

38. $\int \sin^3 x \cos^2 x\, dx = -\tfrac{1}{5} \cos^3 x (\sin^2 x + \tfrac{2}{3}) + C$

39. $\int \sin^4 x \cos^5 x\, dx = \tfrac{1}{9} \sin^5 x (\cos^4 x + \tfrac{4}{7} \cos^2 x + \tfrac{8}{35}) + C$

Eine andere Lösungsmöglichkeit für einige der Aufgaben dieses Abschnitts, die mehr Aufwand erfordern, ergibt sich, wenn man beachtet (siehe Aufgabe 9), daß gilt

(i) $$\int x^3 e^{2x}\, dx = \tfrac{1}{2}x^3 e^{2x} - \tfrac{3}{4}x^2 e^{2x} + \tfrac{3}{4}x e^{2x} - \tfrac{3}{8} e^{2x} + C$$

Dabei sind die Ausdrücke auf der rechten Seite bis auf die Koeffizienten die Ausdrücke, die man erhält, wenn man den Integranden $x^3 e^{2x}$ wiederholt differenziert (dreimal).

(ii) $$\int x^3 e^{2x}\, dx = A x^3 e^{2x} + B x^2 e^{2x} + D x e^{2x} + E e^{2x} + C$$

Also können wir sofort schreiben

$$x^3 e^{2x} = 2A x^3 e^{2x} + (3A + 2B)x^2 e^{2x} + (2B + 2D)x e^{2x} + (D + 2E)e^{2x}$$

Durch Koeffizientenvergleich ergibt sich

$$2A = 1, \quad 3A + 2B = 0, \quad 2B + 2D = 0, \quad D + 2E = 0,$$

also $A = \tfrac{1}{2},\ B = -\tfrac{3}{2}A = -\tfrac{3}{4},\ D = -B = \tfrac{3}{4},\ E = -\tfrac{1}{2}D = -\tfrac{3}{8}.$ Setzen wir die Werte von A, B, D, E in (ii) ein, so erhalten wir (i).

Dieses Verfahren kann zur Berechnung von $\int f(x)\, dx$ benutzt werden, wenn wiederholte Differentiation von $f(x)$ nur eine endliche Anzahl von verschiedenen Ausdrücken ergibt.

40. Zeige, daß $\int e^{2x} \cos 3x\, dx = \tfrac{1}{13}e^{2x}(3 \sin 3x + 2 \cos 3x) + C$ und benutze dabei
$$\int e^{2x} \cos 3x\, dx = A e^{2x} \sin 3x + B e^{2x} \cos 3x + C!$$

41. Zeige, daß $\int e^{3x}(2 \sin 4x - 5 \cos 4x)\, dx = \tfrac{1}{25}e^{3x}(-14 \sin 4x - 23 \cos 4x) + C.$ Benutze
$$\int e^{3x}(2 \sin 4x - 5 \cos 4x)\, dx = A e^{3x} \sin 4x + B e^{3x} \cos 4x + C!$$

42. Zeige, daß $\int \sin 3x \cos 2x\, dx = -\tfrac{1}{5}(2 \sin 3x \sin 2x + 3 \cos 3x \cos 2x) + C.$ Benutze
$$\int \sin 3x \cos 2x\, dx = A \sin 3x \sin 2x + B \cos 3x \cos 2x$$
$$+ D \cos 3x \sin 2x + E \sin 3x \cos 2x + C!$$

43. Zeige, daß $\int e^{3x}x^2 \sin x\, dx = \dfrac{e^{3x}}{250}[25x^2(3 \sin x - \cos x) - 10x(4 \sin x - 3 \cos x) + 9 \sin x - 13 \cos x] + C!$

KAPITEL 27

Trigonometrische Integrale

DIE FOLGENDEN IDENTITÄTEN werden bei der Berechnung von trigonometrischen Integralen in diesem Kapitel benutzt.

1. $\sin^2 x + \cos^2 x = 1$
2. $1 + \tan^2 x = \sec^2 x$
3. $1 + \cot^2 x = \operatorname{cosec}^2 x$
4. $\sin^2 x = \frac{1}{2}(1 - \cos 2x)$
5. $\cos^2 x = \frac{1}{2}(1 + \cos 2x)$
6. $\sin x \cos x = \frac{1}{2}\sin 2x$

7. $\sin x \cos y = \frac{1}{2}[\sin(x-y) + \sin(x+y)]$
8. $\sin x \sin y = \frac{1}{2}[\cos(x-y) - \cos(x+y)]$
9. $\cos x \cos y = \frac{1}{2}[\cos(x-y) + \cos(x+y)]$
10. $1 - \cos x = 2\sin^2 \frac{1}{2}x$
11. $1 + \cos x = 2\cos^2 \frac{1}{2}x$
12. $1 \pm \sin x = 1 \pm \cos(\frac{1}{2}\pi - x)$

AUFGABEN MIT LÖSUNGEN

SINUS UND KOSINUS

1. $\displaystyle\int \sin^2 x \, dx = \int \frac{1}{2}(1 - \cos 2x)\, dx = \frac{1}{2}x - \frac{1}{4}\sin 2x + C$

2. $\displaystyle\int \cos^2 3x \, dx = \int \frac{1}{2}(1 + \cos 6x)\, dx = \frac{1}{2}x + \frac{1}{12}\sin 6x + C$

3. $\displaystyle\int \sin^3 x \, dx = \int \sin^2 x \sin x \, dx = \int (1 - \cos^2 x)\sin x \, dx = -\cos x + \frac{1}{3}\cos^3 x + C$

4. $\displaystyle\int \cos^5 x \, dx = \int \cos^4 x \cos x \, dx = \int (1 - \sin^2 x)^2 \cos x \, dx$

$\displaystyle\qquad = \int \cos x \, dx - 2\int \sin^2 x \cos x \, dx + \int \sin^4 x \cos x \, dx$

$\displaystyle\qquad = \sin x - \frac{2}{3}\sin^3 x + \frac{1}{5}\sin^5 x + C$

5. $\displaystyle\int \sin^2 x \cos^3 x \, dx = \int \sin^2 x \cos^2 x \cos x \, dx = \int \sin^2 x\,(1 - \sin^2 x)\cos x \, dx$

$\displaystyle\qquad = \int \sin^2 x \cos x \, dx - \int \sin^4 x \cos x \, dx = \frac{1}{3}\sin^3 x - \frac{1}{5}\sin^5 x + C$

6. $\displaystyle\int \cos^4 2x \sin^3 2x \, dx = \int \cos^4 2x \sin^2 2x \sin 2x \, dx = \int \cos^4 2x\,(1 - \cos^2 2x)\sin 2x \, dx$

$\displaystyle\qquad = \int \cos^4 2x \sin 2x \, dx - \int \cos^6 2x \sin 2x \, dx = -\frac{1}{10}\cos^5 2x + \frac{1}{14}\cos^7 2x + C$

7. $\displaystyle\int \sin^3 3x \cos^5 3x \, dx = \int (1 - \cos^2 3x)\cos^5 3x \sin 3x \, dx$

$\displaystyle\qquad = \int \cos^5 3x \sin 3x \, dx - \int \cos^7 3x \sin 3x \, dx = -\frac{1}{18}\cos^6 3x + \frac{1}{24}\cos^8 3x + C$

oder

$\displaystyle\int \sin^3 3x \cos^5 3x \, dx = \int \sin^3 3x\,(1 - \sin^2 3x)^2 \cos 3x \, dx$

$\displaystyle\qquad = \int \sin^3 3x \cos 3x \, dx - 2\int \sin^5 3x \cos 3x \, dx + \int \sin^7 3x \cos 3x \, dx$

$\displaystyle\qquad = \frac{1}{12}\sin^4 3x - \frac{1}{9}\sin^6 3x + \frac{1}{24}\sin^8 3x + C$

8. $\displaystyle\int \cos^3 \frac{x}{3}\, dx \;=\; \int \left(1 - \sin^2 \frac{x}{3}\right) \cos \frac{x}{3}\, dx \;=\; 3 \sin \frac{x}{3} - \sin^3 \frac{x}{3} \;+\; C$

9. $\displaystyle\int \sin^4 x\, dx \;=\; \int (\sin^2 x)^2\, dx \;=\; \frac{1}{4} \int (1 - \cos 2x)^2\, dx$

$$= \frac{1}{4} \int dx \;-\; \frac{1}{2} \int \cos 2x\, dx \;+\; \frac{1}{4} \int \cos^2 2x\, dx$$

$$= \frac{1}{4} \int dx \;-\; \frac{1}{2} \int \cos 2x\, dx \;+\; \frac{1}{8} \int (1 + \cos 4x)\, dx$$

$$= \frac{1}{4}x - \frac{1}{4}\sin 2x + \frac{1}{8}x + \frac{1}{32}\sin 4x + C \;=\; \frac{3}{8}x - \frac{1}{4}\sin 2x + \frac{1}{32}\sin 4x + C$$

10. $\displaystyle\int \sin^2 x \cos^2 x\, dx \;=\; \frac{1}{4} \int \sin^2 2x\, dx \;=\; \frac{1}{8} \int (1 - \cos 4x)\, dx \;=\; \frac{1}{8}x - \frac{1}{32}\sin 4x + C$

11. $\displaystyle\int \sin^4 3x \cos^2 3x\, dx \;=\; \int (\sin^2 3x \cos^2 3x) \sin^2 3x\, dx \;=\; \frac{1}{8} \int \sin^2 6x\,(1 - \cos 6x)\, dx$

$$= \frac{1}{8} \int \sin^2 6x\, dx \;-\; \frac{1}{8} \int \sin^2 6x \cos 6x\, dx$$

$$= \frac{1}{16} \int (1 - \cos 12x)\, dx \;-\; \frac{1}{8} \int \sin^2 6x \cos 6x\, dx$$

$$= \frac{1}{16}x - \frac{1}{192}\sin 12x - \frac{1}{144}\sin^3 6x + C$$

12. $\displaystyle\int \sin 3x \sin 2x\, dx \;=\; \int \frac{1}{2}\{\cos(3x - 2x) - \cos(3x + 2x)\}\, dx \;=\; \frac{1}{2} \int (\cos x - \cos 5x)\, dx$

$$= \frac{1}{2}\sin x - \frac{1}{10}\sin 5x + C$$

13. $\displaystyle\int \sin 3x \cos 5x\, dx \;=\; \int \frac{1}{2}\{\sin(3x - 5x) + \sin(3x + 5x)\}\, dx \;=\; \frac{1}{4}\cos 2x - \frac{1}{16}\cos 8x + C$

14. $\displaystyle\int \cos 4x \cos 2x\, dx \;=\; \frac{1}{2} \int (\cos 2x + \cos 6x)\, dx \;=\; \frac{1}{4}\sin 2x + \frac{1}{12}\sin 6x + C$

15. $\displaystyle\int \sqrt{1 - \cos x}\, dx \;=\; \sqrt{2} \int \sin \tfrac{1}{2}x\, dx \;=\; -2\sqrt{2}\cos \tfrac{1}{2}x + C$

16. $\displaystyle\int (1 + \cos 3x)^{3/2}\, dx \;=\; 2\sqrt{2} \int \cos^3 \tfrac{3}{2}x\, dx \;=\; 2\sqrt{2} \int (1 - \sin^2 \tfrac{3}{2}x)\cos \tfrac{3}{2}x\, dx$

$$= 2\sqrt{2}\,(\tfrac{2}{3}\sin \tfrac{3}{2}x - \tfrac{2}{9}\sin^3 \tfrac{3}{2}x) + C$$

17. $\displaystyle\int \frac{dx}{\sqrt{1 - \sin 2x}} \;=\; \int \frac{dx}{\sqrt{1 - \cos(\frac{1}{2}\pi - 2x)}} \;=\; \frac{\sqrt{2}}{2} \int \frac{dx}{\sin(\frac{1}{4}\pi - x)} \;=\; \frac{\sqrt{2}}{2} \int \operatorname{cosec}(\tfrac{1}{4}\pi - x)\, dx$

$$= -\frac{\sqrt{2}}{2}\ln\left|\operatorname{cosec}(\tfrac{1}{4}\pi - x) - \cot(\tfrac{1}{4}\pi - x)\right| + C$$

TANGENS, SECANS, KOTANGENS, KOSECANS

18. $\displaystyle\int \tan^4 x\, dx \;=\; \int \tan^2 x \tan^2 x\, dx \;=\; \int \tan^2 x\,(\sec^2 x - 1)\, dx \;=\; \int \tan^2 x \sec^2 x\, dx \;-\; \int \tan^2 x\, dx$

$$= \int \tan^2 x \sec^2 x\, dx \;-\; \int (\sec^2 x - 1)\, dx \;=\; \tfrac{1}{3}\tan^3 x - \tan x + x + C$$

19. $\displaystyle\int \tan^5 x\, dx \;=\; \int \tan^3 x \tan^2 x\, dx \;=\; \int \tan^3 x\,(\sec^2 x - 1)\, dx$

$$= \int \tan^3 x \sec^2 x\, dx \;-\; \int \tan^3 x\, dx \;=\; \int \tan^3 x \sec^2 x\, dx \;-\; \int \tan x\,(\sec^2 x - 1)\, dx$$

$$= \tfrac{1}{4}\tan^4 x - \tfrac{1}{2}\tan^2 x + \ln|\sec x| + C$$

20. $\displaystyle\int \sec^4 2x\, dx \;=\; \int \sec^2 2x \sec^2 2x\, dx \;=\; \int \sec^2 2x\,(1 + \tan^2 2x)\, dx$

$$= \int \sec^2 2x\, dx \;+\; \int \tan^2 2x \sec^2 2x\, dx \;=\; \tfrac{1}{2}\tan 2x + \tfrac{1}{6}\tan^3 2x + C$$

21. $\displaystyle\int \tan^3 3x \sec^4 3x \, dx \;=\; \int \tan^3 3x \,(1 + \tan^2 3x)\sec^2 3x \, dx$

$\displaystyle\qquad =\; \int \tan^3 3x \sec^2 3x \, dx \;+\; \int \tan^5 3x \sec^2 3x \, dx \;=\; \tfrac{1}{12}\tan^4 3x + \tfrac{1}{18}\tan^6 3x + C$

22. $\displaystyle\int \tan^2 x \sec^3 x \, dx \;=\; \int (\sec^2 x - 1)\sec^3 x \, dx \;=\; \int \sec^5 x \, dx \;-\; \int \sec^3 x \, dx$

$\displaystyle\qquad =\; \tfrac{1}{4}\sec^3 x \tan x - \tfrac{1}{8}\sec x \tan x - \tfrac{1}{8}\ln|\sec x + \tan x| + C.$ Hier haben wir partiell integriert.

23. $\displaystyle\int \tan^3 2x \sec^3 2x \, dx \;=\; \int \tan^2 2x \sec^2 2x \cdot \sec 2x \tan 2x \, dx$

$\displaystyle\qquad =\; \int (\sec^2 2x - 1)\sec^2 2x \cdot \sec 2x \tan 2x \, dx$

$\displaystyle\qquad =\; \int \sec^4 2x \cdot \sec 2x \tan 2x \, dx \;-\; \int \sec^2 2x \cdot \sec 2x \tan 2x \, dx$

$\displaystyle\qquad =\; \tfrac{1}{10}\sec^5 2x - \tfrac{1}{6}\sec^3 2x + C$

24. $\displaystyle\int \cot^3 2x \, dx \;=\; \int \cot 2x \,(\operatorname{cosec}^2 2x - 1)\, dx \;=\; -\tfrac{1}{4}\cot^2 2x + \tfrac{1}{2}\ln|\operatorname{cosec} 2x| + C$

25. $\displaystyle\int \cot^4 3x \, dx \;=\; \int \cot^2 3x \,(\operatorname{cosec}^2 3x - 1)\, dx \;=\; \int \cot^2 3x \operatorname{cosec}^2 3x \, dx \;-\; \int \cot^2 3x \, dx$

$\displaystyle\qquad =\; \int \cot^2 3x \operatorname{cosec}^2 3x \, dx \;-\; \int (\operatorname{cosec}^2 3x - 1)\, dx \;=\; -\tfrac{1}{9}\cot^3 3x + \tfrac{1}{3}\cot 3x + x + C$

26. $\displaystyle\int \operatorname{cosec}^6 x \, dx \;=\; \int \operatorname{cosec}^2 x \,(1 + \cot^2 x)^2 \, dx$

$\displaystyle\qquad =\; \int \operatorname{cosec}^2 x \, dx \;+\; 2\int \cot^2 x \operatorname{cosec}^2 x \, dx \;+\; \int \cot^4 x \operatorname{cosec}^2 x \, dx$

$\displaystyle\qquad =\; -\cot x - \tfrac{2}{3}\cot^3 x - \tfrac{1}{5}\cot^5 x + C$

27. $\displaystyle\int \cot 3x \operatorname{cosec}^4 3x \, dx \;=\; \int \cot 3x \,(1 + \cot^2 3x)\operatorname{cosec}^2 3x \, dx$

$\displaystyle\qquad =\; \int \cot 3x \operatorname{cosec}^2 3x \, dx \;+\; \int \cot^3 3x \operatorname{cosec}^2 3x \, dx \;=\; -\tfrac{1}{6}\cot^2 3x - \tfrac{1}{12}\cot^4 3x + C$

28. $\displaystyle\int \cot^3 x \operatorname{cosec}^5 x \, dx \;=\; \int \cot^2 x \operatorname{cosec}^4 x \cdot \operatorname{cosec} x \cot x \, dx \;=\; \int (\operatorname{cosec}^2 x - 1)\operatorname{cosec}^4 x \cdot \operatorname{cosec} x \cot x \, dx$

$\displaystyle\qquad =\; \int \operatorname{cosec}^6 x \cdot \operatorname{cosec} x \cot x \, dx \;-\; \int \operatorname{cosec}^4 x \cdot \operatorname{cosec} x \cot x \, dx$

$\displaystyle\qquad =\; -\tfrac{1}{7}\operatorname{cosec}^7 x + \tfrac{1}{5}\operatorname{cosec}^5 x + C$

ERGÄNZUNGSAUFGABEN

29. $\displaystyle\int \cos^2 x \, dx \;=\; \tfrac{1}{2}x + \tfrac{1}{4}\sin 2x + C$ **30.** $\displaystyle\int \sin^3 2x \, dx \;=\; \tfrac{1}{6}\cos^3 2x - \tfrac{1}{2}\cos 2x + C$

31. $\displaystyle\int \sin^4 2x \, dx \;=\; \tfrac{3}{8}x - \tfrac{1}{8}\sin 4x + \tfrac{1}{64}\sin 8x + C$

32. $\displaystyle\int \cos^4 \tfrac{1}{2}x \, dx \;=\; \tfrac{3}{8}x + \tfrac{1}{2}\sin x + \tfrac{1}{16}\sin 2x + C$

33. $\displaystyle\int \sin^7 x \, dx \;=\; \tfrac{1}{7}\cos^7 x - \tfrac{3}{5}\cos^5 x + \cos^3 x - \cos x + C$

34. $\int \cos^6 \frac{1}{2} x\, dx \;=\; \frac{5}{16} x + \frac{1}{2} \sin x + \frac{3}{32} \sin 2x - \frac{1}{24} \sin^3 x + C$

35. $\int \sin^2 x \cos^5 x\, dx \;=\; \frac{1}{3} \sin^3 x - \frac{2}{5} \sin^5 x + \frac{1}{7} \sin^7 x + C$

36. $\int \sin^3 x \cos^2 x\, dx \;=\; \frac{1}{5} \cos^5 x - \frac{1}{3} \cos^3 x + C$

37. $\int \sin^3 x \cos^3 x\, dx \;=\; \frac{1}{48} \cos^3 2x - \frac{1}{16} \cos 2x + C$

38. $\int \sin^4 x \cos^4 x\, dx \;=\; \frac{1}{128}\left(3x - \sin 4x + \frac{1}{8} \sin 8x\right) + C$

39. $\int \sin 2x \cos 4x\, dx \;=\; \frac{1}{4} \cos 2x - \frac{1}{12} \cos 6x + C$

40. $\int \cos 3x \cos 2x\, dx \;=\; \frac{1}{2} \sin x + \frac{1}{10} \sin 5x + C$

41. $\int \sin 5x \sin x\, dx \;=\; \frac{1}{8} \sin 4x - \frac{1}{12} \sin 6x + C$

42. $\int \frac{\cos^3 x\, dx}{1 - \sin x} \;=\; \sin x + \frac{1}{2} \sin^2 x + C$ **43.** $\int \frac{\cos^{2/3} x}{\sin^{8/3} x}\, dx \;=\; -\frac{3}{5} \cot^{5/3} x + C$

44. $\int \frac{\cos^3 x}{\sin^4 x}\, dx \;=\; \operatorname{cosec} x - \frac{1}{3} \operatorname{cosec}^3 x + C$

45. $\int x\,(\cos^3 x^2 - \sin^3 x^2)\, dx \;=\; \frac{1}{12}\,(\sin x^2 + \cos x^2)(4 + \sin 2x^2) + C$

46. $\int \tan^3 x\, dx \;=\; \frac{1}{2} \tan^2 x + \ln|\cos x| + C$

47. $\int \tan^3 3x \sec 3x\, dx \;=\; \frac{1}{9} \sec^3 3x - \frac{1}{3} \sec 3x + C$

48. $\int \tan^{3/2} x \sec^4 x\, dx \;=\; \frac{2}{5} \tan^{5/2} x + \frac{2}{9} \tan^{9/2} x + C$

49. $\int \tan^4 x \sec^4 x\, dx \;=\; \frac{1}{7} \tan^7 x + \frac{1}{5} \tan^5 x + C$ **53.** $\int \operatorname{cosec}^4 2x\, dx \;=\; -\frac{1}{2} \cot 2x - \frac{1}{6} \cot^3 2x + C$

50. $\int \cot^3 x\, dx \;=\; -\frac{1}{2} \cot^2 x - \ln|\sin x| + C$ **54.** $\int \left(\frac{\sec x}{\tan x}\right)^4 dx \;=\; -\frac{1}{3 \tan^3 x} - \frac{1}{\tan x} + C$

51. $\int \cot^3 x \operatorname{cosec}^4 x\, dx \;=\; -\frac{1}{4} \cot^4 x - \frac{1}{6} \cot^6 x + C$ **55.** $\int \frac{\cot^3 x}{\operatorname{cosec} x}\, dx \;=\; -\sin x - \operatorname{cosec} x + C$

52. $\int \cot^3 x \operatorname{cosec}^3 x\, dx \;=\; -\frac{1}{5} \operatorname{cosec}^5 x + \frac{1}{3} \operatorname{cosec}^3 x + C$ **56.** $\int \tan x \sqrt{\sec x}\, dx \;=\; 2\sqrt{\sec x} + C$

57. Beweise mit partieller Integration die folgenden Rekursionsformeln!

    (a) $\int \sec^m u\, du \;=\; \frac{1}{m-1} \sec^{m-2} u \tan u + \frac{m-2}{m-1} \int \sec^{m-2} u\, du$

    (b) $\int \operatorname{cosec}^m u\, du \;=\; -\frac{1}{m-1} \operatorname{cosec}^{m-2} u \cot u + \frac{m-2}{m-1} \int \operatorname{cosec}^{m-2} u\, du$

Benutze für die Aufgaben **58-60** die Rekursionsformeln aus Aufgabe **57**!

58. $\int \sec^3 x\, dx \;=\; \frac{1}{2} \sec x \tan x + \frac{1}{2} \ln|\sec x + \tan x| + C$

59. $\int \operatorname{cosec}^5 x\, dx \;=\; -\frac{1}{4} \operatorname{cosec}^3 x \cot x - \frac{3}{8} \operatorname{cosec} x \cot x + \frac{3}{8} \ln|\operatorname{cosec} x - \cot x| + C$

60. $\int \sec^6 x\, dx \;=\; \frac{1}{5} \sec^4 x \tan x + \frac{4}{15} \sec^2 x \tan x + \frac{8}{15} \tan x + C$
                     $=\; \frac{1}{5} \tan^5 x + \frac{2}{3} \tan^3 x + \tan x + C$

KAPITEL 28

Trigonometrische Substitutionen

EIN INTEGRAND, in dem einer der Ausdrücke $\sqrt{a^2 - b^2u^2}$, $\sqrt{a^2 + b^2u^2}$ oder $\sqrt{b^2u^2 - a^2}$, aber kein anderer irrationaler Faktor steht, kann in einen anderen umgeformt werden, indem man als neue Veränderliche trigonometrische Funktionen einführt.

Für	benutze	um zu erhalten
$\sqrt{a^2 - b^2u^2}$	$u = \dfrac{a}{b}\sin z$	$a\sqrt{1 - \sin^2 z} = a\cos z$
$\sqrt{a^2 + b^2u^2}$	$u = \dfrac{a}{b}\tan z$	$a\sqrt{1 + \tan^2 z} = a\sec z$
$\sqrt{b^2u^2 - a^2}$	$u = \dfrac{a}{b}\sec z$	$a\sqrt{\sec^2 z - 1} = a\tan z$

In jedem Fall ergibt die Integration einen Ausdruck in der Veränderlichen z. Den entsprechenden Ausdruck in der ursprünglichen Veränderlichen kann man erhalten, wenn man rechtwinklige Dreiecke betrachtet, wie das in den unten gelösten Aufgaben gezeigt wird.

AUFGABEN MIT LÖSUNGEN

1. Bestimme $\displaystyle\int \frac{dx}{x^2\sqrt{4 + x^2}}$!

   Es sei $x = 2\tan z$; dann gilt $dx = 2\sec^2 z\, dz$ und $\sqrt{4 + x^2} = 2\sec z$.

   $$\int \frac{dx}{x^2\sqrt{4 + x^2}} = \int \frac{2\sec^2 z\, dz}{(4\tan^2 z)(2\sec z)} = \frac{1}{4}\int \frac{\sec z}{\tan^2 z}\, dz$$

   $$= \frac{1}{4}\int \sin^{-2} z\cos z\, dz = -\frac{1}{4\sin z} + C = -\frac{\sqrt{4 + x^2}}{4x} + C$$

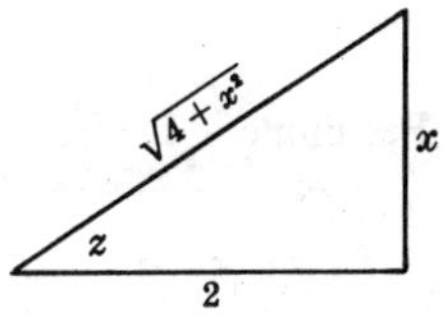

   Abb. 28-1

2. Bestimme $\displaystyle\int \frac{x^2}{\sqrt{x^2 - 4}}\, dx$!

   Es sei $x = 2\sec z$; dann gilt $dx = 2\sec z\tan z\, dz$ und $\sqrt{x^2 - 4} = 2\tan z$.

   $$\int \frac{x^2}{\sqrt{x^2 - 4}}\, dx = \int \frac{4\sec^2 z}{2\tan z}(2\sec z\tan z\, dz) = 4\int \sec^3 z\, dz$$

   $$= 2\sec z\tan z + 2\ln|\sec z + \tan z| + C'$$

   $$= \frac{1}{2}x\sqrt{x^2 - 4} + 2\ln|x + \sqrt{x^2 - 4}| + C$$

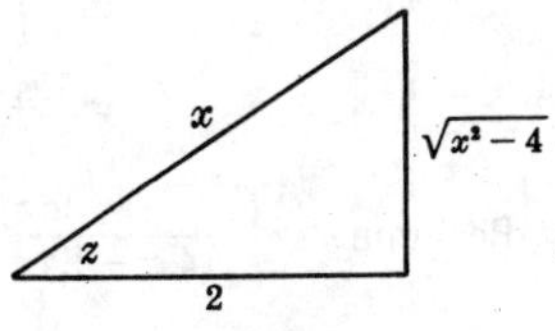

   Abb. 28-2

3. Bestimme $\displaystyle\int \frac{\sqrt{9 - 4x^2}}{x}\, dx$!

   Es sei $x = \frac{3}{2}\sin z$; dann gilt $dx = \frac{3}{2}\cos z\, dz$ und $\sqrt{9 - 4x^2} = 3\cos z$.

$$\int \frac{\sqrt{9-4x^2}}{x}\,dx \;=\; \int \frac{3\cos z}{\frac{3}{2}\sin z}\,(\tfrac{3}{2}\cos z\,dz) \;=\; 3\int \frac{\cos^2 z}{\sin z}\,dz$$

$$=\; 3\int \frac{1-\sin^2 z}{\sin z}\,dz \;=\; 3\int \operatorname{cosec}\, z\,dz \;-\; 3\int \sin z\,dz$$

$$=\; 3\ln|\operatorname{cosec}\, z - \cot z| \;+\; 3\cos z \;+\; C'$$

$$=\; 3\ln\left|\frac{3-\sqrt{9-4x^2}}{x}\right| \;+\; \sqrt{9-4x^2} \;+\; C$$

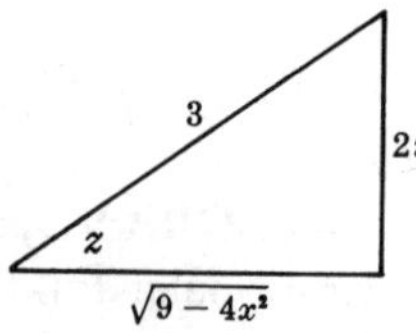

Abb. 28-3

4. Bestimme $\displaystyle\int \frac{dx}{x\sqrt{9+4x^2}}$!

Es sei $x = \frac{3}{2}\tan z$; dann gilt $dx = \frac{3}{2}\sec^2 z\,dz$ und $\sqrt{9+4x^2} = 3\sec z$.

$$\int \frac{dx}{x\sqrt{9+4x^2}} \;=\; \int \frac{\frac{3}{2}\sec^2 z\,dz}{\frac{3}{2}\tan z \cdot 3\sec z} \;=\; \frac{1}{3}\int \operatorname{cosec}\, z\,dz$$

$$=\; \frac{1}{3}\ln|\operatorname{cosec}\, z - \cot z| + C' \;=\; \frac{1}{3}\ln\left|\frac{\sqrt{9+4x^2}-3}{x}\right| + C.$$

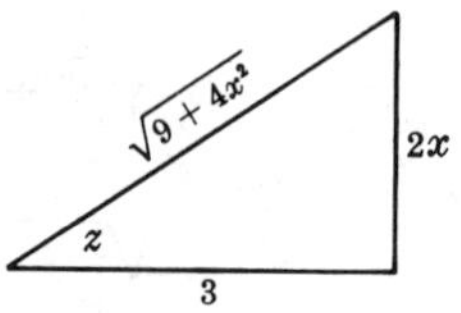

Abb. 28-4

5. Bestimme $\displaystyle\int \frac{(16-9x^2)^{3/2}}{x^6}\,dx$!

Es sei $x = \frac{4}{3}\sin z$; dann gilt $dx = \frac{4}{3}\cos z\,dz$ und $\sqrt{16-9x^2} = 4\cos z$.

$$\int \frac{(16-9x^2)^{3/2}}{x^6}\,dx \;=\; \int \frac{64\cos^3 z \cdot \frac{4}{3}\cos z\,dz}{\frac{4096}{729}\sin^6 z} \;=\; \frac{243}{16}\int \frac{\cos^4 z}{\sin^6 z}\,dz$$

$$=\; \frac{243}{16}\int \cot^4 z\,\operatorname{cosec}^2 z\,dz \;=\; -\frac{243}{80}\cot^5 z + C$$

$$=\; -\frac{243}{80}\cdot\frac{(16-9x^2)^{5/2}}{243x^5} + C \;=\; -\frac{1}{80}\cdot\frac{(16-9x^2)^{5/2}}{x^5} + C.$$

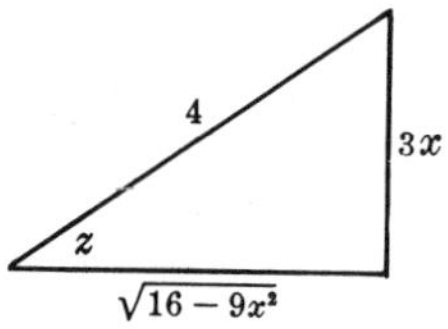

Abb. 28-5

6. Bestimme $\displaystyle\int \frac{x^2\,dx}{\sqrt{2x-x^2}} \;=\; \int \frac{x^2\,dx}{\sqrt{1-(x-1)^2}}$!

Es sei $x-1 = \sin z$; dann gilt $dx = \cos z\,dz$ und $\sqrt{2x-x^2} = \cos z$.

$$\int \frac{x^2\,dx}{\sqrt{2x-x^2}} \;=\; \int \frac{(1+\sin z)^2}{\cos z}\cos z\,dz \;=\; \int (1+\sin z)^2\,dz$$

$$=\; \int (\tfrac{3}{2}+2\sin z-\tfrac{1}{2}\cos 2z)\,dz \;=\; \tfrac{3}{2}z - 2\cos z - \tfrac{1}{4}\sin 2z + C$$

$$=\; \tfrac{3}{2}\arcsin(x-1) - 2\sqrt{2x-x^2} - \tfrac{1}{2}(x-1)\sqrt{2x-x^2} + C$$

$$=\; \tfrac{3}{2}\arcsin(x-1) - \tfrac{1}{2}(x+3)\sqrt{2x-x^2} + C.$$

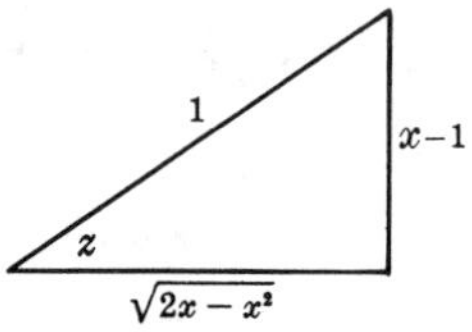

Abb. 28-6

7. Bestimme $\displaystyle\int \frac{dx}{(4x^2-24x+27)^{3/2}} \;=\; \int \frac{dx}{\{4(x-3)^2-9\}^{3/2}}$!

Es sei $x-3 = \frac{3}{2}\sec z$; dann gilt $dx = \frac{3}{2}\sec z \tan z\,dz$ und $\sqrt{4x^2-24x+27} = 3\tan z$.

$$\int \frac{dx}{(4x^2-24x+27)^{3/2}} \;=\; \int \frac{\frac{3}{2}\sec z \tan z\,dz}{27\tan^3 z}$$

$$=\; \frac{1}{18}\int \sin^{-2} z\,\cos z\,dz$$

$$=\; -\frac{1}{18}\operatorname{cosec}\, z + C$$

$$=\; -\frac{1}{9}\frac{x-3}{\sqrt{4x^2-24x+27}} + C.$$

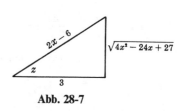

Abb. 28-7

ERGÄNZUNGSAUFGABEN

8. $\displaystyle\int \frac{dx}{(4-x^2)^{3/2}} \;=\; \frac{x}{4\sqrt{4-x^2}} + C$

9. $\displaystyle\int \frac{\sqrt{25-x^2}}{x}\,dx \;=\; 5\ln\left|\frac{5-\sqrt{25-x^2}}{x}\right| + \sqrt{25-x^2} + C$

10. $\displaystyle\int \frac{dx}{x^2\sqrt{a^2-x^2}} \;=\; -\frac{\sqrt{a^2-x^2}}{a^2 x} + C$

11. $\displaystyle\int \sqrt{x^2+4}\,dx \;=\; \tfrac{1}{2}x\sqrt{x^2+4} + 2\ln(x+\sqrt{x^2+4}) + C$

12. $\displaystyle\int \frac{x^2\,dx}{(a^2-x^2)^{3/2}} \;=\; \frac{x}{\sqrt{a^2-x^2}} - \arcsin\frac{x}{a} + C$

13. $\displaystyle\int \sqrt{x^2-4}\,dx \;=\; \tfrac{1}{2}x\sqrt{x^2-4} - 2\ln|x+\sqrt{x^2-4}| + C$

14. $\displaystyle\int \frac{\sqrt{x^2+a^2}}{x}\,dx \;=\; \sqrt{x^2+a^2} + \frac{a}{2}\ln\frac{\sqrt{a^2+x^2}-a}{\sqrt{a^2+x^2}+a} + C$

15. $\displaystyle\int \frac{x^2\,dx}{(4-x^2)^{5/2}} \;=\; \frac{x^3}{12(4-x^2)^{3/2}} + C$

16. $\displaystyle\int \frac{dx}{(a^2+x^2)^{3/2}} \;=\; \frac{x}{a^2\sqrt{a^2+x^2}} + C$

17. $\displaystyle\int \frac{dx}{x^2\sqrt{9-x^2}} \;=\; -\frac{\sqrt{9-x^2}}{9x} + C$

18. $\displaystyle\int \frac{x^2\,dx}{\sqrt{x^2-16}} \;=\; \frac{1}{2}x\sqrt{x^2-16} + 8\ln|x+\sqrt{x^2-16}| + C$

19. $\displaystyle\int x^3\sqrt{a^2-x^2}\,dx \;=\; \frac{1}{5}(a^2-x^2)^{5/2} - \frac{a^2}{3}(a^2-x^2)^{3/2} + C$

20. $\displaystyle\int \frac{dx}{\sqrt{x^2-4x+13}} \;=\; \ln(x-2+\sqrt{x^2-4x+13}) + C$

21. $\displaystyle\int \frac{dx}{(4x-x^2)^{3/2}} \;=\; \frac{x-2}{4\sqrt{4x-x^2}} + C$

22. $\displaystyle\int \frac{dx}{(9+x^2)^2} \;=\; \frac{1}{54}\arctan\frac{x}{3} + \frac{x}{18(9+x^2)} + C$

Integriere in den Aufgaben 23–24 partiell und benutze dann die Methode dieses Kapitels!

23. $\displaystyle\int x\arcsin x\,dx \;=\; \tfrac{1}{4}(2x^2-1)\arcsin x + \tfrac{1}{4}x\sqrt{1-x^2} + C$

24. $\displaystyle\int x\arccos x\,dx \;=\; \tfrac{1}{4}(2x^2-1)\arccos x - \tfrac{1}{4}x\sqrt{1-x^2} + C$

KAPITEL 29

Integration durch Partialbruchzerlegung

EIN POLYNOM in x ist eine Funktion der Form $a_0 x^n + a_1 x^{n-1} + \cdots + a_{n-1} x + a_n$, wobei die a Konstante sind, $a_0 \neq 0$, und n eine natürliche Zahl ist (auch $n = 0$ ist möglich).

Sind zwei Polynome vom selben Grad für alle Werte der Veränderlichen x gleich, so stimmen die Koeffizienten der entsprechenden Potenzen überein.

Jedes Polynom mit reellen Koeffizienten kann (zumindest theoretisch) als Produkt von reellen Faktoren der Form $ax + b$ und reellen irreduziblen quadratischen Faktoren der Form $ax^2 + bx + c$ dargestellt werden.

EINE FUNKTION $F(x) = \dfrac{f(x)}{g(x)}$, wobei $f(x)$ und $g(x)$ Polynome sind, wird eine *rationale Funktion* genannt.

Ist der Grad von $f(x)$ kleiner als der Grad von $g(x)$, so wird $F(x)$ *echt rational* genannt, im anderen Fall heißt $F(x)$ *unecht rational*.

Eine unechte rationale Funktion kann als Summe eines Polynoms und einer echten rationalen Funktion dargestellt werden. Zum Beispiel: $\dfrac{x^3}{x^2 + 1} = x - \dfrac{x}{x^2 + 1}$.

Jede echte rationale Funktion kann (zumindest theoretisch) als Summe von einfacheren rationalen Funktionen *(Partialbrüchen)* dargestellt werden, deren Nenner von der Form $(ax + b)^n$ und $(ax^2 + bx + c)^n$ sind (n eine natürliche Zahl). Es ergeben sich vier Fälle, die von der Natur der Faktoren im Nenner abhängen.

FALL I. VONEINANDER VERSCHIEDENE LINEARFAKTOREN

Jedem Linearfaktor $ax + b$, der im Nenner einer echten rationalen Funktion einmal auftritt, entspricht ein einzelner Partialbruch der Form $\dfrac{A}{ax + b}$, wobei A eine Konstante ist, die man bestimmen muß.

Siehe Aufgaben 1-2!

FALL II. MEHRFACHE LINEARFAKTOREN

Jedem Linearfaktor $ax + b$, der im Nenner einer echten rationalen Funktion n-mal auftritt, entspricht eine Summe von Partialbrüchen der Form

$$\frac{A_1}{ax + b} + \frac{A_2}{(ax + b)^2} + \cdots + \frac{A_n}{(ax + b)^n}$$

wobei die A Konstante sind, die bestimmt werden müssen.

Siehe Aufgaben 3–4!

FALL III. VONEINANDER VERSCHIEDENE QUADRATISCHE FAKTOREN

Jedem irreduziblen quadratischen Faktor $ax^2 + bx + c$, der im Nenner einer echten rationalen Funktion einmal auftritt, enspricht ein einzelner Partialbruch der Form $\dfrac{Ax + B}{ax^2 + bx + c}$, wobei A und B Konstante sind, die bestimmt werden müssen.

Siehe Aufgaben 5–6!

150

FALL IV. MEHRFACHE QUADRATISCHE FAKTOREN

Jedem irreduziblen quadratischen Faktor $ax^2 + bx + c$, der im Nenner einer echten rationalen Funktion n-mal auftritt, entspricht einer Summe von n Partialbrüchen der Form

$$\frac{A_1 x + B_1}{ax^2 + bx + c} + \frac{A_2 x + B_2}{(ax^2 + bx + c)^2} + \cdots + \frac{A_n x + B_n}{(ax^2 + bx + c)^n}$$

wobei die A und die B Konstante sind, die bestimmt werden müssen.

Siehe Aufgaben 7–8!

AUFGABEN MIT LÖSUNGEN

1. Bestimme $\int \frac{dx}{x^2 - 4}$!

    (a) Wir zerlegen den Nenner: $x^2 - 4 = (x - 2)(x + 2)$.

    Aus $\quad \dfrac{1}{x^2 - 4} = \dfrac{A}{x - 2} + \dfrac{B}{x + 2}\quad$ ergibt sich durch Multiplikation mit dem Hauptnenner

    $\qquad$ (1) $\quad 1 = A(x + 2) + B(x - 2)\quad$ oder $\quad$ (2) $\quad 1 = (A + B)x + (2A - 2B)$

    (b) Bestimmung der Konstanten:

    Allgemeine Methode. Man vergleicht in (2) die Koeffizienten entsprechender Potenzen von x und löst die entstehenden Gleichungen auf. Also: $A + B = 0, 2A - 2B = 1$; $A = \frac{1}{4}$ und $B = -\frac{1}{4}$.

    Kürzere Methode. Man setzt in (1) nacheinander die Werte $x = 2$ und $x = -2$ ein und erhält $1 = 4A$ und $1 = -4B$, also $A = \frac{1}{4}$ und $B = -\frac{1}{4}$. (Die eingesetzen Werte von x sind die, für die die Nenner der Partialbrüche gleich 0 sind).

    (c) Mit beiden Methoden ergibt sich: $\dfrac{1}{x^2 - 4} = \dfrac{\frac{1}{4}}{x - 2} - \dfrac{\frac{1}{4}}{x + 2}\quad$ und damit

    $$\int \frac{dx}{x^2 - 4} = \frac{1}{4} \int \frac{dx}{x - 2} - \frac{1}{4} \int \frac{dx}{x + 2} = \frac{1}{4} \ln |x - 2| - \frac{1}{4} \ln |x + 2| + C = \frac{1}{4} \ln \left| \frac{x - 2}{x + 2} \right| + C$$

2. Bestimme $\int \frac{(x + 1)\, dx}{x^3 + x^2 - 6x}$!

    (a) $x^3 + x^2 - 6x = x(x - 2)(x + 3)$. Damit gilt $\dfrac{x + 1}{x^3 + x^2 - 6x} = \dfrac{A}{x} + \dfrac{B}{x - 2} + \dfrac{C}{x + 3}$, also

    $\qquad$ (1) $\quad x + 1 = A(x - 2)(x + 3) + Bx(x + 3) + Cx(x - 2)\quad$ oder

    $\qquad$ (2) $\quad x + 1 = (A + B + C)x^2 + (A + 3B - 2C)x - 6A$

    (b) *Allgemeine Methode.* Durch Auflösen der Gleichungen

    $$A + B + C = 0, \quad A + 3B - 2C = 1 \quad \text{und} \quad -6A = 1$$

    erhalten wir $A = -1/6$, $B = 3/10$ und $C = -2/15$.

    Kürzere Methode. Wir setzen in (1) nacheinander die Werte $x = 0$, $x = 2$ und $x = -3$ ein und erhalten $1 = -6A$ oder $A = -1/6$, $3 = 10B$ oder $B = 3/10$ und $-2 = 15C$ oder $C = -2/15$.

    (c) $\int \dfrac{(x + 1)\, dx}{x^3 + x^2 - 6x} = -\dfrac{1}{6} \int \dfrac{dx}{x} + \dfrac{3}{10} \int \dfrac{dx}{x - 2} - \dfrac{2}{15} \int \dfrac{dx}{x + 3}$

    $$\qquad = -\frac{1}{6} \ln |x| + \frac{3}{10} \ln |x - 2| - \frac{2}{15} \ln |x + 3| + C = \ln \frac{|x - 2|^{3/10}}{|x|^{1/6} |x + 3|^{2/15}} + C.$$

3. Bestimme $\int \frac{(3x + 5)\, dx}{x^3 - x^2 - x + 1}$!

    $x^3 - x^2 - x + 1 = (x + 1)(x - 1)^2$. Dann gilt $\dfrac{3x + 5}{x^3 - x^2 - x + 1} = \dfrac{A}{x + 1} + \dfrac{B}{x - 1} + \dfrac{C}{(x - 1)^2}$, also

    $$3x + 5 = A(x - 1)^2 + B(x + 1)(x - 1) + C(x + 1).$$

Für $x = -1$ gilt $2 = 4A$, also $A = \frac{1}{2}$. Für $x = 1$ gilt $8 = 2C$, also $C = 4$. Um die übrigen Konstanten zu bestimmen, setzen wir irgendeinen anderen Wert von x, etwa $x = 0$, ein. Für $x = 0$ gilt $5 = A - B + C$, also $B = -\frac{1}{2}$. Damit folgt

$$\int \frac{3x+5}{x^3-x^2-x+1}\,dx = \frac{1}{2}\int \frac{dx}{x+1} - \frac{1}{2}\int \frac{dx}{x-1} + 4\int \frac{dx}{(x-1)^2}$$

$$= \frac{1}{2}\ln|x+1| - \frac{1}{2}\ln|x-1| - \frac{4}{x-1} + C = -\frac{4}{x-1} + \frac{1}{2}\ln\left|\frac{x+1}{x-1}\right| + C$$

4. Bestimme $\int \frac{x^4-x^3-x-1}{x^3-x^2}\,dx$!

Der Integrand ist eine unechte rationale Funktion. Durch Division ergibt sich

$$\frac{x^4-x^3-x-1}{x^3-x^2} = x - \frac{x+1}{x^3-x^2} = x - \frac{x+1}{x^2(x-1)}\,.$$

Wir schreiben $\frac{x+1}{x^2(x-1)} = \frac{A}{x} + \frac{B}{x^2} + \frac{C}{x-1}$. Dann gilt

$$x + 1 = Ax(x-1) + B(x-1) + Cx^2.$$

Für $x = 0$ gilt $1 = -B$, also $B = -1$. Für $x = 1$ gilt $2 = C$. Für $x = 2$ gilt $3 = 2A + B + 4C$, also $A = -2$. Daraus folgt

$$\int \frac{x^4-x^3-x-1}{x^3-x^2}\,dx = \int x\,dx + 2\int \frac{dx}{x} + \int \frac{dx}{x^2} - 2\int \frac{dx}{x-1}$$

$$= \frac{1}{2}x^2 + 2\ln|x| - \frac{1}{x} - 2\ln|x-1| + C = \frac{1}{2}x^2 - \frac{1}{x} + 2\ln\left|\frac{x}{x-1}\right| + C.$$

5. Bestimme $\int \frac{x^3+x^2+x+2}{x^4+3x^2+2}\,dx$!

$x^4 + 3x^2 + 2 = (x^2+1)(x^2+2)$. Wir schreiben $\frac{x^3+x^2+x+2}{x^4+3x^2+2} = \frac{Ax+B}{x^2+1} + \frac{Cx+D}{x^2+2}$. Dann gilt

$$x^3 + x^2 + x + 2 = (Ax+B)(x^2+2) + (Cx+D)(x^2+1)$$

$$= (A+C)x^3 + (B+D)x^2 + (2A+C)x + (2B+D)$$

Also folgt $A + C = 1$, $B + D = 1$, $2A + C = 1$ und $2B + D = 2$. Wir lösen diese Gleichungen auf und erhalten $A = 0$, $B = 1$, $C = 1$ und $D = 0$. Damit folgt

$$\int \frac{x^3+x^2+x+2}{x^4+3x^2+2}\,dx = \int \frac{dx}{x^2+1} + \int \frac{x\,dx}{x^2+2} = \arctan x + \frac{1}{2}\ln(x^2+2) + C.$$

6. Löse die Gleichung $\int \frac{x^2\,dx}{a^4-x^4} = \int k\,dt$ auf, die in der physikalischen Chemie vorkommt!

Wir schreiben $\frac{x^2}{a^4-x^4} = \frac{A}{a-x} + \frac{B}{a+x} + \frac{Cx+D}{a^2+x^2}$. Dann gilt

$$x^2 = A(a+x)(a^2+x^2) + B(a-x)(a^2+x^2) + (Cx+D)(a-x)(a+x).$$

Für $x = a$ gilt $a^2 = 4Aa^3$, also $A = 1/4a$. Für $x = -a$ gilt $a^2 = 4Ba^3$, also $B = 1/4a$. Für $x = 0$ gilt $0 = Aa^3 + Ba^3 + Da^2 = a^2/2 + Da^2$ und $D = -1/2$. Für $x = 2a$ gilt $4a^2 = 15Aa^3 - 5Ba^3 - 6Ca^3 - 3Da^2$ und $C = 0$. Damit folgt

$$\int \frac{x^2\,dx}{a^4-x^4} = \frac{1}{4a}\int \frac{dx}{a-x} + \frac{1}{4a}\int \frac{dx}{a+x} - \frac{1}{2}\int \frac{dx}{a^2+x^2}$$

$$= -\frac{1}{4a}\ln|a-x| + \frac{1}{4a}\ln|a+x| - \frac{1}{2a}\arctan\frac{x}{a} + C$$

und

$$\int k\,dt = kt = \frac{1}{4a}\ln\left|\frac{a+x}{a-x}\right| - \frac{1}{2a}\arctan\frac{x}{a} + C.$$

7. Bestimme $\int \frac{x^5-x^4+4x^3-4x^2+8x-4}{(x^2+2)^3}\,dx$!

Wir schreiben $\frac{x^5-x^4+4x^3-4x^2+8x-4}{(x^2+2)^3} = \frac{Ax+B}{x^2+2} + \frac{Cx+D}{(x^2+2)^2} + \frac{Ex+F}{(x^2+2)^3}$. Dann gilt

$$x^5 - x^4 + 4x^3 - 4x^2 + 8x - 4 = (Ax+B)(x^2+2)^2 + (Cx+D)(x^2+2) + Ex + F$$

$$= Ax^5 + Bx^4 + (4A+C)x^3 + (4B+D)x^2$$

$$+ (4A+2C+E)x + (4B+2D+F).$$

Daraus folgt $A = 1$, $B = -1$, $C = 0$, $D = 0$, $E = 4$, $F = 0$. Also ist das Integral gleich

$$\int \frac{x-1}{x^2+2}\,dx \;+\; 4 \int \frac{x\,dx}{(x^2+2)^3} \;=\; \frac{1}{2}\ln(x^2+2) \;-\; \frac{\sqrt{2}}{2}\arctan\frac{x}{\sqrt{2}} \;-\; \frac{1}{(x^2+2)^2} \;+\; C\,.$$

8. Bestimme $\int \dfrac{2x^2+3}{(x^2+1)^2}\,dx$!

Wir schreiben $\dfrac{2x^2+3}{(x^2+1)^2} = \dfrac{Ax+B}{x^2+1} + \dfrac{Cx+D}{(x^2+1)^2}$. Dann gilt

$$2x^2+3 = (Ax+B)(x^2+1) + Cx+D = Ax^3 + Bx^2 + (A+C)x + (B+D)$$

Daraus folgt $A = 0$, $B = 2$, $A+C = 0$, $B+D = 3$, also $A = 0$, $B = 2$, $C = 0$, $D = 1$ und damit

$$\int \frac{2x^2+3}{(x^2+1)^2}\,dx \;=\; \int \frac{2\,dx}{x^2+1} \;+\; \int \frac{dx}{(x^2+1)^2}\,.$$

Im zweiten Integral rechts setzen wir $x = \tan z$. Dann gilt

$$\int \frac{dx}{(x^2+1)^2} \;=\; \int \frac{\sec^2 z\,dz}{\sec^4 z} \;=\; \int \cos^2 z\,dz \;=\; \frac{1}{2}z + \frac{1}{4}\sin 2z + C$$

und damit $\int \dfrac{2x^2+3}{(x^2+1)^2}\,dx \;=\; 2\arctan x + \dfrac{1}{2}\arctan x + \dfrac{\frac{1}{2}x}{x^2+1} + C \;=\; \dfrac{5}{2}\arctan x + \dfrac{\frac{1}{2}x}{x^2+1} + C\,.$

ERGÄNZUNGSAUFGABEN

9. $\int \dfrac{dx}{x^2-9} = \dfrac{1}{6}\ln\left|\dfrac{x-3}{x+3}\right| + C$
12. $\int \dfrac{x^2+3x-4}{x^2-2x-8}\,dx = x + \ln|(x+2)(x-4)^4| + C$

10. $\int \dfrac{dx}{x^2+7x+6} = \dfrac{1}{5}\ln\left|\dfrac{x+1}{x+6}\right| + C$
13. $\int \dfrac{x^2-3x-1}{x^3+x^2-2x}\,dx = \ln\left|\dfrac{x^{1/2}(x+2)^{3/2}}{x-1}\right| + C$

11. $\int \dfrac{x\,dx}{x^2-3x-4} = \dfrac{1}{5}\ln|(x+1)(x-4)^4| + C$
14. $\int \dfrac{x\,dx}{(x-2)^2} = \ln|x-2| - \dfrac{2}{x-2} + C$

15. $\int \dfrac{x^4}{(1-x)^3}\,dx = -\dfrac{1}{2}x^2 - 3x - \ln(1-x)^6 - \dfrac{4}{1-x} + \dfrac{1}{2(1-x)^2} + C$

16. $\int \dfrac{dx}{x^3+x} = \ln\left|\dfrac{x}{\sqrt{x^2+1}}\right| + C$
17. $\int \dfrac{x^3+x^2+x+3}{(x^2+1)(x^2+3)}\,dx = \ln\sqrt{x^2+3} + \arctan x + C$

18. $\int \dfrac{x^4-2x^3+3x^2-x+3}{x^3-2x^2+3x}\,dx = \dfrac{1}{2}x^2 + \ln\left|\dfrac{x}{\sqrt{x^2-2x+3}}\right| + C$

19. $\int \dfrac{2x^3\,dx}{(x^2+1)^2} = \ln(x^2+1) + \dfrac{1}{x^2+1} + C$

20. $\int \dfrac{2x^3+x^2+4}{(x^2+4)^2}\,dx = \ln(x^2+4) + \dfrac{1}{2}\arctan\dfrac{1}{2}x + \dfrac{4}{x^2+4} + C$

21. $\int \dfrac{x^3+x-1}{(x^2+1)^2}\,dx = \ln\sqrt{x^2+1} - \dfrac{1}{2}\arctan x - \dfrac{1}{2}\left(\dfrac{x}{x^2+1}\right) + C$

22. $\int \dfrac{x^4+8x^3-x^2+2x+1}{(x^2+x)(x^3+1)}\,dx = \ln\left|\dfrac{x^3-x^2+x}{(x+1)^2}\right| - \dfrac{3}{x+1} + \dfrac{2}{\sqrt{3}}\arctan\dfrac{2x-1}{\sqrt{3}} + C$

23. $\int \dfrac{x^3+x^2-5x+15}{(x^2+5)(x^2+2x+3)}\,dx = \ln\sqrt{x^2+2x+3} + \dfrac{5}{\sqrt{2}}\arctan\dfrac{x+1}{\sqrt{2}} - \sqrt{5}\arctan\dfrac{x}{\sqrt{5}} + C$

24. $\int \dfrac{x^6+7x^5+15x^4+32x^3+23x^2+25x-3}{(x^2+x+2)^2(x^2+1)^2}\,dx = \dfrac{1}{x^2+x+2} - \dfrac{3}{x^2+1} + \ln\dfrac{x^2+1}{x^2+x+2} + C$

25. $\int \dfrac{dx}{e^{2x}-3e^x} = \dfrac{1}{3e^x} + \dfrac{1}{9}\ln\left|\dfrac{e^x-3}{e^x}\right| + C$ (Setze $e^x = u$!)

26. $\int \dfrac{\sin x\,dx}{\cos x\,(1+\cos^2 x)} = \ln\left|\dfrac{\sqrt{1+\cos^2 x}}{\cos x}\right| + C$ (Setze $\cos x = u$!)

27. $\int \dfrac{(2+\tan^2\theta)\sec^2\theta\,d\theta}{1+\tan^3\theta} = \ln|1+\tan\theta| + \dfrac{2}{\sqrt{3}}\arctan\dfrac{2\tan\theta-1}{\sqrt{3}} + C\,.$

KAPITEL 30

Verschiedene Substitutionen

IST DER INTEGRAND RATIONAL bis auf einen Wurzelausdruck der Form:

1. $\sqrt[n]{au + b}$, so erhält man durch die Substitution $au + b = z^n$ einen rationalen Integranden.

2. $\sqrt{q + pu + u^2}$, so erhält man durch die Substitution $q + pu + u^2 = (z - u)^2$ einen rationalen Integranden.

3. $\sqrt{q + pu - u^2} = \sqrt{(\alpha + u)(\beta - u)}$, so erhält man durch die Substitution $q + pu - u^2 = (\alpha + u)^2 z^2$ oder $q + pu - u^2 = (\beta - u)^2 z^2$ einen rationalen Integranden.

Siehe Aufgaben 1-5!

DIE SUBSTITUTION $u = 2 \arctan z$ führt jede rationale Funktion von $\sin u$ und $\cos u$ in eine rationale Funktion von z über, da

$$\sin u = \frac{2z}{1 + z^2}, \quad \cos u = \frac{1 - z^2}{1 + z^2} \quad \text{und} \quad du = \frac{2 \, dz}{1 + z^2}.$$

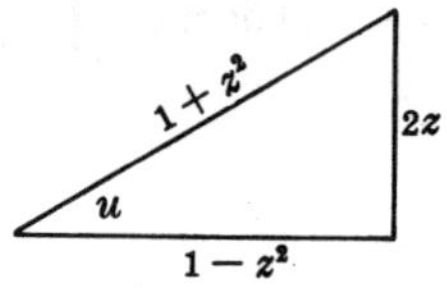

Die erste und zweite dieser Relationen ergeben sich aus der nebenstehenden Abb. 30-1, die dritte folgt durch Differenzieren von

$$u = 2 \arctan z.$$

Abb. 30-1

Nachdem man integriert hat, benutzt man $z = \tan \frac{1}{2} u$, um die ursprüngliche Veränderliche zurückzuerhalten.

Siehe Aufgaben 6-10!

SINNVOLLE SUBSTITUTIONEN ergeben sich oft aus der Gestalt des Integranden.

Siehe Aufgaben 11-12!

AUFGABEN MIT LÖSUNGEN

1. Bestimme $\int \frac{dx}{x\sqrt{1 - x}}$! Es sei $1 - x = z^2$, dann gilt $x = 1 - z^2$, $dx = -2z \, dz$ und damit

$$\int \frac{dx}{x\sqrt{1 - x}} = \int \frac{-2z \, dz}{(1 - z^2)z} = -2 \int \frac{dz}{1 - z^2} = -\ln \left| \frac{1 + z}{1 - z} \right| + C = \ln \left| \frac{1 - \sqrt{1 - x}}{1 + \sqrt{1 - x}} \right| + C.$$

2. Bestimme $\int \frac{dx}{(x - 2)\sqrt{x + 2}}$! Es sei $x + 2 = z^2$, dann gilt $x = z^2 - 2$, $dx = 2z \, dz$ und damit

$$\int \frac{dx}{(x - 2)\sqrt{x + 2}} = \int \frac{2z \, dz}{z(z^2 - 4)} = 2 \int \frac{dz}{z^2 - 4} = \frac{1}{2} \ln \left| \frac{z - 2}{z + 2} \right| + C = \frac{1}{2} \ln \left| \frac{\sqrt{x + 2} - 2}{\sqrt{x + 2} + 2} \right| + C.$$

3. Bestimme $\int \frac{dx}{x^{1/2} - x^{1/4}}$! Es sei $x = z^4$, dann gilt $dx = 4z^3 \, dz$ und damit

$$\int \frac{dx}{x^{1/2} - x^{1/4}} = \int \frac{4z^3 \, dz}{z^2 - z} = 4 \int \frac{z^2}{z - 1} \, dz = 4 \int \left(z + 1 + \frac{1}{z - 1} \right) dz$$
$$= 4(\tfrac{1}{2}z^2 + z + \ln|z - 1|) + C = 2\sqrt{x} + 4\sqrt[4]{x} + \ln (\sqrt[4]{x} - 1)^4 + C.$$

4. Bestimme $\displaystyle\int \frac{dx}{x\sqrt{x^2+x+2}}$! Es sei $x^2+x+2 = (z-x)^2$, dann gilt

$$x = \frac{z^2-2}{1+2z}, \quad dx = \frac{2(z^2+z+2)\,dz}{(1+2z)^2}, \quad \sqrt{x^2+x+2} = \frac{z^2+z+2}{1+2z} \quad \text{und}$$

$$\int \frac{dx}{x\sqrt{x^2+x+2}} = \int \frac{\dfrac{2(z^2+z+2)}{(1+2z)^2}}{\dfrac{z^2-2}{1+2z}\cdot\dfrac{z^2+z+2}{1+2z}}\,dz = 2\int \frac{dz}{z^2-2} = \frac{1}{\sqrt{2}}\ln\left|\frac{z-\sqrt{2}}{z+\sqrt{2}}\right| + C$$

$$= \frac{1}{\sqrt{2}}\ln\left|\frac{\sqrt{x^2+x+2}+x-\sqrt{2}}{\sqrt{x^2+x+2}+x+\sqrt{2}}\right| + C.$$

5. Bestimme $\displaystyle\int \frac{x\,dx}{(5-4x-x^2)^{3/2}}$! Es sei $5-4x-x^2 = (5+x)(1-x) = (1-x)^2z^2$, dann gilt

$$x = \frac{z^2-5}{1+z^2}, \quad dx = \frac{12z\,dz}{(1+z^2)^2}, \quad \sqrt{5-4x-x^2} = (1-x)z = \frac{6z}{1+z^2} \quad \text{und}$$

$$\int \frac{x\,dx}{(5-4x-x^2)^{3/2}} = \int \frac{\dfrac{z^2-5}{1+z^2}\cdot\dfrac{12z}{(1+z^2)^2}}{\dfrac{216z^3}{(1+z^2)^3}}\,dz = \frac{1}{18}\int\left(1-\frac{5}{z^2}\right)dz$$

$$= \frac{1}{18}\left(z+\frac{5}{z}\right) + C = \frac{5-2x}{9\sqrt{5-4x-x^2}} + C.$$

6. $\displaystyle\int \frac{dx}{1+\sin x-\cos x} = \int \frac{\dfrac{2\,dz}{1+z^2}}{1+\dfrac{2z}{1+z^2}-\dfrac{1-z^2}{1+z^2}} = \int \frac{dz}{z(1+z)} = \ln|z| - \ln|1+z| + C$

$$= \ln\left|\frac{z}{1+z}\right| + C = \ln\left|\frac{\tan\frac{1}{2}x}{1+\tan\frac{1}{2}x}\right| + C.$$

7. $\displaystyle\int \frac{dx}{3-2\cos x} = \int \frac{\dfrac{2\,dz}{1+z^2}}{3-2\dfrac{1-z^2}{1+z^2}} = \int \frac{2\,dz}{1+5z^2} = \frac{2\sqrt{5}}{5}\arctan z\sqrt{5} + C$

$$= \frac{2\sqrt{5}}{5}\arctan(\sqrt{5}\tan\frac{1}{2}x) + C.$$

8. $\displaystyle\int \sec x\,dx = \int \frac{1+z^2}{1-z^2}\cdot\frac{2\,dz}{1+z^2} = 2\int \frac{dz}{1-z^2} = \ln\left|\frac{1+z}{1-z}\right| + C = \ln\left|\frac{1+\tan\frac{1}{2}x}{1-\tan\frac{1}{2}x}\right| + C.$

$$= \ln\left|\tan\left(\tfrac{1}{2}x+\tfrac{1}{4}\pi\right)\right| + C$$

9. $\displaystyle\int \frac{dx}{2+\cos x} = \int \frac{\dfrac{2\,dz}{1+z^2}}{2+\dfrac{1-z^2}{1+z^2}} = 2\int \frac{dz}{3+z^2} = \frac{2}{\sqrt{3}}\arctan\frac{z}{\sqrt{3}} + C$

$$= \frac{2\sqrt{3}}{3}\arctan\left(\frac{\sqrt{3}}{3}\tan\frac{1}{2}x\right) + C.$$

10. $\displaystyle\int \frac{dx}{5+4\sin x} = \int \frac{\dfrac{2\,dz}{1+z^2}}{5+4\dfrac{2z}{1+z^2}} = \int \frac{2\,dz}{5+8z+5z^2} = \frac{2}{5}\int \frac{dz}{(z+\frac{4}{5})^2+\frac{9}{25}}$

$$= \frac{2}{3}\arctan\frac{z+4/5}{3/5} + C = \frac{2}{3}\arctan\frac{5\tan\frac{1}{2}x+4}{3} + C.$$

11. Mit der Substitution $1-x^3 = z^2$ bestimme $\displaystyle\int x^5\sqrt{1-x^3}\,dx.$ $x^3 = 1-z^2,\ 3x^2\,dx = -2z\,dz$ und

$$\int x^5\sqrt{1-x^3}\,dx = \int x^3\sqrt{1-x^3}\cdot x^2\,dx = \int(1-z^2)z(-\tfrac{2}{3}z\,dz) = -\frac{2}{3}\int(1-z^2)z^2\,dz$$

$$= -\frac{2}{3}\left(\frac{z^3}{3}-\frac{z^5}{5}\right) + C = -\frac{2}{45}(1-x^3)^{3/2}(2+3x^3) + C.$$

12. Benutze $x = \frac{1}{z}$, um $\int \frac{\sqrt{x-x^2}}{x^4}\,dx$ zu bestimmen! Es gilt $dx = -\frac{dz}{z^2}$, $\sqrt{x-x^2} = \frac{1}{z}\sqrt{z-1}$ und

$$\int \frac{\sqrt{x-x^2}}{x^4}\,dx = \int \frac{\frac{1}{z}\sqrt{z-1}\left(-\frac{dz}{z^2}\right)}{1/z^4} = -\int z\sqrt{z-1}\,dz.$$

Wir setzen $z - 1 = s^2$. Dann folgt

$$-\int z\sqrt{z-1}\,dz = -\int (s^2+1)s\cdot 2s\,ds = -2\left(\frac{s^5}{5} + \frac{s^3}{3}\right) + C$$

$$= -2\left(\frac{(z-1)^{5/2}}{5} + \frac{(z-1)^{3/2}}{3}\right) + C = -2\left(\frac{(1-x)^{5/2}}{5x^{5/2}} + \frac{(1-x)^{3/2}}{3x^{3/2}}\right) + C.$$

ERGÄNZUNGSAUFGABEN

13. $\int \frac{\sqrt{x}}{1+x}\,dx = 2\sqrt{x} - 2\arctan\sqrt{x} + C$ **14.** $\int \frac{dx}{\sqrt{x}(1+\sqrt{x})} = 2\ln(1+\sqrt{x}) + C$

15. $\int \frac{dx}{3+\sqrt{x+2}} = 2\sqrt{x+2} - 6\ln(3+\sqrt{x+2}) + C$

16. $\int \frac{1-\sqrt{3x+2}}{1+\sqrt{3x+2}}\,dx = -x + \frac{4}{3}\left\{\sqrt{3x+2} - \ln(1+\sqrt{3x+2})\right\} + C$

17. $\int \frac{dx}{\sqrt{x^2-x+1}} = \ln\left|2\sqrt{x^2-x+1} + 2x-1\right| + C$

18. $\int \frac{dx}{x\sqrt{x^2+x-1}} = 2\arctan(\sqrt{x^2+x-1}+x) + C$

19. $\int \frac{dx}{\sqrt{6+x-x^2}} = \arcsin\frac{2x-1}{5} + C$ **20.** $\int \frac{\sqrt{4x-x^2}}{x^3}\,dx = -\frac{(4x-x^2)^{3/2}}{6x^3} + C$

21. $\int \frac{dx}{(x+1)^{1/2} + (x+1)^{1/4}} = 2(x+1)^{1/2} - 4(x+1)^{1/4} + 4\ln(1+(x+1)^{1/4}) + C$

22. $\int \frac{dx}{2+\sin x} = \frac{2}{\sqrt{3}}\arctan\frac{2\tan\frac{1}{2}x + 1}{\sqrt{3}} + C$

23. $\int \frac{dx}{1-2\sin x} = \frac{\sqrt{3}}{3}\ln\left|\frac{\tan\frac{1}{2}x - 2 - \sqrt{3}}{\tan\frac{1}{2}x - 2 + \sqrt{3}}\right| + C$

24. $\int \frac{dx}{3+5\sin x} = \frac{1}{4}\ln\left|\frac{3\tan\frac{1}{2}x + 1}{\tan\frac{1}{2}x + 3}\right| + C$ **25.** $\int \frac{dx}{\sin x - \cos x - 1} = \ln\left|\tan\frac{1}{2}x - 1\right| + C$

26. $\int \frac{dx}{5+3\sin x} = \frac{1}{2}\arctan\frac{5\tan\frac{1}{2}x + 3}{4} + C$ **27.** $\int \frac{\sin x\,dx}{1+\sin^2 x} = \frac{\sqrt{2}}{4}\ln\left|\frac{\tan^2\frac{1}{2}x + 3 - 2\sqrt{2}}{\tan^2\frac{1}{2}x + 3 + 2\sqrt{2}}\right| + C$

28. $\int \frac{dx}{1+\sin x + \cos x} = \ln\left|1+\tan\frac{1}{2}x\right| + C$ **29.** $\int \frac{dx}{2-\cos x} = \frac{2}{\sqrt{3}}\arctan(\sqrt{3}\tan\frac{1}{2}x) + C$

30. $\int \sin\sqrt{x}\,dx = -2\sqrt{x}\cos\sqrt{x} + 2\sin\sqrt{x} + C$

31. $\int \frac{dx}{x\sqrt{3x^2+2x-1}} = -\arcsin\frac{1-x}{2x} + C.$ Setze $x = 1/z$!

32. $\int \frac{(e^x-2)e^x}{e^x+1}\,dx = e^x - 3\ln(e^x+1) + C.$ Setze $e^x+1 = z$!

33. $\int \frac{\sin x\cos x}{1-\cos x}\,dx = \cos x + \ln(1-\cos x) + C.$ Setze $\cos x = z$!

34. $\int \frac{dx}{x^2\sqrt{4-x^2}} = -\frac{\sqrt{4-x^2}}{4x} + C.$ Setze $x = 2/z$!

35. $\int \frac{dx}{x^2(4+x^2)} = -\frac{1}{4x} + \frac{1}{8}\arctan\frac{2}{x} + C$ **36.** $\int \sqrt{1+\sqrt{x}}\,dx = \frac{4}{5}(1+\sqrt{x})^{5/2} - \frac{4}{3}(1+\sqrt{x})^{3/2} + C$

37. $\int \frac{dx}{3(1-x^2) - (5+4x)\sqrt{1-x^2}} = \frac{2\sqrt{1+x}}{3\sqrt{1+x} - \sqrt{1-x}} + C$

KAPITEL 31

Integration der Hyperbelfunktionen

INTEGRATIONSREGELN

$$\int \sinh u \, du = \cosh u + C \qquad\qquad \int \text{sech}^2 u \, du = \tanh u + C$$

$$\int \cosh u \, du = \sinh u + C \qquad\qquad \int \text{cosech}^2 u \, du = -\coth u + C$$

$$\int \tanh u \, du = \ln \cosh u + C \qquad\qquad \int \text{sech}\, u \tanh u \, du = -\text{sech}\, u + C$$

$$\int \coth u \, du = \ln |\sinh u| + C \qquad\qquad \int \text{cosech}\, u \coth u \, du = -\text{cosech}\, u + C$$

$$\int \frac{du}{\sqrt{u^2 + a^2}} = \sinh^{-1}\frac{u}{a} + C \qquad\qquad \int \frac{du}{a^2 - u^2} = \frac{1}{a}\tanh^{-1}\frac{u}{a} + C, \quad u^2 < a^2$$

$$\int \frac{du}{\sqrt{u^2 - a^2}} = \cosh^{-1}\frac{u}{a} + C, \quad u > a > 0 \qquad\qquad \int \frac{du}{u^2 - a^2} = -\frac{1}{a}\coth^{-1}\frac{u}{a} + C, \quad u^2 > a^2$$

AUFGABEN MIT LÖSUNGEN

1. $\displaystyle\int \sinh \tfrac{1}{2}x \, dx = 2 \cosh \tfrac{1}{2}x + C$

3. $\displaystyle\int \text{sech}^2 (2x - 1) \, dx = \tfrac{1}{2}\tanh (2x - 1) + C$

2. $\displaystyle\int \cosh 2x \, dx = \tfrac{1}{2}\sinh 2x + C$

4. $\displaystyle\int \text{cosech}\, 3x \coth 3x \, dx = -\tfrac{1}{3}\text{cosech}\, 3x + C$

5. $\displaystyle\int \text{sech}\, x \, dx = \int \frac{1}{\cosh x} dx = \int \frac{\cosh x}{\cosh^2 x} = \int \frac{\cosh x}{1 + \sinh^2 x} dx = \arctan(\sinh x) + C$

6. $\displaystyle\int \sinh^2 x \, dx = \frac{1}{2}\int (\cosh 2x - 1) \, dx = \tfrac{1}{4}\sinh 2x - \tfrac{1}{2}x + C$

7. $\displaystyle\int \tanh^2 2x \, dx = \int (1 - \text{sech}^2 2x) \, dx = x - \tfrac{1}{2}\tanh 2x + C$

8. $\displaystyle\int \cosh^3 \tfrac{1}{2}x \, dx = \int (1 + \sinh^2 \tfrac{1}{2}x) \cosh \tfrac{1}{2}x \, dx = 2 \sinh \tfrac{1}{2}x + \tfrac{2}{3}\sinh^3 \tfrac{1}{2}x + C$

9. $\displaystyle\int \text{sech}^4 x \, dx = \int (1 - \tanh^2 x) \text{sech}^2 x \, dx = \tanh x - \tfrac{1}{3}\tanh^3 x + C$

10. $\displaystyle\int e^x \cosh x \, dx = \int e^x \left(\frac{e^x + e^{-x}}{2}\right) dx = \frac{1}{2}\int (e^{2x} + 1) \, dx = \frac{1}{4}e^{2x} + \frac{1}{2}x + C$

11. $\displaystyle\int x \sinh x \, dx = \int x \left(\frac{e^x - e^{-x}}{2}\right) dx = \frac{1}{2}\int xe^x \, dx - \frac{1}{2}\int xe^{-x} \, dx$

$$= \frac{1}{2}(xe^x - e^x) - \frac{1}{2}(-xe^{-x} - e^{-x}) + C = x\left(\frac{e^x + e^{-x}}{2}\right) - \frac{e^x - e^{-x}}{2} + C$$

$$= x \cosh x - \sinh x + C$$

12. $\int \dfrac{dx}{\sqrt{4x^2-9}} = \dfrac{1}{2}\cosh^{-1}\dfrac{2x}{3} + C$ **13.** $\int \dfrac{dx}{9x^2-25} = -\dfrac{1}{15}\coth^{-1}\dfrac{3x}{5} + C$

14. Bestimme $\int \sqrt{x^2+4}\,dx$! Es sei $x = 2\sinh z$, dann gilt $dx = 2\cosh z\,dz,\ \sqrt{x^2+4} = 2\cosh z$ und

$$\int \sqrt{x^2+4}\,dx = 4\int \cosh^2 z\,dz = 2\int (\cosh 2z + 1)\,dz = \sinh 2z + 2z + C$$

$$= 2\sinh z\cosh z + 2z + C = \tfrac{1}{2}x\sqrt{x^2+4} + 2\sinh^{-1}\tfrac{1}{2}x + C.$$

15. Bestimme $\int \dfrac{dx}{x\sqrt{1-x^2}}$! Es sei $x = \operatorname{sech} z$, dann gilt $dx = -\operatorname{sech} z\tanh z\,dz,\ 1-x^2 = \tanh z$ und

$$\int \dfrac{dx}{x\sqrt{1-x^2}} = -\int \dfrac{\operatorname{sech} z\tanh z}{\operatorname{sech} z\tanh z}\,dz = -\int dz = -z + C = -\operatorname{sech}^{-1} x + C.$$

ERGÄNZUNGSAUFGABEN

16. $\int \sinh 3x\,dx = \tfrac{1}{3}\cosh 3x + C$

17. $\int \cosh\tfrac{1}{4}x\,dx = 4\sinh\tfrac{1}{4}x + C$

18. $\int \coth\tfrac{3}{2}x\,dx = \tfrac{2}{3}\ln|\sinh\tfrac{3}{2}x| + C$

19. $\int \operatorname{cosech}{}^2(1+3x)\,dx = -\tfrac{1}{3}\coth(1+3x) + C$

20. $\int \operatorname{sech} 2x\tanh 2x\,dx = -\tfrac{1}{2}\operatorname{sech} 2x + C$

21. $\int \operatorname{cosech} x\,dx = \ln\sqrt{\dfrac{\cosh x - 1}{\cosh x + 1}} + C$

22. $\int \cosh^2\tfrac{1}{2}x\,dx = \tfrac{1}{2}(\sinh x + x) + C$

23. $\int \coth^2 3x\,dx = x - \tfrac{1}{3}\coth 3x + C$

24. $\int \sinh^3 x\,dx = \tfrac{1}{3}\cosh^3 x - \cosh x + C$

25. $\int e^x \sinh x\,dx = \tfrac{1}{4}e^{2x} - \tfrac{1}{2}x + C$

26. $\int e^{2x}\cosh x\,dx = \tfrac{1}{6}e^{3x} + \tfrac{1}{2}e^x + C$

27. $\int x\cosh x\,dx = x\sinh x - \cosh x + C$

28. $\int x^2 \sinh x\,dx = (x^2+2)\cosh x - 2x\sinh x + C$

29. $\int \sinh^3 x\cosh^2 x\,dx = \tfrac{1}{5}\cosh^5 x - \tfrac{1}{3}\cosh^3 x + C$

30. $\int \sinh x\ln\cosh^2 x\,dx = \cosh x(\ln\cosh^2 x - 2) + C$

31. $\int \dfrac{dx}{\sqrt{x^2+9}} = \sinh^{-1}\dfrac{x}{3} + C$

32. $\int \dfrac{dx}{\sqrt{x^2-25}} = \cosh^{-1}\dfrac{x}{5} + C$

33. $\int \dfrac{dx}{4-9x^2} = \tfrac{1}{6}\tanh^{-1}\dfrac{3}{2}x + C$

34. $\int \dfrac{dx}{16x^2-9} = -\dfrac{1}{12}\coth^{-1}\dfrac{4}{3}x + C$

35. $\int \sqrt{x^2-9}\,dx = \tfrac{1}{2}x\sqrt{x^2-9} - \dfrac{9}{2}\cosh^{-1}\dfrac{x}{3} + C$

36. $\int \dfrac{dx}{\sqrt{x^2-2x+17}} = \sinh^{-1}\dfrac{x-1}{4} + C$

37. $\int \dfrac{dx}{4x^2+12x+5} = -\dfrac{1}{4}\coth^{-1}\left(x+\dfrac{3}{2}\right) + C$

38. $\int \dfrac{x^2}{(x^2+4)^{3/2}}\,dx = \sinh^{-1}\tfrac{1}{2}x - \dfrac{x}{\sqrt{x^2+4}} + C$

39. $\int \dfrac{\sqrt{x^2+1}}{x^2}\,dx = \sinh^{-1}x - \dfrac{\sqrt{1+x^2}}{x} + C$

KAPITEL 32

Anwendungen von unbestimmten Integralen

IST DIE GLEICHUNG $y = f(x)$ einer Kurve bekannt, so ist die Steigung m in irgendeinem ihrer Punkte $P(x, y)$ durch $m = f'(x)$ gegeben. Ist umgekehrt die Steigung einer Kurve in einem ihrer Punkte $P(x, y)$ durch $m = dy/dx = f'(x)$ gegeben, so ergibt sich durch Integration eine Kurvenschar $y = f(x) + C$. Um eine bestimmte Kurve dieser Schar angeben zu können, muß der entsprechende Wert von C bestimmt werden. Dies kann man erreichen, indem man vorschreibt, daß die Kurve durch einen gegebenen Punkt gehen soll.

Siehe Aufgaben 1–4!

EINE GLEICHUNG $s = f(t)$, wobei s die Entfernung zur Zeit t eines Körpers von einem festen Punkt seines (geradlinigen) Weges ist, beschreibt die Bewegung des Körpers vollständig. Die Geschwindigkeit und Beschleunigung zur Zeit t ist durch

$$v = \frac{ds}{dt} = f'(t) \quad \text{und} \quad a = \frac{dv}{dt} = \frac{d^2s}{dt^2} = f''(t) \text{ gegeben.}$$

Ist umgekehrt die Geschwindigkeit (Beschleunigung) zur Zeit t und der Ort (Ort und Geschwindigkeit) zu einem gewissen Zeitpunkt t_0, i.a. für $t_0 = 0$, bekannt, so kann man daraus die Bewegungsgleichung berechnen.

Siehe Aufgaben 7–10!

AUFGABEN MIT LÖSUNGEN

1. Gib die Gleichung der Kurvenschar an, deren Steigung in irgendeinem Punkt gleich der negativen doppelten Abszisse des Punktes ist! Bestimme die Kurve der Schar, die durch den Punkt $(1, 1)$ geht!

   Es muß $dy/dx = -2x$ gelten. Daraus folgt $dy = -2x\,dx$, $\int dy = \int -2x\,dx$ und $y = -x^2 + C$. Es ergibt sich eine Parabelschar.

   Setzen wir $x = 1$ und $y = 1$ in die Gleichung der Schar ein, so ergibt sich $1 = -1 + C$, also $C = 2$.

   Die Gleichung der Kurve der Schar, die durch den Punkt $(1, 1)$ geht, ist $y = -x^2 + 2$.

2. Gib die Gleichung der Kurvenschar an, deren Steigung in irgendeinem Punkt $P(x, y)$ gleich $m = 3x^2y$ ist! Bestimme die Gleichung der Kurve der Schar, die durch den Punkt $(0, 8)$ geht!

   $m = \dfrac{dy}{dx} = 3x^2y$ oder $\dfrac{dy}{y} = 3x^2\,dx$. Daraus folgt $\ln y = x^3 + C = x^3 + \ln c$ und $y = ce^{x^3}$.

   Für $x = 0$ und $y = 8$ ergibt sich $8 = ce^0 = c$. Die Gleichung der gesuchten Kurve ist $y = 8e^{x^3}$.

3. In jedem Punkt einer gewissen Kurve gilt $y'' = x^2 - 1$. Bestimme ihre Gleichung, wenn sie durch den Punkt $(1, 1)$ geht und dort Tangente zur Geraden $x + 12y = 13$ ist.

   $\dfrac{d^2y}{dx^2} = \dfrac{d}{dx}(y') = x^2 - 1$. Also gilt $\int \dfrac{d}{dx}(y')\,dx = \int (x^2 - 1)\,dx$ und $y' = \dfrac{x^3}{3} - x + C_1$.

   In $(1, 1)$ ist die Steigung y' der Kurve gleich $-\frac{1}{12}$. Also folgt $-\frac{1}{12} = \frac{1}{3} - 1 + C_1$, d.h., $C_1 = \frac{7}{12}$, und

   $$y' = \frac{dy}{dx} = \tfrac{1}{3}x^3 - x + \tfrac{7}{12}, \quad \int dy = \int (\tfrac{1}{3}x^3 - x + \tfrac{7}{12})\,dx, \quad y = \tfrac{1}{12}x^4 - \tfrac{1}{2}x^2 + \tfrac{7}{12}x + C_2.$$

   In $(1, 1)$ gilt $1 = \frac{1}{12} - \frac{1}{2} + \frac{7}{12} + C_2$, also folgt $C_2 = \frac{5}{6}$. Die gesuchte Gleichung ist $y = \frac{1}{12}x^4 - \frac{1}{2}x^2 + \frac{7}{12}x + \frac{5}{6}$.

4. Eine Schar von *orthogonalen Trajektorien* einer gegebenen Kurvenschar ist ein anderes System von Kurven, die jede der gegebenen Schar rechtwinklig schneiden. Bestimme die Gleichungen der orthogonalen Trajektorien der Hyperbelschar $x^2 - y^2 = c$!

159

In irgendeinem Punkt $P(x, y)$ ist die Steigung der Hyperbel durch diesen Punkt gleich $m_1 = x/y$. Damit ist die Steigung des orthogonalen Trajektors durch P gleich $m_2 = dy/dx = -y/x$. Also gilt

$$\frac{dy}{y} = -\frac{dx}{x}, \quad \ln|y| = -\ln|x| + \ln C' \quad \text{und} \quad |xy| = C'.$$

Die gesuchte Gleichung ist $xy = \pm C'$ oder $xy = C$.

5. Eine gewisse Menge q wächst mit einer Geschwindigkeit, die proportional zu q ist. Für $t = 0$ ist $q = 25$ und für $t = 2$ ist $q = 75$. Bestimme q für $t = 6$!

Aus $\dfrac{dq}{dt} = kq$ folgt $\dfrac{dq}{q} = k\,dt$. Also gilt $\ln q = kt + \ln c$ oder $q = ce^{kt}$.

Für $t = 0$: $q = 25 = ce^0 = c$; da $q = 25e^{kt}$.

Für $t = 2$: $q = 25e^{2k} = 75$; damit folgt $e^{2k} = 3 = e^{1,10}$ und $k = 0,55$

Für $t = 6$: $q = 25e^{0,55t} = 25e^{3,3} = 25(e^{1,1}) = 25 \cdot 27 = 675$.

6. Eine Substanz wird in eine andere umgewandelt und zwar mit einer Geschwindigkeit, die proportional zur nicht umgewandelten Menge ist.

Die Menge sei 50 zur Zeit $t = 0$ und 25 zur Zeit $t = 3$. Wann bleibt $\frac{1}{10}$ der Substanz nicht umgewandelt übrig?

Es sei q die Menge, die in der Zeit t umgewandelt wird. Dann gilt

$$\frac{dq}{dt} = k(50 - q), \quad \frac{dq}{50 - q} = k\,dt, \quad \ln(50 - q) = -kt + \ln c, \quad \text{und} \quad 50 - q = ce^{-kt}.$$

Für $t = 0$ gilt $q = 0$, und $c = 50$. Damit gilt $50 - q = 50e^{-kt}$.

Für $t = 3$ gilt $50 - q = 25 = 50e^{-3k}$; daraus folgt $e^{-3k} = 0,5 = e^{-0,69}$, $k = 0,23$ und $50 - q = 50e^{-0,23t}$

Ist die nicht umgewandelte Menge gleich 5, so gilt $50e^{-0,23t} = 5$, also $e^{-0,23t} = 0,1 = e^{-2,30}$ und damit $t = 10$.

7. Ein Ball rollt mit der Anfangsgeschwindigkeit von 7,5 m/sec über einen ebenen Rasen. Wegen der Reibung nimmt die Geschwindigkeit mit 1,8 m/sec² ab. Wie weit rollt der Ball?

$\dfrac{dv}{dt} = -1,8$, also $v = -1,8t + C_1$. Für $t = 0$ ist $v = 7,5$, also $C_1 = 7,5$ und damit $v = -1,8t + 7,5$.

$v = ds/dt = -1,8t + 7,5$, also $s = -0,9t^2 + 7,5t + C_2$. Für $t = 0$ ist $s = 0$, also $C_2 = 0$ und damit $s = -0,9t^2 + 7,5t$.

Aus $v = 0$ folgt $t = 25/6$. Der Ball rollt 25/6 sec., bevor er liegen bleibt.

Für $t = 25/6$ gilt $s = (-0,9)(25/6)^2 + (7,5)(25/6) = 125/8$ m.

8. Von einem stillstehenden Ballon aus, der 3000 m hoch ist, wird ein Stein mit einer Geschwindigkeit von 14,4 m/sec nach unten geworfen. Gib den Ort des Steines nach 20 sec Fallzeit an und bestimme seine Geschwindigkeit zu diesem Zeitpunkt!

Als positive Richtung nehmen wir die Aufwärtsrichtung.

Zur Zeit $t = 0$ gilt $a = dv/dt = -9,8$ m/sec², also $v = -9,8t + C_1$ und $v = -14,4$. Also folgt $C_1 = -14,4$.

Damit gilt $v = ds/dt = -9,8t - 14,4$ und $s = -4,9t^2 - 14,4t + C_2$.

Für $t = 0$ ist $s = 3000$, also $C_2 = 3000$ und damit $s = -4,9t^2 + 3000$.

Für $t = 20$ gilt $s = (-4,9)400 - (14,4)20 + 3000 = 752$ und $v = (-9,8)20 - 14,4 = -210,4$.

Nach 20 sec ist der Stein 752 m über dem Erdboden und hat eine Geschwindigkeit von 210,4 m/sec.

9. Ein Ball wird in 192 m Höhe aus einem mit der Geschwindigkeit 14,4 m/sec steigenden Ballon fallengelassen. Bestimme

(a) die größte Höhe, die der Ball erreicht hat,

(b) die Gesamtzeit, die er fiel,

(c) die Geschwindigkeit, die er beim Aufprall auf den Boden hat!

Als positive Richtung nehmen wir die Aufwärtsrichtung. Dann gilt

$$a = dv/dt = -9,8 \text{ m/sec}^2, \quad \text{also} \quad v = -9,8t + C_1.$$

Für $t = 0$ gilt $v = 14,4$; also folgt $C_1 = 14,4$, $v = ds/dt = -9,8t + 14,4$ und $s = -4,9t^2 + 14,4t + C_2$.

Für $t = 0$ gilt $s = 192$, also $C_2 = 192$ und $s = -4,9t^2 + 14,4t + 192$.

(a) Aus $v = 0$ folgt $t = 3/2$ und damit $s = (-4,9)(3/2)^2 + (14,4)(3/2) + 192 = 203,6$. Die größte erreichte Höhe ist 203,6 m.

(b) Aus $s = 0$ folgt $-4,9t^2 + 14,4t + 192 = 0$ und daraus $t = 7,9$ ($t > 0$!). Der Ball fällt 7,9 sec!

(c) Für $t = 7,9$ gilt $v = (-9,8)(7,9) + 14,4 = -63,1$. Der Ball schlägt mit einer Geschwindigkeit von 63,1 m/sec auf.

10. Die Geschwindigkeit, mit der Wasser aus einer kleinen, h m unter der Oberfläche liegenden Öffnung fließt, ist durch $0,6\sqrt{2gh}$ m/sec gegeben ($g = 9,8$ m/sec^2). Bestimme die Zeit, die benötigt wird, um ein aufrecht stehendes zylindrisches Faß (Höhe 1,43 m, Radius 0,3 m) durch ein Loch in Boden zu entleeren, das 2 cm Durchmesser hat!

Die Wasseroberfläche habe zur Zeit t eine Höhe von h m. Das Wasser, das dann in der Zeit dt ausfließt, bildet einen Zylinder von der Höhe $v\,dt$ m, dem Radius 0,01 m und dem Volumen

$$(0,01)^2\,v\,dt = 0,6\,(0,1)^2\sqrt{2gh}\,dt\ \text{m}^3.$$

Die Wasseroberfläche falle entsprechend um $-dh$ m. Die Volumenänderung ist dann $-(0,30)^2\,dh$ m^3. Also gilt

$$dt = -\frac{1500}{\sqrt{19,6}} = \frac{dh}{\sqrt{h}}\ \text{ und }\ t = -\frac{3000}{\sqrt{19,6}}\sqrt{h}+C.$$

Für $t = 0$ gilt $h = 1,43$, also $C = \dfrac{3000}{\sqrt{19,6}}\,1,43 = 3000\,(0,27) = 810$ und damit $t = -\dfrac{3000}{\sqrt{19,6}}\sqrt{h}+810$

Das Faß ist leer, wenn $h = 0$ ist. Also folgt $t = 810$ sec $= 13,5$ min.

ERGÄNZUNGSAUFGABEN

11. Bestimme die Gleichung der Kurvenschar, die die gegebene Steigung hat, und die Gleichung der Kurve der Familie, die durch den gegebenen Punkt geht!

(a) $m = 4x$; (1, 5)   (c) $m = (x-1)^3$; (3, 0)   (e) $m = x/y$; (4, 2)   (g) $m = 2y/x$; (2, 8)

(b) $m = \sqrt{x}$; (9, 18)   (d) $m = 1/x^2$; (1, 2)   (f) $m = x^2/y^3$; (3, 2)   (h) $m = xy/(1+x^2)$; (3, 5)

Lsg. (a) $y = 2x^2 + C$; $y = 2x^2 + 3$ (e) $x^2 - y^2 = C$; $x^2 - y^2 = 12$

(b) $3y = 2x^{3/2} + C$; $3y = 2x^{3/2}$ (f) $3y^4 = 4x^3 + C$; $3y^4 = 4x^3 - 60$

(c) $4y = (x-1)^4 + C$; $4y = (x-1)^4 - 16$ (g) $y = Cx^2$; $y = 2x^2$

(d) $xy = Cx - 1$; $xy = 3x - 1$ (h) $y^2 = C(1 + x^2)$; $2y^2 = 5(1 + x^2)$

12. (a) Für eine gewisse Kurve gilt $y'' = 2$. Bestimme ihre Gleichung, wenn sie durch $P(2, 6)$ geht und dort die Steigung 10 hat! Lsg. $y = x^2 + 6x - 10$.

(b) Für eine gewisse Kurve gilt $y'' = 6x - 8$. Bestimme ihre Gleichung, wenn sie durch $P(1, 0)$ geht und dort die Steigung 4 hat! Lsg. $y = x^3 - 4x^2 + 9x - 6$.

13. Ein Massenteilchen bewegt sich mit der gegebenen Geschwindigkeit v auf einer Geraden, wobei es für $t = 0$ im Punkt O ist. Bestimme die Entfernung, die es in dem Zeitintervall zwischen $t = t_1$ und $t = t_2$ zurückgelegt hat!

(a) $v = 4t + 1$; 0, 4   (c) $v = 3t^2 + 2t$; 2, 4   (e) $v = 2t - 2$; 0, 5

(b) $v = 6t + 3$; 1, 3   (d) $v = \sqrt{t} + 5$; 4, 9   (f) $v = t^2 - 3t + 2$; 0, 4

Lsg. (a) 36, (b) 30, (c) 68, (d) $37\frac{2}{3}$, (e) 17, (f) 17/3.

14. Bestimme die Gleichung der Kurvenschar, deren Subtangente in irgendeinem Punkt gleich zweimal der Abszisse in diesem Punkt ist! Lsg. $y^2 = Cx$.

15. Bestimme die Gleichung der Schar von orthogonalen Trajektoren der Parabeln $y^2 = 2x + C$! Lsg. $y = Ce^{-x}$.

16. Ein Teilchen bewegt sich vom Nullpunkt ($t = 0$) auf einer Geraden mit gegebener Anfangsgeschwindigkeit v_0 und der Beschleunigung a. Bestimme s zur Zeit t!

(a) $a = 32$; $v_0 = 2$ (b) $a = -32$; $v_0 = 96$ (c) $a = 12t^2 + 6t$; $v_0 = -3$ (d) $a = 1/\sqrt{t}$; $v_0 = 4$

Lsg. (a) $s = 16t^2 + 2t$ (b) $s = -16t^2 + 96t$ (c) $s = t^4 + t^3 - 3t$ (d) $s = \frac{4}{3}(t^{3/2} + 3t)$

17. Ein Auto bremst mit 1 m/sec^2. Wie weit fährt es, bevor es zum Stehen kommt, wenn es eine Geschwindigkeit von 36 km/h hatte? Lsg. 50 m.

18. 34,30 m über dem Boden wird ein Teilchen mit einer Anfangsgeschwindigkeit von 29,40 m/sec senkrecht nach oben geschossen. (a) Wie schnell ist es, wenn es 73,50 m über dem Boden ist? (b) Wann erreicht es den höchsten Punkt seiner Bahn? (c) Mit welcher Geschwindigkeit schlägt es auf dem Boden auf?
Lsg. (a) 9,8 m/sec, (b) nach 3 sec, (c) 39,2 m/sec.

19. Ein Eisblock rutscht eine Gleitbahn mit einer Beschleunigung von 1,2 m/sec^2 hinab. Die Bahn ist 18 m lang, und das Eis erreicht nach 5 sec die Erde. Wie groß war die Anfangsgeschwindigkeit und die Geschwindigkeit, nachdem es 12 m gerutscht ist? Lsg. 0,6 m/sec; 5,4 m/sec.

20. Welche konstante Beschleunigung ist nötig, um (a) ein Teilchen in 5 sec 15 m weit zu bewegen (b) ein Teilchen mit einer Geschwindigkeit von 13,5 m/sec nach 4,5 m zum Stehen zu bringen? Lsg. (a) 1,2 m/sec^2 (b) -20 1/4 m/sec^2

21. Die Bakterien in einer gewissen Kultur vermehren sich nach dem Gesetz $dN/dt = 0,25N$. Bestimme N für $t = 8$, wenn am Anfang $N = 200$ ist! Lsg. 1478.

KAPITEL 33

Das bestimmte Integral

DAS BESTIMMTE INTEGRAL. Es sei $a \leqq x \leqq b$ ein Intervall, in dem eine gegebene Funktion $f(x)$ stetig ist. Wir unterteilen das Intervall in n Teilintervalle $h_1, h_2, \ldots, h_n$, indem wir $n-1$ Punkte $\xi_1, \xi_2, \ldots, \xi_{n-1}$ mit $a < \xi_1 < \xi_2 < \cdots < \xi_{n-1} < b$ einfügen und $\xi_0 = a$ und $\xi_n = b$ setzen. Die Länge des Teil-

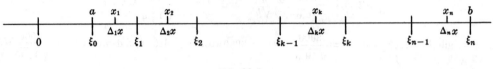

Abb. 33-1

intervalls h_1 sei $\Delta_1 x = \xi_1 - \xi_0$, die von h_2 sei $\Delta_2 x = \xi_2 - \xi_1, \ldots$, und die von h_n sei $\Delta_n x = \xi_n - \xi_{n-1}$. In jedem Teilintervall wählen wir einen Punkt (x_1 in Teilintervall h_1, x_2 in $h_2, \ldots, x_n$ in h_n) und bilden die Summe

(i) $$S_n = \sum_{k=1}^{n} f(x_k)\,\Delta_k x = f(x_1)\,\Delta_1 x + f(x_2)\,\Delta_2 x + \cdots + f(x_n)\,\Delta_n x$$

Dabei ist jeder Summand das Produkt der Länge des Teilintervalls mit dem Wert der Funktion in dem gewählten Punkt des Teilintervalls. Es sei λ_n die Länge des größten Teilintervalls, das in (i) auftritt. Nun vergrößern wir die Anzahl der Teilintervalle immer mehr, wobei $\lambda_n \to 0$ gelten soll (etwa durch fortgesetzte Halbierung der Teilintervalle). Dann existiert

(ii) $$\lim_{n \to +\infty} S_n = \lim_{n \to +\infty} \sum_{k=1}^{n} f(x_k)\,\Delta_k x$$

und ist für alle Unterteilungen der obigen Art von $a \leqq x \leqq b$ und für beliebige Wahl der x_k in den Teilintervallen derselbe, vorausgesetzt, es gilt $\lambda_n \to 0$.

Wir wollen diesen Satz nicht beweisen. In den Aufgaben 1-3 wird der Grenzwert für bestimmte Funktionen $f(x)$ berechnet. Im allgemeinen ist jedoch die direkte Berechnung des Grenzwerts zu schwierig. Um ihn bei den Aufgaben berechnen zu können, muß man bestimmte Unterteilungen wählen (wir nehmen die Teilintervalle gleich lang) und die Punkte in den Teilintervallen geschickt wählen (etwa den linken oder rechten Eckpunkt oder den Mittelpunkt des Teilintervalls).

Wir schreiben

$$\int_a^b f(x)\,dx = \lim_{n \to +\infty} S_n = \lim_{n \to +\infty} \sum_{k=1}^{n} f(x_k)\,\Delta_k x.$$

Das Symbol $\int_a^b f(x)\,dx$ liest man: „das *bestimmte Integral* von $f(x)$ bezüglich x in den Grenzen $x = a$ und $x = b$". Die Funktion $f(x)$ heißt der *Integrand*, und a und b sind die *untere* und *obere Integrationsgrenze*.

Siehe Aufgaben 1-3!

EIGENSCHAFTEN DES BESTIMMTEN INTEGRALS. Sind $f(x)$ und $g(x)$ im Integrationsintervall $a \leqq x \leqq b$ stetig, so gilt

1. $\displaystyle\int_a^a f(x)\,dx \;=\; 0$

2. $\displaystyle\int_a^b f(x)\,dx \;=\; -\int_b^a f(x)\,dx$

3. $\displaystyle\int_a^b c\,f(x)\,dx \;=\; c\int_a^b f(x)\,dx$ für jede Konstante c.

In Aufgabe 4 steht ein Beweis der obigen Regeln.

4. $\displaystyle\int_a^b \{f(x) \pm g(x)\}\,dx \;=\; \int_a^b f(x)\,dx \;\pm\; \int_a^b g(x)\,dx$

5. $\displaystyle\int_a^c f(x)\,dx \;+\; \int_c^b f(x)\,dx \;=\; \int_a^b f(x)\,dx$,   wenn $a < c < b$.

6. Der erste Mittelwertsatz:

$$\int_a^b f(x)\,dx \;=\; (b-a)\,f(x_0) \quad \text{für mindestens einen Wert } x = x_0 \text{ zwischen } a \text{ und } b.$$

Ein Beweis steht in Aufgabe 5.

7. Ist $\displaystyle F(u) = \int_a^u f(x)\,dx$, so gilt $\dfrac{d}{du}F(u) = f(u)$.   Ein Beweis steht in Aufgabe 6.

HAUPTSATZ DER INTEGRALRECHNUNG. Ist $f(x)$ im Intervall $a \leqq x \leqq b$ stetig, und ist $F(x)$ irgendein unbestimmtes Integral von $f(x)$, so gilt

$$\int_a^b f(x)\,dx \;=\; F(x)\Big|_a^b \;=\; F(b) - F(a).$$

Ein Beweis steht in Aufgabe 7.

Beispiel 1:

(a) Es sei $f(x) = c$ (c Konstante) und $F(x) = cx$; dann gilt $\displaystyle\int_a^b c\,dx = cx\Big|_a^b = c(b-a)$.

(b) Es sei $f(x) = x$ und $F(x) = \tfrac{1}{2}x^2$; dann gilt $\displaystyle\int_0^5 x\,dx = \frac{1}{2}x^2\Big|_0^5 = \frac{25}{2} - 0 = \frac{25}{2}$.

(c) Es sei $f(x) = x^3$ und $F(x) = \tfrac{1}{4}x^4$; dann gilt $\displaystyle\int_1^3 x^3\,dx = \frac{1}{4}x^4\Big|_1^3 = \frac{81}{4} - \frac{1}{4} = 20$.

Siehe auch die Ergebnisse in den Aufgaben 1-3! Man zeige auch, daß ein beliebiges unbestimmtes Integral von $f(x)$ benutzt werden kann, indem man in (c) $F(x) = \tfrac{1}{4}x^4 + C$ benutzt.

Siehe Aufgaben 8–20!

DER SATZ VON BLISS. Sind $f(x)$ und $g(x)$ im Intervall $a \leqq x \leqq b$ stetig, wird das Intervall wie oben in Teilintervalle unterteilt, und werden in jedem Teilintervall zwei Punkte gewählt (d.h., x_k und x_k' im k-ten Teilintervall), dann gilt

$$\lim_{n \to +\infty} \sum_{k=1}^n f(x_k) \cdot g(x_k')\,\Delta_k x \;=\; \int_a^b f(x) \cdot g(x)\,dx.$$

Wir bemerken zuerst, daß der Satz richtig ist, wenn die x_k gleich den x_k' sind. Die Stärke des Satzes liegt darin, daß sich hier derselbe Grenzwert ergibt wie in dem Fall, in dem die x_k gleich den x_k' sind. Eine intuitive Idee des Beweises bekommt man, wenn man schreibt

$$\sum_{k=1}^n f(x_k) \cdot g(x_k')\,\Delta_k x \;=\; \sum_{k=1}^n f(x_k) \cdot g(x_k)\,\Delta_k x \;+\; \sum_{k=1}^n f(x_k)\,\{g(x_k') - g(x_k)\}\,\Delta_k x$$

und beachtet, daß mit $n \to +\infty$ (also $\Delta_k x \to 0$) die x_k und die x_k' immer näher zusammenliegen und daß wegen der Stetigkeit von $g(x)$ die Differenz $g(x_k') - g(x_k)$ gegen Null geht.

AUFGABEN MIT LÖSUNGEN

Berechne in den Aufgaben das bestimmte Integral durch Berechnung von S_n und Bestimmung des Grenzwerts für $n \to +\infty$!

1. $\displaystyle\int_a^b c \, dx = c(b-a)$, wobei c eine Konstante ist.

Das Intervall $a \leq x \leq b$ sei in n gleiche Teilintervalle der Länge $\Delta x = (b-a)/n$ unterteilt. Da der Integrand $f(x) = c$ ist, gilt $f(x_k) = c$ für jeden Punkt x_k im k-ten Teilintervall, also

$$S_n = \sum_{k=1}^{n} f(x_k) \Delta_k x = \sum_{k=1}^{n} c(\Delta x) = (c + c + \cdots + c)(\Delta x) = nc \cdot \Delta x = nc \frac{b-a}{n} = c(b-a).$$

Daraus folgt $\qquad \displaystyle\int_a^b c \, dx = \lim_{n \to +\infty} S_n = \lim_{n \to +\infty} c(b-a) = c(b-a).$

2. $\displaystyle\int_0^5 x \, dx = 25/2.$

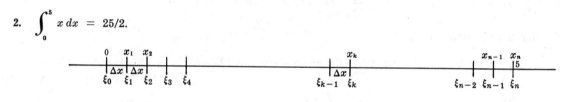

Abb. 33-2

Das Intervall $0 \leq x \leq 5$ sei in n gleiche Teilintervalle der Länge $\Delta x = 5/n$ unterteilt. Die Punkte x_k seien die rechten Endpunkte der Teilintervalle, also $x_1 = \Delta x$, $x_2 = 2\,\Delta x$, ..., $x_n = n\,\Delta x$. Dann gilt

$$S_n = \sum_{k=1}^{n} f(x_k) \Delta_k x = \sum_{k=1}^{n} (k \cdot \Delta x) \Delta x = (1 + 2 + \cdots + n)(\Delta x)^2 = \frac{n(n+1)}{2}\left(\frac{5}{n}\right)^2 = \frac{25}{2}\left(1 + \frac{1}{n}\right)$$

also $\qquad \displaystyle\int_0^5 x \, dx = \lim_{n \to +\infty} S_n = \lim_{n \to +\infty} \frac{25}{2}\left(1 + \frac{1}{n}\right) = \frac{25}{2}.$

3. $\displaystyle\int_1^3 x^3 \, dx = 20.$

Das Intervall $1 \leq x \leq 3$ sei in n Teilintervalle der Länge $\Delta x = 2/n$ unterteilt.

I.   Wir nehmen als x_k die linken Endpunkte der Teilintervalle (siehe Abb. 33-3 unten), also $x_1 = 1$, $x_2 = 1 + \Delta x$, ..., $x_n = 1 + (n-1)\Delta x$. Dann gilt

$$\begin{aligned}
S_n &= \sum_{k=1}^{n} f(x_k) \Delta_k n = x_1^3 \cdot \Delta x + x_2^3 \cdot \Delta x + \cdots + x_n^3 \cdot \Delta x \\
&= [1 + (1 + \Delta x)^3 + (1 + 2 \cdot \Delta x)^3 + \cdots + \{1 + (n-1)\Delta x\}^3] \, \Delta x \\
&= [n + 3\{1 + 2 + \cdots + (n-1)\} \Delta x + 3\{1^2 + 2^2 + \cdots + (n-1)^2\} (\Delta x)^2 \\
&\qquad + \{1^3 + 2^3 + \cdots + (n-1)^3\} (\Delta x)^3] \, \Delta x \\
&= \left[n + 3 \frac{(n-1)n}{1 \cdot 2}\left(\frac{2}{n}\right) + 3 \frac{(n-1)n(2n-1)}{1 \cdot 2 \cdot 3}\left(\frac{2}{n}\right)^2 + \frac{(n-1)^2 n^2}{(1 \cdot 2)^2}\left(\frac{2}{n}\right)^3\right]\frac{2}{n} \\
&= 2 + \left(6 - \frac{6}{n}\right) + \left(8 - \frac{12}{n} + \frac{4}{n^2}\right) + \left(4 - \frac{8}{n} + \frac{4}{n^2}\right) = 20 - \frac{26}{n} + \frac{8}{n^2}
\end{aligned}$$

also $\qquad \displaystyle\int_1^3 x^3 \, dx = \lim_{n \to +\infty}\left(20 - \frac{26}{n} + \frac{8}{n^2}\right) = 20.$

Abb. 33-3

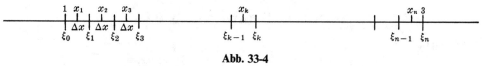

Abb. 33-4

II. Wir nehmen als x_k die Mittelpunkte der Teilintervalle (siehe Abb. 33-4 oben), also $x_1 = 1 + \frac{1}{2}\Delta x$, $x_2 = 1 + \frac{3}{2}\Delta x$, $\ldots$, $x_n = 1 + \frac{2n-1}{2}\Delta x$. Dann gilt

$$
\begin{aligned}
S_n &= \left[(1 + \tfrac{1}{2}\Delta x)^3 + (1 + \tfrac{3}{2}\Delta x)^3 + \cdots + \left(1 + \frac{2n-1}{2}\Delta x\right)^3 \right]\Delta x \\[2mm]
&= \Bigg[\{1 + 3(\tfrac{1}{2})\Delta x + 3(\tfrac{1}{2})^2(\Delta x)^2 + (\tfrac{1}{2})^3(\Delta x)^3\} + \{1 + 3(\tfrac{3}{2})(\Delta x) + 3(\tfrac{3}{2})^2(\Delta x)^2 + (\tfrac{3}{2})^3(\Delta x)^3\} + \cdots \\
&\quad + \left\{ 1 + 3\left(\frac{2n-1}{2}\right)(\Delta x) + 3\left(\frac{2n-1}{2}\right)^2(\Delta x)^2 + \left(\frac{2n-1}{2}\right)^3(\Delta x)^3 \right\}\Bigg]\Delta x \\[2mm]
&= n\left(\frac{2}{n}\right) + \frac{3}{2}n^2\left(\frac{2}{n}\right)^2 + \frac{1}{4}(4n^3 - n)\left(\frac{2}{n}\right)^3 + \frac{1}{8}(2n^4 - n^2)\left(\frac{2}{n}\right)^4 \\[2mm]
&= 2 + 6 + \left(8 - \frac{2}{n^2}\right) + \left(4 - \frac{2}{n^2}\right) = 20 - \frac{4}{n^2}
\end{aligned}
$$

und damit
$$
\int_1^3 x^3\, dx = \lim_{n \to +\infty}\left(20 - \frac{4}{n^2}\right) = 20.
$$

4. Beweise

(a) $\displaystyle \int_a^a f(x)\, dx = 0$! Hier hat das Integrationsintervall die Länge 0; also gilt $\Delta x = 0$, $S_n = 0$, und damit

$$
\int_a^a f(x)\, dx = \lim_{n \to +\infty} S_n = 0.
$$

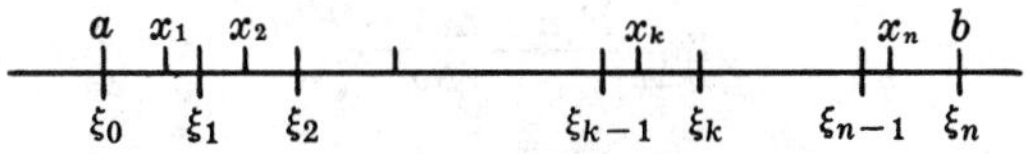

Abb. 33-5 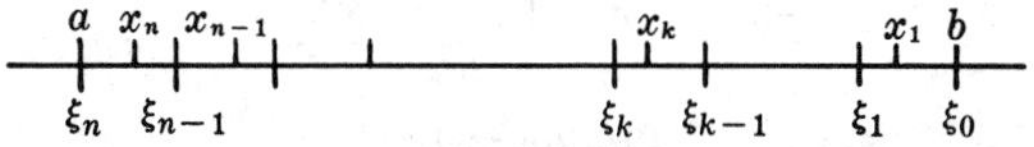   **Abb. 33-6**

(b) $\displaystyle \int_a^b f(x)\, dx = -\int_b^a f(x)\, dx$. Die Teilintervalle und die Punkte x_k seien für $\displaystyle \int_a^b f(x)\, dx$ wie in Abb. 33-5 gewählt. Für $\displaystyle \int_b^a f(x)\, dx$ sei das Intervall (Abb. 33-6) genauso unterteilt, nur die Punkte ξ_k und x_k seien von rechts nach links statt von links nach rechts numeriert. Dann ist S_n, berechnet nach Abb. 33-5, bis auf das negative Vorzeichen gleich S_n, berechnet nach Abb. 33-6. (Die $\Delta_k x$ sind beim ersten positiv und beim zweiten negativ.) Also gilt

$$
\int_a^b f(x)\, dx = -\int_b^a f(x)\, dx.
$$

(c) $\displaystyle \int_a^b c \cdot f(x)\, dx = c \int_a^b f(x)\, dx$. Für eine Unterteilung des Intervalls und für alle Punkte x_k in den Teilintervallen gilt

$$
S_n = \sum_{k=1}^n c\, f(x_k)\, \Delta_k x = c \sum_{k=1}^n f(x_k)\, \Delta_k x.
$$

Damit folgt
$$
\int_a^b c\, f(x)\, dx = c \lim_{n \to +\infty} \sum_{k=1}^n f(x_k)\, \Delta_k x = c \int_a^b f(x)\, dx.
$$

5. Beweise den ersten Mittelwertsatz der Integralrechnung! Ist $f(x)$ im Intervall $a \leq x \leq b$ stetig, dann gibt es mindestens einen Wert $x = x_0$ zwischen a und b mit $\displaystyle \int_a^b f(x)\, dx = (b - a) \cdot f(x_0)$.

Der Satz ist nach Beispiel 1(a) richtig, wenn $f(x) = c$ ist (c eine Konstante). Es sei $f(x)$ also nicht konstant und m sei der kleinste, M der größte Wert von $f(x)$ im Intervall $a \leq x \leq b$. Für jede Unterteilung des Intervalls und für jede Wahl der Punkte x_k in den Teilintervallen gilt dann

$$\sum_{k=1}^{n} m \, \Delta_k x \;\; < \;\; \sum_{k=1}^{n} f(x_k) \, \Delta_k x \;\; < \;\; \sum_{k=1}^{n} M \, \Delta_k x \, .$$

Für $n \to +\infty$ folgt

$$\int_a^b m \, dx \;\; < \;\; \int_a^b f(x) \, dx \;\; < \;\; \int_a^b M \, dx \, .$$

Daraus ergibt sich nach Aufgabe 1

$$m(b-a) \;\; < \;\; \int_a^b f(x) \, dx \;\; < \;\; M(b-a) \, .$$

Also

$$m \;\; < \;\; \frac{1}{b-a} \int_a^b f(x) \, dx \;\; < \;\; M \, .$$

Damit gilt $\dfrac{1}{b-a} \displaystyle\int_a^b f(x) \, dx = N,$ wobei N eine beliebige Zahl zwischen m und M ist. Da $f(x)$ im Intervall

$a \leqq x \leqq b$ stetig ist, nimmt die Funktion nach Satz I, Kap. 3, jeden Wert zwischen m und M mindestens einmal an. Also gibt es einen Wert von x, etwa $x = x_0$, mit $f(x_0) = N$. Daraus folgt

$$\frac{1}{b-a} \int_a^b f(x) \, dx = N = f(x_0) \quad \text{und} \quad \int_a^b f(x) \, dx = (b-a) \, f(x_0) \, .$$

6. Beweise: Ist $F(u) = \displaystyle\int_a^u f(x) \, dx$, so gilt $\dfrac{d}{du} F(u) = f(u)$!

Es gilt

$$F(u + \Delta u) - F(u) = \int_a^{u+\Delta u} f(x) \, dx - \int_a^u f(x) \, dx \, .$$

Daraus folgt mit den Eigenschaften 2, 5 und 6

$$F(u + \Delta u) - F(u) = \int_u^a f(x) \, dx + \int_a^{u+\Delta u} f(x) \, dx = \int_u^{u+\Delta u} f(x) \, dx$$
$$= f(u_0) \cdot \Delta u, \quad \text{wobei} \quad u < u_0 < u + \Delta u$$

Also gilt $\dfrac{F(u + \Delta u) - F(u)}{\Delta u} = f(u_0)$ und damit $\dfrac{dF}{du} = \lim_{\Delta u \to 0} \dfrac{F(u + \Delta u) - F(u)}{\Delta u} = \lim_{\Delta u \to 0} f(u_0) = f(u)$,

da $u_0 \to u$ für $\Delta u \to 0$.

Diese Eigenschaft schreibt man häufiger auf folgende Art:

(i)   Aus $F(x) = \displaystyle\int_a^x f(x) \, dx$ folgt $F'(x) = f(x)$.

Wir benutzen oben den Buchstaben u nur, damit nicht die verschiedenen x verwechselt werden können. Man muß in (i) beachten, daß $F(x)$ eine Funktion der oberen Integrationsgrenze x ist und nicht eine der *scheinbaren* Veränderlichen x in $f(x) \, dx$. Die Eigenschaft kann mit anderen Werten auch so geschrieben werden:

Aus $F(x) = \displaystyle\int_a^x f(t) \, dt$ folgt $F'(x) = f(x)$.

Aus (i) ergibt sich, daß $F(x)$ ein unbestimmtes Integral von $f(x)$ ist.

7. Beweise: Ist $f(x)$ im Intervall $a \leqq x \leqq b$ stetig und ist $F(x)$ irgendein unbestimmtes Integral von $f(x)$, so gilt

$$\int_a^b f(x) \, dx = F(b) - F(a) \; !$$

Wir benutzen die letzte Aussage von Aufgabe 6 und erhalten

$$\int_a^x f(x) \, dx = F(x) + C \, .$$

Setzen wir $x = a$, so folgt

$$\int_a^a f(x) \, dx = 0 = F(a) + C, \text{ also } C = -F(a) \, .$$

Damit folgt $\displaystyle\int_a^x f(x) \, dx = F(x) - F(a)$ und für $x = b$ ergibt sich wie gefordert:

$$\int_a^b f(x) \, dx = F(b) - F(a) \, .$$

Berechne mit dem Hauptsatz der Integralrechnung die folgenden Integrale!

8. $\int_{-1}^{1} (2x^2 - x^3)\, dx = \left[\dfrac{2x^3}{3} - \dfrac{x^4}{4}\right]_{-1}^{1} = \left(\dfrac{2}{3} - \dfrac{1}{4}\right) - \left(-\dfrac{2}{3} - \dfrac{1}{4}\right) = \dfrac{4}{3}$

9. $\int_{-3}^{-1} \left(\dfrac{1}{x^2} - \dfrac{1}{x^3}\right) dx = \left[-\dfrac{1}{x} + \dfrac{1}{2x^2}\right]_{-3}^{-1} = \left(1 + \dfrac{1}{2}\right) - \left(\dfrac{1}{3} + \dfrac{1}{18}\right) = \dfrac{10}{9}$

10. $\int_{1}^{4} \dfrac{dx}{\sqrt{x}} = 2\sqrt{x}\,\Big]_{1}^{4} = 2(\sqrt{4} - \sqrt{1}) = 2$

11. $\int_{-2}^{3} e^{-x/2}\, dx = -2e^{-x/2}\,\Big]_{-2}^{3} = -2(e^{-3/2} - e) = 4{,}9904$

12. $\int_{-6}^{-10} \dfrac{dx}{x+2} = \ln|x+2|\,\Big]_{-6}^{-10} = \ln 8 - \ln 4 = \ln 2$

13. $\int_{\pi/2}^{3\pi/4} \sin x\, dx = -\cos x\,\Big]_{\pi/2}^{3\pi/4} = -\left(-\dfrac{1}{2}\sqrt{2} - 0\right) = \dfrac{1}{2}\sqrt{2}$

14. $\int_{-2}^{2} \dfrac{dx}{x^2+4} = \dfrac{1}{2}\arctan\dfrac{1}{2}x\,\Big]_{-2}^{2} = \dfrac{1}{2}\left[\dfrac{1}{4}\pi - \left(-\dfrac{1}{4}\pi\right)\right] = \dfrac{1}{4}\pi$

15. $\int_{-5}^{-3} \sqrt{x^2-4}\, dx = \left[\dfrac{1}{2}x\sqrt{x^2-4} - 2\ln|x+\sqrt{x^2-4}|\right]_{-5}^{-3} = \dfrac{5}{2}\sqrt{21} - \dfrac{3}{2}\sqrt{5} - 2\ln\dfrac{3-\sqrt{5}}{5-\sqrt{21}}$

16. $\int_{-1}^{2} \dfrac{dx}{x^2-9} = \dfrac{1}{6}\ln\left|\dfrac{x-3}{x+3}\right|\,\Big]_{-1}^{2} = \dfrac{1}{6}\left(\ln\dfrac{1}{5} - \ln 2\right) = \dfrac{1}{6}\ln 0{,}1$

17. $\int_{1}^{e} \ln x\, dx = \Big[x\ln x - x\Big]_{1}^{e} = (e\ln e - e) - (\ln 1 - 1) = 1$

18. Bestimme $\int_{3}^{6} xy\, dx$, wenn $x = 6\cos\theta$, $y = 2\sin\theta$ gilt!

Wir drücken x, y, und dx durch die Parameter θ und $d\theta$ aus und ändern die Grenzen entsprechend. Dann berechnen wir das sich ergebende Integral!

$dx = -6\sin\theta\, d\theta$. Aus $x = 6\cos\theta = 6$ folgt $\theta = 0$; aus $x = 6\cos\theta = 3$ folgt $\theta = \pi/3$. Also gilt

$$\int_{3}^{6} xy\, dx = \int_{\pi/3}^{0} (6\cos\theta)(2\sin\theta)(-6\sin\theta)\, d\theta$$

$$= -72\int_{\pi/3}^{0} \sin^2\theta\cos\theta\, d\theta = -24\sin^3\theta\,\Big]_{\pi/3}^{0} = -24\{0 - (\sqrt{3}/2)^3\} = 9\sqrt{3}.$$

19. Bestimme $\int_{0}^{2\pi/3} \dfrac{d\theta}{5 + 4\cos\theta}$. $\quad \int \dfrac{d\theta}{5+4\cos\theta} = \int \dfrac{\dfrac{2\,dz}{1+z^2}}{5 + 4\dfrac{1-z^2}{1+z^2}} = \int \dfrac{2\,dz}{9+z^2}$!

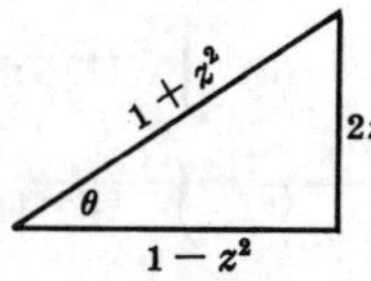

Bestimmung der z-Integrationsgrenzen ($\theta = 2\arctan z$): Für $\theta = 0$ gilt $z = 0$; für $\theta = 2\pi/3$ gilt $\arctan z = \pi/3$. Damit folgt:

$$\int_{0}^{2\pi/3} \dfrac{d\theta}{5+4\cos\theta} = 2\int_{0}^{\sqrt{3}} \dfrac{dz}{9+z^2} = \dfrac{2}{3}\arctan\dfrac{z}{3}\,\Big]_{0}^{\sqrt{3}} = \dfrac{\pi}{9}.$$

Abb. 33-7

20. Bestimme $\displaystyle\int_0^{\pi/3} \frac{dx}{1-\sin x}$. $\displaystyle\int \frac{dx}{1-\sin x} = \int \frac{\dfrac{2\,dz}{1+z^2}}{1 - \dfrac{2z}{1+z^2}} = \int \frac{2\,dz}{(1-z)^2}$.

Aus $x = 0$ folgt arctan $z = 0$, also $z = 0$; aus $x = \pi/3$ folgt arctan $z = \pi/6$ und $z = \sqrt{3}/3$. Damit gilt

$$\int_0^{\pi/3} \frac{dx}{1-\sin x} = 2\int_0^{\sqrt{3}/3} \frac{dz}{(1-z)^2} = \frac{2}{1-z}\Big]_0^{\sqrt{3}/3} = \frac{2}{1-\sqrt{3}/3} - 2 = \sqrt{3} + 1.$$

ERGÄNZUNGSAUFGABEN

21. Berechne $\displaystyle\int_a^b c\,dx$ (Aufg. 1) durch Zerlegung des Intervalles $a \leqq x \leqq b$ in n Teilintervalle der Länge $\Delta_1 x, \Delta_2 x, \ldots, \Delta_n x$!

Beachte $\displaystyle\sum_{k=1}^n \Delta_k x = b - a$!

22. Berechne $\displaystyle\int_0^5 x\,dx$ (Aufg. 2) durch Benutzung gleich langer Teilintervalle und nimm als Punkte x_k (a) die linken

Endpunkte der Teilintervalle. (b) die Mittelpunkte der Teilintervalle und (c) die Punkte $x_1 = \frac{1}{3}\Delta x$, $x_2 = \frac{4}{3}\Delta x$, ...

23. Zeige $\displaystyle\int_1^4 x^2\,dx = 21$ durch Benutzung gleich langer Teilintervalle und nimm als Punkte x_k (a) die rechten Endpunkte

der Teilintervalle, (b) die linken Endpunkte der Teilintervalle und (c) die Mittelpunkte der Teilintervalle!

24. Benutze dieselben Teilintervalle und Punkte wie in Aufgabe 23(a), berechne $\displaystyle\int_1^4 (x^2+x)\,dx$ und $\displaystyle\int_1^4 x\,dx$ und zeige, daß

$$\int_a^b \{f(x) + g(x)\}\,dx = \int_a^b f(x)\,dx + \int_a^b g(x)\,dx\,!$$

25. Bestimme $\displaystyle\int_1^2 x^2\,dx$ und $\displaystyle\int_2^4 x^2\,dx$! Vergleiche die Summe mit dem Ergebnis in Aufgabe 23 und zeige allgemein:

$$\int_a^c f(x)\,dx + \int_c^b f(x)\,dx = \int_a^b f(x)\,dx\,, \text{ wenn } a < c < b.$$

26. Zeige, daß $\displaystyle\int_0^1 e^x\,dx = e - 1$.

Hinweise: $S_n = \displaystyle\sum_{k=1}^n e^{k\cdot\Delta x}\,\Delta x = e^{\Delta x}(e-1)\frac{\Delta x}{e^{\Delta x}-1} \cdot \lim_{n\to+\infty} \frac{\Delta x}{e^{\Delta x}-1} = \lim_{\Delta x\to 0} \frac{\Delta x}{e^{\Delta x}-1}$ ist unbestimmt vom Typ $0/0$.

27. Beweise die Eigenschaften 4 und 5 von bestimmten Integralen!

28. Zeige mit Hilfe des Hauptsatzes

(a) $\displaystyle\int_0^2 (2+x)\,dx = 6$ (g) $\displaystyle\int_0^2 x^2(x^3+1)\,dx = 40/3$

(b) $\displaystyle\int_0^2 (2-x)^2\,dx = 8/3$ (h) $\displaystyle\int_0^3 \frac{dx}{\sqrt{1+x}} = 2$

(c) $\displaystyle\int_0^3 (3 - 2x + x^2)\,dx = 9$ (i) $\displaystyle\int_0^1 x(1-\sqrt{x})^2\,dx = 1/30$

(d) $\displaystyle\int_{-1}^2 (1-t^2)t\,dt = -9/4$ (j) $\displaystyle\int_4^8 \frac{x\,dx}{\sqrt{x^2-15}} = 6$

(e) $\displaystyle\int_1^4 (1-u)\sqrt{u}\,du = -116/15$ (k) $\displaystyle\int_0^a \sqrt{a^2-x^2}\,dx = \frac{1}{4}a^2\pi$

(f) $\displaystyle\int_1^8 \sqrt{1+3x}\,dx = 26$ (l) $\displaystyle\int_{-1}^1 x^2\sqrt{4-x^2}\,dx = \frac{2}{3}\pi - \frac{1}{2}\sqrt{3}$

(m) $\displaystyle\int_3^4 \frac{dx}{25 - x^2}$ $= \frac{1}{5} \ln \frac{3}{2}$

(q) $\displaystyle\int_0^1 \ln(x^2 + 1)\, dx$ $= \ln 2 + \frac{1}{2}\pi - 2$

(n) $\displaystyle\int_{-\frac{1}{2}}^0 \frac{x^3\, dx}{x^2 + x + 1}$ $= \frac{\sqrt{3}\,\pi}{9} - \frac{5}{8}$

(r) $\displaystyle\int_0^{2\pi} \sin \frac{1}{2}t\, dt$ $= 4$

(o) $\displaystyle\int_2^4 \frac{\sqrt{16 - x^2}}{x}\, dx$ $= 4\ln(2 + \sqrt{3}) - 2\sqrt{3}$

(s) $\displaystyle\int_0^{\pi/3} x^2 \sin 3x\, dx$ $= \frac{1}{27}(\pi^2 - 4)$

(p) $\displaystyle\int_8^{27} \frac{dx}{x - x^{1/3}}$ $= \frac{3}{2}\ln\frac{8}{3}$

(t) $\displaystyle\int_0^{\pi/2} \frac{dx}{3 + \cos 2x}$ $= \frac{\sqrt{2}\,\pi}{8}$

29. Zeige, daß $\displaystyle\int_3^5 \frac{dx}{\sqrt{x^2 + 16}} = \int_{-5}^{-3} \frac{dx}{\sqrt{x^2 + 16}}$!

30. Zeige $\displaystyle\int_{\theta=0}^{\theta=2\pi} y\, dx = 3\pi$, wenn $x = \theta - \sin\theta$, $y = 1 - \cos\theta$!

31. Zeige $\displaystyle\int_1^4 \sqrt{1 + (y')^2}\, dx = \frac{15}{2} + \frac{1}{2}\ln 2$, wenn $y = \frac{1}{2}x^2 - \frac{1}{4}\ln x$!

32. Zeige $\displaystyle\int_2^3 \sqrt{\left(\frac{dx}{dt}\right)^2 + \left(\frac{dy}{dt}\right)^2}\, dt = \sqrt{2}\, e^2(e - 1)$, wenn $x = e^t \cos t$, $y = e^t \sin t$!

33. Benutze geeignete Reduktionsformeln (Kapitel 26), um die Wallis' schen Formeln zu beweisen!

$$\int_0^{\pi/2} \sin^n x\, dx = \int_0^{\pi/2} \cos^n x\, dx = \frac{1 \cdot 3 \ldots (n-3)(n-1)}{2 \cdot 4 \ldots (n-2)n}\,\frac{\pi}{2}\,,\ n \text{ gerade und } > 0$$

$$= \frac{2 \cdot 4 \ldots (n-3)(n-1)}{1 \cdot 3 \ldots (n-2)n}\,,\ n \text{ ungerade und } > 1$$

$$\int_0^{\pi/2} \sin^m x \cos^n x\, dx = \frac{1 \cdot 3 \ldots (m-1) \cdot 1 \cdot 3 \ldots (n-1)}{2 \cdot 4 \ldots (m+n-2)(m+n)} \cdot \frac{\pi}{2},\ m \text{ und } n \text{ gerade und } > 0$$

$$= \frac{2 \cdot 4 \ldots (m-3)(m-1)}{(n+1)(n+3) \ldots (n+m)},\ m \text{ ungerade und } > 1$$

$$= \frac{2 \cdot 4 \ldots (n-3)(n-1)}{(m+1)(m+3) \ldots (m+n)}\,,\ n \text{ ungerade und } > 1.$$

34. Bestimme:

(a) $\displaystyle\int_3^{11} \sqrt{2x + 3}\, dx = 98/3$

(c) $\displaystyle\int_4^9 \frac{1 - \sqrt{x}}{1 + \sqrt{x}}\, dx = 4\ln\frac{3}{4} - 1$

(b) $\displaystyle\int_0^{\pi/4} \frac{\cos 2x - 1}{\cos 2x + 1}\, dx = \frac{1}{4}\pi - 1$

(d) $\displaystyle\int_0^{\sqrt{2}} x^3 e^{x^2}\, dx = \frac{1}{2}(e^2 + 1)$

(e) $\displaystyle\int_{\pi/4}^{3\pi/4} \frac{\sin x\, dx}{\cos^2 x - 5\cos x + 4} = \frac{1}{3}\ln\frac{7 + 3\sqrt{2}}{7 - 3\sqrt{2}}$

(f) $\displaystyle\int_{-2}^{-1} \frac{x - 1}{\sqrt{x^2 - 4x + 3}}\, dx = \ln\frac{3 - 2\sqrt{2}}{4 - \sqrt{15}} + 2\sqrt{2} - \sqrt{15}$

(g) $\displaystyle\int_{\pi/6}^{\pi/3} \frac{dx}{\sin 2x} = \ln\sqrt{3}$

(h) $\displaystyle\int_1^3 \ln(x + \sqrt{x^2 - 1})\, dx = 3\ln(3 + 2\sqrt{2}) - 2\sqrt{2}$

(i) $\displaystyle\int_{-1}^{-2} \frac{dx}{\sqrt{x^2 + 2x + 2}} = \ln(\sqrt{2} - 1)$

(k) $\displaystyle\int_{-8}^{-3} \frac{(x+2)\, dx}{x(x-2)^2} = \frac{1}{2}\ln\frac{3}{4} + \frac{1}{5}$

(j) $\displaystyle\int_{1/4}^{3/4} \frac{(x+1)\, dx}{x^2(x-1)} = 4\ln\frac{1}{3} - \frac{8}{3}$

(l) $\displaystyle\int_0^{\pi/4} \frac{dx}{2 + \tan x} = \frac{1}{5}\ln\frac{3\sqrt{2}}{4} + \frac{\pi}{10}$

KAPITEL 34

Flächenberechnung durch Integrale

DIE FLÄCHE ALS GRENZWERT EINER SUMME. Ist $f(x)$ im Intervall $a \leq x \leq b$ stetig und nicht negativ, so kann man dem bestimmten Integral $\int_a^b f(x)\,dx = \lim\limits_{n \to +\infty} \sum\limits_{k=1}^{n} f(x_k)\,\Delta_k x$ eine geometrische

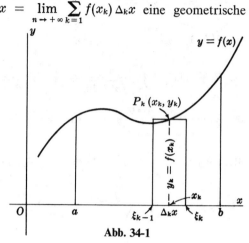

Deutung geben. Das Intervall $a \leq x \leq b$ sei wie im vorhergehenden Kapitel unterteilt, und die Punkte x_k seien wie dort gewählt. In jedem der Endpunkte $\xi_0 = a$, ξ_1, ξ_2, ..., $\xi_n = b$ errichten wir auf der x-Achse die Senkrechten und teilen so die Fläche, die durch die Kurve $y = f(x)$, die x-Achse und die Geraden $x = a$ und $x = b$ begrenzt wird, in n Streifen. Die Rechtecke der Höhe $y_k = f(x_k)$ und der Breite $\Delta_k x$ haben dann annähernd denselben Flächeninhalt ($= f(x_k)\,\Delta_k x$) wie der entsprechende Streifen unter der Kurve. $\sum\limits_{k=1}^{n} f(x_k)\,\Delta_k x$ ist die Flächensumme der n approximierenden Rechtecke.

Abb. 34-1

Der Grenzwert $\int_a^b f(x)\,dx$ dieser Summe (wobei in der in Kapitel 33 beschriebenen Weise die Anzahl

der Streifen immer größer wird) ist dann gleich dem Flächeninhalt des oben beschriebenen Teils der Ebene, kurz, gleich der Fläche unter der Kurve von $x = a$ bis $x = b$.

Siehe Aufgaben 1-2!

Ist $x = g(y)$ im Intervall $c \leq y \leq d$ stetig und nicht negativ, so ist genauso $\int_c^d g(y)\,dy$ gleich dem

Flächeninhalt des Teils der Ebene, der durch die Kurve $x = g(y)$, die y-Achse und die Geraden $y = c$ und $y = d$ begrenzt wird.

Siehe Aufgabe 3!

Ist $y = f(x)$ im Intervall $a \leq x \leq b$ stetig und nicht positiv, dann ist $\int_a^b f(x)\,dx$ negativ. (Die Fläche

liegt unter der x–Achse.) Ist $x = g(y)$ stetig und nicht positiv, so ist $\int_c^d g(y)\,dy$ ebenfalls negativ. (Die Fläche liegt links von der y-Achse.)

Siehe Aufgabe 4!

Nimmt $y = f(x)$ ($x = g(y)$) im Intervall $a \leq x \leq b$ ($c \leq y \leq d$) verschiedene Vorzeichen an, dann findet man die Fläche „unter der Kurve" als Summe zweier oder mehrerer bestimmter Integrale.

Siehe Aufgabe 5!

FLÄCHENBERECHNUNG DURCH INTEGRIEREN. Um durch Integrieren die gesuchte Fläche berechnen zu können, muß man folgendermaßen vorgehen:

(1) Man skizziert (*a*) die gesuchte Fläche, (*b*) einen bestimmten Streifen und (*c*) das approximierende Rechteck. Der Einfachheit halber zeichnen wir das Teilintervall der Länge Δx (oder Δy) und nehmen als den Punkt x_k (oder y_k) den Mittelpunkt dieses Intervalls.

(2) Man schreibt die Fläche des approximierenden Rechtecks und die Summe für die *n* Rechtecke auf.

(3) Unter der Annahme, daß man immer mehr Rechtecke hat (die Anzahl geht gegen Unendlich), wendet man den Hauptsatz des vorigen Kapitels an.

Siehe Aufgaben 6–14!

AUFGABEN MIT LÖSUNGEN

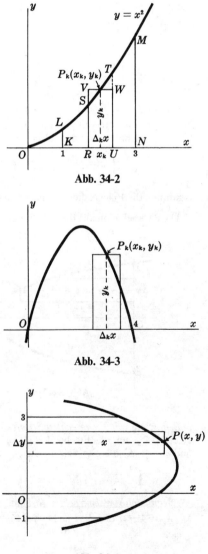

1. Bestimme den Flächeninhalt des Teils der Ebene, der durch die Kurve $y = x^2$, die x-Achse und die Geraden $x = 1$ und $x = 3$ begrenzt wird!

Abb. 34-2 zeigt die gesuchte Fläche $KLMN$, einen bestimmten Streifen $RSTU$ und das dazugehörige Rechteck $RVWU$. Dieses Rechteck hat die Breite $\Delta_k x$, die Höhe $y_k = f(x_k) = x_k^2$ und die Fläche $x_k^2 \cdot \Delta_k x$. Daraus folgt

$$A = \lim_{n \to +\infty} \sum_{k=1}^{n} x_k^2 \Delta_k x = \int_1^3 x^2 \, dx$$

$$= \frac{x^3}{3} \Big|_1^3 = 9 - \frac{1}{3} = \frac{26}{3} \text{ Quadrateinheiten.}$$

Abb. 34-2

2. Bestimme die Fläche, die über der x-Achse und unter der Parabel $y = 4x - x^2$ liegt!

Die Kurve schneidet die x-Achse in $x = 0$ und $x = 4$. Benutzen wir senkrechte Streifen, so sind diese Werte die Integrationsgrenzen. Ein approximierendes Rechteck (siehe Abb. 34-3) hat die Breite $\Delta_k x$, die Höhe $y_k = 4x_k - x_k^2$ und die Fläche $(4x_k - x_k^2) \cdot \Delta_k x$. Daraus folgt

$$A = \lim_{n \to +\infty} \sum_{k=1}^{n} (4x_k - x_k^2) \Delta_k x = \int_0^4 (4x - x^2) \, dx$$

$$= \left[2x^2 - \frac{1}{3} x^3 \right]_0^4 = 32/3 \text{ Quadrateinheiten.}$$

Hat man das Verfahren, das oben angegeben ist, immer im Auge, so kann man sich Mühe ersparen. Wir werden sehen, daß, bis auf die Integrationsgrenzen, das bestimmte Integral sofort hingeschrieben werden kann, wenn man die Fläche eines approximierenden Rechtecks berechnet hat.

Abb. 34-3

3. Bestimme die Fläche, die durch die Parabel $x = 8 + 2y - y^2$, die y-Achse und die Geraden $y = -1$ und $y = 3$ begrenzt wird!

Hier benutzen wir eine waagerechte Streifeneinteilung. Ein approximierendes Rechteck (siehe Abb. 34-4) hat die Breite Δy, die Höhe $x = 8 + 2y - y^2$ und die Fläche $(8 + 2y - y^2) \Delta y$. Die gesuchte Fläche ist gleich

$$\int_{-1}^{3} (8 + 2y - y^2) \, dy = \left[8y + y^2 - \frac{y^3}{3} \right]_{-1}^{3} = \frac{92}{3} \text{ Quadrateinheiten!}$$

Abb. 34-4

4. Bestimme die Fläche, die durch die Parabel $y = x^2 - 7x + 6$, die x-Achse und die Geraden $x = 2$ und $x = 6$ begrenzt ist!

Ein approximierendes Rechteck (siehe Abb. 34-5) hat die Breite Δx, die Höhe $-y = -(x^2 - 7x + 6)$ und die Fläche $-(x^2 - 7x + 6)\,\Delta x$. Also ist die gesuchte Fläche gleich

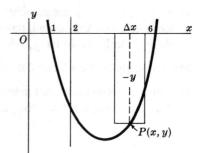

$$A = \int_2^6 -(x^2 - 7x + 6)\, dx = -\left(\frac{x^3}{3} - \frac{7x^2}{2} + 6x\right)\Bigg]_2^6$$

$$= \frac{56}{3} \text{ Quadrateinheiten.}$$

Abb. 34-5

5. Bestimme die Fläche zwischen der Kurve $y = x^3 - 6x^2 + 8x$ und der x-Achse!

Die Kurve schneidet die x-Achse in $x = 0$, $x = 2$ und $x = 4$ (siehe Abb. 34-6). Wir benutzen senkrechte Streifen. Dann ist die Fläche eines approximierenden Rechtecks, dessen Grundseite im Intervall $0 < x < 2$ liegt, gleich $(x^3 - 6x^2 + 8x)\,\Delta x$. Damit ist der Flächenteil über der x-Achse gleich $\int_0^2 (x^3 - 6x^2 + 8x)\, dx$. Die Fläche eines approximierenden Rechtecks, dessen Grundseite im Intervall $2 < x < 4$ liegt, ist gleich $-(x^3 - 6x^2 + 8x)\,\Delta x$. Damit ist der Flächenteil unter der x-Achse durch $\int_2^4 -(x^3 - 6x^2 + 8x)\, dx$ gegeben. Die gesuchte Fläche ist also

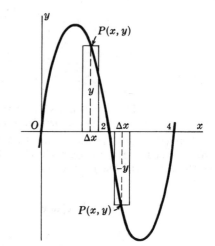

$$A = \int_0^2 (x^3 - 6x^2 + 8x)\, dx + \int_2^4 -(x^3 - 6x^2 + 8x)\, dx$$

$$= \left[\frac{x^4}{4} - 2x^3 + 4x^2\right]_0^2 - \left[\frac{x^4}{4} - 2x^3 + 4x^2\right]_2^4$$

$$= 4 + 4 = 8 \text{ Quadrateinheiten.}$$

Wir müssen hier zwei bestimmte Integrale berechnen, da der Integrand im Integrationsintervall das Vorzeichen wechselt. Hätten wir das nicht beachtet, so hätten wir das falsche Ergebnis

$$\int_0^4 (x^3 - 6x^2 + 8x)\, dx = 0 \text{ erhalten.}$$

Abb. 34-6

6. Bestimme die Fläche, die von der Parabel $x = 4 - y^2$ und der y-Achse begrenzt wird!

Die Parabel schneidet die x-Achse im Punkt $(4, 0)$ und die y-Achse in den Punkten $(0, 2)$ und $(0, -2)$.

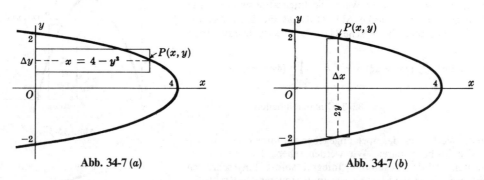

Abb. 34-7 (a)   **Abb. 34-7 (b)**

Benutzung von waagerechten Streifen. Ein approximierendes Rechteck (siehe Abb. 34-7 (a)) hat die Breite Δy, die Höhe $4 - y^2$ und die Fläche $(4 - y^2)\Delta y$. Die Integrationsgrenzen des sich ergebenden bestimmten Integrals sind $y = -2$ und $y = 2$. Also ergibt sich für die gesuchte Fläche

$$\int_{-2}^2 (4 - y^2)\, dy = 2\int_0^2 (4 - y^2)\, dy = 2\left(4y - \frac{y^3}{3}\right)\Bigg]_0^2 = \frac{32}{3} \text{ Quadrateinheiten.}$$

Benutzung von senkrechten Streifen. Ein approximierendes Rechteck (siehe Abb. 34-7(b)) hat die Breite Δx, die Höhe $2y = 2\sqrt{4 - x}$ und die Fläche $2\sqrt{4 - x}\,\Delta x$. Die Integrationsgrenzen sind $x = 0$ und $x = 4$. Also ist die gesuchte Fläche gleich

$$\int_0^4 2\sqrt{4 - x}\, dx = -\frac{4}{3}(4 - x)^{3/2}\Bigg]_0^4 = \frac{32}{3} \text{ Quadrateinheiten.}$$

7. Bestimme die Fläche, die durch die Parabel $y^2 = 4x$ und die Gerade $y = 2x - 4$ begrenzt wird!

Die Gerade schneidet die Parabel in den Punkten $(1, -2)$ und $(4, 4)$. Aus den beiden Abbildungen 34-8 (a) und 34-8 (b) sieht man, daß bei den senkrechten Streifen einige Streifen von der Gerade zur Parabel gehen und einige von einem Parabelast zum anderen, während bei waagerechten Streifen alle von der Geraden zur Parabel gehen. Wir benutzen beide Methoden, um zu zeigen, daß die eine hier vorteilhafter ist. Es sollten also immer vor der Berechnung eines bestimmten Integrals beide Methoden betrachtet werden.

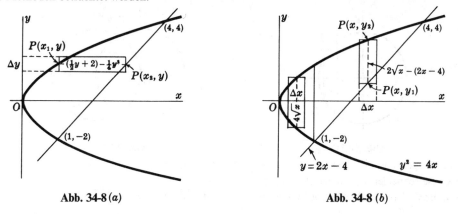

Abb. 34-8 (a)   **Abb. 34-8 (b)**

Benutzung von waagerechten Streifen. Siehe Abb. 34-8(a)! Ein approximierendes Rechteck hat die Breite Δy und die Höhe {(Wert von x auf der Geraden) – (Wert von x auf der Parabel)} $= (\frac{1}{2}y + 2) - \frac{1}{4}y^2 = 2 + \frac{1}{2}y - \frac{1}{4}y^2$ und die Fläche $(2 + \frac{1}{2}y - \frac{1}{4}y^2)\Delta y$. Die gesuchte Fläche ist also gleich

$$\int_{-2}^{4} (2 + \tfrac{1}{2}y - \tfrac{1}{4}y^2)\, dy = \left[2y + \frac{y^2}{4} - \frac{y^3}{12}\right]_{-2}^{4} = 9 \text{ Quadrateinheiten.}$$

Benutzung von senkrechten Streifen. Siehe Abb. 34-8(b)! Wir teilen die Fläche durch die Gerade $x = 1$. Ein approximierendes Rechteck links von dieser Geraden hat die Breite Δx, die Höhe (wir benutzen die Symmetrie) $2y = 4\sqrt{x}$ und die Fläche $4\sqrt{x}\,\Delta x$. Ein approximierendes Rechteck rechts hat die Breite Δx, die Höhe $2\sqrt{x} - (2x - 4) = 2\sqrt{x} - 2x + 4$ und die Fläche $(2\sqrt{x} - 2x + 4)\Delta x$. Also ist die gesuchte Fläche gleich

$$\int_{0}^{1} 4\sqrt{x}\, dx + \int_{1}^{4} (2\sqrt{x} - 2x + 4)\, dx = \left[\frac{8}{3}x^{3/2}\right]_{0}^{1} + \left[\frac{4}{3}x^{3/2} - x^2 + 4x\right]_{1}^{4} = \frac{8}{3} + \frac{19}{3} = 9 \text{ Quadrateinheiten.}$$

8. Bestimme die Fläche, die durch die Parabeln $y = 6x - x^2$ und $y = x^2 - 2x$ begrenzt wird!

Die Parabeln schneiden sich in den Punkten $(0, 0)$ und $(4, 8)$. Man sieht sofort, daß wir die Fläche mit senkrechten Streifen einfacher berechnen können.

Ein approximierendes Rechteck hat die Breite Δx, die Höhe {(Wert von x an der oberen Grenze) - (Wert von x an der unteren Grenze)} $= (6x - x^2) - (x^2 - 2x) = 8x - 2x^2$ und die Fläche $(8x - 2x^2)\Delta x$. Die gesuchte Fläche ist gleich

$$\int_{0}^{4} (8x - 2x^2)\, dx = \left[4x^2 - \frac{2}{3}x^3\right]_{0}^{4} = \frac{64}{3} \text{ Quadrateinheiten.}$$

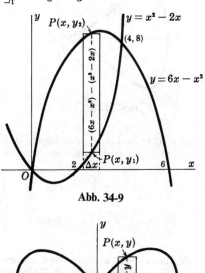

Abb. 34-9

9. Bestimme die Fläche, die von der Kurve $y^2 = x^2 - x^4$ umschlossen wird!

Die Kurve liegt symmetrisch zu den Koordinatenachsen. Also ist die gesuchte Fläche gleich 4 mal dem Teil, der im ersten Quadranten liegt.

Ein approximierendes Rechteck hat die Breite Δx, die Höhe $y = \sqrt{x^2 - x^4} = x\sqrt{1 - x^2}$ und die Fläche $x\sqrt{1 - x^2}\,\Delta x$. Also ist die gesuchte Fläche gleich

$$4\int_{0}^{1} x\sqrt{1 - x^2}\, dx = \left[-\frac{4}{3}(1 - x^2)^{3/2}\right]_{0}^{1}$$

$$= \frac{4}{3} \text{ Quadrateinheiten.}$$

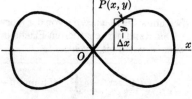

Abb. 34-10

10. Bestimme den kleineren Teil der Fläche, die durch die Gerade $x = 3$ vom Kreis $x^2 + y^2 = 25$ abgeschnitten wird! Siehe Abb. 34-11 !

$$A = \int_3^5 2y\, dx = 2 \int_3^5 \sqrt{25 - x^2}\, dx = 2 \left[\frac{x}{2} \sqrt{25 - x^2} + \frac{25}{2} \arcsin \frac{x}{5} \right]_3^5$$

$$= \left(\frac{25}{2} \pi - 12 - 25 \arcsin \frac{3}{5} \right) \text{Quadrateinheiten.}$$

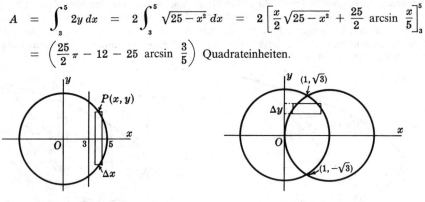

Abb. 34-11   **Abb. 34-12**

11. Bestimme die gemeinsame Fläche der Kreise $x^2 + y^2 = 4$ und $x^2 + y^2 = 4x$! Siehe Abb. 34-12 !

Die Kreise schneiden sich in den Punkten $(1, \pm\sqrt{3})$.

Das approximierende Rechteck geht von $x = 2 - \sqrt{4 - y^2}$ bis $x = \sqrt{4 - y^2}$.

$$A = 2 \int_0^{\sqrt{3}} \{\sqrt{4 - y^2} - (2 - \sqrt{4 - y^2})\}\, dy = 4 \int_0^{\sqrt{3}} (\sqrt{4 - y^2} - 1)\, dy$$

$$= 4 \left[\frac{y}{2} \sqrt{4 - y^2} + 2 \arcsin \frac{1}{2} y - y \right]_0^{\sqrt{3}} = \left(\frac{8\pi}{3} - 2\sqrt{3} \right) \text{Quadrateinheiten.}$$

12. Bestimme die Fläche innerhalb der Schleife der Kurve $y^2 = x^4(4 + x)$! Siehe Abb. 34-13 !

$$A = \int_{-4}^0 2y\, dx = 2 \int_{-4}^0 x^2 \sqrt{4 + x}\, dx. \text{ Wir setzen } 4 + x = z^2; \text{ dann gilt}$$

$$A = 4 \int_0^2 (z^2 - 4)^2 z^2\, dz = 4 \left[\frac{z^7}{7} - \frac{8z^5}{5} + \frac{16z^3}{3} \right]_0^2 = \frac{4096}{105} \text{Quadrateinheiten.}$$

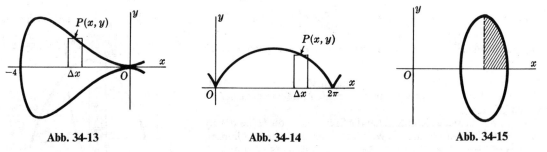

Abb. 34-13   **Abb. 34-14**   **Abb. 34-15**

13. Bestimme die Fläche eines Bogens der Zykloide $x = \theta - \sin \theta$, $y = 1 - \cos \theta$! Siehe Abb. 34-14 !

Ein Bogen wird beschrieben, wenn θ von 0 bis 2π geht. Es gilt $dx = (1 - \cos \theta)\, d\theta$ und

$$A = \int_{\theta=0}^{\theta=2\pi} y\, dx = \int_0^{2\pi} (1 - \cos \theta)(1 - \cos \theta)\, d\theta = \int_0^{2\pi} \left(\frac{3}{2} - 2 \cos \theta + \frac{1}{2} \cos 2\theta \right) d\theta$$

$$= \left[\frac{3}{2} \theta - 2 \sin \theta + \frac{1}{4} \sin 2\theta \right]_0^{2\pi} = 3\pi \text{ Quadrateinheiten.}$$

14. Bestimme die Fläche , die von der Kurve $x = 3 + \cos \theta$, $y = 4 \sin \theta$ umschlossen wird! Siehe Abb. 34-15 !

Der Rand der schattierten Fläche in der Abbildung ($\frac{1}{4}$ der gesuchten Fläche) wird von rechts nach links beschrieben, wenn θ von 0 bis $\frac{\pi}{2}$ geht.

$$A = -4 \int_0^{\pi/2} (4 \sin \theta)(-\sin \theta)\, d\theta = 16 \int_0^{\pi/2} \sin^2 \theta\, d\theta = 8 \int_0^{\pi/2} (1 - \cos 2\theta)\, d\theta$$

$$= 8 \left[\theta - \frac{1}{2} \sin 2\theta \right]_0^{\pi/2} = 4\pi \text{ Quadrateinheiten.}$$

ERGÄNZUNGSAUFGABEN

15. Bestimme die folgenden Flächen, die wie angegeben begrenzt sind:

(a) $y = x^2$, $y = 0$, $x = 2$, $x = 5$

(b) $y = x^3$, $y = 0$, $x = 1$, $x = 3$

(c) $y = 4x - x^2$, $y = 0$, $x = 1$, $x = 3$

(d) $x = 1 + y^2$, $x = 10$

(e) $x = 3y^2 - 9$, $x = 0$, $y = 0$, $y = 1$

(f) $x = y^2 + 4y$, $x = 0$

(g) $y = 9 - x^2$, $y = x + 3$

(h) $y = 2 - x^2$, $y = -x$

(q) $y = \tan x$, $x = 0$, $x = \frac{1}{4}\pi$

(i) $y = x^2 - 4$, $y = 8 - 2x^2$

(j) $y = x^4 - 4x^2$, $y = 4x^2$

(k) Eine Schleife von $y^2 = x^2(a^2 - x^2)$

(l) Die Schleife von $9ay^2 = x(3a - x)^2$

(m) $y = e^x$, $y = e^{-x}$, $x = 0$, $x = 2$

(n) $y = e^{x/a} + e^{-x/a}$, $y = 0$, $x = \pm a$

(o) $xy = 12$, $y = 0$, $x = 1$, $x = e^2$

(p) $y = 1/(1 + x^2)$, $y = 0$, $x = \pm 1$

(r) Ein Kreissektor vom Radius r und dem Mittelpunktswinkel α.

(s) Die Ellipse $x = a \cos t$, $y = b \sin t$.

(t) $x = 2 \cos \theta - \cos 2\theta - 1$, $y = 2 \sin \theta - \sin 2\theta$.

(u) $x = a \cos^3 t$, $y = a \sin^3 t$.

(v) Erster Bogen von $y = e^{-ax} \sin ax$.

(w) $y = xe^{-x^2}$, $y = 0$ und die größte Ordinate.

(x) Die beiden Zweige von $(2x - y)^2 = x^3$ und $x = 4$.

(y) Innerhalb von $y = 25 - x^2$, $256x = 3y^2$, $16y = 9x^2$.

Lsg. (a) 39 (b) 20, (c) 22/3, (d) 36, (e) 8, (f) 32/3, (g) 125/6, (h) 9/2, (i) 32, (j) $512\sqrt{2}/15$, (k) $2a^3/3$, (l) $8\sqrt{3}a^2/5$, (m) $(e^2 + 1/e^2 - 2)$, (n) $2a(e - 1/e)$, (o) 24, (p) $\frac{1}{2}\pi$, (q) $\frac{1}{2}\ln 2$, (r) $\frac{1}{2}r^2\alpha$, (s) πab, (t) 6π, (u) $3\pi a^2/8$, (v) $(1 + 1/e^\pi)/2a$, (w) $\frac{1}{2}(1 - 1/\sqrt{e})$, (x) 128/5, (y) 98/3 Quadrateinheiten.

Unter der *mittleren Ordinate* der Kurve $y = f(x)$ über dem Intervall $a \le x \le b$ verstehen wir die Größe

$$\frac{\text{Fläche}}{\text{Länge des Intervalls}} = \frac{\int_a^b f(x)\,dx}{b - a}.$$

16. Bestimme die mittlere Ordinate (a) eines Halbkreises, (b) der Parabel $y = 4 - x^2$ von $x = -2$ bis $x = 2$!
Lsg. (a) $\pi r/4$, (b) 8/3.

17. (a) Bestimme die mittlere Ordinate eines Bogens der Zykloide $x = a(\theta - \sin \theta)$, $y = a(1 - \cos \theta)$ bezüglich x!
(b) Dasselbe bezüglich θ!

Lsg. (a) $\dfrac{1}{2\pi a} \displaystyle\int_0^{2\pi} a^2(1 - \cos \theta)^2\,d\theta = \dfrac{3a}{2}$, (b) $\dfrac{1}{2\pi} \displaystyle\int_0^{2\pi} a(1 - \cos \theta)\,d\theta = a$.

18. Beim freien Fall gilt $s = \frac{1}{2}gt^2$ und $v = gt = \sqrt{2gs}$.

(a) Zeige, daß der mittlere Wert von v bezüglich t über dem Intervall $0 \le t \le t_1$ gleich der halben Endgeschwindigkeit ist!

(b) Zeige, daß der mittlere Wert von v bezüglich s über dem Intervall $0 \le s \le s_1$ gleich zwei Dritteln der Endgeschwindigkeit ist.

KAPITEL 35

Volumen von Rotationskörpern

EIN ROTATIONSKÖRPER wird erzeugt, wenn man ein ebenes Flächenstück um eine Gerade in der Ebene, die Rotationsgerade, dreht. Das Volumen eines Rotationskörpers kann man nach einer der folgenden Methoden berechnen.

KREISSCHEIBENMETHODE

A. Die Rotationsachse ist ein Teil des Randes des Flächenstücks.

(1) Wir skizzieren das gegebene Flächenstück, einen bestimmten Streifen senkrecht zur Rotationsachse und das approximierende Rechteck wie im vorigen Kapitel.

(2) Wir berechnen das Volumen der Kreisscheibe (Zylinder), die erzeugt wird, wenn das approximierende Rechteck um die Rotationsachse gedreht wird, und bilden die Summe für die n Rechtecke.

(3) Dann nehmen wir an, daß die Anzahl der Rechtecke gegen Unendlich geht und wenden den Hauptsatz an.

Siehe Aufgaben 1–2!

B. Die Rotationsachse ist nicht ein Teil des Randes des Flächenstücks.
(1) Wie in (1) oben.
(2) Wir verlängern die Seiten des approximierenden Rechtecks $ABCD$ (siehe Abb. 35–3) bis zur Rotationsachse. Wenn man das approximierende Rechteck um die Rotationsachse dreht, wird ein „Dichtungsring" erzeugt, dessen Volumen gleich der Differenz der Volumen ist, die erzeugt werden, wenn man die Rechtecke $EABF$ und $ECDF$ um die Achse dreht. Wir berechnen die Differenz der beiden Volumen und gehen weiter wie in (2) oben vor.
(3) Wie in (3) oben.

Siehe Aufgaben 3–4!

ZYLINDER-METHODE
(1) Wir skizzieren das gegebene Flächenstück, einen bestimmten Streifen parallel zur Rotationsachse und das approximierende Rechteck.
(2) Wir berechnen das Volumen { = (Mittel zwischen innerem und äußerem Umfang) × Höhe × Dicke} des Hohlzylinders, der erzeugt wird, wenn man das approximierende Rechteck um die Rotationsachse dreht und bilden die Summe für die n Rechtecke.
(3) Dann nehmen wir an, daß die Anzahl der Rechtecke gegen Unendlich geht und wenden den Hauptsatz an.

Siehe Aufgaben 5–8!

AUFGABEN MIT LÖSUNGEN

1. Bestimme das Volumen des Rotationskörpers, der entsteht, wenn man das Flächenstück, das durch die Parabel $y^2 = 8x$ und die Senkrechte durch den Brennpunkt ($x = 2$) begrenzt wird, um die x-Achse dreht!

Siehe Abb. 35-1 ! Wir unterteilen das Flächenstück durch senkrechte Streifen. Dreht man ein approximierendes Rechteck aus Abb. 35-1 um die x–Achse, so entsteht eine Kreisscheibe mit Radius y, Höhe Δx und Volumen $\pi y^2 \Delta x$. Summiert man die Volumina der n Schneiben, die den n approximierenden Rechtecken entsprechen, so ergibt sich $\Sigma \pi y^2 \Delta x$, und das gesuchte Volumen ist

$$V \;=\; \int_a^b dV \;=\; \int_0^2 \pi y^2\, dx \;=\; \pi \int_0^2 8x\, dx \;=\; 4\pi x^2\Big]_0^2 \;=\; 16\pi \quad \text{Kubikeinheiten.}$$

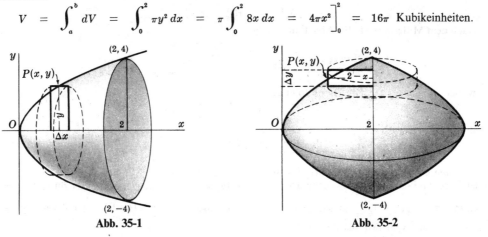

Abb. 35-1   **Abb. 35-2**

2. Bestimme das Volumen des Rotationskörpers, der entsteht, wenn man die Fläche, die durch die Parabel $y^2 = 8x$ und die Senkrechte durch ihren Brennpunkt $(x = 2)$ begrenzt ist, um diese Senkrechte dreht!

Siehe Abb. 35-2 ! Wir unterteilen die Fläche durch waagrechte Streifen. Dreht man ein approximierendes Rechteck aus Abb. 35-2 um die Gerade $x = 2$, so entsteht eine Kreisscheibe mit Radius $2 = x$, Höhe Δy und Volumen $\pi(2 - x)^2 \Delta y$. Das gesuchte Volumen ist

$$V \;=\; \int_{-4}^4 \pi(2-x)^2\, dy \;=\; 2\pi \int_0^4 (2-x)^2\, dy \;=\; 2\pi \int_0^4 \left(2 - \frac{y^2}{8}\right)^2 dy \;=\; \frac{256}{15}\pi \quad \text{Kubikeinheiten.}$$

3. Bestimme das Volumen, das erzeugt wird, wenn man das Flächenstück, das durch die Parabel $y^2 = 8x$ und die Gerade $x = 2$ begrenzt wird, um die y-Achse dreht!

Siehe Abb. 35-3! Wir unterteilen die Fläche durch waagrechte Streifen. Dreht man ein approximierendes Rechteck um die y-Achse, so entsteht ein „Dichtungsring", dessen Volumen die Differenz der Volumina ist, die erzeugt werden, wenn man das Rechteck $ECDF$ (Die Längen der Seiten sind 2 und Δy) um die y-Achse dreht. Das ergibt $\pi(2)^2 \Delta y - \pi(x)^2 \Delta y$. Das gesuchte Volumen ist also

$$V \;=\; \int_{-4}^4 4\pi\, dy \;-\; \int_{-4}^4 \pi x^2\, dy \;=\; 2\pi \int_0^4 (4 - x^2)\, dy \;=\; 2\pi \int_0^4 \left(4 - \frac{y^4}{64}\right) dy \;=\; \frac{128}{5}\pi \quad \text{Kubikeinheiten.}$$

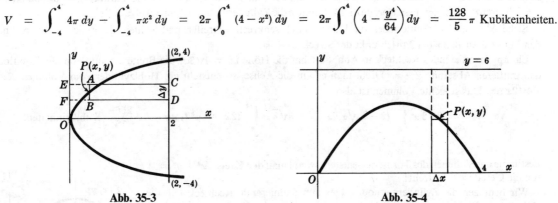

Abb. 35-3   **Abb. 35-4**

4. Bestimme das Volumen, das erzeugt wird, wenn man das Flächenstück, das durch die Parabel $y = 4x - x^2$ und die x-Achse begrenzt ist, um die Gerade $y = 6$ dreht!

Siehe Abb. 35-4 ! Wir unterteilen die Fläche durch senkrechte Streifen. Dreht man ein approximierendes Rechteck um die Gerade $y = 6$, so entsteht ein „Dichtungsring" vom Volumen $\pi(6)^2 \Delta x - \pi(6 - y)^2 \Delta x$. Das gesuchte Volumen ist

$$V \;=\; \pi \int_0^4 \{(6)^2 - (6-y)^2\}\, dx \;=\; \pi \int_0^4 (12y - y^2)\, dx$$

$$\;=\; \pi \int_0^4 (48x - 28x^2 + 8x^3 - x^4)\, dx \;=\; \frac{1408\pi}{15} \quad \text{Kubikeinheiten.}$$

5. Siehe Abb. 35-5! Das Flächenstück im ersten Quadranten unter der Kurve $y = f(x)$ zwischen $x = a$ und $x = b$ werde um die y-Achse gedreht. Wir unterteilen diese Fläche in n Streifen und approximieren jeden Streifen durch ein Rechteck. Dreht man ein bestimmtes Rechteck um die y-Achse, so entsteht ein Hohlzylinder mit Höhe y_k, innerem Radius ξ_{k-1}, äußerem Radius ξ_k und Volumen

(i) $$\Delta_k V = \pi(\xi_k^2 - \xi_{k-1}^2)y_k.$$

Nach dem Mittelwertsatz für Ableitungen folgt

(ii) $$\xi_k^2 - \xi_{k-1}^2 = \frac{d}{dx}(x^2)\Big|_{x=x_k'} \cdot (\xi_k - \xi_{k-1}) = 2x_k' \Delta_k x,$$

wobei $\xi_{k-1} < x_k' < \xi_k$ gilt. Damit folgt aus (i)

$$\Delta_k V = 2\pi x_k' y_k \Delta_k x = 2\pi x_k' f(x_k) \Delta_k x$$

und

$$V = 2\pi \lim_{n \to +\infty} \sum_{k=1}^{n} x_k' f(x_k) \Delta_k x = 2\pi \int_a^b x f(x)\, dx \quad \text{nach dem Satz von Bliss.}$$

Bemerkung. Nehmen wir wie im vorigen Kapitel als die Punkte x_k die Mittelpunkte der Teilintervalle, so brauchen wir den Satz von Bliss nicht anzuwenden. Denn nach Aufgabe 17(b), Kap. 21, gilt für die durch (ii) definierten x_k' die Gleichung $x_k' = \frac{1}{2}(\xi_k + \xi_{k-1}) = x_k$. Dann ist die Volumensumme der n Hohlzylinder gleich $\sum_{k=1}^{n} 2\pi x_k f(x_k) \Delta_k x = \sum_{k=1}^{n} g(x_k) \Delta_k x$, also vom Typ (i) aus Kapitel 33.

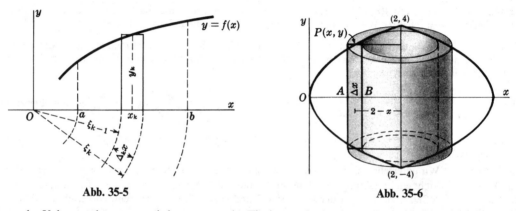

Abb. 35-5   Abb. 35-6

6. Bestimme das Volumen, das erzeugt wird, wenn man das Flächenstück, das durch die Parabel $y^2 = 8x$ und die Gerade $x = 2$ begrenzt wird, um diese Gerade dreht! Benutze die Zylindermethode (siehe Aufgabe 2)!

Siehe Abb. 35-6! Wir unterteilen die Fläche durch senkrechte Streifen und wählen, da es sich besser rechnen läßt, den Punkt P so, daß x der Mittelpunkt der Strecke AB ist.

Ein approximierendes Rechteck in Abb. 35-6 hat die Höhe $2y = 4\sqrt{2x}$, die Breite Δx und von der Rotationsachse den mittleren Abstand $2 - x$. Dreht man es um die Achse, so entsteht ein Hohlzylinder vom Volumen $2\pi(2-x) \cdot 4\sqrt{2x}\,\Delta x$. Das gesuchte Volumen ist also

$$V = 8\sqrt{2}\,\pi \int_0^2 (2-x)\sqrt{x}\, dx = 8\sqrt{2}\,\pi \int_0^2 (2x^{1/2} - x^{3/2})\, dx = \frac{256\pi}{15} \text{ Kubikeinheiten.}$$

7. Bestimme das Volumen des Torus, der entsteht, wenn man den Kreis $x^2 + y^2 = 4$ um die Gerade $x = 3$ dreht!

Wir benutzen die Zylindermethode. Das approximierende Rechteck hat die Höhe $2y$, die Breite Δx und von der Rotationsachse den mittleren Abstand $3 - x$. Das gesuchte Volumen ist

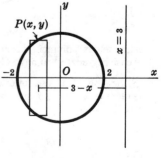

$$V = 2\pi \int_{-2}^{2} 2y(3-x)\, dx = 4\pi \int_{-2}^{2} (3-x)\sqrt{4-x^2}\, dx$$

$$= 12\pi \int_{-2}^{2} \sqrt{4-x^2}\, dx - 4\pi \int_{-2}^{2} x\sqrt{4-x^2}\, dx$$

$$= \left[12\pi \left(\frac{x}{2}\sqrt{4-x^2} + 2\arcsin\frac{x}{2} \right) + \frac{4\pi}{3}(4-x^2)^{3/2} \right]_{-2}^{2}$$

$$= 24\pi^2 \text{ Kubikeinheiten.}$$

Abb. 35-7

8. Bestimme das Volumen des Körpers, der entsteht, wenn man die Fläche zwischen den ersten Bogen der Zykloide $x = \theta - \sin\theta$, $y = 1 - \cos\theta$ und der x-Achse um die y-Achse dreht! Benutze die Zylindermethode!

$$V = 2\pi \int_{\theta=0}^{\theta=2\pi} xy\,dx = 2\pi \int_{0}^{2\pi} (\theta - \sin\theta)(1 - \cos\theta)(1 - \cos\theta)\,d\theta$$

$$= 2\pi \int_{0}^{2\pi} (\theta - 2\theta\cos\theta + \theta\cos^2\theta - \sin\theta + 2\sin\theta\cos\theta - \cos^2\theta\sin\theta)\,d\theta$$

$$= 2\pi \left[\tfrac{3}{4}\theta^2 - 2(\theta\sin\theta + \cos\theta) + \tfrac{1}{2}(\tfrac{1}{2}\theta\sin 2\theta + \tfrac{1}{4}\cos 2\theta) + \cos\theta + \sin^2\theta + \tfrac{1}{3}\cos^3\theta \right]_{0}^{2\pi} = 6\pi^3 \text{ Kubikeinheiten.}$$

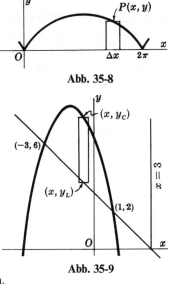

Abb. 35-8

9. Bestimme das Volumen, das entsteht, wenn man das durch $y = -x^2 - 3x + 6$ und $x + y - 3 = 0$ begrenzte Flächenstück *(a)* um $x = 3$ *(b)* um $y = 0$ dreht!

(a) $\quad V = 2\pi \int_{-3}^{1} (y_C - y_L)(3 - x)\,dx$

$$= 2\pi \int_{-3}^{1} (x^3 - x^2 - 9x + 9)\,dx = 256\pi/3 \text{ Kubikeinheiten.}$$

(b) $\quad V = \pi \int_{-3}^{1} \{(y_C)^2 - (y_L)^2\}\,dx$

$$= \pi \int_{-3}^{1} (x^4 + 6x^3 - 4x^2 - 30x + 27)\,dx = 1792\pi/15 \text{ Kubikeinheiten.}$$

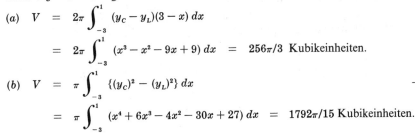

Abb. 35-9

ERGÄNZUNGSAUFGABEN

Bestimme in den Aufgaben 10-19 das Volumen, das entsteht, wenn man das gegebene Flächenstück um die gegebene Gerade dreht! Benutze die Kreisscheibenmethode A! (Lsg. in Kubikeinheiten.)

10. $y = 2x^2$, $y = 0$, $x = 0$, $x = 5$; x-Achse *Lsg.* 2500π
11. $x^2 - y^2 = 16$, $y = 0$, $x = 8$; x-Achse *Lsg.* $256\pi/3$
12. $y = 4x^2$, $x = 0$, $y = 16$; y-Achse *Lsg.* 32π
13. $y = 4x^2$, $x = 0$, $y = 16$; $y = 16$ *Lsg.* $4096\pi/15$
14. $y^2 = x^3$, $y = 0$, $x = 2$; x-Achse *Lsg.* 4π

15. $y = x^3$, $y = 0$, $x = 2$; $x = 2$ *Lsg.* $16\pi/5$
16. $y^2 = x^4(1 - x^2)$; x-Achse *Lsg.* $4\pi/35$
17. $4x^2 + 9y^2 = 36$; x-Achse *Lsg.* 16π
18. $4x^2 + 9y^2 = 36$, y-Achse *Lsg.* 24π
19. Innerhalb $x = 9 - y^2$, zwischen $x - y - 7 = 0$, $x = 0$; y-Achse *Lsg.* $963\pi/5$

Bestimme in den Aufgaben mit der Kreisscheibenmethode B das Volumen, das entsteht, wenn man das gegebene Flächenstück um die gegebene Gerade dreht!

20. $y = 2x^2$, $y = 0$, $x = 0$, $x = 5$; y-Achse *Lsg.* 625π
21. $x^2 - y^2 = 16$, $y = 0$, $x = 8$; y-Achse *Lsg.* $128\sqrt{3}\,\pi$
22. $y = 4x^2$, $x = 0$, $y = 16$; x-Achse *Lsg* $2048\pi/5$
23. $y = x^3$, $x = 0$, $y = 8$; $x = 2$ *Lsg.* $144\pi/5$

24. $y = x^2$, $y = 4x - x^2$; x-Achse *Lsg.* $32\pi/3$
25. $y = x^2$, $y = 4x - x^2$; $y = 6$ *Lsg.* $64\pi/3$
26. $x = 9 - y^2$, $x - y - 7 = 0$; $x = 4$ *Lsg.* $153\pi/5$

Bestimme in den Aufgaben 27-32 mit der Zylindermethode das Volumen, das entsteht, wenn man das gegebene Flächenstück um die gegebene Gerade dreht!

27. $y = 2x^2$, $y = 0$, $x = 0$, $x = 5$; y-Achse
28. $y = 2x^2$, $y = 0$, $x = 0$, $x = 5$; $x = 6$
29. $y = x^3$, $y = 0$, $x = 2$; $y = 8$

30. $y = x^2$, $y = 4x - x^2$; $x = 5$
31. $y = x^2 - 5x + 6$, $y = 0$; y-Achse
32. Innerhalb $x = 9 - y^2$, zwischen $x - y - 7 = 0$, $x = 0$; $y = 3$

Lsg. (27) 625π, (28) 375π, (29) $320\pi/7$, (30) $64\pi/3$, (31) $5\pi/6$, (32) $369\pi/2$

Bestimme in den Aufgaben 33-39 mit einer der obigen Methoden das Volumen, das entsteht, wenn man das gegebene Flächenstück um die gegebene Gerade dreht!

33. $y = e^{-x^2}$, $y = 0$, $x = 0$, $x = 1$; y-Achse *Lsg.* $\pi(1 - 1/e)$
34. Einen Bogen von $y = \sin 2x$; x-Achse *Lsg.* $\pi^2/4$
35. Den ersten Bogen von $y = e^x \sin x$; x-Achse *Lsg.* $(\pi(e^{2\pi} - 1)/8$
36. Den ersten Bogen von $y = e^x \sin x$; y-Achse *Lsg.* $\pi[(\pi - 1)e^\pi - 1]$
37. Den ersten Bogen von $x = \theta - \sin\theta$, $y = 1 - \cos\theta$; x-Achse *Lsg.* 5^2
38. Die Kardioide $x = 2\cos\theta - \cos 2\theta - 1$, $y = 2\sin\theta - \sin 2\theta$; x-Achse *Lsg.* $64\pi/3$
39. $y = 2x^2$, $2x - y + 4 = 0$; $x = 2$ *Lsg.* 27

40. Bestimme das Volumen eines geraden Kegelstumpfes mit unterem Radius R, oberem Radius r und Höhe h!
Lsg. $\tfrac{1}{3}\pi h(r^2 + rR + R^2)$

KAPITEL 36

Volumen von Körpern mit bekannten Querschnitten

DAS VOLUMEN EINES ROTATIONSKÖRPERS, der entsteht, wenn man das Flächenstück, das durch die Kurve $y = f(x)$, die x-Achse und die Geraden $x = a$ und $x = b$ begrenzt wird, um die x-Achse dreht,

ist durch $\int_a^b \pi y^2\, dx$ gegeben. Der Integrand $\pi y^2 = \pi \{f(x)\}^2$ kann als die Fläche eines Körperquerschnittes gedeutet werden, der durch eine zur x-Achse senkrechte Ebene x Einheiten vom Nullpunkt entfernt erzeugt wird.

Kann man umgekehrt die Fläche eines Körperquerschnittes ABC, der durch eine Ebene senkrecht zur x-Achse in der Entfernung x vom Nullpunkt erzeugt wird, als Funktion $A(x)$ von x angeben, dann ist das Volumen des Körpers durch

$$V = \int_\alpha^\beta A(x)\, dx$$ gegeben.

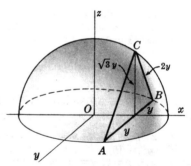

Abb. 36-1

AUFGABEN MIT LÖSUNGEN

1. Ein Körper hat als Grundfläche einen Kreis vom Radius 4 Einheiten. Bestimme sein Volumen, wenn jeder Ebenenschnitt senkrecht zu einem festen Durchmesser des Kreises ein gleichseitiges Dreieck ergibt!

   Wir legen den Kreis wie in Abb. 36-2 und nehmen die x-Achse als den festen Durchmesser. Die Kreisgleichung ist $x^2 + y^2 = 16$. Der Körperquerschnitt ABC ist ein gleichseitiges Dreieck mit der Seite $2y$ und der Fläche $A(x) = \sqrt{3}\, y^2 = \sqrt{3}(16 - x^2)$.

   $$
   \begin{aligned}
   V &= \int_\alpha^\beta A(x)\, dx = \sqrt{3} \int_{-4}^{4} (16 - x^2)\, dx \\
   &= \sqrt{3} \left[16x - \frac{x^3}{3} \right]_{-4}^{4} = \frac{256}{3}\sqrt{3} \text{ Kubikeinheiten.}
   \end{aligned}
   $$

Abb. 36-2

2. Ein Körper hat als Grundfläche eine Ellipse mit den Achsen 10 und 8. Bestimme sein Volumen, wenn jeder Schnitt senkrecht zur größeren Achse ein gleichschenkliges Dreieck der Höhe 6 ergibt!

   Wir legen die Ellipse wie in Abb. 36-3. Ihre Gleichung ist $\frac{x^2}{25} + \frac{y^2}{16} = 1$.

   Der Schnitt ABC ist ein gleichschenkliges Dreieck mit Grundlinie $2y$, Höhe 6 und Fläche $A(x) = 6y = 6 \cdot \frac{4}{5}\sqrt{25 - x^2}$.

   $$V = \frac{24}{5} \int_{-5}^{5} \sqrt{25 - x^2}\, dx = 60\pi \text{ Kubikeinheiten.}$$

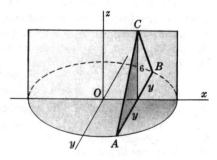

Abb. 36-3

180

3. Bestimme das Volumen des Körpers, der durch die Ebene $z = 10$ vom Paraboloid $\dfrac{x^2}{16} + \dfrac{y^2}{25} = z$ abgeschnitten wird!

Siehe Abb. 36-4! Der Schnitt des Körpers durch eine Ebene parallel zu der Ebene xOy in der Entfernung z vom Ursprung ist eine Ellipse von der Fläche $\pi xy = \pi(4\sqrt{z})(5\sqrt{z}) = 20\pi z$. Also gilt

$$V = 20\pi \int_0^{10} z\,dz = 1000\pi \text{ Kubikeinheiten.}$$

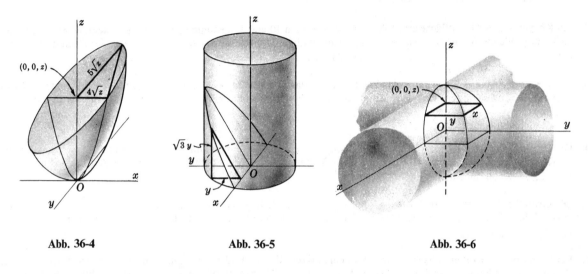

Abb. 36-4   **Abb. 36-5**   **Abb. 36-6**

4. Von einem runden Holzklotz vom Radius 8 cm wird ein Stück abgehackt, indem man ihn zuerst an einer Stelle halb durchsägt und dann dazu in einem Winkel von $60°$ bis zur Geraden durch den Mittelpunkt des Klotzes abhackt. Bestimme das Volumen des abgehackten Holzstückes!

Siehe Abb. 36-5! Als Nullpunkt wählen wir den Mittelpunkt des Klotzes. Die x-Achse sei das Ende der durchgesägten Stelle, und man hacke von der y-Achse aus. Ein Schnitt des abgehackten Stückes mit einer zur x-Achse senkrechten Ebene ist ein rechtwinkliges Dreieck, dessen einer Winkel $60°$ ist und dessen eine Kathete die Länge y hat. Die andere Kathete hat die Länge $\sqrt{3}\,y$, und die Fläche des Schnittes ist also gleich $\tfrac{1}{2}\sqrt{3}\,y^2 = \tfrac{1}{2}\sqrt{3}\,(64 - x^2)$. Also gilt

$$V = \frac{1}{2}\sqrt{3} \int_{-8}^{8} (64 - x^2)\,dx = \frac{1024}{3}\sqrt{3} \text{ cm}^3.$$

5. Die Achsen zweier Kreiszylinder von gleichem Radius schneiden sich rechtwinklig. Bestimme ihr gemeinsames Volumen!

Siehe Abb. 36-6! Die Zylinder haben die Gleichungen $x^2 + z^2 = r^2$ und $y^2 + z^2 = r^2$. Ein Schnitt des Körpers, dessen Volumen gesucht ist, mit einer zur z-Achse senkrechten Ebene ist ein Quadrat mit der Seitenlänge $2x = 2y = 2\sqrt{r^2 - z^2}$ und der Fläche $4(r^2 - z^2)$. Also gilt

$$V = 4 \int_{-r}^{r} (r^2 - z^2)\,dz = \frac{16r^3}{3} \text{ Kubikeinheiten.}$$

6. Bestimme das Volumen eines geraden Kegels der Höhe h, dessen Grundfläche eine Ellipse mit den Achsen $2a$ und $2b$ ist!

Siehe Abb. 36-7! Ein Schnitt des Kegels mit einer Ebene parallel zur Grundfläche ist eine Ellipse mit den Achsen $2x$ und $2y$.

Es ergibt sich aus Abb. 36-7

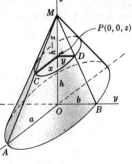

$$\frac{PC}{OA} = \frac{PM}{OM} \text{ oder } \frac{x}{a} = \frac{h-z}{h}; \text{ und } \frac{PD}{OB} = \frac{PM}{OM} \text{ oder } \frac{y}{b} = \frac{h-z}{h}$$

(Ähnliche Dreiecke!)

Die Fläche des Querschnittes ist damit gleich $\pi xy = \dfrac{\pi ab(h-z)^2}{h^2}$. Also folgt

$$V = \frac{\pi ab}{h^2} \int_0^h (h-z)^2\,dz = \frac{1}{3}\pi abh \text{ Kubikeinheiten.}$$

Abb. 36-7

ERGÄNZUNGSAUFGABEN

7. Ein Körper hat als Grundfläche einen Kreis vom Radius 4. Bestimme sein Volumen, wenn jede Ebene senkrecht zu einem festen Durchmesser (x-Achse von der Abbildung zu Aufgabe 1) (*a*) ein Halbkreis, (*b*) ein Quadrat und (*c*) ein gleichschenkliges rechtwinkliges Dreieck ist, dessen Hypotenuse in der Grundflächenebene liegt!
Lsg. (*a*) $128\pi/3$, (*b*) 1024/3, (*c*) 256/3 Kubikeinheiten.

8. Ein Körper hat als Grundfläche eine Ellipse mit den Achsen 10 und 8. Bestimme sein Volumen, wenn jeder Schnitt senkrecht zur größeren Achse ein gleichschenklig-rechtwinkliges Dreieck ist, dessen eine Kathete in der Grundflächenebene liegt!   *Lsg.* 640/3 Kubikeinheiten.

9. Die Grundfläche eines Körpers ist das Flächenstück, das von der Parabel $y^2 = 12x$ durch die Senkrechte durch den Brennpunkt abgeschnitten wird. Ein Schnitt des Körpers senkrecht zur Parabelachse ist ein Quadrat. Bestimme sein Volumen!
Lsg. 216 Kubikeinheiten.

10. Die Grundfläche eines Körpers ist das Flächenstück im ersten Quadranten, das durch die Gerade $4x + 5y = 20$ und die Koordinatenachsen begrenzt ist. Bestimme sein Volumen, wenn jeder Schnitt senkrecht zur x-Achse ein Halbkreis ist!
Lsg. $10\pi/3$ Kubikeinheiten.

11. Die Grundfläche eines Körpers ist der Kreis $x^2 + y^2 = 16x$. Jeder Ebenenschnitt senkrecht zur x-Achse ist ein Rechteck, dessen Höhe gleich dem doppelten Abstand der Schnittebene vom Ursprung ist. Bestimme sein Volumen!
Lsg. 1024π Kubikeinheiten.

12. Ein hornförmiger Körper entsteht, indem man einen Kreis, der die Enden eines Durchmessers auf den Bögen im ersten Quadranten der Parabeln $y^2 + 8x = 64$ und $y^2 + 16x = 64$ hat, parallel zur xz-Ebene verschiebt. Bestimme sein Volumen!   *Lsg.* $256\pi/15$ Kubikeinheiten.

13. Der Scheitel eines Kegels ist $(a, 0, 0)$. Er hat als Grundfläche den Kreis $y^2 + z^2 - 2by = 0$, $x = 0$. Bestimme sein Volumen!   *Lsg.* $\frac{1}{3}\pi ab^2$ Kubikeinheiten.

14. Bestimme das Volumen des Körpers, der durch das Paraboloid $y^2 + 4z^2 = x$ und die Ebene $x = 4$ begrenzt ist!
Lsg. 4π Kubikeinheiten ist!

15. Ein Faß hat die Gestalt eines Rotationsellipsoids, bei dem an den Enden gleiche Stücke abgeschnitten sind. Bestimme sein Volumen, wenn es 1,80 m hoch ist und der Radius in der Mitte 0,90 m und an den Enden 0,20 m ist!
Lsg. $1,188\,\pi\,\text{m}^3$.

16. Der Schnitt eines Körpers mit jeder Ebene senkrecht zur x-Achse ist ein Kreis, bei dem die Enden eines Durchmessers auf den Parabeln $y^2 = 9x$ und $x^2 = 9y$ liegen. Bestimme sein Volumen!
Lsg. $6561\pi/280$ Kubikeinheiten.

17. Der Schnitt eines Körpers in jeder Ebene senkrecht zur x-Achse ist ein Quadrat, bei dem die Enden einer Diagonalen auf den Parabeln $y^2 = 4x$ und $x^2 = 4y$ liegen. Bestimme sein Volumen!
Lsg. 144/35 Kubikeinheiten.

18. Durch eine Kugel vom Radius 3 cm bohrt man ein Loch vom Radius 1 cm. Dabei ist die Lochachse ein Durchmesser der Kugel. Bestimme das Restvolumen!   *Lsg.* $64\pi\sqrt{2}/3\ \text{cm}^3$.

KAPITEL 37

Schwerpunkte
Ebene Flächenstücke und Rotationskörper

DIE MASSE EINES PHYSIKALISCHEN KÖRPERS ist ein Maß der in ihm enthaltenen Menge von Materie, während das Volumen ein Maß für seine Ausdehnung im Raum ist. Ist die Masse pro Volumeneinheit überall gleich, so nennen wir den Körper *homogen;* wir sagen auch, er hat eine *konstante Dichte.*

In der Physik und der Mechanik denkt man sich oft die ganze Masse in einem bestimmten Punkt konzentriert. Dieser Punkt heißt der (Massen-) *Schwerpunkt* des Körpers. Bei einem homogenen Körper ist dieser mit dem geometrischen Mittelpunkt oder Zentroid identisch. Zum Beispiel ist der Schwerpunkt eines homogenen Fußballs gleich seinem Mittelpunkt, wenn man ihn als geometrischen Körper (Kugel) betrachtet.

Das Zentroid eines rechteckigen Blatt Papiers liegt in der Mitte zwischen den beiden Seiten. Man kann es sich genauso auf einer der Seiten als Schnittpunkt der Diagonalen denken. Damit fällt der Schwerpunkt eines dünnen Blatts mit dem Zentroid des Blatts zusammen, wenn man sich dieses als Ebene vorstellt. Die Betrachtungen in diesem und dem nächsten Kapitel beschränken sich auf ebene Flächenstücke und Rotationskörper. Andere Körper, Kurvenbögen (ein Stück eines homogenen Drahts) und nicht-homogene Massen wollen wir in späteren Kapiteln betrachten.

DAS (ERSTE) MOMENT M_L **EINES EBENEN FLÄCHENSTÜCKS** bezüglich einer Geraden L ist das Produkt des Flächeninhalts mit der gerichteten Entfernung des Schwerpunkts des Flächenstücks von der Geraden. Das Moment eines ebenen Flächenstücks bezüglich der Koordinatenachsen kann man wie folgt berechnen:

(1) Man skizziert das Flächenstück und zeichnet einen bestimmten Streifen sowie das approximierende Rechteck ein.

(2) Man multipliziert die Rechteckfläche mit der Entfernung seines Schwerpunkts von der Achse und summiert dann diese Produkte für alle Rechtecke.

(3) Unter der Annahme, daß die Anzahl der Rechtecke gegen Unendlich geht, wendet man den Hauptsatz an. (Siehe Aufgabe 2!)

Für ein Flächenstück mit Fläche A, dem Schwerpunkt $(\bar{x}, \bar{y})$ und den Momenten M_x und M_y bezüglich der x- und y-Achse gilt
$$A\bar{x} = M_y \quad \text{und} \quad A\bar{y} = M_x$$
Siehe Aufgaben 1-8!

DAS (ERSTE) MOMENT EINES KÖRPERS mit Volumen V, der erzeugt wird, indem man ein Flächenstück um eine Koordinatenachse dreht, bezüglich einer senkrecht auf der Achse stehenden Ebene durch den Nullpunkt kann man wie folgt berechnen:

(1) Man skizziert das Flächenstück und zeichnet einen bestimmten Streifen und das approximierende Rechteck ein.

(2) Man multipliziert das Volumen (Kreisscheibe oder Zylinder), das entsteht, indem man das Rechteck um die Achse dreht, mit der Entfernung des Schwerpunkts des Rechtecks von der Ebene und bildet die Summe dieser Produkte für alle Rechtecke.

(3)   Unter der Annahme, daß die Anzahl der Rechtecke gegen Unendlich geht, wendet man den Hauptsatz an.

Wird das Flächenstück um die x-Achse gedreht ,so liegt der Schwerpunkt $(\bar{x}, \bar{y})$ auf dieser Achse. Ist M_{yz} das Moment des Körpers bezüglich der Ebene, die durch den Nullpunkt geht und auf der x-Achse senkrecht steht, so gilt

$$V\bar{x} \;=\; M_{yz}, \quad \bar{y} \;=\; 0\,.$$

Wird dementsprechend das Flächenstück um die y-Achse gedreht, so liegt das Zentroid $(\bar{x}, \bar{y})$ auf dieser Achse. Ist M_{xz} das Moment des Körpers bezüglich der Ebene, die durch den Nullpunkt geht und auf der y-Achse senkrecht steht, so gilt

$$V\bar{y} \;=\; M_{xz}, \quad \bar{x} \;=\; 0\,.$$

Siehe Aufgaben 9-12!

ERSTER SATZ VON PAPPUS. Wird ein ebenes Flächenstück um eine Achse gedreht, die in der Ebene dieses Flächenstücks liegt und es nicht kreuzt, so ist das Volumen des erzeugten Rotationskörpers gleich dem Produkt der Fläche mit dem zurückgelegten Weg des Schwerpunktes des Flächenstücks.

Siehe Aufgaben 13-15!

AUFGABEN MIT LÖSUNGEN

1. Bestimme für das Flächenstück in Abb. 37-1 *(a)* die Momente bezüglich der Koordinatenachsen und *(b)* die Koordinaten des Schwerpunkts $(\bar{x}, \bar{y})$!

(a) Das obere Rechteck hat die Fläche $5 \times 2 = 10$ und den Schwerpunkt $A(2{,}5; 9)$. Genauso sind die Flächen und Schwerpunkte der anderen Rechtecke gleich: 12, $B(1; 5)$; 2, $C(2{,}5; 5)$; 10, $D(2{,}5; 1)$.

Die Momente der Rechtecke bezüglich der x-Achse sind $10(9)$, $12(5)$, $2(5)$ und $10(1)$. Also ist das Moment des Flächenstücks bezüglich der x-Achse gleich

$$M_x \;=\; 10(9) + 12(5) + 2(5) + 10(1) \;=\; 170\,.$$

Genauso erhält man als Moment des Flächenstücks bezüglich der y-Achse:

$$M_y \;=\; 10(2{,}5) + 12(1) + 2(2{,}5) + 10(2{,}5) \;=\; 67\,.$$

(b) Die Fläche ist gleich $A = 10 + 12 + 2 + 10 = 34$.

    Aus $A\bar{x} = M_y$ folgt $34\bar{x} = 67$ und $\bar{x} = 67/34$.

    Aus $A\bar{y} = M_x$ folgt $34\bar{y} = 170$ und $\bar{y} = 5$.

Der Punkt $(67/34,\ 5)$ ist der Schwerpunkt.

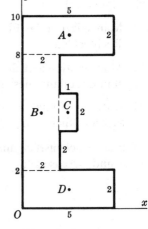

Abb. 37-1

2. Bestimme die Momente bezüglich der Koordinatenachsen für das Flächenstück, das im zweiten Quadranten durch die Kurve $x = y^2 - 9$ begrenzt wird!

Wir benutzen das approximierende Rechteck aus der Abbildung. Seine Fläche ist gleich $-x \cdot \Delta y$, sein Schwerpunkt ist $(x/2, y)$, und sein Moment bezüglich der x-Achse ist $y(-x \cdot \Delta y)$. Also gilt

$$M_x \;=\; -\int_0^3 y \cdot x\, dy \;=\; -\int_0^3 y(y^2 - 9)\, dy \;=\; \frac{81}{4}\,.$$

Genauso ist das Moment des approximierenden Rechtecks bezüglich der y-Achse gleich $\tfrac{1}{2}x(-x \cdot \Delta y)$. Damit gilt

$$M_y \;=\; -\frac{1}{2}\int_0^3 x^2\, dy \;=\; -\frac{1}{2}\int_0^3 (y^2 - 9)^2\, dy \;=\; -\frac{324}{5}\,.$$

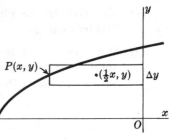

Abb. 37-2

3. Bestimme den Schwerpunkt des Flächenstücks, das im ersten Quadranten durch die Parabel $y = 4 - x^2$ begrenzt ist!

Der Schwerpunkt eines approximierenden Rechtecks ist $(x, \frac{1}{2}y)$.

$$A = \int_0^2 y\, dx = \int_0^2 (4 - x^2)\, dx = 16/3$$

$$M_x = \int_0^2 \frac{1}{2}y \cdot y\, dx = \frac{1}{2}\int_0^2 (4 - x^2)^2\, dx = 128/15$$

$$M_y = \int_0^2 x \cdot y\, dx = \int_0^2 x(4 - x^2)\, dx = 4$$

Damit gilt $\bar{x} = M_y/A = 3/4$, $\bar{y} = M_x/A = 8/5$. Der Schwerpunkt hat die Koordinaten $(3/4, 8/5)$.

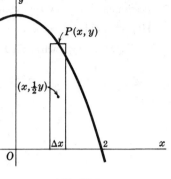

Abb. 37-3

4. Bestimme den Schwerpunkt des Flächenstücks, das im ersten Quadranten durch die Parabel $y = x^2$ und die Gerade $y = x$ begrenzt wird!

Der Schwerpunkt eines approximierenden Rechtecks ist $[x, \frac{1}{2}(x + x^2)]$.

$$A = \int_0^1 (x - x^2)\, dx = 1/6$$

$$M_x = \int_0^1 \frac{1}{2}(x + x^2)(x - x^2)\, dx = 1/15$$

$$M_y = \int_0^1 x(x - x^2)\, dx = 1/12.$$

Damit gilt $\bar{x} = M_y/A = 1/2$, $\bar{y} = M_x/A = 2/5$. Der Schwerpunkt hat die Koordinaten $(1/2, 2/5)$.

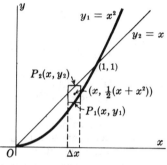

Abb. 37-4

5. Bestimme den Schwerpunkt des Flächenstücks, das durch die Parabeln $x = y^2$ und $x^2 = -8y$ begrenzt wird.

Der Schwerpunkt eines approximierenden Rechtecks ist

$[x, \frac{1}{2}(-x^2/8 - \sqrt{x}\,)]$.

$$A = \int_0^4 \left(-\frac{x^2}{8} + \sqrt{x}\right) dx = \frac{8}{3}$$

$$M_x = \int_0^4 \frac{1}{2}\left(-\frac{x^2}{8} - \sqrt{x}\right)\left(-\frac{x^2}{8} + \sqrt{x}\right) dx = -\frac{12}{5}$$

$$M_y = \int_0^4 x\left(-\frac{x^2}{8} + \sqrt{x}\right) dx = \frac{24}{5}.$$

Für den Schwerpunkt gilt $(\bar{x}, \bar{y}) = (9/5, -9/10)$.

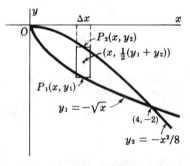

Abb. 37-5

6. Bestimme den Schwerpunkt des Flächenstücks unter der Kurve $y = 2\sin 3x$ zwischen $x = 0$ und $x = \pi/3$! Siehe Abb. 37-6! Das approximierende Rechteck aus Abb. 37-6 hat den Schwerpunkt $(x, \frac{1}{2}y)$.

$$A = \int_0^{\pi/3} y\, dx = \int_0^{\pi/3} 2\sin 3x\, dx = -\frac{2}{3}\cos 3x\Big]_0^{\pi/3} = \frac{4}{3}$$

$$M_x = \int_0^{\pi/3} \frac{1}{2}y \cdot y\, dx = 2\int_0^{\pi/3} \sin^2 3x\, dx$$

$$= 2\left[\frac{1}{2}x - \frac{1}{12}\sin 6x\right]_0^{\pi/3} = \frac{\pi}{3}$$

$$M_y = \int_0^{\pi/3} x \cdot y\, dx = 2\int_0^{\pi/3} x\sin 3x\, dx$$

$$= \frac{2}{9}\left[\sin 3x - 3x\cos 3x\right]_0^{\pi/3} = \frac{2}{9}\pi.$$

Die Koordinaten des Schwerpunkts sind $(M_y/A, M_x/A) = (\pi/6, \pi/4)$.

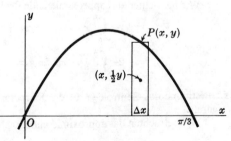

Abb. 37-6

7. Bestimme den Schwerpunkt des Flächenstücks im ersten Quadranten, das durch das Hyperzykloid $x = a \cos^3 \theta$, $y = a \sin^3 \theta$ begrenzt wird! Siehe Abb. 37-7!

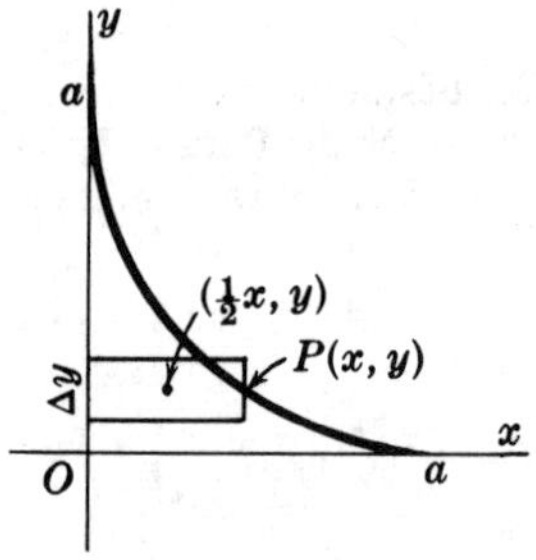

Wegen der Symmetrie gilt $\bar{x} = \bar{y}$.

$$
\begin{aligned}
A &= \int_{\theta=0}^{\theta=\pi/2} x \, dy = \int_0^{\pi/2} a \cos^3 \theta \cdot 3a \sin^2 \theta \cos \theta \, d\theta \\
&= \frac{3}{4} a^2 \int_0^{\pi/2} \sin^2 2\theta \left(\frac{1 + \cos 2\theta}{2} \right) d\theta \\
&= \frac{3}{8} a^2 \left[\frac{\theta}{2} - \frac{1}{8} \sin 4\theta + \frac{1}{6} \sin^3 2\theta \right]_0^{\pi/2} = \frac{3}{32} \pi a^2
\end{aligned}
$$

$$
\begin{aligned}
M_x &= \int_{\theta=0}^{\theta=\pi/2} y \cdot x \, dy = 3a^3 \int_0^{\pi/2} \cos^4 \theta \sin^5 \theta \, d\theta = 3a^3 \int_0^{\pi/2} \cos^4 \theta (1 - \cos^2 \theta)^2 \sin \theta \, d\theta \\
&= -3a^3 \left[\frac{\cos^5 \theta}{5} - \frac{2 \cos^7 \theta}{7} + \frac{\cos^9 \theta}{9} \right]_0^{\pi/2} = \frac{24 a^3}{315}
\end{aligned}
$$

Abb. 37-7

Also folgt $\bar{y} = M_x/A = 256a/315\pi$. Der Schwerpunkt hat die Koordinaten $(256a/315\pi, 256a/315\pi)$

8. Zeige, daß der Schwerpunkt eines Kreissektors mit dem Radius r und dem Winkel 2θ in einer Entfernung von $\dfrac{2r \sin \theta}{3\theta}$ vom Kreismittelpunkt liegt!

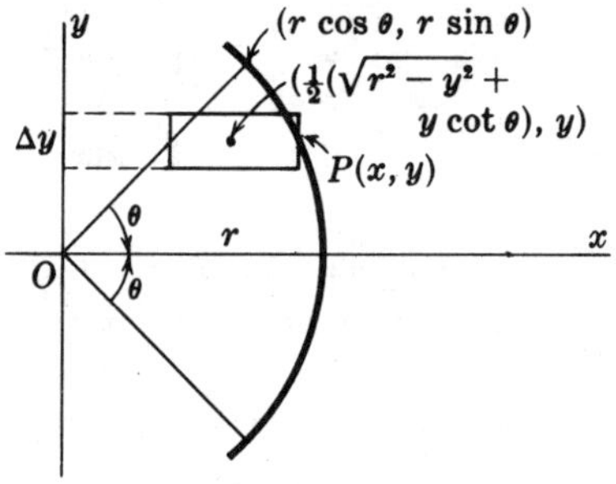

Wir zeichnen den Sektor so, daß sein Schwerpunkt auf der x-Achse liegt. Wegen der Symmetrie ist die Abszisse des gesuchten Schwerpunkts gleich der des Schwerpunkts der Fläche, die über der x-Achse liegt und durch die Gerade $y = x \tan \theta$ begrenzt ist. Hierfür gilt:

Abb. 37-8

$$
\begin{aligned}
A &= \int_0^{r \sin \theta} (\sqrt{r^2 - y^2} - y \cot \theta) \, dy \\
&= \left[\frac{1}{2} y \sqrt{r^2 - y^2} + \frac{1}{2} r^2 \arcsin \frac{y}{r} - \frac{1}{2} y^2 \cot \theta \right]_0^{r \sin \theta} = \frac{1}{2} r^2 \theta
\end{aligned}
$$

$$
\begin{aligned}
M_y &= \int_0^{r \sin \theta} \frac{1}{2} (\sqrt{r^2 - y^2} + y \cot \theta)(\sqrt{r^2 - y^2} - y \cot \theta) \, dy = \frac{1}{2} \int_0^{r \sin \theta} (r^2 - y^2 - y^2 \cot^2 \theta) \, dy \\
&= \frac{1}{2} \left[r^2 y - \frac{1}{3} y^3 - \frac{1}{3} y^3 \cot^2 \theta \right]_0^{r \sin \theta} = \frac{1}{3} r^3 \sin \theta \quad \text{und} \quad \bar{x} = \frac{M_y}{A} = \frac{2r \sin \theta}{3\theta}.
\end{aligned}
$$

9. Bestimme das Zentroid $(\bar{x}, 0)$ des Körpers, der erzeugt wird, wenn man das Flächenstück aus Aufgabe 3 um die x-Achse dreht!

Wir betrachten das approximierende Rechteck aus Aufgabe 3 und benutzen die Kreisscheibenmethode.

$$
V = \pi \int_0^2 y^2 \, dx = \pi \int_0^2 (4 - x^2)^2 \, dx = 256\pi/15,
$$

$$
M_{yz} = \pi \int_0^2 x \cdot y^2 \, dx = \pi \int_0^2 x(4 - x^2)^2 \, dx = 32\pi/3 \text{ und } \bar{x} = M_{yz}/V = 5/8.
$$

10. Bestimme das Zentroid $(0, \bar{y})$ des Körpers, der erzeugt wird, wenn man das Flächenstück aus Aufgabe 3 um die y-Achse dreht!

Wir betrachten das approximierende Rechteck aus Aufgabe 3 und benutzen die Zylindermethode.

$$
V = 2\pi \int_0^2 xy \, dx = 2\pi \int_0^2 x(4 - x^2) \, dx = 8\pi,
$$

$$
M_{xz} = 2\pi \int_0^2 \tfrac{1}{2} y \cdot xy \, d\dot{x} = \pi \int_0^2 x(4 - x^2)^2 \, dx = 32\pi/3 \text{ und } \bar{y} = M_{xz}/V = 4/3.
$$

11. Bestimme das Zentroid $(\bar{x}, 0)$ des Körpers, der entsteht, wenn man das Flächenstück aus Aufgabe 4 um die x-Achse dreht!

Wir betrachten das approximierende Rechteck aus Aufgabe 4 und benutzen die Kreisscheibenmethode.

$$
V = \pi \int_0^1 (x^2 - x^4) \, dx = 2\pi/15, \quad M_{yz} = \pi \int_0^1 x(x^2 - x^4) \, dx = \pi/12 \quad \text{und} \quad \bar{x} = M_{yz}/V = 5/8.
$$

12. Bestimme das Zentroid $(0, \bar{y})$ des Körpers, der entsteht, wenn man das Flächenstück aus Aufgabe 4 um die y-Achse dreht!

Wir betrachten das approximierende Rechteck aus Aufgabe 4 und benutzen die Zylindermethode.

$$V = 2\pi \int_0^1 x(x - x^2)\, dx = \pi/6,$$

$$M_{xz} = 2\pi \int_0^1 \tfrac{1}{2}(x + x^2) \cdot x(x - x^2)\, dx = \pi/12, \quad \text{also} \quad \bar{y} = M_{xz}/V = 1/2.$$

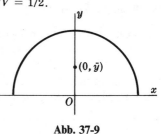

13. Bestimme den Schwerpunkt eines Halbkreises vom Radius r!

Wir zeichnen den Halbkreis wie in Abb. 37-9, so daß $\bar{x} = 0$ ist.

Die Fläche des Halbkreises ist $\tfrac{1}{2}\pi r^2$; der Körper, der entsteht, indem man ihn um die x-Achse dreht, ist eine Kugel vom Volumen $\tfrac{4}{3}\pi r^3$; und der Schwerpunkt $(0, \bar{y})$ des Halbkreises beschreibt einen Kreis vom Radius $\bar{y}$. Also gilt nach dem Satz von Pappus $\tfrac{1}{2}\pi r^2 \cdot 2\pi\bar{y} = \tfrac{4}{3}\pi r^3$ und damit $\bar{y} = 4r/3\pi$. Der Punkt $(0, 4r/3\pi)$ ist der Schwerpunkt.

Abb. 37-9

14. Bestimme das Volumen des Torus, der entsteht, wenn man den Kreis $x^2 + y^2 = 4$ um die Gerade $x = 3$ dreht! Siehe Abb. 37-10!

Der Schwerpunkt der Kreisfläche beschreibt einen Kreis vom Radius 3.

Also gilt $V = 4\pi(6\pi) = 24\pi^2$ Kubikeinheiten.

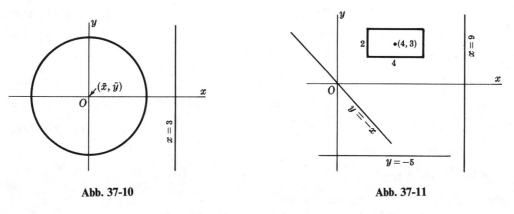

Abb. 37-10   **Abb. 37-11**

15. Das Rechteck in Abb. 37-11 wird um (1) die Gerade $x = 9$, (2) die Gerade $y = -5$ und (3) die Gerade $y = -x$ gedreht. Bestimme das Volumen der so erzeugten Körper!

(1) Der Schwerpunkt $(4, 3)$ des Rechteckes beschreibt einen Kreis vom Radius 5. Also gilt $V = 8(10\pi) = 80\pi$ Kubikeinheiten.

(2) Der Schwerpunkt beschreibt einen Kreis vom Radius 8. Also gilt $V = 8(16\pi) = 128\pi$ Kubikeinheiten.

(3) Der Schwerpunkt beschreibt einen Kreis vom Radius $(4 + 3)/\sqrt{2}$. Also folgt $V = 56\sqrt{2}\,\pi$ Kubikeinheiten.

ERGÄNZUNGSAUFGABEN

Bestimme in den Aufgaben 16-26 den Schwerpunkt des angegebenen Flächenstücks!

16. $y = x^2,\ y = 9$ *Lsg.* $(0, 27/5)$.

17. $y = 4x - x^2,\ y = 0$ *Lsg.* $(2, 8/5)$.

18. $y = 4x - x^2,\ y = x$ *Lsg.* $(3/2, 12/5)$.

19. $3y^2 = 4(3 - x),\ x = 0$ *Lsg.* $(6/5, 0)$.

20. $x^2 = 8y,\ y = 0,\ x = 4$ *Lsg.* $(3, 3/5)$.

21. $y = x^2,\ 4y = x^3$ *Lsg.* $(12/5, 192/35)$.

22. $x^2 - 8y + 4 = 0$, $x^2 = 4y$, erster Quadrant.   *Lsg.* (3/4, 2/5).

23. $x^2 + y^2 = a^2$, erster Quadrant.   *Lsg.* $(4a/3\pi, 4a/3\pi)$.

24. $9x^2 + 16y^2 = 144$, erster Quadrant.   *Lsg.* $(16/3\pi, 4/\pi)$.

25. Rechte Schleife von $y^2 = x^4(1 - x^2)$ *Lsg.* $(32/15\pi, 0)$.

26. Erster Bogen von $x = \theta - \sin\theta$, $y = 1 - \cos\theta$. *Lsg.* $(\pi, 5/6)$.

27. Zeige, daß die Entfernung des Schwerpunktes eines Dreiecks von der Grundfläche gleich 1/3 der Höhe ist!

Bestimme in den Aufgaben 28-38 den Schwerpunkt des Körpers, der erzeugt wird, indem man das gegebene Flächenstück um die gegebene Gerade dreht!

28. $y = x^2$, $y = 9$, $x = 0$; y-Achse.

29. $y = x^2$, $y = 9$, $x = 0$; x-Achse.   *Lsg.* $\bar{y} = 6$.

30. $y = 4x - x^2$, $y = x$; x-Achse.   *Lsg.* $\bar{x} = 5/4$.

                                        Lsg. $\bar{x} = 27/16$.

31. $y = 4x - x^2$, $y = x$; y-Achse.

                                        Lsg. $\bar{y} = 27/10$.

32. $x^2 - y^2 = 16$, $y = 0$, $x = 8$; x-Achse.   *Lsg.* $\bar{x} = 27/4$.

33. $x^2 - y^2 = 16$, $y = 0$, $x = 8$; y-Achse.

                                        Lsg. $\bar{y} = 3\sqrt{3}/2$.

34. $(x - 2)y^2 = 4$, $y = 0$, $x = 3$, $x = 5$; x-Achse. *Lsg.* $\bar{x} = (2 + 2\ln 3)/(\ln 3)$.

35. $x^2 y = 16(4 - y)$, $x = 0$, $y = 0$, $x = 4$; y-Achse. *Lsg.* $\bar{y} = 1/(\ln 2)$.

36. Fläche im ersten Quadranten begrenzt durch $y^2 = 12x$ und die Senkrechte durch den Brennpunkt; x-Achse. *Lsg.* $\bar{x} = 2$.

37. Fläche aus Aufgabe 36; y-Achse.   *Lsg.* $\bar{y} = 5/2$.

38. Fläche aus Aufgabe 36; Leitlinie.   *Lsg.* $\bar{y} = 75/32$.

39. Beweise den Satz von Pappus!

40. Bestimme mit dem Satz von Pappus das Volumen
    (a) eines geraden Kreiszylinders mit Höhe a und mit Grundflächenradius b,
    (b) des Ringes, der entsteht, indem man die Ellipse $4(x - 6)^2 + 9(y - 5)^2 = 36$ um die x-Achse dreht!

    Lsg. (a) $\frac{1}{3}\pi ab^2$, (b) $60\pi^2$ Kubikeinheiten.

41. Bestimme für die Fläche A, die durch $y = -x^2 - 3x + 6$ und $x + y - 3 = 0$ begrenzt wird, *(a)* den Schwerpunkt, *(b)* das Volumen des Körpers, der entsteht, wenn man A um die Begrenzungsgerade dreht!

    Lsg. (a) $(-1, 28/5)$, (b) $2\pi\left(\dfrac{\bar{x} + \bar{y} - 3}{\sqrt{2}}\right) \cdot A = \dfrac{256\sqrt{2}}{15}\pi$ Kubikeinheiten.

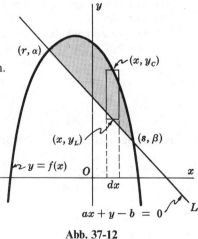

Abb. 37-12

42. Beweise: Dreht man das Flächenstück A (in Abb. 37-12 schattiert) um die Begrenzungsgerade L, so gilt für das Volumen des Rotationskörpers:

$$V = 2\pi\left(\frac{a\bar{x} + \bar{y} - b}{\sqrt{a^2 + 1}}\right) \cdot A = \frac{2\pi}{\sqrt{a^2 + 1}}(aM_y + M_x - bA)$$

$$= \frac{\pi}{\sqrt{a^2 + 1}}\int_r^s (y_C - y_L)^2\, dx.$$

43. Bestimme mit der Formel aus Aufgabe 42 das Volumen des Körpers, der entsteht, wenn man das gegebene Flächenstück um die Begrenzungsgerade dreht!
    (a) $y = -x^2 - 3x + 6$, $x + y - 3 = 0$
    (b) $y = 2x^2$, $2x - y + 4 = 0$.

    Lsg. (a) siehe Aufgabe 41, (b) $162\sqrt{5}\,\pi/25$ Kubikeinheiten.

KAPITEL 38

Trägheitsmomente

Ebene Flächenstücke und Rotationskörper

DAS TRÄGHEITSMOMENT I_L **EINES EBENEN FLÄCHENSTÜCKS** mit der Fläche A bezüglich einer Geraden L in der Ebene des Flächenstücks kann man wie folgt berechnen:

(1) Man skizziert das Flächenstück und zeichnet einen bestimmten Streifen parallel zu der Geraden und das approximierende Rechteck ein.

(2) Man multipliziert die Fläche des Rechtecks mit dem Abstandsquadrat seines Schwerpunkts von der Geraden und summiert die Produkte für alle Rechtecke.

(3) Unter der Annahme, daß die Anzahl der Rechtecke gegen Unendlich geht, wendet man den Hauptsatz an.

DAS TRÄGHEITSMOMENT I_L **EINES KÖRPERS** vom Volumen V, der erzeugt wird, indem man ein ebenes Flächenstück um eine Gerade seiner Ebene dreht, kann man in Bezug auf diese Gerade (die Achse des Körpers) wie folgt berechnen:

(1) Man skizziert das Flächenstück und zeichnet einen bestimmten Streifen parallel zur Achse und das approximierende Rechteck ein.

(2) Man multipliziert das Volumen (Zylinder), das entsteht, wenn man das Rechteck um die Achse dreht, mit dem Abstandsquadrat des Rechteckschwerpunkts und summiert die Produkte für alle Rechtecke.

(3) Unter der Annahme, daß die Anzahl der Rechtecke gegen Unendlich geht, wendet man den Hauptsatz an.

Siehe Aufgaben 5-8!

DREHUNGSRADIUS. Die positive Zahl R, die durch $I_L = AR^2$ (ebene Fläche A) und durch $I_L = VR^2$ (Rotationskörper mit Volumen V) erklärt ist, wird der Drehungsradius des Flächenstücks bzw. des Körpers bezüglich der Geraden L genannt.

SATZ ÜBER PARALLELE ACHSEN. Das Trägheitsmoment eines Flächenstücks, eines Kurvenbogens oder eines Rotationskörpers bezüglich irgendeiner Achse ist gleich dem Trägheitsmoment bezüglich einer dazu parallelen Achse durch den Schwerpunkt plus dem Produkt der Fläche, der Bogenlänge oder des Volumens mit dem Abstandsquadrat der beiden parallelen Achsen.

Siehe Aufgaben 9-10!

AUFGABEN MIT LÖSUNGEN

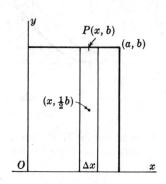

1. Bestimme das Trägheitsmoment eines Rechtecks der Fläche A mit den Seiten a und b bezüglich einer Seite!

Wir zeichnen das Rechteck wie in Abb. 38-1 und nehmen die y-Achse als in Frage kommende Seite. Das approximierende Rechteck hat die Fläche $b \cdot \Delta x$ und den Schwerpunkt $(x, \frac{1}{2}b)$. Das zu bildende Produkt ist $x^2 b\, \Delta x$. Damit gilt

$$I_y = \int_0^a x^2 b\, dx = b\frac{x^3}{3}\bigg]_0^a = \frac{ba^3}{3} = \frac{1}{3}A a^2.$$

Also ist das Trägheitsmoment eines Rechtecks bezüglich einer Seite gleich 1/3 des Produkts aus der Fläche und dem Quadrat der Länge der anderen Seite.

Abb. 38-1

2. Bestimme das Trägheitsmoment des Flächenstücks zwischen der Parabel $y = 9 - x^2$ und der x-Achse bezüglich der y-Achse!

Erste Lösung. Das approximierende Rechteck in Abb. 38-2 hat die Fläche $A = y \cdot \Delta x$ und den Schwerpunkt $(x, \tfrac{1}{2}y)$. Damit folgt

$$I_y = \int_{-3}^{3} x^2 y \, dx = 2 \int_{0}^{3} (9x^2 - x^4) \, dx = \frac{324}{5}.$$

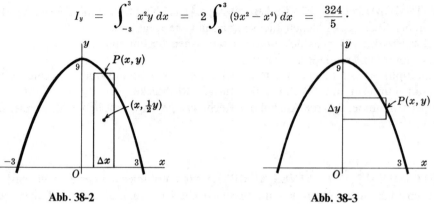

Abb. 38-2   **Abb. 38-3**

Zweite Lösung. Das approximierende Rechteck in Abb. 38-3 hat die Fläche $x \cdot \Delta y$, die Länge der Seite senkrecht zur Achse ist x. Also ergibt sich aus Aufgabe 1 für das benötigte Produkt $\tfrac{1}{3}(x\,\Delta y)x^2$. Damit gilt wegen der Symmetrie

$$I_y = 2 \cdot \frac{1}{3} \int_{0}^{9} x^3 \, dy = \frac{2}{3} \int_{0}^{9} (9 - y)^{3/2} \, dy = \frac{324}{5}.$$

Aus $\quad A = 2 \int_{0}^{9} x \, dy = 2 \int_{0}^{9} \sqrt{9 - y} \, dy = 36$ folgt $I_y = 324/5 = AR^2$, und der Drehungsradius ist $R = 3/\sqrt{5}$.

3. Bestimme das Trägheitsmoment des Flächenstücks im ersten Quadranten, das durch die Parabel $x^2 = 4y$ und die Gerade $y = x$ begrenzt ist, bezüglich der y-Achse! Siehe Abb. 38-4!

Wir betrachten das approximierende Rechteck aus Abb. 38-4. Es hat die Fläche $(x - \tfrac{1}{4}x^2)\,\Delta x$ und den Schwerpunkt $[x, \tfrac{1}{2}(x + \tfrac{1}{4}x^2)]$. Damit gilt

$$A = \int_{0}^{4} (x - \tfrac{1}{4}x^2) \, dx = \frac{8}{3} \quad \text{und} \quad I_y = \int_{0}^{4} x^2(x - \tfrac{1}{4}x^2) \, dx = \frac{64}{5} = \frac{24}{5}A.$$

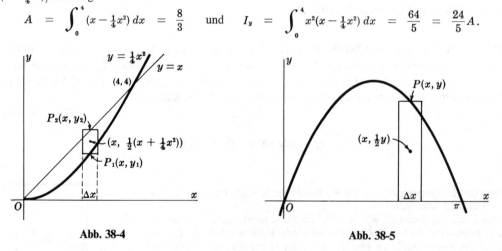

Abb. 38-4   **Abb. 38-5**

4. Bestimme die Trägheitsmomente des Flächenstücks zwischen der Kurve $y = \sin x$ (x zwischen 0 und π) und der x-Achse bezüglich der Koordinatenachsen

$$A = \int_{0}^{\pi} \sin x \, dx = -\cos x \Big]_{0}^{\pi} = 2$$

$$I_x = \int_{0}^{\pi} y^2 \cdot \frac{1}{3} \sin x \, dx = \frac{1}{3} \int_{0}^{\pi} \sin^3 x \, dx = \frac{1}{3}\left[-\cos x + \frac{1}{3}\cos^3 x \right]_{0}^{\pi} = \frac{4}{9} = \frac{2}{9}A$$

$$I_y = \int_{0}^{\pi} x^2 \sin x \, dx = \left[2\cos x + 2x \sin x - x^2 \cos x \right]_{0}^{\pi} = (\pi^2 - 4) = \frac{1}{2}(\pi^2 - 4)A$$

5. Bestimme das Trägheitsmoment eines geraden Kreiszylinders mit der Höhe b und dem Grundflächenradius a bezüglich seiner Achse! Siehe Abb. 38-6!

Der Zylinder werde erzeugt, indem man das Rechteck mit den Seitenlängen a und b um die y-Achse dreht. (Siehe Abb. 38-6!). Das approximierende Rechteck in der Abbildung hat den Schwerpunkt $(x, b/2)$. Das Volumen des erzeugten Hohlzylinders (Drehung des Rechteckes um die y-Achse) ist gleich $\Delta V = 2\pi b x \cdot \Delta x$. Aus $V = \pi b a^2$ folgt

$$I_y \;=\; 2\pi \int_0^a x^2 \cdot bx\,dx \;=\; \tfrac{1}{2}\pi ba^4 \;=\; \tfrac{1}{2}\pi ba^2 \cdot a^2 \;=\; \tfrac{1}{2}Va^2.$$

Also ist das Trägheitsmoment eines geraden Kreiszylinders bezüglich seiner Achse gleich dem halben Produkt aus seinem Volumen und dem Radiusquadrat.

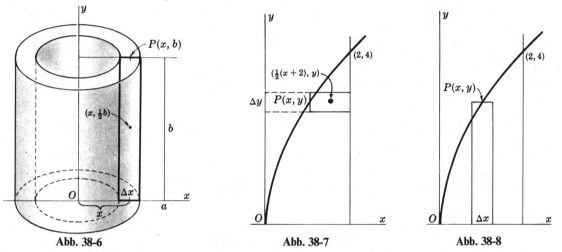

Abb. 38-6   Abb. 38-7   Abb. 38-8

6. Ein Körper werde erzeugt, indem man das Flächenstück im ersten Quadranten, das durch die Parabel $y^2 = 8x$, die x-Achse und die Gerade $x = 2$ begrenzt ist, um die x-Achse dreht. Bestimme sein Trägheitsmoment bezüglich seiner Achse!

Erste Lösung. Siehe Abb. 38-7! Der Schwerpunkt des approximierenden Rechtecks in Abb. 38-7 ist $[\tfrac{1}{2}(x+2), y]$. Das Volumen des erzeugten Hohlzylinders (Drehung des Rechtecks um die x-Achse) ist $2\pi y(2-x)\,\Delta y = 2\pi y(2 - y^2/8)\,\Delta y$. Damit gilt

$$V \;=\; 2\pi \int_0^4 y(2 - y^2/8)\,dy \;=\; 16\pi \qquad \text{und} \qquad I_x \;=\; 2\pi \int_0^4 y^2 \cdot y(2 - y^2/8)\,dy \;=\; \frac{256}{3}\pi \;=\; \frac{16}{3}V.$$

Zweite Lösung. Siehe Abb. 38–8! Dreht man das approximierende Rechteck in Abb. 38-8 um die x-Achse, so entsteht ein Zylinder vom Volumen $\pi y^2 \Delta x$. Nach Aufgabe 5 ist sein Trägheitsmoment bezüglich der x-Achse gleich $\tfrac{1}{2}y^2(\pi y^2 \Delta x) = \tfrac{1}{2}\pi y^4 \Delta x$. Damit folgt

$$V \;=\; \pi \int_0^2 y^2\,dx \;=\; 8\pi \int_0^2 x\,dx \;=\; 16\pi$$

und

$$I_x \;=\; \frac{1}{2}\pi \int_0^2 y^4\,dx \;=\; 32\pi \int_0^2 x^2\,dx \;=\; \frac{256}{3}\pi \;=\; \frac{16}{3}V.$$

7. Bestimme das Trägheitsmoment des Körpers, der entsteht, indem man das Flächenstück aus Aufgabe 6 um die y-Achse dreht, bezüglich seiner Achse! Siehe Abb. 38-8!

Dreht man das approximierende Rechteck in Abb. 38-8 um die y-Achse, so entsteht ein Zylinder vom Volumen $2\pi xy\,\Delta x$. Damit folgt

$$V \;=\; 2\pi \int_0^2 xy\,dx \;=\; 4\sqrt{2}\,\pi \int_0^2 x^{3/2}\,dx \;=\; \frac{64}{5}\pi$$

und

$$I_y \;=\; 2\pi \int_0^2 x^2 \cdot xy\,dx \;=\; 4\sqrt{2}\,\pi \int_0^2 x^{7/2}\,dx \;=\; \frac{256}{9}\pi \;=\; \frac{20}{9}V.$$

8. Eine Kugel werde durch Drehung eines Kreises vom Radius r um einen Durchmesser erzeugt. Bestimme ihr Trägheitsmoment bezüglich der Drehachse!

Wir zeichnen den Kreis wie in der Abb. 38-9, wobei der feste Durchmesser auf der x-Achse liege. Mit der Zylindermethode ergibt sich

und

$$V = 2\pi \int_0^r 2x \cdot y \, dy = \tfrac{4}{3}\pi r^3$$

$$I_x = 4\pi \int_0^r y^2 \cdot xy \, dy = 4\pi \int_0^r y^3 \sqrt{r^2 - y^2} \, dy \,.$$

Es sei $y = r \sin z$; dann gilt $\sqrt{r^2 - y^2} = r \cos z$, $dy = r \cos z \, dz$.

Für die Integrationsgrenzen gilt: Aus $y = 0$ folgt $0 = r \sin z$, $0 = \sin z$,

$z = 0$ und aus $y = r$ folgt $r = r \sin z$, $1 = \sin z$, $z = \tfrac{1}{2}\pi$. Also:

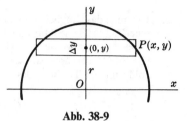

Abb. 38-9

$$I_x = 4\pi r^5 \int_0^{\pi/2} \sin^3 z \cos^2 z \, dz = 4\pi r^5 \int_0^{\pi/2} (1 - \cos^2 z) \cos^2 z \sin z \, dz = \tfrac{8}{15}\pi r^5 = \tfrac{2}{5} r^2 V \,.$$

9. Bestimme das Trägheitsmoment eines Kreises vom Radius r bezüglich einer Geraden, die von seinem Mittelpunkt die Entfernung s hat!

Wir legen den Mittelpunkt des Kreises in den Nullpunkt. Zuerst berechnen wir das Trägheitsmoment des Kreises bezüglich des Durchmessers, der parallel zu der Geraden liegt (A = Kreisfläche)

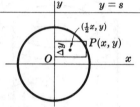

$$I_x = 4 \int_0^r y^2 \cdot x \, dy = 4 \int_0^r y^2 \sqrt{r^2 - y^2} \, dy = \tfrac{1}{4} r^4 \pi = \tfrac{1}{4} r^2 A \,.$$

Damit folgt $\qquad I_s = I_x + A \cdot s^2 = (\tfrac{1}{4} r^2 + s^2) A \,.$

Abb. 38-10

10. Dreht man einen Bogen von $y = \sin 3x$ um die x-Achse, so hat der Rotationskörper das Trägheitsmoment $I_x = \pi^2/16 = 3V/8$ bezüglich der Drehachse. Bestimme das Trägheitsmoment des Körpers bezüglich der Geraden $y = 2$!

$$I_{y=2} = I_x + 2^2 V = 3V/8 + 4V = 35V/8 \,.$$

ERGÄNZUNGSAUFGABEN

11. Bestimme das Trägheitsmoment des gegebenen Flächenstücks bezüglich der gegebenen Geraden!

    (a) $y = 4 - x^2$, $x = 0$, $y = 0$; x- Achse, y-Achse.   *Lsg.* $128A/35$, $4A/5$.

    (b) $y = 8x^3$, $y = 0$, $x = 1$; x- Achse, y-Achse   *Lsg.* $128A/15$, $2A/3$

    (c) $x^2 + y^2 = a^2$; ein Durchmesser.   *Lsg.* $a^2A/4$.

    (d) $y^2 = 4x$, $x = 1$; x-Achse, y-Achse.   *Lsg.* $4A/5$, $3A/7$.

    (e) $4x^2 + 9y^2 = 36$; x- Achse, y-Achse.   *Lsg.* A, $9A/4$.

12. Benutze die Ergebnisse aus Aufgabe 11 und den Satz über parallele Achsen, um das Trägheitsmoment des gegebenen Flächenstücks bezüglich der gegebenen Geraden zu berechnen!

    (a) $y = 4 - x^2$, $y = 0$; $x = 4$ (b) $x^2 + y^2 = a^2$; eine Tangente, (c) $y^2 = 4x$, $x = 1$; $x = 1$.

    Lsg. (a) $84A/5$ (b) $5a^2A/4$ (c) $10A/7$

13. Das gegebene Flächenstück werde um die gegebene Achse gedreht. Bestimme das Trägheitsmoment des Rotationskörpers bezüglich der Drehachse!

    (a) $y = 4x - x^2$, $y = 0$; x-Achse, y-Achse.   (c) $4x^2 + 9y^2 = 36$; x-Achse, y-Achse.

    (b) $y^2 = 8x$, $x = 2$; x- Achse, y-Achse.   (d) $x^2 + y^2 = a^2$; $y = b$, $b > a$.

    Lsg. (a) $128V/21$, $32V/5$ (b) $16V/3$, $20V/9$ (c) $8V/5$, $18V/5$ (d) $(b^2 + \tfrac{3}{4}a^2)V$.

14. Bestimme mit dem Satz über parallele Achsen das Trägheitsmoment (a) einer Kugel vom Radius r bezüglich einer berührenden Geraden, (b) eines geraden Kreiszylinders bezüglich einer Geraden, die parallel zur Achse liegt und den Zylinder berührt!   *Lsg.* (a) $7r^2V/5$, (b) $3r^2V/2$

15. Beweise: Das Trägheitsmoment eines Flächenstücks bezüglich einer auf ihr senkrecht stehenden Geraden L (oder bezüglich des Fußpunktes dieser Senkrechten) ist gleich der Summe der Trägheitsmomente bezüglich zweier beliebig senkrecht aufeinander stehenden Geraden in dem Flächenstück, die durch den Fußpunkt von L gehen!

16. Bestimme das Polarträgheitsmoment I_0 (das Trägheitsmoment bezüglich des Nullpunkts) (a) des Dreiecks, das durch $y = 2x$, $y = 0$, $x = 4$ begrenzt ist, (b) des Kreises mit dem Radius r und dem Mittelpunkt in 0, (c) des Kreises $x^2 - 2rx + y^2 = 0$, (d) des durch die Gerade $y = x$ und die Parabel $y^2 = 2x$ begrenzten Flächenstückes.

    Lsg. (a) $I_0 = I_x + I_y = 56A/3$, (b) $\tfrac{1}{2}r^2A$, (c) $3r^2A/2$, (d) $72A/35$.

KAPITEL 39

Flüssigkeitsdruck

DRUCK = Kraft pro Flächeneinheit = $\dfrac{\text{Kraft, die senkrecht auf eine Fläche wirkt}}{\text{Fläche, über die die Kraft verteilt ist}}$

Der Druck p, der auf eine waagerechte Oberfläche der Fläche A durch eine Flüssigkeitssäule der Höhe h, die auf ihr steht, wirkt, ist durch $p = wh$ gegeben, wobei w = Gewicht der Flüssigkeit pro Volumeneinheit ist.

Der Druck, den eine Flüssigkeit auf einen ihrer Punkte ausübt, ist in allen Richtungen gleich.

DIE KRAFT, DIE AUF EIN UNTERGETAUCHTES EBENES FLÄCHENSTÜCK WIRKT.

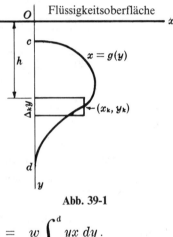

Abb. 39-1

Die Abbildung 39-1 zeigt ein ebenes Flächenstück, das senkrecht in eine Flüssigkeit mit dem spezifischen Gewicht w eingetaucht wurde. Wir denken uns die Fläche in der xy-Ebene so, daß die x-Achse die Oberfläche der Flüssigkeit ist und die positive y-Achse nach unten gerichtet ist. Die Fläche unterteilen wir in Streifen (immer parallel zur Flüssigkeitsoberfläche) und approximieren jeden durch ein Rechteck (wie in Kapitel 34).

Es sei h die Tiefe der oberen Seite des in der Figur ausgewählten Rechtecks. Die Kraft, die auf dieses Rechteck der Breite $\Delta_k y$ und der Länge $x_k = g(y_k)$ wirkt, ist gleich $w \cdot y_k' \cdot g(y_k)\,\Delta_k y$, wobei y_k' ein Wert von y zwischen h und $h + \Delta_k y$ ist. Die Gesamtkraft F, die auf die Fläche wirkt, ist dann nach dem Satz von Bliss gleich

$$F = \lim_{n \to +\infty} \sum_{k=1}^{n} w \cdot y_k' \cdot g(y_k)\,\Delta_k y = w \int_c^d y \cdot g(y)\,dy = w \int_c^d yx\,dy .$$

Die Kraft, die auf ein ebenes Flächenstück wirkt, das senkrecht in eine Flüssigkeit eingetaucht wird, ist gleich dem Produkt aus dem spezifischen Gewicht der Flüssigkeit, der untergetauchten Fläche und der Tiefe des Schwerpunkts des Flächenstücks unter der Flüssigkeitsoberfläche. Das sollte statt einer Formel als Arbeitsprinzip bei der Bestimmung aller Integrale benutzt werden.

AUFGABEN MIT LÖSUNGEN

1. Bestimme die Kraft, die auf eine Fläche des Rechtecks wirkt, das wie in Abb. 39-2 unter Wasser getaucht wurde! Die Dichte von Wasser beträgt 1000 kg pro Kubikmeter, also ist das spezifische Gewicht $w = 9{,}8 \times 1000 = 9800$ N/m^3.

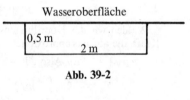

Abb. 39-2

Die untergetauchte Fläche ist $0{,}5 \times 2 = 1\,\text{m}^2$, und der Schwerpunkt ist 0,25 m unter der Wasseroberfläche. Also gilt für die Kraft F:

F = spez. Gewicht × Fläche × Tiefe des Schwerpunkts =
9800 N/m^3 × 1 m^2 × 0,25 = 2450 N.

2. Bestimme die Kraft, die auf eine Fläche des Rechtecks wirkt, das wie in Abb. 39-3 in Wasser getaucht wurde!

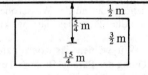

Abb. 39-3

Die untergetauchte Fläche ist gleich $45/8\,\text{m}^2$ und der Schwerpunkt liegt $5/4$ m unter der Wasseroberfläche.

$$F = 9800\,\text{N/m}^3 \times 45/8\,\text{m}^2 \times 5/4\,\text{m} = 68\,906{,}25\,\text{N}$$

3. Bestimme die Kraft, die auf eine Seite des Dreiecks wirkt, das in Abb. 39-4 gezeichnet ist (Länge in m; spezifisches Gewicht der Flüssigkeit $w = 8000$ N/m³)!

Erste Lösung. Die untergetauchte Fläche ist durch die Geraden $x = 0$, $y = 1/2$ und $3x + 2y = 5/2$ begrenzt. Die Kraft, die auf das approximierende Rechteck der Fläche $x \cdot \Delta y$ und der Tiefe y wirkt, ist $w \cdot y \cdot x \cdot \Delta y =$

$wy \left(\dfrac{5 - 4y}{6} \right) \Delta y \cdot$ Damit gilt $F = w \displaystyle\int_{1/2}^{5/4} y \left(\dfrac{5 - 4y}{6} \right) dy = \dfrac{9w}{64} = 1125$ N.

Zweite Lösung. Die untergetauchte Fläche ist $3/16$ m² und ihr Schwerpunkt liegt $\dfrac{1}{2} + \dfrac{1}{3} + \left(\dfrac{3}{4} \right) = \dfrac{3}{4}$ m unter der Flüssigkeitsoberfläche. Also gilt $F = 8000 \times \dfrac{1}{16} \times \dfrac{3}{4} = 1125$ N.

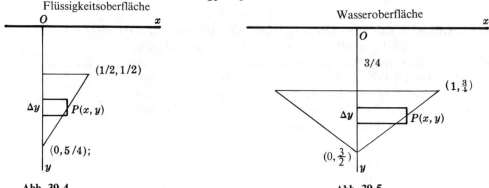

          Abb. 39-4   **Abb. 39-5**

4. Eine dreieckige Platte, deren Seiten $\dfrac{5}{4}$, $\dfrac{5}{4}$ und 2 m lang sind, wird senkrecht unter Wasser getaucht, so daß die längste Seite waagerecht und nach oben $3/4$ m unter der Wasseroberfläche liegt. Berechne die Kraft, die auf eine Fläche der Platte wirkt! Siehe Abb. 39-5!

Erste Lösung. Wir wählen die Achsen wie in Abb. 39-5. Dann ist die gesuchte Kraft gleich zweimal der, die auf die Fläche wirkt, die durch die Geraden $y = 3/4$, $x = 0$ und $3x + 4y = 6$ begrenzt wird. Die Fläche des approximierenden Rechtecks ist $x \cdot \Delta y$, und es hat die mittlere Tiefe y. Damit gilt $\Delta F = wyx \cdot \Delta y = wy(2 - 4y/3)\,\Delta y$ und

$$F = 2w \int_{3/4}^{3/2} y \left(2 - \dfrac{4}{3} y \right) dy = \dfrac{3}{4} w = 7350 \text{ N}$$

Zweite Lösung. Die untergetauchte Fläche ist $3/4$ m², und ihr Schwerpunkt liegt $3/4 + 1/3\,(3/4) = 1$ m unter der Wasseroberfläche. Also gilt

$$F = 9800 \times 3/4 \times 1 = 7350 \text{ N}$$

5. Bestimme die Kraft am Ende des Troges, der die Form eines Halbkreises mit dem Radius $1/2$ m hat, wenn dieser mit einer Flüssigkeit (spez. Gewicht $w = 9600$ N / m³) gefüllt ist!

Wählen wir das Koordinatensystem wie in Abb. 39-6, so ist die Kraft, die auf das approximierende Rechteck wirkt, gleich $wyx \cdot \Delta y$

$= wy\sqrt{\tfrac{1}{4} - y^2}\,\Delta y$. Also gilt

$$F = 2w \int_0^{1/2} y\sqrt{\tfrac{1}{4} - y^2}\, dy = \dfrac{1}{12} w = 800 \text{ N}.$$

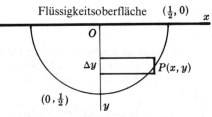

Abb. 39-6

6. Eine Platte von der Form eines Parabelsegments mit der Grundseite 3 m und der Höhe 1 m wird unter Wasser getaucht, so daß die Grundseite genau an der Wasseroberfläche liegt. Bestimme die Kraft, die auf die Fläche der Platte wirkt!

Wir wählen das Koordinatensystem wie in Abb. 39-7. Die Gleichung der Parabel ist dann $4x^2 = 9y$. Das approximierende Rechteck hat die Fläche $2x \cdot \Delta y$ und die mittlere Tiefe $1-y$. Also gilt

$$\Delta F = 2w(1 - y)x \cdot \Delta y = w(1 - y) \cdot 3\sqrt{y}\,\Delta y$$

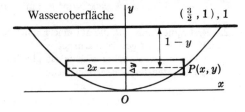

Abb. 39-7

und $F = 3w \displaystyle\int_0^1 (1 - y)\sqrt{y}\, dy = \dfrac{4}{5} w = 7840 \text{ N}.$

7. Bestimme die Kraft F, die auf die Platte aus Aufgabe 6 ausgeübt wird, wenn sie teilweise in eine Flüssigkeit getaucht ist, so daß ihre Achse parallel zur Oberfläche liegt und 3/4 m unter ihr liegt. Die Flüssigkeit habe das spezifische Gewicht $w = 7680 \text{ N/m}^3$.

Wir wählen das Koordinatensystem wie in Abb. 39-8. Dann ist die Gleichung der Parabel durch $4y^2 = 9x$ gegeben. Das approximierende Rechteck hat die Fläche $(1 - x)\Delta y$ und die mittlere Tiefe $\frac{3}{4} - y$. Es wirkt darauf eine Kraft von

$$\Delta F = w(\tfrac{3}{4} - y)(1 - x)\Delta y = w(\tfrac{3}{4} - y)(1 - 4y^2/9)\Delta y$$

Dann gilt $\quad F = w \displaystyle\int_{-3/2}^{3/4} (\tfrac{3}{4} - y)\left(1 - \frac{4y^2}{9}\right) dy$

$$= \frac{405}{256} w = 12150 \text{ N}.$$

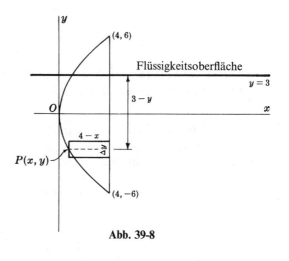

Abb. 39-8

ERGÄNZUNGSAUFGABEN

8. Eine rechteckige Platte $1{,}5\,\text{m} \times 2\,\text{m}$ ist senkrecht in eine Flüssigkeit (spezifisches Gewicht $w\,\text{N}/\,\text{m}^3$) getaucht. Bestimme die Kraft, die auf eine ihrer Flächen ausgeübt wird, wenn

   (a) die kürzere Seite oben ist und genau an der Flüssigkeitsoberfläche liegt,
   (b) die kürzere Seite oben ist und $0{,}5$ m unter der Oberfläche liegt,
   (c) die längere Seite oben ist und an der Oberfläche liegt,
   (d) die Platte durch ein Seil gehalten wird, das an einer Ecke $0{,}5$ m unter der Flüssigkeitsoberfläche befestigt ist!
Lsg.   *(a)* $3w\text{N}$ *(b)* $4{,}5w\text{N}$ *(c)* $2{,}25w\text{N}$ *(d)* $9w\text{N}$

9. Die x-Achse liege waagerecht, und die positive y-Achse sei nach unten gerichtet. Bestimme die Kraft, die auf eine Seite der folgenden Flächenstücke wirkt (Längen in Meter und spezifisches Gewicht $w\,\text{N}/\,\text{m}^3$).

   (a) $y = 4x^2,\ y = 1$; Flüssigkeitsoberfläche in $y = 0$.   *Lsg.* $2w/5\,\text{N}$
   (b) $y = 4x^2,\ y = 1$; Flüssigkeitsoberfläche in $y = -0{,}5$.   *Lsg.* $11w/15\,\text{N}$
   (c) $y = 1 - 4x^2,\ y = 0$; Flüssigkeitsoberfläche in $y = 0$.   *Lsg.* $4w/15\,\text{N}$
   (d) $y = 1 - 4x^2,\ y = 0$; Flüssigkeitsoberfläche in $y = -0{,}75$.   *Lsg.* $23w/30\,\text{N}$
   (e) $y = 1 - 4x^2,\ y = 0{,}5$; Flüssigkeitsoberfläche in $y = -0{,}25$.   *Lsg.* $19\sqrt{2}\,w/120\,\text{N}$

10. Ein Trog mit trapezförmigem Querschnitt ist am Boden $0{,}5$ m breit, oben 1 m breit und $0{,}75$ m tief. Bestimme die Kraft an einem Ende, wenn *(a)* er mit Wasser gefüllt ist, *(b)* das Wasser $0{,}5$ m hoch steht!
Lsg.   *(a)* $1837{,}5$ N   *(b)* $714{,}6$ N

11. Eine runde Platte vom Radius $0{,}5$ m wird in eine Flüssigkeit getaucht ($w\text{N/m}^3$), so daß ihr Mittelpunkt 1 m unter der Oberfläche ist. Bestimme die Kraft, die auf die untere bzw. obere Hälfte der Platte wirkt!

Lsg. $(\frac{\pi}{8} - \frac{1}{12})w\,\text{N}$, $(\frac{\pi}{8} + \frac{1}{12})w\,\text{N}$

12. Ein zylindrisches Faß mit 2 m Radius liegt auf der Seite. Bestimme die Kraft, die auf ein Ende wirkt, wenn es bis zu einer Tiefe von 3 m mit Öl (spez. Gew. $w\,\text{N}/\,\text{m}^3$) gefüllt ist!   *Lsg.* $(\frac{8}{3}\pi + 9\sqrt{3})\,w\,\text{N}$.

13. Der Druckmittelpunkt der Fläche in Abb. 39-1 ist der Punkt $(\bar{x}, \bar{y})$, in dem die Kraft F konzentriert dasselbe Moment bezüglich jeder waagerechten (senkrechten) Geraden ergeben würde wie die verteilten Kräfte.

   (a) Zeige, daß $F\bar{x} = \frac{1}{2}w\displaystyle\int_c^d yx^2\,dy$ und $F\bar{y} = w\displaystyle\int_c^d y^2 x\,dy$!

   (b) Zeige, daß die Tiefe unter der Flüssigkeitsoberfläche des Druckmittelpunkts gleich dem Trägheitsmoment der Fläche dividiert durch das erste Moment der Fläche ist, wobei beide bezüglich einer Geraden in der Flüssigkeitsoberfläche berechnet sind.

14. Berechne mit Aufg. 13 *(b)* die Tiefe des Druckmittelpunkts unter der Flüssigkeitsoberfläche in *(a)* Aufgabe 5, *(b)* Aufgabe 6, *(c)* Aufgabe 7, *(d)* Aufgabe 9 *(a)*, *(e)* Aufgabe 9 *(b)*!
Lsg.   *a)* $3\pi/32$,   *(b)* $4/7$,   *(c)* $32/25$,   *(d)* $5/7$,   *(e)* $179/154$.

KAPITEL 40

Arbeit

KONSTANTE KRAFT! Die Arbeit W, die durch eine konstante Kraft F verrichtet wird, die über eine (gerichtete) Entfernung s längs einer Geraden wirkt, ist gleich $F \cdot s$.

VERÄNDERLICHE KRAFT. Wir betrachten eine sich stetig ändernde Kraft, die längs einer Geraden wirkt. Es sei x die (gerichtete) Entfernung des Angriffspunkts der Kraft von einem festen Punkt der Geraden. Die Kraft sei ferner durch eine Funktion $F(x)$ von x gegeben.

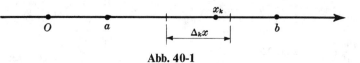

Abb. 40-1

Bestimmung der verrichteten Arbeit, wenn der Angriffspunkt sich von $x = a$ bis $x = b$ bewegt.

(a) Man teilt das Intervall $a \leq x \leq b$ in n Teilintervalle der Länge $\Delta_k x$ und wählt im k-ten Teilintervall irgendeinen Punkt x_k.

(b) Man nimmt an, daß während der Änderung von x im k-ten Teilintervall die Kraft konstant gleich $F(x_k)$ ist. Dann ist die verrichtete Arbeit während dieser Änderung von x durch $F(x_k) \Delta_k x$ gegeben. Die Gesamtarbeit, die die n angenommenen Kräfte verrichten, ist dann gleich

$$\sum_{k=1}^{n} F(x_k) \Delta_k x.$$

(c) Man läßt die Anzahl der Teilintervalle so gegen Unendlich gehen, daß $\Delta_k x \to 0$ gilt, und wendet den Hauptsatz an. Dann ergibt sich

$$W = \lim_{n \to \infty} \sum_{k=1}^{n} F(x_k) \Delta_k x = \int_a^b F(x) \, dx$$

AUFGABEN MIT LÖSUNGEN

1. Innerhalb gewisser Grenzen ist die Kraft, die benötigt wird, um eine Feder zu dehnen, zur Dehnung proportional, wobei die Proportionalitätskonstante die *Federkonstante* genannt wird. Um eine gegebene Feder der Normallänge 25 cm um 0,5 cm zu dehnen, wird eine Kraft von 100 N benötigt. Berechne die Arbeit, die verrichtet wird, wenn man die Feder von 27 auf 30 cm dehnt.

   x sei die Dehnung; dann gilt $F(x) = kx$.

   Für $x = 0,5$ gilt $F(x) = 100$; also haben wir $k = 200$ und $F(x) = 200x$.

   Die Arbeit, die bei einer Dehnung von Δx verrichtet wird, ist $200x \cdot \Delta x$. Damit ist die gesuchte Arbeit durch

   $$W = \int_2^5 200x \, dx = 2100 \, \text{cmN} = 21 \, \text{J}$$

   gegeben.

2. Die Federkonstante der Feder an einem Prellbock in einem Frachthof beträgt $4 \, \text{MN/m}$. Berechne die Arbeit, die verrichtet wird, wenn man die Feder um $0,025 \, \text{m}$ zusammendrückt!

   Es sei x (m) die Änderung des freien Endes der Feder. Dann gilt $F(x) = 4 \times 10^6$. Die Arbeit, die einer Änderung von Δx entspricht, ist also gleich $4 \times 10^6 x \cdot \Delta x$. Also folgt für die Arbeit W :

   $$W = \int_0^{0,025} 4 \times 10^6 x \, dx = 1250 \, \text{J}$$

3. Ein Kabel, das $40\,\text{N}/\text{m}$ wiegt, wickelt sich von einer zylindrischen Trommel ab. Berechne die Arbeit W, die durch die Schwerkraft verrichtet wird, wenn bereits 15 m abgewickelt sind und sich noch zusätzlich 75 m abwickeln!

Es sei $x=$ Kabellänge, die zu irgendeiner Zeit abgewickelt ist. Dann gilt $F(x)=40\,x$ und für die Arbeit W:

$$W = \int_{15}^{90} 40\,x\,dx = 157\,500\,\text{J}$$

4. Ein Safe, der $7000\,\text{N}$ wiegt, wird durch ein 30 m langes Seil, das $70\,\text{N}/\text{m}$ wiegt, 24 m hochgezogen, wobei das Seil aufgewickelt wird. Berechne die verrichtete Arbeit!

Es sei x die Seillänge, die bereits aufgewickelt wurde.

Das Gesamtgewicht (Safe und noch nicht aufgewickeltes Seil) ist dann $7000+70\,(30-x)=4900-70x$, und die Arbeit, die verrichtet wird, wenn man den Safe um Δx m hebt, ist $(4900-70x)\,\Delta x$. Also ergibt sich für die gesuchte Arbeit W:

$$W = \int_{0}^{24} (4900-70\,x)\,dx. = 97440\,\text{J}.$$

5. Ein Faß in Form eines geraden Kreiszylinders mit einem Radius von 0,5 m und einer Höhe von 2 m ist mit Wasser gefüllt. Bestimme die Arbeit, die verrichtet wird, wenn man das Wasser nach oben pumpt! Wasser wiegt $w=9800\ \text{N}/\text{m}^3$.

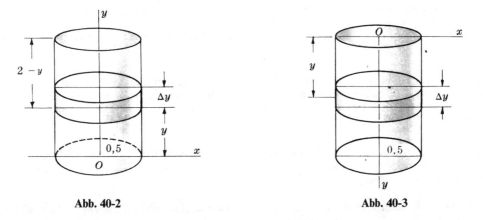

Abb. 40-2   **Abb. 40-3**

Erste Lösung. Siehe Abb. 40-2! Wir stellen uns vor, daß das Wasser durch einen Kolben, der sich von unten nach oben bewegt, hinausgedrückt wird. Die Abbildung 40-2 zeigt den Kolben y m vom Boden entfernt. Die Hebekraft zu diesem Zeitpunkt (= Gewicht des Wassers, das auf dem Kolben steht) ist annähernd gleich $F(y)=\pi r^2 w(2-y)=$ $=\tfrac{1}{4}\pi w(2-y)$ und die Arbeit, die einem Hub des Kolbens von Δy entspricht, ist annähernd $\tfrac{1}{4}\pi w(2-y)\cdot\Delta y$. Die gesamte Arbeit W ist also

$$W = \tfrac{1}{4}\,\pi w \int_{0}^{2} (2-y)\,dy = \tfrac{1}{2}\pi w = \tfrac{1}{2}\pi(9800) = 4900\pi\ \text{J}$$

Zweite Lösung. Siehe Abb. 40-3! Wir denken uns das Wasser im Faß in n Kreisscheiben der Dicke Δy zerlegt. Das Faß ist leer, wenn jede dieser Scheiben nach oben gepumpt worden ist. Die ausgewählte Scheibe in Abb. 40-3 hat vom oberen Rand die mittlere Entfernung y und das Gewicht $\tfrac{1}{4}\pi w\cdot\Delta y$. Die Arbeit, die verrichtet wird, wenn man sie nach oben pumpt, ist gleich $\tfrac{1}{4}\pi w y\cdot\Delta y$. Wir summieren alle n Scheiben und wenden den Hauptsatz an. Dann ergibt sich für die Arbeit W:

$$W = \tfrac{1}{4}\pi w \int_{0}^{2} y\,dy = \tfrac{1}{2}\pi w = 4900\pi\ \text{J}.$$

6. Durch sich ausdehnendes Gas in einem Zylinder wird ein Kolben so bewegt, daß das Volumen des eingeschlossenen Gases von 250 cm³ auf 400 cm³ wächst. Bestimme die verrichtete Arbeit, wenn zwischen dem Druck p (N/cm^2) und dem Volumen $v\,(\text{c\,m}^3)$ die Gleichung $pv^{1,4}=3000$ besteht!

Es sei A die Fläche eines Querschnitts des Zylinders. Dann ist pA die Kraft, die durch das Gas darauf ausgeübt wird. Ein Volumenzuwachs von Δv bewirkt, daß der Kolben sich um $\Delta v/A$ bewegt. Es wird dann eine Arbeit von

$$pA\cdot\frac{\Delta v}{A} = \frac{3000\,\Delta v}{v^{1,4}}\quad\text{verrichtet.}$$

Also gilt für die gesuchte Arbeit W:

$$W = 3000 \int_{250}^{400} \frac{dv}{v^{1,4}} = -\frac{3000}{0,4}\ v^{-0,4}\Big]_{250}^{400} = -7500\left(\frac{1}{250^{0,4}} - \frac{1}{400^{0,4}}\right) = 1,5\ \text{J}.$$

7. Ein konisches Gefäß ist 5 m hoch und hat oben einen Durchmesser von 4 m. Bestimme die Arbeit, die verrichtet wird, wenn man eine Flüssigkeit, die w N/m³ wiegt und 3 m hoch steht, bis zu einer Höhe von 1 m über den oberen Rand des Gefäßes pumpt!

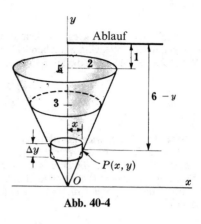

Abb. 40-4

Wir betrachten die in Abb. 40-4 eingezeichnete Kreisscheibe. Sie hat den Radius x, die Dicke Δy und vom Boden eine mittlere Entfernung y. Ihr Gewicht ist $\pi w x^2 \Delta y$. Pumpt man sie bis zur geforderten Höhe, so wird die Arbeit $\pi w x^2 (6 - y)\,\Delta y$ verrichtet.

Es gilt $x/y = 2/5$ oder $x = \tfrac{2}{5}y$ (ähnliche Dreiecke!). Also gilt für die gesuchte Arbeit W:

$$W = \frac{4}{25}\pi w \int_0^3 y^2 (6 - y)\,dy = \frac{27}{5}\,\pi w \text{ J}.$$

ERGÄNZUNGSAUFGABEN

8. Eine Kraft von 360 N dehnt eine Feder, die 4 m lang ist, um 0,3 m. Bestimme die Arbeit, die verrichtet wird, um sie (a) von 4 m auf 5 m, (b) von 5 m auf 5,3 m zu dehnen! *Lsg.* (a) 600 J, (b) 414 J.

9. Zwei Teilchen stoßen sich gegenseitig mit einer Kraft ab, die umgekehrt proportional zu ihrem Abstandsquadrat ist. Das eine bleibe fest an einem Punkt der x-Achse, der 2 Einheiten rechts vom Nullpunkt liegt. Bestimme die Arbeit, die verrichtet wird, wenn man das andere längs der x-Achse von einem Punkt, der 3 Einheiten links vom Nullpunkt liegt, zum Nullpunkt hin bewegt. *Lsg.* $3k/10$.

10. Die Kraft, mit der die Erde einen Körper von der Masse w kg, der s km vom Erdmittelpunkt entfernt ist, anzieht, ist $9,8\,(6400)^2 w/s^2$, wobei der Erdradius gleich 6400 km gesetzt wurde. Bestimme die Arbeit, die gegen die Schwerkraft verrichtet wird, wenn man eine Masse von 1 kg von der Erdoberfläche bis zu einem Punkt 1600 km über der Erde bewegt! *Lsg.* 12544 km 12,5 MJ (angenähert).

11. Bestimme die Arbeit, die gegen die Schwerkraft verrichtet wird, wenn man eine Rakete von 8000 kg Masse bis zu einer Höhe von 320 km über der Erdoberfläche bewegt! *Lsg.* 239×10^5 km N $= 23,9$ G J.

12. Bestimme die Arbeit, die verrichtet wird, wenn man 500 kg Kohle von einer Mine, die 500 m tief liegt, über ein Seil, das 30 N/m wiegt, heraufholt! *Lsg.* 6,2 M J.

13. Eine Zisterne ist 2 m tief und quadratisch mit 2,5 m Seitenlänge. Berechne die Arbeit, die verrichtet wird, um sie von oben zu leeren, wenn sie (a) bis oben mit Wasser gefüllt ist, (b) $\tfrac{3}{4}$ voll ist. *Lsg.* (a) 125 000 J, (b) 117187,5 J.

14. Ein halbkugelförmiger Tank vom Radius 1 m ist mit Wasser gefüllt. Bestimme die Arbeit, die verrichtet wird, wenn man (a) das Wasser über den oberen Rand hinauspumpt, (b) den Tank durch ein Ausflußrohr, das 0,5 m über dem oberen Rand ist, leert! *Lsg.* (a) 2500π J (b) 5833π J.

15. Wie groß ist die Arbeit, die verrichtet wird, wenn man ein zylindrisches Faß mit Radius 1 m und Höhe 3 m mit einer Flüssigkeit, die w N/m³ wiegt, durch ein Loch im Boden füllt? Wie groß ist die Arbeit, wenn das Faß waagerecht liegt? *Lsg.* $9/2\,\pi w$ J, $3\pi w$ J.

16. Zeige, daß die Arbeit, die verrichtet wird, um einen Tank leerzupumpen, gleich der Arbeit ist, die verrichtet wird, indem man den Inhalt vom Schwerpunkt der Flüssigkeit bis zu der Höhe, wo sie hinausgepumpt wird, hebt!

17. Eine Masse von 100 kg soll auf einer 30° Rampe 20 m hochgezogen werden. Berechne die verrichtete Arbeit, wenn die Reibungskraft, die die Bewegung hemmt, gleich $N\mu$ ist, wobei $\mu = 1/\sqrt{3}$ der Reibungskoeffizient ist und $N = 980\cos 30°$ die Kraft zwischen Masse und Rampe in Richtung der Normalen! *Lsg.* 19 600 J.

18. Löse Aufgabe 17 für eine 45° Rampe mit einem Reibungskoeffizienten $\mu = 1/\sqrt{2}$! *Lsg.* $9800(1 + \sqrt{2})$ J.

19. In einem Zylinder, der mit einem Kolben versehen ist, ist Luft eingeschlossen. Bei einem Druck von 1000 N/m² ist das Volumen gleich 3 m³. Berechne die Arbeit, die verrichtet wird, wenn die Luft auf 0,06 m³ zusammengedrückt wird, wenn man annimmt, daß (a) $pv = $ konstant ist, (b) $pv^{1,4} = $ konstant ist.

Lsg. (a) 11 735,7 J (b) 28 365 J.

KAPITEL 41

Bogenlänge

DIE BOGENLÄNGE EINES KURVENBOGENS AB ist als Grenzwert der Summen der Längen von aufeinanderfolgenden Sehnen AP_1, P_1P_2, ..., $P_{n-1}B$, die Punkte auf dem Bogen verbinden, erklärt, wobei die Anzahl der Punkte so gegen Unendlich geht, daß die Länge jeder Sehne gegen Null geht.

Sind $A(a, c)$ und $B(b, d)$ zwei Punkte auf der Kurve $y = f(x)$, wobei $f(x)$ und die Ableitung $f'(x)$ stetig im Intervall $a \leq x \leq b$ sind, so ist die Länge des Bogens AB durch

$$s = \int_{AB} ds = \int_a^b \sqrt{1 + \left(\frac{dy}{dx}\right)^2} \, dx \text{ gegeben.}$$

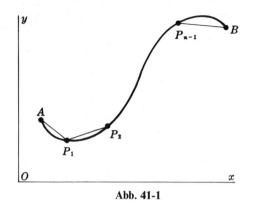
Abb. 41-1

Sind ebenfalls $A(a, c)$ und $B(b, d)$ zwei Punkte auf der Kurve $x = g(y)$, wobei $g(y)$ und die Ableitung bezüglich x im Intervall $c \leq y \leq d$ stetig sind, so ist die Länge des Bogens AB durch

$$s = \int_{AB} ds = \int_c^d \sqrt{1 + \left(\frac{dx}{dy}\right)^2} \, dy \text{ gegeben.}$$

Sind $A(u = u_1)$ und $B(u = u_2)$ zwei Punkte auf einer Kurve, die durch die Parametergleichungen $x = f(u)$, $y = g(u)$ definiert ist und sind die Stetigkeitsbedingungen erfüllt, so ist die Länge des Bogens AB durch

$$s = \int_{AB} ds = \int_{u_1}^{u_2} \sqrt{\left(\frac{dx}{du}\right)^2 + \left(\frac{dy}{du}\right)^2} \, du \text{ gegeben.}$$

Eine Herleitung steht in Aufgabe 1.

AUFGABEN MIT LÖSUNGEN

1. Leite die Formel für die Bogenlänge $s = \int_a^b \sqrt{1 + \left(\frac{dy}{dx}\right)^2} \, dx$ her!

Das Intervall $a \leq x \leq b$ sei durch Einfügen der Punkte $\xi_0 = a$, $\xi_1, \xi_2, \ldots, \xi_{n-1}, \xi_n = b$ unterteilt. In diesen errichten wir Senkrechte, die den Bogen in den Punkten $P_0 = A$, P_1, P_2, ..., P_{n-1}, $P_n = B$ schneiden (Abb.41-2). Eine ausgewählte Sehne in der Abbildung hat die Länge

$$P_{k-1}P_k = \sqrt{(\Delta_k x)^2 + (\Delta_k y)^2} = \sqrt{1 + \left(\frac{\Delta_k y}{\Delta_k x}\right)^2} \, \Delta_k x.$$

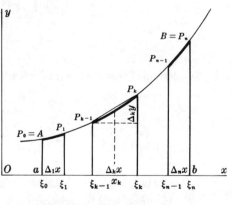
Abb. 41-2

Nach dem Mittelwertsatz (Kapitel 21) gibt es mindestens einen Punkt, etwa $x = x_k$, auf dem Bogen $P_{k-1}P_k$ in dem die Steigung $f'(x_k)$ der Tangente gleich der Steigung $\frac{\Delta_k y}{\Delta_k x}$ der Sehne $P_{k-1}P_k$ ist. Also gilt

$$P_{k-1}P_k = \sqrt{1 + \{f'(x_k)\}^2}\,\Delta_k x, \quad \xi_{k-1} < x_k < \xi_k .$$

Mit dem Hauptsatz folgt

$$AB = \lim_{n \to +\infty} \sum_{k=1}^{n} \sqrt{1 + \{f'(x_k)\}^2}\,\Delta_k x = \int_a^b \sqrt{1 + \left(\frac{dy}{dx}\right)^2}\,dx .$$

2. Bestimme die Länge des Bogens der Kurve $y = x^{3/2}$ von $x = 0$ bis $x = 5$!

$$\frac{dy}{dx} = \frac{3}{2}x^{1/2} \quad \text{und}$$

$$s = \int_a^b \sqrt{1 + \left(\frac{dy}{dx}\right)^2}\,dx = \int_0^5 \sqrt{1 + \frac{9}{4}x}\,dx = \frac{8}{27}\left(1 + \frac{9}{4}x\right)^{3/2}\Bigg]_0^5 = \frac{335}{27}\ \text{Einheiten.}$$

3. Bestimme die Länge des Bogens der Kurve $x = 3y^{3/2} - 1$ von $y = 0$ bis $y = 4$!

$$\frac{dx}{dy} = \frac{9}{2}y^{1/2} \quad \text{und}$$

$$s = \int_c^d \sqrt{1 + \left(\frac{dx}{dy}\right)^2}\,dy = \int_0^4 \sqrt{1 + \frac{81}{4}y}\,dy = \frac{8}{243}(82\sqrt{82} - 1)\ \text{Einheiten.}$$

4. Bestimme die Länge des Bogens der Kurve $24xy = x^4 + 48$ von $x = 2$ bis $x = 4$!

$$\frac{dy}{dx} = \frac{x^4 - 16}{8x^2} \quad \text{und} \quad 1 + \left(\frac{dy}{dx}\right)^2 = \frac{1}{64}\left(\frac{x^4 + 16}{x^2}\right)^2 . \text{Damit gilt} \quad s = \frac{1}{8}\int_2^4 \left(x^2 + \frac{16}{x^2}\right)dx = \frac{17}{6}\ \text{Einheiten.}$$

5. Bestimme die Länge des Bogens der Kettenlinie $y = \frac{1}{2}a(e^{x/a} + e^{-x/a})$ von $x = 0$ bis $x = a$!

$$\frac{dy}{dx} = \frac{1}{2}(e^{x/a} - e^{-x/a}) \quad \text{und} \quad 1 + \left(\frac{dy}{dx}\right)^2 = 1 + \frac{1}{4}(e^{2x/a} - 2 + e^{-2x/a}) = \frac{1}{4}(e^{x/a} + e^{-x/a})^2 . \quad \text{Damit gilt}$$

$$s = \frac{1}{2}\int_0^a (e^{x/a} + e^{-x/a})\,dx = \frac{1}{2}a\left[e^{x/a} - e^{-x/a}\right]_0^a = \frac{1}{2}a\left(e - \frac{1}{e}\right)\ \text{Einheiten.}$$

6. Bestimme die Länge des Kurvenbogens der Parabel $y^2 = 12x$, der von der Senkrechten durch den Brennpunkt abgeschnitten wird!

Die gesuchte Länge ist zweimal die vom Punkt $(0, 0)$ bis zum Punkt $(3, 6)$.

$$\frac{dx}{dy} = \frac{y}{6} \quad \text{und} \quad 1 + \left(\frac{dx}{dy}\right)^2 = \frac{36 + y^2}{36} . \quad \text{Damit folgt}$$

$$s = 2\left(\frac{1}{6}\right)\int_0^6 \sqrt{36 + y^2}\,dy = \frac{1}{3}\left[\frac{1}{2}y\sqrt{36 + y^2} + 18\ln(y + \sqrt{36 + y^2})\right]_0^6$$
$$= 6\{\sqrt{2} + \ln(1 + \sqrt{2})\}\ \text{Einheiten.}$$

7. Bestimme die Länge des Bogens der Kurve $x = t^2$, $y = t^3$ von $t = 0$ bis $t = 4$!

$$\frac{dx}{dt} = 2t, \frac{dy}{dt} = 3t^2 \quad \text{und} \quad \left(\frac{dx}{dt}\right)^2 + \left(\frac{dy}{dt}\right)^2 = 4t^2 + 9t^4 = 4t^2\left(1 + \frac{9}{4}t^2\right). \quad \text{Damit folgt}$$

$$s = \int_0^4 \sqrt{1 + \frac{9}{4}t^2}\cdot 2t\,dt = \frac{8}{27}(37\sqrt{37} - 1)\ \text{Einheiten.}$$

8. Bestimme die Länge eines Bogens der Zykloide $x = \theta - \sin\theta$, $y = 1 - \cos\theta$!

Ein Bogen wird beschrieben, wenn θ von $\theta = 0$ bis $\theta = 2\pi$ geht.

$$\frac{dx}{d\theta} = 1 - \cos\theta, \quad \frac{dy}{d\theta} = \sin\theta, \quad \text{und} \quad \left(\frac{dx}{d\theta}\right)^2 + \left(\frac{dy}{d\theta}\right)^2 = 2(1 - \cos\theta) = 4\sin^2\tfrac{1}{2}\theta. \quad \text{Damit folgt}$$

$$s = 2\int_0^{2\pi} \sin\tfrac{1}{2}\theta\,d\theta = -4\cos\tfrac{1}{2}\theta\Bigg]_0^{2\pi} = 8\ \text{Einheiten.}$$

ERGÄNZUNGSAUFGABEN

Bestimme in den Aufgaben 9-20 die Länge der Kurve oder die des angegebenen Kurvenbogens!

9. $y^3 = 8x^2$ von $x = 1$ bis $x = 8$. $\qquad$ *Lsg.* $(104\sqrt{13} - 125)/27$ Einheiten.

10. $6xy = x^4 + 3$ von $x = 1$ bis $x = 2$. $\qquad$ *Lsg.* $17/12$ Einheiten.

11. $y = \ln x$ von $x = 1$ bis $x = 2\sqrt{2}$ $\qquad$ *Lsg.* $3 - \sqrt{2} + \ln\frac{1}{2}(2 + \sqrt{2})$ Einheiten.

12. $27y^2 = 4(x - 2)^3$ von $(2, 0)$ bis $(11, 6\sqrt{3})$. $\qquad$ *Lsg.* 14 Einheiten.

13. $y = \ln(e^x - 1)/(e^x + 1)$ von $x = 2$ bis $x = 4$. $\qquad$ *Lsg.* $\ln(e^4 + 1) - 2$ Einheiten.

14. $y = \ln(1 - x^2)$ von $x = 1/4$ bis $x = 3/4$. $\qquad$ *Lsg.* $\ln 21/5 - 1/2$ Einheiten.

15. $y = \frac{1}{2}x^2 - \frac{1}{4}\ln x$ von $x = 1$ bis $x = e$. $\qquad$ *Lsg.* $\frac{1}{2}e^2 - \frac{1}{4}$ Einheiten.

16. $y = \ln\cos x$ von $x = \pi/6$ bis $x = \frac{1}{4}\pi$. $\qquad$ *Lsg.* $\ln(1 + \sqrt{2})/\sqrt{3}$ Einheiten.

17. $x = a\cos\theta$, $y = a\sin\theta$. $\qquad$ *Lsg.* $2\pi a$ Einheiten.

18. $x = e^t\cos t$, $y = e^t\sin t$ von $t = 0$ bis $t = 4$. $\qquad$ *Lsg.* $\sqrt{2}(e^4 - 1)$ Einheiten.

19. $x = \ln\sqrt{1 + t^2}$, $y = \arctan t$ von $t = 0$ bis $t = 1$. $\qquad$ *Lsg.* $\frac{\pi}{4}$ Einheiten.

20. $x = 2\cos\theta + \cos 2\theta + 1$, $y = 2\sin\theta + \sin 2\theta$. $\qquad$ *Lsg.* 16 Einheiten.

21. Der Ort eines Punktes ist zur Zeit t durch $x = \frac{1}{2}t^2$, $y = \frac{1}{9}(6t + 9)^{3/2}$ gegeben. Bestimme die Entfernung, die er von $t = 0$ bis $t = 4$ zurücklegt!
Lsg. 20 Einheiten.

22. Es seien $P(x, y)$ ein fester und $Q(x + \Delta x, y + \Delta y)$ ein veränderlicher Punkt der Kurve $y = f(x)$. Siehe Abb. 17-1, Kap. 17! Zeige, daß

$$\lim_{Q \to P}\frac{\text{Länge des Bogens } PQ}{\text{Länge der Sehne } PQ} = \lim_{Q \to P}\frac{\Delta s}{\sqrt{(\Delta x)^2 + (\Delta y)^2}} = \frac{ds/dx}{\sqrt{1 + (dy/dx)^2}} = 1.$$

23. (a) Zeige, daß die Länge des Bogens im ersten Quadranten von $x = a\cos^3\theta$, $y = a\sin^3\theta$ gleich $3a/2$ ist!

(b) Berechnet man die Bogenlänge in (a) mit der Darstellung $x^{2/3} + y^{2/3} = a^{2/3}$, so ergibt sich $a^{1/3}\displaystyle\int_0^a \frac{dx}{x^{1/3}}$. Hier hat der Integrand in der unteren Integrationsgrenze einen Pol. Bestimmte Integrale dieser Art wollen wir in Kapitel 46 betrachten.

24. Ein Problem, daß zu der sogenannten *Hundekurve* führt, kann so formuliert werden: Ein Hund in $A(1, 0)$ sieht seinen Herrn in $0(0, 0)$, der längs der y-Achse geht und läuft ihm (im ersten Quadranten) entgegen. Bestimme den Weg des Hundes unter der Annahme, daß er immer in Richtung seines Herrn läuft und daß beide sich mit konstanter Geschwindigkeit fortbewegen (p sei die des Herrn und $q > p$ die des Hundes). **Dieses Problem können wir in Kapitel 70 lösen.** Zeige hier, daß für die Gleichung $y = f(x)$ des Weges gilt:

$$y' = \tfrac{1}{2}(x^{p/q} - x^{-p/q}).$$

Hinweis. Es sei $P(a, b)$, $0 < a < 1$, der Ort des Hundes und Q der Schnittpunkt der y-Achse mit der Tangente an $y = f(x)$ in P. Bestimme die Zeit, die der Hund braucht, um P zu erreichen, und zeige, daß der Herr zu dieser Zeit in Q ist!

KAPITEL 42

Mantelfläche eines Rotationskörpers

DIE MANTELFLÄCHE EINES ROTATIONSKÖRPERS, der entsteht, wenn man den Bogen AB einer stetigen Kurve um eine Gerade dreht, die in der Ebene der Kurve liegt, läßt sich als der Grenzwert der Summen der Flächen erklären, die durch Drehung der n Sehnen $AP_1, P_1P_2, \ldots, P_{n-1}B$ um die Gerade entstehen. Die Anzahl der Sehnen soll hierbei so gegen Unendlich gehen, daß die Länge einer jeden Sehne gegen Null konvergiert.

Sind $A(a, c)$ und $B(b, d)$ zwei Punkte der Kurve $y = f(x)$, wobei $f(x)$ und $f'(x)$ im Intervall $a \leqq x \leqq b$ stetig sind und $f(x)$ dort nicht das Vorzeichen wechselt, so ist die Mantelfläche des Rotationskörpers, der durch Drehung des Bogens AB um die x-Achse entsteht, gegeben durch:

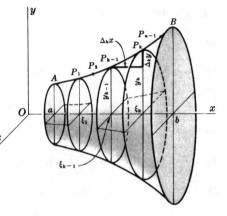

$$S_x = 2\pi \int_{AB} y\, ds = 2\pi \int_a^b y \sqrt{1 + \left(\frac{dy}{dx}\right)^2}\, dx.$$

Abb. 42-1

Gilt im Intervall zusätzlich $f'(x) \neq 0$, so gilt auch

$$S_x = 2\pi \int_{AB} y\, ds = 2\pi \int_c^d y \sqrt{1 + \left(\frac{dx}{dy}\right)^2}\, dy.$$

Sind $A(a, c)$ und $B(b, d)$ zwei Punkte der Kurve $x = g(y)$, wobei $g(y)$ und die Ableitung von $g(y)$ bezüglich y die gleichen Voraussetzungen wie im obigen Abschnitt erfüllen, so ist die Mantelfläche des Körpers, der durch Drehung des Bogens AB um die y-Achse entsteht, gegeben durch:

$$S_y = 2\pi \int_{AB} x\, ds = 2\pi \int_a^b x \sqrt{1 + \left(\frac{dy}{dx}\right)^2}\, dx = 2\pi \int_c^d x \sqrt{1 + \left(\frac{dx}{dy}\right)^2}\, dy.$$

Sind $A(u = u_1)$ und $B(u = u_2)$ zwei Punkte der Kurve, die durch die Parametergleichungen $x = f(u)$, $y = g(u)$ definiert ist und sind die obigen Voraussetzungen erfüllt, so ist die Mantelfläche des Körpers, der durch Drehung des Bogens AB um die x-Achse entsteht, gegeben durch:

$$S_x = 2\pi \int_{AB} y\, ds = 2\pi \int_{u_1}^{u_2} y \sqrt{\left(\frac{dx}{du}\right)^2 + \left(\frac{dy}{du}\right)^2}\, du.$$

Bei der Drehung des Bogens AB um die y-Achse ergibt sich

$$S_y = 2\pi \int_{AB} x\, ds = 2\pi \int_{u_1}^{u_2} x \sqrt{\left(\frac{dx}{du}\right)^2 + \left(\frac{dy}{du}\right)^2}\, du.$$

AUFGABEN MIT LÖSUNGEN

1. Bestimme die Mantelfläche des Körpers, der durch Drehung des Bogens der Parabel $y^2 = 12x$ von $x = 0$ bis $x = 3$ um die x-Achse entsteht!

(a) Lösung mit $S_x = 2\pi \int_a^b y \sqrt{1 + \left(\frac{dy}{dx}\right)^2}\, dx$.

$$1 + \left(\frac{dy}{dx}\right)^2 = \frac{y^2 + 36}{y^2}$$

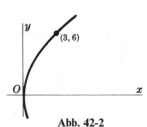

Abb. 42-2

Also gilt $S_x = 2\pi \int_0^3 y \dfrac{\sqrt{y^2+36}}{y}\, dx = 2\pi \int_0^3 \sqrt{12x+36}\, dx = 24(2\sqrt{2}-1)\pi$ Quadrateinheiten.

(b) Lösung mit $S_x = 2\pi \int_c^d y \sqrt{1+\left(\dfrac{dx}{dy}\right)^2}\, dy.$ $\dfrac{dx}{dy} = \dfrac{y}{6}$, $1+\left(\dfrac{dx}{dy}\right)^2 = \dfrac{36+y^2}{36}$ und

$$S_x = 2\pi \int_0^6 y\, \dfrac{\sqrt{36+y^2}}{6}\, dy = \dfrac{\pi}{9}(36+y^2)^{3/2}\Big]_0^6 = 24(2\sqrt{2}-1)\pi \quad \text{Quadrateinheiten.}$$

2. Bestimme die Mantelfläche des Körpers, der durch Drehung des Bogens der Kurve $x = y^3$ von $y = 0$ bis $y = 1$ um die y-Achse entsteht!

$$S_y = 2\pi \int_c^d x \sqrt{1+\left(\dfrac{dx}{dy}\right)^2}\, dy = 2\pi \int_0^1 y^3 \sqrt{1+9y^4}\, dy$$

$$= \dfrac{\pi}{27}(1+9y^4)^{3/2}\Big]_0^1 = \dfrac{\pi}{27}(10\sqrt{10}-1) \quad \text{Quadrateinheiten.}$$

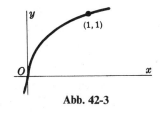

Abb. 42-3

3. Bestimme die Mantelfläche des Körpers, der durch Drehung des Bogens der Kurve $y^2 + 4x = 2 \ln y$ von $y = 1$ bis $y = 3$ um die x-Achse entsteht!

$$S_x = 2\pi \int_c^d y \sqrt{1+\left(\dfrac{dx}{dy}\right)^2}\, dy = 2\pi \int_1^3 y\, \dfrac{1+y^2}{2y}\, dy = \pi \int_1^3 (1+y^2)\, dy = \dfrac{32}{3}\pi \quad \text{Quadrateinheiten.}$$

4. Bestimme die Mantelfläche des Körpers, der durch Drehung einer Schleife der Kurve $8a^2y^2 = a^2x^2 - x^4$ um die x-Achse entsteht!

$$\dfrac{dy}{dx} = \dfrac{a^2x - 2x^3}{8a^2y} \quad \text{und} \quad 1 + \left(\dfrac{dy}{dx}\right)^2 = 1 + \dfrac{(a^2-2x^2)^2}{8a^2(a^2-x^2)} = \dfrac{(3a^2-2x^2)^2}{8a^2(a^2-x^2)}$$

$$S_x = 2\pi \int_a^b y \sqrt{1+\left(\dfrac{dy}{dx}\right)^2}\, dx = 2\pi \int_0^a \dfrac{x\sqrt{a^2-x^2}}{2a\sqrt{2}} \cdot \dfrac{3a^2-2x^2}{2a\sqrt{2}\,\sqrt{a^2-x^2}}\, dx$$

$$= \dfrac{\pi}{4a^2} \int_0^a (3a^2-2x^2)x\, dx = \tfrac{1}{4}\pi a^2 \quad \text{Quadrateinheiten.}$$

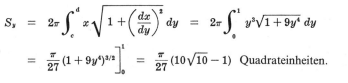

Abb. 42-4

5. Bestimme die Mantelfläche des Körpers, der entsteht, indem man die Ellipse $\dfrac{x^2}{16} + \dfrac{y^2}{4} = 1$ um die x-Achse dreht!

$$S_x = 2\pi \int_a^b y \sqrt{1+\left(\dfrac{dy}{dx}\right)^2}\, dx = 2\pi \int_{-4}^4 y\, \dfrac{\sqrt{16y^2+x^2}}{4y}\, dx = \dfrac{1}{2}\pi \int_{-4}^4 \sqrt{64-3x^2}\, dx$$

$$= \dfrac{\pi}{2\sqrt{3}}\left[\dfrac{x\sqrt{3}}{2}\sqrt{64-3x^2} + 32\ \arcsin \dfrac{x\sqrt{3}}{8}\right]_{-4}^4 = 8\pi\left(1 + \dfrac{4\sqrt{3}}{9}\pi\right) \quad \text{Quadrateinheiten.}$$

6. Bestimme die Mantelfläche des Körpers, der durch Drehung des Hypozykloids $x = a\cos^3\theta$, $y = a\sin^3\theta$ um die x-Achse erzeugt wird!

Der Körper wird erzeugt, wenn man den Bogen von $\theta = 0$ bis $\theta = \pi$ um die x-Achse dreht.

$$\dfrac{dx}{d\theta} = -3a\cos^2\theta\,\sin\theta, \quad \dfrac{dy}{d\theta} = 3a\sin^2\theta\,\cos\theta \quad \text{und} \quad \left(\dfrac{dx}{d\theta}\right)^2 + \left(\dfrac{dy}{d\theta}\right)^2 = 9a^2\cos^2\theta\,\sin^2\theta.$$

$$S_x = 2 \cdot 2\pi \int_0^{\pi/2} y \sqrt{\left(\dfrac{dx}{d\theta}\right)^2 + \left(\dfrac{dy}{d\theta}\right)^2}\, d\theta = 2 \cdot 2\pi \int_0^{\pi/2} (a\sin^3\theta)3a\cos\theta\,\sin\theta\, d\theta = \dfrac{12a^2\pi}{5} \quad \text{Quadrateinheiten!}$$

Bemerkung. Es schiene natürlich, $2\pi \int_0^\pi (a\sin^3\theta)3a\cos\theta\,\sin\theta\, d\theta$ zu berechnen. Dies ergäbe aber den Wert 0.

Wir müssen uns daran erinnern, daß Flächen, Rauminhalte usw. durch bestimmte Integrale berechnet werden können, daß aber nicht jedes bestimmte Integral als Fläche usw. gedeutet werden kann.

7. Bestimme die **Mantelfläche** des Körpers, der durch Drehung des Kardioids
$x = 2\cos\theta - \cos 2\theta, \quad y = 2\sin\theta - \sin 2\theta$ um die x-Achse entsteht!

     Wir erhalten den Körper durch Drehung des Bogens von $\theta = 0$ bis $\theta = \pi$.

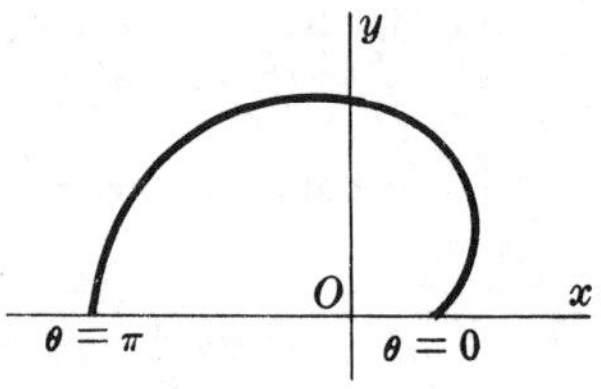

$$dx/d\theta = -2\sin\theta + 2\sin 2\theta, \quad dy/d\theta = 2\cos\theta - 2\cos 2\theta,$$
$$(dx/d\theta)^2 + (dy/d\theta)^2 = 8(1 - \sin\theta\sin 2\theta - \cos\theta\cos 2\theta) = 8(1 - \cos\theta).$$

$$S_x = 2\pi \int_0^\pi (2\sin\theta - \sin 2\theta) \cdot 2\sqrt{2}\sqrt{1 - \cos\theta}\, d\theta$$

Abb. 42-5

$$= 8\sqrt{2}\,\pi \int_0^\pi \sin\theta(1 - \cos\theta)^{3/2}\, d\theta = \frac{16\sqrt{2}}{5}\pi\,(1 - \cos\theta)^{5/2}\bigg]_0^\pi = \frac{128\pi}{5} \text{ Quadrateinheiten.}$$

8. Leite die Formel $S_x = 2\pi \int_a^b y \sqrt{1 + \left(\dfrac{dy}{dx}\right)^2}\, dx$ ab!

     Der Bogen AB werde durch n Sehnen approximiert (siehe Abb. 42-1). Die Sehne $P_{k-1}P_k$ erzeugt bei der Drehung um die x-Achse einen Kegelstumpf, dessen Radien y_{k-1} und y_k sind und dessen Seitenlänge gegeben ist durch:

$$P_{k-1}P_k = \sqrt{(\Delta_k x)^2 + (\Delta_k y)^2} = \sqrt{1 + \left(\frac{\Delta_k y}{\Delta_k x}\right)^2}\,\Delta_k x = \sqrt{1 + \{f'(x_k)\}^2}\,\Delta_k x$$

(siehe Aufgabe 1, Kapitel 41). Seine Mantelfläche (Seitenlänge mal mittlerem Umfang) ist

$$S_k = 2\pi\left(\frac{y_{k-1} + y_k}{2}\right)\sqrt{1 + \{f'(x_k)\}^2}\,\Delta_k x.$$

     Da $f(x)$ stetig ist, gibt es mindestens einen Punkt x_k' auf dem Bogen $P_{k-1}P_k$ mit

$$f(x_k') = \tfrac{1}{2}(y_{k-1} + y_k) = \tfrac{1}{2}\{f(\xi_{k-1}) + f(\xi_k)\}$$

Also folgt $S_k = 2\pi f(x_k')\sqrt{1 + \{f'(x_k)\}^2}\,\Delta_k x$

und daraus mit dem Satz von Bliss

$$S_x = \lim_{n \to +\infty}\sum_{k=1}^n S_k = \lim_{n \to +\infty}\sum_{k=1}^n 2\pi f(x_k')\sqrt{1 + \{f'(x_k)\}^2}\,\Delta_k x$$

$$= 2\pi \int_a^b f(x)\sqrt{1 + \{f'(x)\}^2}\, dx = 2\pi \int_a^b y \sqrt{1 + \left(\frac{dy}{dx}\right)^2}\, dx.$$

ERGÄNZUNGSAUFGABEN

Bestimme in den Aufgaben 9-18 die Mantelfläche des Körpers, der durch Drehung des gegebenen Bogens um die gegebene Achse entsteht!

9. $y = mx$ von $x = 0$ bis $x = 2$; x-Achse.   *Lsg.* $4m\pi\sqrt{1 + m^2}$ Quadrateinheiten.

10. $y = \frac{1}{3}x^3$ von $x = 0$ bis $x = 3$; x-Achse.   *Lsg.* $\pi(82\sqrt{82} - 1)/9$ Quadrateinheiten.

11. $y = \frac{1}{3}x^3$ von $x = 0$ bis $x = 3$; y-Achse.   *Lsg.* $\frac{1}{2}\pi[9\sqrt{82} + \ln(9 + \sqrt{82})]$ Quadrateinheiten.

12. $8y^2 = x^2(1 - x^2)$, Schleife; x-Achse.   *Lsg.* $\frac{1}{4}\pi$ Quadrateinheiten.

13. $y = x^3/6 + 1/2x$ von $x = 1$ bis $x = 2$; y-Achse.   *Lsg.* $(15/4 + \ln 2)\pi$ Quadrateinheiten.

14. $y = \ln x$ von $x = 1$ bis $x = 7$; y-Achse.   *Lsg.* $[34\sqrt{2} + \ln(3 + 2\sqrt{2})]\pi$ Quadrateinheiten.

15. $9y^2 = x(3 - x)^2$, Schleife; y-Achse.   *Lsg.* $28\pi\sqrt{3}/5$ Quadrateinheiten.

16. $y = a\cosh x/a$ von $x = -a$ bis $x = a$; x-Achse.   *Lsg.* $\frac{1}{2}\pi a^2(e^2 - e^{-2} + 4)$ Quadrateinheiten.

17. Einen Bogen von $x = a(\theta - \sin\theta), y = a(1 - \cos\theta)$; x-Achse.   *Lsg.* $64\pi a^2/3$ Quadrateinheiten.

18. $x = e^t\cos t, y = e^t\sin t$ von $t = 0$ bis $t = \frac{\pi}{2}$; x-Achse.   *Lsg.* $2\pi\sqrt{2}\,(2e^\pi + 1)/5$ Quadrateinheiten.

19. Bestimme die Oberfläche der Zone der Kugel vom Radius r, die durch zwei parallele Ebenen, die beide vom Mittelpunkt den Abstand $\frac{a}{2}$ haben, abgeschnitten wird!   *Lsg.* $2\pi ar$ Quadrateinheiten.

20. Bestimme die Oberfläche, die von einer Kugel vom Radius r durch einen geraden Kreiskegel mit Halbwinkel α und Scheitel im Kugelmittelpunkt abgeschnitten wird!   *Lsg.* $2\pi r^2(1 - \cos\alpha)$ Quadrateinheiten.

KAPITEL 43

Schwerpunkt und Trägheitsmoment
Kurvenbögen und Rotationsflächen

SCHWERPUNKT EINES KURVENBOGENS (homogene Massenbelegung). Die Koordinaten $(\bar{x}, \bar{y})$ des Schwerpunktes eines Bogens AB der ebenen Kurve mit der Gleichung $F(x, y) = 0$ oder $x = f(u)$, $y = g(u)$ erfüllen die Gleichungen

$$\bar{x} \cdot s = \bar{x} \int_{AB} ds = \int_{AB} x\,ds \quad \text{und} \quad \bar{y} \cdot s = \bar{y} \int_{AB} ds = \int_{AB} y\,ds.$$

Siehe Aufgaben 1-2!

ZWEITER SATZ VON PAPPUS. Wird ein Kurvenbogen um eine Achse, die den Bogen nicht schneidet und in der Ebene der Kurve liegt, gedreht, so ist die erzeugte Rotationsfläche gleich dem Produkt aus der Länge des Bogens und der Länge des Weges, den der Schwerpunkt des Bogens zurücklegt.

Siehe Aufgabe 3!

TRÄGHEITSMOMENTE EINES KURVENBOGENS. Die Trägheitsmomente eines Bogens AB einer Kurve (ein Stück homogenen dünnen Drahtes zum Beispiel) bezüglich der Koordinatenachsen sind gegeben durch:

$$I_x = \int_{AB} y^2\,ds \quad \text{und} \quad I_y = \int_{AB} x^2\,ds.$$

Siehe Aufgaben 4-5!

SCHWERPUNKT EINER ROTATIONSFLÄCHE. Die Koordinate $\bar{x}$ des Schwerpunkts einer Oberfläche, die erzeugt wird, indem man einen Kurvenbogen AB um die x-Achse dreht, erfüllt die Gleichung

$$\bar{x} \cdot S_x = 2\pi \int_{AB} x \cdot y\,ds.$$

TRÄGHEITSMOMENT EINER ROTATIONSFLÄCHE. Das Trägheitsmoment einer Oberfläche, die man durch Drehung eines Kurvenbogens AB um die x-Achse erhält, bezüglich der Drehachse erfüllt die Gleichung

$$I_x = 2\pi \int_{AB} y^2 \cdot y\,ds.$$

AUFGABEN MIT LÖSUNGEN

1. Bestimme den Schwerpunkt des Bogens im ersten Quadranten des Kreises $x^2 + y^2 = 25$!

    $\dfrac{dy}{dx} = -\dfrac{x}{y}$ und $1 + \left(\dfrac{dy}{dx}\right)^2 = 1 + \dfrac{x^2}{y^2} = \dfrac{25}{y^2}$. Aus $s = \dfrac{5}{2}\pi$ folgt

    $\dfrac{5}{2}\pi\bar{y} = \displaystyle\int_0^5 y\sqrt{1 + \left(\dfrac{dy}{dx}\right)^2}\,dx = \int_0^5 5\,dx = 25$ oder $\bar{y} = 10/\pi$.

    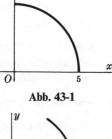

    Abb. 43-1

    Wegen der Symmetrie gilt $\bar{x} = \bar{y}$. Damit sind die Koordinaten des Schwerpunktes gleich $(10/\pi, 10/\pi)$.

2. Bestimme den Schwerpunkt eines Kreisbogens mit dem Radius r und dem Mittelpunktswinkel 2θ!

    Wir legen den Bogen wie in Abb. 43-2, so daß $\bar{x}$ gleich der Abszisse des Schwerpunktes der oberen Hälfte des Bogens ist und $\bar{y} = 0$ gilt.

    $\dfrac{dx}{dy} = -\dfrac{y}{x}$ und $1 + \left(\dfrac{dx}{dy}\right)^2 = \dfrac{r^2}{x^2}$. Für die obere Hälfte des Bogens gilt $s = r\theta$,

    $$r\theta \cdot \bar{x} = \int_0^{r\sin\theta} x\sqrt{1 + \left(\dfrac{dx}{dy}\right)^2}\,dy = r\int_0^{r\sin\theta} dy = r^2\sin\theta,$$

    also $\bar{x} = (r\sin\theta)/\theta$

    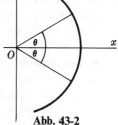

    Abb. 43-2

    Damit liegt der Schwerpunkt auf dem halbierenden Radius in der Entfernung $(r\sin\theta)/\theta$ vom Kreismittelpunkt.

3. Bestimme die Oberfläche des Körpers, der entsteht, wenn man das Rechteck mit den Seiten a und b um eine Achse dreht, die c ($> a, b$) Einheiten vom Schwerpunkt des Rechtecks entfernt ist!

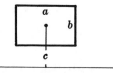

Der Umfang des Rechtecks ist $2(a + b)$, und der Schwerpunkt beschreibt einen Kreis vom Radius c. Damit gilt

$$S = 2(a + b) \cdot 2\pi c = 4\pi(a + b)c \text{ Quadrateinheiten.}$$

Abb. 43-3

4. Bestimme das Trägheitsmoment eines Kreises bezüglich eines festen Durchmessers!

Wir zeichnen den Kreis wie in Abb. 43-4, wobei der feste Durchmesser längs der x-Achse liegt. Das gesuchte Moment ist 4 mal so groß wie das Moment des Bogens im ersten Quadranten.

$$\frac{dy}{dx} = -\frac{x}{y} \quad \text{und} \quad \sqrt{1 + \left(\frac{dy}{dx}\right)^2} = \frac{r}{y}. \quad \text{Mit} \quad s = 2\pi r \text{ folgt}$$

$$I_x = 4\int_0^r y^2 \, ds = 4\int_0^r y^2 \cdot \frac{r}{y} \, dx = 4r\int_0^r \sqrt{r^2 - x^2} \, dx$$

$$= 4r\left[\frac{1}{2}x\sqrt{r^2 - x^2} + \frac{1}{2}r^2 \arcsin\frac{x}{r}\right]_0^r = \pi r^3 = \frac{1}{2}r^2 s.$$

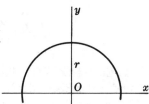

Abb. 43-4

5. Bestimme das Trägheitsmoment eines Bogens des Hyperzykloids $x = a\sin^3\theta$, $y = a\cos^3\theta$ bezüglich der x-Achse!

Das gesuchte Moment ist 4 mal so groß wie das Moment des Bogens im ersten Quadranten.

$$\frac{dx}{d\theta} = 3a\sin^2\theta\cos\theta, \quad \frac{dy}{d\theta} = -3a\cos^2\theta\sin\theta, \quad \text{und}$$

$$s = 4\int ds = 4\int_0^{\pi/2} 3a\sin\theta\cos\theta \, d\theta = 6a$$

$$I_x = 4\int y^2 \, ds = 12a^3\int_0^{\pi/2} \cos^6\theta\sin\theta\cos\theta \, d\theta = \tfrac{3}{2}a^3 = \tfrac{1}{4}a^2 s.$$

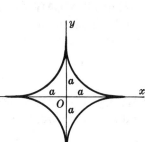

Abb. 43-5

ERGÄNZUNGSAUFGABEN

6. Bestimme den Schwerpunkt
  (a) des Bogens im ersten Quadranten von $x^{2/3} + y^{2/3} = a^{2/3}$! Benutze $s = 3a/2$!   *Lsg.* $(2a/5, 2a/5)$.
  (b) des Bogens im ersten Quadranten der Schleife von $9y^2 = x(3 - x)^2$! Benutze $s = 2\sqrt{3}$! *Lsg.* $(7/5, \sqrt{3}/4)$.
  (c) des ersten Bogens von $x = a(\theta - \sin\theta)$, $y = a(1 - \cos\theta)$!   *Lsg.* $(\pi a, 4a/3)$.
  (d) des Bogens im ersten Quadranten von $x = a\cos^3\theta$, $y = a\sin^3\theta$!   *Lsg.* Siehe (a) !

7. Bestimme das Trägheitsmoment des gegebenen Bogens bezüglich der gegebenen Geraden:
  (a) Schleife von $9y^2 = x(3 - x)^2$; x-Achse, y-Achse! Benutze $s = 4\sqrt{3}$!   *Lsg.* $I_x = 8s/35$, $I_y = 99s/35$.
  (b) $y = a\cosh x/a$ von $x = 0$ bis $x = a$; x-Achse!   *Lsg.* $(a^2 + \tfrac{1}{3}s^2)s$.

8. Bestimme den Schwerpunkt einer Halbkugel!   *Lsg.* $\bar{y} = \tfrac{1}{2}r$.

9. Bestimme den Schwerpunkt der Rotationsfläche:
  (a) $4y + 3x = 8$ von $x = 0$ bis $x = 2$ um die x-Achse!   *Lsg.* $\bar{x} = 4/5$.
  (b) Ein Bogen von $x = a(\theta - \sin\theta)$, $y = a(1 - \cos\theta)$ um die y-Achse!   *Lsg.* $\bar{y} = 4a/3$.

10. Bestimme mit dem Satz von Pappus
  (a) den Schwerpunkt des Bogens im ersten Quadranten eines Kreises vom Radius r !   *Lsg.* $(2r/\pi, 2r/\pi)$.
  (b) die Oberfläche des Körpers, der entsteht, indem man ein gleichseitiges Dreieck mit der Seite a um eine Achse dreht, die c Einheiten vom Schwerpunkt des Dreiecks entfernt ist!   *Lsg.* $6\pi ac$.

11. Bestimme das Trägheitsmoment bezüglich der Rotationsachse
  (a) der Oberfläche der Kugel vom Radius r,   *Lsg.* $\tfrac{2}{3}Sr^2$ (S = Oberfläche).
  (b) der Mantelfläche eines Kegels, der entsteht, indem man die Gerade $y = 2x$ von $x = 0$ bis $x = 2$ um die x-Achse dreht!   *Lsg.* $8S$ (S = Mantelfläche).

12. Leite jede der Formeln dieses Kapitels her!

KAPITEL 44

Ebene Flächenstücke und deren Schwerpunkte
Polarkoordinaten

DAS EBENE FLÄCHENSTÜCK, das durch die Kurve $\rho = f(\theta)$ und die Radiusvektoren $\theta = \theta_1$ und $\theta = \theta_2$ begrenzt ist, hat den Flächeninhalt

$$A = \frac{1}{2} \int_{\theta_1}^{\theta_2} \rho^2 \, d\theta.$$

Bei Polarkoordinaten muß man sehr aufpassen, wenn man die richtigen Integrationsgrenzen bestimmt. Man muß sie so nahe zusammen wie möglich wählen (Ausnutzung von Symmetrie!).

Siehe Aufgaben 1-7!

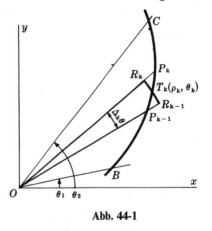

SCHWERPUNKT EINES EBENEN FLÄCHENSTÜCKS. Die Koordinaten $(\bar{x}, \bar{y})$ des Schwerpunkts eines ebenen Flächenstücks der Fläche A, das durch die Kurve $\rho = f(\theta)$ und die Radiusvektoren $\theta = \theta_1$ und $\theta = \theta_2$ begrenzt ist, sind gegeben durch

$$A\bar{x} = \bar{x} \cdot \frac{1}{2} \int_{\theta_1}^{\theta_2} \rho^2 \, d\theta = \frac{1}{3} \int_{\theta_1}^{\theta_2} \rho^3 \cos \theta \, d\theta$$

$$= \frac{1}{2} \int_{\theta_1}^{\theta_2} \frac{2}{3} x \cdot \rho^2 \, d\theta$$

und

$$A\bar{y} = \bar{y} \cdot \frac{1}{2} \int_{\theta_1}^{\theta_2} \rho^2 \, d\theta = \frac{1}{3} \int_{\theta_1}^{\theta_2} \rho^3 \sin \theta \, d\theta$$

$$= \frac{1}{2} \int_{\theta_1}^{\theta_2} \frac{2}{3} y \cdot \rho^2 \, d\theta.$$

Abb. 44-1

Siehe Aufgaben 8-10!

AUFGABEN MIT LÖSUNGEN

1. Beweise, daß $A = \frac{1}{2} \int_{\theta_1}^{\theta_2} \rho^2 \, d\theta$!

Der Winkel BOC in Abb. 44-1 sei durch die Strahlen $OP_0 = OB, OP_1, OP_2, \ldots, OP_{n-1}, OP_n = OC$ in n Abschnitte geteilt. In der Abbildung ist ein bestimmtes Teilstück $P_{k-1}OP_k$ mit dem Mittelpunktswinkel $\Delta_k\theta$ und der approximierende Kreissektor $R_{k-1}OR_k$ mit Radius ρ_k, Mittelpunktswinkel $\Delta_k\theta$ und Fläche (siehe Aufgabe 15(r), Kap. 34) $\frac{1}{2}\rho_k^2 \Delta_k\theta = \frac{1}{2}\{f(\theta_k)\}^2 \Delta_k\theta$ eingezeichnet. Damit folgt aus dem Hauptsatz

$$A = \lim_{n \to +\infty} \sum_{k=1}^{n} \frac{1}{2} \{f(\theta_k)\}^2 \Delta_k\theta = \frac{1}{2} \int_{\theta_1}^{\theta_2} \{f(\theta)\}^2 \, d\theta = \frac{1}{2} \int_{\theta_1}^{\theta_2} \rho^2 \, d\theta.$$

2. Bestimme die Fläche, die von der Kurve $\rho^2 = a^2 \cos 2\theta$ umschlossen wird!

In der Abb. 44-2 sieht man, daß die gesuchte Fläche aus vier gleich großen Stücken besteht, von denen eines überstrichen wird, wenn θ von $\theta = 0$ bis $\theta = \frac{1}{4}\pi$ geht. Also gilt

$$A = 4 \cdot \frac{1}{2} \int_{0}^{\pi/4} \rho^2 \, d\theta = 2a^2 \int_{0}^{\pi/4} \cos 2\theta \, d\theta = a^2 \sin 2\theta \Big]_{0}^{\pi/4} = a^2 \text{ Quadrateinheiten.}$$

Da jeweils Teile der gesuchten Fläche in jedem Quadranten liegen, könnte es vernünftig sein,

$$\frac{1}{2}\int_0^{2\pi}\rho^2\,d\theta \;=\; \frac{1}{2}a^2\int_0^{2\pi}\cos 2\theta\,d\theta \;=\; \frac{1}{4}a^2\sin 2\theta\Big]_0^{2\pi} \;=\; 0$$

oder

$$2\cdot\frac{1}{2}\int_0^{\pi}\rho^2\,d\theta \;=\; a^2\int_0^{\pi}\cos 2\theta \;=\; 0$$

zu benutzen.

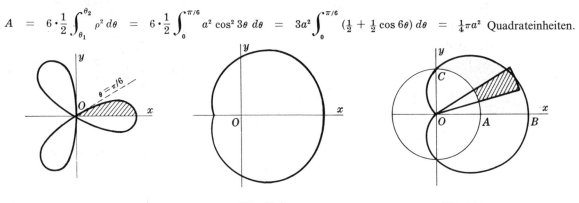

Abb. 44-2

Den Grund, warum dann ein falsches Ergebnis folgt, sieht man, wenn man

$$\frac{1}{2}\int_0^{\pi}\rho^2\,d\theta \;=\; \frac{1}{2}\int_0^{\pi/4}\rho^2\,d\theta + \frac{1}{2}\int_{\pi/4}^{3\pi/4}\rho^2\,d\theta + \frac{1}{2}\int_{3\pi/4}^{\pi}\rho^2\,d\theta \;=\; \tfrac{1}{4}a^2 - \tfrac{1}{2}a^2 + \tfrac{1}{4}a^2 \quad \text{betrachtet.}$$

In den Intervallen $[0,\pi/4]$ und $[3\pi/4,\pi]$ ist $\rho = a\sqrt{\cos 2\theta}$ reell; also ergeben das erste und dritte Integral die Flächen, die überstrichen werden, wenn θ diese Intervalle durchläuft. Im Intervall $[\pi/4,3\pi/4]$ gilt jedoch $\rho^2 < 0$, und damit ist ρ imaginär. Obwohl also $\dfrac{1}{2}\displaystyle\int_{\pi/4}^{3\pi/4} a^2\cos 2\theta\,d\theta$ ein Integral ist, das man berechnen kann, darf man es hier nicht als Fläche deuten.

3. Bestimme die Fläche, die durch die dreiblättrige Rose $\rho = a\cos 3\theta$ umschlossen wird!

Die gesuchte Fläche ist 6mal so groß wie die in Abb. 44-3 schraffierte, das ist die Fläche, die überstrichen wird, wenn θ von 0 bis $\pi/6$ geht. Also gilt

$$A \;=\; 6\cdot\frac{1}{2}\int_{\theta_1}^{\theta_2}\rho^2\,d\theta \;=\; 6\cdot\frac{1}{2}\int_0^{\pi/6}a^2\cos^2 3\theta\,d\theta \;=\; 3a^2\int_0^{\pi/6}\left(\tfrac{1}{2}+\tfrac{1}{2}\cos 6\theta\right)d\theta \;=\; \tfrac{1}{4}\pi a^2 \quad \text{Quadrateinheiten.}$$

Abb. 44-4   **Abb. 44-5**

4. Bestimme die Fläche, die durch die Schneckenlinie $\rho = 2 + \cos\theta$ in Abb. 44-4 umschlossen wird!

Die gesuchte Fläche ist zweimal der, die überstrichen wird, wenn θ von 0 bis π geht.

$$A \;=\; 2\cdot\frac{1}{2}\int_0^{\pi}(2+\cos\theta)^2\,d\theta \;=\; \int_0^{\pi}(4 + 4\cos\theta + \cos^2\theta)\,d\theta$$

$$=\; \left[4\theta + 4\sin\theta + \tfrac{1}{2}\theta + \tfrac{1}{4}\sin 2\theta\right]_0^{\pi} \;=\; 9\pi/2 \quad \text{Quadrateinheiten.}$$

5. Bestimme die Fläche innerhalb der Kardioide $\rho = 1 + \cos\theta$ und außerhalb des Kreises $\rho = 1$.

In Abb. 44-5 ist die Fläche $ABC =$ Fläche OBC —Fläche OAC gleich der Hälfte der gesuchten Fläche. Also gilt

$$A \;=\; 2\cdot\frac{1}{2}\int_0^{\pi/2}(1+\cos\theta)^2\,d\theta \;-\; 2\cdot\frac{1}{2}\int_0^{\pi/2}(1)^2\,d\theta \;=\; \int_0^{\pi/2}(2\cos\theta + \cos^2\theta)\,d\theta \;=\; 2 + \tfrac{1}{4}\pi \quad \text{Quadrateinheiten.}$$

6. Bestimme die Fläche der beiden Schleifen von $\rho = \tfrac{1}{2} + \cos\theta$!

Größere Schleife. Die gesuchte Fläche ist gleich zweimal der, die überstrichen wird, wenn θ von 0 bis $2\pi/3$ geht. Also gilt

$$A \;=\; 2\cdot\frac{1}{2}\int_0^{2\pi/3}\left(\tfrac{1}{2}+\cos\theta\right)^2\,d\theta \;=\; \int_0^{2\pi/3}\left(\tfrac{1}{4}+\cos\theta+\cos^2\theta\right)d\theta$$

$$=\; \frac{\pi}{2} + \frac{3\sqrt{3}}{8} \quad \text{Quadrateinheiten.}$$

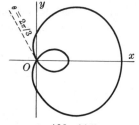

Abb. 44-6

Kleinere Schleife. Die gesuchte Fläche ist zweimal so groß wie die überstrichene, wenn θ von $2\pi/3$ bis π geht. Also

$$A \;=\; 2\cdot\frac{1}{2}\int_{2\pi/3}^{\pi}(\tfrac{1}{2}+\cos\theta)^2\,d\theta \;=\; \frac{\pi}{4}-\frac{3\sqrt{3}}{8}\ \text{Quadrateinheiten.}$$

7. Bestimme die gemeinsame Fläche des Kreises $\rho = 3\cos\theta$ und der Kardioide $\rho = 1 + \cos\theta$!

Die Fläche OAB (siehe Abb. 44-7) besteht aus zwei Teilen, wobei der eine durch den Radiusvektor $\rho = 1 + \cos\theta$ überstrichen wird, wenn θ von 0 bis $\pi/3$ geht, und der andere durch $\rho = 3\cos\theta$, wenn θ von $\pi/3$ bis $\pi/2$ geht.

$$A \;=\; 2\cdot\frac{1}{2}\int_0^{\pi/3}(1+\cos\theta)^2\,d\theta \;+\; 2\cdot\frac{1}{2}\int_{\pi/3}^{\pi/2}9\cos^2\theta\,d\theta$$

$$=\; 5\pi/4\ \text{Quadrateinheiten.}$$

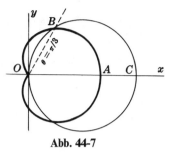

Abb. 44-7

8. Leite die Formeln $A\bar{x} = \dfrac{1}{3}\displaystyle\int_{\theta_1}^{\theta_2}\rho^3\cos\theta\,d\theta$, $A\bar{y} = \dfrac{1}{3}\displaystyle\int_{\theta_1}^{\theta_2}\rho^3\sin\theta\,d\theta$ ab, wobei $(\bar{x},\bar{y})$ die Koordinaten des Schwerpunkts des Flächenstücks BOC in Abb. 44-1 sind.

Wir betrachten den Kreissektor $R_{k-1}OR_k$ und nehmen der Einfachheit halber an, daß OT_k den Winkel $P_{k-1}OP_k$ halbiert. Um den Schwerpunkt $C_k(\bar{x}_k,\bar{y}_k)$ dieses Sektors annähernd angeben zu können, nehmen wir an, daß er ein Dreieck ist. Dann liegt sein Schwerpunkt auf OT_k in einer Entfernung $\frac{2}{3}\rho_k$ von O; damit gilt annähernd

$$\bar{x}_k = \tfrac{2}{3}\rho_k\cos\theta_k = \tfrac{2}{3}f(\theta_k)\cos\theta_k \ \text{und}\ \bar{y}_k = \tfrac{2}{3}f(\theta_k)\sin\theta_k.$$

Das erste Moment des Sektors bezüglich der y-Achse ist nun

$$\bar{x}_k\cdot\tfrac{1}{2}\rho_k^2\,\Delta_k\theta \;=\; \tfrac{2}{3}\rho_k\cos\theta_k\cdot\tfrac{1}{2}\rho_k^2\,\Delta_k\theta \;=\; \tfrac{1}{3}\{f(\theta_k)\}^3\cos\theta_k\,\Delta_k\theta.$$

Also gilt nach dem **Hauptsatz**

$$A\bar{x} \;=\; \lim_{n\to+\infty}\sum_{k=1}^{n}\tfrac{1}{3}\{f(\theta_k)\}^3\cos\theta_k\,\Delta_k\theta \;=\; \frac{1}{3}\int_{\theta_1}^{\theta_2}\rho^3\cos\theta\,d\theta.$$

Wir überlassen es dem Leser als Übung, die Formel für $A\bar{y}$ herzuleiten.

Bemerkung. Nach Aufgabe 8, Kapitel 37, liegt der Schwerpunkt des Sektors $R_{k-1}OR_k$ auf OT_k in einer Entfernung $\dfrac{2\rho_k\sin\frac{1}{2}\Delta_k\theta}{3\cdot\frac{1}{2}\Delta_k\theta}$ von O. Damit kann man die Formeln auch ableiten.

9. Bestimme den Schwerpunkt der im ersten Quadranten von der Rose $\varrho = \sin 2\theta$ umschlossenen Fläche!

$$A \;=\; \frac{1}{2}\int_0^{\pi/2}\sin^2 2\theta\,d\theta \;=\; \frac{1}{4}\Big[\theta-\frac{1}{4}\sin 4\theta\Big]_0^{\pi/2} \;=\; \frac{\pi}{8}$$

$$\frac{\pi}{8}\bar{x} \;=\; \frac{1}{3}\int_0^{\pi/2}\rho^3\cos\theta\,d\theta \;=\; \frac{1}{3}\int_0^{\pi/2}\sin^3 2\theta\cos\theta\,d\theta$$

$$=\; \frac{8}{3}\int_0^{\pi/2}\sin^3\theta\cos^4\theta\,d\theta \;=\; \frac{8}{3}\int_0^{\pi/2}(1-\cos^2\theta)\cos^4\theta\sin\theta\,d\theta \;=\; \frac{16}{105},\ \text{also}\ \bar{x}=\frac{128}{105\pi}.$$

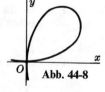

Abb. 44-8

Wegen der Symmetrie gilt $\bar{y} = 128/105\pi$. Die Koordinaten des Schwerpunkts sind $(128/105\pi,\ 128/105\pi)$.

10. Bestimme den Schwerpunkt der im ersten Quadranten von der Parabel $\rho = \dfrac{6}{1+\cos\theta}$ umschlossenen Fläche (siehe Abb. 44-9)!

$$A \;=\; \frac{1}{2}\int_0^{\pi/2}\frac{36}{(1+\cos\theta)^2}\,d\theta \;=\; \frac{9}{2}\int_0^{\pi/2}\sec^4\tfrac{1}{2}\theta\,d\theta$$

$$=\; \frac{9}{2}\int_0^{\pi/2}(1+\tan^2\tfrac{1}{2}\theta)\sec^2\tfrac{1}{2}\theta\,d\theta \;=\; 9\Big[\tan\tfrac{1}{2}\theta+\tfrac{1}{3}\tan^3\tfrac{1}{2}\theta\Big]_0^{\pi/2} \;=\; 12.$$

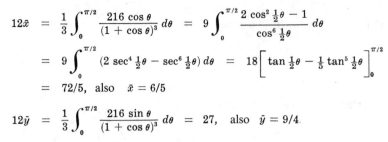

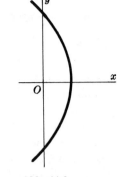

$$12\bar{x} = \frac{1}{3}\int_0^{\pi/2}\frac{216\cos\theta}{(1+\cos\theta)^3}\,d\theta = 9\int_0^{\pi/2}\frac{2\cos^2\frac{1}{2}\theta-1}{\cos^6\frac{1}{2}\theta}\,d\theta$$

$$= 9\int_0^{\pi/2}(2\sec^4\tfrac{1}{2}\theta-\sec^6\tfrac{1}{2}\theta)\,d\theta = 18\left[\tan\tfrac{1}{2}\theta-\tfrac{1}{5}\tan^5\tfrac{1}{2}\theta\right]_0^{\pi/2}$$

$$= 72/5, \quad \text{also} \quad \bar{x} = 6/5$$

$$12\bar{y} = \frac{1}{3}\int_0^{\pi/2}\frac{216\sin\theta}{(1+\cos\theta)^3}\,d\theta = 27, \quad \text{also} \quad \bar{y} = 9/4.$$

$(6/5, 9/4)$ ist der Schwerpunkt.

Abb. 44-9

ERGÄNZUNGSAUFGABEN

11. Bestimme die Fläche, die durch die folgenden Kurven umschlossen wird!

(a) $\rho^2 = 1 + \cos 2\theta$.   *Lsg.* π Quadrateinheiten.

(b) $\rho^2 = a^2 \sin\theta\,(1 - \cos\theta)$.   *Lsg.* a^2 Quadrateinheiten.

(c) $\rho = 4\cos\theta$.   *Lsg.* 4π Quadrateinheiten.

(d) $\rho = a\cos 2\theta$.   *Lsg.* $\frac{1}{2}\pi a^2$ Quadrateinheiten.

(e) $\rho = 4\sin^2\theta$.   *Lsg.* 6π Quadrateinheiten.

(f) $\rho = 4(1 - \sin\theta)$.   *Lsg.* 24π Quadrateinheiten.

12. Bestimme die Fläche

(a) innerhalb $\rho = \cos\theta$ und außerhalb $\rho = 1 - \cos\theta$!   *Lsg.* $(\sqrt{3} - \pi/3)$ Quadrateinheiten.

(b) Innerhalb $\rho = \sin\theta$ und außerhalb $\rho = 1 - \cos\theta$!   *Lsg.* $(1 - \pi/4)$ Quadrateinheiten.

(c) Zwischen dem inneren und äußeren Oval von $\rho^2 = a^2(1 + \sin\theta)$!   *Lsg.* $4a^2$ Quadrateinheiten.

(d) Zwischen den Schleifen von $\rho = 2 - 4\sin\theta$!   *Lsg.* $4(\pi + 3\sqrt{3})$ Quadrateinheiten.

13. (a) Zeige für die Spirale des Archimedes $\rho = a\theta$, daß die zusätzliche Fläche, die durch die n-te Umdrehung ($n > 2$) überstrichen wird, $(n - 1)$ mal so groß ist wie die Fläche, die durch die zweite Umdrehung hinzukommt!

(b) Zeige für die gleichwinklige Spirale $\rho = ae^\theta$, daß die zusätzliche Fläche, die durch die n-te Umdrehung ($n > 2$) überstrichen wird, $e^{4\pi}$ mal so groß ist wie diejenige, die durch die vorhergehende dazukommt!

14. Bestimme den Schwerpunkt der folgenden Flächenstücke:

(a) Rechte Hälfte von $\rho = a(1 - \sin\theta)$!   *Lsg.* $(16a/9\pi, -5a/6)$.

(b) Fläche im ersten Quadranten von $\rho = 4\sin^2\theta$!   *Lsg.* $(128/63\pi, 2048/315\pi)$.

(c) Obere Hälfte von $\rho = 2 + \cos\theta$!   *Lsg.* $(17/18, 80/27\pi)$.

(d) Fläche im ersten Quadranten von $\rho = 1 + \cos\theta$!   *Lsg.* $\left(\dfrac{16 + 5\pi}{16 + 6\pi}, \dfrac{10}{8 + 3\pi}\right)$.

(e) Fläche im ersten Quadranten von Aufg. 5!   *Lsg.* $\left(\dfrac{32 + 15\pi}{48 + 6\pi}, \dfrac{22}{24 + 3\pi}\right)$.

15. Bestimme mit dem ersten Satz von Pappus das Volumen des Rotationskörpers, der entsteht, wenn man

(a) $\rho = a(1 - \sin\theta)$ um die $90°$ - Gerade dreht!   *Lsg.* $8\pi a^3/3$ Quadrateinheiten.

(b) $\rho = 2 + \cos\theta$ um die Polarachse dreht!   *Lsg.* $40\pi/3$ Quadrateinheiten.

KAPITEL 45

Länge und Schwerpunkt von Bögen. Mantelfläche von Rotationskörpern
Polarkoordinaten

DIE LÄNGE DES BOGENS der Kurve $\rho = f(\theta)$ von $\theta = \theta_1$ bis $\theta = \theta_2$ ist gegeben durch

$$s = \int_{\theta_1}^{\theta_2} ds = \int_{\theta_1}^{\theta_2} \sqrt{\rho^2 + \left(\frac{d\rho}{d\theta}\right)^2} \, d\theta .$$

Siehe Aufgaben 1-4!

SCHWERPUNKT EINES BOGENS. Die Koordinaten $(\bar{x}, \bar{y})$ des Schwerpunkts des Bogens der Kurve $\rho = f(\theta)$ von $\theta = \theta_1$ bis $\theta = \theta_2$ erfüllen die Gleichungen

$$\bar{x} \cdot s = \bar{x} \int_{\theta_1}^{\theta_2} ds = \int_{\theta_1}^{\theta_2} \rho \cos\theta \, ds = \int_{\theta_1}^{\theta_2} x \, ds$$

$$\bar{y} \cdot s = \bar{y} \int_{\theta_1}^{\theta_2} ds = \int_{\theta_1}^{\theta_2} \rho \sin\theta \, ds = \int_{\theta_1}^{\theta_2} y \, ds.$$

Siehe Aufgaben 5-6!

DIE OBERFLÄCHE, die erzeugt wird, wenn man den Bogen der Kurve $\rho = f(\theta)$ von $\theta = \theta_1$ bis $\theta = \theta_2$ um

die Polarachse dreht, ist $\qquad S_x = 2\pi \int_{\theta_1}^{\theta_2} y \, ds = 2\pi \int_{\theta_1}^{\theta_2} \rho \sin\theta \, ds,$

die 90° -Gerade dreht, ist $\qquad S_y = 2\pi \int_{\theta_1}^{\theta_2} x \, ds = 2\pi \int_{\theta_1}^{\theta_2} \rho \cos\theta \, ds .$

Die Integrationsgrenzen müssen so nahe wie möglich zusammen liegen.

Siehe Aufgaben 7-10!

AUFGABEN MIT LÖSUNGEN

1. Bestimme die Länge der Spirale $\rho = e^{2\theta}$ von $\theta = 0$ bis $\theta = 2\pi$!

   $d\rho/d\theta = 2e^{2\theta}$ und $\rho^2 + (d\rho/d\theta)^2 = 5e^{4\theta}$.

   $s = \int_0^{2\pi} \sqrt{\rho^2 + (d\rho/d\theta)^2} \, d\theta = \sqrt{5} \int_0^{2\pi} e^{2\theta} \, d\theta = \frac{1}{2}\sqrt{5}\,(e^{4\pi} - 1)$ Einheiten.

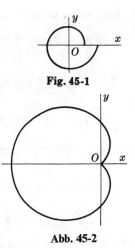

Fig. 45-1

2. Bestimme die Länge des Kardioids $\rho = a(1 - \cos\theta)$!

   Das Kardioid wird beschrieben, wenn θ von 0 bis 2π geht.

   $\rho^2 + (d\rho/d\theta)^2 = a^2(1 - \cos\theta)^2 + (a \sin\theta)^2 = 4a^2 \sin^2 \frac{1}{2}\theta$

   $s = \int_0^{2\pi} \sqrt{\rho^2 + (d\rho/d\theta)^2} \, d\theta = 2a \int_0^{2\pi} \sin \frac{1}{2}\theta \, d\theta = 8a$ Einheiten.

   Bei dieser Lösung haben wir die Integrationsgrenzen nicht so nahe wie möglich beieinander gewählt. Die gesuchte Lösung ist nämlich zweimal der, wenn θ von 0 bis π geht. Man beachte dazu Aufgabe 3!

Abb. 45-2

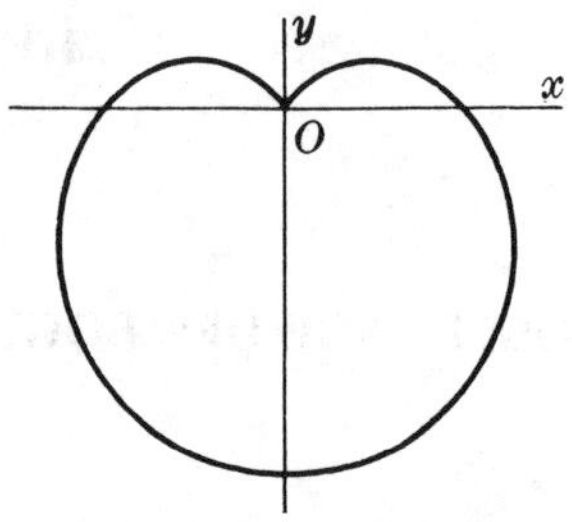

3. Bestimme die Länge des Kardioids $\rho = a(1 - \sin \theta)$!

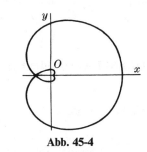

$$\rho^2 + \left(\frac{d\rho}{d\theta}\right)^2 = a^2(1 - \sin \theta)^2 + (-a \cos \theta)^2 = 2a^2(\sin \tfrac{1}{2}\theta - \cos \tfrac{1}{2}\theta)^2$$

Wenn wir wie in Aufgabe 2 vorgehen, ergibt sich

$$s = \int_0^{2\pi} \sqrt{\rho^2 + (d\rho/d\theta)^2}\, d\theta = \sqrt{2}\, a \int_0^{2\pi} (\sin \tfrac{1}{2}\theta - \cos \tfrac{1}{2}\theta)\, d\theta$$

$$= 2\sqrt{2}\, a(-\cos \tfrac{1}{2}\theta - \sin \tfrac{1}{2}\theta) \Big]_0^{2\pi} = 4\sqrt{2}\, a \text{ Einheiten.}$$

Abb. 45-3

Die beiden Kardioide unterscheiden sich nur in ihrer Lage der Ebene; also müßten ihre Längen gleich sein. Eine Erklärung der verschiedenen Ergebnisse findet man bei der Betrachtung der Integranden $\sin \tfrac{1}{2}\theta$ und $\sin \tfrac{1}{2}\theta - \cos \tfrac{1}{2}\theta$. Der erste ist nie negativ, während der zweite für θ zwischen 0 und $\frac{\pi}{2}$ negativ ist und sonst positiv. Wegen der Symmetrie ist die gesuchte Länge gleich zweimal der, wenn θ von $\pi/2$ bis $3\pi/2$ geht. Also folgt

$$s = 2\sqrt{2}\, a \int_{\pi/2}^{3\pi/2} (\sin \tfrac{1}{2}\theta - \cos \tfrac{1}{2}\theta)\, d\theta = 4\sqrt{2}\, a(-\cos \tfrac{1}{2}\theta - \sin \tfrac{1}{2}\theta) \Big]_{\pi/2}^{3\pi/2} = 8a \text{ Einheiten.}$$

4. Bestimme die Länge der Kurve $\rho = a \cos^4 \tfrac{1}{4}\theta$!

Die gesuchte Länge ist zweimal der, wenn θ von 0 bis 2π geht.

$$d\rho/d\theta = -a \cos^3 \tfrac{1}{4}\theta \sin \tfrac{1}{4}\theta \quad \text{und} \quad \rho^2 + (d\rho/d\theta)^2 = a^2 \cos^6 \tfrac{1}{4}\theta$$

$$s = 2 \cdot a \int_0^{2\pi} \cos^3 \tfrac{1}{4}\theta\, d\theta = 8a\left[\sin \tfrac{1}{4}\theta - \tfrac{1}{3} \sin^3 \tfrac{1}{4}\theta \right]_0^{2\pi}$$

$$= 16a/3 \text{ Einheiten.}$$

Abb. 45-4

5. Bestimme den Schwerpunkt des Bogens der Kardioide $\rho = a(1 - \cos \theta)$! Siehe Aufgabe 2!

Wegen der Symmetrie gilt $\bar{y} = 0$, und die Abszisse des Schwerpunkts des ganzen Bogens ist dieselbe wie die der oberen Hälfte. Nach Aufgabe 2 ist die Länge der Kardioide gleich $4a$; daraus folgt

$$4a \cdot \bar{x} = \int_0^{\pi} \rho \cos \theta \sqrt{\rho^2 + (d\rho/d\theta)^2}\, d\theta = 2a^2 \int_0^{\pi} (1 - \cos \theta) \cos \theta \sin \tfrac{1}{2}\theta\, d\theta$$

$$= 4a^2 \int_0^{\pi} (-2 \cos^4 \tfrac{1}{2}\theta + 3 \cos^2 \tfrac{1}{2}\theta - 1) \sin \tfrac{1}{2}\theta\, d\theta = 4a^2 \left[\tfrac{4}{5} \cos^5 \tfrac{1}{2}\theta - 2 \cos^3 \tfrac{1}{2}\theta + 2 \cos \tfrac{1}{2}\theta \right]_0^{\pi}$$

$$= -16a^2/5, \quad \text{also} \quad \bar{x} = -4a/5. \text{ Die Koordinaten des Schwerpunkts sind } (-4a/5, 0).$$

6. Bestimme den Schwerpunkt des Kreises $\rho = 2 \sin \theta + 4 \cos \theta$ von $\theta = 0$ bis $\theta = \tfrac{1}{2}\pi$!

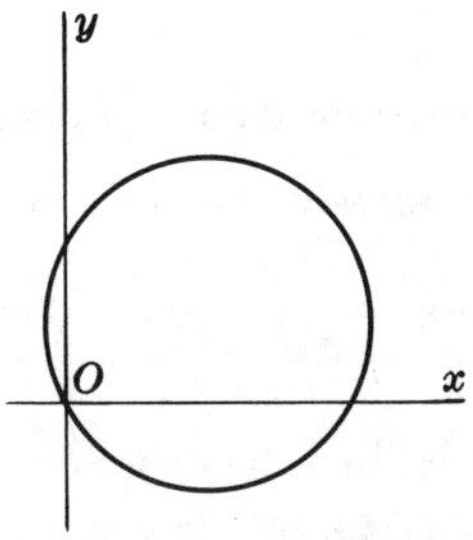

$d\rho/d\theta = 2 \cos \theta - 4 \sin \theta$ und $\rho^2 + (d\rho/d\theta)^2 = 20$. Da der Radius gleich $\sqrt{5}$ ist, gilt $s = \sqrt{5}\, \pi$.

$$\sqrt{5}\, \pi \cdot \bar{x} = \int_0^{\pi/2} \rho \cos \theta \sqrt{\rho^2 + (d\rho/d\theta)^2}\, d\theta$$

$$= 4\sqrt{5} \int_0^{\pi/2} (\sin \theta \cos \theta + 2 \cos^2 \theta)\, d\theta$$

$$= 4\sqrt{5} \left[\tfrac{1}{2} \sin^2 \theta + \theta + \tfrac{1}{2} \sin 2\theta \right]_0^{\pi/2}$$

$$= 2\sqrt{5}\, (\pi + 1), \quad \text{also} \quad \bar{x} = \frac{2(\pi + 1)}{\pi}.$$

Abb. 45-5

$$\sqrt{5}\, \pi \cdot \bar{y} = \int_0^{\pi/2} \rho \sin \theta \sqrt{\rho^2 + (d\rho/d\theta)^2}\, d\theta = 4\sqrt{5} \int_0^{\pi/2} (\sin^2 \theta + 2 \sin \theta \cos \theta)\, d\theta$$

$$= 4\sqrt{5} \left[\tfrac{1}{2}\theta - \tfrac{1}{4} \sin 2\theta + \sin^2 \theta \right]_0^{\pi/2} = 4\sqrt{5}\, (\tfrac{1}{4}\pi + 1), \quad \text{also} \quad \bar{y} = \frac{\pi + 4}{\pi}.$$

7. Bestimme die Oberfläche, die entsteht, wenn man die obere Hälfte des Kardioids $\rho = a(1 - \cos \theta)$ um die Polarachse dreht!

Nach Aufgabe 2 gilt $\quad \rho^2 + (d\rho/d\theta)^2 \;=\; 4a^2 \sin^2 \tfrac{1}{2}\theta.$

$$S \;=\; 2\pi \int_0^\pi \rho \sin\theta \sqrt{\rho^2 + (d\rho/d\theta)^2}\; d\theta \;=\; 4a^2\pi \int_0^\pi (1 - \cos\theta)\sin\theta \sin\tfrac{1}{2}\theta \; d\theta$$

$$=\; 16a^2\pi \int_0^\pi \sin^4 \tfrac{1}{2}\theta \cos\tfrac{1}{2}\theta \; d\theta \;=\; \tfrac{32}{5}a^2\pi \text{ Quadrateinheiten.}$$

8. Bestimme die Oberfläche des Körpers, der entsteht, wenn man die Lemniskate $\rho^2 = a^2 \cos 2\theta$ um die Polarachse dreht!

    Die gesuchte Fläche ist zweimal derjenigen, die durch Drehung des Bogens im ersten Quadranten entsteht.

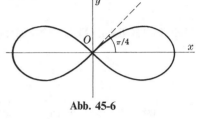

Abb. 45-6

$$\rho^2 + \left(\frac{d\rho}{d\theta}\right)^2 \;=\; a^2 \cos 2\theta + \left(-\frac{a^2 \sin 2\theta}{\rho}\right)^2 \;=\; \frac{a^4}{\rho^2}$$

$$S \;=\; 2 \cdot 2\pi \int_0^{\pi/4} \rho \sin\theta \, \frac{a^2}{\rho} \, d\theta \;=\; 4a^2\pi \int_0^{\pi/4} \sin\theta \; d\theta$$

$$=\; 2a^2\pi(2 - \sqrt{2}) \text{ Quadrateinheiten.}$$

9. Bestimme die Oberfläche des Körpers, der durch Drehung einer Schleife der Lemniskate $\rho^2 = a^2 \cos 2\theta$ um die 90°–Gerade entsteht!

    Die gesuchte Fläche ist zweimal derjenigen, die durch Drehung des Bogens im ersten Quadranten erzeugt wird.

$$S \;=\; 2 \cdot 2\pi \int_0^{\pi/4} \rho \cos\theta \, \frac{a^2}{\rho} \, d\theta \;=\; 4a^2\pi \int_0^{\pi/4} \cos\theta \; d\theta \;=\; 2\sqrt{2}\, a^2\pi \text{ Quadrateinheiten.}$$

10. Bestimme mit dem Satz von Pappus den Schwerpunkt des Bogens des Kardioids $\rho = a(1 - \cos\theta)$ von $\theta = 0$ bis $\theta = \pi$!

    Wird der Bogen um die Polarachse gedreht, so gilt für die Oberfläche $S = 2\pi \bar{y}s$. Mit den Aufgaben 2 und 7 folgt $32a^2\pi/5 = 2\pi\bar{y} \cdot 4a$, also $\bar{y} = 4a/5$.

    Nach Aufgabe 5 hat der Schwerpunkt die Koordinaten $(-4a/5,\ 4a/5)$.

ERGÄNZUNGSAUFGABEN

11. Bestimme die Bogenlänge

    (a) $\rho = \theta^2$ von $\theta = 0$ bis $\theta = 2\sqrt{3}$!   *Lsg.* $56/3$ Einheiten.   (d) $\rho = \sin^3 \theta/3$!   *Lsg.* $3\pi/2$ Einheiten.

    (b) $\rho = e^{\theta/2}$ von $\theta = 0$ bis $\theta = 8$ *Lsg.* $\sqrt{5}(e^4 - 1)$ Einheiten.   (e) $\rho = \cos^4 \theta/4$!   *Lsg.* $16/3$ Einheiten.

    (c) $\rho = \cos^2 \tfrac{1}{2}\theta$ *Lsg.* 4 Einheiten.

    (f) $\rho = a/\theta$ von (ρ_1, θ_1) bis (ρ_2, θ_2)!   *Lsg.* $\sqrt{a^2 + \rho_1^2} - \sqrt{a^2 + \rho_2^2} + a \ln \dfrac{\rho_1(a + \sqrt{a^2 + \rho_2^2})}{\rho_2(a + \sqrt{a^2 + \rho_1^2})}$ Einheiten

    (g) $\rho = 2a \tan\theta \sin\theta$ von $\theta = 0$ bis $\theta = \pi/3$!   *Lsg.* $2a\sqrt{3}\left\{\dfrac{\sqrt{7} - 2}{\sqrt{3}} + \ln \dfrac{2(2 + \sqrt{3})}{\sqrt{7} + \sqrt{3}}\right\}$ Einheiten

12. Bestimme den Schwerpunkt der oberen Hälfte von $\rho = 8\cos\theta$!   *Lsg.* $(4, 8/\pi)$.

13. Zeige, daß für $\varrho = a\sin\theta + b\cos\theta$ gilt: $s = \pi\sqrt{a^2 + b^2}$, $S_x = a\pi s$ und $S_y = b\pi s$.

14. Bestimme die Fläche, die erzeugt wird, indem man $\rho = 4\cos\theta$ um die Polarachse dreht!

    Lsg. 16π Quadrateinheiten.

15. Bestimme die Fläche, die erzeugt wird, wenn man jede der Schleifen von $\rho = \sin^3 \theta/3$ um die 90°-Gerade dreht!

    Lsg. $\pi/256$ und $513\pi/256$ Einheiten.

16. Bestimme die Fläche, die erzeugt wird, wenn man eine Schleife von $\rho^2 = \cos 2\theta$ um die 90° -Gerade dreht!

    Lsg. $2\sqrt{2}\,\pi$ Quadrateinheiten.

17. Zeige: Dreht man die beiden Schleifen von $\rho = \cos^4 \theta/4$ um die Polarachse, so entstehen gleich große Flächen!

18. Bestimme den Schwerpunkt der Fläche, die entsteht, wenn man die rechte Schleife von $\rho^2 = a^2 \cos 2\theta$ um die Polarachse dreht!

    Lsg. $\bar{x} = \sqrt{2}a(\sqrt{2} + 1)/6$.

19. Bestimme die Fläche, die erzeugt wird, wenn man $\rho = \sin^2 \theta/2$ um die Gerade $\rho = \operatorname{cosec}\theta$ dreht!

    Lsg. 8π Einheiten.

20. Leite die Formeln diese Kapitels her!

KAPITEL 46

Uneigentliche Integrale

DAS BESTIMMTE INTEGRAL $\int_a^v f(x)\,dx$ heißt ein *uneigentliches Integral,* wenn

(a) der Integrand $f(x)$ im Intervall $a \leqq x \leqq b$ eine oder mehrere Unstetigkeitsstellen hat oder

(b) mindestens eine der Integrationsgrenzen unendlich ist.

UNSTETIGER INTEGRAND. Ist $f(x)$ im Intervall $a \leqq x < b$ stetig, aber in $x = b$ unstetig, so definieren wir

$$\int_a^b f(x)\,dx = \lim_{\epsilon \to 0^+} \int_a^{b-\epsilon} f(x)\,dx, \text{ falls der Grenzwert existiert.}$$

Ist $f(x)$ im Intervall $a < x \leqq b$ stetig, aber in $x = a$ unstetig, so definieren wir

$$\int_a^b f(x)\,dx = \lim_{\epsilon \to 0^+} \int_{a+\epsilon}^b f(x)\,dx, \text{ falls der Grenzwert existiert.}$$

Ist $f(x)$ im Intervall $a \leqq x \leqq b$ bis auf $x = c$, $a < c < b$, stetig, so definieren wir

$$\int_a^b f(x)\,dx = \lim_{\epsilon \to 0^+} \int_a^{c-\epsilon} f(x)\,dx + \lim_{\epsilon' \to 0^+} \int_{c+\epsilon'}^b f(x)\,dx,$$

falls beide Grenzwerte existieren.   Siehe Aufgaben 1-6!

UNENDLICHE INTEGRATIONSGRENZEN. Ist $f(x)$ im Intervall $a \leqq x \leqq u$ stetig, so definieren wir

$$\int_a^{+\infty} f(x)\,dx = \lim_{u \to +\infty} \int_a^u f(x)\,dx, \text{ falls der Grenzwert existiert.}$$

Ist $f(x)$ im Intervall $u' \leqq x \leqq b$ stetig, so definieren wir

$$\int_{-\infty}^b f(x)\,dx = \lim_{u' \to -\infty} \int_{u'}^b f(x)\,dx, \text{ falls der Grenzwert existiert.}$$

Ist $f(x)$ im Intervall $u' \leqq x \leqq u$ stetig, so definieren wir

$$\int_{-\infty}^{+\infty} f(x)\,dx = \lim_{u \to +\infty} \int_a^u f(x)\,dx + \lim_{u' \to -\infty} \int_{u'}^a f(x)\,dx,$$

falls beide Grenzwerte existieren.   Siehe Aufgaben 7-13!

AUFGABEN MIT LÖSUNGEN

1. Berechne $\int_0^3 \dfrac{dx}{\sqrt{9-x^2}}$! Der Integrand ist in $x = 3$ unstetig. Wir betrachten

$$\lim_{\epsilon \to 0^+} \int_0^{3-\epsilon} \frac{dx}{\sqrt{9-x^2}} = \lim_{\epsilon \to 0^+} \arcsin \frac{x}{3} \Big]_0^{3-\epsilon} = \lim_{\epsilon \to 0^+} \arcsin \frac{3-\epsilon}{3} = \arcsin 1 = \frac{1}{2}\pi \ .$$

Es gilt also

$$\int_0^3 \frac{dx}{\sqrt{9-x^2}} = \frac{1}{2}\pi$$

2. Zeige, daß $\int_0^2 \dfrac{dx}{2-x}$ nicht definiert ist! Der Integrand ist in $x=2$ unstetig. Wir betrachten

$$\lim_{\epsilon \to 0^+} \int_0^{2-\epsilon} \frac{dx}{2-x} \;=\; \lim_{\epsilon \to 0^+} \ln \frac{1}{2-x} \Big]_0^{2-\epsilon} \;=\; \lim_{\epsilon \to 0^+} \left(\ln \frac{1}{\epsilon} - \ln \frac{1}{2} \right).$$

Der Grenzwert existiert nicht, und damit ist das Integral nicht definiert.

3. Zeige, daß $\int_0^4 \dfrac{dx}{(x-1)^2}$ nicht definiert ist!

Der Integrand ist in $x=1$ unstetig, ein Wert, der zwischen den Integrationsgrenzen 0 und 4 liegt. Wir betrachten

$$\lim_{\epsilon \to 0^+} \int_0^{1-\epsilon} \frac{dx}{(x-1)^2} \;+\; \lim_{\epsilon' \to 0^+} \int_{1+\epsilon'}^4 \frac{dx}{(x-1)^2}$$

$$= \; \lim_{\epsilon \to 0^+} \frac{-1}{x-1} \Big]_0^{1-\epsilon} \;+\; \lim_{\epsilon' \to 0^+} \frac{-1}{x-1} \Big]_{1+\epsilon'}^4 \;=\; \lim_{\epsilon \to 0^+} \left(\frac{1}{\epsilon} - 1 \right) \;+\; \lim_{\epsilon' \to 0^+} \left(-\frac{1}{3} + \frac{1}{\epsilon'} \right).$$

Die Grenzwerte existieren nicht.

Bemerkt man die Unstetigkeitsstelle nicht, so ergibt sich $\int_0^4 \dfrac{dx}{(x-1)^2} = -\dfrac{1}{x-1} \Big]_0^4 =$ $-\dfrac{4}{3}$. Das ist kein sinnvolles Ergebnis.

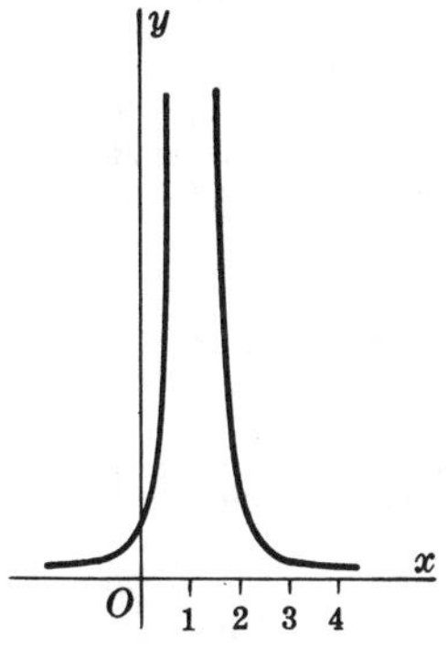

Abb. 46-1

4. Berechne $\int_0^4 \dfrac{dx}{\sqrt[3]{x-1}}$. Der Integrand ist in $x=1$ unstetig. Wir betrachten

$$\lim_{\epsilon \to 0^+} \int_0^{1-\epsilon} \frac{dx}{\sqrt[3]{x-1}} \;+\; \lim_{\epsilon' \to 0^+} \int_{1+\epsilon'}^4 \frac{dx}{\sqrt[3]{x-1}} \;=\; \lim_{\epsilon \to 0^+} \frac{3}{2}(x-1)^{2/3} \Big]_0^{1-\epsilon} \;+\; \lim_{\epsilon' \to 0^+} \frac{3}{2}(x-1)^{2/3} \Big]_{1+\epsilon'}^4$$

$$= \; \lim_{\epsilon \to 0^+} \frac{3}{2}\left((-\epsilon)^{2/3} - 1 \right) \;+\; \lim_{\epsilon' \to 0^+} \frac{3}{2}(\sqrt[3]{9} - \epsilon'^{2/3}) \;=\; \frac{3}{2}(\sqrt[3]{9} - 1).$$

Also gilt $\int_0^4 \dfrac{dx}{\sqrt[3]{x-1}} = \dfrac{3}{2}(\sqrt[3]{9} - 1).$

5. Zeige, daß $\int_0^{\pi/2} \sec x \, dx$ nicht definiert ist. Der Integrand ist in $x=\frac{1}{2}\pi$ unstetig. Wir betrachten

$$\lim_{\epsilon \to 0^+} \int_0^{\frac{1}{2}\pi-\epsilon} \sec x \, dx \;=\; \lim_{\epsilon \to 0^+} \ln (\sec x + \tan x) \Big]_0^{\frac{1}{2}\pi-\epsilon} \;=\; \lim_{\epsilon \to 0^+} \ln \{\sec (\tfrac{1}{2}\pi - \epsilon) + \tan (\tfrac{1}{2}\pi - \epsilon)\}.$$

Der Grenzwert existiert nicht, und damit ist das Integral nicht definiert.

6. Berechne $\int_0^{\pi/2} \dfrac{\cos x}{\sqrt{1-\sin x}} \, dx$! Der Integrand ist in $x=\frac{1}{2}\pi$ unstetig. Wir betrachten

$$\lim_{\epsilon \to 0^+} \int_0^{\frac{1}{2}\pi-\epsilon} \frac{\cos x}{\sqrt{1-\sin x}} \, dx \;=\; \lim_{\epsilon \to 0^+} -2(1-\sin x)^{1/2} \Big]_0^{\frac{1}{2}\pi-\epsilon} \;=\; 2 \lim_{\epsilon \to 0^+} \{-[1-\sin(\tfrac{1}{2}\pi-\epsilon)]+1\}$$

$$= \; 2(0+1) \;=\; 2. \quad \text{Also gilt} \quad \int_0^{\pi/2} \frac{\cos x}{\sqrt{1-\sin x}} \, dx \;=\; 2.$$

7. Berechne $\int_0^{+\infty} \dfrac{dx}{x^2+4}$! Die obere Integrationsgrenze ist unendlich. Wir betrachten

$$\lim_{u \to +\infty} \int_0^u \frac{dx}{x^2+4} \;=\; \lim_{u \to +\infty} \frac{1}{2} \arctan \frac{1}{2}x \Big]_0^u \;=\; \frac{1}{4}\pi. \quad \text{Es gilt also} \quad \int_0^{+\infty} \frac{dx}{x^2+4} \;=\; \frac{1}{4}\pi.$$

8. Berechne $\int_{-\infty}^0 e^{2x} \, dx$! Die untere Integrationsgrenze ist unendlich. Wir betrachten

$$\lim_{u \to -\infty} \int_u^0 e^{2x} \, dx \;=\; \lim_{u \to -\infty} \frac{1}{2} e^{2x} \Big]_u^0 \;=\; \frac{1}{2}(1) - \lim_{u \to -\infty} \frac{1}{2} e^{2u} \;=\; \frac{1}{2} - 0. \quad \text{Es gilt also} \quad \int_{-\infty}^0 e^{2x} \, dx = \frac{1}{2}$$

9. Zeige, daß $\displaystyle\int_{1}^{+\infty}\frac{dx}{\sqrt{x}}$ nicht definiert ist! Die obere Integrationsgrenze ist unendlich . Wir betrachten

$$\lim_{u \to +\infty} \int_{1}^{u} \frac{dx}{\sqrt{x}} = \lim_{u \to +\infty} 2\sqrt{x} \Big]_{1}^{u} = \lim_{u \to +\infty} (2\sqrt{u} - 2). \text{ Der Grenzwert existiert nicht.}$$

10. Berechne $\displaystyle\int_{-\infty}^{+\infty}\frac{dx}{e^{x}+e^{-x}} = \int_{-\infty}^{+\infty}\frac{e^{x}\,dx}{e^{2x}+1}$! Beide Integrationsgrenzen sind unendlich. Wir betrachten

$$\lim_{u \to +\infty} \int_{0}^{u} \frac{e^{x}\,dx}{e^{2x}+1} + \lim_{u' \to -\infty} \int_{u'}^{0} \frac{e^{x}\,dx}{e^{2x}+1} = \lim_{u \to +\infty} \arctan e^{x}\Big]_{0}^{u} + \lim_{u' \to -\infty} \arctan e^{x}\Big]_{u'}^{0}$$

$$= \lim_{u \to +\infty} (\arctan e^{u} - \tfrac{1}{4}\pi) + \lim_{u' \to -\infty} (\tfrac{1}{4}\pi - \arctan e^{u'})$$

$$= \tfrac{1}{2}\pi - \tfrac{1}{4}\pi + \tfrac{1}{4}\pi - 0 = \tfrac{1}{2}\pi \,.$$

11. Berechne $\displaystyle\int_{0}^{+\infty} e^{-x}\sin x\,dx$! Die obere Integrationsgrenze ist unendlich . Wir betrachten

$$\lim_{u \to +\infty} \int_{0}^{u} e^{-x}\sin x\,dx = \lim_{u \to +\infty} -\tfrac{1}{2}e^{-x}(\sin x + \cos x)\Big]_{0}^{u} = \lim_{u \to +\infty} \{-\tfrac{1}{2}e^{-u}(\sin u + \cos u)\} + \tfrac{1}{2}\,.$$

Für $u \to +\infty$ gilt $e^{-u} \to 0$, während die Werte von $\cos u$ zwischen -1 und $+1$ liegen. Also gilt $\displaystyle\int_{0}^{+\infty} e^{-x}\sin x\,dx = \tfrac{1}{2}\,.$

12. Bestimme die Fläche A zwischen der Kurve $y^{2} = \dfrac{x^{2}}{1-x^{2}}$ und ihren Asymptoten! Siehe Abb. 46-2 !

$A = 4\displaystyle\int_{0}^{1}\frac{x\,dx}{\sqrt{1-x^{2}}}$. Der Integrand ist in $x = 1$ unstetig. Wir betrachten

$$\lim_{\epsilon \to 0^{+}} \int_{0}^{1-\epsilon} \frac{x\,dx}{\sqrt{1-x^{2}}} = \lim_{\epsilon \to 0^{+}} -(1-x^{2})^{1/2}\Big]_{0}^{1-\epsilon} = \lim_{\epsilon \to 0^{+}} (1 - \sqrt{2\epsilon - \epsilon^{2}}) = 1\,.$$

Die gesuchte Fläche ist 4 Quadrateinheiten groß.

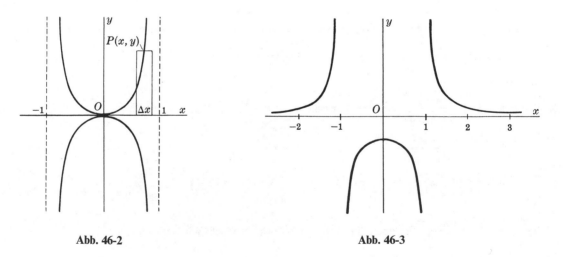

            Abb. 46-2   **Abb. 46-3**

13. Bestimme die Fläche, die rechts von $x = 3$ und zwischen der Kurve $y = \dfrac{1}{x^{2}-1}$ und der x-Achse liegt! Siehe Abb. 46-3!

$$A = \int_{3}^{+\infty} \frac{dx}{x^{2}-1} = \lim_{u \to +\infty} \int_{3}^{u} \frac{dx}{x^{2}-1} = \frac{1}{2}\lim_{u \to +\infty} \ln\frac{x-1}{x+1}\Big]_{3}^{u}$$

$$= \frac{1}{2}\lim_{u \to +\infty} \ln\frac{u-1}{u+1} - \frac{1}{2}\ln\frac{1}{2} = \frac{1}{2}\lim_{u \to +\infty} \ln\frac{1-1/u}{1+1/u} + \frac{1}{2}\ln 2$$

$$= \frac{1}{2}(\ln 2) \text{ Quadrateinheiten.}$$

ERGÄNZUNGSAUFGABEN

14. Zeige:

(a) $\displaystyle\int_0^1 \frac{dx}{\sqrt{x}} = 2$ 　　　　　(d) $\displaystyle\int_0^4 \frac{dx}{(4-x)^{3/2}}$ (nicht definiert) 　　　(g) $\displaystyle\int_0^4 \frac{dx}{(x-2)^{2/3}} = 6\sqrt[3]{2}$

(b) $\displaystyle\int_0^4 \frac{dx}{4-x}$ (nicht definiert) 　　(e) $\displaystyle\int_{-2}^2 \frac{dx}{\sqrt{4-x^2}} = \pi$ 　　　　(h) $\displaystyle\int_{-1}^1 \frac{dx}{x^4}$ (nicht definiert)

(c) $\displaystyle\int_0^4 \frac{dx}{\sqrt{4-x}} = 4$ 　　　　(f) $\displaystyle\int_{-1}^8 \frac{dx}{x^{1/3}} = 9/2$ 　　　　(i) $\displaystyle\int_0^1 \ln x \, dx = -1$

　　　　　　　　　　　　　　　　　　　　　　　　　　　　　　　　　　(j) $\displaystyle\int_0^1 x \ln x \, dx = -1/4$

15. Bestimme die Fläche zwischen der gegebenen Kurve und ihren Asymptoten!

(a) $y^2 = \dfrac{x^4}{4-x^2}$, 　(b) $y^2 = \dfrac{4-x}{x}$, 　(c) $y^2 = \dfrac{1}{x(1-x)}$.

Lsg. (a) 4π Quadrateinheiten; (b) 4π Quadrateinheiten; (c) 2π Quadrateinheiten.

16. Zeige:

(a) $\displaystyle\int_1^{+\infty} \frac{dx}{x^2} = 1$ 　　　　　　　(f) $\displaystyle\int_1^{+\infty} \frac{e^{-\sqrt{x}}}{\sqrt{x}} dx = 2/e$

(b) $\displaystyle\int_{-\infty}^0 \frac{dx}{(4-x)^2} = \frac{1}{4}$ 　　　(g) $\displaystyle\int_{-\infty}^{+\infty} xe^{-x^2} dx = 0$

(c) $\displaystyle\int_0^{+\infty} e^{-x} dx = 1$ 　　　　　　(h) $\displaystyle\int_{-\infty}^{+\infty} \frac{dx}{1+4x^2} = \pi/2$

(d) $\displaystyle\int_{-\infty}^6 \frac{dx}{(4-x)^2}$ (nicht definiert) 　(i) $\displaystyle\int_{-\infty}^0 xe^x dx = -1$

(e) $\displaystyle\int_2^{+\infty} \frac{dx}{x \ln^2 x} = \frac{1}{\ln 2}$ 　　(j) $\displaystyle\int_0^{+\infty} x^3 e^{-x} dx = 6$

17. Bestimme die Fläche zwischen der Kurve und ihrer Asymptote

(a) $y = \dfrac{8}{x^2+4}$, 　(b) $y = \dfrac{x}{(4+x^2)^2}$, 　(c) $y = xe^{-x^2/2}$!

Lsg. (a) 4π Quadrateinheiten; (b) $\frac{1}{4}$ Quadrateinheiten; (c) 2 Quadrateinheiten.

18. Bestimme die Fläche:

(a) unter $y = \dfrac{1}{x^2-4}$ und rechts von $x = 3$! 　　*Lsg.* $\frac{1}{4} \ln 5$ Quadrateinheiten.

(b) unter $y = \dfrac{1}{x(x-1)^2}$ und rechts von $x = 2$! 　*Lsg.* $1 - \ln 2$ Quadrateinheiten.

19. Zeige, daß die folgenden Flächen nicht definiert sind:

(a) unter $y = \dfrac{1}{4-x^2}$ zwischen $x = -2$ und $x = 2$,

(b) unter $xy = 9$ und rechts von $x = 1$!

20. Zeige, daß die Fläche im ersten Quadranten unter $y = e^{-2x}$ gleich $\frac{1}{2}$ Quadrateinheiten ist, und daß das Volumen, das durch Drehung dieser Fläche um die x-Achse erzeugt wird, gleich $\frac{\pi}{4}$ Kubikeinheiten ist!

21. Zeige: Dreht man den Teil R der Ebene unter $xy = 9$ und rechts von $x = 1$ um die x-Achse, so ist das erzeugte Volumen gleich 81π Kubikeinheiten, aber die erzeugte Oberfläche ist unendlich!

22. Bestimme die Länge des angegebenen Kurvenbogens:

(a) $9y^2 = x(3-x)^2$, Schleife   (b) $x^{2/3} + y^{2/3} = a^{2/3}$, Gesamtlänge   (c) $9y^2 = x^2(2x+3)$, Schleife!

Lsg. (a) $4\sqrt{3}$ Einheiten; (b) $6a$ Einheiten; (c) $2\sqrt{3}$ Einheiten.

23. Bestimme das Trägheitsmoment eines Kreises vom Radius r bezüglich einer Tangente!   *Lsg.* $3r^2s/2$.

24. Zeige, daß $\displaystyle\int_0^{+\infty} \frac{dx}{x^p}$ für alle Werte von p divergiert!

25. (a) Zeige, daß $\displaystyle\int_a^b \frac{N\,dx}{(x-b)^p}$ für $p < 1$ existiert und für $p \ge 1$ nicht definiert ist!

(b) Zeige, daß $\displaystyle\int_a^{+\infty} \frac{N\,dx}{x^p}$ für $p > 1$ existiert und für $p \le 1$ nicht definiert ist!

26. Es seien $f(x) \le g(x)$ im Intervall $a \le x < b$ definiert und dort nicht negativ. Es gelte $\displaystyle\lim_{x \to b^-} f(x) = +\infty$ und $\displaystyle\lim_{x \to b^-} g(x) = +\infty$. Nach Abb. 46-4 scheint folgende Annahme vernünftig zu sein:

(1) Existiert $\displaystyle\int_a^b g(x)\,dx$, so existiert auch $\displaystyle\int_a^b f(x)\,dx$

(2) Existiert $\displaystyle\int_a^b f(x)\,dx$ nicht, so existiert auch $\displaystyle\int_a^b g(x)\,dx$ nicht.

Untersuche, welche der folgenden Integrale existieren!

(a) $\displaystyle\int_0^1 \frac{dx}{1-x^4}$. Für $0 \le x < 1$ gilt $1 - x^4 = (1-x)(1+x)(1+x^2) < 4(1-x)$ und $\dfrac{\frac{1}{4}}{1-x} < \dfrac{1}{1-x^4}$.

Da $\dfrac{1}{4}\displaystyle\int_0^1 \frac{dx}{1-x}$ nicht existiert, existiert das gegebene Integral auch nicht.

(b) $\displaystyle\int_0^1 \frac{dx}{x^2+\sqrt{x}}$. Für $0 < x \le 1$ gilt $\dfrac{1}{x^2+\sqrt{x}} < \dfrac{1}{\sqrt{x}}$. Da $\displaystyle\int_0^1 \frac{dx}{\sqrt{x}}$ existiert, existiert auch das gegebene Integral.

(c) $\displaystyle\int_0^1 \frac{e^x\,dx}{x^{1/3}}$ existiert. (d) $\displaystyle\int_0^{\pi/4} \frac{\cos x}{x}dx$ existiert nicht. (e) $\displaystyle\int_0^{\pi/4} \frac{\cos x}{\sqrt{x}}dx$ existiert.

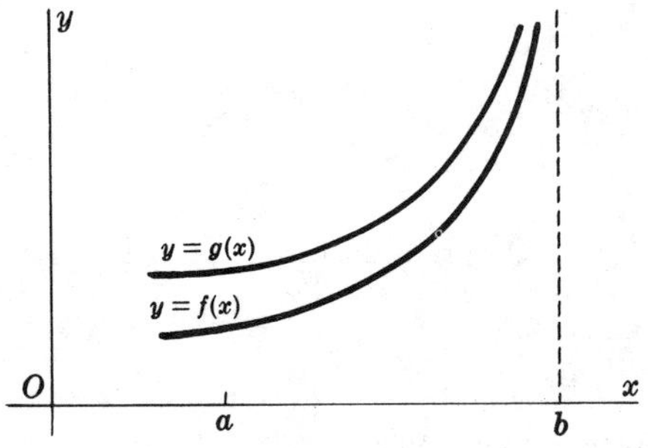

Abb. 46-4 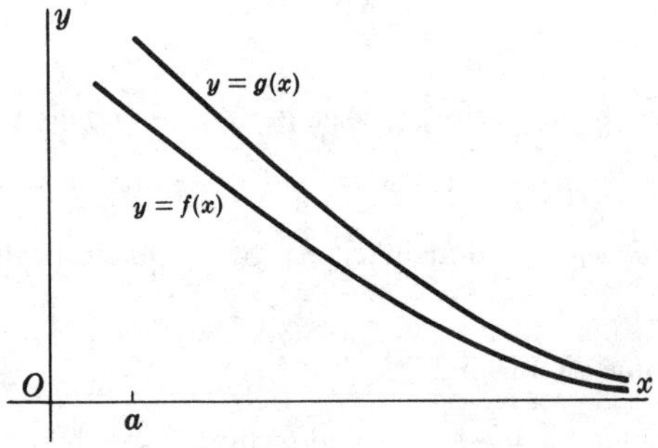   **Abb. 46-5**

27. Es seien $f(x) \le g(x)$ im Intervall $x \ge a$ definiert und dort nicht negativ. Es gelte $\displaystyle\lim_{x \to +\infty} f(x) = \lim_{x \to +\infty} g(x) = 0$. Nach Abb. 46-5 scheint folgende Annahme vernünftig zu sein:

(3) Existiert $\displaystyle\int_a^{+\infty} g(x)\,dx$, so existiert auch $\displaystyle\int_a^{+\infty} f(x)\,dx$.

(4) Existiert $\displaystyle\int_a^{+\infty} f(x)\,dx$ nicht, so existiert auch $\displaystyle\int_a^{+\infty} g(x)\,dx$ nicht.

Untersuche, welche der folgenden Integrale existieren!

(a) $\displaystyle\int_1^{+\infty} \frac{dx}{\sqrt{x^4+2x+6}}$. Für $x \ge 1$ gilt $\dfrac{1}{\sqrt{x^4+2x+6}} < \dfrac{1}{x^2}$. Da $\displaystyle\int_1^{+\infty} \frac{dx}{x^2}$ existiert, existiert auch das gegebene Integral.

(b) $\displaystyle\int_2^{+\infty} \frac{dx}{\sqrt{x^3+2x}}$ existiert. (c) $\displaystyle\int_1^{+\infty} e^{-x^2}\,dx$ existiert. (d) $\displaystyle\int_0^{+\infty} \frac{dx}{\sqrt{x+x^4}}$ existiert.

KAPITEL 47

Unendliche Folgen und Reihen

EINE UNENDLICHE FOLGE $\{s_n\} = s_1, s_2, s_3, \ldots, s_n, \ldots$ ist eine Funktion von n, deren Definitionsbereich die Menge der natürlichen Zahlen ist (siehe Kapitel 1).

Eine Folge $\{s_n\}$ heißt *beschränkt*, wenn es zwei Zahlen P und Q gibt, so daß $P \leq s_n \leq Q$ für alle Werte von n gilt. Zum Beispiel ist $3/2, 5/4, 7/6, \ldots, \dfrac{2n+1}{2n}, \ldots$ beschränkt, da $1 \leq s_n \leq 2$ für alle n; $2, 4, 6, \ldots, 2n, \cdots$ ist jedoch nicht beschränkt.

Eine Folge $\{s_n\}$ heißt *nichtfallend*, wenn $s_1 \leq s_2 \leq s_3 \leq \cdots \leq s_n \leq \cdots$ gilt, und *nichtsteigend*, wenn $s_1 \geq s_2 \geq s_3 \geq \cdots \geq s_n \geq \cdots$ gilt. Zum Beispiel sind die Folgen $\left\{\dfrac{n^2}{n+1}\right\} = 1/2, 4/3, 9/4, 16/5, \ldots$ und $\{2n - (-1)^n\} = 3, 3, 7, 7, \ldots$ nichtfallend und die Folgen $\{1/n\} = 1, 1/2, 1/3, 1/4, \ldots$ und $\{-n\} = -1, -2, -3, -4, \ldots$ nichtsteigend.

Eine Folge $\{s_n\}$ konvergiert gegen eine endliche Zahl s (den Grenzwert) $\left[\lim\limits_{n \to +\infty} s_n = s\right]$, wenn es zu jeder beliebig kleinen positiven Zahl ϵ eine natürliche Zahl m gibt, so daß für alle $n > m$ gilt: $|s - s_n| < \epsilon$. Hat die Folge einen Grenzwert, so nennen wir sie konvergent; im anderen Fall heißt sie divergent. Siehe Aufgaben 1-2!

Eine Folge $\{s_n\}$ divergiert gegen ∞ $\left[\lim\limits_{n \to +\infty} s_n = \infty\right]$, wenn es zu jeder beliebig großen positiven Zahl M eine natürliche Zahl m gibt, so daß für alle $n > m$ gilt: $|s_n| > M$. Gilt $s_n > M$, so folgt $\lim\limits_{n \to +\infty} s_n = +\infty$; gilt $s_n < -M$, so folgt $\lim\limits_{n \to +\infty} s_n = -\infty$.

SÄTZE ÜBER FOLGEN

I. Jede beschränkte nichtfallende (nichtsteigende) Folge ist konvergent.

Ein Beweis dieses fundamentalen Satzes geht über den Rahmen des Buches hinaus.

II. Jede nichtbeschränkte Folge ist divergent. Ein Beweis steht in Aufgabe 3.

Einige der folgenden Sätze sind nur Neuformulierungen der Sätze aus Kapitel 2.

III. Eine konvergente (divergente) Folge bleibt konvergent (divergent), wenn endlich viele Glieder abgeändert werden.

IV. Der Grenzwert einer konvergenten Folge ist eindeutig bestimmt. Ein Beweis steht in Aufgabe 4.

Aus $\lim\limits_{n \to +\infty} s_n = s$ und $\lim\limits_{n \to +\infty} t_n = t$ folgt

V. $\quad \lim\limits_{n \to +\infty} (k \cdot s_n) = k \lim\limits_{n \to +\infty} s_n = ks$, wenn k eine Konstante ist

VI. $\quad \lim\limits_{n \to +\infty} (s_n \pm t_n) = \lim\limits_{n \to +\infty} s_n \pm \lim\limits_{n \to +\infty} t_n = s \pm t$.

VII. $\quad \lim\limits_{n \to +\infty} (s_n \cdot t_n) = \lim\limits_{n \to +\infty} s_n \cdot \lim\limits_{n \to +\infty} t_n = s \cdot t$.

VIII. $\lim\limits_{n \to +\infty} (s_n/t_n) = \lim\limits_{n \to +\infty} s_n \Big/ \lim\limits_{n \to +\infty} t_n = s/t$, vorausgesetzt $t \neq 0$ und $t_n \neq 0$ für alle n.

IX. Ist $\{s_n\}$ eine Folge mit nichtnegativen Gliedern und gilt $\lim\limits_{n \to +\infty} s_n = \infty$, so folgt $\lim\limits_{n \to +\infty} 1/s_n = 0$. Ein Beweis steht in Aufgabe 5.

X. Für $a > 1$ gilt $\lim\limits_{n \to +\infty} a^n = +\infty \cdot$

Ein Beweis steht in Aufgabe 6.

XI. Für $|r| < 1$ gilt $\lim\limits_{n \to +\infty} r^n = 0$.

DIE ANGEDEUTETE SUMME

$$\sum s_n = \sum_{n=1}^{+\infty} s_n = s_1 + s_2 + s_3 + \cdots + s_n + \cdots \qquad (1)$$

einer unendlichen Folge $\{s_n\}$ nennen wir eine *unendliche Reihe.* Jeder Reihe ist eine dazugehörige Folge von *Partialsummen* zugeordnet, nämlich: $S_1 = s_1$, $S_2 = s_1 + s_2$, $S_3 = s_1 + s_2 + s_3$, ..., $S_n = s_1 + s_2 + s_3 + \cdots + s_n$, $\cdots$.

Gilt $\lim\limits_{n \to +\infty} S_n = S$, wobei S eine endliche Zahl ist, so heißt die Reihe (*1*) *konvergent*, und S heißt ihre *Summe.* Existiert $\lim\limits_{n \to +\infty} S_n$ nicht, so heißt (*1*) *divergent.* Eine Reihe ist divergent, weil entweder $\lim\limits_{n \to +\infty} S_n = \infty$ gilt, oder weil mit wachsenden n die S_n wachsen und fallen, ohne sich einem Grenzwert zu nähern. Ein Beispiel für den letzten Fall ist die *oszillierende* Reihe $1 - 1 + 1 - 1 + \cdots$. Hier gilt $S_1 = 1$, $S_2 = 0$, $S_3 = 1$, $S_4 = 0$, $\ldots$.

Siehe Aufgaben 7-8!

Aus den obigen Sätzen folgt:

XII. Eine konvergente (divergente) Reihe bleibt konvergent (divergent), wenn endlich viele Glieder abgeändert werden.   Siehe Aufgabe 9!

XIII. Die Summe einer konvergenten Reihe ist eindeutig bestimmt.

XIV. Konvergiert Σs_n gegen S, so konvergiert $\Sigma k s_n$, wobei k eine Konstante ist, gegen kS. Divergiert Σs_n, so divergiert auch $\Sigma k s_n$

XV. Konvergiert Σs_n, dann gilt $\lim\limits_{n \to +\infty} s_n = 0$.   Ein Beweis steht in Aufgabe 10.

Die Umkehrung ist nicht richtig. Für die harmonische Reihe (Aufgabe 7 (*c*)) gilt $\lim\limits_{n \to +\infty} s_n = 0$, aber die Reihe divergiert.

XVI. Gilt $\lim\limits_{n \to +\infty} s_n \neq 0$, so ist Σs_n divergent.

Die Umkehrung ist nicht richtig; siehe Aufgabe 7 (*c*).   Siehe Aufgabe 11!

AUFGABEN MIT LÖSUNGEN

1. Die Folge $\{s_n\}$ konvergiere gegen s. Wir zeichnen auf einer Zahlengeraden (Abb. 47-1) die Punkte s, $s - \epsilon$, $s + \epsilon$, wobei ϵ irgendeine kleine positive Zahl ist. Dann tragen wir nacheinander die Punkte $s_1, s_2, s_3, \ldots$ ein. Die Definition der

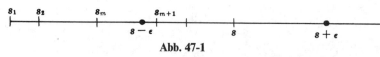

Abb. 47-1

Konvergenz sichert, daß die ersten m Punkte eventuell außerhalb der ε-Umgebung von s liegen, aber der Punkt s_{m+1} und alle folgenden liegen in der Umgebung.

In Abb. 47-2 benutzen wir ein gewöhnliches rechtwinkliges Koordinatensystem. Zuerst zeichnen wir die Geraden $y = s$, $y = s - \epsilon$ und $y = s + \epsilon$, die einen Streifen (schattiert) der Breite 2ϵ bestimmen. Dann zeichnen wir nacheinander die Punkte $(1, s_1), (2, s_2), (3, s_3), \ldots$ ein. Wie zuvor liegen der Punkt $(m + 1, s_{m+1})$ und alle darauffolgenden innerhalb des Streifens.

Es ist wichtig zu bemerken, daß nur endlich viele Punkte einer konvergenten Folge außerhalb eines ε-Intervalls bzw. eines ε-Streifens liegen.

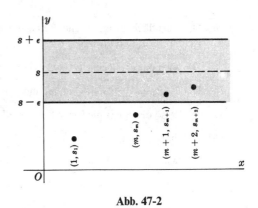

Abb. 47-2

2. Zeige mit Satz 1, daß die Folgen (a) $\left\{1 - \dfrac{1}{n}\right\}$ und (b) $\left\{\dfrac{1 \cdot 3 \cdot 5 \cdot 7 \ldots (2n - 1)}{2 \cdot 4 \cdot 6 \cdot 8 \ldots (2n)}\right\}$ konvergent sind.

(a) Die Folge ist beschränkt, da für alle n gilt: $0 \leq s_n \leq 1$.

Aus $s_{n+1} = 1 - \dfrac{1}{n+1} = 1 - \dfrac{1}{n} + \dfrac{1}{n(n+1)} = s_n + \dfrac{1}{n(n+1)}$, also $s_{n+1} \geq s_n$, folgt, daß die Folge nichtfallend ist. Sie konvergiert also gegen $s \leq 1$.

(b) Die Folge ist beschränkt, da $0 \leq s_n \leq 1$ für alle n. Aus $s_{n+1} = \dfrac{1 \cdot 3 \cdot 5 \cdot 7 \ldots (2n + 1)}{2 \cdot 4 \cdot 6 \cdot 8 \ldots (2n + 2)} = \dfrac{2n + 1}{2n + 2} s_n$. folgt, daß sie nichtfallend ist. Also konvergiert sie gegen $s \geq 0$.

3. Beweise, daß jede nicht-beschränkte Folge $\{s_n\}$ divergent ist!

Wir nehmen an, daß $\{s_n\}$ konvergiert. Dann gibt es zu jedem beliebig kleinen, positiven ϵ eine natürliche Zahl m, so daß $|s_n - s| < \epsilon$ für alle $n > m$. Da damit alle bis auf endlich viele Glieder der Folge in diesem Intervall liegen, muß sie beschränkt sein. Das ist ein Widerspruch zu unserer Annahme; die Folge ist also divergent.

4. Beweise, daß der Grenzwert einer konvergenten Folge eindeutig bestimmt ist!

Wir nehmen das Gegenteil an, also: $\lim\limits_{n \to +\infty} s_n = s$ und $\lim\limits_{n \to +\infty} s_n = t$, wobei $|s - t| > 2\epsilon > 0$. Nun haben die ϵ- Umgebungen von s und t widersprüchliche Eigenschaften: (i) Sie haben keinen Punkt gemeinsam und (ii) jede enthält alle bis auf endlich viele Glieder der Folge. Also gilt $s = t$ und der Grenzwert ist eindeutig bestimmt.

5. Beweise: Ist $\{s_n\}$ eine Folge mit nichtnegativen Gliedern und gilt $\lim\limits_{n \to +\infty} s_n = \infty$, so folgt $\lim\limits_{n \to +\infty} 1/s_n = 0$.

Es sei $\epsilon > 0$ gewählt. Aus $\lim\limits_{n \to +\infty} s_n = \infty$ folgt, daß es zu jedem $M > 1/\epsilon$ eine natürliche Zahl m gibt, so daß $|s_n| > M > 1/\epsilon$ für alle $n > m$. Für dieses m gilt: $|1/s_n| < 1/M < \epsilon$ für alle $n > m$; damit folgt $\lim\limits_{n \to +\infty} 1/s_n = 0$.

6. Beweise: Aus $a > 1$ folgt $\lim\limits_{n \to +\infty} a^n = +\infty$.

Es sei $M > 0$ gewählt. Wir setzen $a = 1 + b$, $b > 0$, dann folgt

$$a^n = (1 + b)^n = 1 + nb + \frac{n(n-1)}{1 \cdot 2} b^2 + \cdots > 1 + nb > M$$

für $n > M/b$. Als m kann man das größte Ganze in M/b nehmen (die ganze Zahl m, die durch $m \leq M/b < m + 1$ bestimmt ist).

7. Beweise:

(a) Die unendliche arithmetische Reihe $a + (a + d) + (a + 2d) + \cdots + [a + (n - 1)d] + \cdots$ divergiert für $a^2 + d^2 > 0$!

(b) Die unendlich geometrische Reihe $a + ar + ar^2 + \cdots + ar^{n-1} + \cdots$, wobei $a \neq 0$, konvergiert gegen $\dfrac{a}{1-r}$, wenn $|r| < 1$, und divergiert für $|r| \geqq 1$.

(c) Die harmonische Reihe $1 + 1/2 + 1/3 + 1/4 + \cdots + 1/n + \cdots$ divergiert!

(a) Es gilt $S_n = \frac{1}{2}n[2a + (n-1)d]$ und $\lim\limits_{n \to +\infty} S_n = \infty$, außer wenn $a = d = 0$.

Also divergiert die Reihe für $a^2 + d^2 > 0$.

(b) Hier haben wir $S_n = \dfrac{a - ar^n}{1-r} = \dfrac{a}{1-r} - \dfrac{a}{1-r}r^n$, $r \neq 1$

Aus $|r| < 1$ folgt $\lim\limits_{n \to +\infty} r^n = 0$ und $\lim\limits_{n \to +\infty} S_n = \dfrac{a}{1-r}$.

Für $|r| > 1$ gilt $\lim\limits_{n \to +\infty} r^n = \infty$, S_n divergiert.

Für $|r| = 1$ ergibt sich die Reihe $a + a + a + \cdots$ oder $a - a + a - a + \cdots$

(c) Berechnet man die Partialsummen, so ergibt sich

$$S_4 > 2, \quad S_8 > 2.5, \quad S_{16} > 3, \quad S_{32} > 3.5, \quad S_{64} > 4, \quad \ldots$$

Also ist die Folge der Partialsummen nicht beschränkt und divergiert; damit divergiert die Reihe.

8. (a) Für die Reihe $\dfrac{1}{5} + \dfrac{1}{5^2} + \dfrac{1}{5^3} + \cdots$ gilt:

$$S_1 = \frac{1}{5} = \frac{1}{4}\left(1 - \frac{1}{5}\right), \quad S_2 = \frac{1}{5} + \frac{1}{5^2} = \frac{1}{4}\left(1 - \frac{1}{5^2}\right), \quad S_3 = \frac{1}{5} + \frac{1}{5^2} + \frac{1}{5^3} = \frac{1}{4}\left(1 - \frac{1}{5^3}\right), \quad \ldots$$

$$S_n = \frac{1}{4}\left(1 - \frac{1}{5^n}\right) \quad \text{und} \quad S = \lim_{n \to +\infty} \frac{1}{4}\left(1 - \frac{1}{5^n}\right) = \frac{1}{4}$$

(b) Für die Reihe $\dfrac{1}{1 \cdot 2} + \dfrac{1}{2 \cdot 3} + \dfrac{1}{3 \cdot 4} + \dfrac{1}{4 \cdot 5} + \cdots$ gilt:

$$S_1 = \frac{1}{1 \cdot 2} = 1 - \tfrac{1}{2}, \quad S_2 = \frac{1}{1 \cdot 2} + \frac{1}{2 \cdot 3} = 1 - \tfrac{1}{2} + \tfrac{1}{2} - \tfrac{1}{3} = 1 - \tfrac{1}{3},$$

$$S_3 = S_2 + \frac{1}{3 \cdot 4} = 1 - \tfrac{1}{3} + \tfrac{1}{3} - \tfrac{1}{4} = 1 - \tfrac{1}{4}, \quad \ldots, \quad S_n = 1 - \frac{1}{n+1},$$

also $S = \lim\limits_{n \to +\infty}\left(1 - \dfrac{1}{n+1}\right) = 1$.

9. Die Reihe $1 + \tfrac{1}{2} + \tfrac{1}{4} + \tfrac{1}{8} + \tfrac{1}{16} + \cdots$ konvergiert gegen **2**. Untersuche die Reihen, die sich ergeben, wenn man *(a)* die ersten vier Glieder wegläßt, *(b)* die Summe $8 + 4 + 2$ hinzufügt!

(a) Die Reihe $\tfrac{1}{16} + \tfrac{1}{32} + \cdots$ ist eine unendliche geometrische Reihe mit $r = \tfrac{1}{2}$. Sie konvergiert gegen

$$S = 2 - (1 + \tfrac{1}{2} + \tfrac{1}{4} + \tfrac{1}{8}) = \tfrac{1}{8}.$$

(b) Die Reihe $8 + 4 + 2 + 1 + \tfrac{1}{2} + \tfrac{1}{4} + \cdots$ ist eine unendliche geometrische Reihe mit $r = \tfrac{1}{2}$. Sie konvergiert gegen

$$2 + (8 + 4 + 2) = 16.$$

10. Beweise: Aus $\sum s_n = S$ folgt $\lim\limits_{n \to +\infty} s_n = 0$.

Aus $\mathbf{\Sigma} s_n = S$ ergibt sich $\lim\limits_{n \to +\infty} S_n = S$ und $\lim\limits_{n \to +\infty} S_{n-1} = S$! Weiterhin gilt $s_n = S_n - S_{n-1}$, also folgt

$$\lim_{n \to +\infty} s_n = \lim_{n \to +\infty} (S_n - S_{n-1}) = \lim_{n \to +\infty} S_n - \lim_{n \to +\infty} S_{n-1} = S - S = 0.$$

11. Zeige, daß die Reihen (a) $1/3 + 2/5 + 3/7 + 4/9 + \cdots$ und (b) $1/2 + 3/4 + 7/8 + 15/16 + \cdots$ divergieren!

(a) $s_n = \dfrac{n}{2n+1}$ und $\lim\limits_{n \to +\infty} s_n = \lim\limits_{n \to +\infty} \dfrac{n}{2n+1} = \lim\limits_{n \to +\infty} \dfrac{1}{2 + 1/n} = \dfrac{1}{2} \neq 0$

(b) $s_n = \dfrac{2^n - 1}{2^n}$ und $\lim\limits_{n \to +\infty} \dfrac{2^n - 1}{2^n} = \lim\limits_{n \to +\infty}\left(1 - \dfrac{1}{2^n}\right) = 1 \neq 0$

12. Eine Reihe Σs_n konvergiert gegen S als Grenzwert, wenn die Folge $\{S_n\}$ der Partialsummen gegen S konvergiert, das heißt, wenn es zu jedem beliebig kleinen $\epsilon > 0$ eine natürliche Zahl m gibt mit $|S - S_n| < \epsilon$ für alle $n > m$. Zeige, daß die Reihen in Aufgabe 8 konvergieren, indem du zu beliebigem ϵ ein m mit der geforderten Eigenschaft angibst!

(a) Aus $|S - \widehat{S_n}| = \left| \dfrac{1}{4} - \dfrac{1}{4}\left(1 - \dfrac{1}{5^n}\right) \right| = \dfrac{1}{4 \cdot 5^n} < \epsilon$ folgt $5^n > \dfrac{1}{4\epsilon}$, $n \ln 5 > -\ln(4\epsilon)$, also $n > -\dfrac{\ln 4\epsilon}{\ln 5}$.

m = größtes Ganzes in $-\dfrac{\ln 4\epsilon}{\ln 5}$ ist dann ein m, das die Eigenschaft erfüllt.

(b) Aus $|S - S_n| = \left| 1 - \left(1 - \dfrac{1}{n+1}\right) \right| = \dfrac{1}{n+1} < \epsilon$ folgt $n + 1 > \dfrac{1}{\epsilon}$, also $n > \dfrac{1}{\epsilon} - 1$. Somit erfüllt m = größtes Ganzes in $\dfrac{1}{\epsilon} - 1$ die Eigenschaft.

ERGÄNZUNGSAUFGABEN

13. Untersuche, welche der Folgen beschränkt ist oder nicht, welche nichtfallend oder nichtsteigend ist, welche konvergent oder divergent ist und welche oszilliert!

(a) $\left\{ n + \dfrac{2}{n} \right\}$ (b) $\left\{ \dfrac{(-1)^n}{n} \right\}$ (c) $\{\sin \tfrac{1}{4} n\pi\}$ (d) $\{\sqrt[3]{n^2}\}$ (e) $\left\{ \dfrac{n!}{10^n} \right\}$ (f) $\left\{ \dfrac{\ln n}{n} \right\}$.

14. Zeige, daß $\lim\limits_{n \to +\infty} \sqrt[n]{1/n^p} = 1$, $p > 0$! *Hinweis:* $n^{p/n} = e^{(p \ln n)/n}$

15. Zeige für die Folge $\left\{ \dfrac{n}{n+1} \right\}$, daß (a) die Umgebung $|1 - s_n| < 0{,}01$ alle außer den ersten 99 Gliedern enthält (b) die Folge beschränkt ist, (c) $\lim\limits_{n \to +\infty} s_n = 1$!

16. Beweise: Für $|r| < 1$ gilt $\lim\limits_{n \to +\infty} r^n = 0$!

17. Untersuche die folgenden geometrischen Reihen auf Konvergenz! Bestimme im Falle der Konvergenz die Summe!
(a) $1 + 1/2 + 1/4 + 1/8 + \cdots$ (b) $4 - 1 + 1/4 - 1/16 + \cdots$ (c) $1 + 3/2 + 9/4 + 27/8 + \cdots$
Lsg. (a) $S = 2$ $S = 16/5$ (c) divergiert.

18. Bestimme die Summe der folgenden Reihen!

(a) $\sum 3^{-n}$ (d) $\sum \dfrac{1}{n(n+2)}$ (g) $\sum \dfrac{1}{(4n-3)(4n+1)}$

(b) $\sum \dfrac{1}{(2n-1)(2n+1)}$ (e) $\sum \dfrac{1}{n(n+3)}$ (h) $\sum \dfrac{1}{n(n+1)(n+2)}$

(c) $\sum \left(\dfrac{1}{n^p} - \dfrac{1}{(n+1)^p} \right)$, $p > 0$ (f) $\sum \dfrac{n}{(n+1)!}$

Lsg. (a) $1/2$, (b) $1/2$, (c) 1, (d) $3/4$, (e) $11/18$, (f) 1, (g) $1/4$, (h) $1/4$.

19. Zeige, daß die folgenden Reihen divergieren!

(a) $3 + 5/2 + 7/3 + 9/4 + \cdots$ (c) $e + e^2/8 + e^3/27 + e^4/64 + \cdots$

(b) $2 + \sqrt{2} + \sqrt[3]{2} + \sqrt[4]{2} + \cdots$ (d) $\sum \dfrac{1}{\sqrt{n} + \sqrt{n-1}}$

20. Beweise, daß Σs_n divergiert, wenn $\lim\limits_{n \to +\infty} s_n \neq 0$ gilt!

21. Zeige, daß die Reihen in Aufgabe 18(a)-(d) konvergieren, indem du zu $\epsilon > 0$ ein m angibst, so daß $|S - S_n| < \epsilon$ für alle $n > m$.
Lsg. m = größtes Ganzes in (a) $-\dfrac{\ln 2\epsilon}{\ln 3}$, (b) $\dfrac{1}{4\epsilon} - \dfrac{1}{2}$, (c) $\sqrt[p]{1/\epsilon} - 1$, (d) die positive Wurzel von $2\epsilon m^2 - 2(1 - 3\epsilon)m - (3 - 4\epsilon) = 0$.

KAPITEL 48
Konvergenz- und Divergenzkriterien
für Reihen mit positiven Gliedern

REIHEN MIT POSITIVEN GLIEDERN. Eine Reihe Σs_n, deren Glieder alle positiv sind, nennen wir eine *positive* Reihe.

I. Eine positive Reihe Σs_n konvergiert, wenn ihre Folge von Partialsummen $\{S_n\}$ beschränkt ist. Dieser Satz folgt aus der Tatsache, daß die Folge der Partialsummen einer positiven Reihe nichtfallend ist.

II. DAS INTEGRALKRITERIUM. Das allgemeine Glied in der Reihe Σs_n sei durch $f(n)$ gegeben. Gilt $f(x) > 0$ und ist $f(x)$ im Intervall $x > \xi$ nichtwachsend, wobei ξ eine natürliche Zahl ist, dann konvergiert (divergiert) Σs_n je nachdem, ob $\int_{\xi}^{+\infty} f(x)\,dx$ existiert oder nicht existiert.

Siehe Aufgaben 1-5!

III. DAS VERGLEICHSKRITERIUM FÜR KONVERGENZ. Eine positive Reihe Σs_n konvergiert, wenn jedes Glied (unter Umständen erst nach endlich vielen) kleiner oder gleich dem entsprechenden Glied einer bekannten konvergenten Reihe Σc_n ist.

IV. DAS VERGLEICHSKRITERIUM FÜR DIVERGENZ. Eine positive Reihe Σs_n ist divergent, wenn jedes Glied (unter Umständen erst nach endlich vielen) größer oder gleich dem entsprechenden Glied einer bekannten divergenten positiven Reihe Σd_n ist.

Siehe Aufgaben 6-11!

V. DAS QUOTIENTENKRITERIUM. Eine positive Reihe Σs_n konvergiert, falls $\lim_{n \to +\infty} \frac{s_{n+1}}{s_n} < 1$ und divergiert, falls $\lim_{n \to +\infty} \frac{s_{n+1}}{s_n} > 1$. Gilt $\lim_{n \to +\infty} \frac{s_{n+1}}{s_n} = 1$, so kann man nichts aussagen.

Siehe Aufgaben 12-18!

AUFGABEN MIT LÖSUNGEN

DAS INTEGRALKRITERIUM

1. Beweise das Integralkriterium: Durch $f(n)$ sei das allgemeine Glied s_n einer positiven Reihe Σs_n gegeben. Gilt $f(x) > 0$ und ist $f(x)$ im Intervall $x > \xi$ nichtwachsend, wobei ξ eine natürliche Zahl ist, dann konvergiert (divergiert) Σs_n je nachdem, ob $\int_{\xi}^{+\infty} f(x)\,dx$ existiert oder nicht existiert.

In der Abb. 48-1 haben wir die Fläche unter der Kurve $y = f(x)$ von $x = \xi$ bis $x = n$ durch zwei Arten von Rechtecken von oben und von unten approximiert, wobei diese die Breite 1 haben. Diese Tatsache läßt sich folgendermaßen ausdrücken:

$$s_{\xi+1} + s_{\xi+2} + \cdots + s_n < \int_{\xi}^{n} f(x)\,dx < s_\xi + s_{\xi+1} + \cdots + s_{n-1}.$$

224

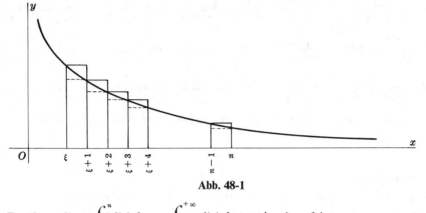

Abb. 48-1

(1) Es gelte $\displaystyle\lim_{n \to +\infty} \int_\xi^n f(x)\,dx = \int_\xi^{+\infty} f(x)\,dx = A$, dann folgt

$$s_{\xi+1} + s_{\xi+2} + \cdots + s_n < A,$$

und
$$S_n = s_\xi + s_{\xi+1} + s_{\xi+2} + \cdots + s_n$$

ist beschränkt und nichtfallend, wenn n wächst. Damit konvergiert Σs_n nach Satz I.

(2) $\displaystyle\lim_{n \to +\infty} \int_\xi^n f(x)\,dx = \int_\xi^{+\infty} f(x)\,dx$ möge nicht existieren, dann ist

$$S_n = s_\xi + s_{\xi+1} + \cdots + s_n \text{ nicht beschränkt, und } \Sigma s_n \text{ divergiert.}$$

Untersuche in den Aufgaben 2-5 das Konvergenzverhalten mit dem Integralkriterium!

2. $\dfrac{1}{\sqrt{3}} + \dfrac{1}{\sqrt{5}} + \dfrac{1}{\sqrt{7}} + \dfrac{1}{\sqrt{9}} + \cdots$ $\qquad\qquad f(n) = s_n = \dfrac{1}{\sqrt{2n+1}}$; wir setzen $f(x) = \dfrac{1}{\sqrt{2x+1}}$.

Im Intervall $x > 1$ gilt $f(x) > 0$ und $f(x)$ fällt dort mit wachsendem x. Wir nehmen $\xi = 1$ und betrachten

$$\int_1^{+\infty} f(x)\,dx = \lim_{u \to +\infty} \int_1^u \frac{dx}{\sqrt{2x+1}} = \lim_{u \to +\infty} \sqrt{2x+1}\;\Big]_1^u = \lim_{u \to +\infty} \sqrt{2u+1} - \sqrt{3} = \infty.$$

Das Integral existiert nicht, und die Reihe ist divergent.

3. $\dfrac{1}{4} + \dfrac{1}{16} + \dfrac{1}{36} + \dfrac{1}{64} + \cdots$ $\qquad\qquad f(n) = s_n = \dfrac{1}{4n^2}$; wir setzen $f(x) = \dfrac{1}{4x^2}$.

Im Intervall $x > 1$ gilt $f(x) > 0$ und $f(x)$ fällt dort, wenn x wächst. Wir nehmen $\xi = 1$ und betrachten

$$\int_1^{+\infty} f(x)\,dx = \frac{1}{4} \lim_{u \to +\infty} \int_1^u \frac{dx}{x^2} = \frac{1}{4} \lim_{u \to +\infty} \left(-\frac{1}{x}\right)\Big]_1^u = \frac{1}{4} \lim_{u \to +\infty} \left(-\frac{1}{u} + 1\right) = \frac{1}{4}.$$

Das Integral existiert, und die Reihe konvergiert.

4. $\sin \pi + \tfrac{1}{4} \sin \tfrac{1}{2}\pi + \tfrac{1}{9} \sin \tfrac{1}{3}\pi + \tfrac{1}{16} \sin \tfrac{1}{4}\pi + \cdots$ $\qquad f(n) = s_n = \dfrac{1}{n^2} \sin \dfrac{1}{n}\pi$; wir setzen $f(x) = \dfrac{1}{x^2} \sin \dfrac{1}{x}\pi$

Im Intervall $x > 2$ gilt $f(x) > 0$ und $f(x)$ fällt dort, wenn x wächst. Mit $\xi = 2$ gilt

$$\int_2^{+\infty} f(x)\,dx = \lim_{u \to +\infty} \int_2^u \frac{1}{x^2} \sin \frac{1}{x}\pi\,dx = \frac{1}{\pi} \lim_{u \to +\infty} \cos \frac{1}{x}\pi\;\Big]_2^u = \frac{1}{\pi}.$$

Die Reihe konvergiert.

5. $1 + \dfrac{1}{2^p} + \dfrac{1}{3^p} + \dfrac{1}{4^p} + \cdots$ $(p > 0)$ (die p-Reihe). $\qquad\qquad f(n) = s_n = \dfrac{1}{n^p}$; wir setzen $f(x) = \dfrac{1}{x^p}$.

Im Intervall $x > 1$ gilt $f(x) > 0$ und $f(x)$ fällt, wenn x wächst. Mit $\xi = 1$ gilt

$$\int_1^{+\infty} f(x)\,dx = \lim_{u \to +\infty} \int_1^u \frac{dx}{x^p} = \lim_{u \to +\infty} \left(\frac{x^{1-p}}{1-p}\right)\Big]_1^u = \frac{1}{1-p} \left\{ \lim_{u \to +\infty} u^{1-p} - 1 \right\}, \quad (p \neq 1).$$

Für $p > 1$ gilt $\dfrac{1}{1-p}\left\{\lim\limits_{u \to +\infty} u^{1-p} - 1\right\} = \dfrac{1}{1-p}\left\{\lim\limits_{u \to +\infty} \dfrac{1}{u^{p-1}} - 1\right\} = \dfrac{1}{p-1}$, und die Reihe konvergiert.

Für $p = 1$ gilt $\displaystyle\int_1^{+\infty} f(x)\, dx = \lim\limits_{u \to +\infty} \ln u = +\infty$, und die Reihe divergiert.

Für $p < 1$ gilt $\dfrac{1}{1-p}\left\{\lim\limits_{u \to +\infty} u^{1-p} - 1\right\} = +\infty$, und die Reihe divergiert.

Beachte, daß hier ein zweiter Beweis für die Divergenz der harmonischen Reihe gegeben wurde!

DAS VERGLEICHSKRITERIUM

Beim Vergleichskriterium muß man das allgemeine Glied einer gegebenen Reihe mit dem allgemeinen Glied einer bekannten konvergenten oder divergenten Reihe vergleichen. Die folgenden Reihen treten dabei oft als Vergleichsreihen auf:

(a) Die geometrische Reihe $a + ar + ar^2 + \cdots + ar^n + \cdots$, $a \neq 0$, die für $0 < r < 1$ konvergiert und für $r \geqq 1$ divergiert.

(b) Die p- Reihe $1 + \dfrac{1}{2^p} + \dfrac{1}{3^p} + \dfrac{1}{4^p} + \cdots + \dfrac{1}{n^p} + \cdots$, die für $p > 1$ konvergiert und für $p \leqq 1$ divergiert.

(c) Jede Reihe mit bekanntem Konvergenzverhalten.

Untersuche in den Aufgaben 6-11 das Konvergenzverhalten mit dem Vergleichskriterium!

6. $\dfrac{1}{2} + \dfrac{1}{5} + \dfrac{1}{10} + \dfrac{1}{17} + \cdots + \dfrac{1}{n^2 + 1} + \cdots$

Für das allgemeine Glied der Reihe gilt $s_n = \dfrac{1}{n^2 + 1} < \dfrac{1}{n^2}$; die gegebene Reihe ist also gliedweise kleiner als die p- Reihe $1 + \dfrac{1}{4} + \dfrac{1}{9} + \cdots + \dfrac{1}{n^2} + \cdots$.

Diese konvergiert, da $p = 2$ ist. Damit konvergiert auch die gegebene Reihe. (Hier kann auch das Integralkriterium benutzt werden.)

7. $\dfrac{1}{\sqrt{1}} + \dfrac{1}{\sqrt{2}} + \dfrac{1}{\sqrt{3}} + \dfrac{1}{\sqrt{4}} + \cdots$

Das allgemeine Glied der Reihe ist $\dfrac{1}{\sqrt{n}}$. Aus $\dfrac{1}{\sqrt{n}} \geqq \dfrac{1}{n}$ folgt, daß die Reihe gliedweise größer oder gleich der harmonischen Reihe ist und damit divergiert. (Integralkriterium.)

8. $1 + \dfrac{1}{2!} + \dfrac{1}{3!} + \dfrac{1}{4!} + \cdots$

Das allgemeine Glied der Reihe ist $\dfrac{1}{n!}$. Aus $n! \geqq 2^{n-1}$ folgt $\dfrac{1}{n!} \leqq \dfrac{1}{2^{n-1}}$.

Die gegebene Reihe ist gliedweise kleiner oder gleich der geometrischen Reihe $1 + \dfrac{1}{2} + \dfrac{1}{4} + \dfrac{1}{8} + \cdots$. Also konvergiert sie. (Das Integralkriterium kann hier nicht benutzt werden.)

9. $2 + \dfrac{3}{2^3} + \dfrac{4}{3^3} + \dfrac{5}{4^3} + \cdots$. Das allgemeine Glied der Reihe ist $\dfrac{n+1}{n^3}$.

Aus $\dfrac{n+1}{n^3} \leqq \dfrac{2n}{n^3} = \dfrac{2}{n^2}$ folgt, daß die gegebene Reihe kleiner oder gleich zweimal der konvergenten p-Reihe

$1 + \dfrac{1}{2^2} + \dfrac{1}{3^2} + \dfrac{1}{4^2} + \cdots$ ist und damit konvergiert.

10. $1 + \dfrac{1}{2^2} + \dfrac{1}{3^3} + \dfrac{1}{4^4} + \cdots$

Das allgemeine Glied der Reihe ist $\dfrac{1}{n^n}$. Aus $\dfrac{1}{n^n} \leqq \dfrac{1}{2^{n-1}}$ folgt, daß die gegebene Reihe gliedweise kleiner oder gleich

der konvergenten geometrischen Reihe $1 + \dfrac{1}{2} + \dfrac{1}{4} + \dfrac{1}{8} + \cdots$ ist.

Die gegebene Reihe ist auch gliedweise kleiner oder gleich der konvergenten p-Reihe mit $p = 2$.

11. $1 + \dfrac{2^2 + 1}{2^3 + 1} + \dfrac{3^2 + 1}{3^3 + 1} + \dfrac{4^2 + 1}{4^3 + 1} + \cdots$

Das allgemeine Glied ist $\dfrac{n^2 + 1}{n^3 + 1} \geqq \dfrac{1}{n}$. Also ist die gegebene Reihe gliedweise größer oder gleich der harmonischen Reihe und divergiert.

DAS QUOTIENTENKRITERIUM

12. Beweise das Quotientenkriterium!

Eine positive Reihe Σs_n konvergiert, wenn $\lim\limits_{n \to +\infty} \dfrac{s_{n+1}}{s_n} < 1$, und divergiert, falls $\lim\limits_{n \to +\infty} \dfrac{s_{n+1}}{s_n} > 1$.

Es gelte $\lim\limits_{n \to +\infty} \dfrac{s_{n+1}}{s_n} = L < 1$. Dann gibt es zu jedem r mit $L < r < 1$ eine natürliche Zahl m, so daß $\dfrac{s_{n+1}}{s_n} < r$

für alle $n > m$. Daraus folgt

$$\frac{s_{m+2}}{s_{m+1}} < r \quad \text{oder} \quad s_{m+2} < r \cdot s_{m+1}$$

$$\frac{s_{m+3}}{s_{m+2}} < r \quad \text{oder} \quad s_{m+3} < r \cdot s_{m+2} < r^2 \cdot s_{m+1}$$

$$\frac{s_{m+4}}{s_{m+3}} < r \quad \text{oder} \quad s_{m+4} < r \cdot s_{m+3} < r^3 \cdot s_{m+1}$$

$$\cdots\cdots\cdots\cdots\cdots\cdots\cdots\cdots\cdots\cdots\cdots\cdots$$

Also ist jedes Glied der Reihe $s_{m+1} + s_{m+2} + s_{m+3} + \cdots$ kleiner oder gleich dem entsprechenden Glied der geometrischen Reihe $s_{m+1} + r \cdot s_{m+1} + r^2 \cdot s_{m+1} + \cdots$, die konvergiert, da $r < 1$ ist. Also konvergiert $\sum s_n$ nach Satz III.

Es gelte $\lim\limits_{n \to +\infty} \dfrac{s_{n+1}}{s_n} = L > 1$ (oder $= +\infty$). Dann gibt es eine natürliche Zahl m, so daß $\dfrac{s_{n+1}}{s_n} > 1$ für alle

$n > m$. Nun gilt $s_{n+1} > s_n$ und $\{s_n\}$ konvergiert nicht gegen 0. Also divergiert Σs_n nach Satz XVI (Kapitel 47).

Es gelte $\lim\limits_{n \to +\infty} \dfrac{s_{n+1}}{s_n} = 1$. Ein Beispiel ist die p-Reihe $\Sigma \dfrac{1}{n^p}$, $p > 0$, für die gilt

$$\lim_{n \to +\infty} \frac{s_{n+1}}{s_n} = \lim_{n \to +\infty} \frac{n^p}{(n+1)^p} = \lim_{n \to +\infty} \left(\frac{1}{1 + 1/n}\right)^p = 1.$$

Da die Reihe für $p > 1$ konvergiert und für $p \leqq 1$ divergiert, kann also in diesem Fall keine Aussage gemacht werden.

Untersuche in den Aufgaben 13-23 das Konvergenzverhalten der Reihen mit dem Quotientenkriterium!

13. $\dfrac{1}{3} + \dfrac{2}{3^2} + \dfrac{3}{3^3} + \dfrac{4}{3^4} + \cdots$ $s_n = \dfrac{n}{3^n}$, $s_{n+1} = \dfrac{n+1}{3^{n+1}}$, $\dfrac{s_{n+1}}{s_n} = \dfrac{n+1}{3^{n+1}} \cdot \dfrac{3^n}{n} = \dfrac{n+1}{3n}$.

Es gilt $\lim\limits_{n \to +\infty} \dfrac{s_{n+1}}{s_n} = \lim\limits_{n \to +\infty} \dfrac{n+1}{3n} = \dfrac{1}{3}$, und die Reihe konvergiert.

14. $\dfrac{1}{3} + \dfrac{2!}{3^2} + \dfrac{3!}{3^3} + \dfrac{4!}{3^4} + \cdots$ $\qquad s_n = \dfrac{n!}{3^n}, \quad s_{n+1} = \dfrac{(n+1)!}{3^{n+1}}, \quad \dfrac{s_{n+1}}{s_n} = \dfrac{n+1}{3}.$

Es gilt $\quad \lim\limits_{n \to +\infty} \dfrac{s_{n+1}}{s_n} = \lim\limits_{n \to +\infty} \dfrac{n+1}{3} = \infty$; die Reihe divergiert

15. $1 + \dfrac{1 \cdot 2}{1 \cdot 3} + \dfrac{1 \cdot 2 \cdot 3}{1 \cdot 3 \cdot 5} + \dfrac{1 \cdot 2 \cdot 3 \cdot 4}{1 \cdot 3 \cdot 5 \cdot 7} + \cdots$

$$s_n = \dfrac{n!}{1 \cdot 3 \cdot 5 \ldots (2n-1)}, \quad s_{n+1} = \dfrac{(n+1)!}{1 \cdot 3 \cdot 5 \ldots (2n+1)}, \quad \dfrac{s_{n+1}}{s_n} = \dfrac{n+1}{2n+1}.$$

Es gilt $\quad \lim\limits_{n \to +\infty} \dfrac{n+1}{2n+1} = \dfrac{1}{2}$;   die Reihe konvergiert

16. $\dfrac{1}{1 \cdot 2} + \dfrac{1}{2 \cdot 2^2} + \dfrac{1}{3 \cdot 2^3} + \dfrac{1}{4 \cdot 2^4} + \cdots$ $\qquad s_n = \dfrac{1}{n \cdot 2^n}, \quad s_{n+1} = \dfrac{1}{(n+1)2^{n+1}}, \quad \dfrac{s_{n+1}}{s_n} = \dfrac{n}{2(n+1)}.$

Es gilt $\quad \lim\limits_{n \to +\infty} \dfrac{n}{2(n+1)} = \dfrac{1}{2}$; die Reihe konvergiert

17. $2 + \dfrac{3}{2} \cdot \dfrac{1}{4} + \dfrac{4}{3} \cdot \dfrac{1}{4^2} + \dfrac{5}{4} \cdot \dfrac{1}{4^3} + \cdots$ $\qquad s_n = \dfrac{n+1}{n} \cdot \dfrac{1}{4^{n-1}}, \quad s_{n+1} = \dfrac{n+2}{n+1} \cdot \dfrac{1}{4^n}, \quad \dfrac{s_{n+1}}{s_n} = \dfrac{n(n+2)}{4(n+1)^2}.$

Es gilt $\quad \lim\limits_{n \to +\infty} \dfrac{n(n+2)}{4(n+1)^2} = \dfrac{1}{4}$; die Reihe konvergiert

18. $1 + \dfrac{2^2+1}{2^3+1} + \dfrac{3^2+1}{3^3+1} + \dfrac{4^2+1}{4^3+1} + \cdots$

$$s_n = \dfrac{n^2+1}{n^3+1}, \quad s_{n+1} = \dfrac{(n+1)^2+1}{(n+1)^3+1}, \quad \dfrac{s_{n+1}}{s_n} = \dfrac{(n+1)^2+1}{(n+1)^3+1} \cdot \dfrac{n^3+1}{n^2+1}.$$

Das Kriterium ist nicht anwendbar, da $\quad \lim\limits_{n \to +\infty} \dfrac{s_{n+1}}{s_n} = 1$ gilt. Siehe Aufgabe 11!

ERGÄNZUNGSAUFGABEN

19. Zeige, daß man das Integralkriterium anwenden kann und untersuche damit das Konvergenzverhalten!

(a) $\sum \dfrac{1}{n}$ (c) $\sum \dfrac{1}{n \ln n}$ (e) $\sum \dfrac{n}{n^2+1}$ (g) $\sum \dfrac{2n}{(n+1)(n+2)(n+3)}$

(b) $\sum \dfrac{50}{n(n+1)}$ (d) $\sum \dfrac{n}{(n+1)(n+2)}$ (f) $\sum \dfrac{n}{e^n}$ (h) $\sum \dfrac{1}{(2n+1)^2}$

Lsg. (a), (c), (d), (e) divergieren.

20. Untersuche mit dem Vergleichskriterium auf Konvergenz und Divergenz!

(a) $\sum \dfrac{1}{n^3-1}$ (e) $\sum \dfrac{n+2}{n(n+1)}$ (i) $\sum \dfrac{1}{3^n+1}$ (m) $\sum \dfrac{n}{3n^2-4}$

(b) $\sum \dfrac{n-2}{n^3}$ (f) $\sum \dfrac{1}{n^{n-1}}$ (j) $\sum \dfrac{\ln n}{\sqrt{n}}$ (n) $\sum \dfrac{1}{1+\ln n}$

(c) $\sum \dfrac{1}{\sqrt[3]{n}}$ (g) $\sum \dfrac{1}{3n+1}$ (k) $\sum \dfrac{1}{3^n-1}$ (o) $\sum \dfrac{n^4+5}{n^5}$

(d) $\sum \dfrac{1}{n^2+5}$ (h) $\sum \dfrac{\ln n}{n}$ (l) $\sum \dfrac{\ln n}{n^p}$ (p) $\sum \dfrac{n+1}{n\sqrt{3n-2}}$

Lsg. (a), (b), (d), (f), (i), (k), (l) für $p > 2$ konvergent.

21. Untersuche mit dem Quotientenkriterium auf Konvergenz und Divergenz!

(a) $\sum \dfrac{(n+1)(n+2)}{n!}$

(b) $\sum \dfrac{5^n}{n!}$

(c) $\sum \dfrac{n}{2^{2n}}$

(d) $\sum \dfrac{3^{2n-1}}{n^2+n}$

(e) $\sum \dfrac{(n+1)2^n}{n!}$

(f) $\sum n\left(\dfrac{3}{4}\right)^n$

(g) $\sum \dfrac{n^3}{(\ln 2)^n}$

(h) $\sum \dfrac{n^3}{(\ln 3)^n}$

(i) $\sum \dfrac{2^n}{n(n+2)}$

(j) $\sum \dfrac{n^n}{n!}$

(k) $\sum \dfrac{2^n}{2n-1}$

(l) $\sum \dfrac{n^3}{3^n}$

Lsg. (a), (b), (c), (e), (f), (h), (l) konvergent.

22. Untersuche auf Konvergenz und Divergenz!

(a) $\dfrac{1}{4^2} + \dfrac{1}{7^2} + \dfrac{1}{10^2} + \dfrac{1}{13^2} + \cdots$

(b) $3 + \dfrac{3}{\sqrt[3]{2}} + \dfrac{3}{\sqrt[3]{3}} + \dfrac{3}{\sqrt[3]{4}} + \cdots$

(c) $1 + \dfrac{1}{5} + \dfrac{1}{9} + \dfrac{1}{13} + \cdots$

(d) $\dfrac{1}{2} + \dfrac{1}{3\cdot 4} + \dfrac{1}{4\cdot 5\cdot 6} + \dfrac{1}{5\cdot 6\cdot 7\cdot 8} + \cdots$

(e) $3 + \dfrac{3}{4} + \dfrac{11}{27} + \dfrac{9}{32} + \cdots$

(f) $\dfrac{2}{3} + \dfrac{3}{2\cdot 3^2} + \dfrac{4}{3\cdot 3^3} + \dfrac{5}{4\cdot 3^4} + \cdots$

(g) $\dfrac{1}{2} + \dfrac{1}{2\cdot 2^2} + \dfrac{1}{3\cdot 2^3} + \dfrac{1}{4\cdot 2^4} + \cdots$

(h) $\dfrac{2}{1\cdot 3} + \dfrac{3}{2\cdot 4} + \dfrac{4}{3\cdot 5} + \dfrac{5}{4\cdot 6} + \cdots$

(i) $\dfrac{1}{2} + \dfrac{2}{3^2} + \dfrac{3}{4^3} + \dfrac{4}{5^4} + \cdots$

(j) $1 + \dfrac{1}{2^2} + \dfrac{1}{3^{5/2}} + \dfrac{1}{4^3} + \cdots$

(k) $2 + \dfrac{3}{5} + \dfrac{4}{10} + \dfrac{5}{17} + \cdots$

(l) $\dfrac{2}{5} + \dfrac{2\cdot 4}{5\cdot 8} + \dfrac{2\cdot 4\cdot 6}{5\cdot 8\cdot 11} + \dfrac{2\cdot 4\cdot 6\cdot 8}{5\cdot 8\cdot 11\cdot 14} + \cdots$

Lsg. (a), (d), (f), (g), (i), (j), (l) konvergent.

23. Beweise das Vergleichskriterium für Konvergenz! *Hinweis:* Aus $\sum c_n = C$ folgt, daß $\{S_n\}$ beschränkt ist.

24. Beweise das Vergleichskriterium für Divergenz! *Hinweis:* Es gilt $\sum\limits_1^n s_i \geqq \sum\limits_1^n d_i > M$ für $n > m$.

25. Beweise das Polynomkriterium: Sind $P(n)$ und $Q(n)$ Polynome vom Grad p bzw. q , dann konvergiert die Reihe $\sum \dfrac{P(n)}{Q(n)}$ für $q > p + 1$ und divergiert für $q \leqq p + 1$. *Hinweis:* Vergleiche mit $1/n^{q-p}$!

26. Untersuche mit dem Polynomkriterium auf Konvergenz und Divergenz

(a) $\dfrac{1}{1\cdot 2} + \dfrac{1}{2\cdot 3} + \dfrac{1}{3\cdot 4} + \dfrac{1}{4\cdot 5} + \cdots$

(b) $\dfrac{1}{2} + \dfrac{1}{7} + \dfrac{1}{12} + \dfrac{1}{17} + \cdots$

(c) $\dfrac{3}{2} + \dfrac{5}{10} + \dfrac{7}{30} + \dfrac{9}{68} + \cdots$

(d) $\dfrac{3}{2} + \dfrac{5}{24} + \dfrac{7}{108} + \dfrac{9}{320} + \cdots$

(e) $\dfrac{1}{2^2-1} + \dfrac{2}{3^2-2} + \dfrac{3}{4^2-3} + \dfrac{4}{5^2-4} + \cdots$

(f) $\dfrac{1}{2^3-1^2} + \dfrac{1}{3^3-2^2} + \dfrac{1}{4^3-3^2} + \dfrac{1}{5^3-4^2} + \cdots$

(g) $\dfrac{2}{1\cdot 3} + \dfrac{3}{2\cdot 4} + \dfrac{4}{3\cdot 5} + \dfrac{5}{4\cdot 6} + \cdots$

Lsg. (a), (c), (d), (f) konvergent.

27. Beweise das Wurzelkriterium: Eine positive Reihe $\sum s_n$ konvergiert, wenn $\lim\limits_{n \to +\infty} \sqrt[n]{s_n} < 1$, und divergiert, falls $\lim\limits_{n \to +\infty} \sqrt[n]{s_n} > 1$. Das Kriterium versagt für $\lim\limits_{n \to +\infty} \sqrt[n]{s_n} = 1$. *Hinweis:* Aus $\lim\limits_{n \to +\infty} \sqrt[n]{s_n} < 1$ folgt $\sqrt[n]{s_n} < r < 1$ für $n > m$ und damit $s_n < r^n$.

28. Untersuche mit dem Wurzelkriterium auf Konvergenz und Divergenz

(a) $\sum \dfrac{1}{n^n}$, (b) $\sum \dfrac{1}{(\ln n)^n}$, (c) $\sum \dfrac{2^{n-1}}{n^n}$, (d) $\sum \left(\dfrac{n}{n^2+2}\right)^n$ *Lsg.* Alle konvergent.

Reihen mit negativen Gliedern

EINE REIHE, deren Glieder negativ sind, kann als negative einer positiven Reihe behandelt werden.

ALTERNIERENDE REIHEN. Eine Reihe, deren Glieder abwechselnd positiv und negativ sind, etwa

$$\sum (-1)^{n-1} s_n = s_1 - s_2 + s_3 - s_4 + \cdots + (-1)^{n-1} s_n + \cdots \qquad (1)$$

wobei jedes s_i positiv ist, heißt eine *alternierende Reihe*.

    I.   Eine alternierende Reihe (1) konvergiert, falls (i) $s_n > s_{n+1}$ für alle Werte von n gilt und falls (ii) $\lim_{n \to +\infty} s_n = 0$.

Siehe Aufgaben 1-2!

ABSOLUTE KONVERGENZ. Eine Reihe $\Sigma s_n = s_1 + s_2 + \cdots + s_n + \cdots$ mit gemischten (positiven und negativen) Gliedern heißt *absolut konvergent*, wenn $\Sigma |s_n| = |s_1| + |s_2| + |s_3| + \cdots + |s_n| + \cdots$ konvergiert.

    Jede konvergente positive Reihe ist absolut konvergent.

    Jede absolut konvergente Reihe ist konvergent.

Ein Beweis steht in Aufgabe 3.

BEDINGTE KONVERGENZ. Konvergiert Σs_n und divergiert $\Sigma |s_n|$, so heißt Σs_n *bedingt konvergent*.

    Zum Beispiel ist die Reihe $1 - \frac{1}{2} + \frac{1}{3} - \frac{1}{4} + \cdots$ bedingt konvergent, da sie konvergiert, während $1 + \frac{1}{2} + \frac{1}{3} + \frac{1}{4} + \cdots$ divergiert.

DAS QUOTIENTENKRITERIUM FÜR ABSOLUTE KONVERGENZ. Eine Reihe Σs_n mit gemischten Gliedern ist *absolut konvergent*, wenn $\lim_{n \to +\infty} \left| \frac{s_{n+1}}{s_n} \right| < 1$ gilt, und konvergiert nicht absolut, falls $\lim_{n \to +\infty} \left| \frac{s_{n+1}}{s_n} \right| > 1$. Ist der Grenzwert gleich 1, kann man nichts aussagen.

Siehe Aufgaben 4-12!

AUFGABEN MIT LÖSUNGEN

1.   Beweise, daß eine alternierende Reihe $s_1 - s_2 + s_3 - s_4 + \cdots$ konvergiert, wenn (i) $s_n > s_{n+1}$ für alle Werte von n gilt und wenn (ii) $\lim_{n \to +\infty} s_n = 0$

    Wir betrachten die Partialsumme

$$S_{2m} = s_1 - s_2 + s_3 - s_4 + \cdots + s_{2m-1} - s_{2m},$$

die man folgendermaßen schreiben kann

    (a) $S_{2m} = (s_1 - s_2) + (s_3 - s_4) + \cdots + (s_{2m-1} - s_{2m})$

    (b) $S_{2m} = s_1 - (s_2 - s_3) - \cdots - (s_{2m-2} - s_{2m-1}) - s_{2m}.$

Nach Voraussetzung gilt $s_n > s_{n+1}$ und damit $s_n - s_{n+1} > 0$; also folgt mit (a) $S_{2m} > 0$, mit (b) $S_{2m} < s_1$. Damit ist die Folge $\{S_{2m}\}$ beschränkt und konvergiert gegen einen Grenzwert $L < s_1$.

Jetzt betrachten wir die Partialsumme $S_{2m+1} = S_{2m} + s_{2m+1}$; dann gilt

$$\lim_{m \to +\infty} S_{2m+1} = \lim_{m \to +\infty} S_{2m} + \lim_{m \to +\infty} s_{2m+1} = L + 0 = L.$$

Also ist $\lim_{n \to +\infty} S_n = L$, und die Reihe konvergiert.

2. Zeige, daß die folgenden alternierenden Reihen konvergieren!

(a) $1 - \dfrac{1}{2^2} + \dfrac{1}{3^2} - \dfrac{1}{4^2} + \cdots$

$s_n = \dfrac{1}{n^2}$ und $s_{n+1} = \dfrac{1}{(n+1)^2}$, also gilt $s_n > s_{n+1}$, $\lim_{n \to +\infty} s_n = 0$, und die Reihe konvergiert.

(b) $1/2 - 1/5 + 1/10 - 1/17 + \cdots$

$s_n = \dfrac{1}{n^2 + 1}$ und $s_{n+1} = \dfrac{1}{(n+1)^2 + 1}$; also gilt $s_n \geq s_{n+1}$, $\lim_{n \to +\infty} \dfrac{1}{n^2 + 1} = 0$, und die Reihe konvergiert.

(c) $\dfrac{1}{e} - \dfrac{2}{e^2} + \dfrac{3}{e^3} - \dfrac{4}{e^4} + \cdots$

Die Reihe konvergiert, da $s_n \geq s_{n+1}$ und $\lim_{n \to +\infty} \dfrac{n}{e^n} = \lim_{n \to +\infty} \dfrac{1}{e^n} = 0$ gilt.

3. Beweise, daß jede absolut konvergente Reihe konvergent ist.

Es sei $\qquad (a)$ $\boldsymbol{\Sigma} s_n = s_1 + s_2 + s_3 + s_4 + \cdots + s_n + \cdots$

wobei die Glieder positiv und negativ sind, und die entsprechende positive Reihe

$\qquad (b)$ $\boldsymbol{\Sigma} |s_n| = |s_1| + |s_2| + |s_3| + \cdots + |s_n| + \cdots$

konvergiere gegen S'.

Wir nehmen an, daß die n-te Partialsumme $S_n = s_1 + s_2 + s_3 + \cdots + s_n$ in (a) aus r positiven Gliedern der Summe P_r und $t = n - r$ negativen Gliedern der Summe $-Q_t$ besteht. Dann gilt $S_n = P_r - Q_t$, während die entsprechende Partialsumme in (b) gleich $S'_n = P_r + Q_t$ ist. Aus $\lim_{n \to +\infty} S'_n = S'$ folgt, daß die Partialsummen S'_n beschränkt sind. Damit sind für wachsendes n die Folgen $\{P_r\}$ und $\{Q_t\}$ beschränkt und nichtfallend. Es sei $\lim_{n \to +\infty} P_r = P$ und $\lim_{n \to +\infty} Q_t = Q$, dann gilt $\lim_{n \to +\infty} S_n = \lim_{n \to +\infty} P_r - \lim_{n \to +\infty} Q_t = P - Q$, und $\boldsymbol{\Sigma} s_n$ konvergiert.

ABSOLUTE UND BEDINGTE KONVERGENZ

Untersuche die folgenden konvergenten Reihen auf absolute und bedingte Konvergenz!

4. $1 - \dfrac{1}{2} + \dfrac{1}{4} - \dfrac{1}{8} + \cdots$

Die entsprechende positive Reihe $1 + \dfrac{1}{2} + \dfrac{1}{4} + \dfrac{1}{8} + \cdots$ ist konvergent, da sie eine geometrische Reihe mit $r = \frac{1}{2}$ ist. Also ist die gegebene Reihe absolut konvergent.

5. $1 - \dfrac{2}{3} + \dfrac{3}{3^2} - \dfrac{4}{3^3} + \cdots$

Die entsprechende positive Reihe $1 + \dfrac{2}{3} + \dfrac{3}{3^2} + \dfrac{4}{3^3} + \cdots$ ist nach dem Quotientenkriterium konvergent. Also ist die gegebene Reihe absolut konvergent.

6. $1 - \dfrac{1}{\sqrt{2}} + \dfrac{1}{\sqrt{3}} - \dfrac{1}{\sqrt{4}} + \cdots$

Die Reihe $1 + \dfrac{1}{\sqrt{2}} + \dfrac{1}{\sqrt{3}} + \dfrac{1}{\sqrt{4}} + \cdots$ divergiert (p-Reihe mit $p = \frac{1}{2} < 1$). Also ist die gegebene Reihe bedingt konvergent.

7. $\frac{1}{2} - \frac{2}{3} \cdot \frac{1}{2^3} + \frac{3}{4} \cdot \frac{1}{3^3} - \frac{4}{5} \cdot \frac{1}{4^3} + \cdots$

Die Reihe $1 + \frac{2}{3} \cdot \frac{1}{2^3} + \frac{3}{4} \cdot \frac{1}{3^3} + \frac{4}{5} \cdot \frac{1}{4^3} + \cdots$ konvergiert, da sie gliedweise kleiner oder gleich der p-Reihe mit $p = 3$ ist. Also ist die gegebene Reihe absolut konvergent.

8. $\frac{2}{3} - \frac{3}{4} \cdot \frac{1}{2} + \frac{4}{5} \cdot \frac{1}{3} - \frac{5}{6} \cdot \frac{1}{4} + \cdots$

Die Reihe $\frac{2}{3} + \frac{3}{4} \cdot \frac{1}{2} + \frac{4}{5} \cdot \frac{1}{3} + \frac{5}{6} \cdot \frac{1}{4} + \cdots$ ist divergent, da sie gliedweise größer als $\frac{1}{2}$ (harmonische Reihe) ist.

Also ist die gegebene Reihe bedingt konvergent.

9. $2 - \frac{2^3}{3!} + \frac{2^5}{5!} - \frac{2^7}{7!} + \cdots$

Die Reihe $2 + \frac{2^3}{3!} + \frac{2^5}{5!} + \frac{2^7}{7!} + \cdots + \frac{2^{2n-1}}{(2n-1)!} + \cdots$ ist konvergent (Quotientenkriterium). Die gegebene Reihe ist damit absolut konvergent.

10. $\frac{1}{2} - \frac{4}{2^3 + 1} + \frac{9}{3^3 + 1} - \frac{16}{4^3 + 1} + \cdots$

Die Reihe $\frac{1}{2} + \frac{4}{2^3 + 1} + \frac{9}{3^3 + 1} + \frac{16}{4^3 + 1} + \cdots + \frac{n^2}{n^3 + 1} + \cdots$ ist divergent (Integralkriterium). Die gegebene Reihe ist damit bedingt konvergent.

11. $\frac{1}{2} - \frac{2}{2^3 + 1} + \frac{3}{3^3 + 1} - \frac{4}{4^3 + 1} + \cdots$

Die Reihe $\frac{1}{2} + \frac{2}{2^3 + 1} + \frac{3}{3^3 + 1} + \frac{4}{4^3 + 1} + \cdots + \frac{n}{n^3 + 1} + \cdots$ ist konvergent, da sie gliedweise kleiner als die p-Reihe mit $p = 2$ ist. Also ist die gegebene Reihe absolut konvergent.

12. $\frac{1}{1 \cdot 2} - \frac{1}{2 \cdot 2^2} + \frac{1}{3 \cdot 2^3} - \frac{1}{4 \cdot 2^4} + \cdots$

Die Reihe $\frac{1}{1 \cdot 2} + \frac{1}{2 \cdot 2^2} + \frac{1}{3 \cdot 2^3} + \frac{1}{4 \cdot 2^4} + \cdots$ ist konvergent, da sie gliedweise kleiner oder gleich der konvergenten geometrischen Reihe $\frac{1}{2} + \frac{1}{4} + \frac{1}{8} + \frac{1}{16} + \cdots$ ist. Also ist die gegebene Reihe absolut konvergent.

ERGÄNZUNGSAUFGABEN

13. Untersuche die folgenden alternierenden Reihen auf Konvergenz und Divergenz!

(a) $\sum \frac{(-1)^{n-1}}{n!}$ (c) $\sum (-1)^{n-1} \frac{n+1}{n}$ (e) $\sum \frac{(-1)^{n-1}}{2n-1}$

(b) $\sum \frac{(-1)^{n-1}}{\ln n}$ (d) $\sum (-1)^{n-1} \frac{\ln n}{3n+2}$ (f) $\sum (-1)^{n-1} \frac{1}{\sqrt[n]{3}}$

Lsg. (a), (b), (d), (e) konvergent.

14. Untersuche die folgenden Reihen auf bedingte und absolute Konvergenz!

(a) $\sum \frac{(-1)^{n-1}}{(2n-1)^3}$ (c) $\sum \frac{(-1)^{n-1}}{(n+1)^2}$ (e) $\sum \frac{(-1)^{n-1}}{3n-1}$ (g) $\sum (-1)^{n-1} \frac{n}{n^2+1}$

(b) $\sum \frac{(-1)^{n-1}}{\sqrt{n(n+1)}}$ (d) $\sum \frac{(-1)^{n-1}}{n^2+2}$ (f) $\sum \frac{(-1)^{n-1}}{(n!)^3}$ (h) $\sum (-1)^{n-1} \frac{n^2}{n^4+2}$

Lsg. (a), (c), (d), (f), (h) absolut konvergent.

KAPITEL 50

Berechnungen mit Reihen

UMFORMUNGEN VON REIHEN . Es sei

$$\Sigma s_n = s_1 + s_2 + s_3 + \cdots + s_n + \cdots \tag{1}$$

eine gegebene Reihe. Man erhalte Σt_n durch Setzen von Klammern. Zum Beispiel

$$\Sigma t_n = (s_1 + s_2) + (s_3 + s_4 + s_5) + (s_6 + s_7) + (s_8 + s_9 + s_{10} + s_{11}) + \cdots$$

I. Ergibt sich irgendeine Reihe aus einer konvergenten Reihe durch Setzen von Klammern, so konvergiert sie gegen dieselbe Summe wie die gegebene Reihe.

II. Eine Reihe, die sich aus einer divergenten positiven Reihe durch Setzen von Klammern ergibt, divergiert. Hat die ursprüngliche Reihe gemischte Glieder und divergiert, so kann die sich ergebende Reihe divergent oder konvergent sein!

Siehe Aufgaben 1-2!

Man erhalte Σu_n aus (1) durch Umordnen der Glieder. Zum Beispiel

$$\Sigma u_n = s_1 + s_3 + s_2 + s_4 + s_6 + s_5 + \cdots$$

III. Jede Reihe, die man von einer absolut konvergenten Reihe durch Umordnen der Glieder erhält, konvergiert absolut gegen dieselbe Summe wie die ursprüngliche Reihe.

IV. Die Glieder einer bedingt konvergenten Reihe kann man so umordnen, daß sich eine divergente Reihe oder eine konvergente Reihe mit vorgegebener Summe ergibt.

Siehe Aufgabe 3!

ADDITION, SUBTRAKTION UND MULTIPLIKATION. Sind Σs_n und Σt_n zwei beliebige Reihen, so erklärt man ihre Summenreihe Σu_n, ihre Differenzenreihe Σv_n und ihre Produktreihe Σw_n durch

$$\Sigma u_n = \Sigma(s_n + t_n)$$
$$\Sigma v_n = \Sigma(s_n - t_n)$$
$$\Sigma w_n = s_1 t_1 + (s_1 t_2 + s_2 t_1) + (s_1 t_3 + s_2 t_2 + s_3 t_1) + \cdots$$

V. Konvergiert Σs_n gegen S und konvergiert Σt_n gegen T, dann konvergiert $\Sigma(s_n + t_n)$ gegen $S + T$ und $\Sigma(s_n - t_n)$ konvergiert gegen $S - T$. Sind Σs_n und Σt_n beide absolut konvergent, dann gilt dasselbe auch für $\Sigma(s_n \pm t_n)$.

VI. Konvergieren Σs_n und Σt_n, dann kann ihre Produktreihe Σw_n konvergieren oder nicht. Konvergieren Σs_n und Σt_n und konvergiert mindestens eine der beiden Reihen absolut, dann konvergiert Σw_n gegen ST. Sind Σs_n und Σt_n absolut konvergent, dann gilt das auch für Σw_n.

Siehe Aufgaben 4-5!

BERECHNUNGEN MIT REIHEN. Man kann die Summe einer konvergenten Reihe sofort berechnen, wenn man die n-te Partialsumme als Funktion von n ausdrücken kann; das gilt zum Beispiel für jede geometrische Reihe. Auf der anderen Seite kann jede Partialsumme einer konvergenten Reihe als Näherungswert für die Summe der Reihe genommen werden. Um zu sehen, ob S_n eine gute Näherung für S ist, muß man eine Aussage über die Größe von $S_n - S$ machen können. Wir schreiben für eine konvergente Reihe $\sum s_n$ mit Summe S:

$$S = S_n + R_n$$

wobei R_n („Rest nach n Gliedern") der Fehler ist, den man macht, wenn man s_n, die n-te Partialsumme, statt dem wahren Wert S betrachtet. Die Sätze unten geben Näherungen dieses Fehlers in der Form $R_n < \alpha$ für positive Reihen und $|R_n| \leqq \alpha$ für Reihen mit gemischten Gliedern an.

Für eine konvergente alternierende Reihe $s_1 - s_2 + s_3 - s_4 + \cdots$ gilt nach Aufgabe 1, Kapitel 49

$$R_{2m} = s_{2m+1} - s_{2m+2} + s_{2m+3} - s_{2m+4} + \cdots < s_{2m+1}$$

und $\qquad R_{2m+1} = -s_{2m+2} + s_{2m+3} - s_{2m+4} + s_{2m+5} - \cdots > -s_{2m+2}$

Also folgt

VII. Für eine konvergente alternierende Reihe gilt $|R_n| < s_{n+1}$; weiterhin ist R_n für gerade n positiv und für ungerade n negativ.

Siehe Aufgabe 6!

VIII. Für die konvergente Reihe Σar^{n-1} gilt

$$|R_n| = \left| \frac{ar^n}{1-r} \right|$$

IX. Konvergiert die positive Reihe Σs_n nach dem Integralkriterium, dann gilt

$$R_n < \int_n^{+\infty} f(x)\, dx \quad \text{für} \quad n > \xi.$$

Siehe Aufgaben 7-9!

X. Ist Σc_n eine bekannte konvergente positive Reihe und gilt für die positive Σs_n, $s_n \leqq c_n$ für alle $n > n_1$, so folgt

$$R_n \leqq \sum_{n+1}^{+\infty} c_j \quad \text{für} \quad n > n_1.$$

Siehe Aufgaben 10-12!

AUFGABEN MIT LÖSUNGEN

1. Es sei $\Sigma s_n = s_1 + s_2 + s_3 + \cdots + s_n + \cdots$ eine gegebene positive Reihe und man erhalte $\Sigma t_n = (s_1 + s_2) + s_3 + (s_4 + s_5)$ $+ s_6 + \cdots$ durch Setzen von Klammern, die abwechselnd 1 und 2 Glieder zusammenfassen.

Für die Partialsummen von Σt_n gilt $T_1 = S_2$, $T_2 = S_3$, $T_3 = S_5$, $T_4 = S_6$, $\cdots$. Konvergiert Σs_n gegen S, so auch $\sum t_n$, da $\lim\limits_{n \to +\infty} T_n = \lim\limits_{n \to +\infty} S_n$ gilt. Divergiert $\sum s_n$, so ist die Folge $\{S_n\}$ nicht beschränkt, also ist auch die Folge $\{T_n\}$ nicht beschränkt; damit divergiert $\sum t_n$.

2. Die Reihe $\Sigma (-1)^{n-1} \left(\dfrac{2n+1}{n} \right)$ divergiert. (Warum?). Setzt man folgendermaßen Klammern

$$\left(3 - \frac{5}{2} \right) + \left(\frac{7}{3} - \frac{9}{4} \right) + \left(\frac{11}{5} - \frac{13}{6} \right) + \cdots + \left(\frac{4m-1}{2m-1} - \frac{4m+1}{2m} \right) + \cdots,$$

so konvergiert die neue Reihe, da für das allgemeine Glied gilt: $\left(\dfrac{4m-1}{2m-1} - \dfrac{4m+1}{2m} \right) = \dfrac{1}{4m^2 - 2m} < \dfrac{1}{m^2}$.

3. Die Reihe (a) $1 - \dfrac{1}{2} + \dfrac{1}{3} - \dfrac{1}{4} + \cdots + \dfrac{1}{2n-1} - \dfrac{1}{2n} + \cdots$ ist konvergent und ergibt durch Setzen von Klammern

$$\left(1 - \frac{1}{2} \right) + \left(\frac{1}{3} - \frac{1}{4} \right) + \cdots + \left(\frac{1}{2n-1} - \frac{1}{2n} \right) + \cdots, \quad \text{wobei sich die konvergente Reihe } \frac{1}{2} + \frac{1}{12} + \frac{1}{30} +$$

$\cdots = A$ ergibt. Wird (a) nach dem Verfahren $+ - - + - - \cdots$ umgeordnet, so erhalten wir $\left(1 - \dfrac{1}{2} - \dfrac{1}{4} \right) +$

$$\left(\frac{1}{3} - \frac{1}{6} - \frac{1}{8} \right) + \cdots + \left(\frac{1}{2n-1} - \frac{1}{4n-2} - \frac{1}{4n} \right) + \cdots \quad \text{oder} \quad \frac{1}{4} + \frac{1}{24} + \frac{1}{60} + \cdots = \frac{1}{2} A$$

4. Zeige, daß $\dfrac{3+1}{3\cdot 1} + \dfrac{3^2+2^3}{3^2\cdot 2^3} + \dfrac{3^3+3^3}{3^3\cdot 3^3} + \cdots + \dfrac{3^n+n^3}{3^n\cdot n^3} + \cdots$ konvergiert!

Es gilt $\dfrac{3^n+n^3}{3^n\cdot n^3} = \dfrac{1}{n^3} + \dfrac{1}{3^n}$. Die gegebene Reihe ist also die Summe der beiden Reihen $\sum\dfrac{1}{n^3}$ und $\sum\dfrac{1}{3^n}$. Diese konvergieren, also konvergiert die gegebene Reihe nach Satz **V**.

5. Zeige, daß die Reihe $\dfrac{3^n+n}{n\cdot 3^n}$ divergiert!

Wir nehmen an, daß $\sum\dfrac{3^n+n}{n\cdot 3^n} = \sum\left(\dfrac{1}{n}+\dfrac{1}{3^n}\right)$ konvergiert, dann konvergiert auch $\sum\dfrac{1}{n}$, da $\sum\dfrac{1}{3^n}$ konvergiert (Satz **V**). Doch dies ist falsch, also divergiert die gegebene Reihe.

6. *(a)* Gib den Fehler an, den man macht, wenn man $\sum s_n = 1 - \frac{1}{4} + \frac{1}{9} - \frac{1}{16} + \cdots$ durch die Summe der ersten 10 Glieder approximiert!

(b) Wieviele Glieder muß man nehmen, um den Reihenwert mit einem Fehler von weniger als $0,05$ zu berechnen?

(a) Die Reihe ist eine konvergente alternierende Reihe. Für den Fehler R_{10} gilt also: $R_{10} < s_{11} = 1/11^2 = 0,0083$

(b) Da $|R_n| < s_{n+1}$ gilt, setzen wir $s_{n+1} = \dfrac{1}{(n+1)^2} = 0,05$. Daraus folgt $(n+1)^2 = 20$, also $n = 3,5$. Man braucht 4 Glieder.

7. Beweise die Abschätzung $R_n < \displaystyle\int_n^{+\infty} f(x)\,dx$, die in Satz **IX** gegeben ist!

In der Abbildung von Aufgabe 1, Kapitel 48, approximieren wir die Fläche unter der Kurve durch die kleineren Rechtecke auch rechts von $x = n$. Dann gilt:

$$R_n = s_{n+1} + s_{n+2} + s_{n+3} + \cdots < \int_n^{+\infty} f(x)\,dx.$$

8. Gib den Fehler an, den man höchstens macht, wenn man $\sum\dfrac{1}{4n^2}$ durch die Summe der ersten 10 Glieder approximiert!

Die Reihe konvergiert nach dem Integralkriterium (Aufg. 3, Kap. 48). Also gilt

$$R_{10} < \frac{1}{4}\int_{10}^{+\infty}\frac{dx}{x^2} = \frac{1}{4}\lim_{u\to+\infty}\int_{10}^{u}\frac{dx}{x^2} = \frac{1}{4}\lim_{u\to+\infty}\left(-\frac{1}{u}+\frac{1}{10}\right) = \frac{1}{40} = 0,025.$$

9. Wieviel Glieder muß man mindestens aufsummieren, um $\sum\dfrac{1}{n^5+1}$ mit einem Fehler von höchstens $0,00001$ zu berechnen?

Die Reihe konvergiert. (Vergleich mit $\sum\dfrac{1}{n^5}$ und Integralkriterium.) Es gilt also $R_n < \displaystyle\int_n^{+\infty}\frac{dx}{x^5} = \frac{1}{4n^4}$. Wir setzen $\dfrac{1}{4n^4} = 0,00001$ und erhalten $n^4 = 25\,000$ und damit $n = 12,6$. Also sind 13 Glieder notwendig.

10. Gib den Fehler an, den man höchstens macht, wenn man $\sum\dfrac{1}{n!}$ durch die Summe der ersten 12 Glieder approximiert!

Die Reihe konvergiert (siehe Aufg. 8, Kap. 48: Vergleich mit der geometrischen Reihe $\sum\dfrac{1}{2^{n-1}}$). Also ist der Fehler R_{12} bei der gegebenen Reihe kleiner als der Fehler R'_{12} bei der geometrischen Reihe, das heißt $R_{12} < R'_{12} = \dfrac{(\frac{1}{2})^{12}}{1-\frac{1}{2}} = \dfrac{1}{2^{11}}$

$= 0,0005$. Wir können noch besser abschätzen: Für $n > 6$ gilt: $\dfrac{1}{n!} < \dfrac{1}{4^{n-1}}$; damit folgt $R_{12} < \dfrac{(\frac{1}{4})^{12}}{1-\frac{1}{4}} = \dfrac{1}{3\cdot 4^{11}} = 0,00000008$.

11. Gib den Fehler an, den man höchstens macht, wenn man $\sum s_n = \frac{2}{3} + \frac{1}{2}(\frac{2}{3})^2 + \frac{1}{3}(\frac{2}{3})^3 + \frac{1}{4}(\frac{2}{3})^4 + \cdots$ durch die Summe der ersten 10 Glieder approximiert!

Die Reihe konvergiert nach dem Quotientenkriterium, denn es gilt $\dfrac{s_{n+1}}{s_n} = \dfrac{2}{3}\left(\dfrac{n}{n+1}\right)$ und $r = \lim\limits_{n\to+\infty}\dfrac{s_{n+1}}{s_n} = \dfrac{2}{3}$. Da $\dfrac{s_{n+1}}{s_n} < \dfrac{2}{3}$ für alle n gilt, ist die gegebene Reihe gliedweise kleiner oder gleich der geometrischen Reihe $\sum s_1 r^{n-1}$, also folgt $R_{10} < \left(\dfrac{2}{3}\right)^{11} + \left(\dfrac{2}{3}\right)^{12} + \left(\dfrac{2}{3}\right)^{13} + \cdots = \dfrac{(2/3)^{11}}{1-2/3} = \dfrac{2^{11}}{3^{10}} = 0,04.$

Eine bessere Abschätzung für den Fehler ergibt sich, wenn man beachtet, daß nach dem 10-ten Glied die gegebene Reihe gliedweise kleiner ist als $\sum s_{11} \left(\frac{2}{3} \right)^{n-1} = \sum \frac{1}{11} \left(\frac{2}{3} \right)^{11} \left(\frac{2}{3} \right)^{n-1} = \frac{2^{11}}{11 \cdot 3^{10}} = 0{,}004$

12. Gib den Fehler an, den man höchstens macht, wenn man $\sum s_n = \frac{1}{3} + \frac{2}{3^2} + \frac{3}{3^3} + \frac{4}{3^4} + \cdots$ durch die Summe der ersten 10 Glieder approximiert!

Die Reihe konvergiert nach dem Quotientenkriterium, denn es gilt $\frac{s_{n+1}}{s_n} = \frac{1}{3} \left(\frac{n+1}{n} \right)$ und $r = \frac{1}{3}$. Hier gilt $\frac{s_{n+1}}{s_n} \geq \frac{1}{3}$

für alle Werte von n, und wir können die geometrische Reihe $\sum (1/3)^n$ nicht als Vergleichsreihe benutzen. $\left\{ \frac{s_{n+1}}{s_n} \right\}$ ist

jedoch eine nichtwachsende Folge mit $\frac{s_{12}}{s_{11}} = \frac{4}{11}$. Damit ist die gegebene Reihe nach den ersten 10 Gliedern gliedweise

kleiner oder gleich der geometrischen Reihe $\sum s_{11} \left(\frac{4}{11} \right)^{n-1} = \frac{11}{3^{11}} \left(\frac{4}{11} \right)^{n-1}$. Damit folgt

$$R_{10} < \sum \frac{11}{3^{11}} \left(\frac{4}{11} \right)^{n-1} = \frac{121}{7 \cdot 3^{11}} = 0{,}00009758 < 0{,}0001.$$

ERGÄNZUNGSAUFGABEN

13. Ordne die Glieder der Reihe $1 - \frac{1}{2} + \frac{1}{3} - \frac{1}{4} + \cdots$ so um, daß sich eine konvergente Reihe mit Summe (a) 1, (b) -2. ergibt!

Hinweis: Wir nehmen die ersten n_1 positiven Glieder so, daß ihre Summe größer als 1 ist und addieren dann die ersten n_2 negativen Glieder, so daß die Summe kleiner als 1 ist. Dieses Verfahren setzen wir fort.

14. Kann die Summe zweier divergenter Reihen konvergieren? Beispiel!

15. (a) Gib den Fehler an, den man macht, wenn man die Reihe $\sum \frac{(-1)^{n-1}}{2n-1}$ durch die Summe der ersten 50 Glieder approximiert!

(b) Wieviel Glieder sind nötig, damit der Fehler kleiner als 0,000005 ist?

Lsg. (a) 0,01, (b) 100 000

16. (a) Wir approximieren $\sum \frac{(-1)^{n-1}}{n^4}$ durch die Summe der ersten 8 Glieder. Wie groß ist der Fehler?

(b) Wieviel Glieder sind nötig, damit der Fehler kleiner als 0,00005 ist?

Lsg. (a) 0,0002, (b) 11

17. (a) Gib den Fehler an, den man macht, wenn man die geometrische Reihe $\sum \frac{3}{2^n}$ durch die Summe der ersten 6 Glieder approximiert!

(b) Wann ist der Fehler kleiner als 0,00005? *Lsg.* (a) 0,05, (b) 16 .

18. Beweise: Konvergiert die positive Reihe $\sum s_n$, da sie gliedweise kleiner oder gleich der geometrischen Reihe $\sum r^n$, $0 < r < 1$ ist, so gilt $R_n < \frac{r^{n+1}}{1-r}$

19. Gib den Fehler an:

(a) $\sum \frac{1}{3^n + 1} \left(< \sum \frac{1}{3^n} \right)$ (b) $\sum \frac{1}{3 + 4^n} \left(< \sum \frac{1}{4^n} \right)$ wird jeweils durch die Summe der ersten 6 Glieder approximiert.

Lsg. (a) 0,0007, (b) 0,00009 .

20. Die Reihen (a) $\sum \frac{n+1}{n \cdot 3^n}$ und (b) $\sum \frac{n}{(n+1)3^n}$ sind nach dem Quotientenkriterium konvergent. Gib den Fehler an, den man macht, wenn man sie jeweils durch die Summe der ersten 8 Glieder approximiert! *Lsg.* (a) 0,00009, (b) 0,00007 .

21. Zeige für die konvergente p -Reihe: $R_n < \frac{1}{(p-1)n^{p-1}}$! *Hinweis:* Siehe Aufgabe 9!

22. Die Reihen (a) $\sum \frac{1}{n^3 + 2}$ und (b) $\sum \frac{n-1}{n^5}$ konvergieren, da man sie mit einer geeigneten p -Reihe vergleichen kann.

Gib den Fehler an, den man macht, wenn man jede durch die Summe der ersten 6 Glieder approximiert! Bestimme die Anzahl der Glieder, die nötig sind, damit der Fehler kleiner als 0,005 ist!

Lsg. (a) 0,014; 10 Glieder (b) 0,002; 5 Glieder.

KAPITEL 51

Potenzreihen

EINE UNENDLICHE REIHE der Form

$$\sum c_i x^i \;=\; \sum_{i=0}^{+\infty} c_i x^i \;=\; c_0 + c_1 x + c_2 x^2 + \cdots + c_n x^n + \cdots \qquad (1)$$

wobei die c Konstante sind, wird eine *Potenzreihe* in x genannt. Genauso wird eine unendliche Reihe der Form

$$\sum c_i (x-a)^i \;=\; \sum_{i=0}^{+\infty} c_i (x-a)^i \;=\; c_0 + c_1(x-a) + c_2(x-a)^2 + \cdots + c_n(x-a)^n + \cdots \qquad (2)$$

eine *Potenzreihe* in $(x-a)$ genannt.

Für irgendeinen festen Wert von x sind (1) und (2) unendliche Reihen mit konstanten Gliedern und konvergieren entweder oder divergieren. (Siehe Kapitel 48 und 49!)

KONVERGENZINTERVALL. Die Menge aller Werte von x, für die eine Potenzreihe konvergiert, wird ihr *Konvergenzintervall* genannt. Offensichtlich konvergiert (1) für $x=0$ und (2) für $x=a$. Gibt es andere Werte von x, für die eine Potenzreihe der Form (1) oder (2) konvergiert, so konvergiert sie entweder für alle Werte von x oder in einem bestimmten endlichen Intervall (abgeschlossen, offen oder halboffen), dessen Mittelpunkt im Fall (1) $x=0$ und im Fall (2) $x=a$ ist. Das Konvergenzintervall werden wir hier mit dem Quotientenkriterium für die absolute Konvergenz bestimmen, wobei wir für die Eckpunkte zusätzlich andere Kriterien aus den Kapiteln 48 und 49 benutzen.

Siehe Aufgaben 1-9!

KONVERGENZ UND GLEICHMÄSSIGE KONVERGENZ. Die folgenden Untersuchungen und die Sätze gehen über Reihen des Typs (1). Durch geringe Änderungen kann man sie jedoch auch auf Reihen des Typs (2) übertragen.

Wir betrachten die Potenzreihe (1). Es sei

$$S_n(x) \;=\; \sum_{j=0}^{n-1} c_j x^j \;=\; c_0 + c_1 x + c_2 x^2 + \cdots + c_{n-1} x^{n-1}$$

die n-te *Partialsumme* und

$$R_n(x) \;=\; \sum_{k=n}^{+\infty} c_k x^k \;=\; c_n x^n + c_{n+1} x^{n+1} + c_{n+2} x^{n+2} + \cdots$$

das *Restglied nach n Gliedern*. Dann gilt

$$\sum c_i x^i \;=\; S_n(x) + R_n(x). \qquad (3)$$

Konvergiert $\Sigma c_i x^i$ für $x = x_0$ gegen $S(x_0)$, eine endliche Zahl, so gilt $\lim\limits_{n \to +\infty} S_n(x_0) = S(x_0)$. Aus

$$|S(x_0) - S_n(x_0)| \;=\; |R_n(x_0)| \quad \text{folgt} \quad \lim_{n \to +\infty} |S(x_0) - S_n(x_0)| \;=\; \lim_{n \to +\infty} |R_n(x_0)| \;=\; 0.$$

Also konvergiert $\Sigma c_i x^i$ für $x = x_0$, wenn es zu jedem beliebig kleinen positiven ϵ eine natürliche Zahl m gibt, so daß für alle $n > m$ $|R_n(x_0)| < \epsilon$ gilt.

Beachte, daß hier m nicht nur von ϵ abhängt (siehe Aufg. 12, Kap 47), sondern auch von dem gewählten Wert x_0. Siehe Aufgabe 10!

In Aufgabe 11 beweisen wir:

I. Konvergiert $\Sigma c_i x^i$ für $x = x_1$ und gilt $|x_2| < |x_1|$, dann konvergiert die Reihe absolut für $x = x_2$.

Wir nehmen jetzt an, daß (1) für alle x mit $|x| < P$ absolut konvergiert, das heißt $\Sigma |c_i x^i|$ konvergiert für diese x. Wir wählen einen Wert x mit $|x| = p < P$, also $x = p$ oder $x = -p$. Da (1) für $|x| = p$ konvergiert, gibt es für jedes beliebig kleine $\epsilon > 0$ eine natürliche Zahl m, so daß für alle $n > m$ gilt $|R_n(p)| = \sum_{k=n}^{+\infty} |c_k p^k| < \epsilon$. Es sei x nun ein Wert aus dem Intervall $|x| \leq p$. Jedes Glied in $|R_n(x)| = \sum_{k=n}^{+\infty} |c_k x^k|$ hat seinen größten Wert in $|x| = p$; also hat $|R_n(x)|$ seinen größten Wert im Intervall $|x| \leq p$ für $|x| = p$.

Es sei ϵ gegeben und m nach Obigem für $|x| = p$ gewählt. Dann gilt für dieses ϵ und dieses m: $|R_n(x)| < \epsilon$ für alle $|x| \leq p$, das heißt, m hängt von ϵ und p ab, aber nicht von der Wahl des x_0 im Intervall $|x| \leq p$, wie dies bei der gewöhnlichen Konvergenz der Fall ist. Wir sagen, daß (1) im Intervall $|x| \leq p$ *gleichmäßig konvergiert*.

II. Konvergiert die Reihe $\Sigma c_i x^i$ absolut im Intervall $|x| < P$, dann konvergiert sie gleichmäßig für $|x| \leq p < P$.

Zum Beispiel konvergiert die Reihe $\Sigma (-1)^i x^i$ im Intervall $|x| < 1$. Nach Satz I konvergiert sie absolut für $|x| \leq 0{,}99$ und nach Satz II konvergiert sie gleichmäßig für $|x| \leq 0{,}9$.

III. Eine Potenzreihe stellt innerhalb des Konvergenzintervalls der Reihe eine stetige Funktion $f(x)$ dar.

Ein Beweis steht in Aufgabe 12.

IV. Konvergiert $\Sigma c_i x^i$ in einem Intervall I gegen eine Funktion $f(x)$ und liegen a und b innerhalb des Intervalls, so gilt

$$\int_a^b f(x)\,dx = \sum_{i=0}^{+\infty} \int_a^b c_i x^i\,dx = \int_a^b c_0\,dx + \int_a^b c_1 x\,dx + \int_a^b c_2 x^2\,dx + \cdots$$

$$+ \int_a^b c_{n-1} x^{n-1}\,dx + \cdots$$

Ein Beweis steht in Aufgabe 13.

V. Konvergiert $\Sigma c_i x^i$ in einem Intervall I gegen $f(x)$, dann konvergiert das unbestimmte Integral $\sum_{i=0}^{+\infty} \int_0^x c_i x^i\,dx$ für alle x innerhalb des Intervalls I gegen $g(x) = \int_0^x f(x)\,dx$.

VI. Konvergiert $\Sigma c_i x^i$ in einem Intervall I gegen $f(x)$, dann konvergiert die Ableitung $\sum \frac{d}{dx}(c_i x^i)$ der Reihe für alle x innerhalb des Intervalls I gegen $f'(x)$.

VII. Die Darstellung einer Funktion $f(x)$ als Potenzreihe in x ist eindeutig.

AUFGABEN MIT LÖSUNGEN

1. Bestimme das Konvergenzintervall der Reihe $x - \frac{1}{2}x^2 + \frac{1}{3}x^3 - \frac{1}{4}x^4 + \cdots + (-1)^{n-1}\frac{1}{n}x^n + \cdots$!

Es gilt $\lim_{n \to +\infty} \left| \frac{s_{n+1}}{s_n} \right| = \lim_{n \to +\infty} \left| \frac{x^{n+1}}{n+1} \cdot \frac{n}{x^n} \right| = |x| \lim_{n \to +\infty} \frac{n}{n+1} = |x|$.

Also konvergiert die Reihe nach dem Quotientenkriterium absolut für $|x| < 1$ und divergiert für $|x| > 1$. In den Eckpunkten $x = 1$ und $x = -1$ müssen wir das Konvergenzverhalten auf andere Art prüfen.

Für $x = 1$ ist die Reihe gleich $1 - \frac{1}{2} + \frac{1}{3} - \frac{1}{4} + \cdots$ und damit bedingt konvergent.

Für $x = -1$ ist die Reihe gleich $-(1 + \frac{1}{2} + \frac{1}{3} + \frac{1}{4} + \cdots)$ und damit divergent.

Also konvergiert die Reihe im Intervall $-1 < x \leq 1$.

2. Bestimme das Konvergenzintervall von $1 + x + \dfrac{x^2}{2!} + \dfrac{x^3}{3!} + \cdots + \dfrac{x^n}{n!} + \cdots$!

$$\lim_{n \to +\infty} \left| \frac{s_{n+1}}{s_n} \right| = \lim_{n \to +\infty} \left| \frac{x^{n+1}}{(n+1)!} \cdot \frac{n!}{x^n} \right| = |x| \lim_{n \to +\infty} \frac{1}{n+1} = 0.$$

Die gegebene Reihe konvergiert für alle Werte von x.

3. Bestimme das Konvergenzintervall von $\dfrac{x-2}{1} + \dfrac{(x-2)^2}{2} + \dfrac{(x-2)^3}{3} + \cdots + \dfrac{(x-2)^n}{n} + \cdots$!

$$\lim_{n \to +\infty} \left| \frac{(x-2)^{n+1}}{n+1} \cdot \frac{n}{(x-2)^n} \right| = |x-2| \lim_{n \to +\infty} \frac{n}{n+1} = |x-2|.$$

Die Reihe konvergiert absolut für $|x-2| < 1$ oder $1 < x < 3$ und divergiert für $|x-2| > 1$, d.h., $x < 1$ und $x > 3$.

Für $x = 1$ ergibt sich $-1 + \frac{1}{2} - \frac{1}{3} + \frac{1}{4} - \cdots$, für $x = 3$ ergibt sich $1 + \frac{1}{2} + \frac{1}{3} + \frac{1}{4} + \cdots$. Die erste Reihe konvergiert und die zweite divergiert. Also konvergiert die gegebene Reihe im Intervall $1 \leqq x < 3$ und divergiert sonst.

4. Bestimme das Konvergenzintervall von $1 + \dfrac{x-3}{1^2} + \dfrac{(x-3)^2}{2^2} + \dfrac{(x-3)^3}{3^2} + \cdots + \dfrac{(x-3)^{n-1}}{(n-1)^2} + \cdots$!

$$\lim_{n \to +\infty} \left| \frac{(x-3)^n}{n^2} \cdot \frac{(n-1)^2}{(x-3)^{n-1}} \right| = |x-3| \lim_{n \to +\infty} \left(\frac{n-1}{n} \right)^2 = |x-3|.$$

Die Reihe konvergiert absolut für $|x-3| < 1$ oder $2 < x < 4$ und divergiert für $|x-3| > 1$, also für $x < 2$ und $x > 4$.

Für $x = 2$ ergibt sich $1 - 1 + \frac{1}{4} - \frac{1}{9} + \cdots$, für $x = 4$ ergibt sich $1 + 1 + \frac{1}{4} + \frac{1}{9} + \cdots$. Da diese beiden Reihen absolut konvergieren, konvergiert die gegebene Reihe absolut im Intervall $2 \leqq x \leqq 4$ und divergiert sonst. Beachte, daß das erste Glied der Reihe nicht durch das allgemeine Glied mit $n = 0$ gegeben ist.

5. Bestimme das Konvergenzintervall von $\dfrac{x+1}{\sqrt{1}} + \dfrac{(x+1)^2}{\sqrt{2}} + \dfrac{(x+1)^3}{\sqrt{3}} + \cdots + \dfrac{(x+1)^n}{\sqrt{n}} + \cdots$!

$$\lim_{n \to +\infty} \left| \frac{(x+1)^{n+1}}{\sqrt{n+1}} \cdot \frac{\sqrt{n}}{(x+1)^n} \right| = |x+1| \lim_{n \to +\infty} \sqrt{\frac{n}{n+1}} = |x+1|$$

Die Reihe konvergiert absolut für $|x+1| < 1$ oder $-2 < x < 0$ und divergiert für $x < -2$ und $x > 0$.

Für $x = -2$ ergibt sich $-1 + \dfrac{1}{\sqrt{2}} - \dfrac{1}{\sqrt{3}} + \dfrac{1}{\sqrt{4}} - \cdots$, für $x = 0$ ergibt sich $1 + \dfrac{1}{\sqrt{2}} + \dfrac{1}{\sqrt{3}} + \dfrac{1}{\sqrt{4}} + \cdots$. Die erste Reihe ist konvergent und die zweite divergent (warum?). Also konvergiert die gegebene Reihe im Intervall $-2 \leqq x < 0$ und divergiert sonst.

6. Bestimme das Konvergenzintervall von $1 + \dfrac{m}{1} x + \dfrac{m(m-1)}{1 \cdot 2} x^2 + \dfrac{m(m-1)(m-2)}{1 \cdot 2 \cdot 3} x^3 + \cdots$!

Dies ist die binomische Reihe. Für natürliche Zahlen m ist die Reihe endlich, für alle anderen Werte von m ergibt

sich eine unendliche Reihe $\displaystyle\lim_{n \to +\infty} \left| \dfrac{m(m-1)(m-2)\cdots(m-n+1)x^n}{n!} \cdot \dfrac{(n-1)!}{m(m-1)(m-2)\cdots(m-n+2)x^{n-1}} \right|$

$$= |x| \lim_{n \to +\infty} \left| \frac{m-n+1}{n} \right| = |x|.$$

Die unendliche Reihe konvergiert absolut für $|x| < 1$ und divergiert für $|x| > 1$.

In den Endpunkten $x = \pm 1$ konvergiert die Reihe für $m \geqq 0$ und divergiert für $m \leqq -1$. Gilt $-1 < m < 0$, so konvergiert die Reihe für $x = 1$ und divergiert für $x = -1$. Um diese Tatsachen zu beweisen, muß man feinere Überlegungen als die in Kapitel 48 angegebenen benutzen.

7. Bestimme das Konvergenzintervall von $x - \dfrac{x^3}{3} + \dfrac{x^5}{5} - \dfrac{x^7}{7} + \cdots + (-1)^{n-1} \dfrac{x^{2n-1}}{2n-1} + \cdots$!

$$\lim_{n \to +\infty} \left| \frac{x^{2n+1}}{2n+1} \cdot \frac{2n-1}{x^{2n-1}} \right| = x^2 \lim_{n \to +\infty} \frac{2n-1}{2n+1} = x^2.$$

Die Reihe konvergiert absolut im Intervall $x^2 < 1$ oder $-1 < x < 1$.

Für $x = -1$ ergibt sich $-1 + \frac{1}{3} - \frac{1}{5} + \frac{1}{7} - \cdots$ für $x = 1$ ergibt sich $1 - \frac{1}{3} + \frac{1}{5} - \frac{1}{7} + \cdots$. Beide Reihen konvergieren. Also konvergiert die gegebene Reihe für $-1 \leqq x \leqq 1$ und divergiert sonst.

8. Bestimme das Konvergenzintervall von $(x-1) + 2!\,(x-1)^2 + 3!\,(x-1)^3 + \cdots + n!\,(x-1)^n + \cdots$!

$$\lim_{n \to +\infty} \left| \frac{(n+1)!\,(x-1)^{n+1}}{n!\,(x-1)^n} \right| = |x-1| \lim_{n \to +\infty} (n+1) = \infty.$$

Die Reihe konvergiert nur für $x = 1$.

9. Bestimme das Konvergenzintervall von $\dfrac{1}{2x} + \dfrac{2}{4x^2} + \dfrac{3}{8x^3} + \cdots + \dfrac{n}{2^n x^n} + \cdots$! Dies ist eine Potenzreihe in $1/x$.

$$\lim_{x \to +\infty} \left| \frac{n+1}{2^{n+1} x^{n+1}} \cdot \frac{2^n x^n}{n} \right| = \frac{1}{2|x|} \lim_{n \to +\infty} \frac{n+1}{n} = \frac{1}{2|x|}.$$

Die Reihe konvergiert absolut für $\dfrac{1}{2|x|} < 1$ oder $|x| > \frac{1}{2}$.

Für $x = \frac{1}{2}$ ergibt sich $1 + 2 + 3 + 4 + \cdots$; für $x = -\frac{1}{2}$ ergibt sich $-1 + 2 - 3 + 4 - \cdots$. Beide Reihen divergieren, also konvergiert die gegebene Reihe in den Intervallen $x < -\frac{1}{2}$ und $x > \frac{1}{2}$ und divergiert im Intervall $-\frac{1}{2} \leq x \leq \frac{1}{2}$.

10. Die Reihe $1 - x + x^2 - x^3 + \cdots + (-1)^n x^n + \cdots$ konvergiert für $|x| < 1$. Bestimme m für $\epsilon = 0{,}000001$ sowie (a) $x = \frac{1}{2}$ und (b) $x = \frac{1}{4}$, so daß $|R_n(x)| < \epsilon$ für $n > m$.

$R_n(x) = \displaystyle\sum_{k=n}^{+\infty} (-1)^k x^k$, so daß

$$\left| R_n(\tfrac{1}{2}) \right| = \left| \sum_{k=n}^{+\infty} (-1)^k (\tfrac{1}{2})^k \right| = \tfrac{1}{3}(\tfrac{1}{2})^{n-1} \text{ und } \left| R_n(\tfrac{1}{4}) \right| = \left| \sum_{k=n}^{+\infty} (-1)^k (\tfrac{1}{4})^k \right| = \tfrac{1}{5}(\tfrac{1}{4})^{n-1}.$$

(a) Wir suchen m so, daß für $n > m$ gilt: $\tfrac{1}{3}(\tfrac{1}{2})^{n-1} < 0{,}000001$ oder $1/2^{n-1} < 0{,}000003$. Aus $1/2^{18} = 0{,}000004$ und $1/2^{19} = 0\ 000002$ folgt $m = 19$.

(b) Wir suchen m so, daß für $n > m$ gilt: $\tfrac{1}{5}(\tfrac{1}{4})^{n-1} < 0{,}000001$ oder $1/4^{n-1} < 0{,}000005$. Hier ergibt sich $m = 9$.

11. Beweise: Konvergiert eine Potenzreihe $\Sigma c_i x^i$ für $x = x_1$ und gilt $|x_2| < |x_1|$, dann konvergiert die Reihe absolut für $x = x_2$.

Da $\Sigma c_i x_1^i$ konvergiert, gilt nach Satz XV, Kapitel 47, $\lim\limits_{n \to +\infty} c_n x_1^n = 0$, und $\{|c_i x_1^i|\}$ ist eine beschränkte Folge, etwa $0 < |c_n x_1^n| < K$ für alle Werte von n. Wir setzen $|x_2/x_1| = r$, $0 < r < 1$; dann folgt

$$|c_n x_2^n| = |c_n x_1^n| \cdot |x_2^n/x_1^n| = |c_n x_1^n| \cdot |x_2/x_1|^n < Kr^n.$$

Damit ist $\Sigma\,|c_n x_2^n|$ gliedweise kleiner oder gleich der geometrischen Reihe $\Sigma K r^n$ und ist konvergent. Also konvergiert $\Sigma c_i x_2^i$ absolut.

12. Beweise: Innerhalb des Konvergenzintervalls stellt eine Potenzreihe eine stetige Funktion $f(x)$ dar!

Wir setzen $f(x) = \Sigma c_i x^i = S_n(x) + R_n(x)$. Zu jedem $x = x_0$ innerhalb des Konvergenzintervalls von $\Sigma c_i x^i$ gibt es nach Satz 1 ein Intervall I um x_0, in dem die Reihe gleichmäßig konvergiert. Um zu beweisen, daß $f(x)$ in $x = x_0$ stetig ist, müssen wir zeigen, daß $\lim\limits_{\Delta x \to 0} |f(x_0 + \Delta x) - f(x_0)| = 0$ gilt, falls $x_0 + \Delta x$ in I liegt; das heißt, wir müssen zeigen, daß man zu beliebig kleinen gegebenen $\epsilon > 0$ Δx so wählen kann, daß $x_0 + \Delta x$ in I liegt und daß $|f(x_0 + \Delta x) - f(x_0)| < \epsilon$ gilt.

Für alle Δx, für die $x_0 + \Delta x$ in I liegt, gilt nun

(i)
$$\begin{aligned}
|f(x_0 + \Delta x) - f(x_0)| &= |S_n(x_0 + \Delta x) + R_n(x_0 + \Delta x) - S_n(x_0) - R_n(x_0)| \\
&\leq |S_n(x_0 + \Delta x) - S_n(x_0)| + |R_n(x_0 + x)| + |R_n(x_0)|.
\end{aligned}$$

Es sei ϵ gegeben. Da $x_0 + \Delta x$ im Konvergenzintervall der Reihe liegt, kann man eine natürliche Zahl m finden, so daß für alle $n > m$ gilt: $|R_n(x_0 + \Delta x)| < \epsilon/3$ und $|R_n(x_0)| < \epsilon/3$. Da $S_n(x)$ ein Polynom ist, gibt es ein möglicherweise kleineres $|\Delta x|$ mit $|S_n(x_0 + \Delta x) - S_n(x_0)| < \epsilon/3$. Für dieses Δx ist $|R_n(x_0 + \Delta x)|$ kleiner als $\epsilon/3$, da die Reihe in I gleichmäßig konvergiert, und $|R_n(x_0)|$ ändert sich nicht. Damit ergibt sich aus (i)

$$|f(x_0 + \Delta x) - f(x_0)| < \epsilon/3 + \epsilon/3 + \epsilon/3 = \epsilon.$$

Also ist $f(x)$ für alle x innerhalb des Konvergenzintervalls der Reihe stetig.

13. Beweise: Konvergiert $\Sigma c_i x^i$ in einem Intervall gegen die Funktion $f(x)$ und liegen die Punkte $x = a$ und $x = b$ innerhalb des Intervalls, dann gilt

$$\int_a^b f(x)\,dx = \int_a^b c_0\,dx + \int_a^b c_1 x\,dx + \int_a^b c_2 x^2\,dx + \cdots + \int_a^b c_{n-1} x^{n-1}\,dx + \cdots$$

Es gelte $b > a$. Wir schreiben $f(x) = \sum c_i x^i = S_n(x) + R_n(x)$. Dann folgt

$$\int_a^b f(x)\,dx \;=\; \int_a^b S_n(x)\,dx \;+\; \int_a^b R_n(x)\,dx$$

und

$$\left| \int_a^b f(x)\,dx \;-\; \int_a^b S_n(x)\,dx \right| \;=\; \left| \int_a^b R_n(x)\,dx \right|.$$

Da $\Sigma c_i x^i$ in einem Intervall, etwa $|x| < P$, konvergiert, konvergiert die Reihe gleichmäßig im Intervall $|x| \leq p < P$, das die Punkte $x = a$ und $x = b$ enthält. Damit gibt es zu jedem beliebig kleinen $\epsilon > 0$ eine natürliche Zahl n, so daß für alle $|x| \leqq p$ gilt $|R_n(x)| < \dfrac{\epsilon}{b - a}$. Also folgt

$$\left| \int_a^b f(x)\,dx \;-\; \int_a^b S_n(x)\,dx \right| \;<\; \int_a^b \frac{\epsilon}{b-a}\,dx \;=\; \frac{\epsilon}{b-a}(b-a) \;=\; \epsilon$$

$$\lim_{n \to +\infty} \left| \int_a^b f(x)\,dx \;-\; \int_a^b S_n(x)\,dx \right| \;=\; 0 \text{ und damit } \int_a^b f(x)\,dx \;=\; \Sigma \int_a^b c_i x^i\,dx, \text{ was zu zeigen war.}$$

ERGÄNZUNGSAUFGABEN

14. Bestimme das Konvergenzintervall der folgenden Reihen!

(a) $x + 2x^2 + 3x^3 + 4x^4 + \cdots$

(d) $\dfrac{x}{5} - \dfrac{x^2}{2 \cdot 5^2} + \dfrac{x^3}{3 \cdot 5^3} - \dfrac{x^4}{4 \cdot 5^4} + \cdots$

(b) $\dfrac{x}{1 \cdot 2} + \dfrac{x^2}{2 \cdot 3} + \dfrac{x^3}{3 \cdot 4} + \dfrac{x^4}{4 \cdot 5} + \cdots$

(e) $\dfrac{1}{1 \cdot 2 \cdot 3} + \dfrac{x^2}{2 \cdot 3 \cdot 4} + \dfrac{x^4}{3 \cdot 4 \cdot 5} + \dfrac{x^6}{4 \cdot 5 \cdot 6} + \cdots$

(c) $x - \dfrac{x^2}{2^2} + \dfrac{x^3}{3^3} - \dfrac{x^4}{4^4} + \cdots$

(f) $\dfrac{x^2}{(\ln 2)^2} + \dfrac{x^3}{(\ln 3)^3} + \dfrac{x^4}{(\ln 4)^4} + \dfrac{x^5}{(\ln 5)^5} + \cdots$.

(g) Die Reihe, die sich aus (a) durch gliedweise Differentiation ergibt!

(h) Die Reihe, die sich aus (b) durch gliedweise Differentiation ergibt!

(i) $x + \dfrac{x^2}{1 + 2^3} + \dfrac{x^3}{1 + 3^3} + \dfrac{x^4}{1 + 4^3} + \cdots$!

(j) Die Reihe, die sich aus (i) durch gliedweise Differentiation ergibt!

(k) Die Reihe, die sich aus (j) durch gliedweise Differentiation ergibt!

(l) Die Reihe, die sich aus (a) durch gliedweise Integration ergibt!

(m) Die Reihe, die sich aus (c) durch gliedweise Integration ergibt!

(n) $(x - 2) + \dfrac{(x - 2)^2}{4} + \dfrac{(x - 2)^3}{9} + \dfrac{(x - 2)^4}{16} + \cdots$

(o) $\dfrac{x - 3}{1 \cdot 3} + \dfrac{(x - 3)^2}{2 \cdot 3^2} + \dfrac{(x - 3)^3}{3 \cdot 3^3} + \dfrac{(x - 3)^4}{4 \cdot 3^4} + \cdots$ (p) $1 - \dfrac{3x - 2}{5} + \dfrac{(3x - 2)^2}{5^2} - \dfrac{(3x - 2)^3}{5^3} + \cdots$

(q) Die Reihe, die sich aus (n) durch gliedweise Differentiation ergibt!

(r) Die Reihe, die sich aus (n) durch gliedweise Integration ergibt!

(s) $1 + \dfrac{x}{1 - x} + \left(\dfrac{x}{1 - x}\right)^2 + \left(\dfrac{x}{1 - x}\right)^3 + \cdots$ (t) $1 - \dfrac{2}{x} + \dfrac{3}{x^2} - \dfrac{4}{x^3} + \cdots$

(u) $\dfrac{1}{2} + \dfrac{x^2 + 6x + 7}{2^2} + \dfrac{(x^2 + 6x + 7)^2}{2^3} + \dfrac{(x^2 + 6x + 7)^3}{2^4} + \cdots$

Lsg. (a) $-1 < x < 1$ (f) alle Werte von x (k) $-1 \leqq x < 1$ (p) $-1 < x < 7/3$ (t) $x < -1$,

(b) $-1 \leqq x \leqq 1$ (g) $-1 < x < 1$ (l) $-1 < x < 1$ (q) $1 \leqq x < 3$ $x > 1$

(c) alle Werte von x (h) $-1 \leqq x < 1$ (m) alle Werte von x (r) $1 \leqq x \leqq 3$ (u) $-5 < x < -3$,

(d) $-5 < x \leqq 5$ (i) $-1 \leqq x \leqq 1$ (n) $1 \leqq x \leqq 3$ (s) $x < \frac{1}{2}$ $-3 < x < -1$

(e) $-1 \leqq x \leqq 1$ (j) $-1 \leqq x \leqq 1$ (o) $0 \leqq x < 6$

15. Beweise, daß eine Potenzreihe innerhalb ihres Konvergenzintervalls gliedweise differenziert werden kann!

Hinweis: $f(x) = \displaystyle\sum_{i=0}^{+\infty} c_i x^i$ und $\displaystyle\sum_{i=0}^{+\infty} \frac{d}{dx}(c_i x^i) = \sum_{j=1}^{+\infty} j c_j x^{j-1}$ konvergieren für $|x| < \displaystyle\lim_{n \to +\infty} \left| \frac{c_n}{c_{n+1}} \right|$. Zeige mit den Sätzen I, II, und V: $\displaystyle\int_0^x f'(x)\,dx = f(x)$!

16. Beweise, daß die Darstellung einer Funktion durch eine Potenzreihe in x eindeutig ist!

Hinweis: Es gelte $f(x) = \Sigma s_n x^n$ und $f(x) = \Sigma t_n x^n$ für $|x| < a \neq 0$. Setze in $\Sigma(s_n - t_n)x^n = 0$, $\dfrac{d}{dx} \Sigma(s_n - t_n)x^n = 0$, $\dfrac{d^2}{dx^2} \Sigma(s_n - t_n)x^n = 0, \ldots$ den Wert $x = 0$ ein. Dann ergibt sich $s_j = t_j$, $j = 0, 1, 2, 3, \ldots$.

KAPITEL 52

Potenzreihenentwicklungen von Funktionen

POTENZREIHEN in x ergeben sich auf verschiedene Arten; zum Beispiel ergibt sich durch fortlaufendes Dividieren

$$\frac{1}{1-x} = 1 + x + x^2 + x^3 + \cdots + x^{n-1} + \cdots \qquad (1)$$

(Beachte, daß diese Aussage etwa für $x = 5$ vollkommen unsinnig ist.) In Aufgabe 1 zeigen wir, daß

die Reihe (1) $\frac{1}{1-x}$ nur im Intervall $|x| < 1$ darstellt, das heißt,

$$\frac{1}{1-x} = 1 + x + x^2 + x^3 + \cdots + x^{n-1} + \cdots, \quad -1 < x < 1.$$

Andere Methoden, um Potenzreihen zu erzeugen, werden in den Aufgaben 2-3 erläutert.

EINE ALLGEMEINE METHODE, um eine Funktion in eine Potenzreihe in x oder $(x - a)$ zu entwickeln, wird im folgenden angegeben. Man beachte die Bedingungen, daß die Funktion und ihre Ableitungen von jeder Ordnung in $x = 0$ oder in $x = a$ existieren müssen. Also kann man $1/x$, $\ln x$ und $\cot x$ nicht in eine Potenzreihe von x entwickeln.

MACLAURIN-REIHE. Ist eine gegebene Funktion als Potenzreihe in x darstellbar, so ist die Reihe notwendigerweise eine *Maclaurin-Reihe* der Form

$$f(x) = f(0) + \frac{f'(0)}{1!}x + \frac{f''(0)}{2!}x^2 + \frac{f'''(0)}{3!}x^3 + \cdots + \frac{f^{(n-1)}(0)}{(n-1)!}x^{n-1} + \cdots \qquad (2)$$

TAYLOR-REIHE. Ist eine gegebene Funktion als Potenzreihe in $(x - a)$ darstellbar, so ist die Reihe notwendigerweise eine *Taylor-Reihe* der Form

$$f(x) = f(a) + \frac{f'(a)}{1!}(x - a) + \frac{f''(a)}{2!}(x - a)^2 + \frac{f'''(a)}{3!}(x - a)^3$$

$$+ \cdots + \frac{f^{(n-1)}(a)}{(n-1)!}(x - a)^{n-1} + \cdots \qquad (3)$$

Siehe Aufgabe 4!

Die Frage, in welchem Intervall die Funktion $f(x)$ durch ihre Maclaurin- oder Taylor-Reihe dargestellt werden kann, wird im nächsten Kapitel untersucht. Für die Funktionen in diesem Buch stimmt das Intervall, in dem eine Reihe die Funktion darstellt, mit dem Konvergenzintervall der Reihe überein.

Siehe Aufgaben 5-11!

Eine andere nützliche Form der Taylorreihe ergibt sich, indem man in (3) x durch $a + h$ ersetzt:

$$f(a + h) = f(a) + \frac{h}{1!}f'(a) + \frac{h^2}{2!}f''(a) + \frac{h^3}{3!}f'''(a) + \cdots + \frac{h^{n-1}}{(n-1)!}f^{(n-1)}(a) + \cdots \qquad (4)$$

AUFGABEN MIT LÖSUNGEN

1. Die Potenzreihe $1 + x + x^2 + x^3 + \cdots + x^{n-1} + \cdots$ ist eine unendliche geometrische Reihe mit $a = 1$ und $r = x$. Für $|r| = |x| < 1$ konvergiert die Reihe gegen $\dfrac{a}{1-r} = \dfrac{1}{1-x}$; für $|r| = |x| \geqq 1$ divergiert die Reihe.

2. Durch wiederholte Differentiation der Reihe in Aufgabe 1 ergeben sich weitere Potenzreihen:

   (i) $\qquad\qquad 1 + 2x + 3x^2 + 4x^3 + \cdots + nx^{n-1} + \cdots$

   (ii) $\qquad\qquad 2 + 6x + 12x^2 + 20x^3 + \cdots + n(n+1)x^{n-1} + \cdots$

   Durch wiederholte Integration in den Grenzen 0 und x der Reihe in Aufgabe 1 erhalten wir

   (iii) $\qquad\qquad x + \dfrac{1}{2}x^2 + \dfrac{1}{3}x^3 + \dfrac{1}{4}x^4 + \cdots + \dfrac{1}{n}x^n + \cdots$

   (iv) $\qquad \dfrac{1}{2}x^2 + \dfrac{1}{6}x^3 + \dfrac{1}{12}x^4 + \dfrac{1}{20}x^5 + \cdots + \dfrac{1}{n(n+1)}x^{n+1} + \cdots$

3. Bestimme die Potenzreihe $y = \Sigma c_n x^n$, die die folgenden Bedingungen erfüllt:

   (i) $y = 2$ für $x = 0$ **(ii)** $y' = 1$ für $x = 0$ und **(iii)** $y'' + 2y' = 0$!

   Wir betrachten

   (a) $\qquad\qquad y \;=\; c_0 + c_1 x + c_2 x^2 + c_3 x^3 + \cdots$

   (b) $\qquad\qquad y' \;=\; c_1 + 2c_2 x + 3c_3 x^2 + 4c_4 x^3 + \cdots$

   (c) $\qquad\qquad y'' \;=\; 2c_2 + 6c_3 x + 12c_4 x^2 + 20c_5 x^3 + \cdots$

   Aus (a) und der Bedingung **(i)** folgt $c_0 = 2$; aus (b) und **(ii)** ergibt sich $c_1 = 1$. Da $y'' = -2y'$ gilt, haben wir

   $$2c_2 + 6c_3 x + 12c_4 x^2 + 20c_5 x^3 + \cdots \;=\; -2c_1 - 4c_2 x - 6c_3 x^2 - 8c_4 x^3 - \cdots$$

   Daraus folgt $c_2 = -c_1 = -1$, $c_3 = -\frac{2}{3}c_2 = \frac{2}{3}$, $c_4 = -\frac{1}{2}c_3 = -\frac{1}{3}$, $\cdots$ Also ist $y = 2 + x - x^2 + \frac{2}{3}x^3 - \frac{1}{3}x^4 + \cdots$ die gesuchte Reihe.

4. Es gelte: **(i)** Die Ableitungen beliebiger Ordnung von $f(x)$ existieren in $x = a$ und **(ii)** $f(x)$ kann als Potenzreihe in $(x - a)$ dargestellt werden.

   Zeige, daß
   $$f(x) \;=\; f(a) + \frac{f'(a)}{1!}(x - a) + \frac{f''(a)}{2!}(x - a)^2 + \cdots + \frac{f^{(n-1)}(a)}{(n-1)!}(x - a)^{n-1} + \cdots\,!$$
   Die Potenzreihe sei

   (a) $\quad f(x) \;=\; c_0 + c_1(x - a) + c_2(x - a)^2 + c_3(x - a)^3 + \cdots + c_{n-1}(x - a)^{n-1} + \cdots$

   Durch wiederholtes Differenzieren folgt

   (b) $\quad f'(x) \;=\; c_1 + 2c_2(x - a) + 3c_3(x - a)^2 + 4c_4(x - a)^3 + \cdots + nc_n(x - a)^{n-1} + \cdots$

   (c) $\quad f''(x) \;=\; 2c_2 + 6c_3(x - a) + 12c_4(x - a)^2 + 20c_5(x - a)^3 + \cdots + (n+1)nc_{n+1}(x - a)^{n-1} + \cdots$

   (d) $\quad f'''(x) \;=\; 6c_3 + 24c_4(x - a) + 60c_5(x - a)^2 + \cdots + (n+2)(n+1)nc_{n+2}(x - a)^{n-1} + \cdots$

   $$\cdots\cdots\cdots\cdots\cdots\cdots\cdots\cdots\cdots\cdots\cdots\cdots\cdots\cdots\cdots\cdots\cdots$$
   $$\cdots\cdots\cdots\cdots\cdots\cdots\cdots\cdots\cdots\cdots\cdots\cdots\cdots\cdots\cdots\cdots\cdots$$

   Setzen wir $x = a$ in $(a), (b), (c), \ldots$ ein, so ergibt sich nacheinander
   $$c_0 = f(a), \quad c_1 = f'(a), \quad c_2 = \frac{1}{2!}f''(a), \quad \ldots, \quad c_{n-1} = \frac{1}{(n-1)!}f^{(n-1)}(a), \quad \ldots$$

   Damit ergibt sich aus (a) die geforderte Taylor-Reihe.

Gib in den Aufgaben 5-10 die Entwicklung der Funktion nach Potenzen von x oder $x - a$ unter den Voraussetzungen dieses Kapitels an und bestimme das Konvergenzintervall der Reihe!

5. e^{-2x}; Potenzen von x.

$$
\begin{aligned}
f(x) &= e^{-2x} & f(0) &= 1 \\
f'(x) &= -2e^{-2x} & f'(0) &= -2 \\
f''(x) &= 2^2 e^{-2x} & f''(0) &= 2^2 \\
f'''(x) &= -2^3 e^{-2x} & f'''(0) &= -2^3 \\
&\cdots\cdots\cdots & &\cdots\cdots \\
&\cdots\cdots\cdots & &\cdots\cdots
\end{aligned}
$$

Also gilt $\quad e^{-2x} = 1 - 2x + \dfrac{2^2}{2!}x^2 - \dfrac{2^3}{3!}x^3 + \dfrac{2^4}{4!}x^4 - \cdots + (-1)^n \dfrac{2^n}{n!}x^n + \cdots$

Aus $\qquad \displaystyle\lim_{n \to +\infty} \left| \frac{2^{n+1}x^{n+1}}{(n+1)!} \cdot \frac{n!}{2^n x^n} \right| = |x| \lim_{n \to +\infty} \frac{2}{n+1} = 0$

folgt, daß die Reihe für alle x konvergiert.

6. $\sin x$; Potenzen von x.

$$
\begin{aligned}
f(x) &= \sin x & f(0) &= 0 \\
f'(x) &= \cos x & f'(0) &= 1 \\
f''(x) &= -\sin x & f''(0) &= 0 \\
f'''(x) &= -\cos x & f'''(0) &= -1 \\
&\cdots\cdots\cdots & &\cdots\cdots \\
&\cdots\cdots\cdots & &\cdots\cdots
\end{aligned}
$$

Als Werte der Ableitungen in $x = 0$ ergeben sich zyklisch die Werte $0, 1, 0, -1$; also gilt

$$
\begin{aligned}
\sin x &= 0 + 1x + \frac{0}{2!}x^2 + \frac{-1}{3!}x^3 + \frac{0}{4!}x^4 + \frac{1}{5!}x^5 + \cdots \\
&= x - \frac{x^3}{3!} + \frac{x^5}{5!} - \frac{x^7}{7!} + \cdots + (-1)^{n-1}\frac{x^{2n-1}}{(2n-1)!} + \cdots
\end{aligned}
$$

Aus $\qquad \displaystyle\lim_{n \to +\infty} \left| \frac{x^{2n+1}}{(2n+1)!} \cdot \frac{(2n-1)!}{x^{2n-1}} \right| = x^2 \lim_{n \to +\infty} \frac{1}{2n(2n+1)} = 0$

folgt, daß die Reihe für alle x konvergiert.

7. $\ln(1+x)$; Potenzen von x.

$$
\begin{aligned}
f(x) &= \ln(1+x) & f(0) &= 0 \\
f'(x) &= \frac{1}{1+x} & f'(0) &= 1 \\
f''(x) &= -\frac{1}{(1+x)^2} & f''(0) &= -1 \\
f'''(x) &= \frac{1 \cdot 2}{(1+x)^3} & f'''(0) &= 2! \\
f^{iv}(x) &= -\frac{1 \cdot 2 \cdot 3}{(1+x)^4} & f^{iv}(0) &= -3! \\
&\cdots\cdots\cdots & &\cdots\cdots \\
&\cdots\cdots\cdots & &\cdots\cdots
\end{aligned}
$$

Also gilt $\quad \ln(1+x) = x - \dfrac{x^2}{2!} + 2!\dfrac{x^3}{3!} - 3!\dfrac{x^4}{4!} + \cdots + (-1)^{n-1}(n-1)!\dfrac{x^n}{n!} + \cdots$

$$
= x - \frac{1}{2}x^2 + \frac{1}{3}x^3 - \frac{1}{4}x^4 + \cdots + (-1)^{n-1}\frac{1}{n}x^n + \cdots
$$

Nach Aufg. 1, Kap. **51**, konvergiert die Reihe im Intervall $\quad -1 < x \le 1$.

8. arctan x ; Potenzen von x.

$$f(x) \quad = \quad \text{arc tan}\, x \qquad\qquad f(0) \quad = \quad 0$$

$$f'(x) \quad = \quad \frac{1}{1+x^2} \quad = \quad 1 - x^2 + x^4 - x^6 + \cdots \qquad f'(0) \quad = \quad 1$$

$$f''(x) \quad = \quad -2x + 4x^3 - 6x^5 + \cdots \qquad f''(0) \quad = \quad 0$$

$$f'''(x) \quad = \quad -2 + 12x^2 - 30x^4 + \cdots \qquad f'''(0) \quad = \quad -2!$$

$$f^{\text{iv}}(x) \quad = \quad 24x - 120x^3 + \cdots \qquad f^{\text{iv}}(0) \quad = \quad 0$$

$$f^{\text{v}}(x) \quad = \quad 24 - 360x^2 + \cdots \qquad f^{\text{v}}(0) \quad = \quad 4!$$

$$f^{\text{vi}}(x) \quad = \quad -720x + \cdots \qquad f^{\text{vi}}(0) \quad = \quad 0$$

$$f^{\text{vii}}(x) \quad = \quad -720 + \cdots \qquad f^{\text{vii}}(0) \quad = \quad -6!$$

$$\text{arctan}\, x \quad = \quad x - \frac{2!}{3!}x^3 + \frac{4!}{5!}x^5 - \frac{6!}{7!}x^7 + \cdots$$

$$= \quad x - \frac{x^3}{3} + \frac{x^5}{5} - \frac{x^7}{7} + \cdots + (-1)^{n-1}\frac{x^{2n-1}}{2n-1} + \cdots$$

Das Konvergenzintervall ist $-1 \leqq x \leqq 1$ (siehe Aufg. 7, Kap. 51).

9. $e^{x/2}$; Potenzen von $x - 2$.

$$f(x) \quad = \quad e^{x/2} \qquad\qquad f(2) \quad = \quad e$$

$$f'(x) \quad = \quad \tfrac{1}{2}e^{x/2} \qquad\qquad f'(2) \quad = \quad \tfrac{1}{2}e$$

$$f''(x) \quad = \quad \tfrac{1}{4}e^{x/2} \qquad\qquad f''(2) \quad = \quad \tfrac{1}{4}e$$

$$e^{x/2} \quad = \quad e\left\{ 1 + \frac{1}{2}(x-2) + \frac{1}{4}\frac{(x-2)^2}{2!} + \cdots + \frac{1}{2^{n-1}}\cdot\frac{(x-2)^{n-1}}{(n-1)!} + \cdots \right\}$$

$$\lim_{n\to+\infty}\left| \frac{(x-2)^n}{2^n n!}\cdot\frac{2^{n-1}(n-1)!}{(x-2)^{n-1}} \right| \quad = \quad \frac{1}{2}|x-2|\lim_{n\to+\infty}\frac{1}{n} \quad = \quad 0$$

Die Reihe konvergiert für alle Werte von x.

10. ln x, Potenzen von $x - 2$.

$$f(x) \quad = \quad \ln x \qquad\qquad f(2) \quad = \quad \ln 2$$

$$f'(x) \quad = \quad x^{-1} \qquad\qquad f'(2) \quad = \quad \tfrac{1}{2}$$

$$f''(x) \quad = \quad -x^{-2} \qquad\qquad f''(2) \quad = \quad -\tfrac{1}{4}$$

$$f'''(x) \quad = \quad 2x^{-3} \qquad\qquad f'''(2) \quad = \quad \tfrac{1}{4}$$

$$f^{\text{iv}}(x) \quad = \quad -6x^{-4} \qquad\qquad f^{\text{iv}}(2) \quad = \quad -\tfrac{3}{8}$$

$$\cdots\cdots\cdots\cdots\cdots \qquad\qquad \cdots\cdots\cdots\cdots$$

$$\cdots\cdots\cdots\cdots\cdots \qquad\qquad \cdots\cdots\cdots\cdots$$

$$\ln x \quad = \quad \ln 2 + \frac{1}{2}(x-2) - \frac{1}{4}\frac{(x-2)^2}{2!} + \frac{1}{4}\frac{(x-2)^3}{3!} - \frac{3}{8}\frac{(x-2)^4}{4!} + \cdots$$

$$= \quad \ln 2 + \frac{1}{2}(x-2) - \frac{1}{8}(x-2)^2 + \frac{1}{24}(x-2)^3 - \frac{1}{64}(x-2)^4 + \cdots$$

Da $\quad \lim_{n\to+\infty}\left| \frac{(x-2)^{n+1}}{2^{n+1}(n+1)}\cdot\frac{2^n n}{(x-2)^n} \right| \quad = \quad \frac{1}{2}|x-2|\lim_{n\to+\infty}\frac{n}{n+1} \quad = \quad \frac{1}{2}|x-2|$ gilt,

konvergiert die Reihe für $\quad |x-2| < 2$ oder $0 < x < 4$.

Für $x = 0$ ist die Reihe gleich $\ln 2$ − (harmonische Reihe) und divergiert; für $x = 4$ ergibt sich die Reihe $\ln 2 + 1 - \tfrac{1}{2}$ $+ \tfrac{1}{3} - \tfrac{1}{4} + \cdots$, die konvergiert. Also konvergiert die Reihe im Intervall $0 < x \leqq 4$

11. Gib die Maclaurin–Entwicklung von $\sqrt{1 + \sin x} = \sin \tfrac{1}{2}x + \cos \tfrac{1}{2}x$ an!

Wir ersetzen in der Entwicklung von sin x (Aufgabe 6) x durch $\frac{x}{2}$ und erhalten

$$\sin\frac{1}{2}x \quad = \quad \frac{1}{2}x - \frac{x^3}{2^3\cdot 3!} + \frac{x^5}{2^5\cdot 5!} - \frac{x^7}{2^7\cdot 7!} + \cdots.$$

Durch Differentiation ergibt sich

$$\cos \frac{1}{2} x = 2 \left\{ \frac{1}{2} - \frac{x^2}{2^3 \cdot 2!} + \frac{x^4}{2^5 \cdot 4!} - \frac{x^6}{2^7 \cdot 6!} + \cdots \right\}$$

$$= 1 - \frac{x^2}{2^2 \cdot 2!} + \frac{x^4}{2^4 \cdot 4!} - \frac{x^6}{2^6 \cdot 6!} + \cdots$$

Also gilt

$$\sqrt{1 + \sin x} = \sin \frac{1}{2} x + \cos \frac{1}{2} x \doteq 1 + \frac{x}{2} - \frac{x^2}{2^2 \cdot 2!} - \frac{x^3}{2^3 \cdot 3!} + \frac{x^4}{2^4 \cdot 4!} + \frac{x^5}{2^5 \cdot 5!} - \cdots$$

für alle Werte von x.

12. Gib die Maclaurin-Entwicklung von $e^{\cos x} = e \cdot e^{(\cos x - 1)}$ an!

Wir benutzen $e^u = 1 + u + \frac{u^2}{2!} + \frac{u^3}{3!} + \cdots$ und $u = \cos x - 1 = -\frac{x^2}{2!} + \frac{x^4}{4!} - \frac{x^6}{6!} + \cdots$; damit ergibt sich

$$e^{\cos x} = e \left\{ 1 + \left(-\frac{x^2}{2!} + \frac{x^4}{4!} - \frac{x^6}{6!} + \cdots \right) + \frac{1}{2!} \left(\frac{x^4}{(2!)^2} - \frac{2x^6}{2! \, 4!} + \cdots \right) \right.$$

$$\left. + \frac{1}{3!} \left(-\frac{x^6}{(2!)^3} + \cdots \right) + \cdots \right\}$$

$$= e \left\{ 1 - \frac{x^2}{2} + \frac{x^4}{6} - \frac{31}{720} x^6 + \cdots \right\}.$$

13. Zeige unter der Voraussetzung, daß alle notwendigen Umformungen gelten: *(a)* $e^{ix} = \cos x + i \sin x$, *(b)* $e^{-ix} = \cos x - i \sin x$, *(c)* $\sin x = (e^{ix} - e^{-ix})/2i$, *(d)* $\cos x = (e^{ix} + e^{-ix})/2$, wobei $i = \sqrt{-1}$ ist!

$$e^z = 1 + z + \frac{z^2}{2!} + \frac{z^3}{3!} + \frac{z^4}{4!} + \frac{z^5}{5!} + \cdots$$

(a) $\quad e^{ix} = 1 + (ix) + \frac{(ix)^2}{2!} + \frac{(ix)^3}{3!} + \frac{(ix)^4}{4!} + \frac{(ix)^5}{5!} + \cdots = 1 + ix - \frac{x^2}{2!} - i\frac{x^3}{3!} + \frac{x^4}{4!} + i\frac{x^5}{5!} + \cdots$

$$= \left(1 - \frac{x^2}{2!} + \frac{x^4}{4!} - \cdots \right) + i \left(x - \frac{x^3}{3!} + \frac{x^5}{5!} - \cdots \right) = \cos x + i \sin x.$$

(b) $\quad e^{-ix} = \cos(-x) + i \sin(-x) = \cos x - i \sin x$

(c) $\quad e^{ix} - e^{-ix} = 2i \sin x$; also $\sin x = (e^{ix} - e^{-ix})/2i$.

(d) $\quad e^{ix} + e^{-ix} = 2 \cos x$; also $\cos x = (e^{ix} + e^{-ix})/2$.

ERGÄNZUNGSAUFGABEN

14. Zeige: *(a)* die Reihen (i) und (ii) in Aufgabe 2 konvergieren für $|x| < 1$; *(b)* (iii) konvergiert für $-1 \leqq x < 1$; *(c)* (iv) konvergiert für $-1 \leqq x \leqq 1$!

15. Zeige: *(a)* die Reihe, die man durch Addition der Reihen (i) und (ii) in Aufgabe 2 erhält, konvergiert für $|x| < 1$; *(b)* die Reihe, die man durch Addition von (iii) und (iv) erhält, konvergiert für $-1 \leqq x < 1$!

16. Gib die Potenzreihe $y = \Sigma c_n x^n$ an, die die Bedingungen (i) $y = 2$ für $x = 0$, (ii) $y' = 0$ für $x = 0$ und (iii) $y'' - y = 0$ erfüllt!   *Lsg.* $y = 2 + x^2 + \frac{x^4}{12} + \cdots + \frac{2x^{2n}}{(2n)!} + \cdots$.

17. Gib die Potenzreihe $y = \Sigma c_n x^n$ an, die die Bedingungen (i) $y = 1$ für $x = 0$, (ii) $y' = 1$ für $x = 0$ und (iii) $y'' + y = 0$ erfüllt!   *Lsg.* $y = 1 + x - \frac{x^2}{2!} - \frac{x^3}{3!} + \frac{x^4}{4!} + \frac{x^5}{5!} - \cdots$.

18. Zeige die Gültigkeit folgender Maclaurin-Entwicklungen!

(a) $\cos^2 x = 1 - \dfrac{2}{2!} x^2 + \dfrac{2^3}{4!} x^4 - \cdots + (-1)^n \dfrac{2^{2n-1}}{(2n)!} x^{2n} + \cdots$, alle Werte von x

(b) $\sec x = 1 + \dfrac{1}{2} x^2 + \dfrac{5}{24} x^4 + \dfrac{61}{720} x^6 + \cdots$, $\quad -\pi/2 < x < \pi/2$

(c) $\tan x = x + \dfrac{1}{3} x^3 + \dfrac{2}{15} x^5 + \dfrac{17}{315} x^7 + \cdots$, $\quad -\pi/2 < x < \pi/2$

(d) $\arcsin x = x + \dfrac{1}{2} \dfrac{x^3}{3} + \dfrac{1 \cdot 3}{2 \cdot 4} \dfrac{x^5}{5} + \dfrac{1 \cdot 3 \cdot 5}{2 \cdot 4 \cdot 6} \dfrac{x^7}{7} + \cdots$, $\quad -1 < x < 1$

(e) $\sin^2 x = \dfrac{2}{2!} x^2 - \dfrac{2^3}{4!} x^4 + \dfrac{2^5}{6!} x^6 - \cdots + (-1)^{n+1} \dfrac{2^{2n-1}}{(2n)!} x^{2n} + \cdots$, alle Werte von x.

19. Zeige die Gültigkeit folgender Taylor-Entwicklungen!

(a) $e^x = e^a \left[1 + (x-a) + \dfrac{(x-a)^2}{2!} + \dfrac{(x-a)^3}{3!} + \cdots + \dfrac{(x-a)^{n-1}}{(n-1)!} + \cdots \right]$, alle Werte von x,

(b) $\sin x = \sin a + (x-a) \cos a - \dfrac{(x-a)^2}{2!} \sin a - \dfrac{(x-a)^3}{3!} \cos a + \cdots$, alle Werte von x,

(c) $\cos x = \dfrac{1}{\sqrt{2}} \left[1 - (x - \tfrac{1}{4}\pi) - \dfrac{(x - \tfrac{1}{4}\pi)^2}{2!} + \dfrac{(x - \tfrac{1}{4}\pi)^3}{3!} + \cdots \right]$, alle Werte von x.

20. Differenziere die Potenzreihe von $\sin x$ (Aufgabe 6), um eine Entwicklung für $\cos x$ zu erhalten! Zeige dann, daß $y = \sin x + \cos x$ die Lösung von Aufgabe 17 ist!

21. Ersetze in der Entwicklung von e^{-2x} (Aufgabe 5) x durch $x/2$, um eine Entwicklung für e^{-x} zur erhalten! Ersetze in der sich ergebenden Reihe x durch $-x$, um eine Entwicklung für e^x zu erhalten. Zeige dann, daß $y = e^x + e^{-x}$ die Lösung von Aufgabe 16 ist.

22. Erhalte die Maclaurin-Entwicklung $\sin^2 x = (\sin x)^2 = x^2 - \dfrac{2x^4}{3!} + \dfrac{32 x^6}{3! \, 5!} - \dfrac{96 x^8}{3! \, 7!} + \cdots$ (alle Werte von x)!

23. Zeige, daß $\displaystyle\int_0^x e^{-y^2}\, dy = x - \dfrac{x^3}{3 \cdot 1!} + \dfrac{x^5}{5 \cdot 2!} - \dfrac{x^7}{7 \cdot 3!} + \cdots$ (alle Werte von x)!

24. Gib durch Dividieren die Potenzreihe von $\dfrac{1}{1 + x^2}$ an! Zeige damit

$$\arctan x = \int_0^x \frac{dx}{1 + x^2} = x - \frac{1}{3} x^3 + \frac{1}{5} x^5 - \frac{1}{7} x^7 + \cdots$$

(Vergleiche mit Aufgabe 8!)

25. Zeige mit dem binomischen Satz $\dfrac{1}{\sqrt{1 - x^2}} = 1 + \dfrac{1}{2} x^2 + \dfrac{1 \cdot 3}{2 \cdot 4} x^4 + \dfrac{1 \cdot 3 \cdot 5}{2 \cdot 4 \cdot 6} x^6 + \cdots$ und damit

$$\arcsin x = \int_0^x \frac{dx}{\sqrt{1 - x^2}} = x + \frac{1 \cdot x^3}{2 \cdot 3} + \frac{1 \cdot 3 \cdot x^5}{2 \cdot 4 \cdot 5} + \frac{1 \cdot 3 \cdot 5 \cdot x^7}{2 \cdot 4 \cdot 6 \cdot 7} + \cdots!$$

26. Multipliziere die entsprechenden Reihen miteinander!

(a) $e^x \sin x = x + x^2 + \dfrac{x^3}{3} - \dfrac{x^5}{30} - \dfrac{x^6}{90} + \cdots$
(b) $e^x \cos x = 1 + x - \dfrac{x^3}{3} - \dfrac{x^4}{6} - \dfrac{x^5}{30} + \cdots$

27. Schreibe $\sec x = \dfrac{1}{\cos x} = \dfrac{1}{1 - x^2/2! + x^4/4! - \cdots} = c_0 + c_1 x + c_2 x^2 + c_3 x^3 + \cdots$! Multipliziere die letzte Gleichung mit dem Nenner und vergleiche die Koeffizienten gleicher x-Potenzen, um eine Reihenentwicklung von $\sec x$ zu erhalten!

KAPITEL 53

Maclaurinsche und Taylorsche Formeln mit Restglied

MACLAURINSCHE FORMEL. Sind $f(x)$ und die ersten n Ableitungen von $f(x)$ in einem Intervall, das den Punkt $x = 0$ enthält, stetig, dann gibt es Zahlen x_0 und x_0^* zwischen 0 und x mit

$$f(x) = f(0) + \frac{f'(0)}{1!}x + \frac{f''(0)}{2!}x^2 + \cdots + \frac{f^{(n-1)}(0)}{(n-1)!}x^{n-1} + R_n(x),$$

wobei gilt:

$$R_n(x) = \frac{f^{(n)}(x_0)}{n!}x^n \quad \text{(Lagrangesche Restgliedform)}$$

oder

$$R_n(x) = \frac{f^{(n)}(x_0^*)}{(n-1)!}(x - x_0^*)^{n-1}x \quad \text{(Cauchysche Restgliedform)}$$

TAYLORSCHE FORMEL. Sind $f(x)$ und die ersten n Ableitungen von $f(x)$ in einem Intervall, das den Punkt $x = a$ enthält, stetig, dann gibt es Zahlen x_0 und x_0^* zwischen a und x mit

$$f(x) = f(a) + \frac{f'(a)}{1!}(x-a) + \frac{f''(a)}{2!}(x-a)^2 + \cdots + \frac{f^{(n-1)}(a)}{(n-1)!}(x-a)^{n-1} + R_n(x),$$

wobei gilt

$$R_n(x) = \frac{f^{(n)}(x_0)}{n!}(x-a)^n \quad \text{(Lagrangesche Restgliedform)},$$

oder

$$R_n(x) = \frac{f^{(n)}(x_0^*)}{(n-1)!}(x - x_0^*)^{n-1}(x-a) \quad \text{(Cauchysche Restgliedform)}.$$

Die Maclaurinsche Formel ist ein Spezialfall der Taylorschen Formel ($a = 0$). Die Taylorsche Formel mit dem Restglied nach Lagrange ist eine einfache Abänderung des erweiterten Mittelwertsatzes (siehe Kapitel 21). Eine Herleitung der Formel mit dem Cauchyschen Restglied ist in Aufgabe 10 zu finden.

Die Maclaurin- und Taylorreihen einer Funktion $f(x)$, die wir in Kapitel 52 erhalten haben, stellen diese Funktion für genau die Werte von x dar, für die gilt

$$\lim_{n \to +\infty} R_n(x) = 0.$$

EINIGE REIHENENTWICKLUNGEN. Wir notieren folgende Reihen einschließlich dem Intervall, in dem sie die Funktion darstellen:

$$e^{ax} = 1 + ax + \frac{(ax)^2}{2!} + \frac{(ax)^3}{3!} + \cdots + \frac{(ax)^{n-1}}{(n-1)!} + \cdots \quad \text{Alle Werte von } x.$$

$$\sin ax = ax - \frac{(ax)^3}{3!} + \frac{(ax)^5}{5!} - \frac{(ax)^7}{7!} + \cdots + (-1)^{n-1}\frac{(ax)^{2n-1}}{(2n-1)!} + \cdots \quad \text{Alle Werte von } x.$$

$$\cos ax = 1 - \frac{(ax)^2}{2!} + \frac{(ax)^4}{4!} - \frac{(ax)^6}{6!} + \cdots + (-1)^{n-1}\frac{(ax)^{2n-2}}{(2n-2)!} + \cdots \quad \text{Alle Werte von } x.$$

$$\ln(a+x) = \ln a + \frac{x}{a} - \frac{x^2}{2a^2} + \frac{x^3}{3a^3} - \cdots + (-1)^{n-1}\frac{x^n}{na^n} + \cdots \quad -a < x \leq a.$$

$$\arcsin x = x + \frac{1 \cdot x^3}{2 \cdot 3} + \frac{1 \cdot 3 \cdot x^5}{2 \cdot 4 \cdot 5} + \cdots + \frac{1 \cdot 3 \cdot 5 \ldots (2n-3)x^{2n-1}}{2 \cdot 4 \cdot 6 \ldots (2n-2)(2n-1)} + \cdots \quad -1 \leq x \leq 1$$

$$\arctan\ x\ =\ x\ -\ \frac{x^3}{3}\ +\ \frac{x^5}{5}\ -\ \frac{x^7}{7}\ +\ \cdots\ +\ (-1)^{n-1}\frac{x^{2n-1}}{2n-1}\ +\ \cdots \qquad -1 \leqq x \leqq 1$$

$$\ln x\ =\ \ln a\ +\ \frac{1}{a}(x-a)\ -\ \frac{1}{2a^2}(x-a)^2\ +\ \frac{1}{3a^3}(x-a)^3\ -\ \cdots\ +\ \frac{(-1)^n}{(n-1)a^{n-1}}(x-a)^{n-1}\ +\ \cdots$$
$$0 < x \leqq 2a$$

$$e^x\ =\ e^a\left\{1\ +\ (x-a)\ +\ \frac{(x-a)^2}{2!}\ +\ \frac{(x-a)^3}{3!}\ +\ \cdots\ +\ \frac{(x-a)^{n-1}}{(n-1)!}\ +\ \cdots\right\} \qquad \text{Alle Werte von } x.$$

$$\sin x\ =\ \sin a\ +\ (x-a)\cos a\ -\ \frac{(x-a)^2}{2!}\sin a\ -\ \frac{(x-a)^3}{3!}\cos a\ +\ \cdots \qquad \text{Alle Werte von } x.$$

$$\cos x\ =\ \cos a\ -\ (x-a)\sin a\ -\ \frac{(x-a)^2}{2!}\cos a\ +\ \frac{(x-a)^3}{3!}\sin a\ +\ \cdots \qquad \text{Alle Werte von } x.$$

AUFGABEN MIT LÖSUNGEN

1. Gib das Intervall an, in dem die Funktion $\quad f(x) = e^x$ durch ihre Maclaurin–Reihe dargestellt werden kann!

$f^{(n)}(x) = e^x$; die Lagrangesche Restgliedform ist $\quad |R_n(x)| = \left|\frac{x^n}{n!}f^{(n)}(x_0)\right| = \frac{|x^n|}{n!}e^{x_0}$, wobei x_0 zwischen 0 und x liegt.

Der Faktor $\frac{x^n}{n!}$ ist das allgemeine Glied der Reihe $e^x = 1 + x + \frac{x^2}{2!} + \frac{x^3}{3!} + \cdots$, die für alle Werte von x konvergiert. Also gilt $\lim\limits_{n \to +\infty} \frac{|x^n|}{n!} = 0$. Der Faktor e^{x_0} ist für alle Werte von x endlich. Damit folgt $\lim\limits_{n \to +\infty} R_n(x) = 0$ (endliche Zahl) $= 0$. Die Reihe stellt also e^x für alle Werte von x dar.

2. Gib das Intervall an, in dem die Funktion $f(x) = \sin x$ durch ihre Maclaurin-Reihe dargestellt werden kann!

Bis auf das Vorzeichen gilt $f^{(n)}(x) = \sin x$ oder $\cos x$ und $|R_n(x)| = \frac{|x^n|}{n!}|\sin x_0|$ oder $\frac{|x^n|}{n!}|\cos x_0|$, wobei x_0 zwischen 0 und x liegt.

Wie in Aufgabe 1 schließen wir, daß $\frac{x^n}{n!} \to 0$ für $n \to +\infty$. Da $|\sin x_0|$ und $|\cos x_0|$ nie größer als 1 sind, folgt $\lim\limits_{n \to +\infty} R_n(x) = 0$. Die Reihe stellt $\sin x$ für alle Werte von x dar.

3. Gib das Intervall an, in dem die Funktion $f(x) = \cos x$ durch ihre Taylorreihe (Potenzen von $x - a$) dargestellt werden kann!

Die Langrangesche Restgliedform ergibt $|R_n(x)| = \frac{|(x-a)^n|}{n!}|\sin x_0|$ oder $\frac{|(x-a)^n|}{n!}|\cos x_0|$, wobei x_0 zwischen a und x liegt.

Aus $\frac{|(x-a)^n|}{n!} \to 0$ für $n \to +\infty$ folgt, da $|\sin x_0|$ und $|\cos x_0|$ nie größer als 1 sind, $\lim\limits_{n \to +\infty} R_n(x) = 0$. Die Reihe stellt $\cos x$ für alle Werte von x dar.

4. Gib das Intervall an, in dem $\ln(1 + x)$ durch die Maclaurin–Reihe dargestellt werden kann!

Hier haben wir $f^{(n)}(x) = (-1)^{n-1}\frac{(n-1)!}{(1+x)^n}$; damit ist mit x_0 und x_0^* zwischen 0 und x

(a) die Lagrangesche Restgliedform

$$R_n(x)\ =\ (-1)^{n-1}\frac{x^n}{n!} \cdot \frac{(n-1)!}{(1+x_0)^n}\ =\ \frac{(-1)^{n-1}}{n}\left(\frac{x}{1+x_0}\right)^n \quad \text{und}$$

(b) die Cauchysche Restgliedform

$$R_n(x)\ =\ (-1)^{n-1}\frac{(x-x_0^*)^{n-1}}{(n-1)!} \cdot \frac{(n-1)!}{(1+x_0^*)^n}x\ =\ (-1)^{n-1}\frac{x(x-x_0^*)^{n-1}}{(1+x_0^*)^n}.$$

Für $0 < x_0 < x \leqq 1$ gilt $0 < x < 1 + x_0$ und $\frac{x}{1+x_0} < 1$; mit (a) folgt

$$|R_n(x)|\ =\ \frac{1}{n}\left(\frac{x}{1+x_0}\right)^n\ <\ \frac{1}{n} \quad \text{und damit} \quad \lim\limits_{n \to +\infty} R_n(x) = 0.$$

Für $-1 < x < x_0^* < 0$ gilt $0 < 1 + x < 1 + x_0^*$ und $\frac{1}{1+x_0^*} < \frac{1}{1+x}$. Mit (b) folgt

$$|R_n(x)| = \frac{|x - x_0^*|^{n-1}}{(1 + x_0^*)^n}|x| = \left|\frac{x_0^* - x}{1 + x_0^*}\right|^{n-1} \cdot \frac{|x|}{1 + x_0^*} = \left(\frac{x_0^* + |x|}{1 + x_0^*}\right)^{n-1} \cdot \frac{|x|}{1 + x_0^*} < \left(\frac{x_0^* + |x|}{1 + x_0^*}\right)^{n-1} \cdot \frac{|x|}{1 + x}.$$

Aus $1 > |x|$ ergibt sich $x_0^* < x_0^* |x|$, $x_0^* + |x| < |x| + x_0^* |x|$ und damit $\dfrac{x_0^* + |x|}{1 + x_0^*} < |x|$. Also gilt

$$|R_n(x)| < \frac{|x|^n}{1 + x} \quad \text{und damit} \quad \lim_{n \to +\infty} R_n(x) = 0.$$

$\ln(1 + x)$ wird durch die Maclaurin-Reihe im Intervall $-1 < x \leqq 1$ dargestellt.

5. Zeige für die Maclaurinsche Formel für e^x, daß

$$|R_n(x)| < \frac{|x^n|}{n!}, \text{ falls } \quad x < 0 \quad \text{und} \quad R_n(x) < \frac{x^n e^x}{n!}, \text{ falls } \quad x > 0 \, !$$

Aus Aufgabe 1 folgt $R_n(x) = \dfrac{x^n}{n!} e^{x_0}$, wobei x_0 zwischen 0 und x liegt. Für $x < 0$ gilt $e^{x_0} < 1$; also folgt $|R_n(x)| < \dfrac{|x^n|}{n!}$. Für $x > 0$ gilt $e^{x_0} < e^x$ und damit $R_n(x) < \dfrac{x^n e^x}{n!}$.

6. Zeige für die Maclaurinsche Formel für $\ln(1 + x)$

$$R_n(x) < \frac{x^n}{n}, \text{ falls } \quad 0 < x \leqq 1 \quad \text{und} \quad |R_n(x)| < \frac{|x^n|}{n(1 + x)^n}, \text{ falls } \quad -1 < x < 0 \, !$$

Nach Aufgabe 4*(a)* haben wir $|R_n(x)| = \dfrac{1}{n}\left|\dfrac{x}{1 + x_0}\right|^n$, wobei x_0 zwischen 0 und x liegt. Für $0 < x_0 < x \leqq 1$ gilt $\dfrac{1}{1 + x_0} < 1$, also $|R_n(x)| < \dfrac{x^n}{n}$. Für $-1 < x < x_0 < 0$ gilt $1 + x_0 > 1 + x$ und damit $\dfrac{1}{1 + x_0} < \dfrac{1}{1 + x}$, also $|R_n(x)| < \dfrac{|x^n|}{n(1 + x)^n}$.

ERGÄNZUNGSAUFGABEN

7. Gib das Intervall an, in dem $\cos x$ durch die Maclaurin-Reihe dargestellt werden kann!
Lsg. Alle Werte von x.

8. Gib die Intervalle an, in denen *(a)* e^x und *(b)* $\sin x$ durch die Taylorreihen (Potenzen von $x - a$) dargestellt werden können! *Lsg.* Alle Werte von x.

9. Zeige, daß die Funktion $f(x) = \ln x$ durch ihre Taylorreihe (Potenzen von $x - a$) im Intervall $0 < x \leqq 2a$ dargestellt werden kann!
Hinweis: $|R_n(x)| = \left|\dfrac{(x - a)(x - x_0^*)^{n-1}}{(x_0^*)^n}\right|$. Für $0 < x < a$ und für $a < x \leqq 2a$ gilt $\left|\dfrac{x - x_0^*}{x_0^*}\right| < 1$.

10. T sei definiert durch
$$f(b) = f(a) + \frac{f'(a)}{1!}(b - a) + \frac{f''(a)}{2!}(b - a)^2 + \cdots + \frac{f^{(n-1)}(a)}{(n-1)!}(b - a)^{n-1} + T(b - a).$$
Es sei ferner
$$F(x) = -f(b) + f(x) + \frac{f'(x)}{1!}(b - x) + \frac{f''(x)}{2!}(b - x)^2 + \cdots + \frac{f^{(n-1)}(x)}{(n-1)!}(b - x)^{n-1} + T(b - x).$$
Gehe wie in Aufgabe 15, Kapitel 21, vor, um die Taylorsche Formel mit dem Cauchyschen Restglied zu erhalten!

11. *(a)* Setze in der Cauchyschen Restgliedform $x_0^* = a + \theta(x - a)$ mit $0 < \theta < 1$! Zeige, daß
$$R_n(x) = \frac{f^{(n)}[a + \theta(x - a)]}{(n - 1)!}(1 - \theta)^{n-1}(x - a)^n \, !$$

(b) Zeige, daß $R_n(x) = \dfrac{f^{(n)}(\theta x)}{(n - 1)!}(1 - \theta)^{n-1} x^n$ (Maclaurinsche Restgliedform)!

12. Zeige, daß $\dfrac{1}{1 - x}$ durch die Maclaurin-Reihe im Intervall $-1 \leqq x < 1$ dargestellt wird!
Hinweis. Aus Aufg. 11 *(b)* folgt $R_n(x) = \dfrac{n(1 - \theta)^{n-1} x^n}{(1 - \theta x)^{n+1}}$, $0 < \theta < 1$. Für $|x| < 1$ gilt $\dfrac{1 - \theta}{1 - \theta x} < 1$ und $1 - \theta x > 1 - |x|$.

13. *(a)* Zeige: $\quad xe^x = \sum\limits_{n=1}^{+\infty} \dfrac{n}{n!} x^n$ für alle Werte von x und $\sum\limits_{n=1}^{+\infty} \dfrac{n}{n!} = e$; ebenfalls $(x^2 + x)e^x = \sum\limits_{n=1}^{+\infty} \dfrac{n^2}{n!} x^n$ und $\sum\limits_{n=1}^{+\infty} \dfrac{n^2}{n!} = 2e$ *(b)* Es gilt $\sum\limits_{n=1}^{+\infty} \dfrac{n^3}{n!} = 5e$ und $\sum\limits_{n=1}^{+\infty} \dfrac{n^4}{n!} = 15e$

KAPITEL 54

Berechnungen mit Hilfe von Potenzreihen

LOGARITHMENTAFELN, Tabellen von trigonometrischen Funktionen usw. werden mit Hilfe von Potenzreihen berechnet. In den folgenden Aufgaben werden noch andere Anwendungsmöglichkeiten von Reihen gezeigt.

Bei allen Berechnungen muß man abschätzen können, wie gut die Summe der ersten n Glieder einer Reihe die entsprechende Funktion für einen gegebenen Wert der Veränderlichen annähert. Zu diesem Zweck eignen sich zwei Sätze aus den vorhergehenden Kapiteln:

1. Wird $f(x)$ durch eine alternierende Reihe dargestellt und liegt $x = \xi$ in ihrem Konvergenzintervall, so ist der Fehler, den man macht, wenn man die Summe der ersten n Glieder als Näherungswert für $f(\xi)$ nimmt, nicht größer als der Absolutbetrag des $(n + 1)$-ten Glieds (das erste, das weggelassen wird.)

2. Wird die Funktion $f(x)$ durch ihre Taylorreihe dargestellt und liegt $x = \xi$ in ihrem Konvergenzintervall, so ist der Fehler, den man macht, wenn man die Summe der ersten n Glieder als Näherungswert für $f(\xi)$ nimmt, nicht größer als $\dfrac{M}{n!}|x - a|^n$, wobei M größer oder gleich dem größten Wert von $|f^{(n)}(x)|$ im Intervall von a bis ξ ist.

Für eine Maclaurin-Reihe gilt $a = 0$.

AUFGABEN MIT LÖSUNGEN

1. Gib den Wert von $1/e$ bis auf fünf Stellen nach dem Komma genau an!

$$e^{-x} = 1 - x + \frac{x^2}{2!} - \frac{x^3}{3!} + \cdots + (-1)^{n-1}\frac{x^{n-1}}{(n-1)!} + \cdots$$

$$e^{-1} = 1 - 1 + \frac{1}{2!} - \frac{1}{3!} + \frac{1}{4!} - \frac{1}{5!} + \cdots$$

$$= 1 - 1 + 0{,}500000 - 0.166667 + 0{,}041667 - 0{,}008333 + 0{,}001389$$
$$- 0{,}000198 + 0{,}000025 - 0{,}000003 + \cdots$$

$$= 0{,}36788$$

2. Gib den Wert von $\sin 62°$ bis auf fünf Stellen nach dem Komma genau an!
Die Taylorreihe (um $x = a$) ist

$$\sin x = \sin a + (x - a)\cos a - \frac{(x - a)^2}{2!}\sin a - \frac{(x - a)^3}{3!}\cos a + \cdots$$

Wir setzen $a = 60°$, da dieser Wert nahe bei $62°$ liegt, und da wir den entsprechenden sin-Wert kennen. Dann gilt

$$x - a = 62° - 60° = 2° = \pi/90 = 0{,}034907$$

und
$$\sin 62° = \tfrac{1}{2}\sqrt{3} + \tfrac{1}{2}(0{,}034907) - \tfrac{1}{4}\sqrt{3}(0{,}034907)^2 - \tfrac{1}{12}(0{,}034907)^3 + \cdots$$
$$= 0{,}866025 + 0{,}017454 - 0{,}000528 - 0{,}000004 + \cdots = 0{,}88295$$

3. Gib den Wert von $0{,}97$ bis auf 7 Stellen nach dem Komma genau an!
$$\ln(a - x) = \ln a - \frac{x}{a} - \frac{x^2}{2a^2} - \frac{x^3}{3a^3} - \cdots - \frac{x^n}{na^n} - \cdots.$$

Wir setzen $a = 1$ und $x = 0{,}03$; dann gilt
$$\ln 0{,}97 = -0{,}03 - \tfrac{1}{2}(0{,}03)^2 - \tfrac{1}{3}(0{,}03)^3 - \tfrac{1}{4}(0{,}03)^4 - \tfrac{1}{5}(0{,}03)^5 - \cdots = -0{,}0304592$$

4. Wieviele Glieder braucht man in der Entwicklung von ln $(1 + x)$, um ln 1,02 mit einem Fehler von weniger als 0,000 000 05 bestimmen zu können?

$$\ln 1{,}02 \;=\; 0{,}02 \;-\; \frac{(0{,}02)^2}{2} \;+\; \frac{(0{,}02)^3}{3} \;-\; \frac{(0{,}02)^4}{4} \;+\; \cdots$$

Dies ist eine alternierende Reihe, also ist der Fehler, den man macht, wenn man bis auf die ersten n Glieder alle wegläßt, nicht größer als der Absolutbetrag des ersten weggelassenen. Wir müssen also das erste Glied finden, dessen Absolutbetrag kleiner ist als 0,000 000 05. Wir probieren

$$\frac{(0{,}02)^3}{3} \;=\; 0{,}000\,002\,7 \quad \text{und} \quad \frac{(0.02)^4}{4} \;=\; 0{,}000\,000\,04$$

Es ergibt sich also die geforderte Genauigkeit, wenn man die ersten drei Glieder benutzt.

5. Für welche Werte von x kann man $\sin x$ durch x ersetzen, wenn der Fehler nicht größer als 0,00005 sein soll?

$\sin x = x - x^3/3 + \cdots$ ist eine alternierende Reihe. Der Fehler, den man macht, wenn man nur das erste Glied benutzt, ist kleiner als $|x^3|/3$. Aus $|x^3|/3! = 0{,}0005$ folgt $|x^3| = 0{,}003$ oder $|x| = 0{,}1442$; also ergibt sich $|x| < 8°15'$.

6. Wie groß kann man den Winkel wählen, wenn man $\cos x$ berechnen will, indem man nur die drei ersten Glieder der Taylorreihe in Potenzen von $(x - \pi/3)$ benutzt und der Fehler nicht größer als 0,00005 sein soll?

Aus $f'''(x) = \sin x$ folgt $|R_3| = \dfrac{|\sin x_0|}{3!}\,|x - \pi/3|^3$, wobei x_0 zwischen $\pi/3$ und x liegt.

Aus $|\sin x_0| \le 1$ folgt $|R_3| \le \frac{1}{6}|x - \pi/3|^3 = 0{,}000\,05$.

Es muß $|x - \pi/3| \le \sqrt[3]{0{,}0003} = 0{,}0669 = 3°50'$ gelten. Man kann also x zwischen $56°10'$ und $63°50'$ wählen.

7. Gib annähernd an, um wieviel ein 100 km langer Bogen eines Großkreises der Erde höchstens von seiner Sehne abweicht!

x sei die größte Abweichung. Aus Abb. 54–1 folgt $x = OB - OA = R - R \cos \alpha$, wobei R der Erdradius ist. Da der Winkel α klein ist, gilt annähernd $\cos \alpha = 1 - \frac{1}{2}\alpha^2$ und damit

$$x \;=\; R\{1 - (1 - \tfrac{1}{2}\alpha^2)\} \;=\; \tfrac{1}{2}R\alpha^2 \;=\; (R\alpha)^2/2R \;=\; (50)^2/2R\,.$$

Mit $R = 6300$ km folgt $x = 25/126 = 0{,}2$ km.

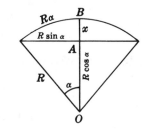

Abb. 54-1

8. Leite die Näherungsformel $\sin(\frac{1}{4}\pi + x) = \frac{1}{2}\sqrt{2}\,(1 + x)$ ab und bestimme damit $\sin 43°$!

Wir benutzen die ersten zwei Glieder der Taylorentwicklung und erhalten

$$\sin\left(\tfrac{1}{4}\pi + x\right) \;=\; \sin\tfrac{1}{4}\pi + x\cos\tfrac{1}{4}\pi \;=\; \tfrac{1}{2}\sqrt{2} + \tfrac{1}{2}\sqrt{2}\,x \;=\; \tfrac{1}{2}\sqrt{2}\,(1 + x)$$

$$\sin 43° \;=\; \sin\left[\tfrac{1}{4}\pi + (-\pi/90)\right] \;=\; \tfrac{1}{2}\sqrt{2}\,(1 - 0{,}0349) \;=\; 0{,}6824\,.$$

9. Löse die Gleichung $\cos x - 2x^2 = 0$!

Wir ersetzen $\cos x$ durch die ersten zwei Glieder $1 - \frac{1}{2}x^2$ der Maclaurin-Reihe. Dann gilt

$$1 - \tfrac{1}{2}x^2 - 2x^2 = 0 \quad \text{oder} \quad 2 - 5x^2 = 0$$

Die Wurzeln sind $\pm\sqrt{10}/5 = \pm 0{,}632$. Mit der Newtonschen Methode erhalten wir $\pm 0{,}635$.

10. Bestimme mit Hilfe von Reihenentwicklungen $\displaystyle \lim_{x \to 0} \frac{e^x - e^{-x}}{\sin x}$

$$\lim_{x \to 0} \frac{e^x - e^{-x}}{\sin x} \;=\; \lim_{x \to 0} \frac{\left(1 + x + \dfrac{x^2}{2!} + \dfrac{x^3}{3!} + \cdots\right) - \left(1 - x + \dfrac{x^2}{2!} - \dfrac{x^3}{3!} + \cdots\right)}{x - \dfrac{x^3}{3!} + \dfrac{x^5}{5!} - \cdots}$$

$$=\; \lim_{x \to 0} \frac{2x + 2x^3/3! + \cdots}{x - x^3/3! + \cdots} \;=\; \lim_{x \to 0} \frac{2 + x^2/3 + \cdots}{1 - x^2/6 + \cdots} \;=\; 2\,.$$

11. Entwickle $f(x) = x^4 - 11x^3 + 43x^2 - 60x + 14$ nach Potenzen von $(x - 3)$ und berechne $\int_3^{3,2} f(x)\,dx$!

$f(3) = 5$, $f'(3) = 9$, $f''(3) = -4$, $f'''(3) = 6$, $f^{\text{iv}}(3) = 24$, also gilt

$$f(x) = 5 + 9(x - 3) - 2(x - 3)^2 + (x - 3)^3 + (x - 3)^4$$

$$\int_3^{3,2} f(x)\,dx = 5x + \tfrac{9}{2}(x - 3)^2 - \tfrac{2}{3}(x - 3)^3 + \tfrac{1}{4}(x - 3)^4 + \tfrac{1}{5}(x - 3)^5 \Big|_3^{3,2} = 1{,}185.$$

12. Berechne $\int_0^1 \dfrac{\sin x}{x}\,dx$!

Die Schwierigkeit ist hier die, daß $\int \dfrac{\sin x}{x}\,dx$ nicht mit Hilfe von elementaren Funktionen ausgedrückt werden kann.

Es gilt jedoch

$$\int_0^1 \frac{\sin x}{x}\,dx = \int_0^1 \frac{1}{x}\left(x - \frac{x^3}{3!} + \frac{x^5}{5!} - \frac{x^7}{7!} + \cdots \right) dx = \int_0^1 \left(1 - \frac{x^2}{3!} + \frac{x^4}{5!} - \frac{x^6}{7!} + \cdots \right) dx$$

$$= x - \frac{x^3}{3 \cdot 3!} + \frac{x^5}{5 \cdot 5!} - \frac{x^7}{7 \cdot 7!} + \cdots \Big|_0^1 = 0{,}946\,083$$

Der Fehler, den man macht, wenn man nur vier Glieder benutzt, ist $\le \dfrac{1}{9 \cdot 9!} = 0{,}000\,000\,3$.

ERGÄNZUNGSAUFGABEN

13. Berechne bis auf vier Stellen hinter dem Komma genau

  (a) $e^{-2} = 0{,}1353$, (b) $\sin 32° = 0{,}5299$, (c) $\cos 36° = 0{,}8090$, (d) $\tan 31° = 0{,}6009$!

14. Für welche x kann

  (a) e^x durch $1 + x + \tfrac{1}{2}x^2$ ersetzt werden, wenn der Fehler nicht größer als $0{,}0005$ sein soll?

  (b) $\cos x$ durch $1 - \tfrac{1}{2}x^2$ ersetzt werden, wenn der Fehler kleiner als $0{,}0005$ sein soll?

  (c) $\sin x$ durch $x - x^3/6 + x^5/120$ ersetzt werden, wenn der Fehler kleiner als $0{,}00005$ sein soll?

  Lsg. (a) $|x| < 0{,}1$, (b) $|x| < 18°57'$, (c) $|x| < 47°$.

15. Zeige mit Reihenentwicklungen:

  (a) $\displaystyle\lim_{x \to 0} \frac{e - e^{\cos x}}{x^2} = \frac{1}{2}e$, (b) $\displaystyle\lim_{x \to 0} \frac{e^x - e^{\sin x}}{x^3} = \frac{1}{6}$, (c) $\displaystyle\lim_{x \to 0} \frac{\cosh x - \cos x}{\sinh x - \sin x} = \infty$!

16. Berechne:

  (a) $\displaystyle\int_0^{\pi/2} (1 - \tfrac{1}{2}\sin^2 \phi)^{-1/2}\,d\phi = 1{,}854$, (b) $\displaystyle\int_0^1 \cos \sqrt{x}\,dx = 0{,}76355$, (c) $\displaystyle\int_0^{0,5} \frac{dx}{1 + x^4} = 0{,}4940$.

17. Bestimme die Länge der Kurve $y = x^3/3$ von $x = 0$ bis $x = 0{,}5$!   *Lsg.* $0{,}5031$.

18. Bestimme die Fläche unter der Kurve $y = \sin x^2$ von $x = 0$ bis $x = 1$!   *Lsg.* $0{,}3103$.

KAPITEL 55

Numerische Integration

EINEN NÄHERUNGSWERT von $\int_a^b f(x)\,dx$ kann man durch gewisse Formeln und mit Hilfe von mechanischen Integratoren angeben. Näherungsverfahren sind dann nötig, wenn die Integration schwierig ist, wenn das unbestimmte Integral sich nicht durch elementare Funktionen ausdrücken läßt, oder wenn der Integrand $f(x)$ durch eine Wertetabelle bestimmt ist.

In Kapitel 34 erhielten wir eine Näherung von $\int_a^b f(x)\,dx$ durch die Summe $S_n = \sum_{k=1}^n f(x_k)\,\Delta_k x$.

Bei der Bestimmung von S_n deuteten wir das bestimmte Integral als eine Fläche, teilten diese in n Streifen, approximierten die Fläche eines jeden Streifens durch die eines Rechtecks und summierten über alle Rechtecke auf. Die Formeln, die wir im folgenden herleiten, unterscheiden sich voneinander nur durch die Art, wie die Flächen der Streifen approximiert werden.

TRAPEZREGEL. Wir unterteilen die Fläche, die von oben durch die Kurve $y = f(x)$, von unten durch die x-Achse und an den Seiten durch die Ordinaten $x = a$ und $x = b$ begrenzt ist, in n senkrechte Streifen der Breite $h = (b - a)/n$ (siehe Abb. 55-1). Wir betrachten den i-ten Streifen, der von oben durch den Bogen $P_{i-1}P_i$ der Kurve $y = f(x)$ begrenzt ist. Als Näherung für die Fläche des Streifens nehmen wir

$$\tfrac{1}{2}h\{f[a + (i-1)h] + f(a + ih)\},$$

das ist die Fläche des Trapezes, das man erhält, wenn man den Bogen $P_{i-1}P_i$ durch die Sehne $P_{i-1}P_i$ ersetzt. Wird jeder Streifen so approximiert, dann ergibt sich (wobei $\approx$ heißt: „annähernd gleich"):

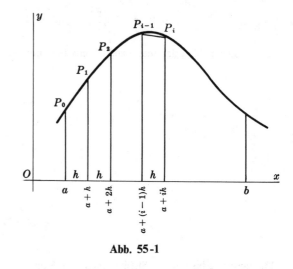

Abb. 55-1

$$\int_a^b f(x)\,dx \approx \frac{h}{2}\{f(a) + f(a+h)\} + \frac{h}{2}\{f(a+h) + f(a+2h)\}$$
$$+ \cdots + \frac{h}{2}\{f[a + (n-1)h] + f(b)\}$$

oder
$$\int_a^b f(x)\,dx \approx \frac{h}{2}\{f(a) + 2f(a+h) + 2f(a+2h)$$
$$+ \cdots + 2f[a + (n-1)h] + f(b)\}. \tag{1}$$

PRISMAREGEL. Die Fläche, die durch $\int_a^b f(x)\,dx$ definiert ist, sei in zwei senkrechte Streifen der Breite

$h = \tfrac{1}{2}(b - a)$ geteilt, und der Bogen $P_0P_1P_2$ der Kurve $y = f(x)$ werde durch den Bogen der Parabel $y = Ax^2 + Bx + C$ durch die Punkte P_0, P_1, P_2 ersetzt (siehe Abb. 55-2). Dann ergibt sich nach gewissen Umbenennungen im Ergebnis der Aufgabe 1

$$\int_a^b f(x)\,dx \approx \frac{h}{3}\left\{f(a) + 4f\left(\frac{a+b}{2}\right) + f(b)\right\} \tag{2}$$

254

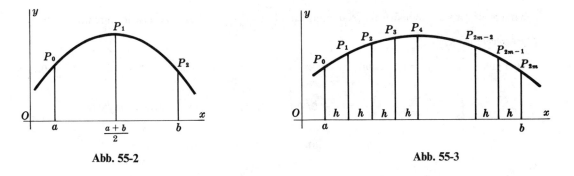

Abb. 55-2   **Abb. 55-3**

DIE SIMPSONSCHE REGEL. Die betrachtete Fläche werde durch $n = 2m$ Steifen der Breite $h = (b-a)/n$ unterteilt (siehe Abb. 55-3). Wir wenden die Prismaregel auf jeden der Bögen $P_0P_1P_2$, $P_2P_3P_4$, ..., $P_{2m-2}P_{2m-1}P_{2m}$ an und erhalten

$$\int_a^b f(x)\, dx \;\approx\; \frac{h}{3}\{f(a) + 4f(a+h) + 2f(a+2h) + 4f(a+3h) + 2f(a+4h) \qquad (3)$$
$$+ \cdots + 2f[a+(2m-2)h] + 4f[a+(2m-1)h] + f(b)\}.$$

POTENZREIHENENTWICKLUNGEN. Hier ersetzen wir den Integranden $f(x)$ durch die ersten n Glieder seiner Maclaurin- oder Taylorreihe. Diese Methode ist anwendbar, wenn der Integrand so entwickelt werden kann und wenn die Integrationsgrenzen innerhalb des Konvergenzintervalls der Reihe liegen (siehe Kap. 54).

AUFGABEN MIT LÖSUNGEN

1. Zeige für die Parabel $y = Ax^2 + Bx + C$, die durch die Punkte

   $P_0(\xi, y_0)$, $P_1\left(\dfrac{\xi+\eta}{2},\, y_1\right)$ und $P_2(\eta, y_2)$ geht (siehe Abb. 55-4), daß

   $$\int_\xi^\eta y\, dx = \frac{\eta-\xi}{6}(y_0 + 4y_1 + y_2)\,!$$

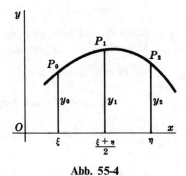

Abb. 55-4

   Es gilt $\quad \displaystyle\int_\xi^\eta y\, dx = \int_\xi^\eta (Ax^2 + Bx + C)\, dx$

   $$= \frac{\eta-\xi}{3}\left[A(\xi^2 + \xi\eta + \eta^2) + \tfrac{3}{2}B(\xi+\eta) + 3C\right]$$

   Da $\;y = Ax^2 + Bx + C\;$ durch die Punkte P_0, P_1, P_2 geht, gilt

   $$y_0 = A\xi^2 + B\xi + C$$
   $$y_1 = A\left(\frac{\xi+\eta}{2}\right)^2 + B\left(\frac{\xi+\eta}{2}\right) + C$$
   $$y_2 = A\eta^2 + B\eta + C,$$

   und $\quad y_0 + 4y_1 + y_2 = 2[A(\xi^2 + \xi\eta + \eta^2) + \tfrac{3}{2}B(\xi+\eta) + 3C].$

   Damit gilt $\qquad \displaystyle\int_\xi^\eta y\, dx = \frac{\eta-\xi}{6}(y_0 + 4y_1 + y_2)\,.$

2.   Gib mit jeder der vier Methoden eine Näherung für $\int_0^{1/2} \dfrac{dx}{1+x^2}$ an und vergleiche durch Integration!

Trapezregel mit $n = 5$.

Hier gilt $h = \dfrac{\frac{1}{2}-0}{5} = 0{,}1$ und $a = 0,\ a+h = 0{,}1,\ a+2h = 0{,}2,\ a+3h = 0{,}3,\ a+4h = 0{,}4,\ b = 0{,}5$

$$\int_0^{1/2} \frac{dx}{1+x^2} \approx \frac{0{,}1}{2}\left[f(0) + 2f(0{,}1) + 2f(0{,}2) + 2f(0{,}3) + 2f(0{,}4) + f(0.5)\right]$$

$$\approx \frac{1}{20}\left(1 + \frac{2}{1{,}01} + \frac{2}{1{,}04} + \frac{2}{1{,}09} + \frac{2}{1{,}16} + \frac{1}{1{,}25}\right) = 0{,}4631.$$

Prismaregel.

Hier gilt $h = \dfrac{\frac{1}{2}-0}{2} = \dfrac{1}{4}$ und $f(a) = f(0) = 1,\ f\!\left(\dfrac{a+b}{2}\right) = f\!\left(\dfrac{1}{4}\right) = \dfrac{16}{17},\ f(b) = f\!\left(\dfrac{1}{2}\right) = \dfrac{4}{5}$

$$\int_0^{1/2} \frac{dx}{1+x^2} \approx \frac{1}{3}\cdot\frac{1}{4}\left(1 + \frac{64}{17} + \frac{4}{5}\right) = \frac{1}{12}(1 + 3{,}76471 + 0{,}8) = 0{,}4637.$$

Simpsonsche Regel mit $n = 4$.

Hier gilt $h = \dfrac{\frac{1}{2}-0}{4} = \dfrac{1}{8}$ und $a = 0,\ a+h = \frac{1}{8},\ a+2h = \frac{1}{4},\ a+3h = \frac{3}{8},\ b = \frac{1}{2}$

$$\int_0^{1/2} \frac{dx}{1+x^2} \approx \frac{1}{24}\left(1 + 4\frac{1}{1+(\frac{1}{8})^2} + 2\frac{1}{1+(\frac{1}{4})^2} + 4\frac{1}{1+(\frac{3}{8})^2} + \frac{1}{1+(\frac{1}{2})^2}\right)$$

$$\approx \frac{1}{24}\left(1 + \frac{256}{65} + \frac{32}{17} + \frac{256}{73} + \frac{4}{5}\right) = 0{,}4637$$

Reihenentwicklung mit 7 Gliedern.

$$\int_0^{1/2} \frac{dx}{1+x^2} \approx \int_0^{1/2} (1 - x^2 + x^4 - x^6 + x^8 - x^{10} + x^{12})\,dx = \left[x - \frac{x^3}{3} + \frac{x^5}{5} - \frac{x^7}{7} + \frac{x^9}{9} - \frac{x^{11}}{11} + \frac{x^{13}}{13}\right]_0^{1/2}$$

$$\approx \frac{1}{2} - \frac{1}{3\cdot 2^3} + \frac{1}{5\cdot 2^5} - \frac{1}{7\cdot 2^7} + \frac{1}{9\cdot 2^9} - \frac{1}{11\cdot 2^{11}} + \frac{1}{13\cdot 2^{13}}$$

$$\approx 0{,}50000 - 0{,}04167 + 0{,}00625 - 0{,}00112 + 0{,}00022 - 0{,}00004 + 0{,}00001 = 0{,}4636.$$

Integration. $\int_0^{1/2} \dfrac{dx}{1+x^2} = \arctan x \Big]_0^{1/2} = \arctan \frac{1}{2} = 0{,}4636.$

3.   Bestimme die Fläche, die durch $y = e^{-x^2}$, die x-Achse und die Geraden $x = 0$ und $x = 1$ begrenzt ist, durch Anwendung (a) der Simpsonschen Regel mit $n = 4$ und (b) der Reihenentwicklung!

(a) Es gilt $h = \frac{1}{4};\ a = 0,\ a+h = \frac{1}{4},\ a+2h = \frac{1}{2},\ a+3h = \frac{3}{4},\ b = 1$

$$\int_0^1 e^{-x^2}\,dx \approx \frac{\frac{1}{4}}{3}(1 + 4e^{-1/16} + 2e^{-1/4} + 4e^{-9/16} + e^{-1})$$

$$\approx \frac{1}{12}\{1 + 4(0{,}9399) + 2(0{,}7788) + 4(0{,}5701) + 0{,}3679\} = 0{,}747 \quad \text{Quadrateinheiten.}$$

(b) $\int_0^1 e^{-x^2}\,dx \approx \int_0^1 \left(1 - x^2 + \dfrac{x^4}{2!} - \dfrac{x^6}{3!} + \dfrac{x^8}{4!} - \dfrac{x^{10}}{5!} + \dfrac{x^{12}}{6!}\right) dx$

$$\approx \left[x - \frac{x^3}{3} + \frac{x^5}{5\cdot 2!} - \frac{x^7}{7\cdot 3!} + \frac{x^9}{9\cdot 4!} - \frac{x^{11}}{11\cdot 5!} + \frac{x^{13}}{13\cdot 6!}\right]_0^1$$

$$\approx 1 - \frac{1}{3} + \frac{1}{5\cdot 2!} - \frac{1}{7\cdot 3!} + \frac{1}{9\cdot 4!} - \frac{1}{11\cdot 5!} + \frac{1}{13\cdot 6!}$$

$$\approx 1 - 0{,}3333 + 0{,}1 - 0{,}0238 + 0{,}0046 - 0{,}0008 + 0{,}0001 = 0{,}747 \quad \text{Quadrateinheiten.}$$

4. Ein Acker liegt zwischen einem geraden Zaun und einem Fluß. In gewissen Entfernungen x m von einem Ende des Zauns wurde die Breite des Ackers (y m) wie folgt gemessen:

x	0	20	40	60	80	100	120
y	0	22	41	53	38	17	0

Gib mit der Simpsonschen Regel annähernd die Fläche des Ackers an!

Es ist $h = 20$ und $\int_0^{120} f(x)\,dx \approx \frac{20}{3}(0 + 4\cdot 22 + 2\cdot 41 + 4\cdot 53 + 2\cdot 38 + 4\cdot 17 + 0)$
≈ 3507 Quadratmeter.

5. Folgende Punkte einer Kurve sind bekannt:

x	1	2	3	4	5	6	7	8	9
y	0	0,6	0,9	1,2	1,4	1,5	1,7	1,8	2

(a) Gib mit der Simpsonschen Regel annähernd die Fläche zwischen der Kurve, der x-Achse und den Ordinaten $x = 1$ und $x = 9$ an!

(b) Gib mit der Simpsonschen Regel annähernd das Volumen des Körpers an, der entsteht, wenn man das Flächenstück in *(a)* um die x-Achse dreht!

(a) Hier ist $h = 1$ und

$$\int_1^9 y\,dx \approx \frac{1}{3}\{0 + 4(0,6) + 2(0,9) + 4(1,2) + 2(1,4) + 4(1,5) + 2(1,7) + 4(1,8) + 2\}$$
$$\approx 10,13 \text{ Quadrateinheiten.}$$

(b) $\pi \int_1^9 y^2\,dx \approx \frac{\pi}{3}\{0 + 4(0,6)^2 + 2(0,9)^2 + 4(1,2)^2 + 2(1,4)^2 + 4(1,5)^2 + 2(1,7)^2 + 4(1,8)^2 + 4\}$
$\approx 46,58 \text{ Kubikeinheiten.}$

ERGÄNZUNGSAUFGABEN

6. Leite die Simpsonsche Regel ab!

7. Approximiere $\int_2^6 \frac{dx}{x}$ mit *(a)* der Trapezregel ($n = 4$), *(b)* der Prismaregel und *(c)* der Simpsonschen Regel ($n = 4$)! Vergleiche durch Integration!   *Lsg.* *(a)* 1,117, *(b)* 1,111, *(c)* 1,100; 1,099.

8. Approximiere $\int_1^5 \sqrt{35 + x}\,dx$ wie in Aufgabe 7!   *Lsg.* *(a)* 24,654, *(b)* 24,655, *(c)* 24,655; 24,655.

9. Approximiere $\int_1^3 \ln x\,dx$ mit *(a)* der Trapezregel ($n = 5$) und *(b)* der Simpsonschen Regel ($n = 8$)! Vergleiche durch Integration!   *Lsg.* *(a)* 1,2870, *(b)* 1,2958; 1,2958.

10. Approximiere $\int_0^1 \sqrt{1 + x^3}\,dx$ mit *(a)* der Trapezregel ($n = 5$) und *(b)* der Simpsonschen Regel ($n = 4$)!
Lsg. *(a)* 1,115, *(b)* 1,111.

11. Approximiere $\int_0^\pi \frac{\sin x}{x}\,dx$ mit der Simpsonschen Regel ($n = 6$)!   *Lsg.* 1,852.

12. Gib mit der Simpsonschen Regel annähernd *(a)* die Fläche unter der Kurve, *(b)* das Volumen, das entsteht, wenn man das Flächenstück unter der Kurve um die x-Achse dreht, an, wenn man folgende Punkte der Kurve kennt!

x	1	2	3	4	5
y	1,8	4,2	7.8	9,2	12,3

Lsg. *(a)* 27,8, *(b)* 228,44 π.

KAPITEL 56

Partielle Ableitungen

FUNKTIONEN VON MEHREREN VERÄNDERLICHEN. Ist jedem Punkt (x, y) eines Teils (Gebiets) der xy-Ebene eine reelle Zahl z zugeordnet, dann heißt z eine Funktion, $z = f(x, y)$, der unabhängigen Veränderlichen x und y. Der Ort aller Punkte (x, y, z) mit $z = f(x, y)$ ist eine Fläche im Raum. Auf ähnliche Art kann man Funktionen $w = f(x, y, z, \ldots)$ von mehreren unabhängigen Veränderlichen erklären, es gibt jedoch dann keine anschauliche geometrische Deutung mehr.

Die Untersuchungen der Funktionen von zwei Veränderlichen unterscheiden sich stark von denen der Funktionen einer Veränderlichen. Da sich bei Funktionen von mehreren Veränderlichen gegenüber den Funktionen von zwei Veränderlichen keine großen Unterschiede ergeben, betrachten wir hier im allgemeinen nur die letzteren.

Wir sagen, eine Funktion $f(x, y)$ hat einen Grenzwert A für $x \to x_0$ und $y \to y_0$, wenn es zu beliebig kleinem $\epsilon > 0$ ein $\delta > 0$ gibt, so daß für alle (x, y) mit

(i)
$$0 < \sqrt{(x - x_0)^2 + (y - y_0)^2} < \delta$$

gilt: $|f(x, y) - A| < \epsilon$. Hier definiert (i) eine punktierte Umgebung von (x_0, y_0), nämlich alle Punkte bis auf (x_0, y_0), die innerhalb eines Kreises vom Radius δ um (x_0, y_0) liegen.

Eine Funktion $f(x, y)$ heißt stetig in (x_0, y_0), wenn $f(x_0, y_0)$ erklärt ist und wenn $\lim\limits_{\substack{x \to x_0 \\ y \to y_0}} f(x, y) = f(x_0, y_0)$ gilt.

PARTIELLE ABLEITUNGEN. Es sei $z = f(x, y)$ eine Funktion der unabhängigen Veränderlichen x und y. Da x und y voneinander unabhängig sind, kann (i) y fest sein und x veränderlich, (ii) x fest und y veränderlich und können (iii) x und y gleichzeitig veränderlich sein. In den ersten beiden Fällen ist z dann nur noch eine Funktion von einer Veränderlichen und kann nach den bekannten Regeln differenziert werden.

Ist x bei festem y veränderlich, so ist z eine Funktion von x und ihre Ableitung bezüglich x

$$f_x(x, y) = \frac{\partial z}{\partial x} = \lim_{\Delta x \to 0} \frac{f(x + \Delta x, y) - f(x, y)}{\Delta x}$$

wird *die (erste) partielle Ableitung von $z = f(x, y)$ bezüglich x* genannt.

Ist y bei festem x veränderlich, so ist z eine Funktion von y und ihre Ableitung bezüglich y

$$f_y(x, y) = \frac{\partial z}{\partial y} = \lim_{\Delta y \to 0} \frac{f(x, y + \Delta y) - f(x, y)}{\Delta y}$$

wird *die (erste) partielle Ableitung von $z = f(x, y)$ bezüglich y* genannt.

Siehe Aufgaben 3-8!

Ist z als Funktion von x und y implizit durch die Gleichung $F(x, y, z) = 0$ definiert, so kann man die partiellen Ableitungen $\dfrac{\partial z}{\partial x}$ und $\dfrac{\partial z}{\partial y}$ bestimmen, indem man die Regel der impliziten Differentiation aus Kapitel 6 benutzt.

Siehe Aufgaben 9-12!

Die zuvor definierten partiellen Ableitungen erlauben einfache geometrische Deutungen. Wir betrachten die Fläche $z = f(x, y)$ in Abb. 56-1. Es seien APB und CPD die Schnittlinien der Fläche, die durch zu xOz bzw. yOz parallelen Ebenen durch P erzeugt werden. Ist x bei festem y veränderlich, so bewegt sich P längs der Kurve APB, und der Wert von $\frac{\partial z}{\partial x}$ in P ist gleich der Steigung der Kurve APB in P. Genauso bewegt sich P bei festem x und veränderlichem y längs der Kurve CPD, und der Wert von $\frac{\partial z}{\partial y}$ in P ist gleich der Steigung der Kurve CPD in P.

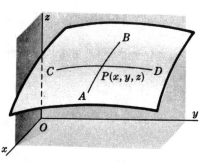

Abb. 56-1

Siehe Aufgabe 13!

PARTIELLE ABLEITUNGEN HÖHERER ORDNUNG. Die partielle Ableitung $\frac{\partial z}{\partial x}$ von $z = f(x, y)$ kann auch wieder partiell nach x und y differenziert werden. Dies ergibt die zweiten partiellen Ableitungen $\frac{\partial^2 z}{\partial x^2} = f_{xx}(x, y) = \frac{\partial}{\partial x}\left(\frac{\partial z}{\partial x}\right)$ und $\frac{\partial^2 z}{\partial y\, \partial x} = f_{yx}(x, y) = \frac{\partial}{\partial y}\left(\frac{\partial z}{\partial x}\right)$. Genauso erhält man aus $\frac{\partial z}{\partial y}$ die partiellen Ableitungen $\frac{\partial^2 z}{\partial x\, \partial y} = f_{xy}(x, y) = \frac{\partial}{\partial x}\left(\frac{\partial z}{\partial y}\right)$ und $\frac{\partial^2 z}{\partial y^2} = f_{yy}(x, y) = \frac{\partial}{\partial y}\left(\frac{\partial z}{\partial y}\right)$.

Sind $z = f(x, y)$ und die partiellen Ableitungen stetig, so ist die Reihenfolge bei der Differentiation unwesentlich, das heißt, es gilt $\frac{\partial^2 z}{\partial x\, \partial y} = \frac{\partial^2 z}{\partial y\, \partial x}$.

Siehe Aufgaben 14-15!

AUFGABEN MIT LÖSUNGEN

1. Untersuche $z = x^2 + y^2$ auf Stetigkeit!
   Für $x \to a$ und $y \to b$ gilt $x^2 + y^2 \to a^2 + b^2$
   Also ist die Funktion überall stetig.

2. Die folgenden Funktionen sind überall außer in $(0, 0)$ stetig, wo sie nicht definiert sind. Kann man sie dort stetig ergänzen?

   (a) $z = \dfrac{\sin(x + y)}{x + y}$

   Es gelte $(x, y) \to (0, 0)$ längs der Geraden $y = mx$, dann folgt $z = \dfrac{\sin(x + y)}{x + y} = \dfrac{\sin(1 + m)x}{(1 + m)x} \to 1$. Die Funktion kann stetig ergänzt werden, indem man definiert: $z = \dfrac{\sin(x + y)}{x + y}$, $(x, y) \neq (0, 0)$; $z = 1$, $(x, y) = (0, 0)$.

   (b) $z = \dfrac{xy}{x^2 + y^2}$

   Es gelte $(x, y) \to (0, 0)$ längs der Geraden $y = mx$. Der Grenzwert von $z = \dfrac{xy}{x^2 + y^2} = \dfrac{m}{1 + m^2}$ hängt von der Wahl der Geraden ab. Also kann man die Funktion in $(0, 0)$ nicht stetig ergänzen.

Bestimme in den Aufgaben 3-7 die ersten partiellen Ableitungen!

3. $z = 2x^2 - 3xy + 4y^2$
   Wir betrachten y als konstant und differenzieren bezüglich x: $\frac{\partial z}{\partial x} = 4x - 3y$

   Wir betrachten x als konstant und differenzieren bezüglich y: $\frac{\partial z}{\partial y} = -3x + 8y$

4. $z = \dfrac{x^2}{y} + \dfrac{y^2}{x}$

Wir betrachten y als konstant und differenzieren bezüglich x : $\quad \dfrac{\partial z}{\partial x} = \dfrac{2x}{y} - \dfrac{y^2}{x^2}$

Wir betrachten x als konstant und differenzieren bezüglich y : $\quad \dfrac{\partial z}{\partial y} = -\dfrac{x^2}{y^2} + \dfrac{2y}{x}$.

5. $z = \sin(2x + 3y)$. $\qquad \dfrac{\partial z}{\partial x} = 2\cos(2x + 3y), \quad \dfrac{\partial z}{\partial y} = 3\cos(2x + 3y)$.

6. $z = \arctan x^2 y + \arctan xy^2$. $\qquad \dfrac{\partial z}{\partial x} = \dfrac{2xy}{1 + x^4 y^2} + \dfrac{y^2}{1 + x^2 y^4}, \quad \dfrac{\partial z}{\partial y} = \dfrac{x^2}{1 + x^4 y^2} + \dfrac{2xy}{1 + x^2 y^4}$.

7. $z = e^{x^2 + xy}$. $\qquad \dfrac{\partial z}{\partial x} = e^{x^2 + xy}(2x + y) = z(2x + y), \quad \dfrac{\partial z}{\partial y} = e^{x^2 + xy}(x) = xz$.

8. Die Fläche K eines Dreiecks ist durch $K = \frac{1}{2}ab \sin C$ gegeben. Bestimme für $a = 20$, $b = 30$ und $C = 30°$:
(a) Die Änderungsgeschwindigkeit von K bezüglich a, wenn b und C konstant sind!
(b) Die Änderungsgeschwindigkeit von K bezüglich C, wenn a und b konstant sind!
(c) Die Änderungsgeschwindigkeit von b bezüglich a, wenn K und C konstant sind!

(a) $\dfrac{\partial K}{\partial a} = \frac{1}{2}b \sin C = \frac{1}{2}(30)(\sin 30°) = \dfrac{15}{2}$

(b) $\dfrac{\partial K}{\partial C} = \frac{1}{2}ab \cos C = \frac{1}{2}(20)(30)(\cos 30°) = 150\sqrt{3}$

(c) $b = \dfrac{2K}{a \sin C}$; $\quad \dfrac{\partial b}{\partial a} = -\dfrac{2K}{a^2 \sin C} = -\dfrac{2(\frac{1}{2}ab \sin C)}{a^2 \sin C} = -\dfrac{b}{a} = -\dfrac{3}{2}$.

Bestimme in den Aufgaben **9-11** die ersten partiellen Ableitungen von z bezüglich der unabhängigen Veränderlichen x und y !

9. $x^2 + y^2 + z^2 = 25$

1. Lösung. Wir lösen nach z auf und erhalten $z = \pm\sqrt{25 - x^2 - y^2}$. Dann gilt

$$\dfrac{\partial z}{\partial x} = \dfrac{-x}{\pm\sqrt{25 - x^2 - y^2}} = -\dfrac{x}{z} \quad \text{und} \quad \dfrac{\partial z}{\partial y} = \dfrac{-y}{\pm\sqrt{25 - x^2 - y^2}} = -\dfrac{y}{z}$$

2. Lösung. Wir differenzieren implizit nach x, wobei wir y als Konstante betrachten.

$$2x + 2z\dfrac{\partial z}{\partial x} = 0, \quad \text{also} \quad \dfrac{\partial z}{\partial x} = -\dfrac{x}{z}.$$

Wir differenzieren implizit nach y, wobei wir x als konstant betrachten.

$$2y + 2z\dfrac{\partial z}{\partial y} = 0, \quad \text{also} \quad \dfrac{\partial z}{\partial y} = -\dfrac{y}{z}.$$

10. $x^2(2y + 3z) + y^2(3x - 4z) + z^2(x - 2y) = xyz$.

Das Verfahren in der ersten Lösung von Aufgabe 9 ist hier schwer durchzuführen.
Wir differenzieren implizit nach x:

$$2x(2y + 3z) + 3x^2\dfrac{\partial z}{\partial x} + 3y^2 - 4y^2\dfrac{\partial z}{\partial x} + 2z(x - 2y)\dfrac{\partial z}{\partial x} + z^2 = yz + xy\dfrac{\partial z}{\partial x},$$

also $\qquad \dfrac{\partial z}{\partial x} = -\dfrac{4xy + 6xz + 3y^2 + z^2 - yz}{3x^2 - 4y^2 + 2xz - 4yz - xy}$.

Wir differenzieren implizit nach y:

$$2x^2 + 3x^2\dfrac{\partial z}{\partial y} + 2y(3x - 4z) - 4y^2\dfrac{\partial z}{\partial y} + 2z(x - 2y)\dfrac{\partial z}{\partial y} - 2z^2 = xz + xy\dfrac{\partial z}{\partial y},$$

also $\qquad \dfrac{\partial z}{\partial y} = -\dfrac{2x^2 + 6xy - 8yz - 2z^2 - xz}{3x^2 - 4y^2 + 2xz - 4yz - xy}$.

11. $xy + yz + zx = 1$

Differentiation bezüglich x: $\quad y + y\frac{\partial z}{\partial x} + x\frac{\partial z}{\partial x} + z = 0$, also $\frac{\partial z}{\partial x} = -\frac{y+z}{x+y}$.

Differentiation bezüglich y: $\quad x + y\frac{\partial z}{\partial y} + z + x\frac{\partial z}{\partial y} = 0$, also $\frac{\partial z}{\partial y} = -\frac{x+z}{x+y}$.

12. Betrachte x und y als unabhängige Veränderliche und bestimme $\frac{\partial r}{\partial x}, \frac{\partial r}{\partial y}, \frac{\partial \theta}{\partial x}, \frac{\partial \theta}{\partial y}$ für $x = e^{2r}\cos\theta$, $y = e^{3r}\sin\theta$!

Wir differenzieren die Gleichungen partiell nach x:

$$1 = 2e^{2r}\cos\theta\,\frac{\partial r}{\partial x} - e^{2r}\sin\theta\,\frac{\partial \theta}{\partial x} \quad\text{und}\quad 0 = 3e^{3r}\sin\theta\,\frac{\partial r}{\partial x} + e^{3r}\cos\theta\,\frac{\partial \theta}{\partial x}.$$

Durch Auflösen dieser Gleichungen ergibt sich: $\frac{\partial r}{\partial x} = \frac{\cos\theta}{e^{2r}(2 + \sin^2\theta)}$ und $\frac{\partial \theta}{\partial x} = -\frac{3\sin\theta}{e^{2r}(2 + \sin^2\theta)}$.

Differenzieren wir die Gleichungen partiell nach y, so erhalten wir:

$$0 = 2e^{2r}\cos\theta\,\frac{\partial r}{\partial y} - e^{2r}\sin\theta\,\frac{\partial \theta}{\partial y} \quad\text{und}\quad 1 = 3e^{3r}\sin\theta\,\frac{\partial r}{\partial y} + e^{3r}\cos\theta\,\frac{\partial \theta}{\partial y}.$$

Daraus folgt: $\frac{\partial r}{\partial y} = \frac{\sin\theta}{e^{3r}(2 + \sin^2\theta)}$ und $\frac{\partial \theta}{\partial y} = \frac{2\cos\theta}{e^{3r}(2 + \sin^2\theta)}$.

13. Bestimme die Steigungen der Kurven, die durch den Schnitt der Fläche $z = 3x^2 + 4y^2 - 6$ mit Ebenen durch den Punkt $(1,1,1)$ parallel zu den Koordinatenebenen xOz und yOz entstehen!

Die Ebene $x = 1$, parallel zu der Ebene yOz, schneidet die Fläche in der Kurve $z = 4y^2 - 3$, $x = 1$. Dann ist $\partial z/\partial y = 8y = 8 \cdot 1 = 8$ die gesuchte Steigung.

Die Ebene $y = 1$, parallel zu der Ebene xOz, schneidet die Fläche in der Kurve $z = 3x^2 - 2$, $y = 1$. Dann ist $\partial z/\partial x = 6x = 6$ die gesuchte Steigung.

Bestimme in den Aufgaben 14-15 alle zweiten partiellen Ableitungen von z!

14. $z = x^2 + 3xy + y^2$. $\qquad \frac{\partial z}{\partial x} = 2x + 3y, \qquad \frac{\partial^2 z}{\partial x^2} = \frac{\partial}{\partial x}\left(\frac{\partial z}{\partial x}\right) = 2, \qquad \frac{\partial^2 z}{\partial y\,\partial x} = \frac{\partial}{\partial y}\left(\frac{\partial z}{\partial x}\right) = 3$

$\qquad\qquad\qquad\qquad\qquad \frac{\partial z}{\partial y} = 3x + 2y, \qquad \frac{\partial^2 z}{\partial x\,\partial y} = \frac{\partial}{\partial x}\left(\frac{\partial z}{\partial y}\right) = 3, \qquad \frac{\partial^2 z}{\partial y^2} = \frac{\partial}{\partial y}\left(\frac{\partial z}{\partial y}\right) = 2$

15. $z = x\cos y - y\cos x$.

$$\frac{\partial z}{\partial x} = \cos y + y\sin x, \qquad \frac{\partial z}{\partial y} = -x\sin y - \cos x, \qquad \frac{\partial^2 z}{\partial x^2} = \frac{\partial}{\partial x}\left(\frac{\partial z}{\partial x}\right) = y\cos x$$

$$\frac{\partial^2 z}{\partial y\,\partial x} = \frac{\partial}{\partial y}\left(\frac{\partial z}{\partial x}\right) = -\sin y + \sin x = \frac{\partial^2 z}{\partial x\,\partial y}, \qquad \frac{\partial^2 z}{\partial y^2} = \frac{\partial}{\partial y}\left(\frac{\partial z}{\partial y}\right) = -x\cos y$$

ERGÄNZUNGSAUFGABEN

16. Untersuche, ob die Funktionen im Punkt $(0,0)$ stetig ergänzt werden können!

(a) $\frac{y^2}{x^2 + y^2}$, (b) $\frac{x-y}{x+y}$, (c) $\frac{x^3+y^3}{x^2+y^2}$, (d) $\frac{x+y}{x^2+y^2}$ $\qquad$ *Lsg.* (a) nein, (b) nein, (c) ja, (d) nein.

17. Gib für die folgenden Funktionen $\frac{\partial z}{\partial x}$ und $\frac{\partial z}{\partial y}$ an!

(a) $z = x^2 + 3xy + y^2$

Lsg. $\frac{\partial z}{\partial x} = 2x + 3y$, $\frac{\partial z}{\partial y} = 3x + 2y$

(b) $z = \frac{x}{y^2} - \frac{y}{x^2}$

Lsg. $\frac{\partial z}{\partial x} = \frac{1}{y^2} + \frac{2y}{x^3}$, $\frac{\partial z}{\partial y} = -\frac{2x}{y^3} - \frac{1}{x^2}$

(c) $z = \sin 3x \cos 4y$

Lsg. $\frac{\partial z}{\partial x} = 3 \cos 3x \cos 4y$, $\frac{\partial z}{\partial y} = -4 \sin 3x \sin 4y$

(d) $z = \arctan \frac{y}{x}$

Lsg. $\frac{\partial z}{\partial x} = \frac{-y}{x^2 + y^2}$, $\frac{\partial z}{\partial y} = \frac{x}{x^2 + y^2}$

(e) $x^2 - 4y^2 + 9z^2 = 36$

Lsg. $\frac{\partial z}{\partial x} = -\frac{x}{9z}$, $\frac{\partial z}{\partial y} = \frac{4y}{9z}$

(f) $z^3 - 3x^2 y + 6xyz = 0$

Lsg. $\frac{\partial z}{\partial x} = \frac{2y(x - z)}{z^2 + 2xy}$, $\frac{\partial z}{\partial y} = \frac{x(x - 2z)}{z^2 + 2xy}$

(g) $yz + xz + xy = 0$

Lsg. $\frac{\partial z}{\partial x} = -\frac{y + z}{x + y}$, $\frac{\partial z}{\partial y} = -\frac{x + z}{x + y}$

18. *(a)* Für $z = \sqrt{x^2 + y^2}$ gilt $x \frac{\partial z}{\partial x} + y \frac{\partial z}{\partial y} = z$

(b) Für $z = \ln \sqrt{x^2 + y^2}$ gilt $x \frac{\partial z}{\partial x} + y \frac{\partial z}{\partial y} = 1$

(c) Für $z = e^{x/y} \sin \frac{x}{y} + e^{y/x} \cos \frac{y}{x}$ gilt $x \frac{\partial z}{\partial x} + y \frac{\partial z}{\partial y} = 0$

(d) Für $z = (ax + by)^2 + e^{ax + by} + \sin(ax + by)$ gilt $b \frac{\partial z}{\partial x} = a \frac{\partial z}{\partial y}$

19. Bestimme die Gleichung der Tangente

(a) an die Parabel $z = 2x^2 - 3y^2$, $y = 1$ im Punkt $(-2, 1, 5)$! 	*Lsg.* $8x + z + 11 = 0$, $y = 1$.

(b) an die Parabel $z = 2x^2 - 3y^2$, $x = -2$ im Punkt $(-2, 1, 5)$! 	*Lsg.* $6y + z - 11 = 0$, $x = -2$.

(c) an die Hyperbel $z = 2x^2 - 3y^2$, $z = 5$ im Punkt $(-2, 1, 5)$! 	*Lsg.* $4x + 3y + 5 = 0$, $z = 5$.

Zeige, daß diese drei Geraden in der Ebene $8x + 6y + z + 5 = 0$ liegen!

20. Bestimme für die folgenden Funktionen $\frac{\partial^2 z}{\partial x^2}$, $\frac{\partial^2 z}{\partial x \, \partial y}$, $\frac{\partial^2 z}{\partial y \, \partial x}$, $\frac{\partial^2 z}{\partial y^2}$!

(a) $z = 2x^2 - 5xy + y^2$

Lsg. $\frac{\partial^2 z}{\partial x^2} = 4$, $\frac{\partial^2 z}{\partial x \, \partial y} = \frac{\partial^2 z}{\partial y \, \partial x} = -5$, $\frac{\partial^2 z}{\partial y^2} = 2$.

(b) $z = \frac{x}{y^2} - \frac{y}{x^2}$

Lsg. $\frac{\partial^2 z}{\partial x^2} = -\frac{6y}{x^4}$, $\frac{\partial^2 z}{\partial x \, \partial y} = \frac{\partial^2 z}{\partial y \, \partial x} = 2\left(\frac{1}{x^3} - \frac{1}{y^3}\right)$, $\frac{\partial^2 z}{\partial y^2} = \frac{6x}{y^4}$.

(c) $z = \sin 3x \cos 4y$

Lsg. $\frac{\partial^2 z}{\partial x^2} = -9z$, $\frac{\partial^2 z}{\partial x \, \partial y} = \frac{\partial^2 z}{\partial y \, \partial x} = -12 \cos 3x \sin 4y$, $\frac{\partial^2 z}{\partial y^2} = -16z$.

(d) $z = \arctan \frac{y}{x}$

Lsg. $\frac{\partial^2 z}{\partial x^2} = -\frac{\partial^2 z}{\partial y^2} = \frac{2xy}{(x^2 + y^2)^2}$, $\frac{\partial^2 z}{\partial x \, \partial y} = \frac{\partial^2 z}{\partial y \, \partial x} = \frac{y^2 - x^2}{(x^2 + y^2)^2}$.

21. *(a)* Für $z = \frac{xy}{x - y}$ gilt $x^2 \frac{\partial^2 z}{\partial x^2} + 2xy \frac{\partial^2 z}{\partial x \, \partial y} + y^2 \frac{\partial^2 z}{\partial y^2} = 0$

(b) Für $z = e^{\alpha x} \cos \beta y$ und $\beta = \pm \alpha$ gilt $\frac{\partial^2 z}{\partial x^2} + \frac{\partial^2 z}{\partial y^2} = 0$

(c) Für $z = e^{-t}(\sin x + \cos y)$ gilt $\frac{\partial^2 z}{\partial x^2} + \frac{\partial^2 z}{\partial y^2} = \frac{\partial z}{\partial t}$

(d) Für $z = \sin ax \sin by \sin kt\sqrt{a^2 + b^2}$ gilt $\frac{\partial^2 z}{\partial t^2} = k^2 \left\{ \frac{\partial^2 z}{\partial x^2} + \frac{\partial^2 z}{\partial y^2} \right\}$

22. Bei der Gasgleichung $\left(p + \frac{a}{v^2} \right)(v - b) = ct$, in der a, b und c Konstante sind, gilt

$$\frac{\partial p}{\partial v} = \frac{2a(v - b) - (p + a/v^2)v^3}{v^3(v - b)}, \quad \frac{\partial v}{\partial t} = \frac{cv^3}{(p + a/v^2)v^3 - 2a(v - b)}, \quad \frac{\partial t}{\partial p} = \frac{v - b}{c}, \quad \left(\frac{\partial p}{\partial v}\right)\left(\frac{\partial v}{\partial t}\right)\left(\frac{\partial t}{\partial p}\right) = -1.$$

KAPITEL 57

Totale Differentiale und totale Ableitungen

TOTALE DIFFERENTIALE. Die Differentiale dx und dy einer Funktion $y = f(x)$ einer unabhängigen Veränderlichen x sind im Kapitel 23 definiert worden als

$$dx = \Delta x, \quad dy = f'(x)\,dx = \frac{dy}{dx}\,dx.$$

Wir betrachten die Funktion $z = f(x, y)$ von zwei unabhängigen Veränderlichen x und y und definieren $dx = \Delta x$ und $dy = \Delta y$. Hält man y fest und ist x veränderlich, so ist z eine Funktion, die nur von x abhängt, und *das partielle Differential von z bezüglich x* wird definiert durch $d_x z = f_x(x, y)\,dx$ $= \frac{\partial z}{\partial x}\,dx$. Genauso erklären wir *das partielle Differential von z bezüglich y* durch $d_y z = f_y(x, y)\,dy = \frac{\partial z}{\partial y}\,dy$

Das *totale Differential* dz ist definiert als Summe der partiellen Differentiale, das heißt,

$$dz = \frac{\partial z}{\partial x}\,dx + \frac{\partial z}{\partial y}\,dy \tag{1}$$

Für eine Funktion $w = F(x, y, z, \ldots t)$ wird das totale Differential dw erklärt als

$$dw = \frac{\partial w}{\partial x}\,dx + \frac{\partial w}{\partial y}\,dy + \frac{\partial w}{\partial z}\,dz + \cdots + \frac{\partial w}{\partial t}\,dt \tag{1'}$$

Siehe Aufgaben 1-2!

Wie im Falle einer Veränderlichen gibt das totale Differential einer Funktion von mehreren Veränderlichen eine gute Näherung des Gesamtzuwachses der Funktion, wenn der Zuwachs der verschiedenen unabhängigen Veränderlichen klein ist.

Beispiel:

Für $z = xy$ gilt $dz = \frac{\partial z}{\partial x}\,dx + \frac{\partial z}{\partial y}\,dy = y\,dx + x\,dy$. Haben x und y den Zuwachs $\Delta x = dx$ und $\Delta y = dy$, so ist der entsprechende Zuwachs Δz von z gleich

$$\begin{aligned}
\Delta z &= (x + \Delta x)(y + \Delta y) - xy \\
&= x\,\Delta y + y\,\Delta x + \Delta x\,\Delta y \\
&= x\,dy + y\,dx + dx\,dy.
\end{aligned}$$

Δy	$x \cdot \Delta y$	$\Delta x \cdot \Delta y$
y	$x \cdot y$	$y \cdot \Delta x$
	x	Δx

Abb. 57-1

Ein geometrische Deutung ist in Abb. 57-1 gegeben. Man sieht, daß sich dz und Δz durch ein Rechteck der Fläche $\Delta x\,\Delta y = dx\,dy$ unterscheiden.

Siehe Aufgaben 3-9!

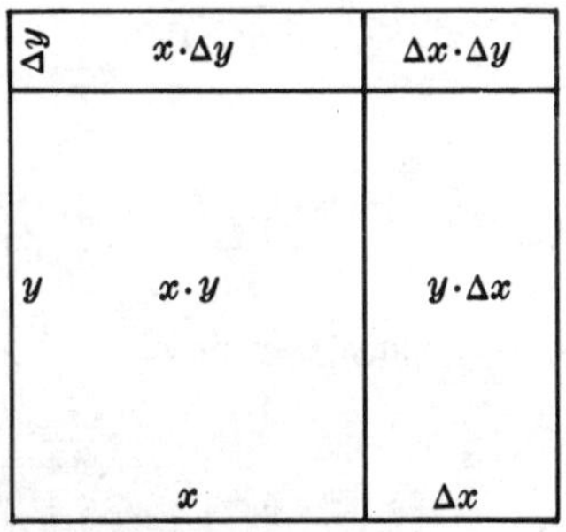

DIE KETTENREGEL FÜR FUNKTIONEN VON FUNKTIONEN. Ist $z = f(x, y)$ eine stetige Funktion der Veränderlichen x und y mit stetigen partiellen Ableitungen $\partial z/\partial x$ und $\partial z/\partial y$ und sind x und y differenzierbare Funktionen $x = g(t)$, $y = h(t)$ einer Veränderlichen t, so ist z eine differenzierbare Funktion von t, und dz/dt, die totale Ableitung von z bezüglich t, ist gegeben durch:

$$\frac{dz}{dt} = \frac{\partial z}{\partial x}\frac{dx}{dt} + \frac{\partial z}{\partial y}\frac{dy}{dt} \tag{2}$$

Ist $w = f(x, y, z, \ldots)$ eine stetige Funktion der Veränderlichen $x, y, z, \ldots$ mit stetigen partiellen Ableitungen und sind $x, y, z, \ldots$ differenzierbare Funktionen einer Veränderlichen t, dann ist die totale Ableitung von w bezüglich t gegeben durch:

$$\frac{dw}{dt} = \frac{\partial w}{\partial x}\frac{dx}{dt} + \frac{\partial w}{\partial y}\frac{dy}{dt} + \frac{\partial w}{\partial z}\frac{dz}{dt} + \cdots \tag{2'}$$

Siehe Aufgaben 10-16!

Ist $z = f(x, y)$ eine stetige Funktion der Veränderlichen x und y mit stetigen partiellen Ableitungen $\partial z/\partial x$ und $\partial z/\partial y$ und sind x und y stetige Funktionen $x = g(r, s)$ $y = h(r, s)$ der unabhängigen Veränderlichen r und s, dann ist z Funktion von r und s mit

$$\frac{\partial z}{\partial r} = \frac{\partial z}{\partial x}\frac{\partial x}{\partial r} + \frac{\partial z}{\partial y}\frac{\partial y}{\partial r} \quad \text{und} \quad \frac{\partial z}{\partial s} = \frac{\partial z}{\partial x}\frac{\partial x}{\partial s} + \frac{\partial z}{\partial y}\frac{\partial y}{\partial s} \tag{3}$$

Ist genauso $w = f(x, y, z, \ldots)$ eine stetige Funktion der n Veränderlichen $x, y, z, \ldots$ mit stetigen partiellen Ableitungen $\partial w/\partial x, \partial w/\partial y, \partial w/\partial z, \ldots$ und sind $x, y, z, \ldots$ stetige Funktionen der m unabhängigen Veränderlichen $r, s, t, \ldots$, dann gilt

$$\frac{\partial w}{\partial r} = \frac{\partial w}{\partial x}\frac{\partial x}{\partial r} + \frac{\partial w}{\partial y}\frac{\partial y}{\partial r} + \frac{\partial w}{\partial z}\frac{\partial z}{\partial r} + \cdots$$

$$\frac{\partial w}{\partial s} = \frac{\partial w}{\partial x}\frac{\partial x}{\partial s} + \frac{\partial w}{\partial y}\frac{\partial y}{\partial s} + \frac{\partial w}{\partial z}\frac{\partial z}{\partial s} + \cdots \quad \text{usw.} \tag{3'}$$

Siehe Aufgaben 17-19!

AUFGABEN MIT LÖSUNGEN

Bestimme in den Aufgaben 1-2 das totale Differential!

1. $z = x^3 y + x^2 y^2 + xy^3$.

$$\frac{\partial z}{\partial x} = 3x^2 y + 2xy^2 + y^3, \qquad \frac{\partial z}{\partial y} = x^3 + 2x^2 y + 3xy^2$$

Also $\qquad dz = \dfrac{\partial z}{\partial x}dx + \dfrac{\partial z}{\partial y}dy = (3x^2 y + 2xy^2 + y^3)\,dx + (x^3 + 2x^2 y + 3xy^2)\,dy.$

2. $z = x \sin y - y \sin x$.

$$\frac{\partial z}{\partial x} = \sin y - y \cos x, \qquad \frac{\partial z}{\partial y} = x \cos y - \sin x$$

Also $\qquad dz = \dfrac{\partial z}{\partial x}dx + \dfrac{\partial z}{\partial y}dy = (\sin y - y \cos x)\,dx + (x \cos y - \sin x)\,dy.$

3. Vergleiche dz und Δz für $z = x^2 + 2xy - 3y^2$!

$$\frac{\partial z}{\partial x} = 2x + 2y, \qquad \frac{\partial z}{\partial y} = 2x - 6y, \qquad dz = 2(x + y)\,dx + 2(x - 3y)\,dy$$

$$\begin{aligned}
\Delta z &= [(x + dx)^2 + 2(x + dx)(y + dy) - 3(y + dy)^2] - (x^2 + 2xy - 3y^2)\\
&= 2(x + y)\,dx + 2(x - 3y)\,dy + (dx)^2 + 2\,dx\,dy - 3(dy)^2\,!
\end{aligned}$$

Also unterscheiden sich dz und Δz um $(dx)^2 + 2\,dx\,dy - 3(dy)^2$!

4. Gib annähernd den Flächeninhalt A eines Rechtecks mit den Seiten $35{,}02$ und $24{,}97$ an!

Bei den Seitenlängen x und y ist die Fläche $A = xy$. Damit gilt $dA = \dfrac{\partial A}{\partial x}dx + \dfrac{\partial A}{\partial y}dy = y\,dx + x\,dy$. Mit $x = 35$, $dx = 0{,}02$, $y = 25$, $dy = -0{,}03$ folgt $A = 35 \cdot 25 = 875$ und $dA = 25(0{,}02) + 35(-0{,}03) = -0{,}55$. Die Fläche ist annähernd durch $A + dA = 874{,}45$ Quadrateinheiten gegeben.

5. Gib annähernd die Änderung der Hypotenuse eines rechtwinkligen Dreiecks mit den Katheten 6 und 8 cm an, wenn die kürzere um $\frac{1}{4}$ cm verlängert wird und die längere um $\frac{1}{8}$ cm verkürzt wird!

Es seien x, y, z die kürzere Kathete, die längere Kathete und die Hypotenuse des Dreiecks. Dann gilt

$$z = \sqrt{x^2 + y^2}, \quad \frac{\partial z}{\partial x} = \frac{x}{\sqrt{x^2 + y^2}}, \quad \frac{\partial z}{\partial y} = \frac{y}{\sqrt{x^2 + y^2}}, \quad dz = \frac{\partial z}{\partial x} dx + \frac{\partial z}{\partial y} dy = \frac{x\,dx + y\,dy}{\sqrt{x^2 + y^2}}.$$

Für $x = 6$, $y = 8$, $dx = 1/4$ und $dy = -1/8$ ergibt sich $dz = \dfrac{6(1/4) + 8(-1/8)}{\sqrt{6^2 + 8^2}} = 1/20$ cm. Also wird die Hypotenuse ungefähr 1/20 cm länger.

6. Die Leistung P, die in einem elektrischen Widerstand verbraucht wird, ist durch $P = E^2/R$ W gegeben. Es gelte $E = 200$ V und $R = 8\,\Omega$. Wie stark ändert sich die Leistung, wenn E um 5 V und R um 0,2 Ω abnehmen?

$$\frac{\partial P}{\partial E} = \frac{2E}{R}, \quad \frac{\partial P}{\partial R} = -\frac{E^2}{R^2}, \quad dP = \frac{2E}{R} dE - \frac{E^2}{R^2} dR.$$

Für $E = 200$, $R = 8$, $dE = -5$ und $dR = -0,2$ ergibt sich

$$dP = \frac{2 \cdot 200}{8}(-5) - \left(\frac{200}{8}\right)^2 (-0,2) = -250 + 125 = -125 \text{ W.}$$

Die Leistung ist um angenähert 125 W verringert.

7. Beim Ausmessen eines rechteckigen Holzblocks ergaben sich die Seitenlängen 25, 30 und 50 cm mit einem möglichen Fehler von jeweils 0,125 cm. Mit welcher Genauigkeit kann man die Oberfläche S höchstens angeben? Gib den größten Fehler bei der Flächenangabe, der durch die Fehler bei den einzelnen Messungen entsteht, in Prozenten an!

Die Oberfläche ist $S = 2(xy + yz + zx)$; damit gilt

$$dS = \frac{\partial S}{\partial x} dx + \frac{\partial S}{\partial y} dy + \frac{\partial S}{\partial z} dz = 2(y + z)\,dx + 2(x + z)\,dy + 2(y + x)\,dz.$$

Der größte Fehler in S entsteht, wenn die Fehler bei den Längenangaben das gleiche Vorzeichen haben; sie seien etwa positiv. Dann gilt

$$dS = 2(30 + 50)(0,125) + 2(25 + 50)(0,125) + 2(25 + 30)(0,125) = 52,5\,\text{cm}^2$$

Der prozentuale Fehler ist gleich (Fehler /Fläche) $(100) = (52,5\,/7000)(100) = 0,75\%$.

8. Es gilt $R = E/C$. Bestimme den größten Fehler in R (absolut und relativ), wenn man $C = 20$ mit einem möglichen Fehler von 0,1 und $E = 120$ mit einem möglichen Fehler von 0,05 mißt!

$$dR = \frac{\partial R}{\partial E} dE + \frac{\partial R}{\partial C} dC = \frac{1}{C} dE - \frac{E}{C^2} dC.$$

Der größte Fehler ergibt sich für $dE = 0,05$ und $dC = -0,1$. Dann ist

$$dR = \frac{0,05}{20} - \frac{120}{400}(-0,1) = 0,0325 \text{ (annähernd) der größte Fehler.}$$

Prozentual: $\dfrac{dR}{R}(100) = \dfrac{0,0325}{6}(100) = 0,54166 = 0,54\,\%$.

9. Bei einem Dreieck ergaben die Messungen für zwei Seiten 150 und 200 m. Der eingeschlossene Winkel war 60° groß. Der mögliche Fehler bei den Längenmessungen war 0,2 m und beim Winkel 1°. Wie groß war der Fehler höchstens, den man bei der Berechnung der Fläche A machte?

$$A = \tfrac{1}{2} xy \sin \theta, \quad \partial A / \partial x = \tfrac{1}{2} y \sin \theta, \quad \partial A / \partial y = \tfrac{1}{2} x \sin \theta, \quad \partial A / \partial \theta = \tfrac{1}{2} xy \cos \theta,$$

also $\qquad dA = \tfrac{1}{2} y \sin \theta\, dx + \tfrac{1}{2} x \sin \theta\, dy + \tfrac{1}{2} xy \cos \theta\, d\theta.$

Für $x = 150$, $y = 200$, $\theta = 60°$, $dx = 0,2$, $dy = 0,2$, und $d\theta = 1° = \pi/180$ ergibt sich

$$dA = \tfrac{1}{2}(200)(\sin 60°)(0.2) + \tfrac{1}{2}(150)(\sin 60°)(0,2) + \tfrac{1}{2}(150)(200)(\cos 60°)(\pi/180) = 161,21\,\text{m}^2$$

10. Bestimme dz/dt für $z = x^2 + 3xy + 5y^2$; $x = \sin t$, $y = \cos t$.

$$\frac{\partial z}{\partial x} = 2x + 3y, \quad \frac{\partial z}{\partial y} = 3x + 10y, \quad \frac{dx}{dt} = \cos t, \quad \frac{dy}{dt} = -\sin t$$

Damit gilt $\qquad \dfrac{dz}{dt} = \dfrac{\partial z}{\partial x} \dfrac{dx}{dt} + \dfrac{\partial z}{\partial y} \dfrac{dy}{dt} = (2x + 3y)\cos t - (3x + 10y)\sin t;$

11. Bestimme dz/dt für $z = \ln(x^2 + y^2)$; $x = e^{-t}$, $y = e^t$.

$$\frac{\partial z}{\partial x} = \frac{2x}{x^2 + y^2}, \qquad \frac{\partial z}{\partial y} = \frac{2y}{x^2 + y^2}, \qquad \frac{dx}{dt} = -e^{-t}, \qquad \frac{dy}{dt} = e^t.$$

Damit gilt $\qquad \dfrac{dz}{dt} = \dfrac{\partial z}{\partial x}\dfrac{dx}{dt} + \dfrac{\partial z}{\partial y}\dfrac{dy}{dt} = \dfrac{2x}{x^2 + y^2}(-e^{-t}) + \dfrac{2y}{x^2 + y^2}(e^t) = 2\dfrac{ye^t - xe^{-t}}{x^2 + y^2}.$

12. Es sei $z = f(x, y)$ eine stetige Funktion von x und y mit stetigen partiellen Ableitungen $\partial z/\partial x$ und $\partial z/\partial y$. Ferner sei y eine differenzierbare Funktion von x. Dann ist z eine differenzierbare Funktion von x und nach (2) gilt

$$\frac{dz}{dx} = \frac{\partial f}{\partial x}\cdot\frac{dx}{dx} + \frac{\partial f}{\partial y}\cdot\frac{dy}{dx} = \frac{\partial f}{\partial x} + \frac{\partial f}{\partial y}\cdot\frac{dy}{dx}.$$

Wir haben hier die Buchstaben z und f benutzt, damit keine Verwechslung möglich ist, wenn wir dz/dx und $\partial z/\partial x$ im selben Ausdruck verwenden.

13. Bestimme dz/dx für $z = f(x, y) = x^2 + 2xy + 4y^2$, $y = e^{ax}$.

$$\frac{dz}{dx} = \frac{\partial f}{\partial x} + \frac{\partial f}{\partial y}\cdot\frac{dy}{dx} = (2x + 2y) + (2x + 8y)ae^{ax} = 2(x + y) + 2a(x + 4y)e^{ax}.$$

14. Bestimme (a) dz/dx und (b) dz/dy für $z = f(x, y) = xy^2 + x^2y$, $y = \ln x$!

    (a) Hier ist x die unabhängige Veränderliche.

$$\frac{dz}{dx} = \frac{\partial f}{\partial x} + \frac{\partial f}{\partial y}\cdot\frac{dy}{dx} = (y^2 + 2xy) + (2xy + x^2)\left(\frac{1}{x}\right) = y^2 + 2xy + 2y + x.$$

    (b) Hier ist y die unabhängige Veränderliche.

$$\frac{dz}{dy} = \frac{\partial f}{\partial x}\cdot\frac{dx}{dy} + \frac{\partial f}{\partial y} = (y^2 + 2xy)x + (2xy + x^2) = xy^2 + 2x^2y + 2xy + x^2.$$

15. Die Höhe eines geraden Kreiskegels ist 15 cm und wächst mit 0,2 cm/sec. Der Radius der Grundfläche ist 10 cm und nimmt mit 0,3 cm/sec ab. Wie schnell ändert sich sein Volumen?

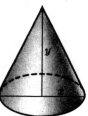

    Es sei x = Radius und y = Höhe des Kegels. Wir betrachten x und y als Funktionen der Zeit t und erhalten aus $V = \frac{1}{3}\pi x^2 y$:

$$\frac{dV}{dt} = \frac{\partial V}{\partial x}\frac{dx}{dt} + \frac{\partial V}{\partial y}\frac{dy}{dt} = \frac{1}{3}\pi\left(2xy\frac{dx}{dt} + x^2\frac{dy}{dt}\right)$$

Abb. 57-2

$$= \tfrac{1}{3}\pi[2\cdot 10\cdot 15\cdot(-0,3) + 10^2\cdot(0,2)] = -70\pi/3 \text{ cm}^3/\text{sec}.$$

16. Ein Punkt P bewegt sich längs der Schnittkurve des Paraboloids $\dfrac{x^2}{16} - \dfrac{y^2}{9} = z$ mit dem Zylinder $x^2 + y^2 = 5$, wobei x, y und z in Zentimeter gegeben sind. Wie schnell ändert sich z in $x = 2$, wenn x mit 0,2 cm/min wächst?

    Aus $z = \dfrac{x^2}{16} - \dfrac{y^2}{9}$ folgt $\dfrac{dz}{dt} = \dfrac{\partial z}{\partial x}\dfrac{dx}{dt} + \dfrac{\partial z}{\partial y}\dfrac{dy}{dt} = \dfrac{x}{8}\dfrac{dx}{dt} - \dfrac{2y}{9}\dfrac{dy}{dt}$

    Da $x^2 + y^2 = 5$ gilt, folgt $y = \pm 1$ für $x = 2$; ebenfalls gilt $x\dfrac{dx}{dt} + y\dfrac{dy}{dt} = 0$

    Für $y = 1$ gilt $\dfrac{dy}{dt} = -\dfrac{x}{y}\dfrac{dx}{dt} = -\dfrac{2}{1}(0,2) = -0,4$, also $\dfrac{dz}{dt} = \dfrac{2}{8}(0,2) - \dfrac{2}{9}(-0,4) = \dfrac{5}{36}$ cm/min.

    Für $y = -1$ gilt $\dfrac{dy}{dt} = -\dfrac{x}{y}\dfrac{dx}{dt} = 0,4$ also $\dfrac{dz}{dt} = \dfrac{2}{8}(0,2) - \dfrac{2}{9}(-1)(0,4) = \dfrac{5}{36}$ cm/min.

17. Bestimme $\partial z/\partial r$ und $\partial z/\partial s$ für $z = x^2 + xy + y^2$; $x = 2r + s$, $y = r - 2s$

$$\frac{\partial z}{\partial x} = 2x + y, \quad \frac{\partial z}{\partial y} = x + 2y, \quad \frac{\partial x}{\partial r} = 2, \quad \frac{\partial x}{\partial s} = 1, \quad \frac{\partial y}{\partial r} = 1, \quad \frac{\partial y}{\partial s} = -2.$$

Daraus folgt $\qquad \dfrac{\partial z}{\partial r} = \dfrac{\partial z}{\partial x}\dfrac{\partial x}{\partial r} + \dfrac{\partial z}{\partial y}\dfrac{\partial y}{\partial r} = (2x + y)(2) + (x + 2y)(1) = 5x + 4y$

und $\qquad\qquad \dfrac{\partial z}{\partial s} = \dfrac{\partial z}{\partial x}\dfrac{\partial x}{\partial s} + \dfrac{\partial z}{\partial y}\dfrac{\partial y}{\partial s} = (2x + y)(1) + (x + 2y)(-2) = -3y.$

18. Bestimme $\dfrac{\partial u}{\partial \rho}, \dfrac{\partial u}{\partial \beta}, \dfrac{\partial u}{\partial \theta}$ für $u = x^2 + 2y^2 + 2z^2$, $x = \rho \sin \beta \cos \theta$, $y = \rho \sin \beta \sin \theta$, $z = \rho \cos \beta$!

$$\frac{\partial u}{\partial \rho} = \frac{\partial u}{\partial x}\frac{\partial x}{\partial \rho} + \frac{\partial u}{\partial y}\frac{\partial y}{\partial \rho} + \frac{\partial u}{\partial z}\frac{\partial z}{\partial \rho} = 2x \sin \beta \cos \theta + 4y \sin \beta \sin \theta + 4z \cos \beta$$

$$\frac{\partial u}{\partial \beta} = \frac{\partial u}{\partial x}\frac{\partial x}{\partial \beta} + \frac{\partial u}{\partial y}\frac{\partial y}{\partial \beta} + \frac{\partial u}{\partial z}\frac{\partial z}{\partial \beta} = 2x \rho \cos \beta \cos \theta + 4y \rho \cos \beta \sin \theta - 4z \rho \sin \beta$$

$$\frac{\partial u}{\partial \theta} = \frac{\partial u}{\partial x}\frac{\partial x}{\partial \theta} + \frac{\partial u}{\partial y}\frac{\partial y}{\partial \theta} + \frac{\partial u}{\partial z}\frac{\partial z}{\partial \theta} = -2x \rho \sin \beta \sin \theta + 4y \rho \sin \beta \cos \theta.$$

19. Bestimme du/dx für $u = f(x,y,z) = xy + yz + zx$, $y = 1/x$, $z = x^2$!

Mit $(\mathcal{S}')$ folgt

$$\frac{du}{dx} = \frac{\partial f}{\partial x} + \frac{\partial f}{\partial y} \cdot \frac{dy}{dx} + \frac{\partial f}{\partial z} \cdot \frac{dz}{dx} = (y+z) + (x+z)\left(-\frac{1}{x^2}\right) + (y+x)2x = y + z + 2x(x+y) - \frac{x+z}{x^2}.$$

20. Es sei $z = f(x,y)$ eine stetige Funktion von x und y mit stetigen ersten partiellen Ableitungen $\partial z/\partial x$ und $\partial z/\partial y$. Leite die grundlegende Formel

(A) $$\Delta z = \frac{\partial z}{\partial x} \Delta x + \frac{\partial z}{\partial y} \Delta y + \epsilon_1 \Delta x + \epsilon_2 \Delta y \quad \text{ab},$$

wobei für Δx und $\Delta y \to 0$ gilt ϵ_1 und $\epsilon_2 \to 0$.

Haben x und y den Zuwachs Δx bzw. Δy, dann ist der entsprechende Zuwachs von z gleich

(i) $$\begin{aligned} \Delta z &= f(x + \Delta x, y + \Delta y) - f(x,y) \\ &= [f(x + \Delta x, y + \Delta y) - f(x, y + \Delta y)] + [f(x, y + \Delta y) - f(x,y)]. \end{aligned}$$

In dem Ausdruck in der ersten Klammer ändert sich x, in der zweiten ändert sich nur y. Also können wir auf beide den Mittelwertsatz ((V) in Kapitel 21) anwenden und erhalten

(ii) $$f(x + \Delta x, y + \Delta y) - f(x, y + \Delta y) = \Delta x \cdot f_x(x + \theta_1 \Delta x, y + \Delta y)$$

(iii) $$f(x, y + \Delta y) - f(x,y) = \Delta y \cdot f_y(x, y + \theta_2 \Delta y)$$

mit $0 < \theta_1 < 1$ und $0 < \theta_2 < 1$. Beachte, daß die Ableitungen, die vorkommen, partielle Ableitungen sind!

Da $\partial z/\partial x = f_x(x,y)$ und $\partial z/\partial y = f_y(x,y)$ nach Voraussetzung stetige Funktionen von x und y sind, gilt:

$$\lim_{\substack{\Delta x \to 0 \\ \Delta y \to 0}} f_x(x + \theta_1 \Delta x, y + \Delta y) = f_x(x,y) \quad \text{und} \quad \lim_{\substack{\Delta x \to 0 \\ \Delta y \to 0}} f_y(x, y + \theta_2 \Delta y) = f_y(x,y).$$

Damit folgt $\quad f_x(x + \theta_1 \Delta x, y + \Delta y) = f_x(x,y) + \epsilon_1, \quad f_y(x, y + \theta_2 \Delta y) = f_y(x,y) + \epsilon_2,$
wobei $\epsilon_1 \to 0$ und $\epsilon_2 \to 0$ für Δx und $\Delta y \to 0$.

Setzen wir dies in (ii) und (iii) und dann das Ergebnis in (i) ein, so erhalten wir wie gefordert

$$\begin{aligned} \Delta z &= \{f_x(x,y) + \epsilon_1\} \Delta x + \{f_y(x,y) + \epsilon_2\} \Delta y \\ &= f_x(x,y) \Delta x + f_y(x,y) \Delta y + \epsilon_1 \Delta x + \epsilon_2 \Delta y. \end{aligned}$$

Beachte, daß die totale Ableitung dz eine einigermaßen gute Näherung für den Gesamtzuwachs Δz ist, falls $|\Delta x|$ und $|\Delta y|$ hinreichend klein sind!

ERGÄNZUNGSAUFGABEN

21. Bestimme das totale Differential für die gegebenen Funktionen!

(a) $z = x^3y + 2xy^3$ *Lsg.* $dz = (3x^2 + 2y^2)y \, dx + (x^2 + 6y^2)x \, dy$.

(b) $\theta = \arctan \, y/x$ *Lsg.* $d\theta = \dfrac{x \, dy - y \, dx}{x^2 + y^2}$.

(c) $z = e^{x^2 - y^2}$ *Lsg.* $dz = 2z(x \, dx - y \, dy)$.

(d) $z = x(x^2 + y^2)^{-1/2}$ *Lsg.* $dz = \dfrac{y(y \, dx - x \, dy)}{(x^2 + y^2)^{3/2}}$.

22. Die Grundfrequenz einer Saite oder eines runden Drahts unter der Spannung T ist $n = \dfrac{1}{2rl} \sqrt{\dfrac{T}{\pi d}}$, wobei l die Länge, r der Radius und d die Dichte der Saite ist. Bestimme annähernd die Wirkung, die durch Änderung von (a) l um dl (klein), (b) T um dT (klein) und (c) l und T um dl und dT entsteht!

Lsg.   (a) $-\dfrac{n}{l} \, dl$,   (b) $\dfrac{n}{2T} \, dT$,   (c) $n\left(-\dfrac{dl}{l} + \dfrac{dT}{2T} \right)$.

23. Berechne mit Differentialen

(a) Das Volumen einer Schachtel mit quadratischer Grundfläche (Seite 8,005 cm und Höhe 9,996 cm)!

Lsg. 640,544 cm³

(b) Die Diagonale eines quaderförmigen Kastens mit den Seiten 3,03 ; 5,98 ; 6,01 cm.   *Lsg.* 9,003 cm.

24. Gib annähernd den größten Fehler (absolut und prozentual) an, wenn man z durch die gegebenen Gleichungen berechnet!

(a) $z = \pi r^2 h$; $r = 5 \pm 0{,}05$, $h = 12 \pm 0{,}1$.   *Lsg.* $8{,}5\pi$; 2,8% .

(b) $1/z = 1/f + 1/g$; $f = 4 \pm 0{,}01$, $g = 8 \pm 0{,}02$.   *Lsg.*   0,0067; 0,25% .

(c) $z = y/x$; $x = 1{,}8 \pm 0{,}1$, $y = 2{,}4 \pm 0{,}1$.   *Lsg.*   0,13; 10% .

25. Gib annähernd den größten prozentualen Fehler für

(a) $\omega = \sqrt[3]{g/b}$ an, wenn man g mit einem Fehler von 1% und b mit einem Fehler von $\frac{1}{2}$% mißt!

Hinweis. $\ln \omega = \frac{1}{3}(\ln g - \ln b)$; $\dfrac{\partial \omega}{\omega} = \dfrac{1}{3}\left(\dfrac{dg}{g} - \dfrac{db}{b} \right)$, $\left| \dfrac{dg}{g} \right| = 0{,}01$, $\left| \dfrac{db}{b} \right| = 0{,}005$ *Lsg.*   0,005

(b) $g = 2s/t^2$, wenn man s mit einem Fehler von 1% und t mit einem Fehler von $\frac{1}{4}$% mißt.   *Lsg.*   0,015.

26. Bestimme du/dt für

(a) $u = x^2y^3$, $x = 2t^3$, $y = 3t^2$.   *Lsg.* $6xy^2 \, t(2yt + 3x)$.

(b) $u = x \cos y + y \sin x$, $x = \sin 2t$, $y = \cos 2t$.
     Lsg. $2(\cos y + y \cos x) \cos 2t - 2(-x \sin y + \sin x) \sin 2t$.

(c) $u = xy + yz + zx$, $x = e^t$, $y = e^{-t}$, $z = e^t + e^{-t}$.   *Lsg.* $(x + 2y + z)e^t - (2x + y + z)e^{-t}$.

27. Zu einer bestimmten Zeit ist der Radius eines geraden Kreiszylinders 6 cm und wächst mit 0,2 cm/sec, während die Höhe 8 cm ist und mit 0,4 cm/sec abnimmt. Bestimme die Änderungsgeschwindigkeit (a) des Volumens und (b) der Oberfläche zu diesem Zeitpunkt!

Lsg. (a) 4,8π cm³/sec , (b) 3,2π cm²/sec

28. Ein Teilchen bewegt sich so in einer Ebene, daß die Abszisse und die Ordinate seines Orts zur Zeit t durch $x = 2 + 3t$ und $y = t^2 + 4$ gegeben sind (x und y in Meter und t in Sekunden). Wie ändert sich zum Zeitpunkt $t = 1$ die Entfernung des Teilchens vom Nullpunkt?

Lsg. $5/\sqrt{2}$ m/sec.

29. Ein Punkt bewegt sich längs der Schnittkurve von $x^2 + 3xy + 3y^2 = z^2$ und der Ebene $x - 2y + 4 = 0$. In $x = 2$ wächst x mit 3 Einheiten pro Sekunde. *(a)* Wie ändert sich y? *(b)* Wie ändert sich z? *(c)* Bestimme die Geschwindigkeit in diesem Punkt!

Lsg.(a) wächst mit 3/2 Einh./sec. *(b)* wächst in $(2, 3, 7)$ mit $75/14$ Einh./sec und nimmt in $(2, 3, -7)$ mit $75/14$ Einh./sec ab. *(c)* 6, 3 Einh./sec.

30. Bestimme $\partial z/\partial s$ und $\partial z/\partial t$!

   (a) $z = x^2 - 2y^2$, $x = 3s + 2t$, $y = 3s - 2t$.   *Lsg.* $6(x - 2y)$, $4(x + 2y)$.

   (b) $z = x^2 + 3xy + y^2$, $x = \sin s + \cos t$, $y = \sin s - \cos t$.   *Lsg.* $5(x + y)\cos s$, $(x - y)\sin t$.

   (c) $z = x^2 + 2y^2$, $x = e^s - e^t$, $y = e^s + e^t$.   *Lsg.* $2(x + 2y)e^s$, $2(2y - x)e^t$.

   (d) $z = \sin(4x + 5y)$, $x = s + t$, $y = s - t$.   *Lsg.* $9\cos(4x + 5y)$, $-\cos(4x + 5y)$.

   (e) $z = e^{xy}$, $x = s^2 + 2st$, $y = 2st + t^2$.   *Lsg.* $2e^{xy}\{tx + (s + t)y\}$
                                                  $2e^{xy}\{(s + t)x + sy\}$.

31. *(a)* Es gelte $u = f(x, y)$ und $x = r\cos\theta$, $y = r\sin\theta$. Zeige, daß

$$\left(\frac{\partial u}{\partial x}\right)^2 + \left(\frac{\partial u}{\partial y}\right)^2 = \left(\frac{\partial u}{\partial r}\right)^2 + \frac{1}{r^2}\left(\frac{\partial u}{\partial \theta}\right)^2!$$

   (b) Es gelte $u = f(x, y)$ und $x = r\cosh s$, $y = r\sinh s$. Zeige, daß

$$\left(\frac{\partial u}{\partial x}\right)^2 - \left(\frac{\partial u}{\partial y}\right)^2 = \left(\frac{\partial u}{\partial r}\right)^2 - \frac{1}{s^2}\left(\frac{\partial u}{\partial s}\right)^2!$$

32. *(a)* Es gelte $z = f(x + \alpha y) + g(x - \alpha y)$. Zeige, daß $\dfrac{\partial^2 z}{\partial x^2} = \dfrac{1}{\alpha^2}\dfrac{\partial^2 z}{\partial y^2}$!

   Hinweis. Man schreibe $z = f(u) + g(v)$, $u = x + \alpha y$, $v = x - \alpha y$

   (b) Für $z = x^n f\left(\dfrac{y}{x}\right)$ gilt $x\dfrac{\partial z}{\partial x} + y\dfrac{\partial z}{\partial y} = nz$

   (c) Zeige für $z = f(x, y)$, $x = g(t)$, $y = h(t)$ (die Stetigkeitsbedingungen von S. 259 seien erfüllt), daß

$$\frac{d^2 z}{dt^2} = f_{xx}(g')^2 + 2f_{xy}g'h' + f_{yy}(h')^2 + f_x g'' + f_y h''!$$

   (d) Zeige für $z = f(x, y)$, $x = g(r, s)$, $y = h(r, s)$ (die Stetigkeitsbedingungen seien erfüllt), daß

$$\frac{\partial^2 z}{\partial r^2} = f_{xx}(g_r)^2 + 2f_{xy}g_r h_r + f_{yy}(h_r)^2 + f_x g_{rr} + f_y h_{rr}$$

$$\frac{\partial^2 z}{\partial r\,\partial s} = f_{xx}g_r g_s + f_{xy}(g_r h_s + g_s h_r) + f_{yy}h_r h_s + f_x g_{rs} + f_y h_{rs}$$

$$\frac{\partial^2 z}{\partial s^2} = f_{xx}(g_s)^2 + 2f_{xy}g_s h_s + f_{yy}(h_s)^2 + f_x g_{ss} + f_y h_{ss}!$$

33. Eine Funktion $f(x, y)$ heißt homogen von der Ordnung n, wenn $f(tx, ty) = t^n f(x, y)$ gilt. (Zum Beispiel ist $f(x, y) = x^2 + 2xy + 3y^2$ homogen von der Ordnung 2; $f(x, y) = x\sin y/x + y\cos y/x$ ist homogen von der Ordnung 1). Man differenziere $f(tx, ty) = t^n f(x, y)$ nach t und ersetze danach t durch 1. Dann ergibt sich $xf_x + yf_y = nf$. Prüfe diese Gleichung an den beiden Beispielen nach! Siehe auch Aufgabe 32 *(b)*!

34. Es sei $z = \phi(u, v)$, wobei $u = f(x, y)$ und $v = g(x, y)$ gilt. Ferner gelte $\dfrac{\partial u}{\partial x} = \dfrac{\partial v}{\partial y}$ und $\dfrac{\partial u}{\partial y} = -\dfrac{\partial v}{\partial x}$. Zeige, daß

    (a) $\dfrac{\partial^2 u}{\partial x^2} + \dfrac{\partial^2 u}{\partial y^2} = \dfrac{\partial^2 v}{\partial x^2} + \dfrac{\partial^2 v}{\partial y^2} = 0$

    (b) $\dfrac{\partial^2 \phi}{\partial x^2} + \dfrac{\partial^2 \phi}{\partial y^2} = \left\{\left(\dfrac{\partial u}{\partial x}\right)^2 + \left(\dfrac{\partial v}{\partial x}\right)^2\right\}\left(\dfrac{\partial^2 \phi}{\partial u^2} + \dfrac{\partial^2 \phi}{\partial v^2}\right)!$

35. Leite mit der Gleichung *(A)* aus Aufgabe 20 die Kettenregeln *(2)* und *(3)* ab! *Hinweis:* Teile beim Beweis von *(2)* durch Δt!

KAPITEL 58

Implizite Funktionen

DIE DIFFERENTIATION einer Funktion einer Veränderlichen, die implizit durch die Gleichung $f(x, y) = 0$ definiert ist, haben wir intuitiv im Kapitel 6 behandelt. Für diesen Fall geben wir folgenden Satz ohne Beweis an:

I. Ist $f(x, y)$ in einem Gebiet, das den Punkt (x_0, y_0) enthält, stetig, gilt $f(x_0, y_0) = 0$, sind die partiellen Ableitungen $\partial f/\partial x$ und $\partial f/\partial y$ im ganzen Gebiet stetig und gilt $\partial f/\partial y \neq 0$ in (x_0, y_0), dann gibt es eine Umgebung von (x_0, y_0), in der man die Gleichung $f(x, y) = 0$ nach y auflösen kann, wobei dann y eine stetig differenzierbare Funktion von x ist: $y = \phi(x)$ mit $y_0 = \phi(x_0)$ und $\dfrac{dy}{dx} = -\dfrac{\partial f/\partial x}{\partial f/\partial y}$.

Siehe Aufgaben 1-3!

Wir geben diesen Satz noch allgemeiner an:

II. Ist $F(x, y, z)$ in einem Gebiet stetig, das den Punkt (x_0, y_0, z_0) enthält, gilt $F(x_0, y_0, z_0) = 0$, sind die partiellen Ableitungen $\dfrac{\partial F}{\partial x}, \dfrac{\partial F}{\partial y}, \dfrac{\partial F}{\partial z}$ im ganzen Gebiet stetig und gilt $\partial F/\partial z \neq 0$ in (x_0, y_0, z_0), dann gibt es eine Umgebung von (x_0, y_0, z_0), in der man die Gleichung $F(x, y, z) = 0$ nach z auflösen kann, wobei dann z eine stetig differenzierbare Funktion von x und y ist: $z = \phi(x, y)$ mit $z_0 = \phi(x_0, y_0)$ und $\dfrac{\partial z}{\partial x} = -\dfrac{\partial F/\partial x}{\partial F/\partial z}, \quad \dfrac{\partial z}{\partial y} = -\dfrac{\partial F/\partial y}{\partial F/\partial z}$.

Siehe Aufgaben 4-5!

III. Sind $f(x, y, u, v)$ und $g(x, y, u, v)$ stetig in einem Gebiet, das den Punkt (x_0, y_0, u_0, v_0) enthält, gilt $f(x_0, y_0, u_0, v_0) = 0$ und $g(x_0, y_0, u_0, v_0) = 0$, sind die ersten partiellen Ableitungen von f und g im ganzen Gebiet stetig und gilt in (x_0, y_0, u_0, v_0) für die Determinante $J\left(\dfrac{f, g}{u, v}\right) = \begin{vmatrix} \partial f/\partial u & \partial f/\partial v \\ \partial g/\partial u & \partial g/\partial v \end{vmatrix}$

$\neq 0$, dann gibt es eine Umgebung von (x_0, y_0, u_0, v_0), in der die Gleichungen $f(x, y, u, v) = 0$ und $g(x, y, u, v) = 0$ gleichzeitig nach u und v aufgelöst werden können, wobei dann u und v stetig differenzierbare Funktionen von x und y sind: $u = \phi(x, y), v = \psi(x, y)$. Ist in (x_0, y_0, u_0, v_0) die Determinante $J\left(\dfrac{f, g}{x, y}\right) \neq 0$, dann gibt es eine Umgebung von (x_0, y_0, u_0, v_0), in der $f(x, y, u, v) = 0$ und

$g(x, y, u, v) = 0$ nach x und y aufgelöst werden können, wobei dann x und y stetig differenzierbare Funktionen von u und v sind: $x = h(u, v), \quad y = k(u, v)$.

Siehe Aufgaben 6-7!

AUFGABEN MIT LÖSUNGEN

1. Zeige mit Satz I, daß y durch $x^2 + y^2 - 13 = 0$ als stetig differenzierbare Funktion von x definiert ist und zwar in jeder Umgebung des Punktes $(2,3)$, die keinen Punkt der x-Achse enthält. Bestimme die Ableitung in diesem Punkt!

Wir setzen $f(x, y) = x^2 + y^2 - 13$. Dann gilt $f(2, 3) = 0$. In jeder der oben beschriebenen Umgebungen von $(2,3)$ ist die Funktion erklärt, und die partiellen Ableitungen $\partial f/\partial x = 2x$ und $\partial f/\partial y = 2y$ sind stetig. Ferner gilt $\partial f/\partial y \neq 0$. Dann folgt

$$\frac{\partial f}{\partial x} + \frac{\partial f}{\partial y} \cdot \frac{dy}{dx} = 0 \text{ und } \frac{dy}{dx} = -\frac{\partial f/\partial x}{\partial f/\partial y} = -\frac{x}{y} = -\frac{2}{3} \text{ in } (2,3).$$

2. Bestimme $\dfrac{dy}{dx}$ für $f(x, y) = y^3 + xy - 12 = 0$. $\dfrac{\partial f}{\partial x} = y,\ \dfrac{\partial f}{\partial y} = 3y^2 + x$, also $\dfrac{dy}{dx} = -\dfrac{\partial f/\partial x}{\partial f/\partial y} = -\dfrac{y}{3y^2 + x}$!

3. Bestimme dy/dx für $e^x \sin y + e^y \sin x = 1$!

Wir setzen $f(x, y) = e^x \sin y + e^y \sin x - 1$ und erhalten $\dfrac{dy}{dx} = -\dfrac{\partial f/\partial x}{\partial f/\partial y} = -\dfrac{e^x \sin y + e^y \cos x}{e^x \cos y + e^y \sin x}$.

4. Bestimme $\partial z/\partial x$ und $\partial z/\partial y$ für $F(x, y, z) = x^2 + 3xy - 2y^2 + 3xz + z^2 = 0$!

Wir betrachten z als eine Funktion von x und y, die durch die Gleichung definiert ist, und differenzieren partiell nach x und y. Es ergibt sich

(i) $\dfrac{\partial F}{\partial x} + \dfrac{\partial F}{\partial z} \cdot \dfrac{\partial z}{\partial x} = (2x + 3y + 3z) + (3x + 2z)\dfrac{\partial z}{\partial x} = 0$ und

(ii) $\dfrac{\partial F}{\partial y} + \dfrac{\partial F}{\partial z} \cdot \dfrac{\partial z}{\partial y} = (3x - 4y) + (3x + 2z)\dfrac{\partial z}{\partial y} = 0$.

Aus (i) folgt $\dfrac{\partial z}{\partial x} = -\dfrac{\partial F/\partial x}{\partial F/\partial z} = -\dfrac{2x + 3y + 3z}{3x + 2z}$, aus (ii) folgt $\dfrac{\partial z}{\partial y} = -\dfrac{\partial F/\partial y}{\partial F/\partial z} = -\dfrac{3x - 4y}{3x + 2z}$

5. Bestimme $\partial z/\partial x$ und $\partial z/\partial y$ für $\sin xy + \sin yz + \sin zx = 1$.

Wir setzen $F(x, y, z) = \sin xy + \sin yz + \sin zx - 1$; dann ergibt sich

$$\dfrac{\partial F}{\partial x} = y \cos xy + z \cos zx, \quad \dfrac{\partial F}{\partial y} = x \cos xy + z \cos yz, \quad \dfrac{\partial F}{\partial z} = y \cos yz + x \cos zx$$

und

$$\dfrac{\partial z}{\partial x} = -\dfrac{\partial F/\partial x}{\partial F/\partial z} = -\dfrac{y \cos xy + z \cos zx}{y \cos yz + x \cos zx}, \quad \dfrac{\partial z}{\partial y} = -\dfrac{\partial F/\partial y}{\partial F/\partial z} = -\dfrac{x \cos xy + z \cos yz}{y \cos yz + x \cos zx}$$

6. u und v seien als Funktionen von x und y erklärt durch die Gleichungen:

$$f(x, y, u, v) = x + y^2 + 2uv = 0, \quad g(x, y, u, v) = x^2 - xy + y^2 + u^2 + v^2 = 0.$$

Bestimme **(i)** $\partial u/\partial x, \partial v/\partial x$ und **(ii)** $\partial u/\partial y, \partial v/\partial y$!

(i) Wir differenzieren f und g partiell nach x und erhalten

$$1 + 2v \dfrac{\partial u}{\partial x} + 2u \dfrac{\partial v}{\partial x} = 0 \quad \text{und} \quad 2x - y + 2u \dfrac{\partial u}{\partial x} + 2v \dfrac{\partial v}{\partial x} = 0.$$

Durch Auflösen dieser Gleichungen nach $\partial u/\partial x$ und $\partial v/\partial x$ ergibt sich

$$\dfrac{\partial u}{\partial x} = \dfrac{v + u(y - 2x)}{2(u^2 - v^2)} \quad \text{und} \quad \dfrac{\partial v}{\partial x} = \dfrac{v(2x - y) - u}{2(u^2 - v^2)}$$

(ii) Wir differenzieren f und g partiell nach y und erhalten

$$2y + 2v \dfrac{\partial u}{\partial y} + 2u \dfrac{\partial v}{\partial y} = 0 \quad \text{und} \quad -x + 2y + 2u \dfrac{\partial u}{\partial y} + 2v \dfrac{\partial v}{\partial y} = 0.$$

Daraus folgt $\dfrac{\partial u}{\partial y} = \dfrac{u(x - 2y) + 2vy}{2(u^2 - v^2)}$ und $\dfrac{\partial v}{\partial y} = \dfrac{v(2y - x) - 2uy}{2(u^2 - v^2)}$.

7. Es gelte $u^2 - v^2 + 2x + 3y = 0$ und $uv + x - y = 0$. Bestimme **(a)** $\dfrac{\partial u}{\partial x}, \dfrac{\partial v}{\partial x}, \dfrac{\partial u}{\partial y}, \dfrac{\partial v}{\partial y}$ und **(b)** $\dfrac{\partial x}{\partial u}, \dfrac{\partial y}{\partial u}, \dfrac{\partial x}{\partial v}, \dfrac{\partial y}{\partial v}$!

(a) Hier müssen x und y als unabhängige Veränderliche betrachtet werden. Wir differenzieren die gegebenen Gleichungen partiell nach x:

$$2u \dfrac{\partial u}{\partial x} - 2v \dfrac{\partial v}{\partial x} + 2 = 0 \quad \text{und} \quad v \dfrac{\partial u}{\partial x} + u \dfrac{\partial v}{\partial x} + 1 = 0.$$

Durch Auflösen dieser Gleichungen erhalten wir $\dfrac{\partial u}{\partial x} = -\dfrac{u + v}{u^2 + v^2}$ und $\dfrac{\partial v}{\partial x} = \dfrac{v - u}{u^2 + v^2}$.

Wir differenzieren die gegebenen Gleichungen partiell nach y:

$$2u \dfrac{\partial u}{\partial y} - 2v \dfrac{\partial v}{\partial y} + 3 = 0 \quad \text{und} \quad v \dfrac{\partial u}{\partial y} + u \dfrac{\partial v}{\partial y} - 1 = 0.$$

Auflösen ergibt $\dfrac{\partial u}{\partial y} = \dfrac{2v - 3u}{2(u^2 + v^2)}$ und $\dfrac{\partial v}{\partial y} = \dfrac{2u + 3v}{2(u^2 + v^2)}$.

(b) Hier müssen u und v als unabhängige Veränderliche betrachtet werden.

Wir differenzieren die gegebenen Gleichungen partiell nach u:

$2u + 2\dfrac{\partial x}{\partial u} + 3\dfrac{\partial y}{\partial u} = 0$ und $v + \dfrac{\partial x}{\partial u} - \dfrac{\partial y}{\partial u} = 0$. Daraus folgt $\dfrac{\partial x}{\partial u} = -\dfrac{2u+3v}{5}$ und $\dfrac{\partial y}{\partial u} = \dfrac{2(v-u)}{5}$.

Wir differenzieren die gegebenen Gleichungen partiell nach v:

$-2v + 2\dfrac{\partial x}{\partial v} + 3\dfrac{\partial y}{\partial v} = 0$ und $u + \dfrac{\partial x}{\partial v} - \dfrac{\partial y}{\partial v} = 0$. Daraus folgt $\dfrac{\partial x}{\partial v} = \dfrac{2v-3u}{5}$ und $\dfrac{\partial y}{\partial v} = \dfrac{2(u+v)}{5}$.

ERGÄNZUNGSAUFGABEN

8. Bestimme dy/dx für

(a) $x^3 - x^2y + xy^2 - y^3 = 1$　　(b) $xy - e^x \sin y = 0$　　(c) $\ln(x^2 + y^2) - \arctan y/x = 0$!

Lsg. (a) $\dfrac{3x^2 - 2xy + y^2}{x^2 - 2xy + 3y^2}$　(b) $\dfrac{e^x \sin y - y}{x - e^x \cos y}$　(c) $\dfrac{2x + y}{x - 2y}$.

9. Bestimme $\partial z/\partial x$ und $\partial z/\partial y$ für

(a) $3x^2 + 4y^2 - 5z^2 = 60$　　　　　　*Lsg.* $\partial z/\partial x = \dfrac{3x}{5z}$, $\partial z/\partial y = \dfrac{4y}{5z}$.

(b) $x^2 + y^2 + z^2 + 2xy + 4yz + 8zx = 20$　　*Lsg.* $\dfrac{\partial z}{\partial x} = -\dfrac{x+y+4z}{4x+2y+z}$, $\dfrac{\partial z}{\partial y} = -\dfrac{x+y+2z}{4x+2y+z}$.

(c) $x + 3y + 2z = \ln z$　　　　　　　*Lsg.* $\dfrac{\partial z}{\partial x} = \dfrac{z}{1-2z}$, $\dfrac{\partial z}{\partial y} = \dfrac{3z}{1-2z}$.

(d) $z = e^x \cos(y+z)$　　　　　　　*Lsg.* $\dfrac{\partial z}{\partial x} = \dfrac{z}{1+e^x \sin(y+z)}$, $\dfrac{\partial z}{\partial y} = \dfrac{-e^x \sin(y+z)}{1+e^x \sin(y+z)}$.

(e) $\sin(x+y) + \sin(y+z) + \sin(z+x) = 1$

Lsg. $\dfrac{\partial z}{\partial x} = -\dfrac{\cos(x+y) + \cos(z+x)}{\cos(y+z) + \cos(z+x)}$, $\dfrac{\partial z}{\partial y} = -\dfrac{\cos(x+y) + \cos(y+z)}{\cos(y+z) + \cos(z+x)}$.

10. Bestimme die ersten und zweiten partiellen Ableitungen von z für $x^2 + 2yz + 2zx = 1$!

Lsg. $\dfrac{\partial z}{\partial x} = -\dfrac{x+z}{x+y}$, $\dfrac{\partial z}{\partial y} = -\dfrac{z}{x+y}$, $\dfrac{\partial^2 z}{\partial x^2} = \dfrac{x-y+2z}{(x+y)^2}$, $\dfrac{\partial^2 z}{\partial x \partial y} = \dfrac{x+2z}{(x+y)^2}$, $\dfrac{\partial^2 z}{\partial y^2} = \dfrac{2z}{(x+y)^2}$.

11. Es gelte $F(x, y, z) = 0$. Zeige, daß $\dfrac{\partial x}{\partial y} \cdot \dfrac{\partial y}{\partial z} \cdot \dfrac{\partial z}{\partial x} = -1$!

12. Es gelte $z = f(x, y)$ und $g(x, y) = 0$. Zeige, daß $\dfrac{dz}{dx} = \dfrac{\dfrac{\partial f}{\partial x} \cdot \dfrac{\partial g}{\partial y} - \dfrac{\partial f}{\partial y} \cdot \dfrac{\partial g}{\partial x}}{\dfrac{\partial g}{\partial y}} = \dfrac{1}{\dfrac{\partial g}{\partial y}} J\left(\dfrac{f, g}{x, y}\right)$!

13. Es gelte $f(x, y) = 0$ und $g(z, x) = 0$. Zeige, daß $\dfrac{\partial f}{\partial y} \cdot \dfrac{\partial g}{\partial x} \cdot \dfrac{\partial y}{\partial z} = \dfrac{\partial f}{\partial x} \cdot \dfrac{\partial g}{\partial z}$!

14. Bestimme die ersten partiellen Ableitungen von u und v bezüglich x und y und die ersten partiellen Ableitungen von x und y bezüglich u und v für: $2u - v + x^2 + xy = 0$, $u + 2v + xy - y^2 = 0$!

Lsg. $\dfrac{\partial u}{\partial x} = -\dfrac{1}{5}(4x + 3y)$, $\dfrac{\partial v}{\partial x} = \dfrac{1}{5}(2x - y)$, $\dfrac{\partial u}{\partial y} = \dfrac{1}{5}(2y - 3x)$, $\dfrac{\partial v}{\partial y} = \dfrac{4y - x}{5}$.

$\dfrac{\partial x}{\partial u} = \dfrac{4y - x}{2(x^2 - 2xy - y^2)}$, $\dfrac{\partial y}{\partial u} = \dfrac{y - 2x}{2(x^2 - 2xy - y^2)}$, $\dfrac{\partial x}{\partial v} = \dfrac{3x - 2y}{2(x^2 - 2xy - y^2)}$, $\dfrac{\partial y}{\partial v} = \dfrac{-4x - 3y}{2(x^2 - 2xy - y^2)}$.

15. Es gelte $u = x + y + z$, $v = x^2 + y^2 + z^2$, $w = x^3 + y^3 + z^3$. Zeige, daß

$$\dfrac{\partial x}{\partial u} = \dfrac{yz}{(x-y)(x-z)}, \quad \dfrac{\partial y}{\partial v} = \dfrac{x+z}{2(x-y)(y-z)}, \quad \dfrac{\partial z}{\partial w} = \dfrac{1}{3(x-z)(y-z)} !$$

KAPITEL 59

Raumkurven und Flächen

TANGENTE UND NORMALENEBENE AN EINER RAUMKURVE. Eine Raumkurve kann parametrisch beschrieben werden durch die Gleichungen

$$x = f(t), \quad y = g(t), \quad z = h(t) \qquad (1)$$

Im Punkt $P_0(x_0, y_0, z_0)$ der Kurve (festgelegt durch $t = t_0$) sind die Gleichungen der *Tangente*

$$\frac{x - x_0}{\dfrac{dx}{dt}} = \frac{y - y_0}{\dfrac{dy}{dt}} = \frac{z - z_0}{\dfrac{dz}{dt}} \qquad (2)$$

Die Gleichung der *Normalenebene* (d.h., die Ebene durch P_0 senkrecht zur Tangente in P_0) ist

$$\frac{dx}{dt}(x - x_0) + \frac{dy}{dt}(y - y_0) + \frac{dz}{dt}(z - z_0) = 0 \qquad (3)$$

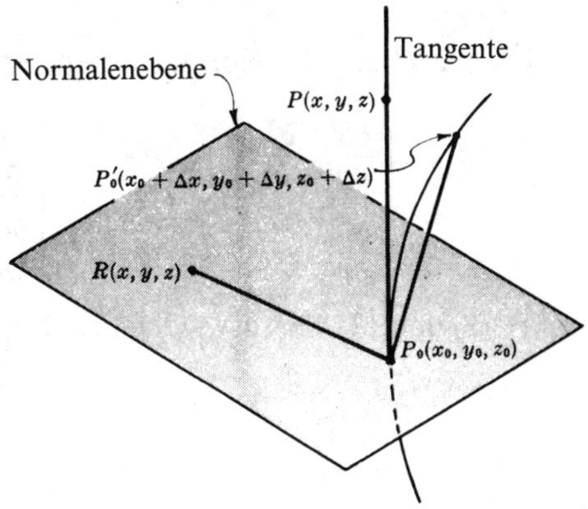

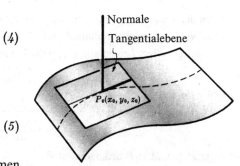

Abb. 59-1

Sowohl in (*2*) als auch in (*3*) sind die Ableitungen im Punkt P_0 zu nehmen.

Siehe Aufgaben 1-2!

TANGENTIALEBENE UND NORMALE AN EINER FLÄCHE. Die Gleichung der *Tangentialebene* der Fläche $F(x, y, z) = 0$ in einem ihrer Punkte $P_0(x_0, y_0, z_0)$ ist

$$\frac{\partial F}{\partial x}(x - x_0) + \frac{\partial F}{\partial y}(y - y_0) + \frac{\partial F}{\partial z}(z - z_0) = 0 \qquad (4)$$

und die Gleichungen der *Normalen* sind

$$\frac{x - x_0}{\dfrac{\partial F}{\partial x}} = \frac{y - y_0}{\dfrac{\partial F}{\partial y}} = \frac{z - z_0}{\dfrac{\partial F}{\partial z}} \qquad (5)$$

wobei wieder die partiellen Ableitungen im Punkt P_0 zu nehmen sind. Siehe Abb. 59-2!

Abb. 59-2

Siehe Aufgaben 3-9!

EINE RAUMKURVE kann auch beschrieben werden durch ein Paar von Gleichungen

$$F(x, y, z) = 0, \quad G(x, y, z) = 0. \qquad (6)$$

Gleichungen der Tangente im Punkt $P_0(x_0, y_0, z_0)$ der Kurve sind dann

273

$$\frac{x - x_0}{\begin{vmatrix} \dfrac{\partial F}{\partial y} & \dfrac{\partial F}{\partial z} \\[2mm] \dfrac{\partial G}{\partial y} & \dfrac{\partial G}{\partial z} \end{vmatrix}} = \frac{y - y_0}{\begin{vmatrix} \dfrac{\partial F}{\partial z} & \dfrac{\partial F}{\partial x} \\[2mm] \dfrac{\partial G}{\partial z} & \dfrac{\partial G}{\partial x} \end{vmatrix}} = \frac{z - z_0}{\begin{vmatrix} \dfrac{\partial F}{\partial x} & \dfrac{\partial F}{\partial y} \\[2mm] \dfrac{\partial G}{\partial x} & \dfrac{\partial G}{\partial y} \end{vmatrix}} \tag{7}$$

Die Gleichung der Normalenebene ist

$$\begin{vmatrix} \dfrac{\partial F}{\partial y} & \dfrac{\partial F}{\partial z} \\[2mm] \dfrac{\partial G}{\partial y} & \dfrac{\partial G}{\partial z} \end{vmatrix}(x - x_0) + \begin{vmatrix} \dfrac{\partial F}{\partial z} & \dfrac{\partial F}{\partial x} \\[2mm] \dfrac{\partial G}{\partial z} & \dfrac{\partial G}{\partial x} \end{vmatrix}(y - y_0) + \begin{vmatrix} \dfrac{\partial F}{\partial x} & \dfrac{\partial F}{\partial y} \\[2mm] \dfrac{\partial G}{\partial x} & \dfrac{\partial G}{\partial y} \end{vmatrix}(z - z_0) = 0 \tag{8}$$

In (7) und (8) waren wieder alle partiellen Ableitungen im Punkt P_0 zu nehmen.

Siehe Aufgaben 10–11!

AUFGABEN MIT LÖSUNGEN

1. Leite die Gleichungen (2) und (3) der Tangente und der Normalenebene im Punkt $P_0(x_0, y_0, z_0)$ der Raumkurve $x = f(t)$ $y = g(t)$ $z = h(t)$ ab, der durch den speziellen Wert $t = t_0$ gegeben ist. Vergleiche Abb. 59-1!

Es sei durch $t = t_0 + \Delta t$ ein weiterer Punkt $P_0'(x_0 + \Delta x, y_0 + \Delta y, z_0 + \Delta z)$ der Kurve gegeben. Geht man mit P_0' auf der Kurve gegen P_0, so geht die Sehne $P_0 P_0'$ in die Tangente an der Kurve im Punkt P_0 über.

Ein Koordinatentripel für die Richtung der Sehne $P_0 P_0'$ ist einfach $[\Delta x, \Delta y, \Delta z]$, doch werden wir dafür $\left[\dfrac{\Delta x}{\Delta t}, \dfrac{\Delta y}{\Delta t}, \dfrac{\Delta z}{\Delta t}\right]$ gebrauchen. Dann geht mit $P_0' \to P_0$, $\Delta t \to 0$ auch $\left[\dfrac{\Delta x}{\Delta t}, \dfrac{\Delta y}{\Delta t}, \dfrac{\Delta z}{\Delta t}\right] \to \left[\dfrac{dx}{dt}, \dfrac{dy}{dt}, \dfrac{dz}{dt}\right]$, und wir haben damit Koordinaten der Tangentenrichtung in P_0. Ist nun $P(x, y, z)$ ein beliebiger Punkt auf dieser Tangente, dann sind $[x - x_0, y - y_0, z - z_0]$ die Richtungskoordinaten von $P_0 P$. Da die Vektoren die gleiche Richtung beschreiben, unterscheiden sie sich also nur um einen Zahlenfaktor, und die Tangente ist durch die Gleichungen

$$\frac{x - x_0}{dx/dt} = \frac{y - y_0}{dy/dt} = \frac{z - z_0}{dz/dt}$$

bestimmt.

Ist $R(x, y, z)$ ein beliebiger Punkt in der Normalenebene durch P_0, so ist ihre Gleichung gerade

$$(x - x_0)\frac{dx}{dt} + (y - y_0)\frac{dy}{dt} + (z - z_0)\frac{dz}{dt} = 0,$$

da ja $P_0 R$ und $P_0 P$ orthogonal sind.

2. Bestimme die Gleichungen der Tangente und Normalenebene:

   (a) Zur Kurve $x = t$, $y = t^2$, $z = t^3$ im Punkt $t = 1$!

   (b) Zur Kurve $x = t - 2$, $y = 3t^2 + 1$, $z = 2t^3$ in ihrem Schnittpunkt mit der y, z-Ebene!

   (a) Bei $t = 1$, d.h. also im Punkt $(1, 1, 1)$, ist $dx/dt = 1$, $dy/dt = 2t = 2$ und $dz/dt = 3t^2 = 3$. Nach (2) sind die Gleichungen der Tangente $\dfrac{x - 1}{1} = \dfrac{y - 1}{2} = \dfrac{z - 1}{3}$, und nach (3) ist die Gleichung der Normalenebene $(x - 1) + 2(y - 1) + 3(z - 1) = x + 2y + 3z - 6 = 0$.

   (b) Die gegebene Kurve trifft die y, z-Ebene, wenn $x = t - 2 = 0$, also bei $t = 2$, d.h., im Punkt $(0, 13, 16)$. In diesem Punkt ist $dx/dt = 1$, $dy/dt = 6t = 12$ und $dz/dt = 6t^2 = 24$.

   Daher sind $\dfrac{x}{1} = \dfrac{y - 13}{12} = \dfrac{z - 16}{24}$ die Tangentialgleichungen und $x + 12(y - 13) + 24(z - 16) = x + 12y + 24z - 540 = 0$ ist die Gleichung der Normalenebene.

3. Leite die Gleichungen (4) und (5) der Tangentialebene und der Normalen im Punkt $P_0(x_0, y_0, z_0)$ der Fläche $F(x, y, z) = 0$ ab! Vergleiche Abb. 59-2!

Es seien $x = f(t)$, $y = g(t)$, $z = h(t)$ die Parametergleichungen irgendeiner Kurve auf der Fläche $F(x, y, z) = 0$, die durch den Punkt P_0 geht. Dann ist in P_0

$$\frac{\partial F}{\partial x} \cdot \frac{dx}{dt} + \frac{\partial F}{\partial y} \cdot \frac{dy}{dt} + \frac{\partial F}{\partial z} \cdot \frac{dz}{dt} = 0,$$

wobei alle Ableitungen im Punkt P_0 genommen sind.

Diese Beziehung drückt aus, daß die Gerade durch P_0 mit den Richtungskoordinaten (i) $\left[\frac{dx}{dt}, \frac{dy}{dt}, \frac{dz}{dt}\right]$ senkrecht zur Geraden durch P_0 mit den Richtungskoordinaten (ii) $\left[\frac{\partial F}{\partial x}, \frac{\partial F}{\partial y}, \frac{\partial F}{\partial z}\right]$ steht. Das Tripel (i) gehört zur Kurventangente in der Tangentialebene der Fläche. Dagegen bestimmt (ii) die Normale der Fläche in P_0. Die Gleichungen hierfür sind

$$\frac{x - x_0}{\partial F/\partial x} = \frac{y - y_0}{\partial F/\partial y} = \frac{z - z_0}{\partial F/\partial z},$$

und die Tangentialebene in P_0 hat die Gleichung

$$\frac{\partial F}{\partial x}(x - x_0) + \frac{\partial F}{\partial y}(y - y_0) + \frac{\partial F}{\partial z}(z - z_0) = 0.$$

Bestimme in den Aufgaben 4 und 5 die Gleichungen der Tangentialebene und der Normalen einer gegebenen Fläche in einem gegebenen Punkt!

4. $z = 3x^2 + 2y^2 - 11$; $(2, 1, 3)$

Setze $F(x, y, z) = 3x^2 + 2y^2 - z - 11 = 0$. Im Punkt $(2, 1, 3)$ ist $\frac{\partial F}{\partial x} = 6x = 12$, $\frac{\partial F}{\partial y} = 4y = 4$ und $\frac{\partial F}{\partial z} = -1$.

Daher ist die Gleichung der Tangentialebene $12(x - 2) + 4(y - 1) - (z - 3) = 0$ oder $12x + 4y - z = 25$ und die Normalengleichungen sind $\frac{x - 2}{12} = \frac{y - 1}{4} = \frac{z - 3}{-1}$

5. $F(x, y, z) = x^2 + 3y^2 - 4z^2 + 3xy - 10yz + 4x - 5z - 22 = 0$; $(1, -2, 1)$

Im Punkt $(1, -2, 1)$ ist $\frac{\partial F}{\partial x} = 2x + 3y + 4 = 0$, $\frac{\partial F}{\partial y} = 6y + 3x - 10z = -19$, $\frac{\partial F}{\partial z} = -8z - 10y - 5 = 7$.

Damit ist die Gleichung der Tangentialebene $0(x - 1) - 19(y + 2) + 7(z - 1) = 0$ oder $19y - 7z + 45 = 0$.

Die Normalengleichungen sind $\frac{x - 1}{0} = \frac{y + 2}{-19} = \frac{z - 1}{7}$ oder $x = 1$, $7y + 19z - 5 = 0$.

6. Zeige, daß die Gleichung der Tangentialebene an der Fläche $\frac{x^2}{a^2} - \frac{y^2}{b^2} - \frac{z^2}{c^2} = 1$ im Punkt $P_0(x_0, y_0, z_0)$ gleich $\frac{xx_0}{a^2} - \frac{yy_0}{b^2} - \frac{zz_0}{c^2} = 1$ ist!

Bei P_0 ist $\frac{\partial F}{\partial x} = \frac{2x_0}{a^2}$, $\frac{\partial F}{\partial y} = -\frac{2y_0}{b^2}$, $\frac{\partial F}{\partial z} = -\frac{2z_0}{c^2}$

Die Tangentialebenengleichung ist $\frac{2x_0}{a^2}(x - x_0) - \frac{2y_0}{b^2}(y - y_0) - \frac{2z_0}{c^2}(z - z_0) = 0$.

Daraus wird $\frac{xx_0}{a^2} - \frac{yy_0}{b^2} - \frac{zz_0}{c^2} = \frac{x_0^2}{a^2} - \frac{y_0^2}{b^2} - \frac{z_0^2}{c^2} = 1$, da P_0 auf der Fläche liegt.

7. Zeige, daß die Flächen

$$F(x, y, z) = x^2 + 4y^2 - 4z^2 - 4 = 0 \quad \text{und} \quad G(x, y, z) = x^2 + y^2 + z^2 - 6x - 6y + 2z + 10 = 0$$

in $(2, 1, 1)$ einen Berührungspunkt haben!

Es ist also zu zeigen, daß die beiden Flächen eine gemeinsame Tangentialebene im angegebenen Punkt haben.

In $(2, 1, 1)$ ist $\frac{\partial F}{\partial x} = 2x = 4$, $\frac{\partial F}{\partial y} = 8y = 8$, $\frac{\partial F}{\partial z} = -8z = -8$ und

$$\frac{\partial G}{\partial x} = 2x - 6 = -2, \quad \frac{\partial G}{\partial y} = 2y - 6 = -4, \quad \frac{\partial G}{\partial z} = 2z + 2 = 4.$$

Da die beiden Richtungsvektoren $[4, 8, -8]$ und $[-2, -4, 4]$ der zugehörigen Normalen offenbar proportional sind, haben die Flächen eine gemeinsame Tangentialebene, nämlich

$$1(x - 2) + 2(y - 1) - 2(z - 1) = 0 \quad \text{oder} \quad x + 2y - 2z = 2.$$

8. Zeige, daß die Flächen $F(x, y, z) = xy + yz - 4zx = 0$ und $G(x, y, z) = 3z^2 - 5x + y = 0$ sich im Punkt $(1, 2, 1)$ unter rechtem Winkel schneiden!

Es soll also gezeigt werden, daß die Tangentialebenen der Flächen in diesem Punkt aufeinander senkrecht stehen oder, was das gleiche bedeutet, daß die Normalen in diesem Punkt senkrecht aufeinander stehen.

In $(1, 2, 1)$ ist $\dfrac{\partial F}{\partial x} = y - 4z = -2$, $\dfrac{\partial F}{\partial y} = x + z = 2$ und $\dfrac{\partial F}{\partial z} = y - 4x = -2$. Ein Richtungsvektor der Normalen zu $F(x, y, z) = 0$ ist $[l_1, m_1, n_1] = [1, -1, 1]$.

In $(1, 2, 1)$ ist andererseits $\dfrac{\partial G}{\partial x} = -5$, $\dfrac{\partial G}{\partial y} = 1$ und $\dfrac{\partial G}{\partial z} = 6z = 6$. Ein Richtungsvektor der Normalen zu $G(x, y, z) = 0$ ist hier $[l_2, m_2, n_2] = [-5, 1, 6]$.

Da $l_1 l_2 + m_1 m_2 + n_1 n_2 = 1(-5) + (-1)1 + 1(6) = 0$ gilt, stehen diese Richtungen senkrecht aufeinander.

9. Zeige, daß sich die Flächen $F(x, y, z) = 3x^2 + 4y^2 + 8z^2 - 36 = 0$ und $G(x, y, z) = x^2 + 2y^2 - 4z^2 - 6 = 0$ im rechten Winkel schneiden!

Für jeden gemeinsamen Punkt $P_0(x_0, y_0, z_0)$ der beiden Flächen gilt:

$\dfrac{\partial F}{\partial x} = 6x_0$, $\dfrac{\partial F}{\partial y} = 8y_0$, $\dfrac{\partial F}{\partial z} = 16z_0$, und somit sind $[3x_0, 4y_0, 8z_0]$ Richtungskoordinaten der Normalen zur ersten Fläche in P_0. Analog ist $[x_0, 2y_0, -4z_0]$ ein Richtungsvektor der Normalen zu $G(x, y, z) = 0$ in P_0.

Wegen
$$3x_0(x_0) + 4y_0(2y_0) + 8z_0(-4z_0) = 3x_0^2 + 8y_0^2 - 32z_0^2$$
$$= 6(x_0^2 + 2y_0^2 - 4z_0^2) - (3x_0^2 + 4y_0^2 + 8z_0^2) = 6(6) - 36 = 0$$

sind diese Richtungen stets senkrecht zueinander.

10. Leite die Gleichungen (7) und (8) für Tangente und Normalenebene an der Raumkurve C: $F(x, y, z) = 0$, $G(x, y, z) = 0$ in einem ihrer Punkte $P_0(x_0, y_0, z_0)$ ab!

In P_0 sind $\left[\dfrac{\partial F}{\partial x}, \dfrac{\partial F}{\partial y}, \dfrac{\partial F}{\partial z}\right]$ und $\left[\dfrac{\partial G}{\partial x}, \dfrac{\partial G}{\partial y}, \dfrac{\partial G}{\partial z}\right]$ die Normalenrichtungen zu den Tangentialebenen von $F(x, y, z) = 0$ bzw. $G(x, y, z) = 0$. Nun ist die Richtung

$$\left[\begin{vmatrix} \partial F/\partial y & \partial F/\partial z \\ \partial G/\partial y & \partial G/\partial z \end{vmatrix}, \begin{vmatrix} \partial F/\partial z & \partial F/\partial x \\ \partial G/\partial z & \partial G/\partial x \end{vmatrix}, \begin{vmatrix} \partial F/\partial x & \partial F/\partial y \\ \partial G/\partial x & \partial G/\partial y \end{vmatrix}\right]$$

senkrecht zu diesen beiden, die der Tangente an C in P_0. Daher sind die Tangentengleichungen

$$\frac{x - x_0}{\begin{vmatrix} \partial F/\partial y & \partial F/\partial z \\ \partial G/\partial y & \partial G/\partial z \end{vmatrix}} = \frac{y - y_0}{\begin{vmatrix} \partial F/\partial z & \partial F/\partial x \\ \partial G/\partial z & \partial G/\partial x \end{vmatrix}} = \frac{z - z_0}{\begin{vmatrix} \partial F/\partial x & \partial F/\partial y \\ \partial G/\partial x & \partial G/\partial y \end{vmatrix}}$$

und die Gleichung der Normalenebene ist

$$\begin{vmatrix} \partial F/\partial y & \partial F/\partial z \\ \partial G/\partial y & \partial G/\partial z \end{vmatrix}(x - x_0) + \begin{vmatrix} \partial F/\partial z & \partial F/\partial x \\ \partial G/\partial z & \partial G/\partial x \end{vmatrix}(y - y_0) + \begin{vmatrix} \partial F/\partial x & \partial F/\partial y \\ \partial G/\partial x & \partial G/\partial y \end{vmatrix}(z - z_0) = 0.$$

11. Bestimme die Gleichungen von Tangente und Normalenebene an der Kurve $x^2 + y^2 + z^2 = 14$, $x + y + z = 6$ im Punkt $(1, 2, 3)$!

Setze $F(x, y, z) = x^2 + y^2 + z^2 - 14 = 0$ und $G(x, y, z) = x + y + z - 6 = 0$! Dann ist bei $(1, 2, 3)$:

$$\begin{vmatrix} \partial F/\partial y & \partial F/\partial z \\ \partial G/\partial y & \partial G/\partial z \end{vmatrix} = \begin{vmatrix} 2y & 2z \\ 1 & 1 \end{vmatrix} = \begin{vmatrix} 4 & 6 \\ 1 & 1 \end{vmatrix} = -2,$$

$$\begin{vmatrix} \partial F/\partial z & \partial F/\partial x \\ \partial G/\partial z & \partial G/\partial x \end{vmatrix} = \begin{vmatrix} 6 & 2 \\ 1 & 1 \end{vmatrix} = 4, \quad \begin{vmatrix} \partial F/\partial x & \partial F/\partial y \\ \partial G/\partial x & \partial G/\partial y \end{vmatrix} = \begin{vmatrix} 2 & 4 \\ 1 & 1 \end{vmatrix} = -2.$$

Mit $[1, -2, 1]$ als Richtung der Tangente sind ihre Gleichungen $\dfrac{x - 1}{1} = \dfrac{y - 2}{-2} = \dfrac{z - 3}{1}$, und $(x - 1) - 2(y - 2) + (z - 3) = x - 2y + z = 0$ ist die Gleichung der Normalenebene.

ERGÄNZUNGSAUFGABEN

12. Bestimme die Gleichungen für Tangente und Normalenebene zu folgenden Kurven im gegebenen Punkt:

(a) $x = 2t$, $y = t^2$, $z = t^3$; $t = 1$! $\qquad$ *Lsg.* $\dfrac{x-2}{2} = \dfrac{y-1}{2} = \dfrac{z-1}{3}$; $2x + 2y + 3z - 9 = 0$.

(b) $x = te^t$, $y = e^t$, $z = t$; $t = 0$! $\qquad$ *Lsg.* $\dfrac{x}{1} = \dfrac{y-1}{1} = \dfrac{z}{1}$; $x + y + z - 1 = 0$.

(c) $x = t \cos t$, $y = t \sin t$, $z = t$; $t = 0$! $\qquad$ *Lsg.* $x = z$, $y = 0$; $x + z = 0$.

13. Zeige, daß sich die Kurven (i) $x = 2 - t$, $y = -1/t$, $z = 2t^2$ und (ii) $x = 1 + \theta$, $y = \sin\theta - 1$, $z = 2\cos\theta$ unter rechtem Winkel im Punkt $P(1, -1, 2)$ schneiden. Gib die Gleichungen der Tangenten und Normalenebenen der Kurve an!

Lsg. (i) $\dfrac{x-1}{-1} = \dfrac{y+1}{1} = \dfrac{z-2}{4}$; $x - y - 4z + 6 = 0$ (ii) $x - y = 2$, $z = 2$; $x + y = 0$.

14. Zeige, daß die Tangenten der Schraubenlinie $x = a \cos t$, $y = a \sin t$, $z = bt$ die x,y-Ebene unter dem gleichen Winkel schneiden!

15. Zeige, daß die Länge der Kurve (1) vom Punkt $t = t_0$ bis zum Punkt $t = t_1$ gegeben ist durch

$$\int_{t_0}^{t_1} \sqrt{\left(\frac{dx}{dt}\right)^2 + \left(\frac{dy}{dt}\right)^2 + \left(\frac{dz}{dt}\right)^2}\, dt \ !$$

Bestimme die Länge der Schraubenlinie aus Aufgabe 14 von $t = 0$ bis $t = t_1$! $\qquad$ *Lsg.* $\sqrt{a^2 + b^2}\, t_1$.

16. Bestimme die Gleichungen der Tangenten und Normalenebenen für folgende Kurven in den gegebenen Punkten!

(a) $x^2 + 2y^2 + 2z^2 = 5$, $3x - 2y - z = 0$; $(1, 1, 1)$

(b) $9x^2 + 4y^2 - 36z = 0$, $3x + y + z - z^2 - 1 = 0$; $(2, -3, 2)$ $\qquad$ (c) $4z^2 = xy$, $x^2 + y^2 = 8z$; $(2, 2, 1)$.

Lsg. (a) $\dfrac{x-1}{2} = \dfrac{y-1}{7} = \dfrac{z-1}{-8}$; $2x + 7y - 8z - 1 = 0$

(b) $\dfrac{x-2}{1} = \dfrac{z-2}{1}$, $y + 3 = 0$; $x + z - 4 = 0$ $\qquad$ (c) $\dfrac{x-2}{1} = \dfrac{y-2}{-1}$, $z - 1 = 0$; $x - y = 0$.

17. Bestimme die Gleichungen für Tangentialebene und Normale an folgenden Flächen in den gegebenen Punkten!

(a) $x^2 + y^2 + z^2 = 14$; $(1, -2, 3)$. $\qquad$ *Lsg.* $x - 2y + 3z = 14$; $\dfrac{x-1}{1} = \dfrac{y+2}{-2} = \dfrac{z-3}{3}$.

(b) $x^2 + y^2 + z^2 = r^2$; (x_1, y_1, z_1). $\qquad$ *Lsg.* $x_1 x + y_1 y + z_1 z = r^2$; $\dfrac{x-x_1}{x_1} = \dfrac{y-y_1}{y_1} = \dfrac{z-z_1}{z_1}$.

(c) $x^2 + 2z^2 = 3y^2$; $(2, -2, -2)$. $\qquad$ *Lsg.* $x + 3y - 2z = 0$; $\dfrac{x-2}{1} = \dfrac{y+2}{3} = \dfrac{z+2}{-2}$.

(d) $2x^2 + 2xy + y^2 + z + 1 = 0$; $(1, -2, -3)$. $\qquad$ *Lsg.* $z - 2y = 1$; $x - 1 = 0$, $\dfrac{y+2}{2} = \dfrac{z+3}{-1}$.

(e) $z = xy$; $(3, -4, -12)$. $\qquad$ *Lsg.* $4x - 3y + z = 12$; $\dfrac{x-3}{4} = \dfrac{y+4}{-3} = \dfrac{z+12}{1}$.

18. (a) Zeige, daß die Summe der Achsenabschnitte der Tangentialebene an der Fläche $x^{1/2} + y^{1/2} + z^{1/2} = a^{1/2}$ in jedem Punkt a ist!

(b) Zeige, daß die Quadratwurzel der Summe der Quadrate der Achsenabschnitte der Tangentialebene an der Fläche $x^{2/3} + y^{2/3} + z^{2/3} = a^{2/3}$ in jedem Punkt a ist!

19. Zeige, daß die Flächenpaare sich im gegebenen Punkt berühren!

(a) $x^2 + y^2 + z^2 = 18$, $xy = 9$; $(3, 3, 0)$

(b) $x^2 + y^2 + z^2 - 8x - 8y - 6z + 24 = 0$, $x^2 + 3y^2 + 2z^2 = 9$; $(2, 1, 1)$.

20. Zeige, daß folgende Paare von Flächen im gegebenen Punkt senkrecht aufeinander stehen!

(a) $x^2 + 2y^2 - 4z^2 = 8$, $4x^2 - y^2 + 2z^2 = 14$; $(2, 2, 1)$

(b) $x^2 + y^2 + z^2 = 50$, $x^2 + y^2 - 10z + 25 = 0$; $(3, 4, 5)$

21. Zeige, daß jede der Flächen (i) $14x^2 + 11y^2 + 8z^2 = 66$, (ii) $3z^2 - 5x + y = 0$, (iii) $xy + yz - 4zx = 0$ im Punkt $(1, 2, 1)$ senkrecht auf den beiden anderen steht!

KAPITEL 60

Richtungsableitungen
Maximum und Minimum

RICHTUNGSABLEITUNGEN. Durch jeden Punkt $P(x, y, z)$ der Fläche $z = f(x, y)$ gehen Flächen parallel zu den Koordinatenebenen xOz und yOz, die die Fläche in den Bögen PR und PS und die Koordinatenebene xOy in den Geraden $P'M$ und $P'N$ schneiden. Vgl. Abb. 60-1.

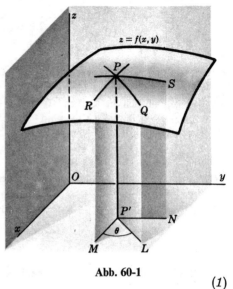

Die partiellen Ableitungen $\partial z/\partial x$ und $\partial z/\partial y$, genommen an den Punkten P oder $P'(x, y)$, geben die Änderung von $z = PP'$ an, wenn jeweils y bzw. x konstant gehalten wird, d.h., die Änderung von z jeweils in x- und y- Richtung oder Steigung der Kurven PR bzw. PS im Punkt P.

Man betrachte weiterhin eine Ebene durch P, die senkrecht auf der x, y-Ebene steht und mit der x-Achse den Winkel θ einschließt. Sie möge die Fläche in der Kurve PQ und die x, y-Ebene in der Geraden $P'L$ schneiden. Die Richtungsableitung von $f(x, y)$ in P (bzw. in P') in Richtung θ ist gegeben durch

$$\frac{dz}{ds} = \frac{\partial z}{\partial x} \cos \theta + \frac{\partial z}{\partial y} \sin \theta \tag{1}$$

Abb. 60-1

Die Richtungsableitung gibt die Änderung von $z = PP'$ in Richtung $P'L$ oder die Steigung der Kurve PQ im Punkt P an.

Die Richtungsableitung in einem Punkt P ist eine Funktion von θ. Wenn eine Richtung existiert, für die die Richtungsableitung in P ein relatives Maximum annimmt, nennt man diesen Wert den *Gradienten* von $f(x, y)$ in P. Der Gradient gibt die Steigung der steilsten Tangente an, die man in P an die Fläche antragen kann.

Siehe Aufgaben 1-8!

Für eine Funktion $w = F(x, y, z)$ ist die Richtungsableitung in $P(x, y, z)$ in Richtung (α, β, γ) gegeben durch

$$\frac{dF}{ds} = \frac{\partial F}{\partial x} \cos \alpha + \frac{\partial F}{\partial y} \cos \beta + \frac{\partial F}{\partial z} \cos \gamma \tag{2}$$

Siehe Aufgabe 9!

RELATIVES MAXIMUM UND MINIMUM. Die Fläche $z = f(x, y)$ habe ein relatives Maximum (oder Minimum) im Punkt $P_0(x_0, y_0, z_0)$. Eine Ebene durch P_0 senkrecht zur xy-Ebene schneidet dann die Fläche in einer Kurve, die in P_0 ein relatives Maximum (oder Minimum) hat; das heißt, die Richtungs-

ableitung $\dfrac{\partial f}{\partial x} \cos \theta + \dfrac{\partial f}{\partial y} \sin \theta$ von $z = f(x, y)$ muß in P_0 für jeden Wert von θ gleich 0 sein. Daher

gilt in P_0: $\quad \partial f/\partial x = 0 \quad$ und $\quad \partial f/\partial y = 0$.

278

Falls es also Punkte gibt, in denen $z = f(x, y)$ ein relatives Maximum (oder Minimum) annimmt, so sind es solche (x_0, y_0), für die gleichzeitig $\partial f / \partial x = 0$ und $\partial f / \partial y = 0$. Für die verschiedenen Fälle geben wir ohne Beweis an:

Existieren in einer gewissen Umgebung von Punkt (x_0, y_0, z_0), in dem $\partial f / \partial x = 0$ und $\partial f / \partial y = 0$ ist, auch die zweiten partiellen Ableitungen, und gilt $\Delta = \left(\dfrac{\partial^2 f}{\partial x\, \partial y} \right)^2 - \left(\dfrac{\partial^2 f}{\partial x^2} \right)\left(\dfrac{\partial^2 f}{\partial y^2} \right) < 0$, dann hat $z = f(x, y)$ in P_0

$$\text{ein relatives Minimum, falls} \quad \frac{\partial^2 f}{\partial x^2} + \frac{\partial^2 f}{\partial y^2} \;>\; 0\,,$$

$$\text{ein relatives Maximum, falls} \quad \frac{\partial^2 f}{\partial x^2} + \frac{\partial^2 f}{\partial y^2} \;<\; 0\,.$$

Falls $\Delta > 0$, liegt in P_0 weder ein Minimum noch ein Maximum vor; falls $\Delta = 0$, ist die Art des betrachteten Punktes P_0 unbestimmt.

Siehe Aufgaben 10-15 !

AUFGABEN MIT LÖSUNGEN

1. Es sei $P''(x + \Delta x, y + \Delta y)$ ein weiterer Punkt auf $P'L$ in Abb. 60-1, und Δs bezeichne den Abstand $P'P''$. Unter der Voraussetzung, daß $z = f(x, y)$ stetige erste partielle Ableitungen besitzt, folgt mit Aufg. 20 aus Kap. 57:

$$\Delta z \;=\; \frac{\partial z}{\partial x} \Delta x \;+\; \frac{\partial z}{\partial y} \Delta y \;+\; \epsilon_1 \Delta x \;+\; \epsilon_2 \Delta y\,,$$

wobei ϵ_1 und ϵ_2 mit Δx bzw. Δy gegen Null streben. Die durchschnittliche Änderung von z zwischen den Punkten P' und P'' ist

$$\frac{\Delta z}{\Delta s} \;=\; \frac{\partial z}{\partial x} \cdot \frac{\Delta x}{\Delta s} \;+\; \frac{\partial z}{\partial y} \cdot \frac{\Delta y}{\Delta s} \;+\; \epsilon_1 \cdot \frac{\Delta x}{\Delta s} \;+\; \epsilon_2 \cdot \frac{\Delta y}{\Delta s}\,,$$

$$\;=\; \frac{\partial z}{\partial x} \cos \theta \;+\; \frac{\partial z}{\partial y} \sin \theta \;+\; \epsilon_1 \cos \theta \;+\; \epsilon_2 \sin \theta$$

wobei θ der Winkel zwischen $P'P''$ und der x-Achse ist. Geht nun P'' entlang $P'L$ gegen P', so ändert sich z um

$$\frac{dz}{ds} \;=\; \frac{\partial z}{\partial x} \cos \theta \;+\; \frac{\partial z}{\partial y} \sin \theta\,,$$

das ist die Richtungsableitung in P'.

2. Bestimme die Richtungsableitungen von $z = x^2 - 6y^2$ im Punkt $P'(7, 2)$ für die Winkel $(a)\ \theta = 45°$, $(b)\ \theta = 135°$!

Die Richtungsableitung in einem Punkt $P'(x, y)$ ist für beliebige Winkel θ

$$\frac{dz}{ds} \;=\; \frac{\partial z}{\partial x} \cos \theta \;+\; \frac{\partial z}{\partial y} \sin \theta \;=\; 2x \cos \theta \;-\; 12 y \sin \theta\,.$$

(a) In $P'(7, 2)$ ist für $\theta = 45°$: $dz/ds = 2 \cdot 7(\tfrac{1}{2}\sqrt{2}) - 12 \cdot 2(\tfrac{1}{2}\sqrt{2}) = -5\sqrt{2}$

(b) In $P'(7, 2)$ ist für $\theta = 135°$: $dz/ds = 2 \cdot 7(-\tfrac{1}{2}\sqrt{2}) - 12 \cdot 2(\tfrac{1}{2}\sqrt{2}) = -19\sqrt{2}$

3. Bestimme die Richtungsableitungen von $z = y e^x$ im Punkt $P'(0, 3)$ für die Winkel $(a)\ \theta = 30°$, $(b)\ \theta = 120°$!

$$\frac{dz}{ds} \;=\; y e^x \cos \theta \;+\; e^x \sin \theta\,.$$

(a) Im Punkt $(0, 3)$ ist für $\theta = 30°$: $dz/ds = 3 \cdot 1(\tfrac{1}{2}\sqrt{3}) + \tfrac{1}{2} = \tfrac{1}{2}(3\sqrt{3} + 1)$

(b) Im Punkt $(0, 3)$ ist für $\theta = 120°$: $dz/ds = 3 \cdot 1(-\tfrac{1}{2}) + \tfrac{1}{2}\sqrt{3} = \tfrac{1}{2}(-3 + \sqrt{3})$

4. Die Temperatur T einer beheizten kreisförmigen Platte ist in jedem Punkt (x, y) gegeben durch $T = \dfrac{64}{x^2 + y^2 + 2}$, wobei der Nullpunkt im Mittelpunkt der Platte liege. Bestimme die Änderung von T im Punkt $(1, 2)$ für die Richtung $\theta = \pi/3$!

$$\frac{dT}{ds} \;=\; -\frac{64(2x)}{(x^2 + y^2 + 2)^2} \cos \theta \;-\; \frac{64(2y)}{(x^2 + y^2 + 2)^2} \sin \theta\,.$$

Im Punkt $(1, 2)$ ist für die Richtung $\theta = \pi/3$: $\dfrac{dT}{ds} = -\dfrac{128}{49}\left(\dfrac{1}{2} \right) - \dfrac{256}{49}\left(\dfrac{\sqrt{3}}{2} \right) = -\dfrac{64}{49}(1 + 2\sqrt{3})$.

5. Das elektrische Potential V in einem Punkt (x, y) sei durch $V = \ln \sqrt{x^2 + y^2}$ gegeben. Bestimme die Änderung von V im Punkt $(3, 4)$ in der Richtung gegen den Punkt $(2, 6)$.

$$\frac{dV}{ds} = \frac{x}{x^2 + y^2} \cos \theta + \frac{y}{x^2 + y^2} \sin \theta.$$

Da θ ein Winkel im zweiten Quadranten ist und $\tan \theta = \frac{6-4}{2-3} = -2$, ist $\cos \theta = -\frac{1}{\sqrt{5}}$ und $\sin \theta = \frac{2}{\sqrt{5}}$

Daher ist in $(3, 4)$ unter dieser Richtung $\dfrac{dV}{ds} = \dfrac{3}{25}\left(-\dfrac{1}{\sqrt{5}}\right) + \dfrac{4}{25}\left(\dfrac{2}{\sqrt{5}}\right) = \dfrac{\sqrt{5}}{25}.$

6. Bestimme den Gradienten für die Fläche und den Punkt aus Aufgabe 2!

Im Punkt $(7, 2)$ ist für die Richtung θ: $dz/ds = 14 \cos \theta - 24 \sin \theta$

Um den Winkel θ zu finden, für den $\dfrac{dz}{ds}$ maximal ist, setze man $\dfrac{d}{d\theta}\left(\dfrac{dz}{ds}\right) = -14 \sin \theta - 24 \cos \theta = 0.$

Danach ist $\tan \theta = -24/14 = -12/7$, und damit liegt θ entweder im zweiten oder vierten Quadranten. Im ersten Fall ist $\sin \theta = 12/\sqrt{193}$ und $\cos \theta = -7/\sqrt{193}$, im zweiten $\sin \theta = -12/\sqrt{193}$ und $\cos \theta = 7/\sqrt{193}$.

Da $\dfrac{d^2}{d\theta^2}\left(\dfrac{dz}{ds}\right) = \dfrac{d}{d\theta}(-14 \sin \theta - 24 \cos \theta) = -14 \cos \theta + 24 \sin \theta$ im zweiten Fall negativ ist, ergibt sich für

den Gradienten $\dfrac{dz}{ds} = 14\left(\dfrac{7}{\sqrt{193}}\right) - 24\left(-\dfrac{12}{\sqrt{193}}\right) = 2\sqrt{193}$, und die Richtung ist $\theta = 300°15'$.

7. Bestimme den Gradienten für die Funktion und den Punkt aus Aufgabe 3 !

Im Punkt $(0, 3)$ in Richtung θ ist $dz/ds = 3 \cos \theta + \sin \theta$

Um den Wert θ zu finden, für den $\dfrac{dz}{ds}$ maximal ist, setze man $\dfrac{d}{d\theta}\left(\dfrac{dz}{ds}\right) = -3 \sin \theta + \cos \theta = 0$

Danach ist $\tan \theta = 1/3$, und θ liegt entweder im ersten oder dritten Quadranten.

Da im ersten Fall $\dfrac{d^2}{d\theta^2}\left(\dfrac{dz}{ds}\right) = \dfrac{d}{d\theta}(-3 \sin \theta + \cos \theta) = -3 \cos \theta - \sin \theta$ negativ ist, ergibt sich für den Gradienten

$\dfrac{dz}{ds} = 3\left(\dfrac{3}{\sqrt{10}}\right) + \dfrac{1}{\sqrt{10}} = \sqrt{10}$ und die Richtung ist $\theta = 18°26'$

8. Zeige, daß sich V in Aufg. 5 am stärksten entlang der Radien ändert!

In jedem Punkt (x_1, y_1) ist in Richtung θ : $\dfrac{dV}{ds} = \dfrac{x_1}{x_1^2 + y_1^2} \cos \theta + \dfrac{y_1}{x_1^2 + y_1^2} \sin \theta$

Wenn $\dfrac{d}{d\theta}\left(\dfrac{dV}{ds}\right) = -\dfrac{x_1}{x_1^2 + y_1^2} \sin \theta + \dfrac{y_1}{x_1^2 + y_1^2} \cos \theta = 0$, dann ist $\tan \theta = \dfrac{y_1/(x_1^2 + y_1^2)}{x_1/(x_1^2 + y_1^2)} = \dfrac{y_1}{x_1}.$

Somit ist θ der Steigungswinkel der Geraden durch den Nullpunkt und den Punkt (x_1, y_1).

9. Bestimme die Richtungsableitung von $F(x, y, z) = xy + 2xz - y^2 + z^2$ im Punkt $(1, -2, 1)$ entlang der Kurve $x = t$, $y = t - 3$, $z = t^2$ in Richtung wachsender z-Koordinate!

Ein Richtungsvektor der Tangente an die Kurve im Punkt $(1, -2, 1)$ ist $[1, 1, 2]$; die Richtungskosinusse sind $[1/\sqrt{6}$, $1/\sqrt{6}, 2/\sqrt{6}]$. Die Richtungsableitung ist

$$\frac{\partial F}{\partial x} \cos \alpha + \frac{\partial F}{\partial y} \cos \beta + \frac{\partial F}{\partial z} \cos \gamma = 0 \cdot \frac{1}{\sqrt{6}} + 5 \cdot \frac{1}{\sqrt{6}} + 4 \cdot \frac{2}{\sqrt{6}} = \frac{13\sqrt{6}}{6}.$$

10. Untersuche $f(x, y) = x^2 + y^2 - 4x + 6y + 25$ auf Maxima und Minima!

Die Bedingungen $\dfrac{\partial f}{\partial x} = 2x - 4 = 0$ und $\dfrac{\partial f}{\partial y} = 2y + 6 = 0$ sind erfüllt für $x = 2$, $y = -3$.

Da $f(x, y) = (x^2 - 4x + 4) + (y^2 + 6y + 9) + 25 - 4 - 9 = (x - 2)^2 + (y + 3)^2 + 12$ gilt, ist $f(2, -3) = 12$ offensichtlich ein Minimum der Funktion.

Geometrisch bedeutet $(2, -3, 12)$ den Minimumpunkt der Fläche $z = x^2 + y^2 - 4x + 6y + 25$.

11. Untersuche $f(x,y) = x^3 + y^3 + 3xy$ auf Maxima und Minima!

Die Bedingungen $\frac{\partial f}{\partial x} = 3(x^2 + y) = 0$ und $\frac{\partial f}{\partial y} = 3(y^2 + x) = 0$ sind erfüllt für $x = 0$, $y = 0$ und $x = -1$, $y = -1$.

Bei $(0, 0)$ ist: $\frac{\partial^2 f}{\partial x^2} = 6x = 0$, $\frac{\partial^2 f}{\partial x \, \partial y} = 3$ und $\frac{\partial^2 f}{\partial y^2} = 6y = 0$. Danach ist $\left(\frac{\partial^2 f}{\partial x \, \partial y}\right)^2 - \frac{\partial^2 f}{\partial x^2} \cdot \frac{\partial^2 f}{\partial y^2} = 9 > 0$. Somit liegt bei $(0, 0)$ weder ein Maximum noch ein Minimum vor.

Bei $(-1, -1)$ ist: $\frac{\partial^2 f}{\partial x^2} = -6$, $\frac{\partial^2 f}{\partial x \, \partial y} = 3$, $\frac{\partial^2 f}{\partial y^2} = -6$. Danach ist $\left(\frac{\partial^2 f}{\partial x \, \partial y}\right)^2 - \frac{\partial^2 f}{\partial x^2} \cdot \frac{\partial^2 f}{\partial y^2} = -27 < 0$ und $\frac{\partial^2 f}{\partial x^2} + \frac{\partial^2 f}{\partial y^2} < 0$. Also ist $f(-1, -1) = 1$ das Maximum der Funktion.

12. Teile 120 so in drei Teile auf, daß die Summe der Produkte von je zweien maximal wird!

Es seien x, y und $120 - (x + y)$ die drei Teile.

Die zu maximierende Funktion ist dann $S = xy + (x + y)(120 - x - y)$

$\frac{\partial S}{\partial x} = y + (120 - x - y) - (x + y) = 120 - 2x - y$, $\quad \frac{\partial S}{\partial y} = x + (120 - x - y) - (x + y) = 120 - x - 2y$.

Aus $\frac{\partial S}{\partial x} = \frac{\partial S}{\partial y} = 0$ folgt $2x + y = 120$ und $x + 2y = 120$.

Dann sind $x = 40$, $y = 40$, $120 - (x + y) = 40$ die drei Teile und $S = 3 \cdot 40^2 = 4800$.

Für die Verteilung $1, 1, 118$ gilt $S = 237$; damit ist also $S = 4800$ das Maximum.

13. Bestimme den Punkt in der Ebene $2x - y + 2z = 16$, der dem Nullpunkt am nächsten liegt!

Es sei (x, y, z) der gesuchte Punkt; dann ist das Quadrat seines Abstands vom Nullpunkt $D = x^2 + y^2 + z^2$. Aus $2x - y + 2z = 16$ folgt $y = 2x + 2z - 16$ und $D = x^2 + (2x + 2z - 16)^2 + z^2$.

Dann sind die Bedingungen $\partial D / \partial x = 2x + 4(2x + 2z - 16) = 0$ und $\partial D / \partial z = 4(2x + 2z - 16) + 2z = 0$ äquivalent zu $5x + 4z = 32$, $4x + 5z = 32$ und $x = z = 32/9$. Da bekannt ist, daß ein Punkt existiert, für den D minimal ist, ist dieser Punkt $(32/9, -16/9, 32/9)$.

14. Zeige, daß ein rechtwinkliges Parallelepiped (Quader) bei konstanter Oberfläche S sein maximales Volumen V als Würfel annimmt!

Die Seitenlängen seien x, y und z. Dann ist $V = xyz$ und $S = 2(xy + yz + zx)$

Die zweite Beziehung kann nach z aufgelöst werden und in die erste eingesetzt werden, wodurch V zu einer Funktion nur von x und y wird. Wir ziehen es hier vor, diesen Schritt zu vermeiden, indem wir z einfach als Funktion von x und y betrachten. Dann ist

$$\frac{\partial V}{\partial x} = yz + xy\frac{\partial z}{\partial x}, \qquad \frac{\partial V}{\partial y} = xz + xy\frac{\partial z}{\partial y}, \qquad \frac{\partial S}{\partial x} = 0 = 2\left(y + z + x\frac{\partial z}{\partial x} + y\frac{\partial z}{\partial x}\right),$$

$$\frac{\partial S}{\partial y} = 0 = 2\left(x + z + x\frac{\partial z}{\partial y} + y\frac{\partial z}{\partial y}\right).$$

Aus den letzten beiden Gleichungen folgt $\frac{\partial z}{\partial x} = -\frac{y + z}{x + y}$ und $\frac{\partial z}{\partial y} = -\frac{x + z}{x + y}$

Die Bedingungen $\frac{\partial V}{\partial x} = yz - \frac{xy(y + z)}{x + y} = 0$ und $\frac{\partial V}{\partial y} = xz - \frac{xy(x + z)}{x + y} = 0$ reduzieren sich auf $y^2(z - x) = 0$ und $x^2(z - y) = 0$. Daraus folgt $x = y = z$, was zu zeigen war.

15. Bestimme das Volumen des größten Rechtecks, das in ein Ellipsoid $\frac{x^2}{a^2} + \frac{y^2}{b^2} + \frac{z^2}{c^2} = 1$ einbeschrieben werden kann!

Es sei $P(x, y, z)$ der Eckpunkt im ersten Oktanten. Dann ist $V = 8xyz$.

Betrachte z als eine Funktion der unabhängigen Veränderlichen x und y, die durch die Ellipsoidgleichung definiert wird. Die notwendigen Bedingungen für ein Maximum sind

$$\frac{\partial V}{\partial x} = 8\left(yz + xy\frac{\partial z}{\partial x}\right) = 0 \quad \text{und} \quad \frac{\partial V}{\partial y} = 8\left(xz + xy\frac{\partial z}{\partial y}\right) = 0. \tag{1}$$

Aus der Ellipsoidgleichung erhält man $\frac{2x}{a^2} + \frac{2z}{c^2} \cdot \frac{\partial z}{\partial x} = 0$ und $\frac{2y}{b^2} + \frac{2z}{c^2} \cdot \frac{\partial z}{\partial y} = 0$.

Aus diesen Beziehungen und (1) eliminiert man $\partial z/\partial x$ und $\partial z/\partial y$ und erhält

$$\frac{\partial V}{\partial x} = 8\left(yz - \frac{c^2x^2y}{a^2z}\right) = 0 \quad \text{und} \quad \frac{\partial V}{\partial y} = 8\left(xz - \frac{c^2xy^2}{b^2z}\right) = 0$$

und schließlich $\qquad \frac{x^2}{a^2} = \frac{z^2}{c^2} = \frac{y^2}{b^2}.$ $\hfill (2)$

Aus (2) und der Ellipsoidgleichung erhält man $\quad x = a\sqrt{3}/3, \quad y = b\sqrt{3}/3 \quad$ und $\quad z = c\sqrt{3}/3.$ Dann ist $V = 8xyz$ $= (8\sqrt{3}/9)abc$ Kubikeinheiten.

ERGÄNZUNGSAUFGABEN

16. Bestimme die Richtungsableitungen der folgenden Funktionen im gegebenen Punkt und in der angegebenen Richtung!
(a) $z = x^2 + xy + y^2$, $(3, 1)$, $\theta = \pi/3$. (b) $z = x^3 + y^3 - 3xy$, $(2, 1)$, $\theta = \arctan 2/3$. (c) $z = y + x\cos xy$, $(0, 0)$, $\theta = \pi/3$ (d) $z = 2x^2 + 3xy - y^2$, $(1, -1)$ in Richtung des Punkts $(2, 1)$.
Lsg. (a) $\frac{1}{2}(7 + 5\sqrt{3})$ (b) $21\sqrt{13}/13$ (c) $\frac{1}{2}(1 + \sqrt{3})$ (d) $11\sqrt{5}/5$.

17. Bestimme den Gradienten jeder Funktion aus Aufg. 16 im gegebenen Punkt!
Lsg. (a) $\sqrt{74}$, (b) $3\sqrt{10}$, (c) $\sqrt{2}$, (d) $\sqrt{26}$.

18. Zeige, daß der Gradient von $V = \ln\sqrt{x^2 + y^2}$ aus Aufgabe 8 entlang des Kreises $x^2 + y^2 = r^2$ konstant ist!

19. An einem Hügel, dargestellt durch $z = 8 - 4x^2 - 2y^2$, bestimme man (a) die Richtung der stärksten Steigung vom Punkt $(1, 1, 2)$ aus und (b) die Richtung der Höhenlinie (Richtung, für die z konstant bleibt)! Beachte, daß diese Richtungen senkrecht aufeinander stehen! *Lsg.* (a) $\arctan \frac{1}{2}$, dritter Quadrant; (b) $\arctan -2$.

20. Zeige, daß die Summe der Quadrate der Richtungsableitungen von $z = f(x, y)$ in jedem Punkt konstant für zwei beliebige zueinander senkrechte Richtungen und gleich dem Quadrat des Gradienten ist!

21. Es seien $z = f(x, y)$ und $w = g(x, y)$ derart gegeben, daß $\partial z/\partial x = \partial w/\partial y$ und $\partial z/\partial y = -\partial w/\partial x$. Zeige für zwei zueinander senkrechte Richtungen θ_1 und θ_2, daß in einem beliebigen Punkt $P(x, y)$ $\partial z/\partial s_1 = \partial w/\partial s_2$ und $\partial z/\partial s_2 = -\partial w/\partial s_1$ ist!

22. Bestimme die Richtungsableitungen folgender Funktionen im gegebenen Punkt und in der angegebenen Richtung!
(a) xy^2z, $(2, 1, 3)$, $[1, -2, 2]$. (b) $x^2 + y^2 + z^2$, $(1, 1, 1)$ in Richtung des Punktes $(2, 3, 4)$. (c) $x^2 + y^2 - 2xz$ $(1, 3, 2)$ entlang $x^2 + y^2 - 2xz = 6$, $3x^2 - y^2 + 3z = 0$ in Richtung anwachsender z.
Lsg. (a) $-17/3$ (b) $6\sqrt{14}/7$ (c) 0.

23. Untersuche folgende Funktionen auf Maxima und Minima!

(a) $z = 2x + 4y - x^2 - y^2 - 3$.　　　　*Lsg.* Max. $= 2$ bei $x = 1, y = 2$.

(b) $z = x^3 + y^3 - 3xy$.　　　　　　　*Lsg.* Min. $= -1$ bei $x = 1, y = 1$.

(c) $z = x^2 + 2xy + 2y^2$.　　　　　　*Lsg.* Min. $= 0$ bei $x = 0, y = 0$.

(d) $z = (x - y)(1 - xy)$.　　　　　　*Lsg.* Weder Maximum noch Minimum.

(e) $z = 2x^2 + y^2 + 6xy + 10x - 6y + 5$.　*Lsg.* Weder Maximum noch Minimum.

(f) $z = 3x - 3y - 2x^3 - xy^2 + 2x^2y + y^3$.　*Lsg.* Min. $= -\sqrt{6}$ bei $x = -\sqrt{6}/6, y = \sqrt{6}/3$.
　　　　　　　　　　　　　　　　　　Max. $= \sqrt{6}$ bei $x = \sqrt{6}/6, y = -\sqrt{6}/3$.

(g) $z = xy(2x + 4y + 1)$　　　　　　*Lsg.* Max. $= 1/216$ bei $x = -1/6, y = -1/12$

24. Bestimme positive Zahlen x, y, z derart, daß
(a) $x + y + z = 18$ und xyz ein Maximum ist. (c) $x + y + z = 20$ und xyz^2 ein Maximum ist.
(b) $xyz = 27$ und $x + y + z$ ein Minimum ist. (d) $x + y + z = 12$ und xy^2z^3 ein Maximum ist.
Lsg. (a) $x = y = z = 6$, (b) $x = y = z = 3$, (c) $x = y = 5, z = 10$, (d) $x = 2, y = 4, z = 6$.

25. Bestimme das Minimum des Abstandsquadrats der Fläche $Ax + By + Cz + D = 0$ vom Nullpunkt.
Lsg. $D^2/(A^2 + B^2 + C^2)$.

26. (a) Die Oberfläche einer rechtwinkligen Schachtel ohne Deckfläche ist $108\ \text{cm}^2$. Bestimme das größtmögliche Volumen!
(b) Das Volumen einer rechtwinkligen Schachtel ohne Deckfläche ist $500\ \text{cm}^3$. Bestimme die minimale Oberfläche!
Lsg. (a) $108\ \text{cm}^3$. (b) $300\ \text{cm}^2$.

27. Bestimme den Punkt auf $z = xy - 1$, der dem Nullpunkt am nächsten liegt! *Lsg.* $(0, 0, -1)$.

28. Bestimme die Gleichung der Ebene durch $(1, 1, 2)$, die im ersten Oktanten das kleinste Volumen einschließt!
Lsg. $2x + 2y + z = 6$.

29. Bestimme die Werte p und q so, daß die Summe S der Quadrate der Abstände der Punkte $(0, 2)$, $(1, 3)$ und $(2, 5)$ von der Geraden $y = px + q$ minimal wird!
Hinweis: $S = (q - 2)^2 + (p + q - 3)^2 + (2p + q - 5)^2$ 　　*Lsg.* $p = 3/2$, $q = 11/6$.

KAPITEL 61

Raumvektoren

DIE BESCHÄFTIGUNG MIT DER EBENEN ANALYTI-SCHEN GEOMETRIE mit Hilfe der vektoriellen Methode ist schwierig, da man sich auf diesem Gebiet gewöhnlich des Konzepts der Steigung bedient. Dagegen wird die Beschäftigung mit der Festkörpergeometrie wesentlich vereinfacht durch die Anwendung von Vektoren.

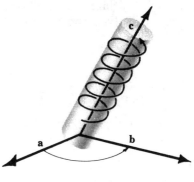

Drei von einem gemeinsamen Punkt ausgehende Vektoren **a, b, c,** die nicht in einer Ebene liegen und von denen jeweils zwei nicht parallel sind, bilden ein *Rechts-System,* wenn **c** die Richtung hat, in die eine Schraube mit Rechtsgewinde sich bewegt und wenn man **a** über den kleineren Winkel in die Richtung von **b** dreht, vgl. Abb. 61-1. In diesem Fall hat auch **b** die Richtung der Schraube, wenn man **c** nach **a** dreht, und **a** hat die Richtung der Schraube, wenn man **b** nach **c** dreht.

Abb. 61-1

Wir wählen nun ein rechtwinkliges Koordinaten-Rechts-System im Raum und **i, j, k** als die Einheitsvektoren jeweils entlang der positiven Richtung der x-, y-, z-Achse, vgl. Abb. 61-2. Dann kann analog zu Kap. 18 jeder freie Vektor **a** geschrieben werden als

$$\mathbf{a} = a_1\mathbf{i} + a_2\mathbf{j} + a_3\mathbf{k}$$

während für einen Punkt $P(x, y, z)$ der Ortsvektor **r** von P durch

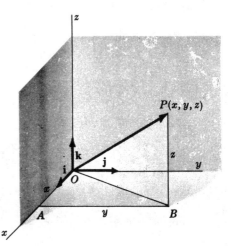

$$\mathbf{r} = \mathbf{OP} = \mathbf{OB} + \mathbf{BP} = \mathbf{OA} + \mathbf{AB} + \mathbf{BP} \qquad (1)$$
$$= x\mathbf{i} + y\mathbf{j} + z\mathbf{k}.$$

gegeben ist.

Abb. 61-2

Darüber hinaus gilt hier die in Kap. 18 entwickelte Algebra bis auf Änderungen gemäß der Veränderung der Dimension. Zum Beispiel gilt, falls $\mathbf{a} = a_1\mathbf{i} + a_2\mathbf{j} + a_3\mathbf{k}$ und $\mathbf{b} = b_1\mathbf{i} + b_2\mathbf{j} + b_3\mathbf{k}$:

$k\mathbf{a} = ka_1\mathbf{i} + ka_2\mathbf{j} + ka_3\mathbf{k}$ für beliebige Skalare

$\mathbf{a} = \mathbf{b}$ genau dann, wenn $a_1 = b_1,\ a_2 = b_2,\ a_3 = b_3$

$\mathbf{a} \pm \mathbf{b} = (a_1 \pm b_1)\mathbf{i} + (a_2 \pm b_2)\mathbf{j} + (a_3 \pm b_3)\mathbf{k}$

$\mathbf{a} \cdot \mathbf{b} = |\mathbf{a}|\,|\mathbf{b}|\cos\theta$, wobei θ der kleinere Winkel zwischen **a** und **b** ist

$\mathbf{i} \cdot \mathbf{i} = \mathbf{j} \cdot \mathbf{j} = \mathbf{k} \cdot \mathbf{k} = 1; \quad \mathbf{i} \cdot \mathbf{j} = \mathbf{j} \cdot \mathbf{k} = \mathbf{k} \cdot \mathbf{i} = 0$

$|\mathbf{a}| = \sqrt{\mathbf{a} \cdot \mathbf{a}} = \sqrt{a_1^2 + a_2^2 + a_3^2}.$

$\mathbf{a} \cdot \mathbf{b} = 0$, falls $\mathbf{a} = 0$ oder $\mathbf{b} = 0$ oder **a** und **b** senkrecht aufeinander stehen.

Aus (1) folgt

$$|\mathbf{r}| = \sqrt{\mathbf{r} \cdot \mathbf{r}} = \sqrt{x^2 + y^2 + z^2} \qquad (2a)$$

für den Abstand des Punktes $P(x, y, z)$ vom Nullpunkt. Für zwei beliebige Punkte $P_1(x_1, y_1, z_1)$ und $P_2(x_2, y_2, z_2)$ gilt ebenfalls (vgl. Abb. 61-3)

$$\mathbf{P_1 P_2} = \mathbf{P_1 B} + \mathbf{B P_2} = \mathbf{P_1 A} + \mathbf{A B} + \mathbf{B P_2}$$
$$= (x_2 - x_1)\mathbf{i} + (y_2 - y_1)\mathbf{j} + (z_2 - z_1)\mathbf{k}$$

und

$$|\mathbf{P_1 P_2}| = \sqrt{(x_2 - x_1)^2 + (y_2 - y_1)^2 + (z_2 - z_1)^2} \qquad (2b)$$

ist wieder die bekannte Formel für den Abstand zweier Punkte.

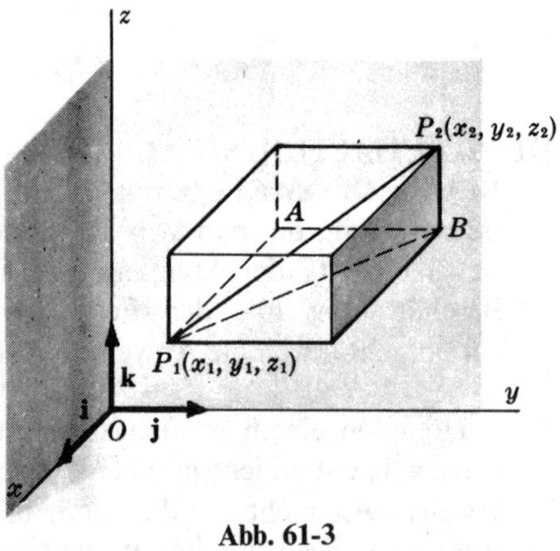

Vgl. Aufgaben 1-3!

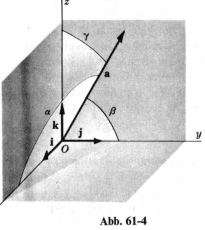

Abb. 61-3

RICHTUNGSKOSINUS EINES VEKTORS. $\mathbf{a} = a_1\mathbf{i} + a_2\mathbf{j} + a_3\mathbf{k}$ habe die Winkel α, β, γ bezüglich der x-, y-, z- Achse wie in Abb. 61-4. Aus

$$\mathbf{i} \cdot \mathbf{a} = |\mathbf{i}|\,|\mathbf{a}| \cos \alpha = |\mathbf{a}| \cos \alpha$$
$$\mathbf{j} \cdot \mathbf{a} = |\mathbf{a}| \cos \beta, \qquad \mathbf{k} \cdot \mathbf{a} = |\mathbf{a}| \cos \gamma$$

folgt

$$\cos \alpha = \frac{\mathbf{i} \cdot \mathbf{a}}{|\mathbf{a}|} = \frac{a_1}{|\mathbf{a}|}, \qquad \cos \beta = \frac{\mathbf{j} \cdot \mathbf{a}}{|\mathbf{a}|} = \frac{a_2}{|\mathbf{a}|}$$

$$\cos \gamma = \frac{\mathbf{k} \cdot \mathbf{a}}{|\mathbf{a}|} = \frac{a_3}{|\mathbf{a}|}.$$

Dieses sind die *Richtungskosinusse* von $\mathbf{a}$. Da

$$\cos^2 \alpha + \cos^2 \beta + \cos^2 \gamma = \frac{a_1^2 + a_2^2 + a_3^2}{|\mathbf{a}|^2} = 1,$$

ist der Vektor $\mathbf{u} = \mathbf{i} \cos \alpha + \mathbf{j} \cos \beta + \mathbf{k} \cos \gamma$ der Einheitsvektor parallel zu $\mathbf{a}$.

Abb. 61-4

DER VEKTOR SENKRECHT ZU ZWEI VEKTOREN. Es seien

$$\mathbf{a} = a_1\mathbf{i} + a_2\mathbf{j} + a_3\mathbf{k} \qquad \text{und} \qquad \mathbf{b} = b_1\mathbf{i} + b_2\mathbf{j} + b_3\mathbf{k}$$

zwei nicht parallele Vektoren ausgehend vom Punkt P. Durch einfache Rechnung kann nachgeprüft werden, daß

$$\mathbf{c} = \begin{vmatrix} a_2 & a_3 \\ b_2 & b_3 \end{vmatrix} \mathbf{i} + \begin{vmatrix} a_3 & a_1 \\ b_3 & b_1 \end{vmatrix} \mathbf{j} + \begin{vmatrix} a_1 & a_2 \\ b_1 & b_2 \end{vmatrix} \mathbf{k} = \begin{vmatrix} \mathbf{i} & \mathbf{j} & \mathbf{k} \\ a_1 & a_2 & a_3 \\ b_1 & b_2 & b_3 \end{vmatrix} \qquad (3)$$

senkrecht sowohl auf $\mathbf{a}$ als auch auf $\mathbf{b}$ und somit auch senkrecht (in Richtung der Normalen) zur Fläche steht, die durch diese Vektoren aufgespannt wird.

In den Aufgaben 5 und 6 wird gezeigt, daß

$$|\mathbf{c}| = |\mathbf{a}|\,|\mathbf{b}| \sin \theta \qquad (4)$$

= Fläche des Parallelogramms mit $\mathbf{a}$ und $\mathbf{b}$ als nichtparallelen Seiten.

Falls $\mathbf{a}$ und $\mathbf{b}$ parallel sind, ist $\mathbf{b} = k\mathbf{a}$ und aus (3) folgt dann $\mathbf{c} = 0$, der Nullvektor. Durch Definition hat der Nullvektor den Betrag 0 und keine spezielle Richtung.

VEKTORPRODUKT ZWEIER VEKTOREN. Es seien

$$a \ = \ a_1 i + a_2 j + a_3 k \qquad und \qquad b \ = \ b_1 i + b_2 j + b_3 k$$

Vektoren mit dem Ausgangspunkt P, und n bezeichne den Einheitsvektor in Normalenrichtung zur Ebene, aufgespannt von a und b, derart gerichtet, daß a, b, n ein Rechts-System in P bilden, vgl. Abb. 61-5. Dann ist das *Vektor-* oder *Kreuzprodukt* von a und b definiert durch

$$a \times b \ = \ |a| \, |b| \, \sin \theta \, n \qquad (5)$$

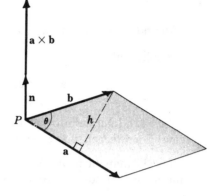

wobei θ wieder der kleinere Winkel zwischen a und b ist. Damit ist $a \times b$ ein Vektor senkrecht auf a und b.

Nach Aufgabe 6 ist

$$|a \times b| \ = \ |a| \, |b| \, \sin \theta$$

die Fläche des Parallelogramms mit a und b als nichtparallelen Seiten.

Sind a und b parallel, so gilt $\theta = 0$ oder π, also $a \times b = 0$. Daher ist

$$i \times i \ = \ j \times j \ = \ k \times k \ = \ 0. \qquad (6)$$

Abb. 61-5

Falls in (5) die Reihenfolge von a und b umgekehrt wird, muß n durch $-n$ ersetzt werden; d.h.,

$$b \times a \ = \ -(a \times b) \qquad (7)$$

Da die Koordinatenachsen als ein Rechts-System gewählt wurden, folgt

$$\begin{array}{lll} i \times j = k & j \times k = i & k \times i = j \\ j \times i = -k & k \times j = -i & i \times k = -j \end{array} \qquad (8)$$

In Aufgabe 8 zeigen wir für Vektoren a, b, c das Distributivgesetz:

$$(a+b) \times c \ = \ a \times c + b \times c \qquad (9)$$

Multipliziert man (9) mit -1 und benutzt (7), folgt auch die Gültigkeit der Linksdistributivität:

$$c \times (a+b) \ = \ c \times a + c \times b \qquad (9')$$

Danach folgen

$$(a+b) \times (c+d) \ = \ a \times c + a \times d + b \times c + b \times d \qquad (10)$$

und

$$a \times b \ = \ \begin{vmatrix} i & j & k \\ a_1 & a_2 & a_3 \\ b_1 & b_2 & b_3 \end{vmatrix} \qquad (11)$$

Vgl. Aufgaben 9-10!

DAS SPATPRODUKT. In Abb. 61-6 sei θ der kleinere Winkel zwischen b und c und ϕ der kleinere Winkel zwischen a und $b \times c$. Dann ist das Spatprodukt definiert durch:

$$a \cdot (b \times c) \ = \ a \cdot |b| \, |c| \, \sin \theta \, n \ = \ |a| \, |b| \, |c| \, \sin \theta \, \cos \phi$$
$$= \ (|a| \, \cos \phi)(|b| \, |c| \, \sin \theta) \ = \ hA$$

$$= \ \text{Volumen des Parallelepipeds.}$$

Es kann gezeigt werden (vgl. Aufg. 11), daß

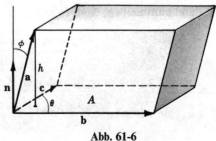

Abb. 61-6

$$\mathbf{a} \cdot (\mathbf{b} \times \mathbf{c}) \;=\; \begin{vmatrix} a_1 & a_2 & a_3 \\ b_1 & b_2 & b_3 \\ c_1 & c_2 & c_3 \end{vmatrix} \;=\; (\mathbf{a} \times \mathbf{b}) \cdot \mathbf{c} \qquad (12)$$

Nun ist
$$\mathbf{c} \cdot (\mathbf{a} \times \mathbf{b}) \;=\; \begin{vmatrix} c_1 & c_2 & c_3 \\ a_1 & a_2 & a_3 \\ b_1 & b_2 & b_3 \end{vmatrix} \;=\; \begin{vmatrix} a_1 & a_2 & a_3 \\ b_1 & b_2 & b_3 \\ c_1 & c_2 & c_3 \end{vmatrix} \;=\; \mathbf{a} \cdot (\mathbf{b} \times \mathbf{c})\,,$$

während
$$\mathbf{b} \cdot (\mathbf{a} \times \mathbf{c}) \;=\; \begin{vmatrix} b_1 & b_2 & b_3 \\ a_1 & a_2 & a_3 \\ c_1 & c_2 & c_3 \end{vmatrix} \;=\; -\begin{vmatrix} a_1 & a_2 & a_3 \\ b_1 & b_2 & b_3 \\ c_1 & c_2 & c_3 \end{vmatrix} \;=\; -\mathbf{a} \cdot (\mathbf{b} \times \mathbf{c}).$$

Ähnlich gilt

$$\mathbf{a} \cdot (\mathbf{b} \times \mathbf{c}) \;=\; \mathbf{c} \cdot (\mathbf{a} \times \mathbf{b}) \;=\; \mathbf{b} \cdot (\mathbf{c} \times \mathbf{a}) \qquad (13)$$

und
$$\mathbf{a} \cdot (\mathbf{b} \times \mathbf{c}) \;=\; -\mathbf{b} \cdot (\mathbf{a} \times \mathbf{c}) \;=\; -\mathbf{c} \cdot (\mathbf{b} \times \mathbf{a}) \;=\; -\mathbf{a} \cdot (\mathbf{c} \times \mathbf{b}). \qquad (14)$$

Aus der Interpretation von $\mathbf{a} \cdot (\mathbf{b} \times \mathbf{c})$ als Volumen folgt, daß $\mathbf{a} \cdot (\mathbf{b} \times \mathbf{c}) = 0$ gilt, wenn $\mathbf{a}, \mathbf{b}, \mathbf{c}$ in einer Ebene liegen, und umgekehrt.

Die Klammern in $\mathbf{a} \cdot (\mathbf{b} \times \mathbf{c})$ und $(\mathbf{a} \times \mathbf{b}) \cdot \mathbf{c}$ sind nicht notwendig. Zum Beispiel könnte $\mathbf{a}\,\mathbf{b} \times \mathbf{c}$ nur $\mathbf{a} \cdot (\mathbf{b} \times \mathbf{c})$ oder $(\mathbf{a} \cdot \mathbf{b}) \times \mathbf{c}$ bedeuten. Da aber $\mathbf{a}\mathbf{b}$ ein Skalar ist, wäre $(\mathbf{a} \cdot \mathbf{b}) \times \mathbf{c}$ sinnlos.

Vergleiche Aufgabe 12!

DAS DREIFACHVEKTORPRODUKT. In Aufgabe 13 wird gezeigt, daß

$$\mathbf{a} \times (\mathbf{b} \times \mathbf{c}) \;=\; (\mathbf{a} \cdot \mathbf{c})\mathbf{b} \;-\; (\mathbf{a} \cdot \mathbf{b})\mathbf{c} \qquad (15)$$

Ähnlich gilt

$$(\mathbf{a} \times \mathbf{b}) \times \mathbf{c} \;=\; (\mathbf{a} \cdot \mathbf{c})\mathbf{b} \;-\; (\mathbf{b} \cdot \mathbf{c})\mathbf{a} \qquad (16)$$

Daher ist, ausgenommen $\mathbf{b}$ ist senkrecht zu $\mathbf{a}$ und $\mathbf{c}$,

$$\mathbf{a} \times (\mathbf{b} \times \mathbf{c}) \;\neq\; (\mathbf{a} \times \mathbf{b}) \times \mathbf{c}$$

und der Gebrauch von Klammern erweist sich als notwendig.

DIE GERADE. Eine Gerade im Raum durch den gegebenen Punkt $P_0(x_0, y_0, z_0)$ wird definiert als Ort aller Punkte $P(x, y, z)$ derart, daß P_0P parallel zu einer gegebenen Richtung $\mathbf{a} = a_1\mathbf{i} + a_2\mathbf{j} + a_3\mathbf{k}$ ist. Sind $\mathbf{r}_0$ und $\mathbf{r}$ die Ortsvektoren von P_0 bzw. P, dann ist

$$\mathbf{r} - \mathbf{r}_0 \;=\; k\mathbf{a} \qquad (k \text{ eine skalare Veränderliche}) \qquad (17)$$

die Vektorgleichung der Geraden durch P und P_0. Betrachte Abb. 61-7.

Schreibt man (17) als

$$(x - x_0)\mathbf{i} \;+\; (y - y_0)\mathbf{j} \;+\; (z - z_0)\mathbf{k} \;=\; k(a_1\mathbf{i} + a_2\mathbf{j} + a_3\mathbf{k})$$

betrachtet man die einzelnen Komponenten

$$x - x_0 = ka_1, \qquad y - y_0 = ka_2, \qquad z - z_0 = ka_3$$

und eliminiert k, dann folgt

$$\frac{x - x_0}{a_1} \;=\; \frac{y - y_0}{a_2} \;=\; \frac{z - z_0}{a_3} \qquad (18)$$

als Gleichung in rechtwinkligen Koordinaten. Hier ist $[a_1, a_2, a_3]$ ein *Richtungsvektor* und $\left[\dfrac{a_1}{|\mathbf{a}|}, \dfrac{a_2}{|\mathbf{a}|}, \dfrac{a_3}{|\mathbf{a}|}\right]$ sind die *Richtungskosinusse* der Geraden.

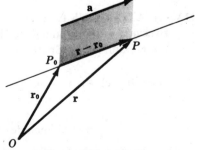

Abb. 61-7

Ist irgendeine der Zahlen a_1, a_2, a_3 gleich Null, muß der entsprechende Zähler in (18) Null sein. Gilt zum Beispiel $a_1 = 0$, $a_2 a_3 \neq 0$, dann sind die Geradengleichungen

$$x - x_0 = 0, \qquad \frac{y - y_0}{a_2} = \frac{z - z_0}{a_3}.$$

DIE EBENE. Eine Ebene im Raum durch den gegebenen Punkt $P_0(x_0, y_0, z_0)$ ist definiert als der Ort aller Geraden durch P_0, senkrecht (in Richtung der Normalen) zu einer gegebenen Geraden (Richtung) $\mathbf{a} = A\mathbf{i} + B\mathbf{j} + C\mathbf{k}$. Es sei $P(x, y, z)$ irgendein anderer Punkt auf der Ebene. Dann ist $r - r_0 = \mathbf{P_0 P}$ senkrecht zu $\mathbf{a}$, vgl. Abb. 61-8, und die geforderte Gleichung ist

$$(\mathbf{r} - \mathbf{r_0}) \cdot \mathbf{a} = 0. \qquad (19)$$

In rechtwinkligen Koordinaten wird daraus:

$$\{(x - x_0)\mathbf{i} + (y - y_0)\mathbf{j} + (z - z_0)\mathbf{k}\} \cdot (A\mathbf{i} + B\mathbf{j} + C\mathbf{k}) = 0$$

oder $\quad A(x - x_0) + B(y - y_0) + C(z - z_0) = 0$

oder $\quad Ax + By + Cz + D = 0 \qquad\qquad (20)$

mit $\quad D = -(Ax_0 + By_0 + Cz_0)$.

Abb. 61-8

Es sei umgekehrt $P_0(x_0, y_0, z_0)$ ein Punkt auf der Fläche

$$Ax + By + Cz + D = 0,$$

Dann ist $\qquad\qquad Ax_0 + By_0 + Cz_0 + D = 0.$

Subtraktion ergibt $\quad A(x - x_0) + B(y - y_0) + C(z - z_0)$

$$= (A\mathbf{i} + B\mathbf{j} + C\mathbf{k}) \cdot \{(x - x_0)\mathbf{i} + (y - y_0)\mathbf{j} + (z - z_0)\mathbf{k}\} = 0,$$

und der konstante Vektor $A\mathbf{i} + B\mathbf{j} + C\mathbf{k}$ verläuft in Normalenrichtung zur Fläche in jedem ihrer Punkte. Somit ist die Fläche eine Ebene.

AUFGABEN MIT LÖSUNGEN

1. Bestimme den Abstand des Punktes $P_1(1, 2, 3)$ (a) vom Nullpunkt, (b) von der x-Achse, (c) von der z-Achse, (d) von der xy-Ebene, (e) vom Punkt $P_2(3, -1, 5)$!

   (a) $\mathbf{r} = \mathbf{OP_1} = \mathbf{i} + 2\mathbf{j} + 3\mathbf{k}$; $|\mathbf{r}| = \sqrt{1^2 + 2^2 + 3^2} = \sqrt{14}$

   (b) $\mathbf{AP_1} = \mathbf{AB} + \mathbf{BP_1} = 2\mathbf{j} + 3\mathbf{k}$; $|\mathbf{AP_1}| = \sqrt{4 + 9} = \sqrt{13}$

   (c) $\mathbf{DP_1} = \mathbf{DE} + \mathbf{EP_1} = 2\mathbf{j} + \mathbf{i}$; $|\mathbf{DP_1}| = \sqrt{5}$

   (d) $\mathbf{BP_1} = 3\mathbf{k}$; $|\mathbf{BP_1}| = 3$

   (e) $\mathbf{P_1 P_2} = (3-1)\mathbf{i} + (-1-2)\mathbf{j} + (5-3)\mathbf{k} = 2\mathbf{i} - 3\mathbf{j} + 2\mathbf{k}$

       $|\mathbf{P_1 P_2}| = \sqrt{4 + 9 + 4} = \sqrt{17}$.

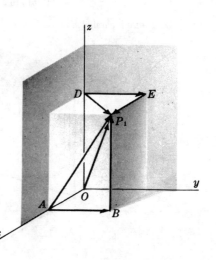

2. Bestimme den Winkel θ zwischen den Vektoren von O nach $P_1(1, 2, 3)$ und nach $P_2(2, -3, -1)$!

    $\mathbf{r_1} = \mathbf{OP_1} = \mathbf{i} + 2\mathbf{j} + 3\mathbf{k}$, $\mathbf{r_2} = \mathbf{OP_2} = 2\mathbf{i} - 3\mathbf{j} - \mathbf{k}$

    $\cos\theta = \dfrac{\mathbf{r_1} \cdot \mathbf{r_2}}{|\mathbf{r_1}|\,|\mathbf{r_2}|} = \dfrac{1(2) + 2(-3) + 3(-1)}{\sqrt{14}\,\sqrt{14}} = -\dfrac{1}{2}$, $\theta = 120°$.

Abb. 61-9

3. Bestimme den Winkel $\alpha = \angle BAC$ des Dreiecks ABC, dessen Eckpunkte
$A(1, 0, 1)$, $B(2, -1, 1)$, $C(-2, 1, 0)$ sind!

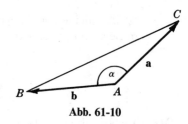

$$\mathbf{a} = \mathbf{AC} = -3\mathbf{i} + \mathbf{j} - \mathbf{k}, \quad \mathbf{b} = \mathbf{AB} = \mathbf{i} - \mathbf{j}$$

$$\cos \alpha = \frac{\mathbf{a} \cdot \mathbf{b}}{|\mathbf{a}|\,|\mathbf{b}|} = \frac{-3 - 1}{\sqrt{22}} = -0{,}85280, \quad \alpha = 148°31'.$$

Abb. 61-10

4. Bestimme die Richtungskosinusse von $\mathbf{a} = 3\mathbf{i} + 12\mathbf{j} + 4\mathbf{k}$!
Die Richtungskosinusse sind

$$\cos \alpha = \frac{\mathbf{i} \cdot \mathbf{a}}{|\mathbf{a}|} = \frac{3}{13}, \quad \cos \beta = \frac{\mathbf{j} \cdot \mathbf{a}}{|\mathbf{a}|} = \frac{12}{13}, \quad \cos \gamma = \frac{\mathbf{k} \cdot \mathbf{a}}{|\mathbf{a}|} = \frac{4}{13}.$$

5. Es seien $\mathbf{a} = a_1\mathbf{i} + a_2\mathbf{j} + a_3\mathbf{k}$ und $\mathbf{b} = b_1\mathbf{i} + b_2\mathbf{j} + b_3\mathbf{k}$ zwei vom Punkt P ausgehende Vektoren und es gelte

$$\mathbf{c} = \begin{vmatrix} a_2 & a_3 \\ b_2 & b_3 \end{vmatrix} \mathbf{i} + \begin{vmatrix} a_1 & a_3 \\ b_1 & b_3 \end{vmatrix} \mathbf{j} + \begin{vmatrix} a_1 & a_2 \\ b_1 & b_2 \end{vmatrix} \mathbf{k}.$$

Zeige, daß $|\mathbf{c}| = |\mathbf{a}|\,|\mathbf{b}| \sin \theta$ gilt, wobei θ der kleinere Winkel zwischen $\mathbf{a}$ und $\mathbf{b}$ ist!

Es ist $\cos \theta = \dfrac{\mathbf{a} \cdot \mathbf{b}}{|\mathbf{a}|\,|\mathbf{b}|}$ und

$$\sin \theta = \sqrt{1 - \left\{ \frac{\mathbf{a} \cdot \mathbf{b}}{|\mathbf{a}|\,|\mathbf{b}|} \right\}^2} = \frac{\sqrt{(a_1^2 + a_2^2 + a_3^2)(b_1^2 + b_2^2 + b_3^2) - (a_1b_1 + a_2b_2 + a_3b_3)^2}}{|\mathbf{a}|\,|\mathbf{b}|} = \frac{|\mathbf{c}|}{|\mathbf{a}|\,|\mathbf{b}|}.$$

Daraus folgt $|\mathbf{c}| = |\mathbf{a}|\,|\mathbf{b}| \sin \theta$, wie verlangt.

6. Bestimme die Fläche eines Parallelogramms, dessen nichtparallele Seiten $\mathbf{a}$ und $\mathbf{b}$ sind.
Aus Abb. 61-11 folgt $h = |\mathbf{b}| \sin \theta$, und die Fläche ist $h|\mathbf{a}| = |\mathbf{a}|\,|\mathbf{b}| \sin \theta.$

7. Es seien $\mathbf{a}_1$ und $\mathbf{a}_2$ die Komponenten von $\mathbf{a}$ parallel bzw. senkrecht zu $\mathbf{b}$, wie in Abb. 61-12. Zeige, daß $\mathbf{a}_2 \times \mathbf{b} = \mathbf{a} \times \mathbf{b}$ und $\mathbf{a}_1 \times \mathbf{b} = 0$!

Wenn θ der Winkel zwischen $\mathbf{a}$ und $\mathbf{b}$ ist, dann ist $|\mathbf{a}_1| = |\mathbf{a}| \cos \theta$ und $|\mathbf{a}_2| = |\mathbf{a}| \sin \theta$. Da $\mathbf{a}, \mathbf{a}_2, \mathbf{b}$ in einer Ebene

liegen, gilt $\mathbf{a}_2 \times \mathbf{b} = |\mathbf{a}_2|\,|\mathbf{b}| \sin \phi \, \mathbf{n} = |\mathbf{a}| \sin \theta \, |\mathbf{b}| \, \mathbf{n}$
$= |\mathbf{a}|\,|\mathbf{b}| \sin \theta \, \mathbf{n} = \mathbf{a} \times \mathbf{b}.$

Da $\mathbf{a}_1$ und $\mathbf{b}$ parallel sind, ist $\mathbf{a}_1 \times \mathbf{b} = 0.$

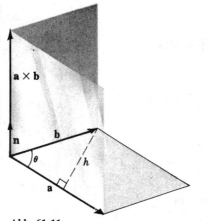

Abb. 61-11

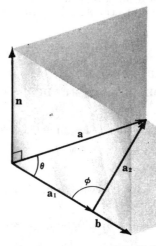

Abb. 61-12

8. Beweise, daß $(\mathbf{a} + \mathbf{b}) \times \mathbf{c} = \mathbf{a} \times \mathbf{c} + \mathbf{b} \times \mathbf{c}$!

In Abb. 61-13 liegt der Anfangspunkt P der Vektoren $\mathbf{a}, \mathbf{b}, \mathbf{c}$ in der Papierebene, während ihre Endpunkte oberhalb dieser liegen. Die Vektoren $\mathbf{a}_1$ und $\mathbf{b}_1$ sind die Komponenten von $\mathbf{a}$ und $\mathbf{b}$ senkrecht auf $\mathbf{c}$. Dann liegen $\mathbf{a}_1, \mathbf{b}_1, \mathbf{a}_1 + \mathbf{b}_1$, $\mathbf{a}_1 \times \mathbf{c}, \mathbf{b}_1 \times \mathbf{c}$ und $(\mathbf{a}_1 + \mathbf{b}_1) \times \mathbf{c}$ alle in der Papierebene.

In den Dreiecken PRS und PMQ gilt

$$\frac{RS}{PR} = \frac{|\mathbf{b}_1 \times \mathbf{c}|}{|\mathbf{a}_1 \times \mathbf{c}|} = \frac{|\mathbf{b}_1|\,|\mathbf{c}|}{|\mathbf{a}_1|\,|\mathbf{c}|} = \frac{|\mathbf{b}_1|}{|\mathbf{a}_1|} = \frac{MQ}{PM};$$

somit sind PRS und PMQ ähnlich. Nun ist PR senkrecht zu PM und RS senkrecht zu MQ. Also ist PS senkrecht zu PQ und $\mathbf{PS} = \mathbf{PQ} \times \mathbf{c}$. Aus

$$\mathbf{PS} = \mathbf{PQ} \times \mathbf{c} = \mathbf{PR} + \mathbf{RS}$$

folgt $(\mathbf{a}_1 + \mathbf{b}_1) \times \mathbf{c} = \mathbf{a}_1 \times \mathbf{c} + \mathbf{b}_1 \times \mathbf{c}$.

Nach Aufgabe 7 können $\mathbf{a}_1$ und $\mathbf{b}_1$ durch $\mathbf{a}$ bzw. $\mathbf{b}$ ersetzt werden, und wir erhalten das geforderte Ergebnis

$$(\mathbf{a} + \mathbf{b}) \times \mathbf{c} = \mathbf{a} \times \mathbf{c} + \mathbf{b} \times \mathbf{c}.$$

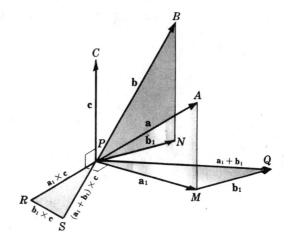

Abb. 61-13

9. Zeige mit $\mathbf{a} = a_1\mathbf{i} + a_2\mathbf{j} + a_3\mathbf{k}$ und $\mathbf{b} = b_1\mathbf{i} + b_2\mathbf{j} + b_3\mathbf{k}$:

$$\mathbf{a} \times \mathbf{b} = \begin{vmatrix} \mathbf{i} & \mathbf{j} & \mathbf{k} \\ a_1 & a_2 & a_3 \\ b_1 & b_2 & b_3 \end{vmatrix} !$$

Nach dem Distributivgesetz folgt

$$\begin{aligned}
\mathbf{a} \times \mathbf{b} &= (a_1\mathbf{i} + a_2\mathbf{j} + a_3\mathbf{k}) \times (b_1\mathbf{i} + b_2\mathbf{j} + b_3\mathbf{k}) \\
&= a_1\mathbf{i} \times (b_1\mathbf{i} + b_2\mathbf{j} + b_3\mathbf{k}) + a_2\mathbf{j} \times (b_1\mathbf{i} + b_2\mathbf{j} + b_3\mathbf{k}) + a_3\mathbf{k} \times (b_1\mathbf{i} + b_2\mathbf{j} + b_3\mathbf{k}) \\
&= (a_1 b_2\mathbf{k} - a_1 b_3\mathbf{j}) + (-a_2 b_1\mathbf{k} + a_2 b_3\mathbf{i}) + (a_3 b_1\mathbf{j} - a_3 b_2\mathbf{i}) \\
&= (a_2 b_3 - a_3 b_2)\mathbf{i} - (a_1 b_3 - a_3 b_1)\mathbf{j} + (a_1 b_2 - a_2 b_1)\mathbf{k} \\
&= \begin{vmatrix} \mathbf{i} & \mathbf{j} & \mathbf{k} \\ a_1 & a_2 & a_3 \\ b_1 & b_2 & b_3 \end{vmatrix}
\end{aligned}$$

10. Leite den Sinussatz der ebenen Geometrie her!

Betrachte das Dreieck ABC, dessen Seiten $\mathbf{a}, \mathbf{b}, \mathbf{c}$ mit den Längen a, b, c und dessen Winkel α, β, γ sind!

Es ist

$$\mathbf{a} + \mathbf{b} + \mathbf{c} = 0.$$

Dann gilt $\quad \mathbf{a} \times (\mathbf{a} + \mathbf{b} + \mathbf{c}) = \mathbf{a} \times \mathbf{b} + \mathbf{a} \times \mathbf{c} = 0 \quad$ oder $\quad \mathbf{a} \times \mathbf{b} = \mathbf{c} \times \mathbf{a}$

und $\quad \mathbf{b} \times (\mathbf{a} + \mathbf{b} + \mathbf{c}) = \mathbf{b} \times \mathbf{a} + \mathbf{b} \times \mathbf{c} = 0 \quad$ oder $\quad \mathbf{b} \times \mathbf{c} = \mathbf{a} \times \mathbf{b}.$

Somit folgt $\quad \mathbf{a} \times \mathbf{b} = \mathbf{b} \times \mathbf{c} = \mathbf{c} \times \mathbf{a},$

$$|\mathbf{a}|\,|\mathbf{b}| \sin \gamma = |\mathbf{b}|\,|\mathbf{c}| \sin \alpha = |\mathbf{c}|\,|\mathbf{a}| \sin \beta$$

$$ab \sin \gamma = bc \sin \alpha = ca \sin \beta$$

und

$$\frac{\sin \gamma}{c} = \frac{\sin \alpha}{a} = \frac{\sin \beta}{b}.$$

11. Mit $\mathbf{a} = a_1\mathbf{i} + a_2\mathbf{j} + a_3\mathbf{k}$, $\mathbf{b} = b_1\mathbf{i} + b_2\mathbf{j} + b_3\mathbf{k}$ und $\mathbf{c} = c_1\mathbf{i} + c_2\mathbf{j} + c_3\mathbf{k}$ gilt:

$$\mathbf{a} \cdot (\mathbf{b} \times \mathbf{c}) = \begin{vmatrix} a_1 & a_2 & a_3 \\ b_1 & b_2 & b_3 \\ c_1 & c_2 & c_3 \end{vmatrix}$$

$$\mathbf{a} \cdot (\mathbf{b} \times \mathbf{c}) = (a_1\mathbf{i} + a_2\mathbf{j} + a_3\mathbf{k}) \cdot \begin{vmatrix} \mathbf{i} & \mathbf{j} & \mathbf{k} \\ b_1 & b_2 & b_3 \\ c_1 & c_2 & c_3 \end{vmatrix}$$

$$= (a_1\mathbf{i} + a_2\mathbf{j} + a_3\mathbf{k}) \cdot [(b_2c_3 - b_3c_2)\mathbf{i} + (b_3c_1 - b_1c_3)\mathbf{j} + (b_1c_2 - b_2c_1)\mathbf{k}]$$

$$= a_1(b_2c_3 - b_3c_2) + a_2(b_3c_1 - b_1c_3) + a_3(b_1c_2 - b_2c_1)$$

$$= \begin{vmatrix} a_1 & a_2 & a_3 \\ b_1 & b_2 & b_3 \\ c_1 & c_2 & c_3 \end{vmatrix}$$

12. Zeige, daß $\mathbf{a} \times (\mathbf{a} \times \mathbf{c}) = 0$!

Nach (12) ist $\mathbf{a} \times (\mathbf{a} \times \mathbf{c}) = (\mathbf{a} \times \mathbf{a}) \cdot \mathbf{c} = 0.$

13. Für die Vektoren $\mathbf{a}, \mathbf{b}, \mathbf{c}$ aus Aufgabe 11 zeige man $\mathbf{a} \times (\mathbf{b} \times \mathbf{c}) = (\mathbf{a} \cdot \mathbf{c})\mathbf{b} - (\mathbf{a} \cdot \mathbf{b})\mathbf{c}$

$$\mathbf{a} \times (\mathbf{b} \times \mathbf{c}) = (a_1\mathbf{i} + a_2\mathbf{j} + a_3\mathbf{k}) \times \begin{vmatrix} \mathbf{i} & \mathbf{j} & \mathbf{k} \\ b_1 & b_2 & b_3 \\ c_1 & c_2 & c_3 \end{vmatrix}$$

$$= (a_1\mathbf{i} + a_2\mathbf{j} + a_3\mathbf{k}) \times [(b_2c_3 - b_3c_2)\mathbf{i} + (b_3c_1 - b_1c_3)\mathbf{j} + (b_1c_2 - b_2c_1)\mathbf{k}]$$

$$= \begin{vmatrix} \mathbf{i} & \mathbf{j} & \mathbf{k} \\ a_1 & a_2 & a_3 \\ b_2c_3 - b_3c_2 & b_3c_1 - b_1c_3 & b_1c_2 - b_2c_1 \end{vmatrix}$$

$$= \mathbf{i}(a_2b_1c_2 - a_2b_2c_1 - a_3b_3c_1 + a_3b_1c_3)$$
$$+ \mathbf{j}(a_3b_2c_3 - a_3b_3c_2 - a_1b_1c_2 + a_1b_2c_1)$$
$$+ \mathbf{k}(a_1b_3c_1 - a_1b_1c_3 - a_2b_2c_3 + a_2b_3c_2)$$

$$= \left\{ \begin{array}{l} \mathbf{i}b_1(a_1c_1 + a_2c_2 + a_3c_3) \\ + \mathbf{j}b_2(a_1c_1 + a_2c_2 + a_3c_3) \\ + \mathbf{k}b_3(a_1c_1 + a_2c_2 + a_3c_3) \end{array} \right. - \left\{ \begin{array}{l} \mathbf{i}c_1(a_1b_1 + a_2b_2 + a_3b_3) \\ + \mathbf{j}c_2(a_1b_1 + a_2b_2 + a_3b_3) \\ + \mathbf{k}c_3(a_1b_1 + a_2b_2 + a_3b_3) \end{array} \right.$$

$$= (b_1\mathbf{i} + b_2\mathbf{j} + b_3\mathbf{k})(\mathbf{a} \cdot \mathbf{c}) - (c_1\mathbf{i} + c_2\mathbf{j} + c_3\mathbf{k})(\mathbf{a} \cdot \mathbf{b})$$

$$= \mathbf{b}(\mathbf{a} \cdot \mathbf{c}) - \mathbf{c}(\mathbf{a} \cdot \mathbf{b}) = (\mathbf{a} \cdot \mathbf{c})\mathbf{b} - (\mathbf{a} \cdot \mathbf{b})\mathbf{c}$$

wie gefordert.

14. Sind l_1 und l_2 zwei sich nicht schneidende Geraden im Raum, dann ist der Abstand d der beiden voneinander gleich dem Abstand irgendeines Punktes auf l_1 zur Ebene durch l_2 parallel zu l_1, d.h., wenn P_1 ein Punkt auf l_1 und P_2 ein Punkt auf l_2 ist, dann ist, bis auf das Vorzeichen, d die skalare Projektion von $\mathbf{P}_1\mathbf{P}_2$ auf eine gemeinsame Senkrechte von l_1 und l_2.

Es gehe l_1 durch $P_1(x_1, y_1, z_1)$ in Richtung $\mathbf{a} = a_1\mathbf{i} + a_2\mathbf{j} + a_3\mathbf{k}$ und l_2 durch $P_2(x_2, y_2, z_2)$ in Richtung $\mathbf{b} = b_1\mathbf{i} + b_2\mathbf{j} + b_3\mathbf{k}$. Dann ist $\mathbf{P}_1\mathbf{P}_2 = (x_2 - x_1)\mathbf{i} + (y_2 - y_1)\mathbf{j} + (z_2 - z_1)\mathbf{k}$, und der Vektor $\mathbf{a} \times \mathbf{b}$ ist senkrecht sowohl zu l_1 als auch zu l_2. Somit ist

$$d = \left| \frac{\mathbf{P}_1\mathbf{P}_2 \cdot (\mathbf{a} \times \mathbf{b})}{|\mathbf{a} \times \mathbf{b}|} \right| = \left| \frac{(\mathbf{r}_2 - \mathbf{r}_1) \cdot (\mathbf{a} \times \mathbf{b})}{|\mathbf{a} \times \mathbf{b}|} \right|$$

15. Gib die Gleichung der Geraden durch $P_0(1, 2, 3)$ parallel zu $\mathbf{a} = 2\mathbf{i} - \mathbf{j} - 4\mathbf{k}$ an! Welcher der Punkte $A(3, 1, -1)$, $B(1/2, 9/4, 4)$, $C(2, 0, 1)$ liegt auf dieser Geraden?

Aus Gleichung (*17*) folgt als Vektorgleichung

$$(x\mathbf{i} + y\mathbf{j} + z\mathbf{k}) - (\mathbf{i} + 2\mathbf{j} + 3\mathbf{k}) = k(2\mathbf{i} - \mathbf{j} - 4\mathbf{k})$$

oder

(i) $$(x - 1)\mathbf{i} + (y - 2)\mathbf{j} + (z - 3)\mathbf{k} = k(2\mathbf{i} - \mathbf{j} - 4\mathbf{k})$$

und die Gleichung im rechtwinkligen Koordinatensystem ist

(ii) $$\frac{x - 1}{2} = \frac{y - 2}{-1} = \frac{z - 3}{-4} .$$

Mit (ii) findet man bereits, daß A und B auf der Geraden liegen, nicht dagegen C.

Mit der Vektorgleichung (i) ist ein Punkt $P(x, y, z)$ auf der Geraden zu bestimmen, indem man für einen Wert k die Komponenten vergleicht. Punkt A liegt auf der Geraden, da

$$(3 - 1)\mathbf{i} + (1 - 2)\mathbf{j} + (-1 - 3)\mathbf{k} = k(2\mathbf{i} - \mathbf{j} - 4\mathbf{k}),$$

wenn $k = 1$ ist. Ähnlich liegt B auf der Geraden, da

$$-\tfrac{1}{2}\mathbf{i} + \tfrac{1}{4}\mathbf{j} + \mathbf{k} = k(2\mathbf{i} - \mathbf{j} - 4\mathbf{k})$$

mit $k = -\tfrac{1}{4}$. Punkt C liegt nicht auf der Geraden, da

$$\mathbf{i} - 2\mathbf{j} - 2\mathbf{k} = k(2\mathbf{i} - \mathbf{j} - 4\mathbf{k})$$

für keinen Wert von k.

16. Schreibe die Gleichung der Ebene

(a) durch $P_0(1, 2, 3)$ parallel zu $3x - 2y + 4z - 5 = 0$,

(b) durch $P_0(1, 2, 3)$ und $P_1(3, -2, 1)$ senkrecht zur Ebene $3x - 2y + 4z - 5 = 0$,

(c) durch $P_0(1, 2, 3)$, $P_1(3, -2, 1)$ und $P_2(5, 0, -4)$!

Es sei $P(x, y, z)$ ein beliebiger Punkt auf der gesuchten Fläche

(a) $\mathbf{a} = 3\mathbf{i} - 2\mathbf{j} + 4\mathbf{k}$ ist in Normalenrichtung zur gegebenen Fläche und zur gesuchten. Die Vektorgleichung der letzteren ist

$$(\mathbf{r} - \mathbf{r}_0) \cdot \mathbf{a} = 0$$

und die Gleichung in rechtwinkligen Koordinaten ist

$$3(x - 1) - 2(y - 2) + 4(z - 3) = 0$$

oder $$3x - 2y + 4z - 11 = 0.$$

(b) $\mathbf{r}_1 - \mathbf{r}_0 = 2\mathbf{i} - 4\mathbf{j} - 2\mathbf{k}$ und $\mathbf{a} = 3\mathbf{i} - 2\mathbf{j} + 4\mathbf{k}$ sind parallel zur gesuchten Ebene; dann führt $(\mathbf{r}_1 - \mathbf{r}_0) \times \mathbf{a}$ in Normalenrichtung. Die Vektorgleichung ist

$$(\mathbf{r} - \mathbf{r}_0) \cdot [(\mathbf{r}_1 - \mathbf{r}_0) \times \mathbf{a}] = 0 .$$

Die Gleichung in rechtwinkligen Koordinaten ist

$$(\mathbf{r} - \mathbf{r}_0) \cdot \begin{vmatrix} \mathbf{i} & \mathbf{j} & \mathbf{k} \\ 2 & -4 & -2 \\ 3 & -2 & 4 \end{vmatrix} = [(x-1)\mathbf{i} + (y-2)\mathbf{j} + (z-3)\mathbf{k}] \cdot [-20\mathbf{i} - 14\mathbf{j} + 8\mathbf{k}]$$

$$= -20(x - 1) - 14(y - 2) + 8(z - 3) = 0$$

oder $$20x + 14y - 8z - 24 = 0.$$

(c) $\mathbf{r}_1 - \mathbf{r}_0 = 2\mathbf{i} - 4\mathbf{j} - 2\mathbf{k}$ und $\mathbf{r}_2 - \mathbf{r}_0 = 4\mathbf{i} - 2\mathbf{j} - 7\mathbf{k}$ sind parallel zur gesuchten Fläche, so daß $(\mathbf{r}_1 - \mathbf{r}_0) \times (\mathbf{r}_2 - \mathbf{r}_0)$ in Normalenrichtung verläuft. Die Vektorgleichung ist

$$(\mathbf{r} - \mathbf{r}_0) \cdot [(\mathbf{r}_1 - \mathbf{r}_0) \times (\mathbf{r}_2 - \mathbf{r}_0)] = 0$$

und die Gleichung in rechwinkligen Koordinaten

$$(\mathbf{r} - \mathbf{r}_0) \cdot \begin{vmatrix} \mathbf{i} & \mathbf{j} & \mathbf{k} \\ 2 & -4 & -2 \\ 4 & -2 & -7 \end{vmatrix} = [(x-1)\mathbf{i} + (y-2)\mathbf{j} + (z-3)\mathbf{k}] \cdot [24\mathbf{i} + 6\mathbf{j} + 12\mathbf{k}]$$

$$= 24(x - 1) + 6(y - 2) + 12(z - 3) = 0$$

$$4x + y + 2z - 12 = 0.$$

17. Bestimme den kürzesten Abstand d zwischen $P_0(1, 2, 3)$ und der Ebene $E : 3x - 2y + 5z - 10 = 0$!

Eine Normale zur Ebene ist $\mathbf{a} = 3\mathbf{i} - 2\mathbf{j} + 5\mathbf{k}$. Es sei $P_1(2, 3, 2)$ ein geeigneter Punkt in E. Dann ist, bis auf das Vorzeichen, d die skalare Projektion von $\mathbf{P_0 P_1}$ auf $\mathbf{a}$. Somit gilt:

$$d = \left| \frac{(\mathbf{r_1} - \mathbf{r_0}) \cdot \mathbf{a}}{|\mathbf{a}|} \right| = \left| \frac{(\mathbf{i} + \mathbf{j} - \mathbf{k}) \cdot (3\mathbf{i} - 2\mathbf{j} + 5\mathbf{k})}{\sqrt{38}} \right| = \frac{2}{19} \sqrt{38} \, .$$

ERGÄNZUNGSAUFGABEN

18. Bestimme die Länge folgender Vektoren!

(a) $\mathbf{a} = 2\mathbf{i} + 3\mathbf{j} + \mathbf{k}$.

(b) $\mathbf{b} = 3\mathbf{i} - 5\mathbf{j} + 9\mathbf{k}$.

(c) $\mathbf{c}$, der Punkt $P_1(3, 4, 5)$ und $P_2(1, -2, 3)$ verbindet.   *Lösung:* (a) $\sqrt{14}$, (b) $\sqrt{115}$, (c) $2\sqrt{11}$.

19. Für die Vektoren aus Aufgabe 18

(a) zeige, daß $\mathbf{a}$ und $\mathbf{b}$ senkrecht zueinander stehen,

(b) bestimme den kleineren Winkel zwischen $\mathbf{a}$ und $\mathbf{c}$; ebenso für $\mathbf{b}$ und $\mathbf{c}$,

(c) bestimme die Winkel, die $\mathbf{b}$ mit den Koordinatenachsen bildet!

Lösung: (b) $165°14'$, $85°10'$; (c) $73°45'$, $117°47'$, $32°56'$

20. Beweise: $\mathbf{i} \cdot \mathbf{i} = \mathbf{j} \cdot \mathbf{j} = \mathbf{k} \cdot \mathbf{k} = 1$; $\mathbf{i} \cdot \mathbf{j} = \mathbf{j} \cdot \mathbf{k} = \mathbf{k} \cdot \mathbf{i} = 0$!

21. Schreibe einen Einheitsvektor in Richtung von $\mathbf{a}$ und einen in Richtung von $\mathbf{b}$ aus Aufgabe 18!

22. Bestimme die Winkel β und γ des Dreiecks aus Aufgabe 3!
Lösung: $\beta = 22°12'$, $\gamma = 9°16'$.

23. Für den Einheitswürfel der Abb. 61-14 bestimme

(a) den Winkel zwischen Diagonale und Kante,

(b) den Winkel zwischen Diagonale und Diagonale einer Oberfläche!
Lösung: (a) $54°44'$, (b) $35°16'$.

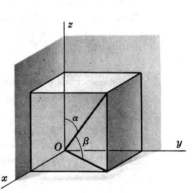

Abb. 61-14

24. Zeige, daß die skalare Projektion von $\mathbf{b}$ auf $\mathbf{a}$ durch $\dfrac{\mathbf{a} \cdot \mathbf{b}}{|\mathbf{a}|}$ gegeben ist!

25. Zeige, daß der Vektor $\mathbf{c}$ der Gleichung (3) senkrecht sowohl auf $\mathbf{a}$ als auch auf $\mathbf{b}$ steht!

26. Gegeben sind $\mathbf{a} = \mathbf{i} + \mathbf{j}$, $\mathbf{b} = \mathbf{i} - 2\mathbf{k}$, $\mathbf{c} = 2\mathbf{i} + 3\mathbf{j} + 4\mathbf{k}$. Zeige

(a) $\mathbf{a} \times \mathbf{b} = -2\mathbf{i} + 2\mathbf{j} - \mathbf{k}$ (e) $\mathbf{a} \cdot (\mathbf{a} \times \mathbf{b}) = 0$

(b) $\mathbf{b} \times \mathbf{c} = 6\mathbf{i} - 8\mathbf{j} + 3\mathbf{k}$ (f) $\mathbf{a} \cdot (\mathbf{b} \times \mathbf{c}) = -2$

(c) $\mathbf{c} \times \mathbf{a} = -4\mathbf{i} + 4\mathbf{j} - \mathbf{k}$ (g) $\mathbf{a} \times (\mathbf{b} \times \mathbf{c}) = 3\mathbf{i} - 3\mathbf{j} - 14\mathbf{k}$

(d) $(\mathbf{a} + \mathbf{b}) \times (\mathbf{a} - \mathbf{b}) = 4\mathbf{i} - 4\mathbf{j} + 2\mathbf{k}$ (h) $\mathbf{c} \times (\mathbf{a} \times \mathbf{b}) = -11\mathbf{i} - 6\mathbf{j} + 10\mathbf{k}$

27. Bestimme die Fläche des Dreiecks, dessen Eckpunkte $A(1, 2, 3)$, $B(2, -1, 1)$, $C(-2, 1, -1)$ sind!
Hinweis: $|\mathbf{AB} \times \mathbf{AC}|$ = doppelte Fläche.   *Lösung:* $5\sqrt{3}$.

28. Bestimme das Volumen des Parallelepipeds, dessen Ecken OA, OB, OC sind mit $A(1, 2, 3)$, $B(1, 1, 2)$, $C(2, 1, 1)$!
Lösung: 2.

29. Für $\mathbf{u} = \mathbf{a} \times \mathbf{b}$, $\mathbf{v} = \mathbf{b} \times \mathbf{c}$, $\mathbf{w} = \mathbf{c} \times \mathbf{a}$ zeige:

(a) $\mathbf{u} \cdot \mathbf{c} = \mathbf{v} \cdot \mathbf{a} = \mathbf{w} \cdot \mathbf{b}$

(b) $\mathbf{a} \cdot \mathbf{u} = \mathbf{b} \cdot \mathbf{u} = 0$, $\mathbf{b} \cdot \mathbf{v} = \mathbf{c} \cdot \mathbf{v} = 0$, $\mathbf{c} \cdot \mathbf{w} = \mathbf{a} \cdot \mathbf{w} = 0$

(c) $\mathbf{u} \cdot (\mathbf{v} \times \mathbf{w}) = \{\mathbf{a} \cdot (\mathbf{b} \times \mathbf{c})\}^2$

30. Zeige, daß $(\mathbf{a} + \mathbf{b}) \cdot \{(\mathbf{b} + \mathbf{c}) \times (\mathbf{c} + \mathbf{a})\} = 2\mathbf{a} \cdot (\mathbf{b} \times \mathbf{c})$!

31. Bestimme den kleineren Winkel, unter dem sich die Ebenen $5x - 14y + 2z - 8 = 0$ und $10x - 11y + 2z + 15 = 0$ schneiden!
Hinweis: Bestimme den Winkel zwischen ihren Normalen! *Lsg.* $20°25'$

32. Schreibe die Vektorgleichung der Schnittlinie der Ebenen $x + y - z - 5 = 0$ und $4x - y - z + 2 = 0$!
Lsg. $(x - 1)\mathbf{i} + (y - 5)\mathbf{j} + (z - 1)\mathbf{k} = k(-2\mathbf{i} - 3\mathbf{j} - 5\mathbf{k})$, wobei $P_0(1, 5, 1)$ ein Punkt auf der Geraden ist.

33. Bestimme die kürzeste Entfernung der Geraden durch $A(2, -1, -1)$ und $B(6, -8, 0)$ von der durch $C(2, 1, 2)$ und $D(0, 2, -1)$! *Lsg.* $\sqrt{6}/6$.

34. Bestimme eine Gerade durch $P_0(x_0, y_0, z_0)$ als den Ort aller Punkte $P(x, y, z)$, so daß $\mathbf{P_0 P}$ und $\mathbf{OP_0}$ senkrecht aufeinander stehen! Zeige, daß die Vektorgleichung $(\mathbf{r} - \mathbf{r_0}) \cdot \mathbf{r_0} = 0$ ist!

35. Bestimme die Gleichung der Geraden durch $P_0(2, -3, 5)$

(a) senkrecht zu $7x - 4y + 2z - 8 = 0$,

(b) parallel zu $x - y + 2z + 4 = 0$, $2x + 3y + 6z - 12 = 0$,

(c) und durch $P_1(3, 6, -2)$!

Lsg. (a) $\dfrac{x - 2}{7} = \dfrac{y + 3}{-4} = \dfrac{z - 5}{2}$, (b) $\dfrac{x - 2}{12} = \dfrac{y + 3}{2} = \dfrac{z - 5}{-5}$, (c) $\dfrac{x - 2}{1} = \dfrac{y + 3}{9} = \dfrac{z - 5}{-7}$.

36. Bestimme die Gleichung der Ebene

(a) durch $P_0(1, 2, 3)$ parallel zu $\mathbf{a} = 2\mathbf{i} + \mathbf{j} - \mathbf{k}$ und $\mathbf{b} = 3\mathbf{i} + 6\mathbf{j} - 2\mathbf{k}$,

(b) durch $P_0(2, -3, 2)$ und die Gerade $6x + 4y + 3z + 5 = 0$, $2x + y + z - 2 = 0$,

(c) durch $P_0(2, -1, -1)$ und $P_1(1, 2, 3)$ senkrecht zu $2x + 3y - 5z - 6 = 0$!

Lsg.(a) $4x + y + 9z - 33 = 0$, (b) $16x + 7y + 8z - 27 = 0$, (c) $9x - y + 3z - 16 = 0$.

37. Zeige, daß $\mathbf{r_0} + \mathbf{r_1} + \mathbf{r_1} \times \mathbf{r_2} + \mathbf{r_2} \times \mathbf{r_0} = 0$, wenn die drei Ortsvektoren $\mathbf{r_0} = \mathbf{i} + \mathbf{j} + \mathbf{k}$, $\mathbf{r_1} = 2\mathbf{i} + 3\mathbf{j} + 4\mathbf{k}$ und $\mathbf{r_2} = 3\mathbf{i} + 5\mathbf{j} + 7\mathbf{k}$ gegeben sind! Was kann man über die Lage der Endpunkte sagen?
Lsg. Kollinear.

38. Es seien P_0, P_1, P_2 drei nicht kollineare Punkte und $\mathbf{r_0}, \mathbf{r_1}, \mathbf{r_2}$ ihre Ortsvektoren. Wie liegt dann $\mathbf{r_0} \times \mathbf{r_1} + \mathbf{r_1} \times \mathbf{r_2} + \mathbf{r_2} \times \mathbf{r_0}$ bezüglich der Ebene $P_0 P_1 P_2$?
Lsg. Normalenrichtung.

39. Beweise: (a) $\mathbf{a} \times (\mathbf{b} \times \mathbf{c}) + \mathbf{b} \times (\mathbf{c} \times \mathbf{a}) + \mathbf{c} \times (\mathbf{a} \times \mathbf{b}) = 0$ (b) $(\mathbf{a} \times \mathbf{b}) \cdot (\mathbf{c} \times \mathbf{d}) = (\mathbf{a} \cdot \mathbf{c})(\mathbf{b} \cdot \mathbf{d}) - (\mathbf{a} \cdot \mathbf{d})(\mathbf{b} \cdot \mathbf{c})$!

40. Beweise: (a) Die Mittelsenkrechten eines Dreiecks schneiden sich in einem Punkt!

(b) Die Höhen eines Dreiecks schneiden sich in einem Punkt!

41. Es seien $A(1, 2, 3)$, $B(2, -1, 5)$ und $C(4, 1, 3)$ drei Eckpunkte eines Parallelogramms $ABCD$. Bestimme (a) die Koordinaten von D, (b) den Flächeninhalt der orthogonalen Projektionen von $ABCD$ auf jede Koordinatenebene!
Lsg. (a) $D(3, 4, 1)$ (b) $2\sqrt{26}$ (c) $8, 6, 2$.

42. Beweise, daß die Fläche eines Parallelogramms im Raum die Quadratwurzel der Summe der Quadrate der Projektionsflächen auf die Koordinatenebenen ist!

KAPITEL 62

Vektordifferentiation und Integration

DIFFERENTIATION. Es seien

$$\mathbf{r} = \mathbf{i}\,f_1(t) + \mathbf{j}\,f_2(t) + \mathbf{k}\,f_3(t) = \mathbf{i}\,f_1 + \mathbf{j}\,f_2 + \mathbf{k}\,f_3$$

$$\mathbf{s} = \mathbf{i}\,g_1(t) + \mathbf{j}\,g_2(t) + \mathbf{k}\,g_3(t) = \mathbf{i}\,g_1 + \mathbf{j}\,g_2 + \mathbf{k}\,g_3$$

$$\mathbf{u} = \mathbf{i}\,h_1(t) + \mathbf{j}\,h_2(t) + \mathbf{k}\,h_3(t) = \mathbf{i}\,h_1 + \mathbf{j}\,h_2 + \mathbf{k}\,h_3$$

Vektoren, deren Komponenten zweimal stetig differenzierbare Funktionen einer einzigen skalaren Variablen t sind.

Wir können zeigen, daß, wie in Kapitel 18 für ebene Vektoren,

$$\frac{d}{dt}(\mathbf{r} \cdot \mathbf{s}) = \frac{d\mathbf{r}}{dt} \cdot s + \mathbf{r} \cdot \frac{d\mathbf{s}}{dt} \text{ gilt.} \tag{1}$$

gilt. Der an die Differentiation von Determinanten mit Funktionen einer Veränderlichen als Elemente gewöhnte Leser wird leicht sehen, daß

$$\frac{d}{dt}(\mathbf{r} \times \mathbf{s}) = \frac{d}{dt}\begin{vmatrix} \mathbf{i} & \mathbf{j} & \mathbf{k} \\ f_1 & f_2 & f_3 \\ g_1 & g_2 & g_3 \end{vmatrix} = \begin{vmatrix} \mathbf{i} & \mathbf{j} & \mathbf{k} \\ f_1' & f_2' & f_3' \\ g_1 & g_2 & g_3 \end{vmatrix} + \begin{vmatrix} \mathbf{i} & \mathbf{j} & \mathbf{k} \\ f_1 & f_2 & f_3 \\ g_1' & g_2' & g_3' \end{vmatrix} \tag{2}$$

$$= \frac{d\mathbf{r}}{dt} \times \mathbf{s} + \mathbf{r} \times \frac{d\mathbf{s}}{dt}$$

und

$$\frac{d}{dt}\{\mathbf{r} \cdot (\mathbf{s} \times \mathbf{u})\} = \frac{d\mathbf{r}}{dt} \cdot (\mathbf{s} \times \mathbf{u}) + \mathbf{r} \cdot \left(\frac{d\mathbf{s}}{dt} \times \mathbf{u}\right) + \mathbf{r} \cdot \left(\mathbf{s} \times \frac{d\mathbf{u}}{dt}\right) \tag{3}$$

Diese Formeln erhält man auch, wenn man die Produkte vor dem Differenzieren ausrechnet.

Aus (2) folgt

$$\frac{d}{dt}\{\mathbf{r} \times (\mathbf{s} \times \mathbf{u})\} = \frac{d\mathbf{r}}{dt} \times (\mathbf{s} \times \mathbf{u}) + \mathbf{r} \times \frac{d}{dt}(\mathbf{s} \times \mathbf{u}) \tag{4}$$

$$= \frac{d\mathbf{r}}{dt} \times (\mathbf{s} \times \mathbf{u}) + \mathbf{r} \times \left(\frac{d\mathbf{s}}{dt} \times \mathbf{u}\right) + \mathbf{r} \times \left(\mathbf{s} \times \frac{d\mathbf{u}}{dt}\right)$$

RAUMKURVEN. Wir betrachten die Raumkurve

$$x = f(t), \quad y = g(t), \quad z = h(t) \tag{5}$$

wo $f(t), g(t), h(t)$ zweimal stetig differenzierbar sind. Es sei der Ortsvektor eines beliebigen variablen Punktes $P(x, y, z)$ auf der Kurve dargestellt durch

$$\mathbf{r} = x\mathbf{i} + y\mathbf{j} + z\mathbf{k}.$$

Wie in Kapitel 18 ist $\mathbf{t} = \dfrac{d\mathbf{r}}{ds}$ der Einheitsvektor in Tangentenrichtung an der Kurve. Ist $\mathbf{R}$ der Ortsvektor von (X, Y, Z) auf der Tangente in P, dann hat sie die Vektorgleichung (vgl. Kap. 61)

$$\mathbf{R} - \mathbf{r} = k\mathbf{t} \quad (k \text{ eine skalare Veränderliche}), \qquad (6)$$

und die Gleichungen in rechtwinkligen Koordinaten sind

$$\frac{X - x}{\dfrac{dx}{ds}} = \frac{Y - y}{\dfrac{dy}{ds}} = \frac{Z - z}{\dfrac{dz}{ds}}$$

wobei $\left[\dfrac{dx}{ds}, \dfrac{dy}{ds}, \dfrac{dz}{ds}\right]$ die Richtungskosinusse der Geraden sind. In der entsprechenden Gleichung (2) in

Kap. 59 wurde als Richtungsvektor $\left[\dfrac{dx}{dt}, \dfrac{dy}{dt}, \dfrac{dz}{dt}\right]$ benutzt.

Die Vektorgleichung der Normalenebene an der Kurve im Punkt P ist

$$(\mathbf{R} - \mathbf{r}) \cdot \mathbf{t} = 0, \qquad (7)$$

wobei $\mathbf{R}$ der Ortsvektor eines beliebigen Punkts auf der Ebene ist.

Wie in Kapitel 18 ist $\dfrac{d\mathbf{t}}{ds}$ ein Vektor senkrecht zu $\mathbf{t}$.

Es sei $\mathbf{n}$ der Einheitsvektor in Richtung $\dfrac{d\mathbf{t}}{ds}$, dann ist

$$\frac{d\mathbf{t}}{ds} = |K|\,\mathbf{n}$$

wobei $|K|$ die Größe der Krümmung in P angibt. Der Einheitsvektor

$$\mathbf{n} = \frac{1}{|K|}\frac{d\mathbf{t}}{ds} \qquad (8)$$

wird *Hauptnormale* der Kurve in P genannt.

Der Einheitsvektor $\mathbf{b}$ in P, definiert durch

$$\mathbf{b} = \mathbf{t} \times \mathbf{n} \qquad (9)$$

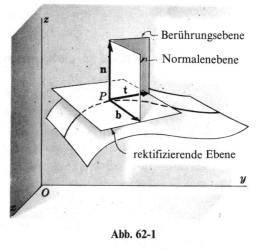

Abb. 62-1

heißt *Binormale* in P. Die drei Vektoren $\mathbf{t}, \mathbf{n}, \mathbf{b}$ bilden ein Rechts-System senkrecht aufeinander stehender Vektoren, mit denen ein lokales Koordinatensystem eingerichtet werden kann für weitergehende Untersuchungen an Raumkurven in einem ihrer Punkte. Vgl. Aufg. 1-2!

In einem Punkt P der Raumkurve legen die Vektoren $\mathbf{t}, \mathbf{n}, \mathbf{b}$ drei zueinander senkrechte Ebenen fest:

(i) die *Berührungsebene*, aufgespannt durch $\mathbf{t}, \mathbf{n}$ mit der Gleichung

$$(\mathbf{R} - \mathbf{r}) \cdot \mathbf{b} = 0,$$

(ii) die *Normalebene*, aufgespannt durch $\mathbf{n}, \mathbf{b}$ mit der Gleichung

$$(\mathbf{R} - \mathbf{r}) \cdot \mathbf{t} = 0,$$

(iii) die *rektifizierende Ebene*, aufgespannt durch $\mathbf{t}, \mathbf{b}$ mit der Gleichung

$$(\mathbf{R} - \mathbf{r}) \cdot \mathbf{n} = 0.$$

In jeder Gleichung ist $\mathbf{R}$ der Ortsvektor eines Punktes in der betreffenden Ebene.

FLÄCHEN. Die älteste Gleichung einer Fläche ist $F(x, y, z) = 0$. (Vgl. Kap. 59!) Eine Parameterdarstellung folgt, indem man x, y, z als Funktion zweier unabhängiger Veränderlicher oder Parameter u und v schreibt, zum Beispiel

$$x = f_1(u, v), \quad y = f_2(u, v), \quad z = f_3(u, v). \qquad (10)$$

Setzt man für u den konstanten Wert u_0 ein, so wird (10)

$$x = f_1(u_0, v), \quad y = f_2(u_0, v), \quad z = f_3(u_0, v), \tag{11}$$

die Gleichung einer Raumkurve (u-Kurve) auf der Fläche. Analog ist, wenn man v konstant v_0 setzt, die Gleichung (10)

$$x = f_1(u, v_0), \quad y = f_2(u, v_0), \quad z = f_3(u, v_0) \tag{12}$$

die Gleichung einer weiteren Raumkurve (v-Kurve) auf der Fläche. Die beiden Kurven schneiden sich in einem Punkt der Fläche, den man in (10) erhält, wenn man gleichzeitig $u = u_0$ und $v = v_0$ setzt.

Der Ortsvektor eines beliebigen Punktes P auf der Fläche ist gegeben durch

$$\mathbf{r} = x\mathbf{i} + y\mathbf{j} + z\mathbf{k} = \mathbf{i} f_1(u, v) + \mathbf{j} f_2(u, v) + \mathbf{k} f_3(u, v). \tag{13}$$

Es seien (11) und (12) die u- und v-Kurven durch P. Dann ist in P

$$\frac{\partial \mathbf{r}}{\partial v} = \mathbf{i} \frac{\partial}{\partial v} f_1(u_0, v) + \mathbf{j} \frac{\partial}{\partial v} f_2(u_0, v) + \mathbf{k} \frac{\partial}{\partial v} f_3(u_0, v)$$

ein Tangentenvektor an der u-Kurve und

$$\frac{\partial \mathbf{r}}{\partial u} = \mathbf{i} \frac{\partial}{\partial u} f_1(u, v_0) + \mathbf{j} \frac{\partial}{\partial u} f_2(u, v_0) + \mathbf{k} \frac{\partial}{\partial u} f_3(u, v_0)$$

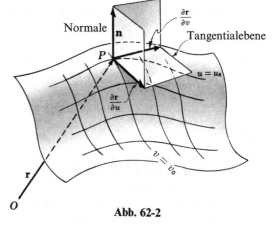

Abb. 62-2

ein Tangentenvektor an der v-Kurve dort. Die beiden Tangenten legen die Tangentialebene an der Fläche in P fest. Offensichtlich ist eine Normale zu dieser Ebene gegeben durch

$$\frac{\partial \mathbf{r}}{\partial u} \times \frac{\partial \mathbf{r}}{\partial v} \tag{14}$$

Der *Normaleneinheitsvektor* an der Fläche im Punkt P ist definiert durch

$$\mathbf{n} = \frac{\dfrac{\partial \mathbf{r}}{\partial u} \times \dfrac{\partial \mathbf{r}}{\partial v}}{\left| \dfrac{\partial \mathbf{r}}{\partial u} \times \dfrac{\partial \mathbf{r}}{\partial v} \right|}. \tag{15}$$

Ist $\mathbf{R}$ der Ortsvektor eines Punktes auf der Normalen an der Fläche in P, dann ist ihre Vektorgleichung

$$(\mathbf{R} - \mathbf{r}) = k \left(\frac{\partial \mathbf{r}}{\partial u} \times \frac{\partial \mathbf{r}}{\partial v} \right). \tag{16}$$

Ist $\mathbf{R}$ der Ortsvektor eines Punktes auf der Tangentialebene an der Fläche in P, so ist ihre Vektorgleichung gegeben durch

$$(\mathbf{R} - \mathbf{r}) \cdot \left(\frac{\partial \mathbf{r}}{\partial u} \times \frac{\partial \mathbf{r}}{\partial v} \right) = 0. \tag{17}$$

Siehe Aufgabe 3!

DER ∇-OPERATOR. In Kapitel 60 war die Richtungsableitung von $z = f(x, y)$ in einem beliebigen Punkt (x, y) und in Richtung unter einem Winkel θ mit der positiven x-Achse gegeben durch

$$\frac{dz}{ds} = \frac{\partial f}{\partial x} \cos \theta + \frac{\partial f}{\partial y} \sin \theta.$$

Wir können schreiben

$$\frac{\partial f}{\partial x} \cos \theta + \frac{\partial f}{\partial y} \sin \theta = \left(\mathbf{i}\frac{\partial f}{\partial x} + \mathbf{j}\frac{\partial f}{\partial y} \right) \cdot (\mathbf{i} \cos \theta + \mathbf{j} \sin \theta) \tag{18}$$

Nun ist $\mathbf{a} = \mathbf{i} \cos \theta + \mathbf{j} \sin \theta$ ein Einheitsvektor, dessen Richtung den Winkel θ mit der positiven x-Achse einschließt. Der andere Faktor, geschrieben als

$$\left(\mathbf{i}\frac{\partial}{\partial x} + \mathbf{j}\frac{\partial}{\partial y} \right) f,$$

empfiehlt die Definition eines vektoriellen Differentialoperators ∇ (Nabla) durch

$$\nabla = \mathbf{i}\frac{\partial}{\partial x} + \mathbf{j}\frac{\partial}{\partial y}. \tag{19}$$

In der Vektoranalysis heißt $\nabla f = \mathbf{i}\frac{\partial f}{\partial x} + \mathbf{j}\frac{\partial f}{\partial y}$ der *Gradient* von f oder *grad f*. Aus (18) folgt, daß die Komponente von ∇f in Richtung eines *Einheits*vektors $\mathbf{a}$ gerade die Richtungsableitung in diese Richtung ist.

Es sei $\mathbf{r} = x\mathbf{i} + y\mathbf{j}$ der Ortsvektor von $P(x, y)$. Wegen

$$\frac{df}{ds} = \frac{\partial f}{\partial x}\frac{dx}{ds} + \frac{\partial f}{\partial y}\frac{dy}{ds} = \left(\mathbf{i}\frac{\partial f}{\partial x} + \mathbf{j}\frac{\partial f}{\partial y} \right) \cdot \left(\mathbf{i}\frac{dx}{ds} + \mathbf{j}\frac{dy}{ds} \right)$$

$$= \nabla f \cdot \frac{d\mathbf{r}}{ds}$$

und

$$\left| \frac{df}{ds} \right| = |\nabla f| \cos \phi$$

mit ϕ = Winkel zwischen ∇f und $\frac{d\mathbf{r}}{ds}$, sieht man, daß $\frac{df}{ds}$ maximal wird für $\cos \phi = 1$, das heißt, wenn ∇f und $\frac{d\mathbf{r}}{ds}$ die gleiche Richtung haben. Somit ist also das Maximum der Richtungsableitung in P $|\nabla f|$. Es wird angenommen in Richtung ∇f.

Siehe Aufgabe 4!

Für $w = F(x, y, z)$ definiert man:

$$\nabla F = \mathbf{i}\frac{\partial F}{\partial x} + \mathbf{j}\frac{\partial F}{\partial y} + \mathbf{k}\frac{\partial F}{\partial z}$$

und die Richtungsableitung von $F(x, y, z)$ in einem beliebigen Punkt $P(x, y, z)$ in Richtung $\mathbf{a} = a_1\mathbf{i} + a_2\mathbf{j} + a_3\mathbf{k}$ vermittels

$$\frac{dF}{ds} = \nabla F \cdot \mathbf{a}. \tag{20}$$

Wie im Fall einer Funktion zweier Veränderlicher ist $|\nabla F|$ das Maximum der Richtungsableitung von $F(x, y, z)$ in $P(x, y, z)$ und hat die Richtung von ∇F.

Siehe Aufgabe 5!

Man betrachte nun die Fläche $F(x, y, z) = 0$. Die Gleichung der Tangentialebene an der Fläche in einem ihrer Punkte $P_0(x_0, y_0, z_0)$ ist gegeben durch

$$(x - x_0)\frac{\partial F}{\partial x} + (y - y_0)\frac{\partial F}{\partial y} + (z - z_0)\frac{\partial F}{\partial z}$$

$$= [(x - x_0)\mathbf{i} + (y - y_0)\mathbf{j} + (z - z_0)\mathbf{k}] \cdot \left[\mathbf{i}\frac{\partial F}{\partial x} + \mathbf{j}\frac{\partial F}{\partial y} + \mathbf{k}\frac{\partial F}{\partial z} \right] = 0, \tag{21}$$

wobei die partiellen Ableitungen im Punkt P_0 genommen sind. Der erste Faktor ist ein beliebiger Vektor durch P_0 in der Tangentialebene. Also steht der zweite ∇F, genommen in P_0, senkrecht auf der Tangentialebene, das heißt, er steht in Normalenrichtung auf der Fläche in P_0.

Siehe Aufgaben 6-7!

DIVERGENZ UND ROTATION. Die *Divergenz* eines Vektors $\mathbf{F} = \mathbf{i} f_1(x, y, z) + \mathbf{j} f_2(x, y, z) + \mathbf{k} f_3(x, y, z)$, auch als Skalarprodukt mit $\mathbf{F}$ erklärbar, ist definiert durch

$$\operatorname{div} \mathbf{F} \;=\; \nabla \cdot \mathbf{F} \;=\; \frac{\partial}{\partial x} f_1 + \frac{\partial}{\partial y} f_2 + \frac{\partial}{\partial z} f_3. \tag{22}$$

Die *Rotation* des Vektors $\mathbf{F}$, als Vektorprodukt ∇ mit $\mathbf{F}$ bezeichnet, ist definiert durch

$$\operatorname{rot} \mathbf{F} \;=\; \nabla \times \mathbf{F} \;=\; \begin{vmatrix} \mathbf{i} & \mathbf{j} & \mathbf{k} \\ \dfrac{\partial}{\partial x} & \dfrac{\partial}{\partial y} & \dfrac{\partial}{\partial z} \\ f_1 & f_2 & f_3 \end{vmatrix} \tag{23}$$

$$= \left(\frac{\partial}{\partial y} f_3 - \frac{\partial}{\partial z} f_2 \right) \mathbf{i} + \left(\frac{\partial}{\partial z} f_1 - \frac{\partial}{\partial x} f_3 \right) \mathbf{j} + \left(\frac{\partial}{\partial x} f_2 - \frac{\partial}{\partial y} f_1 \right) \mathbf{k}.$$

Siehe Aufgabe 8!

INTEGRATION. Die Betrachtung der Integration wird sich hier beschränken auf die gewöhnliche Integration von Vektoren und auf sogenannte Kurvenintegrale.

Als ein Beispiel sei

$$\mathbf{F}(u) \;=\; \mathbf{i} \cos u + \mathbf{j} \sin u + au\,\mathbf{k}$$

ein Vektor abhängig von der skalaren Veränderlichen u. Dann ist

$$\mathbf{F}'(u) \;=\; -\mathbf{i} \sin u + \mathbf{j} \cos u + a\,\mathbf{k}$$

und

$$\int \mathbf{F}'(u)\,du \;=\; \int (-\mathbf{i} \sin u + \mathbf{j} \cos u + a\,\mathbf{k})\,du$$

$$= \mathbf{i} \int -\sin u\,du + \mathbf{j} \int \cos u\,du + \mathbf{k} \int a\,du$$

$$= \mathbf{i} \cos u + \mathbf{j} \sin u + au\,\mathbf{k} + \mathbf{c}$$

$$= \mathbf{F}(u) + \mathbf{c},$$

wobei $\mathbf{c}$ ein beliebiger konstanter Vektor unabhängig von u ist. Darüber hinaus gilt

$$\int_{u=a}^{u=b} \mathbf{F}'(u)\,du \;=\; \Big[\mathbf{F}(u) + \mathbf{c} \Big]_{u=a}^{u=b} \;=\; \mathbf{F}(b) - \mathbf{F}(a)$$

Siehe Aufgaben 9-10!

KURVENINTEGRALE. Betrachte zwei Punkte P_0 und P_1 im Raum, die durch eine Linie C miteinander verbunden seien. Die Linie kann eine Strecke, ein Teil einer Raumkurve $x = g_1(t)$, $y = g_2(t)$, $z = g_3(t)$ oder aus verschiedenen Teilkurven zusammengesetzt sein. In jedem Fall sei C stetig in jedem Punkt und möge sich nicht selbst schneiden. Betrachte weiter eine Vektorfunktion

$$\mathbf{F} \;=\; \mathbf{F}(x, y, z) \;=\; \mathbf{i} f_1(x, y, z) + \mathbf{j} f_2(x, y, z) + \mathbf{k} f_3(x, y, z),$$

die in jedem Punkt in einer Umgebung von C und insbesondere in jedem Punkt von C einen Vektor bekannter Länge und Richtung definiere. Es sei

$$\mathbf{r} \;=\; x\mathbf{i} + y\mathbf{j} + z\mathbf{k} \tag{24}$$

der Ortsvektor von $P(x, y, z)$ auf C. Das Integral

$$\int_{C}^{P_1}{}_{P_0} \left(\mathbf{F} \cdot \frac{d\mathbf{r}}{ds} \right) ds \;=\; \int_{C}^{P_1}{}_{P_0} \mathbf{F} \cdot d\mathbf{r} \tag{25}$$

heißt Kurvenintegral, d.h., ein Integral über einen gegebenen Weg C.

F sei zum Beispiel eine Kraft. Die Arbeit, die von ihr verrichtet wird, wenn sie ein Teilchen entlang eines kleines Weges $d\mathbf{r}$ bewegt, ist gegeben (vgl. Aufgabe 9, Kap. 18) durch

$$|\mathbf{F}|\,|d\mathbf{r}|\cos\theta \quad = \quad \mathbf{F}\cdot d\mathbf{r}$$

und die Arbeit über einen Weg C von P_0 nach P_1 ist

$$\int_{C\,P_0}^{P_1} \mathbf{F}\cdot d\mathbf{r}.$$

Aus (24) folgt

$$d\mathbf{r} = \mathbf{i}\,dx + \mathbf{j}\,dy + \mathbf{k}\,dz$$

und aus (25) wird

$$\int_{C\,P_0}^{P_1} \mathbf{F}\cdot d\mathbf{r} = \int_{C\,P_0}^{P_1} (f_1\,dx + f_2\,dy + f_3\,dz). \qquad (26)$$

Siehe Aufgabe 11!

AUFGABEN MIT LÖSUNGEN

1. Ein Teilchen bewegt sich entlang der Kurve $x = 4\cos t$, $y = 4\sin t$, $z = 6t$. Bestimme den Betrag der Geschwindigkeit und Beschleunigung zur Zeit $t = 0$ und $t = \frac{\pi}{2}$!

    Es sei $P(x, y, z)$ ein Punkt auf der Kurve und

    $$\mathbf{r} = x\mathbf{i} + y\mathbf{j} + z\mathbf{k} = 4\mathbf{i}\cos t + 4\mathbf{j}\sin t + 6\mathbf{k}\,t$$

    sein Ortsvektor. Dann gilt

    $$\mathbf{v} = \frac{d\mathbf{r}}{dt} = -4\mathbf{i}\sin t + 4\mathbf{j}\cos t + 6\mathbf{k}$$

    $$\mathbf{a} = \frac{d^2\mathbf{r}}{dt^2} = -4\mathbf{i}\cos t - 4\mathbf{j}\sin t$$

    Für $t = 0$: $\mathbf{v} = 4\mathbf{j} + 6\mathbf{k}$; $|\mathbf{v}| = \sqrt{16 + 36} = 2\sqrt{13}$
    $\mathbf{a} = -4\mathbf{i}$; $|\mathbf{a}| = 4$.

    Für $t = \frac{\pi}{2}$: $\mathbf{v} = -4\mathbf{i} + 6\mathbf{k}$; $|\mathbf{v}| = \sqrt{16 + 36} = 2\sqrt{13}$
    $\mathbf{a} = -4\mathbf{j}$; $|\mathbf{a}| = 4$.

2. Bestimme im Punkt $(1, 1, 1)$ oder bei $t = 1$ der Kurve $x = t$, $y = t^2$, $z = t^3$

    (a) die Gleichungen der Tangente und Normalenebene,

    (b) den Tangenteneinheitsvektor, Hauptnormale und Binormale,

    (c) die Gleichungen der Hauptnormalen und Binormalen!

    $$\mathbf{r} = t\mathbf{i} + t^2\mathbf{j} + t^3\mathbf{k}$$

    $$\frac{d\mathbf{r}}{dt} = \mathbf{i} + 2t\mathbf{j} + 3t^2\mathbf{k}$$

    $$\frac{ds}{dt} = \left|\frac{d\mathbf{r}}{dt}\right| = \sqrt{1 + 4t^2 + 9t^4}.$$

    $$\mathbf{t} = \frac{d\mathbf{r}}{ds} = \frac{d\mathbf{r}}{dt}\frac{dt}{ds} = \frac{\mathbf{i} + 2t\mathbf{j} + 3t^2\mathbf{k}}{\sqrt{1 + 4t^2 + 9t^4}}$$

    Bei $t = 1$: $\mathbf{r} = \mathbf{i} + \mathbf{j} + \mathbf{k}$ und $\mathbf{t} = \frac{1}{\sqrt{14}}(\mathbf{i} + 2\mathbf{j} + 3\mathbf{k})$.

(a) Wenn **R** der Ortsvektor eines Punktes (X, Y, Z) auf der Tangente ist, dann ist die Vektorgleichung

$$\mathbf{R} - \mathbf{r} = k\mathbf{t}$$

oder

$$(X - 1)\mathbf{i} + (Y - 1)\mathbf{j} + (Z - 1)\mathbf{k} = \frac{k}{\sqrt{14}}(\mathbf{i} + 2\mathbf{j} + 3\mathbf{k})$$

und die Gleichungen in rechtwinkligen Koordinaten sind

$$\frac{X - 1}{1} = \frac{Y - 1}{2} = \frac{Z - 1}{3}.$$

Ist **R** der Ortsvektor eines Punktes (X, Y, Z) auf der Normalenebene, dann ist die Vektorgleichung

$$(\mathbf{R} - \mathbf{r}) \cdot \mathbf{t} = 0$$

oder

$$[(X - 1)\mathbf{i} + (Y - 1)\mathbf{j} + (Z - 1)\mathbf{k}] \cdot \frac{1}{\sqrt{14}}(\mathbf{i} + 2\mathbf{j} + 3\mathbf{k}) = 0$$

und die Gleichung in rechtwinkligen Koordinaten ist

$$(X - 1) + 2(Y - 1) + 3(Z - 1) = X + 2Y + 3Z - 6 = 0.$$

(Vgl. Aufgabe 2(a), Kap. 59!)

(b)

$$\frac{d\mathbf{t}}{ds} = \frac{d\mathbf{t}}{dt}\frac{dt}{ds} = \frac{(-4t - 18t^3)\mathbf{i} + (2 - 18t^4)\mathbf{j} + (6t + 12t^3)\mathbf{k}}{(1 + 4t^2 + 9t^4)^2}.$$

Bei $t = 1$ ist $\dfrac{d\mathbf{t}}{ds} = \dfrac{-11\mathbf{i} - 8\mathbf{j} + 9\mathbf{k}}{98}$; $\left|\dfrac{d\mathbf{t}}{ds}\right| = \dfrac{1}{7}\sqrt{\dfrac{19}{14}} = |K|$, dann ist

$$\mathbf{n} = \frac{1}{|K|}\frac{d\mathbf{t}}{ds} = \frac{-11\mathbf{i} - 8\mathbf{j} + 9\mathbf{k}}{\sqrt{266}}$$

und

$$\mathbf{b} = \mathbf{t} \times \mathbf{n} = \frac{1}{\sqrt{14}\sqrt{266}}\begin{vmatrix} \mathbf{i} & \mathbf{j} & \mathbf{k} \\ 1 & 2 & 3 \\ -11 & -8 & 9 \end{vmatrix} = \frac{1}{\sqrt{19}}(3\mathbf{i} - 3\mathbf{j} + \mathbf{k}).$$

(c) Es sei **R** der Ortsvektor eines Punktes (X, Y, Z) auf der Hauptnormalen, dann ist ihre Gleichung

$$\mathbf{R} - \mathbf{r} = k\mathbf{n}$$

oder

$$(X - 1)\mathbf{i} + (Y - 1)\mathbf{j} + (Z - 1)\mathbf{k} = k\frac{-11\mathbf{i} - 8\mathbf{j} + 9\mathbf{k}}{\sqrt{266}}$$

und in rechtwinkligen Koordinaten gilt

$$\frac{X - 1}{-11} = \frac{Y - 1}{-8} = \frac{Z - 1}{9}.$$

Ist **R** der Ortsvektor eines Punktes (X, Y, Z) auf der Binormalen, dann ist ihre Vektorgleichung

$$\mathbf{R} - \mathbf{r} = k \cdot \mathbf{b}$$

oder

$$(X - 1)\mathbf{i} + (Y - 1)\mathbf{j} + (Z - 1)\mathbf{k} = k\frac{3\mathbf{i} - 3\mathbf{j} + \mathbf{k}}{\sqrt{19}}$$

und die Gleichungen in rechtwinkligen Koordinaten sind

$$\frac{X - 1}{3} = \frac{Y - 1}{-3} = \frac{Z - 1}{1}.$$

3. Bestimme die Gleichung der Tangentialebene und Normalen an der Fläche $x = 2(u + v)$, $y = 3(u - v)$, $z = uv$ im Punkt $P(u = 2, v = 1)$.

$$\mathbf{r} = 2(u + v)\mathbf{i} + 3(u - v)\mathbf{j} + uv\mathbf{k}$$

$$\frac{\partial \mathbf{r}}{\partial u} = 2\mathbf{i} + 3\mathbf{j} + v\mathbf{k}, \qquad \frac{\partial \mathbf{r}}{\partial v} = 2\mathbf{i} - 3\mathbf{j} + u\mathbf{k}.$$

In P ist: $\mathbf{r} = 6\mathbf{i} + 3\mathbf{j} + 2\mathbf{k}$, $\dfrac{\partial \mathbf{r}}{\partial u} = 2\mathbf{i} + 3\mathbf{j} + \mathbf{k}$, $\dfrac{\partial \mathbf{r}}{\partial v} = 2\mathbf{i} - 3\mathbf{j} + 2\mathbf{k}$ und

$$\frac{\partial \mathbf{r}}{\partial u} \times \frac{\partial \mathbf{r}}{\partial v} = 9\mathbf{i} - 2\mathbf{j} - 12\mathbf{k}.$$

Die vektoriellen und rechtwinkligen Gleichungen der Normalen sind

$$\mathbf{R} - \mathbf{r} \;=\; k\frac{\partial \mathbf{r}}{\partial u} \times \frac{\partial \mathbf{r}}{\partial v}$$

oder
$$(X-6)\mathbf{i} + (Y-3)\mathbf{j} + (Z-2)\mathbf{k} \;=\; k(9\mathbf{i} - 2\mathbf{j} - 12\mathbf{k})$$

und
$$\frac{X-6}{9} \;=\; \frac{Y-3}{-2} \;=\; \frac{Z-2}{-12}.$$

Die vektoriellen und rechtwinkligen Gleichungen der Tangentialebene sind

$$(\mathbf{R} - \mathbf{r}) \cdot \left(\frac{\partial \mathbf{r}}{\partial u} \times \frac{\partial \mathbf{r}}{\partial v}\right) \;=\; 0$$

oder
$$[(X-6)\mathbf{i} + (Y-3)\mathbf{j} + (Z-2)\mathbf{k}] \cdot [9\mathbf{i} - 2\mathbf{j} - 12\mathbf{k}] \;=\; 0$$

und
$$9X - 2Y - 12Z - 24 \;=\; 0.$$

4. *(a)* Bestimme die Richtungsableitung von $f(x,y) = x^2 - 6y^2$ im Punkt $(7,2)$ in Richtung $\theta = \frac{\pi}{4}$!

(b) Bestimme das Maximum der Richtungsableitung in $(7,2)$!

(a)
$$\nabla f \;=\; \left(\mathbf{i}\frac{\partial}{\partial x} + \mathbf{j}\frac{\partial}{\partial y}\right)(x^2 - 6y^2) \;=\; \mathbf{i}\frac{\partial}{\partial x}(x^2 - 6y^2) + \mathbf{j}\frac{\partial}{\partial y}(x^2 - 6y^2)$$
$$=\; 2x\mathbf{i} - 12y\mathbf{j}$$

und
$$\mathbf{a} \;=\; \mathbf{i}\cos\theta + \mathbf{j}\sin\theta \;=\; \frac{1}{\sqrt{2}}\mathbf{i} + \frac{1}{\sqrt{2}}\mathbf{j}.$$

In $(7,2)$ ist $\nabla f = 14\mathbf{i} - 24\mathbf{j}$ und

$$\nabla f \cdot \mathbf{a} \;=\; (14\mathbf{i} - 24\mathbf{j}) \cdot \left(\frac{1}{\sqrt{2}}\mathbf{i} + \frac{1}{\sqrt{2}}\mathbf{j}\right) \;=\; 7\sqrt{2} - 12\sqrt{2} \;=\; -5\sqrt{2}$$

die Richtungsableitung.

(b) In $(7,2)$ ist $\nabla f = 14\mathbf{i} - 24\mathbf{j}$ und $|\nabla f| = \sqrt{14^2 + 24^2} = 2\sqrt{193}$ das Maximum der Richtungsableitung. Da

$$\frac{\nabla f}{|\nabla f|} \;=\; \frac{7}{\sqrt{193}}\mathbf{i} - \frac{12}{\sqrt{193}}\mathbf{j} \;=\; \mathbf{i}\cos\theta + \mathbf{j}\sin\theta,$$

ist die Richtung $\theta = 300°15'$. (Vgl. Aufgaben 2 und 6, Kap. 60!)

5. *(a)* Bestimme die Richtungsableitung von $F(x,y,z) = x^2 - 2y^2 + 4z^2$ in $P(1,1,-1)$ in Richtung $\mathbf{a} = 2\mathbf{i} + \mathbf{j} - \mathbf{k}$!

(b) Bestimme den Maximalwert der Richtungsableitung in P!

$$\nabla F \;=\; \left(\mathbf{i}\frac{\partial}{\partial x} + \mathbf{j}\frac{\partial}{\partial y} + \mathbf{k}\frac{\partial}{\partial z}\right)(x^2 - 2y^2 + 4z^2) \;=\; 2x\mathbf{i} - 4y\mathbf{j} + 8z\mathbf{k}$$

In $(1,1,-1)$ ist $\nabla F = 2\mathbf{i} - 4\mathbf{j} - 8\mathbf{k}$

(a) $\nabla F \cdot \mathbf{a} = (2\mathbf{i} - 4\mathbf{j} - 8\mathbf{k}) \cdot (2\mathbf{i} + \mathbf{j} - \mathbf{k}) = 8$

(b) In P ist $|\nabla F| = \sqrt{84} = 2\sqrt{21}$. Die Richtung ist $\mathbf{a} = 2\mathbf{i} - 4\mathbf{j} - 8\mathbf{k}$.

6. Gegeben sei die Fläche $F(x,y,z) = x^3 + 3xyz + 2y^3 - z^3 - 5 = 0$ und einer ihrer Punkte $P_0(1,1,1)$. Bestimme

(a) einen Normaleneinheitsvektor an der Fläche in P_0,

(b) die Gleichungen der Normalen in P_0,

(c) die Gleichung der Tangentialebene in P_0

$$\nabla F \;=\; (3x^2 + 3yz)\mathbf{i} + (3xz + 6y^2)\mathbf{j} + (3xy - 3z^2)\mathbf{k}.$$

In $P_0(1,1,1)$ ist $\nabla F = 6\mathbf{i} + 9\mathbf{j}$.

(a) $\dfrac{\nabla F}{|\nabla F|} = \dfrac{2}{\sqrt{13}}\mathbf{i} + \dfrac{3}{\sqrt{13}}\mathbf{j}$ ist ein Normaleneinheitsvektor in P_0; der andere ist $-\dfrac{2}{\sqrt{13}}\mathbf{i} - \dfrac{3}{\sqrt{13}}\mathbf{j}$

(b) Die Gleichungen der Normalen sind $\dfrac{X-1}{2} = \dfrac{Y-1}{3}$, $Z = 1$

(c) Die Gleichung der Tangentialebene ist $2(X-1) + 3(Y-1) = 2X + 3Y - 5 = 0$.

7. Bestimme den Schnittwinkel der Flächen

$$F_1 = x^2 + y^2 + z^2 - 9 = 0 \quad \text{und} \quad F_2 = x^2 + 2y^2 - z - 8 = 0$$

im Punkt $(2, 1, -2)$!

$$\nabla F_1 = \nabla(x^2 + y^2 + z^2 - 9) = 2x\mathbf{i} + 2y\mathbf{j} + 2z\mathbf{k}$$
$$\nabla F_2 = \nabla(x^2 + 2y^2 - z - 8) = 2x\mathbf{i} + 4y\mathbf{j} - \mathbf{k}$$

In $(2, 1, -2)$ ist $\nabla F_1 = 4\mathbf{i} + 2\mathbf{j} - 4\mathbf{k}$ und $\nabla F_2 = 4\mathbf{i} + 4\mathbf{j} - \mathbf{k}$.

Nun ist $\nabla F_1 \cdot \nabla F_2 = |\nabla F_1| \, |\nabla F_2|$, wo θ der gesuchte Winkel ist. Somit gilt

$$(4\mathbf{i} + 2\mathbf{j} - 4\mathbf{k}) \cdot (4\mathbf{i} + 4\mathbf{j} - \mathbf{k}) = |4\mathbf{i} + 2\mathbf{j} - 4\mathbf{k}| \, |4\mathbf{i} + 4\mathbf{j} - \mathbf{k}| \cos \theta,$$

woraus $\cos \theta = \frac{14}{99}\sqrt{33} = 0{,}81236$ und $\theta = 35°40'$ folgt.

8. Es sei $\mathbf{B} = xy^2\mathbf{i} + 2x^2yz\mathbf{j} - 3yz^2\mathbf{k}$. Bestimme (a) div $\mathbf{B}$, (b) rot $\mathbf{B}$!

(a)
$$\text{div } \mathbf{B} = \nabla \cdot \mathbf{B} = \left(\frac{\partial}{\partial x}\mathbf{i} + \frac{\partial}{\partial y}\mathbf{j} + \frac{\partial}{\partial z}\mathbf{k}\right) \cdot (xy^2\mathbf{i} + 2x^2yz\mathbf{j} - 3yz^2\mathbf{k})$$

$$= \frac{\partial}{\partial x}(xy^2) + \frac{\partial}{\partial y}(2x^2yz) + \frac{\partial}{\partial z}(-3yz^2)$$

$$= y^2 + 2x^2z - 6yz.$$

(b) rot $\mathbf{B} = \nabla \times \mathbf{B} = \begin{vmatrix} \mathbf{i} & \mathbf{j} & \mathbf{k} \\ \frac{\partial}{\partial x} & \frac{\partial}{\partial y} & \frac{\partial}{\partial z} \\ xy^2 & 2x^2yz & -3yz^2 \end{vmatrix}$

$$= \left[\frac{\partial}{\partial y}(-3yz^2) - \frac{\partial}{\partial z}(2x^2yz)\right]\mathbf{i} + \left[\frac{\partial}{\partial z}(xy^2) - \frac{\partial}{\partial x}(-3yz^2)\right]\mathbf{j} + \left[\frac{\partial}{\partial x}(2x^2yz) - \frac{\partial}{\partial y}(xy^2)\right]\mathbf{k}$$

$$= -(3z^2 + 2x^2y)\mathbf{i} + (4xyz - 2xy)\mathbf{k}.$$

9. Gegeben sei $\mathbf{F}(u) = u\mathbf{i} + (u^2 - 2u)\mathbf{j} + (3u^2 + u^3)\mathbf{k}$, bestimme (a) $\int \mathbf{F}(u)\,du$ und (b) $\int_0^1 \mathbf{F}(u)\,du$!

(a)
$$\int \mathbf{F}(u)\,du = \int [u\mathbf{i} + (u^2 - 2u)\mathbf{j} + (3u^2 + u^3)\mathbf{k}]\,du$$

$$= \mathbf{i}\int u\,du + \mathbf{j}\int (u^2 - 2u)\,du + \mathbf{k}\int (3u^2 + u^3)\,du$$

$$= \frac{u^2}{2}\mathbf{i} + \left(\frac{u^3}{3} - u^2\right)\mathbf{j} + \left(u^3 + \frac{u^4}{4}\right)\mathbf{k} + \mathbf{c},$$

wobei $\mathbf{c} = c_1\mathbf{i} + c_2\mathbf{j} + c_3\mathbf{k}$ mit beliebigen Skalaren c_1, c_2, c_3

(b)
$$\int_0^1 \mathbf{F}(u)\,du = \left[\frac{u^2}{2}\mathbf{i} + \left(\frac{u^3}{3} - u^2\right)\mathbf{j} + \left(u^3 + \frac{u^4}{4}\right)\mathbf{k}\right]_0^1 = \frac{1}{2}\mathbf{i} - \frac{2}{3}\mathbf{j} + \frac{5}{4}\mathbf{k}.$$

10. Die Beschleunigung eines Teilchens zu einer Zeit $t \geq 0$ ist gegeben durch $\mathbf{a} = \dfrac{d\mathbf{v}}{dt} = e^t\mathbf{i} + e^{2t}\mathbf{j} + \mathbf{k}$. Bestimme $\mathbf{r}$ und $\mathbf{v}$ zu jeder Zeit t, wenn zu $t = 0$ $\mathbf{r} = \mathbf{0}$ und die Geschwindigkeit $\mathbf{v} = \mathbf{i} + \mathbf{j}$ ist.

$$\mathbf{v} = \int \mathbf{a}\,dt = \mathbf{i}\int e^t\,dt + \mathbf{j}\int e^{2t}\,dt + \mathbf{k}\int dt$$

$$= e^t\mathbf{i} + \tfrac{1}{2}e^{2t}\mathbf{j} + t\mathbf{k} + \mathbf{c}_1.$$

In $t = 0$ ist $\mathbf{v} = \mathbf{i} + \tfrac{1}{2}\mathbf{j} + \mathbf{c}_1 = \mathbf{i} + \mathbf{j}$ und $\mathbf{c}_1 = \dfrac{\mathbf{j}}{2}$. Dann ist
$$\mathbf{v} = e^t\mathbf{i} + \tfrac{1}{2}(e^{2t} + 1)\mathbf{j} + t\mathbf{k}$$

und
$$\mathbf{r} = \int \mathbf{v}\,dt = e^t\mathbf{i} + (\tfrac{1}{4}e^{2t} + \tfrac{1}{2}t)\mathbf{j} + \tfrac{1}{2}t^2\mathbf{k} + \mathbf{c}_2.$$

In $t = 0$ ist $\mathbf{r} = \mathbf{i} + \tfrac{1}{4}\mathbf{j} + \mathbf{c}_2 = \mathbf{0}$ und $\mathbf{c}_2 = -\mathbf{i} - \tfrac{1}{4}\mathbf{j}$. Somit gilt
$$\mathbf{r} = (e^t - 1)\mathbf{i} + (\tfrac{1}{4}e^{2t} + \tfrac{1}{2}t - \tfrac{1}{4})\mathbf{j} + \tfrac{1}{2}t^2\mathbf{k}.$$

11. Bestimme die von $\mathbf{F} = (x + yz)\mathbf{i} + (y + xz)\mathbf{j} + (z + xy)\mathbf{k}$ verrichtete Arbeit, wenn ein Teilchen vom Nullpunkt aus nach $C(1, 1, 1)$ bewegt wird

(a) entlang der Strecke OC ,

(b) entlang der Kurve $x = t$, $y = t^2$, $z = t^3$,

(c) entlang den geraden Stücken O bis $A(1, 0, 0)$, A bis $B(1, 1, 0)$, B bis C !

$$\mathbf{F} \cdot d\mathbf{r} = [(x + yz)\mathbf{i} + (y + xz)\mathbf{j} + (z + xy)\mathbf{k}] \cdot [\mathbf{i}\, dx + \mathbf{j}\, dy + \mathbf{k}\, dz]$$
$$= (x + yz)\, dx + (y + xz)\, dy + (z + xy)\, dz$$

(a) Für die Strecke OC ist $x = y = z$ und $dx = dy = dz$.

Das Integral ergibt den Wert

$$W = \int_{C\, (0,0,0)}^{(1,1,1)} \mathbf{F} \cdot d\mathbf{r} = 3 \int_0^1 (x + x^2)\, dx = \left[\left(\frac{3}{2}x^2 + x^3\right)\right]_0^1 = \frac{5}{2}.$$

(b) Entlang der Kurve ist $x = t$, $dx = dt$; $y = t^2$, $dy = 2t\, dt$; $z = t^3$, $dz = 3t^2\, dt$. In O ist $t = 0$, in C ist $t = 1$.

$$W = \int_0^1 (t + t^5)\, dt + \int_0^1 (t^2 + t^4) 2t\, dt + \int_0^1 (t^3 + t^3) 3t^2\, dt$$

$$= \int_0^1 (t + 2t^3 + 9t^5)\, dt = \left[\frac{1}{2} t^2 + \frac{1}{2} t^4 + \frac{3}{2} t^6\right]_0^1 = \frac{5}{2}.$$

(c) Von O nach A ist: $y = z = 0$, $dy = dz = 0$ und x variiert von 0 bis 1.

Von A nach B ist: $x = 1$, $z = 0$, $dx = dz = 0$ und y variiert von 0 bis 1.

Von B nach C ist: $x = y = 1$, $dx = dy = 0$ und z variiert von 0 bis 1.

Für die Strecke von O nach A gilt $W_1 = \int_0^1 x\, dx = \frac{1}{2}$, für die von A nach B gilt $W_2 = \int_0^1 y\, dy = \frac{1}{2}$ und für die von B nach C gilt $W_3 = \int_0^1 (z + 1)\, dz = \frac{3}{2}$. Somit ist $W = W_1 + W_2 + W_3 = 5/2$.

Im allgemeinen ist der Wert des Integrals abhängig vom Integrationsweg. Hier ist ein Beispiel für das Gegenteil, ein vom Weg unabhängiges Integral. Man kann zeigen, daß ein Kurvenintegral $\int_c (f_1\, dx + f_2\, dy + f_3\, dz)$ unabhängig vom Weg ist, falls eine Funktion $\phi(x, y, z)$ existiert, so daß $d\phi = f_1\, dx + f_2\, dy + f_3\, dz$ gilt.

Man beachte, daß der Integrand dieser Aufgabe

$$(x + yz)\, dx + (y + xz)\, dy + (z + xy)\, dz = d\{\tfrac{1}{2}(x^2 + y^2 + z^2) + xyz\} \text{ ist.}$$

ERGÄNZUNGSAUFGABEN

12. Bestimme $\dfrac{d\mathbf{s}}{dt}$ und $\dfrac{d^2\mathbf{s}}{dt^2}$ zu:

(a) $\mathbf{s} = (t + 1)\mathbf{i} + (t^2 + t + 1)\mathbf{j} + (t^3 + t^2 + t + 1)\mathbf{k}$

(b) $\mathbf{s} = \mathbf{i}e^t \cos 2t + \mathbf{j}e^t \sin 2t + t^2\mathbf{k}$!

Lsg. *(a)* $\mathbf{i} + (2t + 1)\mathbf{j} + (3t^2 + 2t + 1)\mathbf{k}$; $2\mathbf{j} + (6t + 2)\mathbf{k}$

(b) $e^t(\cos 2t - 2 \sin 2t)\mathbf{i} + e^t(\sin 2t + 2 \cos 2t)\mathbf{j} + 2t\mathbf{k}$

$e^t(-4 \sin 2t - 3 \cos 2t)\mathbf{i} + e^t(-3 \sin 2t + 4 \cos 2t)\mathbf{j} + 2\mathbf{k}$.

13. Gegeben: $\mathbf{a} = u\mathbf{i} + u^2\mathbf{j} + u^3\mathbf{k}$, $\mathbf{b} = \mathbf{i} \cos u + \mathbf{j} \sin u$, $\mathbf{c} = 3u^2\mathbf{i} - 4u\mathbf{k}$. Berechne zunächst $\mathbf{a} \cdot \mathbf{b}$, $\mathbf{a} \times \mathbf{b}$, $\mathbf{a} \cdot (\mathbf{b} \times \mathbf{c})$, $\mathbf{a} \times (\mathbf{b} \times \mathbf{c})$ und bestimme die Ableitungen davon! Dann bestimme die Ableitungen mit Hilfe der Formeln!

14. Ein Teilchen bewegt sich entlang der Kurve $x = 3t^2$, $y = t^2 - 2t$, $z = t^3$, wobei t die Zeit bedeutet. Bestimme (a) den Betrag der Geschwindigkeit und Beschleunigung zur Zeit $t = 1$, (b) die Komponenten der Geschwindigkeit und Beschleunigung zur Zeit $t = 1$ in Richtung $\mathbf{a} = 4\mathbf{i} - 2\mathbf{j} + 4\mathbf{k}$!   *Lsg.* (a) $|\mathbf{v}| = 3\sqrt{5}$, $|\mathbf{a}| = 2\sqrt{19}$; (b) 6, 22/3.

15. Bestimme mit Vektormethoden die Gleichungen der Tangente und Normalenebene an die Kurve aus Aufgabe 11, Kap. 59!

16. Löse Aufg. 12, Kap. 59 nach Vektormethoden!

17. Zeige, daß die Flächen $x = u$, $y = 5u - 3v^2$, $z = v$ und $x = u$, $y = v$, $z = \dfrac{uv}{4u - v}$ in $P(1, 2, 1)$ senkrecht stehen!

18. Bestimme mit Vektormethoden die Gleichungen der Tangentialebene und Normalen an die Fläche!

    (a) $x = u$, $y = v$, $z = uv$ im Punkt $(u, v) = (3, -4)$,

    (b) $x = u$, $y = v$, $z = u^2 - v^2$ im Punkt $(u, v) = (2, 1)$.

    Lsg. (a) $4X - 3Y + Z - 12 = 0$, $\dfrac{X - 3}{-4} = \dfrac{Y + 4}{3} = \dfrac{Z + 12}{-1}$

        (b) $4X - 2Y - Z - 3 = 0$, $\dfrac{X - 2}{-4} = \dfrac{Y - 1}{2} = \dfrac{Z - 3}{1}$.

19. (a) Bestimme die Gleichungen der Berühr- und rektifizierenden Ebene an die Kurve aus Aufg. 2 im gegebenen Punkt!
    (b) Bestimme die Gleichungen der Berühr-, Normalen- und rektifizierenden Ebene zu $x = 2t - t^2$, $y = t^2$, $z = 2t + t^2$ bei $t = 1$!

    Lsg. (a) $3X - 3Y + Z - 1 = 0$, $11X + 8Y - 9Z - 10 = 0$

        (b) $X + 2Y - Z = 0$, $Y + 2Z - 7 = 0$, $5X - 2Y + Z - 6 = 0$.

20. Zeige, daß die Gleichung der Berührebene an einer Raumkurve in P gegeben ist durch

$$(\mathbf{R} - \mathbf{r}) \cdot \left(\frac{d\mathbf{r}}{dt} \times \frac{d^2\mathbf{r}}{dt^2} \right) = 0 !$$

21. Löse die Aufgaben 16 und 17, Kap. 60 mit Vektormethoden!

22. Bestimme $\displaystyle\int_a^b \mathbf{F}(u)\, du$ zu

    (a) $\mathbf{F}(u) = u^3\mathbf{i} + (3u^2 - 2u)\mathbf{j} + 3\mathbf{k}$; $a = 0$, $b = 2$

    (b) $\mathbf{F}(u) = e^u\mathbf{i} + e^{-2u}\mathbf{j} + u\mathbf{k}$; $a = 0$, $b = 1$!

    Lsg. (a) $4\mathbf{i} + 4\mathbf{j} + 6\mathbf{k}$, (b) $(e - 1)\mathbf{i} + \frac{1}{2}(1 - e^{-2})\mathbf{j} + \frac{1}{2}\mathbf{k}$.

23. Die Beschleunigung eines Teilchens zu einer Zeit t ist gegeben durch $\mathbf{a} = \dfrac{d\mathbf{v}}{dt} = (t + 1)\mathbf{i} + t^2\mathbf{j} + (t^2 - 2)\mathbf{k}$.

    Für $t = 0$ gilt $\mathbf{r} = 0$ und $\mathbf{v} = \mathbf{i} - \mathbf{k}$. Bestimme $\mathbf{v}$ und $\mathbf{r}$ zu jeder Zeit t!

    Lsg. $\mathbf{v} = (\frac{1}{2}t^2 + t + 1)\mathbf{i} + \frac{1}{3}t^3\mathbf{j} + (\frac{1}{3}t^3 - 2t - 1)\mathbf{k}$, $\mathbf{r} = (\frac{1}{6}t^3 + \frac{1}{2}t^2 + t)\mathbf{i} + \frac{1}{12}t^4\mathbf{j} + (\frac{1}{12}t^4 - t^2 - t)\mathbf{k}$.

24. Bestimme für jede der folgenden Kräfte $\mathbf{F}$ die Arbeit, die bei Übergang von $O(0, 0, 0)$ nach $C(1, 1, 1)$ verrichtet wird (i) entlang der Strecke $x = y = z$, (ii) entlang der Kurve $x = t$, $y = t^2$, $z = t^3$, (iii) entlang den Stücken von O nach $A(1, 0, 0)$, A nach $B(1, 0, 0)$, B nach C!

    (a) $\mathbf{F} = x\mathbf{i} + 2y\mathbf{j} + 3z\mathbf{k}$

    (b) $\mathbf{F} = (y + z)\mathbf{i} + (x + z)\mathbf{j} + (x + y)\mathbf{k}$

    (c) $\mathbf{F} = (x + xyz)\mathbf{i} + (y + x^2z)\mathbf{j} + (z + x^2y)\mathbf{k}$.

    Lsg. (a) 3, (b) 3, (c) 9/4, 33/14, 5/2.

25. Für $\mathbf{r} = x\mathbf{i} + y\mathbf{j} + z\mathbf{k}$ zeige man: (a) div $\mathbf{r} = 3$, (b) rot $\mathbf{r} = 0$!

26. $f = f(x, y, z)$ besitze partielle Ableitungen bis zumindest zweiter Ordnung. Zeige, daß

    (a) $\nabla \times \nabla f = 0$, (b) $\nabla \cdot (\nabla \times f) = 0$, (c) $\nabla \cdot \nabla f = \left(\dfrac{\partial^2}{\partial x^2} + \dfrac{\partial^2}{\partial y^2} + \dfrac{\partial^2}{\partial z^2} \right) f$!

KAPITEL 63

Doppelintegrale und Mehrfachintegrale

DAS EINFACHE INTEGRAL $\displaystyle\int_a^b f(x)\,dx$ einer Funktion $y = f(x)$, die stetig auf dem endlichen Intervall $a \leq x \leq b$ der x-Achse ist, wurde in Kap. 33 definiert. Wir erinnern an:

(a) Das Intervall $a \leq x \leq b$ wurde in n Teilintervalle $h_1, h_2, \ldots, h_n$ der Längen $\Delta_1 x, \Delta_2 x, \ldots, \Delta_n x$ aufgeteilt mit λ_n als größtes $\Delta_k x$,

(b) Punkte x_1 in h_1, x_2 in h_2, $\ldots$, x_n in h_n wurden ausgewählt und die Summe $\displaystyle\sum_{k=1}^{n} f(x_k)\,\Delta_k x$ gebildet,

(c) das Intervall wurde weiter aufgeteilt derart, daß $\lambda_n \to 0$ mit $n \to +\infty$,

(d) $\displaystyle\int_a^b f(x)\,dx \;=\; \lim_{n \to +\infty} \sum_{k=1}^{n} f(x_k)\,\Delta_k x.$

DAS DOPPELINTEGRAL. Man betrachte eine über einen Bereich R der x,y-Ebene stetige Funktion $z = f(x, y)$. Dieser Bereich sei aufgeteilt (siehe Abb. 63-1) in n Untermengen $R_1, R_2, \ldots, R_n$ mit den jeweiligen Flächen $\Delta_1 A, \Delta_2 A, \ldots, \Delta_n A$. In jeder Untermenge R_k werde ein Punkt $P_k(x_k, y_k)$ ausgewählt und es werde die Summe gebildet:

$$\sum_{k=1}^{n} f(x_k, y_k)\,\Delta_k A \;=\; f(x_1, y_1)\,\Delta_1 A \;+\; f(x_2, y_2)\,\Delta_2 A \;+\; \cdots \;+\; f(x_n, y_n)\,\Delta_n A. \tag{1}$$

Definiert man nun als Durchmesser einer Untermenge den größten Abstand zwischen zwei beliebigen Punkten innerhalb oder auf ihrem Rand und bezeichnet weiter λ_n den größten Durchmesser der Unterbereiche, dann werde die Anzahl der Unterbereiche derart vergrößert, daß $\lambda_n \to 0$, wenn $n \to +\infty$. Dann ist das *Doppelintegral* der Funktion $f(x, y)$ über R definiert als

$$\iint_R f(x, y)\,dA \;=\; \lim_{n \to +\infty} \sum_{k=1}^{n} f(x_k, y_k)\,\Delta_k A. \qquad \text{*)} \tag{2}$$

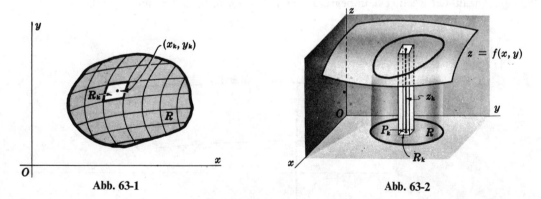

| Abb. 63-1 | Abb. 63-2 |

Wenn $z = f(x, y)$ auf R nicht negativ ist, wie oben in Abb. 63-2, dann kann das Doppelintegral *(2)* als Volumen interpretiert werden. Jeder Term $f(x_k, y_k)\,\Delta_k A$ in *(1)* gibt das Volumen einer senkrechten Säule an, deren parallele Grundflächen den Inhalt $\Delta_k A$ haben und deren Höhe die Länge z_k ist, senkrecht

*) Anmerkung: A ist die Abkürzung für area = Fläche.

vom gewählten Punkt P_k zur Fläche gemessen. Dies mag umgekehrt als Approximation des Volumens der senkrechten Säule betrachtet werden, deren Grundfläche die Untermenge R_k und deren Deckfläche die Projektion von R_k auf die Fläche ist. Somit ist (1) eine Näherung des Volumens „unter der Fläche" (d.h., das Volumen mit der Grundfläche in der xOy-Ebene und der Deckfläche in der Oberfläche, erzeugt durch Bewegen einer Linie parallel zur z-Achse entlang des Randes von R) und (2) ist, intuitiv zumindest, ein Maß für dieses Volumen.

Die Ausrechnung selbst des einfachsten Doppelintegrals durch direkte Summation ist schwierig und soll hier nicht versucht werden.

DAS MEHRFACHE INTEGRAL. Man betrachte ein Volumen, wie oben definiert, und nehme an, daß keine Parallele zur x-Achse oder y-Achse es in mehr als zwei Punkten schneide. Man zeichne (vgl. Abb. 63-3) die Tangenten $x = a$ und $x = b$ an den Rand mit den Berührpunkten K und L, und die Tangenten $y = c$ und $y = d$ mit den Berührpunkten M und N. Die Gleichung des ebenen Bogens LMK sei $y = g_1(x)$ und die des ebenen Bogens LNK sei $y = g_2(x)$.

Man teile das Intervall $a \leqq x \leqq b$ in m Teilintervalle $h_1, h_2, \ldots, h_m$ mit den jeweiligen Längen $\Delta_1 x$, $\Delta_2 x, \ldots, \Delta_m x$, indem man (wie in Kap. 33) Punkte $x = \xi_1, x = \xi_2, \ldots, x = \xi_{m-1}$ darin auswählt, und das Intervall $c \leqq y \leqq d$ in n Teilintervalle $k_1, k_2, \ldots, k_n$ mit den jeweiligen Längen $\Delta_1 y, \Delta_2 y, \ldots, \Delta_n y$ durch Auswahl von Zwischenpunkten $y = \eta_1, y = \eta_2, \ldots, y = \eta_{n-1}$. Bezeichne λ_m das größte $\Delta_i x$ und μ_n das das größte $\Delta_j y$. Durch Zeichnen von parallelen Geraden $x = \xi_1, x = \xi_2, \ldots, x = \xi_{m-1}$ und $y = \eta_1, y = \eta_2,$ $\ldots, y = \eta_{n-1}$ wird die Menge R aufgeteilt in eine Menge von Rechtecken R_{ij} mit dem Flächeninhalt $\Delta_i x \cdot \Delta_j y$ und eine Menge von Nicht-Rechtecken, die wir vernachlässigen können. In jedem Teilintervall h_i wähle man einen Punkt $x = x_i$ und in jedem k_j einen Punkt $y = y_j$. Dadurch wird in jedem Rechteck R_{ij} ein Punkt $P_{ij}(x_i, y_j)$ bestimmt. Jedem Rechteck R_{ij} ordne man dann mit Hilfe der Flächengleichung eine Zahl $z_{ij} = f(x_i, y_j)$ zu und bilde

$$\sum_{\substack{i = 1, 2, \ldots, m \\ j = 1, 2, \ldots, n}} f(x_i, y_j) \, \Delta_i x \cdot \Delta_j y. \tag{3}$$

Nun ist (3) gerade ein Spezialfall von (1), denn der Grenzwert von (3) ist gleich dem Doppelintegral (2), falls die Anzahl der Rechtecke unbegrenzt vergrößert wird, so daß λ_m und $\mu_n \rightarrow 0$.

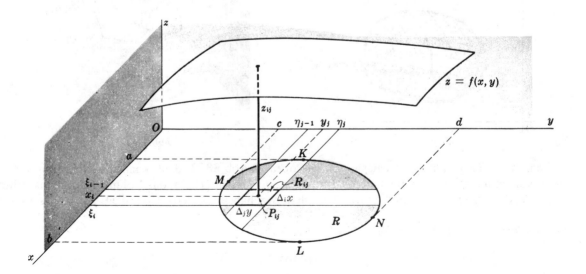

Abb. 63-3

Hinsichtlich dieses Grenzwertes wähle man erst eines der Teilintervalle h_i und bilde die Summe

$$\left\{ \sum_{j=1}^{n} f(x_i, y_j)\, \Delta_j y \right\} \Delta_i x \quad \text{(bei festem } i)$$

der Beiträge aller Rechtecke, die h_i als eine Seite haben, d.h., die Beiträge aller Rechtecke in der i-ten Spalte. Für $n \to +\infty$ geht $\mu_n \to 0$ und es gilt:

$$\lim_{n \to +\infty} \left\{ \sum_{j=1}^{n} f(x_i, y_j)\, \Delta_j y \right\} \Delta_i x = \left\{ \int_{g_1(x_i)}^{g_2(x_i)} f(x_i, y)\, dy \right\} \Delta_i x$$
$$= \phi(x_i)\, \Delta_i x.$$

Aufsummieren über die m Spalten ergibt für $m \to +\infty$:

$$\lim_{m \to +\infty} \sum_{i=1}^{m} \phi(x_i)\, \Delta_i x = \int_a^b \phi(x)\, dx$$

$$= \int_a^b \left[\int_{g_1(x)}^{g_2(x)} f(x, y)\, dy \right] dx = \int_a^b \int_{g_1(x)}^{g_2(x)} f(x, y)\, dy\, dx. \tag{4}$$

Wenn hier weiterhin nicht mehr von Klammern Gebrauch gemacht wird, dann stets unter der Vereinbarung, daß in (4) die Berechnung zweier einfacher Integrale in folgender Weise vorgenommen wird: erst bestimme man das Integral von $f(x, y)$ bezüglich y (indem man x als konstant betrachte) von $y = g_1(x)$, der unteren Grenze von R, bis $y = g_2(x)$, der oberen Grenze von R, und dann das Integral dieses Ergebnisses bezüglich x von der Abszisse $x = a$, dem Punkt am weitesten links von R, bis zu $x = b$, dem Punkt am weitesten rechts. Das Integral (4) wird *Mehrfachintegral* (oder *wiederholtes Integral*) genannt.

Es wird dem Leser als Übung überlassen, umgekehrt erst über die Beiträge der Rechtecke in jeder Reihe und dann über alle Reihen zu summieren, um das gleiche mehrfache Integral

$$\int_c^d \int_{h_1(y)}^{h_2(y)} f(x, y)\, dx\, dy \tag{5}$$

zu erhalten, wobei $x = h_1(y)$ und $x = h_2(y)$ die Gleichungen der ebenen Bögen MKN und MLN sind.

In Aufgabe (1) wird auf anderem Weg gezeigt, daß das Integral (4) das betrachtete Volumen mißt. Zur Berechnung von mehrfachen Integralen siehe Aufgaben 2-6!

Die Hauptschwierigkeit beim Aufstellen der mehrfachen Integrale in einigen der nächsten Kapitel wird die Wahl der Integrationsgrenzen zur Überdeckung des Bereiches R sein. Die Betrachtung hier nahm nur einfachste Bereiche an; komplexere Bereiche werden in den Aufgaben 7-9 betrachtet.

AUFGABEN MIT LÖSUNGEN

1. Es sei $z = f(x, y)$ nicht negativ und über einem Bereich der x, y-Ebene stetig, dessen Grenzen sich aus den Bögen zweier Kurven $y = g_1(x)$ und $y = g_2(x)$ zusammensetzen, die sich in den Punkten K und L schneiden (vgl. Abb. 63-4). Betrachte das Volumen unter dieser Fläche!

Der Schnitt dieses Volumens mit der Fläche $x = x_i$, $a < x_i < b$, treffe den Rand von R in den Punkten $S[x_i, g_1(x_i)]$ und $T[x_i, g_2(x_i)]$ und schneide die Fläche $z = f(x, y)$ im Bogen UV; entlang diesem ist $z = f(x_i, y)$. Der Flächeninhalt dieses Schnittes $STUV$ ist durch

$$A(x_i) = \int_{g_1(x_i)}^{g_2(x_i)} f(x_i, y)\, dy \quad \text{gegeben.}$$

Damit sind die Inhalte solcher Schnitte des Volumens durch Ebenen parallel zur yOz-Ebene bekannte Funktionen:

$$A(x) = \int_{g_1(x)}^{g_2(x)} f(x, y)\, dy$$

von x, dem Abstand der Schnittebene vom Nullpunkt. Nach Kap. 36 ist das gesuchte Volumen dann:

$$V = \int_a^b A(x)\, dx$$

$$= \int_a^b \left[\int_{g_1(x)}^{g_2(x)} f(x, y)\, dy \right] dx$$

Dies ist das mehrfache Integral der Gleichung (4).

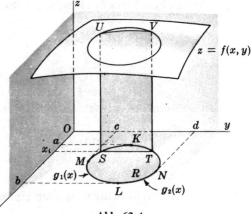

Abb. 63-4

2. $\displaystyle \int_0^1 \int_{x^2}^x dy\, dx \;=\; \int_0^1 \Big[\, y \,\Big]_{x^2}^x dx \;=\; \int_0^1 (x - x^2)\, dx \;=\; \left[\frac{x^2}{2} - \frac{x^3}{3} \right]_0^1 \;=\; \frac{1}{6}.$

3. $\displaystyle \int_1^2 \int_y^{3y} (x + y)\, dx\, dy \;=\; \int_1^2 \left(\frac{1}{2} x^2 + xy \right)\Big]_y^{3y} dy \;=\; \int_1^2 6y^2\, dy \;=\; 2y^3 \Big]_1^2 \;=\; 14.$

4. $\displaystyle \int_{-1}^2 \int_{2x^2-2}^{x^2+x} x\, dy\, dx \;=\; \int_{-1}^2 (xy) \Big]_{2x^2-2}^{x^2+x} dx \;=\; \int_{-1}^2 (x^3 + x^2 - 2x^3 + 2x)\, dx \;=\; \frac{9}{4}.$

5. $\displaystyle \int_0^\pi \int_0^{\cos\theta} \rho \sin\theta\, d\rho\, d\theta \;=\; \int_0^\pi \left(\frac{1}{2} \rho^2 \sin\theta \right)\Big]_0^{\cos\theta} d\theta \;=\; \frac{1}{2} \int_0^\pi \cos^2\theta \sin\theta\, d\theta$

$$= \left(-\frac{1}{6} \cos^3\theta \right)\Big]_0^\pi \;=\; \frac{1}{3}.$$

6. $\displaystyle \int_0^{\pi/2} \int_2^{4\cos\theta} \rho^3\, d\rho\, d\theta \;=\; \int_0^{\pi/2} \left(\frac{1}{4} \rho^4 \right)\Big]_2^{4\cos\theta} d\theta \;=\; \int_0^{\pi/2} (64 \cos^4\theta - 4)\, d\theta$

$$= \left[64 \left(\frac{3\theta}{8} + \frac{\sin 2\theta}{4} + \frac{\sin 4\theta}{32} \right) - 4\theta \right]_0^{\pi/2} \;=\; 10\pi.$$

7. Berechne $\displaystyle \iint_R dA$, wobei R die Menge im ersten Quadranten ist, die durch die halb-kubische Parabel $y^2 = x^3$ und die Gerade $y = x$ begrenzt wird.

    Die Gerade und die Parabel schneiden sich in den Punkten $(0, 0)$ und $(1, 1)$, womit gleichzeitig die Extremwerte von x und y im Bereich R gegeben sind.

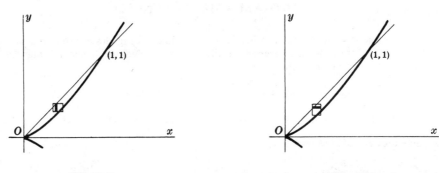

Abb. 63-5   **Abb. 63-6**

Lösung 1. Siehe Abb. 63-5 ! Zunächst wird integriert über einen Horizontalstreifen, d.h., bezüglich x von $x = y$ (der Geraden) bis $x = y^{2/3}$ (der Parabel), und dann bezüglich y von $y = 0$ bis $y = 1$.

$$\iint_R dA = \int_0^1 \int_y^{y^{2/3}} dx\, dy = \int_0^1 (y^{2/3} - y)\, dy = \left[\frac{3}{5}y^{5/3} - \frac{1}{2}y^2\right]_0^1 = \frac{1}{10}.$$

Lösung 2. Siehe Abb. 63-6. Zunächst wird über einen Vertikalstreifen integriert, d.h., bezüglich y von $y = x^{3/2}$ (der Parabel) bis $y = x$ (der Geraden), und dann bezüglich x von $x = 0$ bis $x = 1$.

$$\iint_R dA = \int_0^1 \int_{x^{3/2}}^x dy\, dx = \int_0^1 (x - x^{3/2})\, dx = \left[\frac{1}{2}x^2 - \frac{2}{5}x^{5/2}\right]_0^1 = \frac{1}{10}.$$

8. Berechne $\displaystyle\iint_R dA$, wobei R der Bereich zwischen $y = 2x$ und $y = x^2$ ist, der links von $x = 1$ liegt!

Integriert man erst über den Vertikalstreifen (siehe Abb. 63-7), so erhält man

$$\iint_R dA = \int_0^1 \int_{x^2}^{2x} dy\, dx = \int_0^1 (2x - x^2)\, dx = \frac{2}{3}.$$

Integriert man über horizontale Streifen (siehe Abb. 63-8), dann sind zwei mehrfache Integrale zu berechnen. Es sei R_1 der Teil von R unterhalb von AB und R_2 der Teil oberhalb AB. Dann ist

$$\iint_R dA = \iint_{R_1} dA + \iint_{R_2} dA = \int_0^1 \int_{y/2}^{\sqrt{y}} dx\, dy + \int_1^2 \int_{y/2}^1 dx\, dy = \frac{5}{12} + \frac{1}{4} = \frac{2}{3}.$$

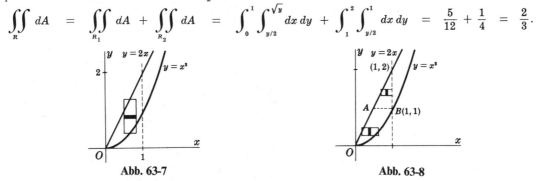

Abb. 63-7   **Abb. 63-8**

9. Berechne $\displaystyle\iint_R x^2\, dA$, wobei R der Bereich im ersten Quadranten ist, der begrenzt wird durch die Hyperbel $xy = 16$ und die Geraden $y = x$, $y = 0$ und $x = 8$. Siehe Abb. 63-9 unten!

Es ist aus Abb. 63-9 ersichtlich, daß R in zwei Bereiche aufgeteilt werden muß, über die das Integral getrennt ausgerechnet wird. Es sei R_1 der Teil von R über der Geraden $y = 2$ und R_2 der Teil darunter; dann gilt

$$\iint_R x^2\, dA = \iint_{R_1} x^2\, dA + \iint_{R_2} x^2\, dA = \int_2^4 \int_y^{16/y} x^2\, dx\, dy + \int_0^2 \int_y^8 x^2\, dx\, dy$$

$$= \frac{1}{3} \int_2^4 \left(\frac{16^3}{y^3} - y^3\right) dy + \frac{1}{3} \int_0^2 (8^3 - y^3)\, dy = 448.$$

Als Übung möge der Leser R durch die Gerade $x = 4$ aufteilen. Dann ergibt sich

$$\iint_R x^2\, dA = \int_0^4 \int_0^x x^2\, dy\, dx + \int_4^8 \int_0^{16/x} x^2\, dy\, dx.$$

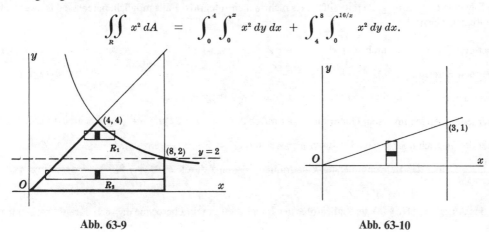

Abb. 63-9   **Abb. 63-10**

10. Berechne $\int_0^1 \int_{3y}^3 e^{x^2}\,dx\,dy$ durch Umkehrung der Reihenfolge der Integration.

Das gegebene Integral kann nicht direkt ausgerechnet werden, da $\int e^{x^2}\,dx$ keine elementare Funktion ist. Der Integrationsbereich R ist durch die Geraden $x = 3y$, $x = 3$ und $y = 0$ beschränkt. Um die Reihenfolge der Integration umzukehren, integriere man zuerst bzgl. y von $y = 0$ bis $y = x/3$ und dann bzgl. x von $x = 0$ bis $x = 3$. Damit wird

$$\int_0^1 \int_{3y}^3 e^{x^2}\,dx\,dy = \int_0^3 \int_0^{x/3} e^{x^2}\,dy\,dx$$

$$= \int_0^3 e^{x^2} y\Big]_0^{x/3}\,dx = \frac{1}{3}\int_0^3 e^{x^2} x\,dx = \frac{1}{6} e^{x^2}\Big]_0^3 = \frac{1}{6}(e^9 - 1).$$

ERGÄNZUNGSAUFGABEN

11. Berechne die folgenden mehrfachen Integrale!

(a) $\displaystyle\int_0^1 \int_1^2 dx\,dy = 1$ (g) $\displaystyle\int_0^1 \int_0^{x^2} xe^y\,dy\,dx = \frac{1}{2}e - 1$

(b) $\displaystyle\int_1^2 \int_0^3 (x + y)\,dx\,dy = 9$ (h) $\displaystyle\int_2^4 \int_y^{8-y} y\,dx\,dy = \frac{32}{3}$

(c) $\displaystyle\int_2^4 \int_1^2 (x^2 + y^2)\,dy\,dx = \frac{70}{3}$ (i) $\displaystyle\int_0^{\text{Arctan }3/2} \int_0^{2\sec\theta} \rho\,d\rho\,d\theta = 3$

(d) $\displaystyle\int_0^1 \int_{x^2}^x xy^2\,dy\,dx = \frac{1}{40}$ (j) $\displaystyle\int_0^{\pi/2} \int_0^2 \rho^2 \cos\theta\,d\rho\,d\theta = \frac{8}{3}$

(e) $\displaystyle\int_1^2 \int_0^{y^{3/2}} x/y^2\,dx\,dy = \frac{3}{4}$ (k) $\displaystyle\int_0^{\pi/4} \int_0^{\tan\theta\sec\theta} \rho^3 \cos^2\theta\,d\rho\,d\theta = \frac{1}{20}$

(f) $\displaystyle\int_0^1 \int_x^{\sqrt{x}} (y + y^3)\,dy\,dx = \frac{7}{60}$ (l) $\displaystyle\int_0^{2\pi} \int_0^{1-\cos\theta} \rho^3 \cos^2\theta\,d\rho\,d\theta = \frac{49}{32}\pi$

12. Berechne folgende Doppelintegrale mit Hilfe eines mehrfachen Integrals! Falls möglich, berechne das mehrfache Integral in beiden Reihenfolgen!

(a) x über den Bereich, der durch $y = x^2$ und $y = x^3$ begrenzt ist.   *Lsg.* 1/20.

(b) y über den Bereich von (a).   *Lsg.* 1/35.

(c) x^2 über den Bereich, der durch $y = x$, $y = 2x$ und $x = 2$ begrenzt ist.   *Lsg.* 4.

(d) 1 über jeden Bereich im ersten Quadranten, der durch $2y = x^2$, $y = 3x$ und $x + y = 4$ begrenzt wird. *Lsg.* 8/3, 46/3.

(e) y über den Bereich über $y = 0$, der durch $y^2 = 4x$ und $y^2 = 5 - x$ begrenzt wird.   *Lsg.* 5.

(f) $\dfrac{1}{\sqrt{2y - y^2}}$ über den Bereich im ersten Quadranten, begrenzt durch $x^2 = 4 - 2y$.   *Lsg.* 4.

13. Kehre in den Aufgaben 11(a)–(h) die Reihenfolge der Integration um und berechne das sich daraus ergebende mehrfache Integral!

KAPITEL 64

Schwerpunkte und Trägheitsmomente von ebenen Flächen

DIE EBENE FLÄCHE VERMITTELS DOPPELTER INTEGRATION. Für $f(x, y) = 1$ ist das Doppelintegral aus Kapitel 63 gleich $\iint\limits_{R} dA$. In kubischen Einheiten ist dies das Volumen eines Zylinders von Einheitshöhe; in Flächeneinheiten ist es die Fläche des Bereiches R.

Siehe Aufgaben 1-2!

In Polarkoordinaten ist $A = \iint\limits_{R} dA = \int_{\alpha}^{\beta} \int_{\rho_1(\theta)}^{\rho_2(\theta)} \rho \, d\rho \, d\theta$, wobei $\theta = \alpha$, $\theta = \beta$, $\rho_1(\theta)$ und $\rho_2(\theta)$ so gewählt sind, daß der Bereich R damit überdeckt wird.

Siehe Aufgaben 3-5!

SCHWERPUNKTE. Die Koordinaten $(\bar{x}, \bar{y})$ des Schwerpunkts eines ebenen Bereiches R der Fläche $A = \iint\limits_{R} dA$ genügen den Bedingungen

$$A \cdot \bar{x} = M_y \quad \text{und} \quad A \cdot \bar{y} = M_x$$

oder $\quad \bar{x} \cdot \iint\limits_{R} dA = \iint\limits_{R} x \, dA \quad$ und $\quad \bar{y} \cdot \iint\limits_{R} dA = \iint\limits_{R} y \, dA$.

Siehe Aufgaben 6-9!

DAS TRÄGHEITSMOMENT eines ebenen Bereiches R bezüglich der Koordinatenachsen ist gegeben durch

$$I_x = \iint\limits_{R} y^2 \, dA \quad \text{und} \quad I_y = \iint\limits_{R} x^2 \, dA.$$

Das polare Trägheitsmoment (das Trägheitsmoment einer Geraden durch den Nullpunkt senkrecht zur Ebene des Bereiches) eines ebenen Bereiches R ist durch

$$I_0 = I_x + I_y = \iint\limits_{R} (x^2 + y^2) \, dA \quad \text{gegeben.}$$

Siehe Aufgaben 10-12!

AUFGABEN MIT LÖSUNGEN

1. Bestimme die Fläche, die durch $y = x^2$ und die Gerade $y = 2x + 3$ begrenzt wird!

   Mit vertikalen Streifen (siehe Abb. 64-1) ergibt sich:

   $$A = \int_{-1}^{3} \int_{x^2}^{2x+3} dy \, dx$$
   $$= \int_{-1}^{3} (2x + 3 - x^2) \, dx$$
   $$= 32/3 \text{ Quadrateinheiten.}$$

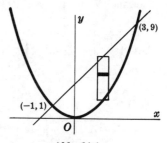

Abb. 64-1

2. Bestimme die Fläche, die durch die Parabeln $y^2 = 4 - x$ und $y^2 = 4 - 4x$ begrenzt ist!

Mit waagerechten Streifen (siehe Abb. 64-2) und unter Ausnutzung der Symmetrie ist

$$
\begin{aligned}
A &= 2 \int_0^2 \int_{1-y^2/4}^{4-y^2} dx \, dy \\
&= 2 \int_0^2 [(4-y^2) - (1-\tfrac{1}{4}y^2)] \, dy \\
&= 6 \int_0^2 (1-\tfrac{1}{4}y^2) \, dy \\
&= 8 \text{ Quadrateinheiten.}
\end{aligned}
$$

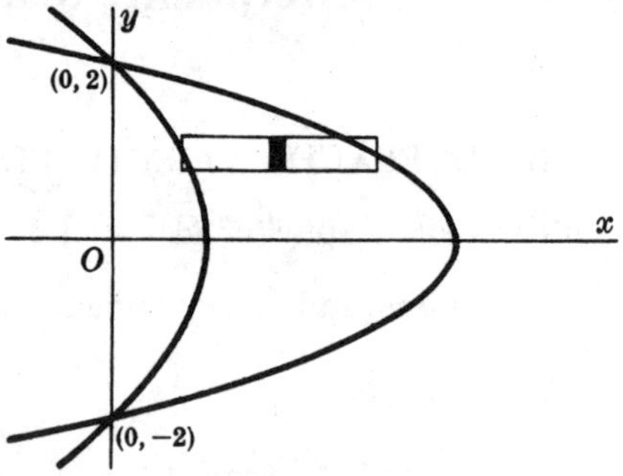

Abb. 64-2

3. Bestimme die Fläche außerhalb des Kreises $\rho = 2$ und innerhalb des Kardioids $\rho = 2(1 + \cos\theta)$!

Wegen der Symmetrie ist die gesuchte Fläche gleich zweimal der, die überstrichen wird, wenn θ von $\theta = 0$ bis $\theta = \tfrac{1}{2}\pi$ variiert. Somit gilt

$$
\begin{aligned}
A &= 2 \int_0^{\pi/2} \int_2^{2(1+\cos\theta)} \rho \, d\rho \, d\theta = 2 \int_0^{\pi/2} \tfrac{1}{2}\rho^2 \Big]_2^{2(1+\cos\theta)} d\theta \\
&= 4 \int_0^{\pi/2} (2\cos\theta + \cos^2\theta) \, d\theta \\
&= 4 \left[2\sin\theta + \tfrac{1}{2}\theta + \tfrac{1}{4}\sin 2\theta \right]_0^{\pi/2} = (\pi + 8) \text{ Quadrateinheiten.}
\end{aligned}
$$

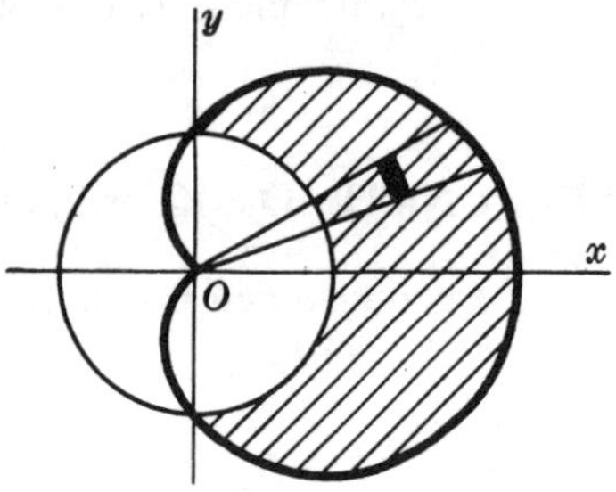

Abb. 64-3

4. Bestimme die Fläche innerhalb des Kreises $\varrho = 4\sin\theta$ und außerhalb der Lemniskate $\rho^2 = 8\cos 2\theta$!

Die gesuchte Fläche ist das Doppelte der im ersten Quadranten, die durch die beiden Kurven und die Gerade $\theta = \tfrac{1}{2}\pi$ begrenzt wird. Beachte, daß der Bogen AO der Lemniskate beschrieben wird, indem man mit θ von $\theta = \pi/6$ bis $\theta = \pi/4$ geht; dagegen wird der Bogen AB des Kreises beschrieben, indem man von $\theta = \pi/6$ bis $\theta = \pi/2$ geht. Diese Fläche muß dann als zwei Bereiche unterhalb und oberhalb der Geraden $\theta = \pi/4$ betrachtet werden. Somit wird

$$
\begin{aligned}
A &= 2 \int_{\pi/6}^{\pi/4} \int_{2\sqrt{2\cos 2\theta}}^{4\sin\theta} \rho \, d\rho \, d\theta + 2 \int_{\pi/4}^{\pi/2} \int_0^{4\sin\theta} \rho \, d\rho \, d\theta \\
&= \int_{\pi/6}^{\pi/4} (16\sin^2\theta - 8\cos 2\theta) \, d\theta + \int_{\pi/4}^{\pi/2} 16\sin^2\theta \, d\theta \\
&= (\tfrac{8}{3}\pi + 4\sqrt{3} - 4) \text{ Quadrateinheiten.}
\end{aligned}
$$

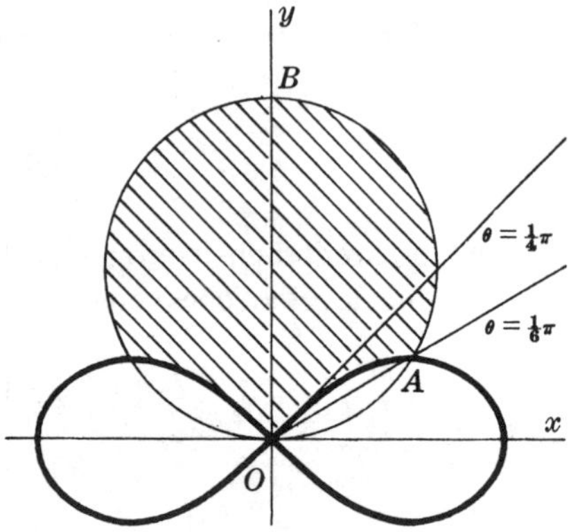

Abb. 64-4

5. Berechne $N = \int_0^{+\infty} e^{-x^2} \, dx$!

Aus $\int_0^{+\infty} e^{-x^2} \, dx = \int_0^{+\infty} e^{-y^2} \, dy$ folgt

$$
\begin{aligned}
N^2 &= \int_0^{+\infty} e^{-x^2} \, dx \cdot \int_0^{+\infty} e^{-y^2} \, dy \\
&= \int_0^{+\infty} \int_0^{+\infty} e^{-(x^2+y^2)} \, dx \, dy = \iint_R e^{-(x^2+y^2)} \, dA.
\end{aligned}
$$

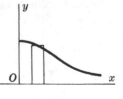

Abb. 64-5

Übergang zu Polarkoordinaten ($x^2 + y^2 = \rho^2$, $dA = \rho \, d\rho \, d\theta$) ergibt:

$$
N^2 = \int_0^{\pi/2} \int_0^{+\infty} e^{-\rho^2} \cdot \rho \, d\rho \, d\theta = \int_0^{\pi/2} \left\{ \lim_{a \to +\infty} (-\tfrac{1}{2}e^{-\rho^2}) \Big]_0^a \right\} d\theta = \frac{1}{2} \int_0^{\pi/2} d\theta = \frac{\pi}{4},
$$

also $N = \sqrt{\pi}/2$.

6. Bestimme den Schwerpunkt der Ebene, die von der Parabel $y = 6x - x^2$ und der Geraden $x = y$ begrenzt wird!

$$A = \iint\limits_R dA = \int_0^5 \int_x^{6x-x^2} dy\, dx = \int_0^5 (5x - x^2)\, dx = \frac{125}{6}$$

$$M_y = \iint\limits_R x\, dA = \int_0^5 \int_x^{6x-x^2} x\, dy\, dx = \int_0^5 (5x^2 - x^3)\, dx = \frac{625}{12}$$

$$M_x = \iint\limits_R y\, dA = \int_0^5 \int_x^{6x-x^2} y\, dy\, dx$$

$$= \frac{1}{2}\int_0^5 \{(6x - x^2)^2 - x^2\}\, dx = \frac{625}{6}.$$

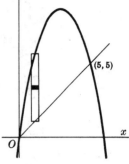

Somit ist $\bar{x} = \dfrac{M_y}{A} = \dfrac{5}{2}$, $\bar{y} = \dfrac{M_x}{A} = 5$, und die Koordinaten des Schwerpunkts

Abb. 64-6

sind $(\frac{5}{2}, 5)$.

7. Bestimme den Schwerpunkt der ebenen Fläche, die durch die Parabeln $y = 2x - x^2$ und $y = 3x^2 - 6x$ begrenzt wird!

$$A = \iint\limits_R dA = \int_0^2 \int_{3x^2-6x}^{2x-x^2} dy\, dx = \int_0^2 (8x - 4x^2)\, dx = \frac{16}{3}$$

$$M_y = \iint\limits_R x\, dA = \int_0^2 \int_{3x^2-6x}^{2x-x^2} x\, dy\, dx = \int_0^2 (8x^2 - 4x^3)\, dx = \frac{16}{3}$$

$$M_x = \iint\limits_R y\, dA = \int_0^2 \int_{3x^2-6x}^{2x-x^2} y\, dy\, dx$$

$$= \frac{1}{2}\int_0^2 \{(2x - x^2)^2 - (3x^2 - 6x)^2\}\, dx = -\frac{64}{15}.$$

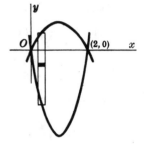

Abb. 64-7

Daher ist $\bar{x} = \dfrac{M_y}{A} = 1$, $\bar{y} = \dfrac{M_x}{A} = -\dfrac{4}{5}$, und der Schwerpunkt $(1, -\frac{4}{5})$.

8. Bestimme den Schwerpunkt der ebenen Fläche außerhalb des Kreises $\rho = 1$ und innerhalb des Kardioids $\rho = 1 + \cos\theta$!

Aus Abb. 64-8 ist ersichtlich, daß $\bar{y} = 0$ gilt und daß $\bar{x}$ der gesamten Fläche das gleiche ist wie das der Hälfte über der Polarachse. Für diese Fläche gilt

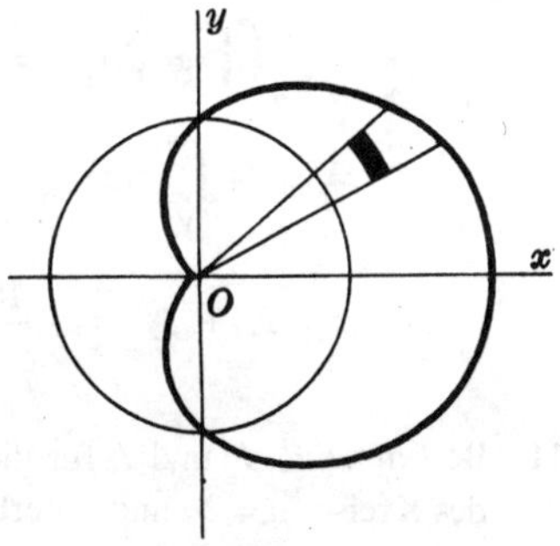

$$A = \iint\limits_R dA = \int_0^{\pi/2} \int_1^{1+\cos\theta} \rho\, d\rho\, d\theta$$

$$= \frac{1}{2}\int_0^{\pi/2} \{(1 + \cos\theta)^2 - 1^2\}\, d\theta = \frac{\pi+8}{8}$$

$$M_y = \iint\limits_R x\, dA = \int_0^{\pi/2} \int_1^{1+\cos\theta} (\rho\cos\theta)\, \rho\, d\rho\, d\theta$$

Abb. 64-8

$$= \frac{1}{3}\int_0^{\pi/2} (3\cos^2\theta + 3\cos^3\theta + \cos^4\theta)\, d\theta$$

$$= \frac{1}{3}\left[\frac{3}{2}\theta + \frac{3}{4}\sin 2\theta + 3\sin\theta - \sin^3\theta + \frac{3}{8}\theta + \frac{1}{4}\sin 2\theta + \frac{1}{32}\sin 4\theta\right]_0^{\pi/2} = \frac{15\pi + 32}{48}.$$

Die Koordinaten des Schwerpunkts sind $\left(\dfrac{15\pi + 32}{6(\pi + 8)}, 0\right)$.

9. Bestimme den Schwerpunkt der Fläche innerhalb $\rho = \sin\theta$ und außerhalb $\rho = 1 - \cos\theta$! Siehe Abb. 64-9!

$$A = \iint\limits_R dA = \int_0^{\pi/2} \int_{1-\cos\theta}^{\sin\theta} \rho\, d\rho\, d\theta = \frac{1}{2}\int_0^{\pi/2} (2\cos\theta - 1 - \cos 2\theta)\, d\theta = \frac{4-\pi}{4}$$

$$M_y = \iint\limits_{R} x\, dA = \int_0^{\pi/2} \int_{1-\cos\theta}^{\sin\theta} (\rho\cos\theta)\,\rho\, d\rho\, d\theta$$

$$= \frac{1}{3}\int_0^{\pi/2} (\sin^3\theta - 1 + 3\cos\theta - 3\cos^2\theta + \cos^3\theta)\cos\theta\, d\theta$$

$$= \frac{15\pi - 44}{48}$$

$$M_x = \iint\limits_{R} y\, dA = \int_0^{\pi/2} \int_{1-\cos\theta}^{\sin\theta} (\rho\sin\theta)\,\rho\, d\rho\, d\theta$$

$$= \frac{1}{3}\int_0^{\pi/2} (\sin^3\theta - 1 + 3\cos\theta - 3\cos^2\theta + \cos^3\theta)\sin\theta\, d\theta$$

$$= \frac{3\pi - 4}{48}.$$

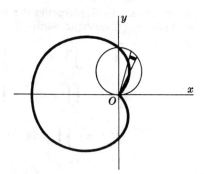

Abb. 64-9

Die Schwerpunktkoordinaten sind $\left(\dfrac{15\pi - 44}{12(4 - \pi)}, \dfrac{3\pi - 4}{12(4 - \pi)}\right)$

10. Bestimme I_x, I_y und I_0 für die von der Schleife $y^2 = x^2(2 - x)$ eingeschlossene Fläche!

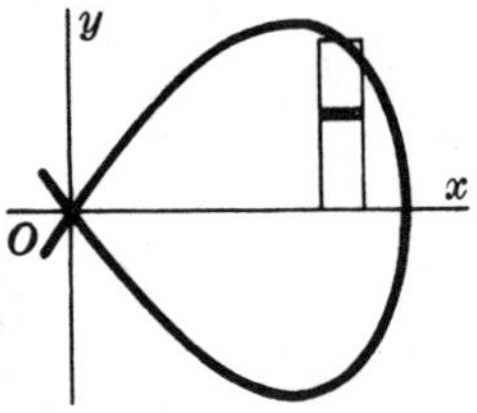

$$A = \iint\limits_{R} dA = 2\int_0^2 \int_0^{x\sqrt{2-x}} dy\, dx = 2\int_0^2 x\sqrt{2-x}\, dx$$

$$= -4\int_{\sqrt{2}}^0 (2z^2 - z^4)\, dz = -4\left[\frac{2}{3}z^3 - \frac{1}{5}z^5\right]_{\sqrt{2}}^0 = \frac{32\sqrt{2}}{15}$$

(Transformation $2 - x = z^2$)

$$I_x = \iint\limits_{R} y^2\, dA = 2\int_0^2 \int_0^{x\sqrt{2-x}} y^2\, dy\, dx = \frac{2}{3}\int_0^2 x^3(2-x)^{3/2}\, dx$$

$$= -\frac{4}{3}\int_{\sqrt{2}}^0 (2-z^2)^3 z^4\, dz = -\frac{4}{3}\left[\frac{8}{5}z^5 - \frac{12}{7}z^7 + \frac{2}{3}z^9 - \frac{1}{11}z^{11}\right]_{\sqrt{2}}^0 = \frac{2048\sqrt{2}}{3465} = \frac{64}{231}A$$

$$I_y = \iint\limits_{R} x^2\, dA = 2\int_0^2 \int_0^{x\sqrt{2-x}} x^2\, dy\, dx = 2\int_0^2 x^3\sqrt{2-x}\, dx$$

$$= -4\int_{\sqrt{2}}^0 (2-z^2)^3 z^2\, dz = -4\left[\frac{8}{3}z^3 - \frac{12}{5}z^5 + \frac{6}{7}z^7 - \frac{1}{9}z^9\right]_{\sqrt{2}}^0 = \frac{1024\sqrt{2}}{315} = \frac{32}{21}A$$

$$I_0 = I_x + I_y = \frac{13312\sqrt{2}}{3465} = \frac{416}{231}A$$

Abb. 64-10

11. Bestimme I_x, I_y und I_0 für die im ersten Quadranten liegende Fläche außerhalb des Kreises $\rho = 2a$ und innerhalb des Kreises $\rho = 4a\cos\theta$!

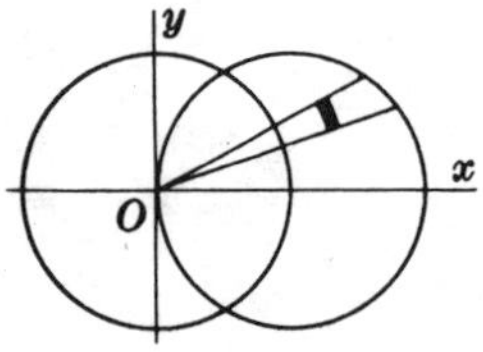

$$A = \iint\limits_{R} dA = \int_0^{\pi/3} \int_{2a}^{4a\cos\theta} \rho\, d\rho\, d\theta$$

$$= \frac{1}{2}\int_0^{\pi/3} \{(4a\cos\theta)^2 - (2a)^2\}\, d\theta = \frac{2\pi + 3\sqrt{3}}{3}a^2$$

Abb. 64-11

$$I_x = \iint\limits_{R} y^2\, dA = \int_0^{\pi/3} \int_{2a}^{4a\cos\theta} (\rho\sin\theta)^2\,\rho\, d\rho\, d\theta = \frac{1}{4}\int_0^{\pi/3} \{(4a\cos\theta)^4 - (2a)^4\}\sin^2\theta\, d\theta$$

$$= 4a^4\int_0^{\pi/3} (16\cos^4\theta - 1)\sin^2\theta\, d\theta = \frac{4\pi + 9\sqrt{3}}{6}a^4 = \frac{4\pi + 9\sqrt{3}}{2(2\pi + 3\sqrt{3})}a^2 A$$

$$I_y = \iint\limits_{R} x^2\, dA = \int_0^{\pi/3} \int_{2a}^{4a\cos\theta} (\rho\cos\theta)^2\,\rho\, d\rho\, d\theta = \frac{12\pi + 11\sqrt{3}}{2}a^4 = \frac{3(12\pi + 11\sqrt{3})}{2(2\pi + 3\sqrt{3})}a^2 A$$

$$I_0 = I_x + I_y = \frac{20\pi + 21\sqrt{3}}{3}a^4 = \frac{20\pi + 21\sqrt{3}}{2\pi + 3\sqrt{3}}a^2 A.$$

12. Bestimme I_x, I_y und I_0 der Kreisfläche $\rho = 2(\sin \theta + \cos \theta)$!

Aus $x^2 + y^2 = \rho^2$ folgt

$$I_0 = \iint\limits_R (x^2 + y^2)\, dA = \int_{-\frac{1}{4}\pi}^{\frac{3}{4}\pi} \int_0^{2(\sin \theta + \cos \theta)} \rho^2 \cdot \rho\, d\rho\, d\theta$$

$$= 4 \int_{-\frac{1}{4}\pi}^{\frac{3}{4}\pi} (\sin \theta + \cos \theta)^4\, d\theta$$

$$= 4 \left[\frac{3}{2}\theta - \cos 2\theta - \frac{1}{8}\sin 4\theta \right]_{-1/4\,\pi}^{3/4\,\pi} = 6\pi = 3A.$$

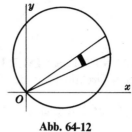

Abb. 64-12

Aus Abb. 64-12 ist ersichtlich, daß $I_x = I_y$ ist. Daher gilt $I_x = I_y = \frac{1}{2}I_0 = \frac{3}{2}A$.

ERGÄNZUNGSAUFGABEN

13. Benutze Doppelintegration, um folgende Flächen zu bestimmen!

(a) begrenzt durch $3x + 4y = 24$, $x = 0$, $y = 0$ *Lsg.* 24 Quadrateinheiten.

(b) begrenzt durch $x + y = 2$, $2y = x + 4$, $y = 0$ *Lsg.* 6   Quadrateinheiten.

(c) begrenzt durch $x^2 = 4y$, $8y = x^2 + 16$ *Lsg.* 32/3 Quadrateinheiten.

(d) innerhalb $\rho = 2(1 - \cos \theta)$ *Lsg.* 6π Quadrateinheiten.

(e) begrenzt durch $\rho = \tan \theta \sec \theta$ und $\theta = \pi/3$ *Lsg.* $\frac{1}{2}\sqrt{3}$ Quadrateinheiten.

(f) außerhalb $\rho = 4$ innerhalb $\rho = 8 \cos \theta$.   *Lsg.* $8(\frac{2}{3}\pi + \sqrt{3})$ Quadrateinheiten.

14. Bestimme die Lage der Schwerpunkte folgender Flächen!

(a) Aufg. 13(a).   *Lsg.* $(8/3, 2)$.

(b) die Fläche im ersten Quadranten von Aufg. 13(c).   *Lsg.* $(3/2, 8/5)$.

(c) die Fläche im ersten Quadranten begrenzt von $y^2 = 6x$, $y = 0$, $x = 6$ *Lsg.* $(18/5, 9/4)$.

(d) begrenzt durch $y^2 = 4x$, $x^2 = 5 - 2y$, $x = 0$ *Lsg.* $(13/40, 26/15)$.

(e) im ersten Quadranten begrenzt durch $x^2 - 8y + 4 = 0$, $x^2 = 4y$, $x = 0$ *Lsg.* $(3/4, 2/5)$.

(f) Aufg. 13(e).   *Lsg.* $(\frac{1}{2}\sqrt{3}, 6/5)$.

(g) die Fläche im ersten Quadranten von Aufg. 13(f).   *Lsg.* $\left(\dfrac{16\pi + 6\sqrt{3}}{2\pi + 3\sqrt{3}}, \dfrac{22}{2\pi + 3\sqrt{3}} \right)$.

15. Verifiziere $\dfrac{1}{2} \displaystyle\int_\alpha^\beta [g_2^2(\theta) - g_1^2(\theta)]\, d\theta = \int_\alpha^\beta \int_{g_1(\theta)}^{g_2(\theta)} \rho\, d\rho\, d\theta = \iint\limits_R dA$; folgere dann

$$\iint\limits_R f(x, y)\, dA = \iint\limits_R f(\rho \cos \theta, \rho \sin \theta)\, \rho\, d\rho\, d\theta \ !$$

16. Bestimme I_x und I_y folgender Flächen!

(a) Aufg. 13(a).   *Lsg.* $I_x = 6A$, $I_y = \frac{32}{3}A$.

(b) der Abschnitt von $y^2 = 8x$ durch die Senkrechte durch den Brennpunkt.   *Lsg.* $I_x = \frac{16}{5}A$, $I_y = \frac{12}{7}A$.

(c) begrenzt von $y = x^2$ und $y = x$.   *Lsg.* $I_x = \frac{3}{14}A$, $I_y = \frac{3}{10}A$.

(d) begrenzt von $y = 4x - x^2$ und $y = x$.   *Lsg.* $I_x = \frac{459}{70}A$, $I_y = \frac{27}{10}A$.

17. Bestimme I_x und I_y für eine Schleife von $\rho^2 = \cos 2\theta$!   *Lsg.* $I_x = \left(\dfrac{\pi}{16} - \dfrac{1}{6} \right)A$, $I_y = \left(\dfrac{\pi}{16} + \dfrac{1}{6} \right)A$.

18. Bestimme I_0 der folgenden Flächen!

(a) die Schleife von $\rho = \sin 2\theta$.   *Lsg.* $\frac{3}{8}A$.   (b) Inneres von $\rho = 1 + \cos \theta$.   *Lsg.* $\frac{35}{24}A$.

KAPITEL 65

Volumen unter einer Fläche
Doppelintegration

DAS VOLUMEN UNTER EINER FLÄCHE $z = f(x, y)$ oder $z = f(\rho, \theta)$, d.h., das Volumen einer senkrechten Säule, deren Deckfläche in der Fläche liegt und deren Grundfläche in der xOy-Ebene liegt, ist definiert

durch das Doppelintegral $V = \iint\limits_{R} z\, dA$, wobei der Bereich R die Grundfläche der Säule ist.

AUFGABEN MIT LÖSUNGEN

1. Bestimme das Volumen im ersten Oktant zwischen den Ebenen $z = 0$ und $z = x + y + 2$ und innerhalb des Zylinders $x^2 + y^2 = 16$!

Aus Abb. 65-1 ist ersichtlich, daß $z = x + y + 2$ über einen Quadranten des Kreises $x^2 + y^2 = 16$ in der xOy-Ebene integriert werden muß. Daher gilt

$$V = \iint\limits_{R} z\, dA = \int_{0}^{4} \int_{0}^{\sqrt{16-x^2}} (x + y + 2)\, dy\, dx = \int_{0}^{4} (x\sqrt{16-x^2} + 8 - \tfrac{1}{2}x^2 + 2\sqrt{16-x^2})\, dx$$

$$= \left[-\frac{1}{3}(16-x^2)^{3/2} + 8x - \frac{x^3}{6} + x\sqrt{16-x^2} + 16 \arcsin \frac{1}{4} x \right]_{0}^{4} = \left(\frac{128}{3} + 8\pi \right) \text{ Kubikeinheiten.}$$

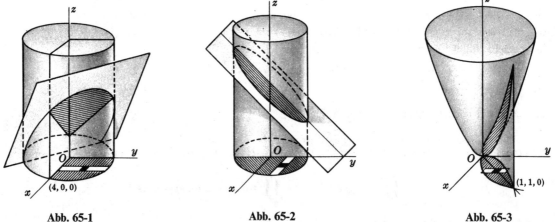

Abb. 65-1　　　　　**Abb. 65-2**　　　　　**Abb. 65-3**

2. Bestimme das Volumen, das durch den Zylinder $x^2 + y^2 = 4$ und die Ebenen $y + z = 4$ und $z = 0$ begrenzt wird!

Aus Abb. 65-2 ist ersichtlich, daß $z = 4 - y$ über den Kreis $x^2 + y^2 = 4$ in der xOy-Ebene integriert werden muß.

Daher ist

$$V = \int_{-2}^{2} \int_{-\sqrt{4-y^2}}^{\sqrt{4-y^2}} (4-y)\, dx\, dy = 2 \int_{-2}^{2} \int_{0}^{\sqrt{4-y^2}} (4-y)\, dx\, dy = 16\pi \text{ Kubikeinheiten.}$$

316

3. Bestimme das Volumen, das nach oben durch das Paraboloid $x^2 + 4y^2 = z$, nach unten durch die Ebene $z = 0$ und seitlich durch die Zylinder $y^2 = x$ und $x^2 = y$ begrenzt wird! Siehe Abb. 65-3!

Das gesuchte Volumen erhält man, indem man $z = x^2 + 4y^2$ über den Bereich R integriert, der von den beiden Parabeln $y^2 = x$ und $x^2 = y$ in der xOy-Ebene eingeschlossen wird. Daher gilt

$$V \;=\; \int_0^1 \int_{x^2}^{\sqrt{x}} (x^2 + 4y^2)\, dy\, dx \;=\; \int_0^1 \left(x^2 y + \frac{4}{3} y^3 \right)\Big]_{x^2}^{\sqrt{x}} dx \;=\; \frac{3}{7} \text{ Kubikeinheiten.}$$

4. Bestimme das Volumen eines der Keile, die vom Zylinder $4x^2 + y^2 = a^2$ durch die Ebenen $z = 0$ und $z = my$ abgeschnitten werden! Siehe Abb. 65-4!

Das Volumen erhält man, indem man $z = my$ über die halbe Ellipse $4x^2 + y^2 = a^2$ integriert. Daher ist

$$V \;=\; 2\int_0^{a/2} \int_0^{\sqrt{a^2 - 4x^2}} my\, dy\, dx \;=\; m\int_0^{a/2} y^2 \Big]_0^{\sqrt{a^2-4x^2}} dx \;=\; \frac{ma^3}{3} \text{ Kubikeinheiten.}$$

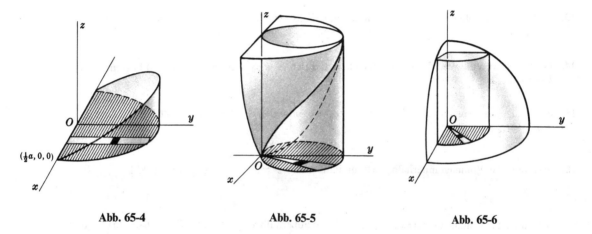

$(\tfrac{1}{2}a, 0, 0)$

Abb. 65-4   Abb. 65-5   Abb. 65-6

5. Bestimme das Volumen, das vom Paraboloid $x^2 + y^2 = 4z$, dem Zylinder $x^2 + y^2 = 8y$ und der Ebene $z = 0$ eingeschlossen wird! Siehe Abb. 65-5!

Das gesuchte Volumen erhält man, indem man $z = \frac{1}{4}(x^2 + y^2)$ über den Kreis $x^2 + y^2 = 8y$ integriert. Mit Zylinder-Koordinaten erhält man das Volumen durch Integration von $z = \frac{1}{4}\varrho^2$ über den Kreis $\varrho = 8\sin\theta$. Dann ist

$$V \;=\; \iint_R z\, dA \;=\; \int_0^\pi \int_0^{8\sin\theta} z\rho\, d\rho\, d\theta \;=\; \frac{1}{4}\int_0^\pi \int_0^{8\sin\theta} \rho^3\, d\rho\, d\theta$$

$$=\; \frac{1}{16}\int_0^\pi \rho^4 \Big]_0^{8\sin\theta} d\theta \;=\; 256\int_0^\pi \sin^4\theta\, d\theta \;=\; 96\pi \text{ Kubikeinheiten.}$$

6. Bestimme das Volumen, das aus einer Kugel mit dem Radius $2a$ herausgebohrt wird, wenn das Loch den Radius a hat und die Achse des Lochs ein Durchmesser der Kugel ist! Siehe Abb. 65-6!

Aus der Abbildung sieht man, daß das gesuchte Volumen das Achtfache des Volumens ist, das im ersten Oktanten durch den Zylinder $\rho^2 = a^2$, die Kugel $\rho^2 + z^2 = 4a^2$ und die Ebene $z = 0$ begrenzt wird. Letzteres erhält man durch Integration von $z = \sqrt{4a^2 - \rho^2}$ über einen Quadranten des Kreises $\rho = a$. Daher ist

$$V \;=\; 8\int_0^{\pi/2} \int_0^a \sqrt{4a^2 - \rho^2}\, \rho\, d\rho\, d\theta \;=\; \frac{8}{3}\int_0^{\pi/2} (8a^3 - 3\sqrt{3}\, a^3)\, d\theta \;=\; \frac{4}{3}(8 - 3\sqrt{3}\,)a^3\pi \text{ Kubikeinheiten.}$$

ERGÄNZUNGSAUFGABEN

7. Bestimme das Volumen, das von $9x^2 + 4y^2 + 36z = 36$ durch die Ebene $z = 0$ abgeschnitten wird!
Lsg. 3π Kubikeinheiten (K. E.).

8. Bestimme das Volumen unter $z = 3x$ und über der Fläche des ersten Quadranten, das durch $x = 0$, $y = 0$, $x = 4$ und $x^2 + y^2 = 25$ begrenzt wird!   *Lsg.* 98 K.E.

9. Bestimme das Volumen, das im ersten Oktanten durch $x^2 + z = 9$, $3x + 4y = 24$, $x = 0$, $y = 0$ und $z = 0$ begrenzt wird!   *Lsg.*1485/16 K.E.

10. Bestimme das Volumen, das im ersten Oktanten durch $xy = 4z$, $y = x$ und $x = 4$ begrenzt wird!
Lsg. 8 K.E.

11. Bestimme das Volumen, das im ersten Oktanten durch $x^2 + y^2 = 25$ und $z = y$ begrenzt wird!
Lsg. 125/3 K.E.

12. Bestimme das Volumen, das die Zylinder $x^2 + y^2 = 16$ und $x^2 + z^2 = 16$ gemeinsam haben!
Lsg. 1024/3 K.E.

13. Bestimme das Volumen im ersten Oktanten innerhalb $y^2 + z^2 = 9$ und außerhalb $y^2 = 3x$!   *Lsg.* $27\pi/16$ K.E.

14. Bestimme das Volumen, das im ersten Oktanten durch $x^2 + z^2 = 16$ und $x - y = 0$ begrenzt wird!
Lsg. 64/3 K.E.

15. Bestimme das Volumen vor $x = 0$, das $y^2 + z^2 = 4$ und $y^2 + z^2 + 2x = 16$ einschließt!
Lsg. 28π K.E.

16. Bestimme das Volumen innerhalb $\rho = 2$ und außerhalb $z^2 = \rho^2$.   *Lsg.* $32\pi/3$ K.E.

17. Bestimme das Volumen innerhalb $y^2 + z^2 = 2$ und außerhalb $x^2 - y^2 - z^2 = 2$.   *Lsg.* $8\pi(4 - \sqrt{2})/3$ K.E.

18. Bestimme das Volumen, das $\rho^2 + z^2 = a^2$ und $\rho = a \sin \theta$ einschließt!   *Lsg.* $2(3\pi - 4)a^3/9$ K.E.

19. Bestimme das Volumen in $x^2 + y^2 = 9$, das nach unten durch $x^2 + y^2 + 4z = 16$ und nach oben durch $z = 4$ begrenzt wird!   *Lsg.* $81\pi/8$ K.E.

20. Bestimme das Volumen, das durch $z - y = 2$ von $4x^2 + y^2 = 4z$ abgeschnitten wird!
Lsg. 9π K.E.

21. Bestimme das Volumen, das ein um die Polarachse rotierendes Kardioid erzeugt!
Lsg. $V = 2\pi \iint y \rho \, d\rho \, d\theta = 64\pi/3$ K.E.

22. Bestimme das Volumen, das ein um eine Achse rotierendes Blatt $\rho = \sin 2\theta$ erzeugt!
Lsg. $32\pi/105$ K.E.

23. Ein quadratisches Loch von 2 Einheiten Seitenlänge wird symmetrisch durch eine Kugel vom Radius 2 Einheiten geschnitten. Zeige, daß das herausgeschnittene Volumen $\frac{4}{3}(2\sqrt{2} + 19\pi - 54 \text{ Arctan } \sqrt{2})$ K.E. ist!

KAPITEL 66

Inhalte gekrümmter Flächen
Doppelintegration

UM DIE LÄNGE EINES KURVENSTÜCKS AUSZURECHNEN, wird (1) die Kurve auf eine geeignete Koordinatenachse projiziert, wodurch ein Intervall auf der Achse festgelegt wird, und wird (2) eine zu integrierende Funktion, $\sqrt{1 + \left(\dfrac{dy}{dx}\right)^2}$, falls auf die x-Achse oder $\sqrt{1 + \left(\dfrac{dx}{dy}\right)^2}$, falls auf die y-Achse projiziert wurde, über dieses Intervall integriert.

Mit einem ähnlichen Vorgang wird der Flächeninhalt S eines Teils R' einer Fläche $z = f(x, y)$ berechnet:

(1) R' wird auf eine geeignete Koordinatenebene projiziert, wodurch ein Bereich R auf der Ebene festgelegt wird.

(2) Eine Integrand-Funktion wird über R integriert.

Falls R' auf xOy projiziert wird: $\quad S \;=\; \iint\limits_{R} \sqrt{1 + \left(\dfrac{\partial z}{\partial x}\right)^2 + \left(\dfrac{\partial z}{\partial y}\right)^2}\, dA.$

Falls R' auf yOz projiziert wird: $\quad S \;=\; \iint\limits_{R} \sqrt{1 + \left(\dfrac{\partial x}{\partial y}\right)^2 + \left(\dfrac{\partial x}{\partial z}\right)^2}\, dA.$

Falls R' auf zOx projiziert wird: $\quad S \;=\; \iint\limits_{R} \sqrt{1 + \left(\dfrac{\partial y}{\partial x}\right)^2 + \left(\dfrac{\partial y}{\partial z}\right)^2}\, dA.$

AUFGABEN MIT LÖSUNGEN

1. Betrachte einen Bereich R' mit dem Flächeninhalt S auf der Fläche $z = f(x, y)$. Durch den Rand von R' gehe ein senkrechter Zylinder (siehe Abb. 66-1), der die xOy Ebene im Bereich R schneidet. Man teile nun R in n Teilbereiche ΔA_i (mit dem Inhalt ΔA_i) auf und bezeichne mit ΔS_i den Bereich der Projektion von ΔA_i auf R'. In jedem der Teilbereiche ΔS_i wähle einen Punkt P_i und zeichne darin die Tangentialebene an die Fläche. Die Fläche der Projektion von ΔA_i auf diese Tangentialebene sei mit ΔT_i bezeichnet. Dann kann man ΔT_i als Näherung des zugehörigen Teilflächeninhalts ΔS_i benutzen.

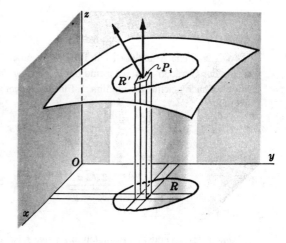

Abb. 66-1

Nun ist der Winkel zwischen der xOy Ebene und der Tangentialebene in P_i gleich dem Winkel γ_i zwischen der z-Achse, $[0, 0, 1]$, und der Normalen auf die Fläche in

$P_i \left[-\dfrac{\partial f}{\partial x}, -\dfrac{\partial f}{\partial y}, 1\right] = \left[-\dfrac{\partial z}{\partial x}, -\dfrac{\partial z}{\partial y}, 1\right]$; also ist

$$\cos \gamma_i \;=\; \frac{1}{\sqrt{\left(\dfrac{\partial z}{\partial x}\right)^2 + \left(\dfrac{\partial z}{\partial y}\right)^2 + 1}}.$$

319

Dann ist (siehe Abb. 66-2),

$$\Delta T_i \cdot \cos \gamma_i = \Delta A_i \qquad \text{und} \qquad \Delta T_i = \sec \gamma_i \cdot \Delta A_i.$$

Daher ist $\sum_{i=1}^{n} \Delta T_i = \sum_{i=1}^{n} \sec \gamma_i \cdot \Delta A_i$ eine Näherung für S und

$$S = \lim_{n \to +\infty} \sum_{i=1}^{n} \sec \gamma_i \cdot \Delta A_i = \iint_R \sec \gamma \cdot dA$$

$$= \iint_R \sqrt{\left(\frac{\partial z}{\partial x}\right)^2 + \left(\frac{\partial z}{\partial y}\right)^2 + 1}\, dA.$$

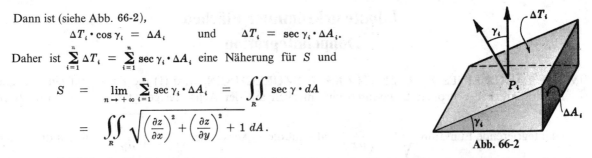

Abb. 66-2

2. Bestimme die Fläche des Kegelabschnitts $x^2 + y^2 = 3z^2$ oberhalb der xOy-Ebene und innerhalb des Zylinders $x^2 + y^2 = 4y$.

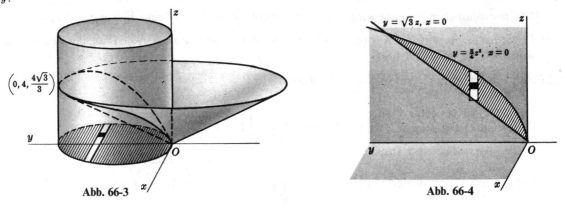

Abb. 66-3   Abb. 66-4

Lösung 1. Siehe Abb. 66-3! Die Projektion der gesuchten Fläche auf die xOy-Ebene ist der Bereich R, der vom Kreis $x^2 + y^2 = 4y$ eingeschlossen wird. Für den Kegel ist

$$\frac{\partial z}{\partial x} = \frac{1}{3} \cdot \frac{x}{z}, \quad \frac{\partial z}{\partial y} = \frac{1}{3} \cdot \frac{y}{z} \quad \text{und } 1 + \left(\frac{\partial z}{\partial x}\right)^2 + \left(\frac{\partial z}{\partial y}\right)^2 = \frac{9z^2 + x^2 + y^2}{9z^2} = \frac{12z^2}{9z^2} = \frac{4}{3}.$$

$$S = \iint_R \sqrt{1 + \left(\frac{\partial z}{\partial x}\right)^2 + \left(\frac{\partial z}{\partial y}\right)^2}\, dA = \int_0^4 \int_{-\sqrt{4y-y^2}}^{\sqrt{4y-y^2}} \frac{2}{\sqrt{3}}\, dx\, dy = 2\left(\frac{2}{\sqrt{3}}\right) \int_0^4 \int_0^{\sqrt{4y-y^2}} dx\, dy$$

$$= \frac{4}{\sqrt{3}} \int_0^4 \sqrt{4y - y^2}\, dy = \frac{8\sqrt{3}}{3}\pi \qquad \text{Quadrateinheiten.}$$

Lösung 2. Siehe Abb. 66-4! Die Projektion einer Hälfte der gesuchten Fläche auf die yOz-Ebene ist der Bereich R, der von der Geraden $y = \sqrt{3}\, z$ und der Parabel $y = \frac{3}{4}z^2$ begrenzt wird, wobei man letztere erhält, indem man x in den beiden Flächengleichungen eliminiert. Für den Kegel gilt

$$\frac{\partial x}{\partial y} = -\frac{y}{x}, \quad \frac{\partial x}{\partial z} = \frac{3z}{x} \quad \text{und} \quad 1 + \left(\frac{\partial x}{\partial y}\right)^2 + \left(\frac{\partial x}{\partial z}\right)^2 = \frac{x^2 + y^2 + 9z^2}{x^2} = \frac{12z^2}{x^2} = \frac{12z^2}{3z^2 - y^2}.$$

Daher folgt

$$S = 2 \int_0^4 \int_{y/\sqrt{3}}^{2\sqrt{y}/\sqrt{3}} \frac{2\sqrt{3}\, z}{\sqrt{3z^2 - y^2}}\, dz\, dy = \frac{4\sqrt{3}}{3} \int_0^4 \sqrt{3z^2 - y^2}\Big]_{y/\sqrt{3}}^{2\sqrt{y}\,\sqrt{3}}\, dy = \frac{4\sqrt{3}}{3} \int_0^4 \sqrt{4y - y^2}\, dy.$$

Lösung 3. Mit Zylinderkoordinaten in *Lösung 1* ist $\sqrt{1 + \left(\frac{\partial z}{\partial x}\right)^2 + \left(\frac{\partial z}{\partial y}\right)^2} = \frac{2}{\sqrt{3}}$ über den Bereich R zu integrieren, der vom Kreis $\rho = 4\sin\theta$ eingeschlossen wird. Dann ist

$$S = \iint_R \frac{2}{\sqrt{3}}\, dA = \int_0^\pi \int_0^{4\sin\theta} \frac{2}{\sqrt{3}} \rho\, d\rho\, d\theta = \frac{1}{\sqrt{3}} \int_0^\pi \rho^2\Big]_0^{4\sin\theta}\, d\theta$$

$$= \frac{16}{\sqrt{3}} \int_0^\pi \sin^2\theta\, d\theta = \frac{8\sqrt{3}}{3}\pi \quad \text{Quadrateinheiten.}$$

3. Bestimme die Fläche des Teils des Zylinders $x^2 + z^2 = 16$, der im Zylinder $x^2 + y^2 = 16$ liegt!

Abb. 66-5 zeigt ein Achtel der gesuchten Fläche. Seine Projektion auf die xOy-Ebene ist ein Quadrant des Kreises $x^2 + y^2 = 16$. Für den Zylinder $x^2 + z^2 = 16$ ist

$$\frac{\partial z}{\partial x} = -\frac{x}{z}, \quad \frac{\partial z}{\partial y} = 0 \quad \text{und} \quad 1 + \left(\frac{\partial z}{\partial x}\right)^2 + \left(\frac{\partial z}{\partial y}\right)^2 = \frac{x^2 + z^2}{z^2} = \frac{16}{16 - x^2}.$$

Dann ist

$$S = 8 \int_0^4 \int_0^{\sqrt{16-x^2}} \frac{4}{\sqrt{16-x^2}} \, dy \, dx = 32 \int_0^4 dx = 128 \text{ Quadrateinheiten.}$$

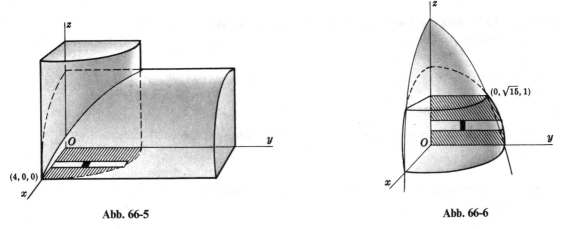

Abb. 66-5   Abb. 66-6

4. Bestimme die Fläche des Teils der Kugel $x^2 + y^2 + z^2 = 16$ außerhalb des Paraboloids $x^2 + y^2 + z = 16$!

Abb. 66-6 zeigt ein Viertel der gesuchten Fläche. Die Projektion auf die yOz-Ebene ist der Bereich R, der vom Kreis $y^2 + z^2 = 16$, der x- und y-Achse und der Geraden $z = 1$ begrenzt wird. Für die Kugel gilt:

$$\frac{\partial x}{\partial y} = -\frac{y}{x}, \quad \frac{\partial x}{\partial z} = -\frac{z}{x} \quad \text{und} \quad 1 + \left(\frac{\partial x}{\partial y}\right)^2 + \left(\frac{\partial x}{\partial z}\right)^2 = \frac{x^2 + y^2 + z^2}{x^2} = \frac{16}{16 - y^2 - z^2}.$$

Also

$$S = 4 \iint_R \sqrt{1 + \left(\frac{\partial x}{\partial y}\right)^2 + \left(\frac{\partial x}{\partial z}\right)^2} \, dA = 4 \int_0^1 \int_0^{\sqrt{16-z^2}} \frac{4}{\sqrt{16 - y^2 - z^2}} \, dy \, dz$$

$$= 16 \int_0^1 \arcsin \frac{y}{\sqrt{16-z^2}} \bigg]_0^{\sqrt{16-z^2}} dz = 16 \int_0^1 \frac{1}{2}\pi \, dz = 8\pi \text{ Quadrateinheiten.}$$

5. Bestimme die Fläche des Teils des Zylinders $x^2 + y^2 = 6y$, der in der Kugel $x^2 + y^2 + z^2 = 36$ liegt!

Abb. 66-7 zeigt ein Viertel der gesuchten Fläche. Seine Projektion auf die yOz-Ebene ist der Bereich R, der durch die z-und y-Achse und die Parabel $z^2 + 6y = 36$ begrenzt wird, wobei letztere durch Elimination von x aus den beiden Flächengleichungen hergeleitet wird. Für den Zylinder ist

$$\frac{\partial x}{\partial y} = \frac{3-y}{x}, \quad \frac{\partial x}{\partial z} = 0$$

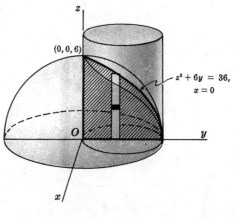

und

$$1 + \left(\frac{\partial x}{\partial y}\right)^2 + \left(\frac{\partial x}{\partial z}\right)^2 = \frac{x^2 + 9 - 6y + y^2}{x^2} = \frac{9}{6y - y^2}.$$

Dann ist

$$S = 4 \int_0^6 \int_0^{\sqrt{36-6y}} \frac{3}{\sqrt{6y - y^2}} \, dz \, dy$$

$$= 12 \int_0^6 \frac{\sqrt{6}}{\sqrt{y}} \, dy = 144 \text{ Quadrateinheiten.}$$

Abb. 66-7

ERGÄNZUNGSAUFGABEN

6. Bestimme die Fläche des Teils des Kegels $x^2 + y^2 = z^2$, der in einem senkrechten Prisma liegt, dessen Basis das Dreieck der Geraden $y = x$, $x = 0$ und $y = 1$ in der xOy-Ebene ist!   *Lsg.* $\frac{1}{2}\sqrt{2}$ Quadrateinheiten (Q.E.)

7. Bestimme die Fläche des Ebenenteils $x + y + z = 6$ im Zylinder $x^2 + y^2 = 4$!
Lsg. $4\sqrt{3}\,\pi$ Q.E.

8. Bestimme die Fläche des Kugelabschnitts $x^2 + y^2 + z^2 = 36$ im Zylinder $x^2 + y^2 = 6y$!
Lsg. $72(\pi - 2)$ Q.E.

9. Bestimme die Fläche des Kugelabschnitts $x^2 + y^2 + z^2 = 4z$ im Paraboloid $x^2 + y^2 = z$!
Lsg. 4π Q.E.

10. Bestimme die Fläche des Kugelabschnitts $x^2 + y^2 + z^2 = 25$ zwischen den Ebenen $z = 2$ und $z = 4$!
Lsg. 20π Q.E.

11. Bestimme den Flächeninhalt des Teils von $z = xy$ innerhalb des Zylinders $x^2 + y^2 = 1$!
Lsg. $2\pi(2\sqrt{2} - 1)/3$ Q.E.

12. Bestimme den Flächeninhalt des Teils von $x^2 + y^2 - 9z^2 = 0$, der über der Ebene $z = 0$ und innerhalb des Zylinders $x^2 + y^2 = 6y$ liegt!   *Lsg.* $3\sqrt{10}\,\pi$ Q.E.

13. Bestimme die Fläche des Teils der Kugel $x^2 + y^2 + z^2 = 25$, der im elliptischen Zylinder $2x^2 + y^2 = 25$ liegt!
Lsg. 50π Q.E.

14. Bestimme die Fläche des Teils von $x^2 + y^2 - az = 0$, der direkt über der Lemniskate $4\rho^2 = a^2 \cos 2\theta$ liegt!

Lsg. $S = \dfrac{4}{a} \iint \sqrt{4\rho^2 + a^2}\,\rho\,d\rho\,d\theta = \dfrac{a^2}{3}\left\{\dfrac{5}{3} - \dfrac{\pi}{4}\right\}$ Q.E.

15. Bestimme die Fläche des Teils von $x^2 + y^2 + z^2 = 4$, der direkt über dem Kardioid $\rho = 1 - \cos\theta$ liegt!
Lsg. $8[\pi - \sqrt{2} - \ln(\sqrt{2} + 1)]$ Q.E.

7

KAPITEL 67

Dreifachintegrale

DAS DREIFACHINTEGRAL $\iiint_R f(x, y, z)\, dV$ einer Funktion von drei unabhängigen Veränderlichen

über einer kompakten Menge R von Punkten (x, y, z), vom Volumen V, auf dem die Funktion eindeutig und stetig ist, ist eine Erweiterung des einfachen und doppelten Integrals. Wenn $f(x, y, z) = 1$ ist, kann

man $\iiint_R f(x, y, z)\, dV$ als Maß für das Volumen der Menge R betrachten.

BERECHNUNG DES DREIFACHINTEGRALS $\iiint_R f(x, y, z)\, dV$ in Kugelkoordinaten

$$\iiint_R f(x, y, z)\, dV \;=\; \int_a^b \int_{y_1(x)}^{y_2(x)} \int_{z_1(x,y)}^{z_2(x,y)} f(x, y, z)\, dz\, dy\, dx$$

$$=\; \int_c^d \int_{x_1(y)}^{x_2(y)} \int_{z_1(x,y)}^{z_2(x,y)} f(x, y, z)\, dz\, dx\, dy \quad \text{usw.,}$$

wobei die Integrationsgrenzen so gewählt werden, daß sie die Menge R überdecken.

BERECHNUNG DES DREIFACHINTEGRALS $\iiint_R f(\rho, \theta, z)\, dV$ in Zylinderkoordinaten

$$\iiint_R f(\rho, \theta, z)\, dV \;=\; \int_\alpha^\beta \int_{\rho_1(\theta)}^{\rho_2(\theta)} \int_{z_1(\rho,\theta)}^{z_2(\rho,\theta)} f(\rho, \theta, z)\, \rho\, dz\, d\rho\, d\theta,$$

wobei die Integrationsgrenzen so gewählt sind, daß die Menge R überdeckt wird.

BERECHNUNG DES DREIFACHINTEGRALS $\iiint_R f(\rho, \phi, \theta)\, dV$ in Kugelkoordinaten

$$\iiint_R f(\rho, \phi, \theta)\, dV \;=\; \int_\alpha^\beta \int_{\phi_1(\theta)}^{\phi_2(\theta)} \int_{\rho_1(\phi,\theta)}^{\rho_2(\phi,\theta)} f(\rho, \phi, \theta)\, \rho^2 \sin\phi\, d\rho\, d\phi\, d\theta,$$

wobei die Integrationsgrenzen so gewählt sind, daß die Menge R überdeckt wird.

SCHWERPUNKTE UND TRÄGHEITSMOMENTE. Die Koordinaten $(\bar{x}, \bar{y}, \bar{z})$ des *Schwerpunkts eines Volumens* genügen den Bedingungen

$$\bar{x} \iiint_R dV = \iiint_R x\, dV, \quad \bar{y} \iiint_R dV = \iiint_R y\, dV,$$

$$\bar{z} \iiint_R dV = \iiint_R z\, dV.$$

Die *Trägheitsmomente eines Volumens* bezüglich der Koordinaten-Achsen sind gegeben durch

$$I_x = \iiint_R (y^2 + z^2)\, dV, \quad I_y = \iiint_R (z^2 + x^2)\, dV,$$

$$I_z = \iiint_R (x^2 + y^2)\, dV.$$

AUFGABEN MIT LÖSUNGEN

1. Betrachte die Funktion $f(x, y, z)$, die auf einem Bereich des gewöhnlichen Raums stetig ist. Nach Aufteilung von R durch Ebenen $x = \xi_i$ und $y = \eta_j$, wie in Kapitel 63, mögen diese Teilbereiche weiter durch Ebenen $z = \zeta_k$ aufgeteilt werden. Dann ist der Bereich R aufgeteilt in eine Menge von Quadern vom Volumen $\Delta V_{ijk} = \Delta x_i \cdot \Delta y_j \cdot \Delta z_k$ und eine Menge von Parallelepipeden, die wir vernachlässigen können. In jedem Rechteck werde nun ein Punkt $P_{ijk}(x_i, y_j, z_k)$ ausgewählt. Dafür berechne $f(x_i, y_j, z_k)$ und bilde die Summe

(i)
$$\sum_{\substack{i=1,\ldots,m \\ j=1,\ldots,n \\ k=1,\ldots,p}} f(x_i, y_j, z_k) \cdot \Delta V_{ijk} = \sum_{\substack{i=1,\ldots,m \\ j=1,\ldots,n \\ k=1,\ldots,p}} f(x_i, y_j, z_k)\, \Delta x_i\, \Delta y_j\, \Delta z_k.$$

Das Dreifachintegral von $f(x, y, z)$ über der Menge R ist als der Grenzwert von (i) definiert für unbeschränkt anwachsende Anzahl von Rechtecken derart, daß alle ihre Seitenlängen gegen 0 gehen.

Zur Berechnung dieses Grenzwerts können wir erst jede Menge von Quadern summieren, wobei $\Delta_i x$ und $\Delta_j y$ zwei Seitenlängen für feste i und j sind. Dann betrachten wir den Grenzwert für $\Delta_k z \to 0$. Wir haben

$$\lim_{p \to +\infty} \sum_{k=1}^{p} f(x_i, y_j, z_k)\, \Delta_k z\, \Delta_i x\, \Delta_j y = \int_{z_1}^{z_2} f(x_i, y_j, z)\, dz\, \Delta_i x\, \Delta_j y.$$

Das sind nun die Säulen aus Kapitel 63, von denen dort als Teilbereiche ausgegangen wurde. Daher

$$\lim_{\substack{m \to +\infty \\ n \to +\infty \\ p \to +\infty}} \sum_{\substack{i=1,\ldots,m \\ j=1,\ldots,n \\ k=1,\ldots,p}} f(x_i, y_j, z_k) \cdot \Delta V_{ijk} = \iiint_R f(x, y, z)\, dz\, dx\, dy = \iiint_R f(x, y, z)\, dz\, dy\, dx.$$

2. Berechne

(a)
$$\int_0^1 \int_0^{1-x} \int_0^{2-x} xyz\, dz\, dy\, dx$$

$$= \int_0^1 \left[\int_0^{1-x} \left\{ \int_0^{2-x} xyz\, dz \right\} dy \right] dx$$

$$= \int_0^1 \left[\int_0^{1-x} \left\{ \frac{xyz^2}{2} \Big|_{z=0}^{z=2-x} \right\} dy \right] dx = \int_0^1 \left[\int_0^{1-x} \frac{xy(2-x)^2}{2}\, dy \right] dx$$

$$= \int_0^1 \left[\frac{xy^2(2-x)^2}{4} \Big|_{y=0}^{y=1-x} \right] dx = \frac{1}{4} \int_0^1 (4x - 12x^2 + 13x^3 - 6x^4 + x^5)\, dx = \frac{13}{240}.$$

(b)
$$\int_0^{\pi/2} \int_0^1 \int_0^2 z\, \rho^2 \sin\theta\, dz\, d\rho\, d\theta$$

$$= \int_0^{\pi/2} \int_0^1 \frac{z^2}{2} \Big|_0^2 \rho^2 \sin\theta\, d\rho\, d\theta = 2 \int_0^{\pi/2} \int_0^1 \rho^2 \sin\theta\, d\rho\, d\theta$$

$$= \frac{2}{3} \int_0^{\pi/2} \rho^3 \Big|_0^1 \sin\theta\, d\theta = -\frac{2}{3} \cos\theta \Big|_0^{\pi/2} = 2/3.$$

(c)
$$\int_0^\pi \int_0^{\pi/4} \int_0^{\sec\phi} \sin 2\phi\, d\rho\, d\phi\, d\theta = 2 \int_0^\pi \int_0^{\pi/4} \sin\phi\, d\phi\, d\theta = 2 \int_0^\pi (1 - \tfrac{1}{2}\sqrt{2})\, d\theta = (2 - \sqrt{2})\pi.$$

3. Berechne das Dreifachintegral von $F(x, y, z) = z$ über dem Bereich R, der im ersten Oktanten durch die Ebenen $y = 0$, $z = 0$, $x + y = 2$, $2y + x = 6$ und den Zylinder $y^2 + z^2 = 4$ begrenzt wird! Siehe Abb. 67-1!

Man integriert erst bezüglich z von $z = 0$ (der xOy-Ebene) bis $z = \sqrt{4 - y^2}$ (dem Zylinder), dann bezüglich x von $x = 2 - y$ bis $x = 6 - 2y$ und schließlich bezüglich y von $y = 0$ bis $y = 2$. Dann ist

$$\iiint_R z\, dV = \int_0^2 \int_{2-y}^{6-2y} \int_0^{\sqrt{4-y^2}} z\, dz\, dx\, dy = \int_0^2 \int_{2-y}^{6-2y} (\tfrac{1}{2}z^2) \Big]_0^{\sqrt{4-y^2}} dx\, dy$$

$$= \frac{1}{2} \int_0^2 \int_{2-y}^{6-2y} (4 - y^2)\, dx\, dy = \frac{1}{2} \int_0^2 (4 - y^2)x \Big]_{2-y}^{6-2y} dy = \frac{26}{3}.$$

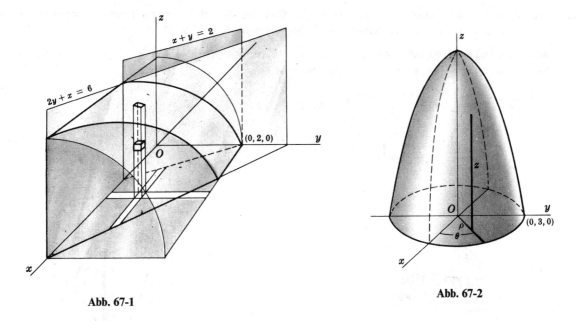

Abb. 67-1

Abb. 67-2

4. Berechne das Dreifachintegral von $f(\rho, \theta, z) = \rho^2$ über dem Bereich R, der vom dem Paraboloid $\rho^2 = 9 - z$ und der Ebene $z = 0$ begrenzt wird. Siehe Abb. 67-2!

Man integriere zuerst bezüglich z von $z = 0$ bis $z = 9 - \rho^2$, dann bezüglich ρ von $\rho = 0$ bis $\rho = 3$ und schließlich bezüglich θ von $\theta = 0$ bis $\theta = 2\pi$. Dann ist

$$\iiint_R \rho^2 \, dV = \int_0^{2\pi} \int_0^3 \int_0^{9-\rho^2} \rho^2 (\rho \, dz \, d\rho \, d\theta) = \int_0^{2\pi} \int_0^3 \rho^3 (9 - \rho^2) \, d\rho \, d\theta$$

$$= \int_0^{2\pi} \left(\tfrac{9}{4}\rho^4 - \tfrac{1}{6}\rho^6 \right) \Big]_0^3 \, d\theta = \int_0^{2\pi} \frac{243}{4} \, d\theta = \frac{243}{2} \pi.$$

5. Zeige, daß die Integrale $\quad (a) \quad 4 \int_0^4 \int_0^{\sqrt{16-x^2}} \int_{(x^2+y^2)/4}^4 dz \, dy \, dx \quad (b) \quad 4 \int_0^4 \int_0^{2\sqrt{z}} \int_0^{\sqrt{4z-x^2}} dy \, dx \, dz \quad$ und

$(c) \quad 4 \int_0^4 \int_{y^2/4}^4 \int_0^{\sqrt{4z-y^2}} dx \, dz \, dy \quad$ das gleiche Volumen ergeben!

(a) Hier variiert z von $z = \tfrac{1}{4}(x^2 + y^2)$ bis $z = 4$; d.h., das Volumen ist nach unten durch das Paraboloid $4z = x^2 + y^2$ und nach oben durch die Ebene $z = 4$ begrenzt. Der Variationsbereich von y und x deckt einen Quadranten des Kreises $x^2 + y^2 = 16$, $z = 0$ der Projektion der Schnittkurve vom Paraboloid mit der Ebene $z = 4$ auf die xOy-Ebene. Somit gibt das Integral gerade das Volumen an, das vom Paraboloid durch die Ebene $z = 4$ abgeschnitten wird.

(b) Hier variiert y von $y = 0$ bis $y = \sqrt{4z - x^2}$; d.h., das Volumen ist links von der zOx-Ebene und rechts vom Paraboloid $y^2 = 4z - x^2$ begrenzt. Die Variationsbereiche von x und z bedecken eine Hälfte der Fläche, die von der Parabel $x^2 = 4z$, $y = 0$, das ist die Schnittkurve des Paraboloids mit der zOx-Ebene, durch die Ebene $z = 4$ abgeschnitten wird. Der Bereich R ist der aus *(a)*.

(c) Hier wird das Volumen nach hinten durch die yOz-Ebene und nach vorne durch das Paraboloid $4z = x^2 + y^2$ begrenzt. Die Variationsbereiche von z und y bedecken eine Hälfte der Fläche, die von der Parabel $y^2 = 4z$, $x = 0$, der Schnittkurve des Paraboloids mit der yOz-Ebene, abgeschnitten wird. Der Bereich R ist der von *(a)*.

6. Berechne das Dreifachintegral von $F(\rho, \phi, \theta) = 1/\rho$ über dem Bereich R, der im ersten Oktanten von den Kegeln $\phi = \frac{1}{4}\pi$ und $\phi = \arctan 2$ und der Kugel $\rho = \sqrt{6}$ begrenzt wird! Siehe Abb. 67-3!

Man integriere erst bezüglich ρ von $\rho = 0$ bis $\rho = \sqrt{6}$, dann bezüglich ϕ von $\phi = \frac{1}{4}\pi$ bis $\phi = \arctan 2$ und schließlich bezüglich θ von $\theta = 0$ bis $\theta = \frac{1}{2}\pi$. Damit ist

$$\iiint_R \frac{1}{\rho} \, dV = \int_0^{\pi/2} \int_{\pi/4}^{\arctan 2} \int_0^{\sqrt{6}} \frac{1}{\rho} \rho^2 \sin \phi \, d\rho \, d\phi \, d\theta$$

$$= 3 \int_0^{\pi/2} \int_{\pi/4}^{\arctan 2} \sin \phi \, d\phi \, d\theta = -3 \int_0^{\pi/2} \left(\frac{1}{\sqrt{5}} - \frac{1}{\sqrt{2}} \right) d\theta = \frac{3\pi}{2} \left(\frac{1}{\sqrt{2}} - \frac{1}{\sqrt{5}} \right).$$

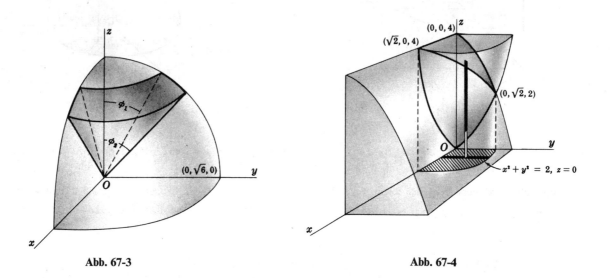

Abb. 67-3   **Abb. 67-4**

7. Bestimme das Volumen, das von dem Paraboloid $z = 2x^2 + y^2$ und dem Zylinder $z = 4 - y^2$ eingeschlossen wird! Siehe Abb. 67-4!

Integriere erst bezüglich z von $z = 2x^2 + y^2$ bis $z = 4 - y^2$, dann bezüglich y von $y = 0$ bis $y = \sqrt{2 - x^2}$ (man erhält $x^2 + y^2 = 2$ durch Elimination von z aus den Gleichungen der beiden Flächen) und schließlich bezüglich x von $x = 0$ bis $x = \sqrt{2}$ (dies erhält man aus $x^2 + y^2 = 2$ durch Setzen von $y = 0$), um ein Viertel des gesuchten Volumens zu erhalten. Also

$$V = 4 \int_0^{\sqrt{2}} \int_0^{\sqrt{2-x^2}} \int_{2x^2+y^2}^{4-y^2} dz \, dy \, dx = 4 \int_0^{\sqrt{2}} \int_0^{\sqrt{2-x^2}} \{(4 - y^2) - (2x^2 + y^2)\} \, dy \, dx$$

$$= 4 \int_0^{\sqrt{2}} \left(4y - 2x^2 y - \frac{2y^3}{3} \right) \Big]_0^{\sqrt{2-x^2}} dx = \frac{16}{3} \int_0^{\sqrt{2}} (2 - x^2)^{3/2} \, dx = 4\pi \text{ K.E.}$$

8. Bestimme das Volumen innerhalb des Zylinders $\rho = 4 \cos \theta$, das nach oben von der Kugel $\rho^2 + z^2 = 16$ und nach unten von der Ebene $z = 0$ begrenzt wird. Siehe Abb. 67-5!

Integriere erst bezüglich z von $z = 0$ bis $z = \sqrt{16 - \rho^2}$, dann bezüglich ρ von $\rho = 0$ bis $\rho = 4 \cos \theta$ und schließlich bezüglich θ von $\theta = 0$ bis $\theta = \pi$, um das gesuchte Volumen zu erhalten. Also gilt

$$V = \int_0^{\pi} \int_0^{4 \cos \theta} \int_0^{\sqrt{16-\rho^2}} \rho \, dz \, d\rho \, d\theta = \int_0^{\pi} \int_0^{4 \cos \theta} \rho \sqrt{16 - \rho^2} \, d\rho \, d\theta$$

$$= -\frac{64}{3} \int_0^{\pi} (\sin^3 \theta - 1) \, d\theta = \frac{64}{9} (3\pi - 4) \text{ K.E.}$$

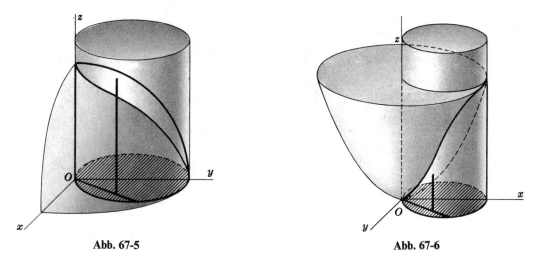

Abb. 67-5   **Abb. 67-6**

9. Bestimme die Schwerpunkt-Koordinaten des Volumens innerhalb des Zylinders $\rho = 2\cos\theta$, das von dem Paraboloid $z = \rho^2$ nach oben und von der Ebene $z = 0$ nach unten begrenzt wird! Siehe Abb. 67-6!

$$V = 2\int_0^{\pi/2}\int_0^{2\cos\theta}\int_0^{\rho^2}\rho\,dz\,d\rho\,d\theta = 2\int_0^{\pi/2}\int_0^{2\cos\theta}\rho^3\,d\rho\,d\theta$$

$$= \frac{1}{2}\int_0^{\pi/2}\rho^4\Big]_0^{2\cos\theta}d\theta = 8\int_0^{\pi/2}\cos^4\theta\,d\theta = \frac{3}{2}\pi$$

$$M_{yz} = \iiint_R x\,dV = 2\int_0^{\pi/2}\int_0^{2\cos\theta}\int_0^{\rho^2}\rho\cos\theta\cdot\rho\,dz\,d\rho\,d\theta$$

$$= 2\int_0^{\pi/2}\int_0^{2\cos\theta}\rho^4\cos\theta\,d\rho\,d\theta = \frac{64}{5}\int_0^{\pi/2}\cos^6\theta\,d\theta = 2\pi \quad\text{und}\quad \bar{x} = \frac{M_{yz}}{V} = \frac{4}{3}.$$

Aus Symmetriegründen ist $\bar{y} = 0$.

$$M_{xy} = \iiint_R z\,dV = 2\int_0^{\pi/2}\int_0^{2\cos\theta}\int_0^{\rho^2}z\cdot\rho\,dz\,d\rho\,d\theta = \int_0^{\pi/2}\int_0^{2\cos\theta}\rho^5\,d\rho\,d\theta$$

$$= \frac{32}{3}\int_0^{\pi/2}\cos^6\theta\,d\theta = \frac{5}{3}\pi \quad\text{und}\quad \bar{z} = \frac{M_{xy}}{V} = \frac{10}{9}.$$

Also sind die Schwerpunkt-Koordinaten $(4/3, 0, 10/9)$.

10. Bestimme für den Kegel vom Radius r und von der Höhe h (a) den Schwerpunkt, (b) das Trägheitsmoment bezüglich seiner Achse, (c) das Trägheitsmoment bezüglich irgendeiner Geraden durch seine Spitze senkrecht zur Achse, (d) das Trägheitsmoment bezüglich irgendeiner Geraden durch den Schwerpunkt senkrecht zur Kegelachse, (e) das Trägheitsmoment bezüglich irgendeines Durchmessers der Basisfläche!

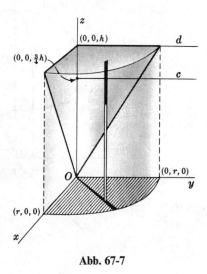

Legt man den Kegel wie in Abb. 67-7, so ist seine Gleichung $\rho = \dfrac{r}{h}z$.

Also gilt

$$V = 4\int_0^{\pi/2}\int_0^r\int_{\frac{h}{r}\rho}^h \rho\,dz\,d\rho\,d\theta$$

$$= 4\int_0^{\pi/2}\int_0^r\left(h\rho - \frac{h}{r}\rho^2\right)d\rho\,d\theta$$

$$= \frac{2}{3}hr^2\int_0^{\pi/2}d\theta = \frac{1}{3}\pi hr^2.$$

Abb. 67-7

(a) Der Schwerpunkt liegt auf der z-Achse. Es ist

$$
\begin{aligned}
M_{xy} &= \iiint_R z \, dV = 4 \int_0^{\pi/2} \int_0^r \int_{\frac{h}{r}\rho}^h z \, \rho \, dz \, d\rho \, d\theta \\
&= 2 \int_0^{\pi/2} \int_0^r \left(h^2\rho - \frac{h^2}{r^2}\rho^3 \right) d\rho \, d\theta = \frac{1}{2} h^2 r^2 \int_0^{\pi/2} d\theta = \frac{1}{4} \pi h^2 r^2
\end{aligned}
$$

und $\bar{z} = \dfrac{M_{xy}}{V} = \dfrac{3}{4} h$. Somit hat der Schwerpunkt die Koordinaten $(0, 0, \tfrac{3}{4}h)$.

(b) $\quad I_z = \iiint_R (x^2 + y^2) \, dV = 4 \int_0^{\pi/2} \int_0^r \int_{\frac{h}{r}\rho}^h \rho^2 \cdot \rho \, dz \, d\rho \, d\theta = \dfrac{1}{10} \pi h r^4 = \dfrac{3}{10} r^2 V.$

(c) Die Gerade sei die y-Achse!

$$
\begin{aligned}
I_y &= \iiint_R (x^2 + z^2) \, dV = 4 \int_0^{\pi/2} \int_0^r \int_{\frac{h}{r}\rho}^h (\rho^2 \cos^2\theta + z^2) \, \rho \, dz \, d\rho \, d\theta \\
&= 4 \int_0^{\pi/2} \int_0^r \left\{ \left(h\rho^3 - \frac{h}{r}\rho^4 \right) \cos^2\theta + \frac{1}{3}\left(h^3\rho - \frac{h^3}{r^3}\rho^4 \right) \right\} d\rho \, d\theta \\
&= \frac{1}{5} \pi h r^2 \left(h^2 + \frac{1}{4} r^2 \right) = \frac{3}{5}\left(h^2 + \frac{1}{4} r^2 \right) V.
\end{aligned}
$$

(d) Es sei c die Gerade durch den Schwerpunkt parallel zur y-Achse. Nach dem Satz über parallele Achsen ist

$$
I_y = I_c + V(\tfrac{3}{4}h)^2 \qquad \text{und} \qquad I_c = \tfrac{3}{5}(h^2 + \tfrac{1}{4}r^2)V - \tfrac{9}{16}h^2 V = \tfrac{3}{80}(h^2 + 4r^2)V.
$$

(e) Es sei d der Durchmesser der Basisfläche des Kegels parallel zur y-Achse. Dann ist

$$
I_d = I_c + V(\tfrac{1}{4}h)^2 = \tfrac{3}{80}(h^2 + 4r^2)V + \tfrac{1}{16}h^2 V = \tfrac{1}{20}(2h^2 + 3r^2)V.
$$

11. Bestimme das Volumen, das von der Kugel $\rho = 2a \cos\phi$ aus dem Kegel $\phi = \tfrac{1}{4}\pi$ geschnitten wird! Siehe Abb. 67-8!

$$
\begin{aligned}
V &= 4 \iiint_R dV = 4 \int_0^{\pi/2} \int_0^{\pi/4} \int_0^{2a\cos\phi} \rho^2 \sin\phi \, d\rho \, d\phi \, d\theta \\
&= \frac{32a^3}{3} \int_0^{\pi/2} \int_0^{\pi/4} \cos^3\phi \sin\phi \, d\phi \, d\theta = 2a^3 \int_0^{\pi/2} d\theta = \pi a^3 \text{ Kubikeinheiten.}
\end{aligned}
$$

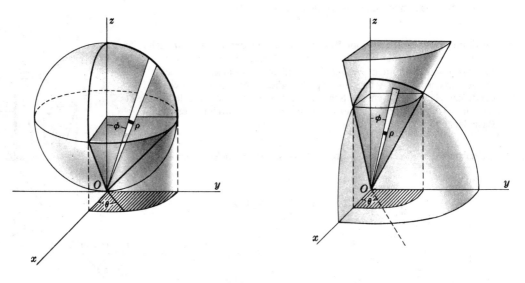

Abb. 67-8   Abb. 67-9

12. Bestimme die Lage des Schwerpunktes des Volumens, das von einem Viertel eines Kegels vom Winkel $60°$ durch die Kugel vom Radius $r = 2$ abgeschnitten wird, deren Mittelpunkt die Spitze des Kegels ist! Siehe Abb. 67-9!

Nimmt man die Fläche wie in dieser Abbildung, dann ist $\bar{x} = \bar{y} = 0$. In Kugelkoordinaten ist die Kegelgleichung $\phi = \pi/6$, und die Kugelgleichung ist $\varrho = 2$.

$$V = \iiint_R dV = 4\int_0^{\pi/2}\int_0^{\pi/6}\int_0^2 \rho^2 \sin\phi\, d\rho\, d\phi\, d\theta = \frac{32}{3}\int_0^{\pi/2}\int_0^{\pi/6}\sin\phi\, d\phi\, d\theta$$

$$= -\frac{32}{3}\left(\frac{\sqrt{3}}{2} - 1\right)\int_0^{\pi/2} d\theta = \frac{8\pi}{3}(2 - \sqrt{3})$$

$$M_{xy} = \iiint_R z\, dV = 4\int_0^{\pi/2}\int_0^{\pi/6}\int_0^2 \rho\cos\phi \cdot \rho^2 \sin\phi\, d\rho\, d\phi\, d\theta$$

$$= 8\int_0^{\pi/2}\int_0^{\pi/6}\sin 2\phi\, d\phi\, d\theta = \pi \quad \text{und} \quad \bar{z} = \frac{M_{xy}}{V} = \frac{3(2 + \sqrt{3})}{8}.$$

13. Bestimme das Trägheitsmoment des Volumens aus Aufgabe 12 bezüglich der z-Achse!

$$I_z = \iiint_R (x^2 + y^2)\, dV = 4\int_0^{\pi/2}\int_0^{\pi/6}\int_0^2 \rho^2 \sin^2\phi \cdot \rho^2 \sin\phi\, d\rho\, d\phi\, d\theta$$

$$= \frac{128}{5}\int_0^{\pi/2}\int_0^{\pi/6}\sin^3\phi\, d\phi\, d\theta = \frac{128}{5}\left(\frac{2}{3} - \frac{3}{8}\sqrt{3}\right)\int_0^{\pi/2} d\theta = \frac{8\pi}{15}(16 - 9\sqrt{3}) = \frac{5 - 2\sqrt{3}}{5}V.$$

ERGÄNZUNGSAUFGABEN

14. Berechne folgende Dreifachintegrale!

(a) $\displaystyle\int_0^1\int_1^2\int_2^3 dz\, dx\, dy = 1$

(b) $\displaystyle\int_0^1\int_{x^2}^x\int_0^{xy} dz\, dy\, dx = 1/24$

(c) $\displaystyle\int_0^6\int_0^{12-2y}\int_0^{4-2y/3-x/3} x\, dz\, dx\, dy = 144 = \int_0^{12}\int_0^{6-x/2}\int_0^{4-2y/3-x/3} x\, dz\, dy\, dx$

(d) $\displaystyle\int_0^{\pi/2}\int_0^4\int_0^{\sqrt{16-z^2}} (16 - \rho^2)^{1/2}\rho z\, d\rho\, dz\, d\theta = \frac{256}{5}\pi$

(e) $\displaystyle\int_0^{2\pi}\int_0^{\pi}\int_0^5 \rho^4 \sin\phi\, d\rho\, d\phi\, d\theta = 2500\pi.$

15. (a) Berechne das Integral aus Aufgabe 14(b) durch Integration bezüglich $dz\, dx\, dy$!

(b) Berechne das Integral aus Aufgabe 14(c) durch Integration bezüglich $dx\, dy\, dz$ und ebenso $dy\, dz\, dx$!

16. Bestimme folgende Volumen mit Hilfe von Dreifachintegralen in rechtwinkligen Koordinaten!

(a) in $x^2 + y^2 = 9$, über $z = 0$ und unter $x + z = 4$.   *Lsg.* 36π K.E.

(b) begrenzt durch die Koordinatenachsen und $6x + 4y + 3z = 12$.   *Lsg.* 4 K.E.

(c) in $x^2 + y^2 = 4x$, über $z = 0$ und unterhalb $x^2 + y^2 = 4z$.   *Lsg.* 6π K.E.

17. Bestimme folgende Volumen unter Benutzung von Dreifachintegralen und Zylinderkoordinaten!

(a) Aufgabe 5,

(b) Aufgabe 16(c),

(c) in $\rho^2 = 16$, über $z = 0$ und unter $2z = y$.   *Lsg.* 64/3 K.E.

18. Bestimme den Schwerpunkt jedes der folgenden Volumen!

(a) unter $z^2 = xy$, über dem Dreieck $y = x$, $y = 0$, $x = 4$, in der Ebene $z = 0$.

Lsg. $(3, 9/5, 9/8)$.

(b) Aufgabe 16(b).

Lsg. $(1/2, 3/4, 1)$.

(c) das Volumen im ersten Oktanten aus Aufg. 16(a).

Lsg. $\left(\dfrac{64 - 9\pi}{16(\pi - 1)}, \dfrac{23}{8(\pi - 1)}, \dfrac{73\pi - 128}{32(\pi - 1)} \right)$.

(d) Aufgabe 16(c).

Lsg. $(8/3, 0, 10/9)$.

(e) Aufgabe 17(c).

Lsg. $(0, 3\pi/4, 3\pi/16)$.

19. Bestimme die Trägheitsmomente I_x, I_y, I_z der folgenden Volumen!

(a) Aufgabe 5.

Lsg. $I_x = I_y = \frac{32}{3}V$, $I_z = \frac{16}{3}V$.

(b) Aufgabe 16(b).

Lsg. $I_x = \frac{5}{2}V$, $I_y = 2V$, $I_z = \frac{13}{10}V$.

(c) Aufgabe 16(c).

Lsg. $I_x = \frac{55}{18}V$, $I_y = \frac{175}{18}V$, $I_z = \frac{80}{9}V$.

(d) Abschnitt von $z = \rho^2$ durch die Ebene $z = 2$.

Lsg. $I_x = I_y = \frac{7}{3}V$, $I_z = \frac{2}{3}V$.

20. Zeige, daß das Dreifachintegral einer Funktion $f(\varrho, \theta, z)$ über einem Bereich R in Zylinderkoordinaten durch

$$\int_\alpha^\beta \int_{\rho_1(\theta)}^{\rho_2(\theta)} \int_{z_1(\rho,\theta)}^{z_2(\rho,\theta)} f(\rho, \theta, z) \, \rho \, dz \, d\rho \, d\theta$$

angegeben werden kann!

Hinweis. Betrachte in Abb. 67-10 einen Teilbereich von R, der von zwei Zylindern mit Oz als Achse und den Radien ρ und $\rho + \Delta\rho$, zwei horizontalen Ebenen durch $(0, 0, z)$ und $(0, 0, z + \Delta z)$ und zwei vertikalen Ebenen durch Oz mit den Winkeln θ bzw. $\theta + \Delta\theta$ bezüglich der xOz-Ebene begrenzt wird. Nimm $\Delta V = (\rho \, \Delta\theta) \, \Delta\rho \cdot \Delta z$ als Näherung des Volumens!

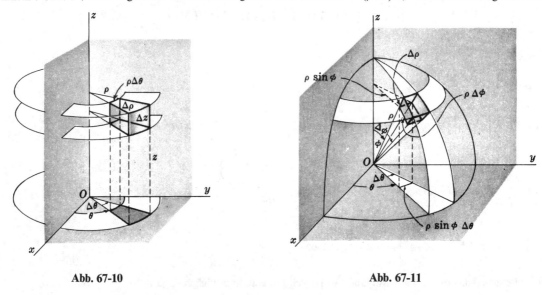

Abb. 67-10   Abb. 67-11

21. Zeige, daß das Dreifachintegral einer Funktion $f(\varrho, \phi, \theta)$ über einem Bereich R in Kugelkoordinaten durch

$$\int_\alpha^\beta \int_{\phi_1(\theta)}^{\phi_2(\theta)} \int_{\rho_1(\phi,\theta)}^{\rho_2(\phi,\theta)} f(\rho, \phi, \theta) \, \rho^2 \sin\phi \, d\rho \, d\phi \, d\theta$$

dargestellt werden kann!

Hinweis. Betrachte in Abb. 67-11 einen Teilbereich, der von zwei Kugeln mit dem Mittelpunkt in O und von den Radien ρ und $\rho + \Delta\rho$, zwei Kegeln mit der Spitze in O, der Achse Oz und den Höhen-Winkeln ϕ und $\phi + \Delta\phi$ und zwei vertikalen Ebenen durch Oz, die die Winkel θ bzw. $\theta + \Delta\theta$ mit der z, y-Ebene einschließen, begrenzt wird! Nimm

$$\Delta V \;=\; (\rho \, \Delta\phi)(\rho \sin\phi \, \Delta\theta)(\Delta\rho) \;=\; \rho^2 \sin\phi \, \Delta\rho \, \Delta\phi \, \Delta\theta$$

als Näherung des Volumens!

KAPITEL 68

Massen variabler Dichten

HOMOGENE MASSEN sind in vorausgegangenen Kapiteln als geometrische Figuren behandelt worden, indem die Dichte $\delta = 1$ genommen wird. Die Masse eines homogenen Körpers vom Volumen V und der Dichte δ ist $m = \delta V$.

Für eine nicht homogene Masse, deren Dichte δ von Punkt zu Punkt stetig veränderlich ist, wird ein Massenelement dm beschrieben durch

$\delta(x, y)\, ds$ für eine materielle Kurve (d.h., ein Stück dünnen Drahts),

$\delta(x, y)\, dA$ für ein zweidimensional verteiltes Material (d.h., ein dünnes Blech),

$\delta(x, y, z)\, dV$ für Materiekörper.

AUFGABEN MIT LÖSUNGEN

1. Bestimme die Masse eines halbkreisförmigen Drahts, dessen Dichte proportional dem Abstand vom Durchmesser ist, der die beiden Enden verbindet! Siehe Abb. 68-1!

Nimmt man den Draht wie in Abb. 68-1, so daß $\delta(x, y) = ky$. Aus $x^2 + y^2 = r^2$ folgt

$$ds = \sqrt{1 + \left(\frac{dy}{dx}\right)^2}\, dx = \frac{r}{y}\, dx$$

und
$$m = \int \delta(x, y)\, ds = \int_{-r}^{r} ky \cdot \frac{r}{y}\, dx = kr \int_{-r}^{r} dx = 2kr^2 \text{ Einheiten.}$$

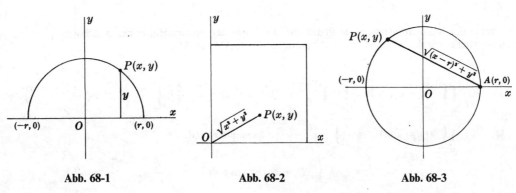

Abb. 68-1   Abb. 68-2   Abb. 68-3

2. Bestimme die Masse einer quadratischen Platte der Seitenlänge a, wenn sich die Dichte proportional dem Quadrat des Abstands von einer Ecke verändert! Siehe Abb. 68-2!

Nimmt man das Quadrat wie in Abb. 68-2 und legt die Ecke, von der der Abstand gemessen wird, in den Nullpunkt, dann ist $\delta(x, y) = k(x^2 + y^2)$ und

$$m = \iint_{R} \delta(x, y)\, dA = \int_{0}^{a} \int_{0}^{a} k(x^2 + y^2)\, dx\, dy = k \int_{0}^{a} (\tfrac{1}{3}a^3 + ay^2)\, dy = \tfrac{2}{3}ka^4 \text{ Einheiten.}$$

331

3. Bestimme die Masse einer kreisförmigen Platte vom Radius r, wenn sich die Dichte wie das Quadrat des Abstands von einem Punkt auf dem Umfang verändert! Siehe Abb. 68-3!

Betrachte den Kreis in dieser Abbildung und mit $A(r, 0)$ einen festen Punkt auf dem Umfang! Dann ist $\delta(x, y) = k\{(x - r)^2 + y^2\}$ und

$$m = \iint_R \delta(x, y)\, dA = 2 \int_{-r}^{r} \int_0^{\sqrt{r^2 - x^2}} k\{(x - r)^2 + y^2\}\, dy\, dx = \frac{3}{2} k\pi r^4 \text{ Einheiten.}$$

4. Bestimme den Massenmittelpunkt einer Platte von der Form eines Parabelsegments von $y^2 = 8x$, das durch die Senkrechte durch ihren Brennpunkt $x = 2$ abgeschnitten wird, wenn sich die Dichte wie der Abstand von dieser verändert! Siehe Abb. 68-4!

Hier ist $\delta(x, y) = 2 - x$ und, aus Symmetriegründen, $\bar{y} = 0$. Für die obere Hälfte der Platte ist

$$m = \iint_R \delta(x, y)\, dA = \int_0^4 \int_{y^2/8}^2 k(2 - x)\, dx\, dy = k \int_0^4 \left(2 - \frac{y^2}{4} + \frac{y^4}{128}\right) dy = \frac{64}{15} k,$$

$$M_y = \iint_R \delta(x, y)\, x\, dA = \int_0^4 \int_{y^2/8}^2 k(2 - x)\, x\, dx\, dy = k \int_0^4 \left(\frac{4}{3} - \frac{y^4}{64} + \frac{y^6}{24 \cdot 64}\right) dy = \frac{128}{35} k$$

und $\bar{x} = \dfrac{M_y}{m} = \dfrac{6}{7}$. Das Massenzentrum hat die Koordinaten $(\tfrac{6}{7}, 0)$.

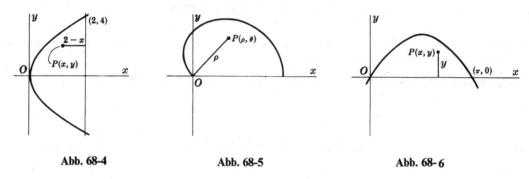

Abb. 68-4   **Abb. 68-5**   **Abb. 68-6**

5. Bestimme das Massenzentrum einer Platte von der Form der oberen Hälfte des Kardioids $\rho = 2(1 + \cos\theta)$, wenn sich die Dichte wie der Abstand vom Pol verändert! Siehe Abb. 68-5!

$$m = \iint_R \delta(\rho, \theta)\, dA = \int_0^\pi \int_0^{2(1 + \cos\theta)} k\rho \cdot \rho\, d\rho\, d\theta = \frac{8}{3} k \int_0^\pi (1 + \cos\theta)^3\, d\theta = \frac{20}{3} k\pi,$$

$$M_x = \iint_R \delta(\rho, \theta)\, y\, dA = \int_0^\pi \int_0^{2(1 + \cos\theta)} k\rho \cdot \rho \sin\theta \cdot \rho\, d\rho\, d\theta$$

$$= 4k \int_0^\pi (1 + \cos\theta)^4 \sin\theta\, d\theta = \frac{128}{5} k,$$

$$M_y = \iint_R \delta(\rho, \theta)\, x\, dA = \int_0^\pi \int_0^{2(1 + \cos\theta)} k\rho \cdot \rho \cos\theta \cdot \rho\, d\rho\, d\theta = 14k\pi.$$

Dann ist $\bar{x} = \dfrac{M_y}{m} = \dfrac{21}{10}$, $\bar{y} = \dfrac{M_x}{m} = \dfrac{96}{25\pi}$ und das Massenzentrum hat die Koordinaten $\left(\dfrac{21}{10}, \dfrac{96}{25\pi}\right)$.

6. Bestimme das Trägheitsmoment bezüglich der x-Achse einer Platte, die als Kanten einen Bogen der Kurve $y = \sin x$ und die x-Achse hat, wenn sich ihre Dichte wie der Abstand von der x-Achse verändert! Siehe Abb. 68-6!

$$m = \iint_R \delta(x, y)\, dA = \int_0^\pi \int_0^{\sin x} ky\, dy\, dx = \frac{1}{2} k \int_0^\pi \sin^2 x\, dx = \frac{1}{4} k\pi$$

und $I_x = \iint_R \delta(x, y)\, y^2\, dA = \int_0^\pi \int_0^{\sin x} ky \cdot y^2 \cdot dy\, dx = \frac{1}{4} k \int_0^\pi \sin^4 x\, dx = \frac{3}{32} k\pi = \frac{3}{8} m.$

7. Bestimme die Masse einer Kugel vom Radius r, wenn sich die Dichte reziprok dem Quadrat des Abstands vom Mittelpunkt verändert! Siehe Abb. 68-7!

Für die Kugel in dieser Abbildung ist $\delta(x, y, z) = \dfrac{k}{x^2 + y^2 + z^2} = \dfrac{k}{\rho^2}$ und

$$m = \iiint_R \delta(x, y, z)\, dV = 8 \int_0^{\pi/2} \int_0^{\pi/2} \int_0^r \frac{k}{\rho^2} \cdot \rho^2 \sin\phi\, d\rho\, d\phi\, d\theta$$

$$= 8kr \int_0^{\pi/2} \int_0^{\pi/2} \sin\phi\, d\phi\, d\theta = 8kr \int_0^{\pi/2} d\theta = 4k\pi r \text{ Einheiten.}$$

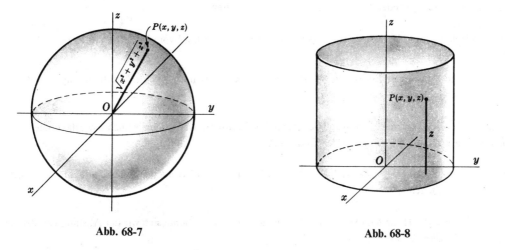

Abb. 68-7   **Abb. 68-8**

8. Bestimme den Massenmittelpunkt eines kreisförmigen Zylinders vom Radius r und der Höhe h, wenn sich die Dichte wie der Abstand von der Grundfläche verändert! Siehe Abb. 68-8!

Nimmt man den Zylinder wie in Abb. 68-8, so daß seine Gleichung $\rho = r$ und das gefragte Volumen der Teil des Zylinders zwischen den Ebenen $z = 0$ und $z = h$ ist, dann ist der Massenmittelpunkt offenbar auf der z-Achse. Es ist

$$m = \iiint_R \delta(z, \rho, \theta)\, dV = 4 \int_0^{\pi/2} \int_0^r \int_0^h kz \cdot \rho\, dz\, d\rho\, d\theta = 2kh^2 \int_0^{\pi/2} \int_0^r \rho\, d\rho\, d\theta$$

$$= kh^2 r^2 \int_0^{\pi/2} d\theta = \frac{1}{2} k\pi h^2 r^2,$$

$$M_{xy} = \iiint_R \delta(z, \rho, \theta)\, z\, dV = 4 \int_0^{\pi/2} \int_0^r \int_0^h kz^2 \cdot \rho\, dz\, d\rho\, d\theta = \frac{4}{3} kh^3 \int_0^{\pi/2} \int_0^r \rho\, d\rho\, d\theta$$

$$= \frac{2}{3} kh^3 r^2 \int_0^{\pi/2} d\theta = \frac{1}{3} k\pi h^3 r^2 \quad \text{und} \quad \bar{z} = \frac{M_{xy}}{m} = \frac{2}{3} h.$$

Somit hat das Massenzentrum die Koordinaten $(0, 0, \frac{2}{3} h)$.

ERGÄNZUNGSAUFGABEN

9. Bestimme die Masse von

(a) einer geraden Stange der Länge a, deren Dichte sich wie das Quadrat des Abstands von einem Ende verändert!
Lsg. $\frac{1}{3}ka^3$ Einheiten.

(b) einer Platte in Form eines Dreiecks mit den Seitenlängen a und b, wenn sich die Dichte wie die Summe der Entfernungen von den Seiten verändert!   *Lsg.* $\frac{1}{6}kab(a+b)$ Einheiten.

(c) einer Kreisplatte vom Radius a, deren Dichte sich mit dem Abstand vom Mittelpunkt verändert!
Lsg. $\frac{2}{3}ka^3\pi$ Einheiten.

(d) einer Platte in Form einer Ellipse $b^2x^2 + a^2y^2 = a^2b^2$, wobei sich die Dichte wie die Summe der Achsenabstände verändert! *Lsg.* $\frac{4}{3}kab(a+b)$ Einheiten.

(e) einem Kreiszylinder von der Höhe b und dem Grundkreisradius a, wenn sich die Dichte wie das Quadrat des Abstands von der Achse verändert! *Lsg.* $\frac{1}{2}ka^4b\pi$ Einheiten.

(f) einer Kugel vom Radius a, wobei sich die Dichte wie der Abstand von einer festen Durchmesserebene verändert!
Lsg. $\frac{1}{2}ka^4\pi$ Einheiten.

(g) eines Kreiskegels der Höhe b und vom Grundkreisradius a, dessen Dichte sich wie der Abstand von der Achse verändert! *Lsg.* $\frac{1}{6}ka^3b\pi$ Einheiten.

(h) Einer Kugelfläche, deren Dichte sich wie der Abstand von einer festen Durchmesserebene verändert!
Lsg. $2ka^3\pi$ Einheiten.

10. Bestimme das Massenzentrum von:

(a) einem Quadranten von Aufg. 9(c). *Lsg.* $(3a/2\pi, 3a/2\pi)$.

(b) einem Quadranten einer kreisförmigen Ebene vom Radius a, wenn sich die Dichte wie der Abstand von einem begrenzenden Radius (x-Achse) verändert!   *Lsg.* $(3a/8, 3a\pi/16)$.

(c) einem Würfel der Kantenlänge a, wenn sich die Dichte wie die Summe der Abstände von drei nebeneinander liegenden Kanten (Koordinatenachsen) verändert! $(5a/9, 5a/9, 5a/9)$.

(d) einem Oktanten einer Kugel vom Radius a, wenn sich die Dichte wie der Abstand von einer der begrenzenden Ebenen verändert! *Lsg.* $(16a/15\pi, 16a/15\pi, 8a/15)$.

(e) einem Kreiskegel der Höhe b und des Grundkreisradius a, wenn sich die Dichte wie der Abstand von der Grundfläche verändert! *Lsg.* $(0, 0, 2b/5)$.

11. Bestimme das Trägheitsmoment von

(a) einer quadratischen Platte der Seitenlänge a bezüglich einer Seite, wenn sich die Dichte wie das Quadrat des Abstands von einem Ende dieser Seite verändert!   *Lsg.* $\frac{7}{15}a^2m$.

(b) einer Platte in Form eines Kreises vom Radius a bezüglich ihres Mittelpunktes, wenn sich die Dichte wie das Abstandsquadrat vom Mittelpunkt verändert!   *Lsg.* $\frac{2}{3}a^2m$.

(c) einem Würfel der Kantenlänge a bezüglich einer Kante, wenn sich die Dichte wie das Abstandsquadrat von einem Ende dieser Kante verändert! *Lsg.* $\frac{38}{45}a^2m$.

(d) einem Kreiskegel der Höhe b und vom Grundradius a bezüglich der Achse, wenn sich die Dichte wie der Abstand von der Achse verändert! *Lsg.* $\frac{2}{5}a^2m$.

(e) dem Kegel (d), wenn sich die Dichte wie der Abstand von der Grundfläche verändert! *Lsg.* $\frac{1}{5}a^2m$.

KAPITEL 69

Differentialgleichungen

EINE DIFFERENTIALGLEICHUNG ist eine Gleichung, die Ableitungen oder Differentiale enthält, zum Beispiel $\frac{d^2y}{dx^2} + 2\frac{dy}{dx} + 3y = 0$, $\quad dy = (x+2y)\,dx$ usw.

Die *Ordnung* einer Differentialgleichung ist die der höchsten Ableitung, die in ihr auftritt. Die erste der beiden obigen Gleichungen ist von der Ordnung zwei, die zweite von der Ordnung eins. Beide heißen vom ersten *Grad*.

Eine *Lösung* einer Differentialgleichung ist jede Beziehung zwischen den Variablen, die frei von Ableitungen oder Differentialen ist und die die Gleichung erfüllt. Die *allgemeine Lösung* einer Differentialgleichung von der Ordnung n ist die, welche die Maximalzahl (n) von beliebigen Konstanten enthält.

Siehe Aufgaben 1-3!

EINE GLEICHUNG ERSTER ORDNUNG UND ERSTEN GRADES hat die Form $M(x,y)\,dx + N(x,y)\,dy = 0$. Wenn eine solche Gleichung die spezielle Form $f_1(x) \cdot g_2(y)\,dx + f_2(x) \cdot g_1(y)\,dy = 0$ hat, heißen die Variablen *getrennt* und als Lösung erhält man

$$\int \frac{f_1(x)}{f_2(x)}\,dx + \int \frac{g_1(y)}{g_2(y)}\,dy = C. \qquad \text{Siehe Aufgaben 4-6 !}$$

Eine Funktion $f(x,y)$ heißt *homogen vom Grad n* in den Variablen, wenn $f(\lambda x, \lambda y) = \lambda^n f(x,y)$ gilt. Die Gleichung $M(x,y)\,dx + N(x,y)\,dy = 0$ heißt *homogen*, wenn $M(x,y)$ und $N(x,y)$ vom gleichen Grad homogen sind. Die Substitution

$$y = vx, \quad dy = v\,dx + x\,dv$$

transformiert die homogene Gleichung in eine mit getrennten Variablen.

Siehe Aufgaben 7-9!

BESTIMMTE DIFFERENTIALGLEICHUNGEN können bereits gelöst werden, indem vorhandene integrale Kombinationen ausgenutzt werden.

Eine Gleichung, die nicht sofort durch obige Methoden lösbar ist, kann so gelöst werden, nachdem man sie mit einer bestimmten Funktion von x und y multipliziert. Dieser Faktor wird *integrierender Faktor* der Gleichung genannt.

Siehe Aufgaben 10-14!

Die sogenannte lineare Differentialgleichung erster Ordnung $\frac{dy}{dx} + Py = Q$, wobei P und Q Funktionen von x sind, hat $\xi(x) = e^{\int P\,dx}$ als integrierenden Faktor.

Siehe Aufgaben 15-17!

Eine Gleichung der Form $\frac{dy}{dx} + Py = Qy^n$, wobei $n \neq 0, 1$, und P und Q Funktionen von x sind, reduziert sich zu einer Gleichung in linearer Form durch die Substitution

$$y^{1-n} = z, \quad y^{-n}\frac{dy}{dx} = \frac{1}{1-n}\frac{dz}{dx}.$$

Siehe Aufgaben 18-19!

AUFGABEN MIT LÖSUNGEN

1. Zeige, daß (a) $y = 2e^x$, (b) $y = 3x$ und (c) $y = C_1 e^x + C_2 x$, wobei C_1 und C_2 beliebige Konstanten sind, Lösungen der Differentialgleichung $y''(1 - x) + y'x - y = 0$ sind!

(a) Differenziere $y = 2e^x$ zweimal, um $y' = 2e^x$ und $y'' = 2e^x$ zu erhalten! Setze in die Differentialgleichung ein und erhalte die Identität $2e^x(1 - x) + 2e^x x - 2e^x = 0$.

(b) Differenziere $y = 3x$ zweimal und erhalte $y' = 3$ und $y'' = 0$! Setze in die Differentialgleichung ein und erhalte die Identität $0(1 - x) + 3x - 3x = 0$.

(c) Differenziere $y = C_1 e^x + C_2 x$ zweimal, um $y' = C_1 e^x + C_2$ und $y'' = C_1 e^x$ zu erhalten! Setze in die Differentialgleichung ein und erhalte die Identität $C_1 e^x (1 - x) + (C_1 e^x + C_2)x - (C_1 e^x + C_2 x) = 0$.

Lösung (c) ist die *allgemeine* Lösung der Differentialgleichung, da sie die Gleichung erfüllt und die verlangte Anzahl von beliebigen Konstanten der allgemeinen Lösung erhält. Die Lösungen (a) und (b) heißen *spezielle Lösungen*, da sie durch Einsetzen spezieller Werte für die beliebigen Konstanten der allgemeinen Lösung erhalten werden können.

2. Bilde die Differentialgleichung, deren allgemeine Lösung

$$(a) \quad y = Cx^2 - x \qquad \text{und} \qquad (b) \quad y = C_1 x^3 + C_2 x + C_3 \text{ ist!}$$

(a) Differenziere $y = Cx^2 - x$ einmal und erhalte $y' = 2Cx - 1$. Löse nach $C = \dfrac{1}{2}\left(\dfrac{y' + 1}{x}\right)$ auf und setze in die gegebene Beziehung (allgemeine Lösung) ein. Erhalte so $y = \dfrac{1}{2}\left(\dfrac{y' + 1}{x}\right)x^2 - x$ oder $y'x = 2y + x$.

(b) Differenziere $y = C_1 x^3 + C_2 x + C_3$ dreimal und erhalte $y' = 3C_1 x^2 + C_2$, $y'' = 6C_1 x$, $y''' = 6C_1$. Dann ist

$$y'' = xy''' \quad \text{die gesuchte Gleichung. Beachte, daß die gegebene Relation eine Lösung der Gleichung} \quad y^{iv} = 0 \text{ ist,}$$

allerdings nicht die allgemeine Lösung, da sie nur drei beliebige Konstanten enthält.

3. Bilde die Differentialgleichung aller Parabeln mit der x-Achse als Hauptachse!

Das System der Parabeln hat die Gleichung $y^2 = Ax + B$, wobei A und B beliebige Konstanten sind.

Zweimaliges Differenzieren ergibt $2yy' = A$ und $2yy'' + 2y'^2 = 0$.

Dann ist $2yy'' + 2y'^2 = 0$ die gesuchte Gleichung.

4. Löse $\dfrac{dy}{dx} + \dfrac{1 + y^3}{xy^2(1 + x^2)} = 0$!

Hier ist $xy^2(1 + x^2)dy + (1 + y^3)dx = 0$ oder $\dfrac{y^2}{1 + y^3}dy + \dfrac{1}{x(1 + x^2)}dx = 0$, und die Variablen sind getrennt. Damit gilt

$$\frac{y^2 \, dy}{1 + y^3} + \frac{dx}{x} - \frac{x \, dx}{1 + x^2} = 0,$$

$$\frac{1}{3}\ln|1 + y^3| + \ln|x| - \frac{1}{2}\ln(1 + x^2) = c,$$

$$2\ln|1 + y^3| + 6\ln|x| - 3\ln(1 + x^2) = 6c,$$

$$\ln\frac{x^6(1 + y^3)^2}{(1 + x^2)^3} = 6c \quad \text{und} \quad \frac{x^6(1 + y^3)^2}{(1 + x^2)^3} = e^{6c} = C.$$

5. Löse $\dfrac{dy}{dx} = \dfrac{1 + y^2}{1 + x^2}$!

Hier ist $\dfrac{dy}{1 + y^2} = \dfrac{dx}{1 + x^2}$. Damit gilt $\arctan y = \arctan x + \arctan C$ und

$$y = \tan(\arctan x + \arctan C) = \frac{x + C}{1 - Cx}.$$

6. Löse $\dfrac{dy}{dx} = \dfrac{\cos^2 y}{\sin^2 x}$!

$$\frac{dy}{\cos^2 y} = \frac{dx}{\sin^2 x}, \quad \sec^2 y \, dy = \csc^2 x \, dx \quad \text{und} \quad \tan y = -\cot x + C.$$

7. Löse $2xy \, dy = (x^2 - y^2) \, dx$!

Die Gleichung ist homogen vom Grad zwei. Die Transformation $y = vx$, $dy = v \, dx + x \, dv$ ergibt
$$2x \cdot vx \, (v \, dx + x \, dv) = (x^2 - v^2 x^2) \, dx \quad \text{oder} \quad \frac{2v \, dv}{1 - 3v^2} = \frac{dx}{x}.$$

Dann ist $-\frac{1}{3} \ln |1 - 3v^2| = \ln |x| + \ln c$, $\ln |1 - 3v^2| + 3 \ln |x| + \ln C' = 0$ oder $C' |x^3 (1 - 3v^2)| = 1$.

Nun ist $\pm C' x^3 (1 - 3v^2) = C x^3 (1 - 3v^2) = 1$ und mit $v = y/x$ folgt $C(x^3 - 3xy^2) = 1$.

8. Löse $x \sin \dfrac{y}{x} (y \, dx + x \, dy) + y \cos \dfrac{y}{x} (x \, dy - y \, dx) = 0$!

Die Gleichung ist homogen vom Grad zwei. Die Transformation $y = vx$, $dy = v \, dx + x \, dv$ ergibt
$$x \sin v \, (vx \, dx + x^2 \, dv + vx \, dx) + vx \cos v \, (x^2 \, dv + vx \, dx - vx \, dx) = 0$$
$$\sin v \, (2v \, dx + x \, dv) + xv \cos v \, dv = 0, \quad \frac{\sin v + v \cos v}{v \sin v} \, dv + 2 \frac{dx}{x} = 0.$$

Damit ist $\ln |v \sin v| + 2 \ln |x| = \ln C'$, $x^2 \cdot v \cdot \sin v = C$, also $xy \sin \dfrac{y}{x} = C$.

9. Löse $(x^2 - 2y^2) \, dy + 2xy \, dx = 0$!

Die Gleichung ist homogen vom Grad zwei. Die Standardtransformation ergibt wieder
$$(1 - 2v^2)(v \, dx + x \, dv) + 2v \, dx = 0, \quad \frac{1 - 2v^2}{v(3 - 2v^2)} dv + \frac{dx}{x} = 0, \quad \frac{dv}{3v} - \frac{4v \, dv}{3(3 - 2v^2)} + \frac{dx}{x} = 0$$
$$\tfrac{1}{3} \ln |v| + \tfrac{1}{3} \ln |3 - 2v^2| + \ln |x| = \ln c, \quad \ln |v| + \ln |3 - 2v^2| + 3 \ln |x| = \ln C'.$$

Damit ist $vx^3 (3 - 2v^2) = C$, also $y(3x^2 - 2y^2) = C$.

10. Löse $(x^2 + y) \, dx + (y^3 + x) \, dy = 0$!

Integriere $x^2 \, dx + (y \, dx + x \, dy) + y^3 \, dy = 0$ gliedweise und erhalte $\dfrac{x^3}{3} + xy + \dfrac{y^4}{4} = C$.

11. Löse $(x + e^{-x} \sin y) \, dx - (y + e^{-x} \cos y) \, dy = 0$!

Integriere $x \, dx - y \, dy - (e^{-x} \cos y \, dy - e^{-x} \sin y \, dx) = 0$ gliedweise und erhalte
$$\tfrac{1}{2} x^2 - \tfrac{1}{2} y^2 - e^{-x} \sin y = C.$$

12. Löse $x \, dy - y \, dx = 2x^3 \, dx$!

Die Kombination $x \, dy - y \, dx$ führt auf $d\left(\dfrac{y}{x}\right) = \dfrac{x \, dy - y \, dx}{x^2}$. Somit ergibt Multiplikation der gegebenen

Gleichung mit $\xi(x) = \dfrac{1}{x^2}$, $\dfrac{x \, dy - y \, dx}{x^2} = 2x \, dx$, also $\dfrac{y}{x} = x^2 + C$ oder $y = x^3 + Cx$.

13. Löse $x \, dy + y \, dx = 2x^2 y \, dx$!

Die Kombination $x \, dy + y \, dx$ führt auf $d(\ln xy) = \dfrac{x \, dy + y \, dx}{xy}$. Somit ergibt die Multiplikation der gegebenen

Gleichung mit $\xi(x, y) = \dfrac{1}{xy}$, $\dfrac{x \, dy + y \, dx}{xy} = 2x \, dx$ und $\ln |xy| = x^2 + C$.

14. Löse $x \, dy + (3y - e^x) \, dx = 0$!

Multiplikation der Gleichung mit $\xi(x) = x^2$ ergibt $x^3 \, dy + 3x^2 y \, dx = x^2 e^x \, dx$.

Damit ist $x^3 y = \displaystyle\int x^2 e^x \, dx = x^2 e^x - 2x e^x + 2e^x + C$.

15. Löse $\dfrac{dy}{dx} + \dfrac{2}{x}y = 6x^3$!

Hier ist $P(x) = \dfrac{2}{x}$, $\displaystyle\int P(x)\,dx = \ln x^2$ und $\xi(x) = e^{\ln x^2} = x^2$

Multiplikation der gegebenen Gleichung mit $\xi(x) = x^2$ ergibt $x^2\,dy + 2xy\,dx = 6x^5\,dx$. Damit ist $x^2 y = x^6 + C$.

Bemerkung 1. Nach Multiplikation mit dem Integrationsfaktor bilden die Terme auf der linken Seite der resultierenden Gleichung einen *integrierbaren Ausdruck*.

Bemerkung 2. Der Integrationsfaktor einer gegebenen Gleichung ist nicht eindeutig. In dieser Aufgabe sind x^2, $3x^2$, $\frac{1}{2}x^2$ usw. ebenfalls Integrationsfaktoren. Daher schreiben wir das einfachste spezielle Integral von $P(x)\,dx$ anstatt des allgemeinen Integrals $\ln x^2 + \ln C = \ln Cx^2$.

16. Löse $\tan x\,\dfrac{dy}{dx} + y = \sec x$!

Wegen $\dfrac{dy}{dx} + y \cot x = \operatorname{cosec} x$ ist $\displaystyle\int P(x)\,dx = \int \cot x\,dx = \ln|\sin x|$ und $\xi(x) = e^{\ln|\sin x|} = |\sin x|$

Damit ist dann $\sin x\left(\dfrac{dy}{dx} + y \cot x\right) = \sin x \operatorname{cosec} x$, $\sin x\,dy + y \cos x\,dx = dx$ und $y \sin x = x + C$

17. Löse $\dfrac{dy}{dx} - xy = x$.

Hier ist $P(x) = -x$, $\displaystyle\int P(x)\,dx = -\frac{1}{2}x^2$ und $\xi(x) = e^{-\frac{1}{2}x^2}$.

Damit ist $e^{-\frac{1}{2}x^2}\,dy - xye^{-\frac{1}{2}x^2}\,dx = xe^{-\frac{1}{2}x^2}\,dx$, $ye^{-\frac{1}{2}x^2} = -e^{-\frac{1}{2}x^2} + C$ und $y = Ce^{\frac{1}{2}x^2} - 1$.

18. Löse $\dfrac{dy}{dx} + y = xy^2$!

Die Gleichung hat die Form $\dfrac{dy}{dx} + Py = Qy^n$ mit $n = 2$.

Man macht die Substitution $y^{1-n} = y^{-1} = z$, $y^{-2}\dfrac{dy}{dx} = -\dfrac{dz}{dx}$ (gebräuchlicherweise schreibt man die Gleichung in der Form $y^{-2}\dfrac{dy}{dx} + y^{-1} = x$). Dann ist $-\dfrac{dz}{dx} + z = x$ oder $\dfrac{dz}{dx} - z = -x$.

Der Integrationsfaktor ist $\xi(x) = e^{\int P\,dx} = e^{-\int dx} = e^{-x}$. Damit ist dann $e^{-x}\,dz - ze^{-x}\,dx = -xe^{-x}\,dx$ und $ze^{-x} = xe^{-x} + e^{-x} + C$. Wegen $z = y^{-1}$ ist schließlich $\dfrac{1}{y} = x + 1 + Ce^x$.

19. Löse $\dfrac{dy}{dx} + y \tan x = y^3 \sec x$!

Man schreibt die Gleichung in der Form $y^{-3}\dfrac{dy}{dx} + y^{-2}\tan x = \sec x$.

Mit der Substitution $y^{-2} = z$, $y^{-3}\dfrac{dy}{dx} = -\dfrac{1}{2}\dfrac{dz}{dx}$ erhält man $\dfrac{dz}{dx} - 2z\tan x = -2\sec x$.

Der Integrationsfaktor ist $\xi(x) = e^{-2\int \tan x\,dx} = \cos^2 x$. Damit ist dann $\cos^2 x\,dz - 2z\cos x \sin x\,dx = -2\cos x\,dx$, $z\cos^2 x = -2\sin x + C$ und $\dfrac{\cos^2 x}{y^2} = -2\sin x + C$.

20. Wird ein Geschoß in einen Sandwall geschossen, dann nimmt man für seine Verzögerung die Quadratwurzel seiner Eintrittsgeschwindigkeit an. Wie lange wird sich das Geschoß bewegen, wenn seine Geschwindigkeit beim Eintritt in den Sandwall 144 dm/sec beträgt?

Bezeichne v die Geschwindigkeit t sec nach dem Auftreffen auf den Sandwall.

Dann ist die Verzögerung $= -\dfrac{dv}{dt} = \sqrt{v}$ oder $\dfrac{dv}{\sqrt{v}} = -dt$ und $2\sqrt{v} = -t + C$.

Bei $t = 0$ war $v = 144$, also $C = 2\sqrt{144} = 24$. Somit ist $2\sqrt{v} = -t + 24$ die Bewegungsgleichung des Geschosses. Bei $v = 0$ ist $t = 24$; das Geschoß bewegt sich also 24 sec., bevor es zur Ruhe kommt.

21. Ein Tank enthält 400 Liter Salzlösung, in der 100 kg Salz gelöst sind. Pro Minute fließen 12 Liter einer Salzlösung, die 1/8 kg Salz auf 1 Liter enthält, in den Tank, und die Mischung, die durch ständiges Rühren gleichmäßig gehalten wird, fließt mit der gleichen Geschwindigkeit aus. Bestimme die Salzmenge im Tank nach 90 Minuten!

Es bezeichne q die Anzahl von Kilogramm, die der Tank nach t Minuten an Salz enthält. Dann ist $\frac{dq}{dt}$ die Änderung der Salzmenge zur Zeit t.

Jede Minute fließen 1,5 kg Salz in den Tank und 0,03 q kg fließen aus. Daher ist $\frac{dq}{dt} = 1,5 - 0,03q$, $\frac{dq}{1,5 - 0,03q} = dt$, und $\frac{\ln(0,03q - 1,5)}{0,03} = -t + C$.

Zur Zeit $t = 0$ ist $q = 100$, also $C = \frac{\ln 1,5}{0,03}$, so daß $\ln(0,03q - 1,5) = -0,03t + \ln 1,5$, $0,02q - 1 = e^{-0,03t}$, und $q = 50 + 50e^{-0,03t}$ folgt. Zur Zeit $t = 90$ ist $q = 50 + 50e^{-2,7} = 53,36$ **kg**.

22. Unter bestimmten Bedingungen wird Rohrzucker in Wasser zu Dextrose umgewandelt, und zwar in einer Menge, die proportional der Menge des noch nicht umgewandelten Zuckers zu jeder Zeit ist. Bestimme die in 3/2 Std. umgewandelte Menge, wenn von 75 Gramm zur Zeit $t = 0$ in den ersten 30 Minuten 8 Gramm umgewandelt sind.

Es sei q die in t Minuten umgewandelte Menge.

Dann ist $\frac{dq}{dt} = k(75 - q)$, $\frac{dq}{75 - q} = k\,dt$ und $\ln(75 - q) = -kt + C$

Zur Zeit $t = 0$ ist $q = 0$ und $C = \ln 75$, so daß $\ln(75 - q) = -kt + \ln 75$

Zur Zeit $t = 30$ ist $q = 8$, $30k = \ln 75 - \ln 67$ und $k = 0,0038$. Somit $q = 75(1 - e^{-0,0038t})$

Zur Zeit $t = 90$ ist dann $q = 75(1 - e^{-0,34}) = 21,6$ Gramm.

ERGÄNZUNGSAUFGABEN

23. Stelle zu den allgemeinen Lösungen die Differentialgleichung auf!

(a) $y = Cx^2 + 1$ (c) $y = Cx^2 + C^2$ (e) $y = C_1 + C_2x + C_3x^2$ (g) $y = C_1 \sin x + C_2 \cos x$

(b) $y = C^2x + C$ (d) $xy = x^3 - C$ (f) $y = C_1e^x + C_2e^{2x}$ (h) $y = C_1e^x \cos(3x + C_2)$

Lsg.   (a) $xy' = 2(y - 1)$ (c) $4x^2y = 2x^3y' + (y')^2$ (e) $y''' = 0$ (g) $y'' + y = 0$

         (b) $y' = (y - xy')^2$ (d) $xy' + y = 3x^2$ (f) $y'' - 3y' + 2y = 0$ (h) $y'' - 2y' + 10y = 0$.

24. Löse:

(a) $y\,dy - 4x\,dx = 0$ *Lsg.* $y^2 = 4x^2 + C$.

(b) $y^2\,dy - 3x^5\,dx = 0$ *Lsg.* $2y^3 = 3x^6 + C$.

(c) $x^3y' = y^2(x - 4)$ *Lsg.* $x^2 - xy + 2y = Cx^2y$.

(d) $(x - 2y)\,dy + (y + 4x)\,dx = 0$ *Lsg.* $xy - y^2 + 2x^2 = C$.

(e) $(2y^2 + 1)y' = 3x^2y$ *Lsg.* $y^2 + \ln|y| = x^3 + C$.

(f) $xy'(2y - 1) = y(1 - x)$ *Lsg.* $\ln|xy| = x + 2y + C$.

(g) $(x^2 + y^2)\,dx = 2xy\,dy$ *Lsg.* $x^2 - y^2 = Cx$.

(h) $(x + y)\,dy = (x - y)\,dx$ *Lsg.* $x^2 - 2xy - y^2 = C$.

(i) $x(x + y)\,dy - y^2\,dx = 0$ *Lsg.* $y = Ce^{-y/x}$.

(j) $x\,dy - y\,dx + xe^{-y/x}\,dx = 0$ *Lsg.* $e^{y/x} + \ln|Cx| = 0$.

(k) $dy = (3y + e^{2x})\,dx$ *Lsg.* $y = (Ce^x - 1)e^{2x}$.

(l) $x^2y^2\,dy = (1 - xy^3)\,dx$ *Lsg.* $2x^3y^3 = 3x^2 + C$.

25. Tangente und Normale an einer Kurve im Punkt $P(x, y)$ treffen die x-Achse in T bzw. N und die y-Achse in S bzw. M. Bestimme die Familie der Kurven, die folgende Bedingungen erfüllen!
(a) $TP = PS$ (b) $NM = MP$ (c) $TP = OP$ (d) $NP = OP$.
Lsg. (a) $xy = C$ (b) $2x^2 + y^2 = C$ (c) $xy = C$, $y = Cx$ (d) $x^2 \pm y^2 = C$.

26. Löse Aufgabe 21 unter der Annahme, daß 12 Liter reinen Wassers pro Minute zufließen und die Mischung mit der gleichen Geschwindigkeit ausfließt!   *Lsg.* $6,72$ **kg**.

27. Löse Aufgabe 26 unter der Annahme, daß die Mischung mit 16 Litern pro Minute ausfließt!

Hinweis: $dq = -\frac{4q}{100 - t}\,dt$.   *Lsg.* $0,01$ **kg**.

KAPITEL 70

Differentialgleichungen zweiter Ordnung

DIE FOLGENDEN TYPEN von Differentialgleichungen zweiter Ordnung werden nun betrachtet:

(*1*) $\dfrac{d^2y}{dx^2} = f(x)$ Siehe Aufgabe 1!

(*2*) $\dfrac{d^2y}{dx^2} = f\left(x, \dfrac{dy}{dx}\right)$ Siehe Aufgaben 2-3!

(*3*) $\dfrac{d^2y}{dx^2} = f(y)$ Siehe Aufgaben 4-5!

(*4*) $\dfrac{d^2y}{dx^2} + P\dfrac{dy}{dx} + Qy = R,$ wobei P und Q Konstanten sind und R eine Konstante oder Funktion ist, die nur von x abhängig ist!   Siehe Aufgaben 6-11!

Wenn die Gleichung $m^2 + Pm + Q = 0$ zwei *verschiedene* Wurzeln m_1 und m_2 hat, ist $y = C_1 e^{m_1 x} + C_2 e^{m_2 x}$ die allgemeine Lösung der Gleichung $\dfrac{d^2y}{dx^2} + P\dfrac{dy}{dx} + Qy = 0$. Wenn die beiden Wurzeln identisch $m_1 = m_2 = m$ sind, dann ist $y = C_1 e^{mx} + C_2 x e^{mx}$ die allgemeine Lösung.

Die allgemeine Lösung von $\dfrac{d^2y}{dx^2} + P\dfrac{dy}{dx} + Qy = 0$ heißt die *Ergänzungsfunktion* der Gleichung $\dfrac{d^2y}{dx^2} + P\dfrac{dy}{dx} + Qy = R(x)$. Wenn $y = f(x)$ letzterer Gleichung genügt, dann ist $y = $ Ergänzungsfunktion $+ f(x)$ die allgemeine Lösung.

AUFGABEN MIT LÖSUNGEN

1. Löse $\dfrac{d^2y}{dx^2} = xe^x + \cos x$!

    Hier ist $\dfrac{d}{dx}\left(\dfrac{dy}{dx}\right) = xe^x + \cos x,$ $\dfrac{dy}{dx} = \displaystyle\int (xe^x + \cos x)\,dx = xe^x - e^x + \sin x + C_1,$ also
    $$y = xe^x - 2e^x - \cos x + C_1 x + C_2.$$

2. Löse $x^2\dfrac{d^2y}{dx^2} + x\dfrac{dy}{dx} = a$!

    Es sei $p = \dfrac{dy}{dx}$, dann ist $\dfrac{d^2y}{dx^2} = \dfrac{dp}{dx}$, und aus der gegebenen Gleichung wird $x^2\dfrac{dp}{dx} + xp = a$ oder $x\,dp + p\,dx = \dfrac{a}{x}\,dx.$

    Dann ist $xp = a \ln|x| + C_1,$ $x\dfrac{dy}{dx} = a \ln|x| + C_1,$ $dy = a \ln|x|\dfrac{dx}{x} + C_1\dfrac{dx}{x},$ also $y = \tfrac{1}{2}a \ln^2|x| + C_1 \ln|x| + C_2.$

3. Löse $xy'' + y' + x = 0$!

    Es sei $p = \dfrac{dy}{dx}$. Dann ist $\dfrac{d^2y}{dx^2} = \dfrac{dp}{dx}$ und aus der gegebenen Gleichung wird
    $$x\dfrac{dp}{dx} + p + x = 0 \quad \text{oder} \quad x\,dp + p\,dx = -x\,dx.$$

    Damit: $xp = -\tfrac{1}{2}x^2 + C_1,$ $\dfrac{dy}{dx} = -\dfrac{1}{2}x + \dfrac{C_1}{x},$ also $y = -\tfrac{1}{4}x^2 + C_1 \ln|x| + C_2.$

4. Löse $\dfrac{d^2y}{dx^2} - 2y = 0$!

Da $\dfrac{d}{dx}(y'^2) = 2y'y''$, ergibt die Multiplikation der gegebenen Gleichung mit $2y'$

$$2y'y'' = 4yy' \qquad y'^2 = 4\int yy'\,dx = 4\int y\,dy = 2y^2 + C_1.$$

Dann ist $\quad \dfrac{dy}{dx} = \sqrt{2y^2 + C_1}, \qquad \dfrac{dy}{\sqrt{2y^2 + C_1}} = dx, \qquad \ln|\sqrt{2}\,y + \sqrt{2y^2 + C_1}| = \sqrt{2}\,x + \ln C_2'.$

und

$$\sqrt{2}\,y + \sqrt{2y^2 + C_1} = C_2 e^{\sqrt{2}\,x}.$$

5. Löse $y'' = -\dfrac{1}{y^3}$!

Multiplikation mit $2y'$ ergibt $2y'y'' = -\dfrac{2y'}{y^3}$. Dann ist

$$(y')^2 = \dfrac{1}{y^2} + C_1, \qquad \dfrac{dy}{dx} = \dfrac{\sqrt{1 + C_1 y^2}}{y}, \qquad \dfrac{y\,dy}{\sqrt{1 + C_1 y^2}} = dx, \qquad \sqrt{1 + C_1 y^2} = C_1 x + C_2$$

und

$$(C_1 x + C_2)^2 - C_1 y^2 = 1.$$

6. Löse $\dfrac{d^2y}{dx^2} + 3\dfrac{dy}{dx} - 4y = 0$!

Hier ist $m^2 + 3m - 4 = 0$ und $m = 1, -4$. Die allgemeine Lösung ist $y = C_1 e^x + C_2 e^{-4x}$.

7. Löse $\dfrac{d^2y}{dx^2} + 3\dfrac{dy}{dx} = 0$!

Hier ist $m^2 + 3m = 0$ und $m = 0, -3$. Die allgemeine Lösung ist $y = C_1 + C_2 e^{-3x}$

8. Löse $\dfrac{d^2y}{dx^2} - 4\dfrac{dy}{dx} + 13y = 0$!

Hier ist $m^2 - 4m + 13 = 0$, und die Wurzeln sind $m_1 = 2 + 3i$ und $m_2 = 2 - 3i$. Die allgemeine Lösung ist

$$y = C_1 e^{(2+3i)x} + C_2 e^{(2-3i)x} = e^{2x}(C_1 e^{3ix} + C_2 e^{-3ix}).$$

Da $e^{iax} = \cos ax + i\sin ax$, ist dann $e^{3ix} = \cos 3x + i\sin 3x$, $e^{-3ix} = \cos 3x - i\sin 3x$, und die Lösung kann in die Form

$$\begin{aligned}
y &= e^{2x}\{C_1(\cos 3x + i\sin 3x) + C_2(\cos 3x - i\sin 3x)\} \\
&= e^{2x}\{(C_1 + C_2)\cos 3x + i(C_1 - C_2)\sin 3x\} \\
&= e^{2x}(A\cos 3x + B\sin 3x)
\end{aligned}$$

gebracht werden.

9. Löse $\dfrac{d^2y}{dx^2} - 4\dfrac{dy}{dx} + 4y = 0$!

Hier ist $m^2 - 4m + 4 = 0$ und $m = 2, 2$. Die allgemeine Lösung ist $y = C_1 e^{2x} + C_2 x e^{2x}$

10. Löse $\dfrac{d^2y}{dx^2} + 3\dfrac{dy}{dx} - 4y = x^2$!

Nach Aufg. 6 ist $y = C_1 e^x + C_2 e^{-4x}$ die Ergänzungsfunktion.

Um ein spezielles Integral der Gleichung zu finden, bemerke man, daß die rechte Seite $R(x) = x^2$ ist. Das legt ein spezielles Integral nahe, das einen Term in x^2 und eventuell andere Terme aus schrittweiser Differentiation enthält. Wir nehmen an, es habe die Form $y = Ax^2 + Bx + C$, wobei die Konstanten A, B, C zu bestimmen sind.

Setze $y = Ax^2 + Bx + C$, $y' = 2Ax + B$, $y'' = 2A$ in die Differentialgleichung ein! Damit wird

$$2A + 3(2Ax + B) - 4(Ax^2 + Bx + C) = x^2, \qquad -4Ax^2 + (6A - 4B)x + (2A + 3B - 4C) = x^2.$$

Da dies eine Identität in x ist, folgt $-4A = 1$, $6A - 4B = 0$, $2A + 3B - 4C = 0$.

Damit wird $A = -\frac{1}{4}$, $B = -\frac{3}{8}$, $C = -\frac{13}{32}$, und $y = -\frac{1}{4}x^2 - \frac{3}{8}x - \frac{13}{32}$ ist ein spezielles Integral.

Also ist $y = C_1 e^x + C_2 e^{-4x} - \frac{1}{4}x^2 - \frac{3}{8}x - \frac{13}{32}$ die allgemeine Lösung.

11. Löse $\dfrac{d^2y}{dx^2} - 2\dfrac{dy}{dx} - 3y = \cos x$!

Hier ist $m^2 - 2m - 3 = 0$, $m = -1, 3$, und die Ergänzungsfunktion ist $y = C_1 e^{-x} + C_2 e^{3x}$! Die rechte Seite der Differentialgleichung legt ein spezielles Integral von der Form $A\cos x + B\sin x$ nahe.

Die Substitution $y = A\cos x + B\sin x$, $\quad y' = B\cos x - A\sin x$, $\quad y'' = -A\cos x - B\sin x$ in der Differentialgleichung ergibt

$$(-A\cos x - B\sin x) - 2(B\cos x - A\sin x) - 3(A\cos x + B\sin x) = \cos x$$
$$-2(2A + B)\cos x + 2(A - 2B)\sin x = \cos x .$$

Dann ist $-2(2A + B) = 1$, $A - 2B = 0$ und $A = -\frac{1}{5}$, $B = -\frac{1}{10}$.

Die allgemeine Lösung ist $C_1 e^{-x} + C_2 e^{3x} - \frac{1}{5}\cos x - \frac{1}{10}\sin x = y$.

12. Ein an einer Feder befestigtes Gewicht bewegt sich gemäß der Bewegungsgleichung $\dfrac{d^2s}{dt^2} + 16s = 0$ auf und ab, wobei s die Auslenkung der Feder zur Zeit t ist. Bestimme s in Abhängigkeit von t, wenn $s = 2$ und $\dfrac{ds}{dt} = 1$ zur Zeit $t = 0$.

Hier ist $m^2 + 16 = 0$, $m = \pm 4i$, und die allgemeine Lösung ist $s = A\cos 4t + B\sin 4t$!

$t = 0$ ergibt $s = 2 = A$, so daß $s = 2\cos 4t + B\sin 4t$

$t = 0$ ergibt $ds/dt = 1 = -8\sin 4t + 4B\cos 4t = 4B$ und $B = \frac{1}{4}$.

Somit ist die gesuchte Gleichung $s = 2\cos 4t + \frac{1}{4}\sin 4t$.

13. Der elektrische Strom in einem bestimmten Stromkreis ist durch die Gleichung $\dfrac{d^2I}{dt^2} + 4\dfrac{dI}{dt} + 2504\,I = 110$ gegeben. Bestimme I in Abhängigkeit von t, wenn zur Zeit $t = 0$ gilt $I = 0$ und $\dfrac{dI}{dt} = 0$!

$m^2 + 4m + 2504 = 0$, $m = -2 + 50i$, $-2 - 50i$; die Ergänzungsfunktion ist also $e^{-2t}(A\cos 50t + B\sin 50t)$

Ein spezielles Integral ist $I = 110/2504 = 0,044$.

Also ist die allgemeine Lösung $I = e^{-2t}(A\cos 50t + B\sin 50t) + 0,044$.

Für $t = 0$ ist $I = 0 = A + 0,044$, daher ist $A = -0,044$.

Für $t = 0$ ist $\dfrac{dI}{dt} = 0 = e^{-2t}[(-2A + 50B)\cos 50t - (2B + 50A)\sin 50t] = -2A + 50B$.

Dann ist $B = -0,0018$, und die gesuchte Beziehung ist $I = -e^{-2t}(0,044\cos 50t + 0,0018\sin 50t) + 0,044$.

14. Eine 4 m lange Kette beginnt von einem Dach zu gleiten, von dem sie zu Beginn 1 m überhängt. Bestimme unter Vernachlässigung der Reibung

(a) die Geschwindigkeit, mit der sie heruntergleitet und *(b)* die Zeit, die zum Heruntergleiten benötigt wird!

Es sei s die Länge der Kette, die zur Zeit t an der Dachkante überhängt.

(a) Die Kraft F, die die Kette zum Gleiten bringt, ist das Gewicht des Teils, der an der Kante überhängt.

Kraft $=$ Masse $\times$ Beschleunigung $= ms'' = \frac{1}{4}mgs$ oder $s'' = \frac{1}{4}gs$

$2s's'' = \frac{1}{2}gss'$ und $(s')^2 = \frac{1}{4}gs^2 + C_1$

Für $t = 0$ ist $s = 1$ und $s' = 0$; dann ist $C_1 = -\frac{1}{4}g$ und $s' = \frac{1}{2}\sqrt{g}\ \sqrt{s^2 - 1}$.

Für $s = 4$ ist $s' = \frac{1}{2}\sqrt{15g}$ m/sec.

(b) $\dfrac{ds}{\sqrt{s^2 - 1}} = \frac{1}{2}\sqrt{g}\ dt$ und $\ln|s + \sqrt{s^2 - 1}| = \frac{1}{2}\sqrt{g}\ t + C_2$

Für $t = 0$ ist $s = 1$. Dann ist $C_2 = 0$ und $\ln(s + \sqrt{s^2 - 1}) = \frac{1}{2}\sqrt{g}\ t$.

Für $s = 4$ ist $t = \dfrac{2}{\sqrt{g}}\ln(4 + \sqrt{15})$ sec.

15. Ein Boot von 750 kg Masse hat eine Geschwindigkeit von 6 m/sec, als die Maschine angehalten wird ($t = 0$). Der Widerstand des Wassers ist proportional der Geschwindigkeit und beträgt 900 N zur Zeit $t = 0$. Wie weit wird sich das Boot bewegt haben, wenn die Geschwindigkeit auf 1,5 m/sec gesunken ist?

Sei s der Weg, den das Boot t sec nach Anhalten der Maschine zurückgelegt hat.

$$ms'' = -Ks' \quad \text{oder} \quad s'' = -ks'$$

Zur Bestimmung von k: Zur Zeit $t = 0$ ist $s' = 6$, $s'' = \dfrac{\text{Kraft}}{\text{Masse}} = -\dfrac{900}{750} = -\dfrac{6}{5}$ und $k = \dfrac{1}{5}$.

$s'' = \dfrac{dv}{dt} = -\dfrac{v}{5}$, $\ln v = -\dfrac{1}{5}t + C_1$ und $v = C_1 e^{-t/5}$.

Für $t = 0$ ist $v = 6$. Dann ist $C_1 = 6$, $v = \dfrac{ds}{dt} = 6e^{-t/5}$ und $s = -30e^{-t/5} + C_2$.

Für $t = 0$ ist $s = 0$. Dann ist $C_2 = 30$ und $s = 30(1 - e^{-t/5})$.

Für $v = 1,5 = 6e^{-t/5}$ ist $s = 30\left(1 - \frac{1}{4}\right) = 22{,}5\,\text{m}$.

ERGÄNZUNGSAUFGABEN

Löse:

16. $\dfrac{d^2y}{dx^2} = 3x + 2$ *Lsg.* $y = \frac{1}{2}x^3 + x^2 + C_1 x + C_2$.

17. $e^{2x}\dfrac{d^2y}{dx^2} = 4(e^{4x} + 1)$ *Lsg.* $y = e^{2x} + e^{-2x} + C_1 x + C_2$.

18. $\dfrac{d^2y}{dx^2} = -9\sin 3x$ *Lsg.* $y = \sin 3x + C_1 x + C_2$.

19. $x\dfrac{d^2y}{dx^2} - 3\dfrac{dy}{dx} + 4x = 0$ *Lsg.* $y = x^2 + C_1 x^4 + C_2$.

20. $\dfrac{d^2y}{dx^2} - \dfrac{dy}{dx} = 2x - x^2$ *Lsg.* $y = x^3/3 + C_1 e^x + C_2$.

21. $x\dfrac{d^2y}{dx^2} - \dfrac{dy}{dx} = 8x^3$ *Lsg.* $y = x^4 + C_1 x^2 + C_2$.

22. $\dfrac{d^2y}{dx^2} - 3\dfrac{dy}{dx} + 2y = 0$ *Lsg.* $y = C_1 e^x + C_2 e^{2x}$.

23. $\dfrac{d^2y}{dx^2} + 5\dfrac{dy}{dx} + 6y = 0$ *Lsg.* $y = C_1 e^{-2x} + C_2 e^{-3x}$.

24. $\dfrac{d^2y}{dx^2} - \dfrac{dy}{dx} = 0$ *Lsg.* $y = C_1 + C_2 e^x$.

25. $\dfrac{d^2y}{dx^2} - 2\dfrac{dy}{dx} + y = 0$ *Lsg.* $y = C_1 x e^x + C_2 e^x$.

26. $\dfrac{d^2y}{dx^2} + 9y = 0$ *Lsg.* $y = C_1 \cos 3x + C_2 \sin 3x$.

27. $\dfrac{d^2y}{dx^2} - 2\dfrac{dy}{dx} + 5y = 0$ *Lsg.* $y = e^x (C_1 \cos 2x + C_2 \sin 2x)$.

28. $\dfrac{d^2y}{dx^2} - 4\dfrac{dy}{dx} + 5y = 0$ *Lsg.* $y = e^{2x} (C_1 \cos x + C_2 \sin x)$.

29. $\dfrac{d^2y}{dx^2} + 4\dfrac{dy}{dx} + 3y = 6x + 23$ *Lsg.* $y = C_1 e^{-x} + C_2 e^{-3x} + 2x + 5$.

30. $\dfrac{d^2y}{dx^2} + 4y = e^{3x}$ *Lsg.* $y = C_1 \sin 2x + C_2 \cos 2x + e^{3x}/13$.

31. $\dfrac{d^2y}{dx^2} - 6\dfrac{dy}{dx} + 9y = x + e^{2x}$ *Lsg.* $y = C_1 e^{3x} + C_2 x e^{3x} + e^{2x} + \dfrac{x}{9} + \dfrac{2}{27}$.

32. $\dfrac{d^2y}{dx^2} - y = \cos 2x - 2\sin 2x$ *Lsg.* $y = C_1 e^x + C_2 e^{-x} - \frac{1}{5}\cos 2x + \frac{2}{5}\sin 2x$.

33. Ein Teilchen der Masse m, das sich in einem Medium mit einem Widerstand proportional der Geschwindigkeit bewegt, wird von einer Kraft angezogen, die proportional der Wegänderung ist. Bestimme die Bewegungsgleichung, wenn zur Zeit $t = 0$ gilt: $s = 0$ und $s' = v_0$!

    Hinweis: Hier gilt $m\dfrac{d^2s}{dt^2} = -k_1\dfrac{ds}{dt} - k_2 s$ oder $\dfrac{d^2s}{dt^2} + 2b\dfrac{ds}{dt} + c^2 s = 0$, $b > 0$.

Lsg. Für $b^2 = c^2$ gilt $s = v_0 t e^{-bt}$

    Für $b^2 < c^2$ gilt $s = \dfrac{v_0}{\sqrt{c^2 - b^2}} e^{-bt} \sin\sqrt{c^2 - b^2}\, t$

    Für $b^2 > c^2$ gilt $s = \dfrac{v_0}{2\sqrt{b^2 - c^2}} \left(e^{(-b + \sqrt{b^2 - c^2})t} - e^{(-b - \sqrt{b^2 - c^2})t}\right)$.

SACHVERZEICHNIS